KB196592

조선과 몽골

최덕중·박지원·서호수의 여행기에 나타난 몽골 인식

Chosun and the Mongols

Understanding of the Mongols represented in the travel books of Choi-Dukjung, Park-Jiwon and Seo-Hosoo

2010

박 원 길

조선과 몽골

첫 번째 발행일 2010년 03월 23일
두 번째 발행일 2015년 03월 21일

펴낸이 유재현
기획편집 김석기 이혜영 박용란
마케팅 장만
디자인 박정미
인쇄제본 영신사
필름출력 ING
종이 한서지업사

펴낸곳 소나무
등록 1987년 12월 12일 제2013-000063호
주소 412-190 경기도 고양시 덕양구 현천동 121-6
전화 02-375-5784
팩스 02-375-5789
전자우편 sonamoopub@empas.com
책값 30,000원

ISBN 978-89-7139-564-6 93910

소나무

조선과 몽골

서문

몽골사를 전공하는 필자가 조선시대의 역사를 관심 있게 바라보게 되리라는 것은 사실 내 자신도 아직 이해하지 못할 정도로 의외이고 파격이었다. 고려시대의 몽골에 대해서는 10여 년 전부터 관심 있게 바라보고 있었고 또 나름대로의 시각도 정립했지만, 그동안 필자의 주변 여건 상 그것을 책으로 정리할 시간의 행운이 주어지지 않았다. 그런데 시간이 나자 고려에 앞서 조선을 다루는 원치 않은 배반을 하는 운명이 되었다.

명대의 사상가에 이탁오李卓吾라는 인물이 있다. 그는 "나이 오십 이전의 나는 한 마리 개에 불과했다. 앞에 있는 개가 자기 그림자를 보고 짖으면 나도 같이 따라 짖었던 것이다"라고 외치면서 관직을 사임했다. 그리고 역사 연구에 집중해 유불선을 통합한 독자적 사상체계를 세우면서 국가이념화하고 있던 주자학의 폐단을 정면으로 공격하고 나섰다.

그러나 터전을 잃어버린 늑대는 상갓집 개보다도 못하다는 말이 있듯이 그의 시대는 그를 받아주지 않았다. 명나라 정부는 "감히 거짓 도를 부르짖으며 세상과 백성을 우롱한다"는 죄명으로 그를 옥에 가두었다. 옥에 갇힌 그는 시대와의 불화를 탓하기보다 동심童心과 지행합일知行合一의 새로운 세계를 꿈꾸며 자결했다. 참으로 초원의 늑대와 같은 사나이였다. 그의 인생역정을 생각하면 다음과 같은 초원의 시 구절이 저절로 떠오른다.

> 푸른 하늘은 검은 구름에 가렸고
> 홀로 남은 늑대의 눈은 피눈물에 가려졌다.
> 서리같이 하얀 달이
> 초원의 가을밤에 처절하게 걸려 있었다.

북방의 속담에 "늑대는 바람을 따라 움직인다"는 말이 있다. 바람을 가르며 초원의 꿈과 야망을 조절하는 늑대는 북방민족의 자유롭고 강인한 열정의 혼이다. 초원의 법칙은 영원한 하늘(Möngke Tenggeri)이 정한다. 그래서 "초원에는 평온함 뒤에 평온함이 없고 위험 뒤에는 또 다른 위험이 따른다"는 말처럼 신바람과 피눈물의 땅이 되었다. 바로 그 땅에서 우리 문화의 원형이 시작되었다.

그러나 그 땅에서 시작된 우리민족의 역사는 아직도 철학적이나 역사적으로 제대로 정립되어 있지 않다. 우리민족의 건국설화조차 "최초의 신화가 깨어져 보석가루처럼 흩날린다"는 말이 어울릴 정도로 사방에 흩어진 채 오늘에 이르고 있다. 북방문화에 대한 연구는 맥족이 출현하는 고대부터 현대의 한·몽 관계에 이르기까지 역사·철학적으로 확고히 정립할 필요가 있다. 철학과 비전이 없는 학문이나 국가는 정말 허망한 것이다. 세계 각지에 정체성(identity)이 서로 다른 문명권이 존재하는 이상 우리민족을 지탱하는 철학과 비전은 우리가 속한 문화의 원류를 인식하고 그것을 토대로 만들어져야 한다. 그리고 그것을 바탕으로 주변과 건강한 교류를 할 때 우리민족은 진정 인류사에 기억되는 가치를 남길 수 있다.

필자가 이 책을 쓰게 된 동기는 2007년 성균관대학교 동아시아 지역연구소의 이희옥 교수, 김동택 교수와의 만남에서 비롯되었다. 당시 동아시아 지역연구소는 "아시아 각국과 한국의 문명교류사" 프로젝트를 추진하고 있었는데 필자도 연구진의 일원으로 참가하여 한·몽 관계사 부분을 맡게 되었다. 그리고 몽골국의 C. 촐몽Цолмон교수와 함께 고대부터 현대에 이르는 한·몽 관계사 부분을 공동집필했다.

그런데 이 집필과정에서 『조선왕조실록』의 몽골 관계기록을 조사·정리해 보았는데 몽고蒙古, 달달達達, 달단韃靼, 북로北虜의 4가지 명칭으로 무려 604건(중복 제외 564건)에 이르는 방대한 분량의 기록이 나왔다. 이 기록 속에는 북원의 톡토-보카칸이 세종대왕에게 편지를 보내 명나라를 공동공격하자는 내용도 가감 없이 수록되어 있었다. 오히려 조선시대는 기록의 물량 면에서 고려시대를 능가하고 있었다.

그러자 갑자기 열망이 솟았다. 조선시대의 한·몽 관계는 어떤 모습일까. 고려의 멸망 이후 몽골과 단절된 채 살았던 조선인들의 몽골인식은 어떠했을까. 그것이 바로 오늘날의 한국인들이 몽골을 인식하는 기반이 아닐까. 그 인식을 가장 보편적으로 나타내 줄 수 있는 것이 기록의 나라 조선의 자랑인 연행록이 아닐까. 이것이 바로 본서를 쓰게 된 직접적인 이유이다. 그리고 2008년 3월 9일에 집필을 시작해 10월 22일에 끝마쳤다. 침식을 잊어가며 열정적으로 썼지만 워낙 둔재인지라 미흡함이 아직도 마음에 남는다.

필자는 이 책을 쓰면서 묘한 흥분을 느꼈는데 그것이 바로 서호수 때문이었다. 이탁오와는 성격이 달랐던 시대의 배반자 서호수, 그의 마음속에 꿈꾸었던 세계를 읽고자 무던히도 애를 썼지만 결국 시대의 숙제로 남겨둘 수밖에 없었다. 어찌 조선시대에 그와 같은 몽골전문가가 존재했으며 무슨 사연 때문에 우리의 역사에서 잊혀진 것일까. 지금 이 서문을 쓰는 몽골의 보르기-에르기에서도 그 의문이 떠나지 않는다.

보르기-에르기는 물안개 피는 언덕이란 뜻이다. 그러나 아름다운 지명과는 달리 칭기스칸의 신부인 버르테가 적군에게 잡혀간 피눈물의 땅이다. 2009년 5월 15일 밤에 도착한 사연이 많은 이 언덕에는 초원의 강한 봄바람이 밤새도록 휘몰아쳤다. 내 마음이 그래서였을까. 이 슬픈 사연의 언덕에 부는 바람의 숨소리가 마음에 사무친다. 그 소리는 먼 곳에서 울부짖는 늑대소리 같기도 하고, 구슬프게 울리는 피리 소리 같기도 하고, 또 한스러운 여인의 애절한 흐느낌 같기도 했다.

아름다운 밤하늘의 별빛, 그 아래에 격랑처럼 흐르는 바람, 그러는 사이에 빛보다 어둠이 더 많이 깃든 새벽이 밝아 왔다. 바로 그 옛날 이 새벽에 적군의 공격이 시작되었다. 아름다운 초원의 강 헤를렌이 만들어 낸 보르기-에르기 언덕은 서서히 떠오르는 햇빛을 받아 그야말로 눈부신 절경을 드러냈다. 그러나 그것도 잠시 버르테의 눈물과도 같은 눈송이가 방울방울 떨어져 흩날리기 시작했다.

그리고 칭기스칸의 고난과 야망이 깃든 푸른 호수로 향할 때부터 갑자기 눈송이는 피 섞인 눈보라로 변해 사방을 분간할 수 없을 정도로 휘몰아쳤다. 5월 중순의 눈보라를 뚫고 나아가자 한줄기 빛 속에서 회색 털을 가진 거대한 수늑대 한 마리가 나타나듯 헤를렌 강의 다리가 나타났다. 눈보라 속에 다리를 건너며 "인간은 밝은 곳에 있지만 늑대는 어두운 곳에 있으며, 늑대의 울부짖음은 멀리서는 들려도 가까이서는 오히려 들리지 않는다"는 말이 실감나게 떠올랐다.

필자의 주변에는 이 말과 어울리는 야생의 늑대들이 많았다. 서정록, 구해우, 정형진, 우실하, 손성태, 김운회, 오순제, 윤명철, 김일권, 김석규 선생 등이 그 대표적인 인물들이다. 하늘 위로 던져지는 것은 우리들의 영혼이고 땅으로 떨어지는 것은 껍데기뿐인 인생길에서 이들은 마음을 같이 하는 소중한 동지들이다. 초원의 사람들이 가장 중요하게 생각하는 것이 바로 사람의 마음이다.

5월의 푸른 호수는 그야말로 상쾌했다. 초원에서 가장 짙고도 강렬한 공포가 '황색 연기(모기떼)'와 '어두운 그림자(늑대 무리)'가 동시에 다가오는 것이다. 푸른 호수는 '황색 연기'의 고향이다. 또 그들은 푸른 머리란 뜻을 지닌 흡혈파리 허흐-투루우XӨX ТҮРҮҮ까지 동지로 삼고 있다. 모기, 파리, 늑대의 삼박자가 모두 갖추어진 곳이 바로 푸른 호수이다. 천둥과 번개, 비바람까지 합치면 모든 최악의 조건이 완비된 곳이다. 그러나 5월의 푸른 호수는 늑대 소리만 들릴 뿐 모기와 흡혈파리는 아직 모습을 숨기고 있었다.

울창한 숲으로 둘러싸인 푸른 호수에는 검은 심장(Khara-Jirügen)의 산이 비쳐 있다. 푸른 호수의 원천은 검은 심장의 산을 마주보면서 용솟음쳐 나오는 '검은 심장의 샘물(Khara-Jirügen-u rasiyan)'이다. 시원하고도 달콤한 이 샘물은 미래 영웅 칭기스칸을 키웠던 물이기도 하다. 검은 심장의 정상에서 이 샘물을 마시며 칭기스칸이 "어두운 밤의 수늑대, 대낮의 까마귀(khara söni gendü chino, gegeyen üdür khara keri'e)"라고 불렀던 그의 동반자들을 생각했다. 그리고 한국과 몽골이 역사·문화공동체를 이루어 미래의 동반자가 되기를 절실히 기원했다.

2010년은 한·몽 수교 20주년이 되는 해이다. 이 해를 앞둔 2009년에는 정말 사연이 많았다. 그 중 가장 먼저 기억나는 것이 한·몽 관계의 새로운 미래를 위해 2009년 2월 2일에 성립된 (사)코리아-몽골포럼이다. 인명진 이사장, 최기호 고문을 중심으로 구해우(운영위원장), 필자(정책위원장), 김석규(사무처장), 김현인(기획실장) 등으로 구성된 이 포럼은 양국의 역사·문화에 대한 상호이해를 통해 공동가치를 확인하고 그것을 역사적, 문화적, 경제적으로 실현하기 위해

결성되었다. 이 포럼의 결성에 형제와 같은 우정을 나타내며 도움을 주었던 D. 게렐Gerel 주한몽골대사와 P. 오치르바트Ochirbat 몽골 초대 대통령의 마음을 잊을 수 없다.

(사)코리아-몽골포럼이 실행단체라면 한국몽골학회는 학술연구단체이다. 몽골포럼의 형성과 함께 한국몽골학회도 대대적인 확장·개편이 이루어졌다. 필자의 절친한 벗인 이성규 교수가 2009년 1월 회장으로 필자는 부회장으로 취임했다. 한·몽 수교 20년에 맞추어 새로 개편된 한국몽골학회는 회원들의 학제간 공동연구 및 몽골 학자들과의 연계연구를 통해 한국의 몽골학을 세계적 수준으로 격상시킬 것이라 확신한다. 한국몽골학회와 (사)코리아-몽골포럼이 2개의 수레바퀴처럼 짝을 이루어 나간다면 한국의 몽골인식도 종전과는 다른 수준까지 올라갈 것이다.

덧붙여 이 책이 나오기까지 자료제공과 도움의 말을 아끼지 않았던 분들에게 감사를 표하고 싶다. 먼저 티베트어 전공자로 본서의 티베트어 표기를 교정해준 오기열 선생님에게 감사를 올린다. 또 필자의 질문에 성심껏 응해준 몽골국의 C. 촐몽Цолмон, Д. 바야르Баяр, Д. 에르덴바아타르Эрдэнэбаатар 교수 및 중국사회과학연구원의 올란(烏蘭) 교수에게 감사를 올린다.

아울러 이 책이 나오기 전까지 우둔한 필자를 음양으로 도와주고 격려해준 분들을 기억하고 싶다. 여기서 그 이름을 다 열거할 수는 없지만 언제나 변함없이 애정 어린 관심을 주시는 의부義父 최서면 국제한국연구원 원장님과 최근 동지의 결맹을 맺고 보르기-에르기와 푸른 호수의 길에 동행하여 함께 사색을 나눈 미래재단 상임이사 구해우 박사에게 감사를 올린다. 또 10년만에 재회한 아우 동북사범대학 권혁수 교수도 잊혀 지지 않는다. 그리고 열정의 화신과도 같은 인명진 목사님, 1990년부터 필자를 친동생처럼 보살펴준 주한몽골대사 Д. 게렐Гэрэл 형兄의 강렬한 눈빛도 떠오른다.

끝으로 이 책의 출판을 쾌히 승낙해 주신 유재현 사장님과 자료수집 및 집필과정에서 큰 도움을 준 제자 양혜숙 군에게도 깊은 감사를 올린다.

눈보라 치는 보르기-에르기와

바람 부는 푸른 호수에서

2009년 5월 15-17일

박원길

목차

제3부 여행기를 통해 본 조선시대의 몽골 인식

| 머리말 |

조선의 몽골 여행기와 주자학적 세계관

조선은 기록의 나라라고 해도 좋을 정도로 통치 계층인 양반들은 물론 중인들까지도 다방면에서 많은 기록을 남겼다. 이러한 기록의 열풍은 그들이 주변 제국인 명이나 청나라, 일본 등을 공식방문한 후 남긴 보고서, 즉 여행기에도 그대로 반영되고 있다. 이러한 여행기의 가치가 주목을 받기 시작한 것은 오래전의 일이지만 본격적인 연구는 최근에 들어 행해지고 있다. 이 같은 원인은 그동안 자료 수집의 어려움과 여행기 연구 자체가 큰 주목을 받지 못하는 주변 환경 때문이었다.

근래 임기중林基中 교수의 연구에서도 나타나듯이 조선의 여행기는 존재가 밝혀진 것만 500여 종에 이른다. 이러한 방대한 숫자의 여행기는 그 당시 세계의 어느 나라에서도 유래가 없다고 해도 좋을 정도이다. 이러한 점에서 조선은 여행기의 나라라고 해도 지나친 말이 아니다. 그러나 이러한 여행기가 유럽을 뒤흔든 마르코폴로의 『동방견문록』처럼 나라 전체를 새로운 이념의 충격으로 몰아가지 못했다는 것은 무엇 때문일까. 그것은 아무래도 여행기가 주는 신선한 마력, 다시 말해 새로운 시대이념을 주도할 만큼 이념적인 파괴력을 지니기 못했기 때문일 것이다. 이는 여행기를 집필하는 주도층이 어느 특정한 이념에 사로잡혀 사상적인 속박에서 벗어나지 못했다는 뜻과도 같다.

필자는 근래 조선시대 여행기 약 70종을 분석하면서 매우 뜻밖의 사실에 주목했다. 즉 분석 대상의 절반에 해당하는 여행기에 몽골 관계 기록이 단편적으로, 혹은 꽤 심도 있게 실려 있다는 것이었다. 조선과 몽골, 어딘가 어울리지 않는 관계이지만, 여행기의 기록들은 두 나라가 지속적으로 관계를 맺었음을 말없이 증명해 주고 있었다. 이를 도대체 어떻게 해석해야 하는 하는가. 그것이 이 책을 쓰게 된 동기였다. 과연 조선시대 사대부들은 몽골을 어떻게 인식하고 있었을까.

필자는 조선시대 여행기 가운데 여행길이나 견문見聞의 심도, 기록의 정밀성, 관찰시각을 기준으로 3편을 집중 분석대상으로 골랐다. 그것이 최덕중의 『연행록』, 박지원의 『열하일기』, 서호수의 『연행기』이다. 이 3편의 여행기는 만주와 몽골의 연합정권으로 태어난 대청제국의 실상을 가장 잘 보여줄 수 있는 강희·건륭 시대의 여행기라는 특징과 함께, 서로 다른 시각의 인물들이 남긴 관찰기라는 점에서 나름대로의 대표성을 지니고 있다. 아마 이 3편에 나타난 몽골 인식은 주자학의 세계에 살았던 조선시대 지식인들의 대외 인식과 그 한계를 극명하게 보여줄지도 모른다.

필자는 이 여행기를 분석하면서 매우 뜻밖의 인물을 만났다. 그것은 바로 서호수였다. 먼저 서호수의 몽골에 대한 기록은 1910~1920년대에 작성된 일본 학자들의 초기 몽골 보고서와 비교해 전혀 뒤지지 않는 수준임을 밝혀둔다. 그리고 내용도 분야를 달리하는 학자들이 연합해야 가능할 정도로 다방면에 걸쳐 세밀한 관찰기록으로 이루어져 있다. 20세기 초에나 가능한 기록이 18세기 말에, 그것도 주자학의 세계인 조선에서 나왔다는 것이 실로 놀랍다.

현재까지 역사학계에서 서호수란 인물에 대해서 크게 주목한 적은 없다. 그런데 막상 서호수를 추적하자마자 그가 왜 지금까지 주목받지 못했을까가 이상할 정도로 당시의 주자학적 세계 질서를 깰 수도 있었던 인물로 나타났다. 어마어마한 사상적 파괴력을 가질 수 있었던 이 인물이 그렇게 손쉽게 잊힌 데에는 무슨 사연이 있지 않으면 안 된다. 이 책은 서호수에게 바치는 찬사라고 해도 과언이 아닐 정도로 그의 기록을 집중 분석하고 추적했다. 필자는 그동안 우리가 잊고 있었던 희대의 천재 서호수의 사상이 이 책을 서막으로 오늘날에 재조명 받으며 부활하기를 염원한다.

제1부 조선의 몽골 여행 기록

제1장 조선시대의 여행기

조선시대 여행기는 일반적으로 조천록朝天錄이나 연행록燕行錄이라고 통칭되고 있다. 조천록은 천조天朝인 명나라에 조근朝覲한 기록이란 뜻이며, 연행록燕行錄이란 청나라의 수도인 연경燕京, 즉 북경에 사행한 기록이란 뜻이다. 종래 조천록이나 연행록이란 이름으로 소개된 조선시대 여행기의 의미와 성격에 대해서는 이미 많은 연구 논저가 나와 있다.[1] 그러나 조선시대 여행기에 대한 본격적인 연구는 임기중 교수의 언급처럼 지금부터라고 해도 과언이 아닐 정도로 그동안 밝혀지지 않았던 많은 종류의 여행기들이 속출하고 있다. 그 수는 이미 500여 종을 넘고 있을 정도다.

사실 일반적인 관례상 사신단이 파견되어 귀국하면 사무적인 실무를 맡은 서장관이 조정에 보고서를 제출할 의무가 있다는 점을 감안할 때, 이보다 많은 여행기가 어떤 형태로든지 남아 있다고 볼 수 있다. 이는 청나라가 들어

1) 연행록에 대한 기존의 연구 논저 가운데 대표적인 것으로는 조규익 편, 『연행록연구총서』 10권, 서울, 2006 및 최소자, 『18세기 연행록과 중국사회』, 서울, 2007 등을 들 수 있다.

선 인조 23년(1645) 이후부터 고종 30년(1893)까지의 249년간의 교섭에서, 정기 사행이 498회이며 그밖에 별사재자別使齎咨 등의 사행을 합하면 최소 700회의 사행이 왕래했다는 점에서도 그 가능성을 충분히 엿볼 수 있다.

현존하는 여행기 중에서 가장 대표적인 것이 김창업金昌業의 『노가재연행록老稼齋燕行錄』(1712), 홍대용洪大容의 『을병연행록(湛軒燕記)』(1765), 박지원朴趾源의 『열하일기熱河日記』(1780), 김경선金景善의 『연원직지燕轅直指』(1832)이다. 이 가운데 김창업의 여행기는 이후 여행기의 저본底本이 되었다고 해도 좋을 만큼 지침서적인 역할을 수행했다. 또한 이 여행기들의 특징은 공식 사절단의 서장관書狀官 신분인 김경선을 제외하면, 모두 자제군관의 자격으로 마음껏 그 사회를 관찰할 수 있었던 자유 신분의 여행객들이 남긴 기록이라는 점이다.[2] 즉 저자들의 관찰과 창의력이 곳곳에 투영된 여행기라는 공통점을 지니고 있다.

그러나 고정된 시대이념(주자학)을 가진 특정 시대의 지식인들에게 지정된 여행루트에 대한 지침서가 등장했다는 것은 우리에게는 일종의 불운이라고 할 수 있다. 여행이란 이념의 접촉과 함께 개인의 세계를 보는 눈을 키우는 기회이기 때문에 창의력을 마음대로 발산할 수 있는 자유로움이 필요하다. 사신단의 공식 보고서가 아닌 수행 여행기에 이러한 족쇄가 붙었다는 것은 후대의 여행자들에게 새로운 관찰시각을 억제해 유사한 복제품 여행기만이 되풀이 될 우려가 있다. 이러한 우려는 불행하게도 후대의 여행기에 그대로 현실화되었다. 이로 인해 그 많은 여행기들은 특정 지역에 대한 시대적 변천

2) 김경선의 여행기는 김창업, 홍대용, 박지원의 여행기록을 종합하면서 자기의 의견을 삽입하는 방식을 취하고 있다. 그가 공식사절단의 서장관이었음에도 불구하고 이러한 백과전서적인 공식 보고서를 제출한 것은 종래의 공식보고서와 비교하면 매우 이례적이라 할 수 있다. 필자는 이러한 보고방식이 가능하게 된 근본 이유를 당시 동요하는 시대 상황과 이념이 그것을 가능하게 만들었다고 보고 있다. 사실 이 보고서를 자세히 음미하면 그 속에 무언가의 변화를 바라는 시대적 욕구와 그것을 억누르는 분위기가 묘하게 섞여 있다는 느낌을 강하게 받는다.

의 흐름을 관찰하는 데는 도움이 되었지만, 마르코폴로의 『동방견문록』처럼 이념과 가치의 창출을 통한 시대 변혁의 동력으로 자리매김하는 데는 실패했다.

필자는 현존하는 여행기 500여 종을 다 살펴보지 못했다. 필자가 분석 대상의 자료로 삼은 여행기는 기존의 대표적인 4대 여행기를 포함해 조선 건국 무렵부터 조선 말기에 이르는 대략 70종이다. 그것을 시대별로 제시하면 다음과 같다.

정도전鄭道傳의 『봉사잡록奉使雜錄』(1384)과 『중봉사록重奉使錄』(1390), 정몽주鄭夢周의 『사행시使行詩』(1386), 권근權近의 『봉사록奉使錄』(1389), 최부崔溥의 『표해록漂海錄』(1488), 소세양蘇世讓의 『부경일기赴京日記』(1533), 권벌權橃의 『조천록朝天錄』(1539), 정사룡鄭士龍의 『갑진조천록甲辰朝天錄』(1544), 조헌趙憲의 『동환봉사東還封事』(1574) 및 『조천일기朝天日記』(1574), 허봉許篈의 『조천기朝天記』(1574), 최립崔岦의 『정축행록丁丑行錄』(1577)과 『신사행록辛巳行錄』(1581), 『계사행록癸巳行錄』(1593), 『갑오행록甲午行錄』(1594), 오억령吳億齡의 『조천록(상)朝天錄(上)』(1591) 및 『조천록(하)朝天錄(下)』(1608), 정곤수鄭崐壽의 『부경일록赴京日錄』(1592), 정철鄭澈의 『조천시朝天詩』(1593), 권협權悏의 『연행록燕行錄』(1597), 이항복李恒福의 『조천록朝天錄』(1598), 이정귀李廷龜의 『무술조천록戊戌朝天錄』(1598)과 『갑진조천록甲辰朝天錄』(1604), 『병신조천록丙申朝天錄』(1616), 『경신조천록庚申朝天錄』(1620), 『경신조천기사庚申朝天紀事』(1620), 『경신연행록庚申燕行錄』(1620), 김륵金玏의 『조천록朝天錄』(1602), 이민성李民宬의 『조천록朝天錄』(1623), 홍익한洪翼漢의 『조천항해록朝天航海錄』(1624), 김상헌金尙憲의 『조천록朝天錄』(1626), 김육金堉의 『조경일록朝京日錄』(1636), 이소한李昭漢의 『심관록瀋館錄』(1642), 정태화鄭太和의 『(기축)음빙록(己丑)飮氷錄』(1649) 및 『(임인)음빙록(壬寅)飮氷錄』(1662), 인평대군麟坪大君의 『연도기행燕途紀行』(1656), 강백년姜栢年의 『연경록燕

京錄』(1660), 박세당朴世堂의 『사연록使燕錄』(1668), 민정중閔鼎重의 『연행일기燕行日記』(1669), 김석주金錫胄의 『도초록擣椒錄』(1682), 남구만南九萬의 『갑자연행잡록甲子燕行雜錄』(1684)과 『병인연행잡록丙寅燕行雜錄』(1686), 오도일吳道一의 『병인연행일승丙寅燕行日乘』(1686), 김창집金昌集의 『연행훈지록燕行塤篪錄』(1712), 최덕중崔德中의 『연행록燕行錄』(1712), 김창업金昌業의 『연행일기燕行日記』(1712), 이의현李宜顯의 『경자연행잡지庚子燕行雜識』(1720), 『임자연행잡지壬子燕行雜識』(1732), 조문명趙文命의 『연행일기燕行日記』(1725), 조현명趙顯命의 『연행일기燕行日記』(1749), 홍대용洪大容의 『담헌연기湛軒燕記(을병연행록)』(1765), 이갑李押의 『연행기사燕行記事』(1777), 이덕무李德懋의 『입연기入燕記』(1778), 박제가朴齊家의 『연행시燕行詩』(1778·1790·1801), 채제공蔡濟恭의 『함인록含忍錄』(1778), 박지원朴趾源의 『열하일기熱河日記』(1780), 홍양호洪良浩의 『연운기행燕雲紀行』(1782), 서호수徐浩修의 『연행기燕行紀』(1790), 유득공柳得恭의 『난양록灤陽錄(熱河紀行詩)』(1790), 『연대재유록燕臺再遊錄』(1801), 김정중金正中의 『연행록燕行錄』(1791), 서유문徐有聞의 『무오연행록戊午燕行錄』(1798), 필자불명의 『계산기정薊山紀程』(1803), 필자불명의 『부연일기赴燕日記』(1828), 박사호朴思浩의 『심전고心田稿』(1828), 김경선金景善의 『연원직지燕轅直指』(1832), 서경순徐慶淳의 『몽경당일사夢經堂日史』(1855), 신좌모申佐模의 『연사기행燕槎紀行』(1855), 홍순학洪淳學의 『병인연행가丙寅燕行歌』(1866) 등 71종의 여행기를 분석의 대상으로 삼았다.

이 가운데 몽골 관계 기록이 실려 있는 여행기는 모두 39개이다. 이것을 시대별로 구분하면 원말명초 1건, 명대몽골사(북원) 14건, 청대몽골사 23건이다. 이 가운데 북경의 몽골관 기록이 실려 있는 여행기는 최덕중의 『연행록燕行錄』(1712), 김창업의 『연행일기燕行日記』(1712), 홍대용의 『담헌연기湛軒燕記(을병연행록)』(1765), 이갑의 『연행기사燕行記事』(1777), 필자불명의 『계산기정薊山紀程』(1803), 박사호의 『심전고心田稿』(1828), 김경선의 『연원직지燕轅直指』(1832),

서경순의 『몽경당일사夢經堂日史』(1855) 등 8건에 이른다. 이를 알기 쉽게 도표로 제시하면 다음과 같다.

NO	여행기	파견 연대	저자	지위	몽골 관계 기록
1	奉使雜錄	1384.7~1385.4	鄭道傳	書狀官	없음
2	重奉使錄	1390.6~1390.10	鄭道傳	政堂文學	없음
3	使行詩	1386.2~1386.6	鄭夢周	正使	없음
4	奉使錄	1389.6~1389.9	權近	副使	있음(원말명초)
5	漂海錄	1488.1~1488.6	崔溥	濟州推刷敬差官	있음(북원)
6	赴京日記	1533.12~1534.4	蘇世讓	正使	있음(북원)
7	朝天錄	1539.7~1539.12	權橃	正使	있음(북원)
8	甲辰朝天錄	1544.10~1545.2	鄭士龍	正使	있음(북원)
9	朝天日記	1574.5~1574.9	趙憲	質正官	있음(북원)
10	東還封事	1574.5~1574.9	趙憲	質正官	있음(북원)
11	朝天記	1574	許篈	書狀官	있음(북원)
12	丁丑行錄	1577	崔岦	質正官	없음
13	辛巳行錄	1581	崔岦	質正官	있음(북원)
14	朝天錄(上)	1591.10~1592.4	吳億齡	質正官	없음
15	赴京日錄	1592.8~1592.12	鄭崐壽	正使	없음
16	朝天詩	1593.5~1593.11	鄭澈	正使	없음
17	癸巳行錄	1593	崔岦	副使	없음
18	甲午行錄	1594	崔岦	副使	없음
19	燕行錄	1597.2~1597.5	權悏	正使	있음(북원)
20	朝天錄	1598.10~1599. 윤4월	李恒福	正使	있음(북원)
21	戊戌朝天錄	1598.10~1599. 윤4월	李廷龜	副使	없음
22	朝天錄	1602.10~1603.3	金玏	正使	없음
23	甲辰朝天錄	1604.3~1604.11	李廷龜	正使	없음
24	朝天錄(下)	1608	吳億齡	副使	없음
25	丙申朝天錄	1616.11~1620.8	李廷龜	正使	없음
26	庚申朝天錄	1620.3~1620.9	李廷龜	正使	없음
27	庚申朝天紀事	1620.3~1620.9	李廷龜	正使	있음(북원)
28	庚申燕行錄	1620.3~1620.9	李廷龜	正使	있음(북원)
29	朝天錄	1623.4~1624.4	李民宬	書狀官	있음(북원)
30	朝天航海錄	1624.8~1625.4	洪翼漢	書狀官	있음(북원)
31	朝天錄	1626.5~1627.5	金尙憲	正使	없음
32	朝京日錄	1636.6~1637.6	金堉	正使	없음
33	瀋館錄	1642	李昭漢	세자빈객	없음
34	(己丑)飮氷錄	1649.3~1649.6	鄭太和	正使	없음

35	燕途紀行	1656.8~1656.12	麟坪大君	正使	있음(청대몽골)
36	燕京錄	1660.10~1661.2	姜栢年	副使	없음
37	(壬寅)飮氷錄	1662.7~1662.11	鄭太和	正使	없음
38	使燕錄	1668.10~1669.2	朴世堂	書狀官	없음
39	燕行日記	1669.10~1670.2	閔鼎重	正使	있음(청대몽골)
40	檮椒錄	1682.12~1683.3	金錫冑	正使	없음
41	甲子燕行雜錄	1684.12~1685.4	南九萬	正使	없음
42	丙寅燕行雜錄	1686.4~1686.11	南九萬	正使	없음
43	丙寅燕行日乘	1686.6~1686.11	吳道一	書狀官	있음(청대몽골)
44	燕行塤篪錄	1712.11~1713.3	金昌集	正使	있음(청대몽골)
45	燕行錄	1712.11~1713.3	崔德中	軍官	있음(청대몽골)•
46	燕行日記	1712.11~1713.3	金昌業	수행원	있음(청대몽골)•
47	庚子燕行雜識	1720.7~1720.12	李宜顯	正使	있음(청대몽골)
48	燕行日記	1725.4~1725.9	趙文命	書狀官	있음(청대몽골)
49	壬子燕行雜識	1732.7~1732.12	李宜顯	正使	없음
50	燕行日記	1749.9~1750.1	趙顯命	正使	없음
51	湛軒燕記	1765.11~1766.4	洪大容	수행원	있음(청대몽골)•
52	燕行記事	1777.7~1778.3	李坤	副使	있음(청대몽골)•
53	入燕記	1778.3~1778.7	李德懋	수행원	있음(청대몽골)
54-56	燕行詩	1778,1790,1801	朴齊家	수행원	없음
57	含忍錄	1778.3~1778.7	蔡濟恭	正使	있음(청대몽골)
58	熱河日記	1780.6~1780.10	朴趾源	수행원	있음(청대몽골)
59	燕雲紀行	1782.10~1783.3	洪良浩	正使	있음(청대몽골)
60	燕行紀	1790.5~1790.10	徐浩修	副使	있음(청대몽골)
61	灤陽錄 (熱河紀行詩)	1790.5~1790.10	柳得恭	徐浩修의 從官	있음(청대몽골)
62	燕行錄	1791.11~1792.3	金正中	수행원	있음(청대몽골)
63	戊午燕行錄	1798.10~1799.4	徐有聞	書狀官	있음(청대몽골)
64	燕臺再遊錄	1801.2~1801.6	柳得恭	수행원	없음
65	薊山紀程	1803.10~1804.3	필자불명	수행원	있음(청대몽골)•
66	赴燕日記	1828.4~1828.10	필자불명	醫官軍官	있음(청대몽골)
67	心田稿	1828.10~1829.4	朴思浩	軍官	있음(청대몽골)•
68	燕轅直指	1832.10~1833.4	金景善	書狀官	있음(청대몽골)•
69	夢經堂日史	1855.10~1856.1	徐慶淳	從事官	있음(청대몽골)•
70	燕槎紀行	1855.10~1856.2	申佐模	書狀官	없음
71	丙寅燕行歌	1866.4~1866.8	洪淳學	書狀官	없음

• 표시는 북경 몽골관에 대한 기록이 있는 것을 나타냄

먼저 위 여행기들을 대상으로 몽골 관계 기록여부를 분석한 결과, 위의 도표에 제시된 것처럼 분석 대상의 여행기 중 약 54%에 몽골 관계 기록이 단편적 또는 꽤 심도 있게 실려 있음이 나타났다. 간혹 연행시燕行詩 형태의 여행기에서도 심도 있는 기술이 나타나기도 했다. 위 여행기의 숫자는 지금까지 확인된 500여 종의 14%에 불과하다. 따라서 현재까지 알려진 500여 종의 연행록을 이 비율로 따져 모두 조사·분석할 경우, 조선시대 사람들의 몽골에 관한 기록은 우리의 상상을 초월할 정도로 곳곳에서 나타날 가능성이 높다. 즉 조선시대의 몽골을 살펴보기 위해서는 현존하는 모든 여행기의 몽골 부분에 대한 세밀한 연구가 필요하다는 느낌을 강하게 받았다.

다음 몽골 기록이 실린 여행기들을 보다 효과적으로 분석하기 위하여 아래와 같은 항목별로 체계적으로 나누어 비교하는 방식을 사용했다.

NO	비교 항목	내용
1	역사 사적	대몽골제국
		대원올로스
		북원(명나라 때의 몽골 방어선과 군사 충돌)
		대청제국(만주와 몽골의 군사 충돌)
2	몽골 지리	몽골의 지리적 위치 묘사
		몽골의 지명 및 강명
		몽골 부족의 숫자
3	몽골 부족	몽골 부족의 세부 기록
		유목 생활, 일반 습속, 북경 몽골관
4	몽골 습속	부락, 외형, 언어, 성격, 학자 및 관원, 교역
5	몽골인	낙타, 말, 개, 양과 염소, 소 및 기타
6	몽골 동물	만몽 국가연합 지배체제의 구축(청나라의 성격)
7	청나라와 몽골의 정치적 관계	몽골의 사절 및 지위
		만몽연혼사례
		피서산장의 의미
		몽골과 관련된 정치적 유언비어(동요)
8	청조의 몽골 통치 제도	몽골 팔기와 맹기제도

		몽골 관료와 이번원
		조선 사절단의 눈에 비친 라마교 사원
9	몽골인과 라마교	라마교의 역사와 역대 고승(원대·명대·청대)
		라마교의 교리
		청조와 라마교
10	몽골인과 접촉한 기록	조선 사절이 만난 몽골인들
11	북경 몽골관	기록 여부

이 항목을 분석한 결과 다음과 같은 두 가지 특징을 발견할 수 있었다.

첫째, 조선시대 여행기에서 몽골과 직접적인 관련이 있는 기록은 명대보다 청대에 집중되어 있다. 이는 청나라가 몽골과 연합을 이룬 국가라는 점에서 그 근본적인 원인을 찾을 수 있다. 즉 명대의 여행기에는 몽골에 대한 부분이 전문傳聞 위주의 단편적인 기록인 데 반하여, 청대의 여행기에는 견문見聞도 적지 않게 나타나고 있다. 명대에서 청대로 바뀌는 명말청초의 여행기에는 당시 몽골의 내부 사정을 반영하듯 청나라와 연합하거나 명나라 측에 서서 전투를 벌이는 몽골(북원)군에 대한 기록도 일부 나타나고 있다.

둘째, 시기별로 연속적으로 이어진 조선시대의 여행기는 몽골에 대한 부분만큼은 그 변화의 미묘한 부분까지 파악할 수 있을 정도로 귀중한 정보를 제공하고 있다. 이는 『고려사』나 고려시대 문집에 기록된 몽골 관련 정보와 비교해도 크게 손색이 없을 정도다. 이러한 정보의 존재는 조선인들이 직간접적으로 몽골을 의식하고 있었으며, 개인별로 나름대로의 인식이 자리 잡고 있음을 보여준다고 해도 과언이 아니다.

물론 이 여행기에 묘사된 몽골에 관한 기록이 모두 믿을 수 있을 정도로 정밀한 것은 아니다. 특히 시대가 내려갈수록 이전 시대의 기록을 답습하는 경향이 나타나기 때문에, 전문傳聞의 전문傳聞이 이어지는 현상도 나타나고 있다. 그러나 어느 시대, 어느 인물이 자기의 기준으로 몽골을 바라보고, 또 무언가를 느꼈다는 점에서 각 여행기들은 나름대로의 특징을 지니고 있다. 따라서 그것을 분석할 경우 조선시대 인물들의 몽골 인식정도가 드러날지 모른다. 그러나 우리가 과거의 역사에서 필요한 것은 몽골을 보았던 조선의 여행기 중 오늘날의 관점에서 볼 경우 연구할 만한 가치가 있는 것을 골라 그것을 재조명하는 일이 무엇보다 필요하다.

필자는 위의 여행기 중 여행루트나 견문見聞의 심도, 기록의 정밀성, 관찰시각을 기준으로 3편을 집중분석 대상으로 골랐다. 즉 현지의 몽골인과 운명적으로 만날 수밖에 없는 루트를 택한 서호수의 『연행기』, 청나라의 몽골 정책을 상징하는 피서산장 기록을 중심으로 이루어진 박지원의 『열하일기』, 군사방면의 전문가로 정세 판단과 관찰력이 뛰어난 최덕중의 『연행록』 3편을 골랐다. 이 3편의 여행기는 만주와 몽골의 연합정권으로 태어난 대청제국의 실상을 가장 잘 보여줄 수 있는 강희·건륭 시대의 여행기라는 특징과 함께, 서로 다른 시각의 인물들이 남긴 관찰기라는 점에서 나름대로의 대표성을 지니고 있다. 아마 이 3편에 나타난 몽골 인식은 주자학의 세계에 살았던 조선시대 지식인들의 대외 인식과 그 한계를 극명하게 보여줄지도 모른다.

제2장 최덕중·박지원·서호수의 여행기

1. 최덕중 여행기의 몽골 관계 기록과 특징

1712년 11월, 조선에서 정사正使 김창집金昌集, 부사副使 윤지인尹趾仁, 서장관書狀官 노세하盧世夏로 구성된 사절단(冬至兼謝恩使)을 북경에 파견했다. 최덕중은 윤지인의 수행군관으로 이 사절단에 참가했으며 『연행록燕行錄』이라는 여행기를 남겼다. 이 여행기는 1712년 11월 1일부터 다음해 3월 30일까지 약 5개월 동안의 기록으로 이루어져 있다. 여행기를 집필한 최덕중 본인에 대해서는, 그가 현감을 지낸 적이 있으며 영남 막료로 있다가 수행군관으로 차출되었다는 것 말고는 그의 신상이나 집안에 대해서 자세히 알 수 없다. 그러나 그의 여행기 내용으로 미루어 그가 군사정보 수집과 판세분석에 뛰어난 전문가라는 점은 의심할 바 없다.

이 사절단 파견의 배경과 목적은 최덕중이 쓴 서문에 자세히 나타나는데, 그것을 소개하면 다음과 같다.

> 아아! 지난 병자년丙子年에 국운이 막혀 청나라 기병이 침범하매 강도江都가 함락되었다. (조선 왕의) 기旗는 성에서 내려지고 대군은 볼모로 잡혔다. (그때) 처음 해마다 바치는 공물이 정해졌으며 사신들이 잇달아 오고갔다. 그 뒤 갑신년(1644)에 이르러 명나라의 황통皇統도 드디어 끝나 황제의 자리가 (청나라로) 넘어갔으니, (진실로) 하늘의 뜻을 믿기 어려웠다. 그 일을 어찌 차마 말하랴! 이 뒤부터는 동지冬至·정조正朝·천추절千秋節에 (각자 바치는 조선의) 특산물을 모두 한 사신에게 부쳐서 절사節使라 부르며, 새해 초에 바치기도 하였다. 임진년(1712)에 청나라가 백두산에 돌을 세워 경계를 확정하고, 예단禮單을 줄여서 (조선의) 특산물로 대체하도록 허가했다. (또 청나라에) 올리던 금金을 없애고 표피豹皮를 감하며, 국경을 (함부로) 넘은 (조선의) 변경 백성을 (잡아) 심문하고 조사하는 것을 면제하였다. 이 4건에 대한 각자의 문안을 갖추어서 특히 절사節使에게 그 고마움의 표시도 겸하도록 하였다. 그리하여 장동壯洞 상국相國 김창집金昌集을 정사正使, 명곡明谷 참판 윤지인尹趾仁을 부사副使, 장령 노세하盧世夏를 서장관書狀官으로 삼아서, 그해 동짓달 초사흗날 한양에서 길을 떠나게 되었다. 나는 부사의 편비偏裨로서 외람되게 그 뒤를 따랐다.[1]

즉 이 사절단은 1712년 조선과 청의 경계를 확정한 일, 청에서 예단을 줄여준 일, 진공하던 금을 혁파하고 표피를 줄여준 일, 함부로 국경을 넘은 조선의 변경 백성을 잡아 조사하는 것을 면제해준 일에 대한 사의를 표명하고자 파견된 것을 알 수 있다. 그러나 당시 조선의 국내 정세에서 이러한 표면적인 명분 이외에, 청나라의 군사력이나 방어시설 등을 은밀히 염탐하고 정보를 수집하는 데에도 주안점이 두어졌다.

---

1) 『연행록』「序」: 噫, 昔在丙子, 大運將否, 胡騎憑凌, 江都失險, 翠華下城, 大君爲質, 年貢始定, 信使相續, 逮至甲申, 明統已墜, 神器有畀, 天意難諶, 忍何言哉, 自此以後, 冬至,正朝, 千秋方物, 都付一使, 名曰節使, 及呈歲首, 壬辰之年, 淸國立石白山, 審定境界, 許減禮單, 移准方物, 旣革貢金, 又減豹皮, 邊民犯越, 免其査議, 以此四件, 又備四起, 特令節使兼其謝恩, 而壯洞金相國昌集爲正, 明谷尹參判尹趾仁爲副, 盧掌令世夏備書狀, 將以同年至月初三日, 自漢陽起程, 余以副使編裨, 猥隨其後.

이 때문에 최덕중의 여행기에는 청나라의 성곽 방어시설, 군사 규모, 군사 재정 등에 관하여 탐문한 기록이 많이 등장하고 있다. 또 그들과 연합정권을 이룬 몽골이나 그들에게 복속한 한족 관리들의 동태도 꼼꼼하게 살피려는 노력도 나타난다. 이것이 바로 최덕중의 여행기가 가지는 특징이라 할 수 있다.

군사정탐 스파이라는 막중한 임무를 지닌 최덕중이 누구인가는 정확히 파악할 수 없다. 그러나 그가 조선의 시대에 살았던 인물인 이상, 그의 보고서 역시 전통적인 화이론을 고수하면서도 현실은 그와 다르게 흘러가고 있다는 것을 기술해야만 하는 딜레마 속에 만들어지리라는 것은 의심할 바 없다. 이러한 그의 심정은 대몽골제국 시대 때 몽골로 파견된 동서양의 사절단들 가운데, 지배 인물부터 군사·습속·종교 등 모든 것을 관찰하고 기록할 임무를 지닌 카르피니John of Plano Carpini(1182~1252)가 처한 위치와 심정적으로 동일하다고 볼 수 있다.[2] 최덕중은 고국을 떠난 뒤 다음과 같은 심정을 토로했다.

> 한 번 연산燕山을 바라보니, 성난 머리털이 먼저 곤두서고 허리에 찬 칼이 저절로 울었다.[3]

이 사절단은 정사 김창집의 아우인 김창업金昌業(1658~1721)이 형의 자제군관子弟軍官으로 참여하여 그 유명한 『노가재연행일기』를 남김으로써 한국 역사에 길이 남는 사절단이 되었다. 이 사절단이 남긴 여행기는 『노가재연행일기』 외에 김창집의 『연행훈지록燕行塤篪錄』, 최덕중의 『연행록』 등 모두 3편이다.

3편 모두 몽골에 관한 기록을 싣고 있지만, 분량과 심도에서는 김창업과

---

2) 카르피니John of Plano Carpini(1182~1252)의 『몽골여행기(History of the Mongols)』에 대해서는 졸저, 『유라시아 대륙에 피어났던 야망의 바람 – 칭기스칸의 꿈과 길』, 서울, 2003, pp.381~383을 참조.

3) 『연행록』「序」: 猥隨其後, 一望燕山, 怒髮先豎, 腰劒自鳴.

최덕중이 단연 뛰어나다. 또 김창업과 최덕중의 여행기는 모두 일기체 형식으로 기록되어 있기 때문에 상호 비교와 보완이 가능하다. 동일한 여행 노정에 분량이 만만치 않은 두 여행기가 동시에 존재한다는 것은 연구자의 입장에서 보면 행운이라고 할 수 있다. 즉 한 사물에 대한 견문 기록의 재확인이라는 차원을 넘어, 학자와 군인이라는 배경을 지닌 두 사람 간의 인식 차이까지도 비교할 수 있기 때문이다.

필자가 조선시대의 여행기 중 집중 분석대상의 여행기로 최덕중의 여행기를 선택할 수 있었던 원인도 바로 『노가재연행일기』 때문에 가능했다. 즉 한 사물을 서로 다른 시각을 지닌 두 사람의 눈으로 보았을 때 군인과 학자의 차이가 확연히 나타났기 때문이다. 그 대표적인 한 사례가 1712년 12월 26일의 기록이다.

【김창업의 노가재연행일기】

백부도점白浮圖店에 이르러, 몽골인이 장막과 잡물을 9필의 낙타에 싣고 북경 쪽으로 가는 것을 보았다. 아침을 먹고 유하둔柳河屯을 지나다가 또 낙타를 몰고 가는 몽골인을 만났다. 낙타 3필이 앞에 가고, 장막을 드리운 교자 수레가 뒤따라 지나가고, 세 여인이 말을 타고 뒤따랐다. 누가 말하기를 수레 안에 있는 사람은 몽골왕의 아내이고, 말을 타고 가는 사람은 그 여종이라 한다. 수레의 바퀴나 바퀴살은 우리나라의 것과 식이 같으면서 좀 경박했다. 교자 수레도 우리나라의 옥교屋轎와 같은데, 장막을 검은 무명베로 만들었다.4)

【최덕중의 연행록】

가는 길에 또 여행女行 하나를 만났는데, 검은 장막을 드리우고 검은 덮개로

4) 白浮圖店, 路中逢蒙古以九槖駞, 載帳幕及雜物而去, 向北京也, 朝飯行過柳河屯, 又逢蒙古驅槖駞三匹前行, 其後有轎車, 垂幔而過, 轎後三女子騎馬隨之, 人言車中所坐, 乃蒙古王妻, 而騎馬者, 卽其侍婢云, 車輪與輻, 如我國之制, 而稍輕簿, 轎亦如我國屋轎之狀, 幔則以黑布爲之.

된 교거轎車였다. 부다지覆多只를 입어 모양이 호인 같은 세 여인이 따라가고, 앞에는 낙타 두어 마리가 있었다. 괴이쩍어서 물었더니, "청주靑州 관리 집안의 딸이 몽골 총신寵臣의 집에 출가했는데, 친가에 왔다가 남편의 집으로 돌아가는 것이다"라고 답했다. 이른바 비녀婢女 가운데 한 사람은 호인이었다. 들으니 청국 종실의 딸 및 황제의 딸이 몽골에 많이 시집갔고 몽골 사람도 또한 청국에서 벼슬한다 하는데, 이는 기미羈縻하는 계책임을 알 수 있다.[5]

이 두 기록은 청나라의 만몽연혼정책의 실례를 보여주는 견문이지만, 실체 파악의 정도는 두 사람 사이에 차이를 보여주고 있다. 따라서 몽골 관련 기록만을 두고 볼 때, 깊이 면에서 김창업보다는 최덕중의 시각이 예리했다. 이러한 인식과 관찰력의 차이는 이후의 기록에도 그대로 반영되기 마련인데, 만몽연혼정책에 대한 후속 기록을 다시 한 번 들어보기로 하자.

【김창업의 노가재연행일기】

유봉산이 또 왔다. 어제 들으니 통관배들이 김중화에게 말하기를, "황제가 몽골인으로 사위를 삼으려고 한다. 그런데 조선은 황제가 더욱 우대하는 바이니, 만약 그대들이 사위가 되기를 청한다면 황제가 어찌 허락하지 않겠는가?" 하였다. 서장관이 마침내 이 말을 가지고 유봉산을 조롱하니, 서로 더불어 한바탕 웃었다. 대개 그들은 비록 몽골인들을 짐승처럼 보지만, 황제가 딸을 주어 아내로 삼게 한다. 통관배들이 이를 언급할 때마다 아까워해 마지않았다고 했다 한다.[6]

---

5) 行路又逢一女行, 垂黑帳黑蓋轎車, 三女人着覆多只, 狀如胡人而隨之, 前有駱駝數馱, 怪而問之, 則答云淸國仕宦家之女, 出嫁于蒙古寵臣之家矣, 來親家而還歸夫家云, 所謂從婢一女胡人矣, 第聞淸國宗室女及皇帝女, 多嫁蒙古, 蒙古之人, 亦仕宦于淸國云, 可知其羈縻之計矣.

6) 『燕行日記』「1713년 1월 15일」조 : 柳鳳山亦來, 昨聞通官輩謂金中和曰, 皇帝以蒙古爲婿, 朝鮮尤爲皇帝所待, 君輩若請爲婿, 則皇帝豈不許乎, 書狀乃以此語譏柳鳳山, 相與一噱, 蓋蒙古雖彼人以禽獸視之, 而皇帝以女妻之, 通官輩每言及此, 輒嗟惜不已云.

【최덕중의 연행록】

통관 등이 나를 불러 차를 대접하였다. 차를 마시고 나자 요구하는 것이 어제와 같았다. 또 들으니 황제의 딸로 몽골에 시집간 자가 3인이고, 왕녀로서 시집간 자가 5인이라 한다. 지금 몽골의 48부의 왕, 기타 3왕이 황제의 명을 받고 회의에 왔는데, 가축이 50~60만이고 사람이 5만여 명이라 한다. 그래서 예부에서 우리 사행 및 몽골 사람에게 공궤하는 식량과 찬품饌品을 줄이도록 청하였더니, 황제가 몽골에게 주는 것만 줄이고 우리에게는 예전대로 하도록 하였다고 한다. 통관은 이 하나의 일을 가지고 뽐내며 자랑함이 심하였다. 내가 "무슨 일로 많은 인마가 와서 모였습니까? 대국의 비용이 적지 않겠지요"라고 물으니, "황제의 생일이 멀지 않아 잔치에 참여한 뒤에 돌아갈 것입니다"라고 대답하였다. 혹은 태자 세우는 일을 의논하기 위해 소집한 것이라고도 한다. 어느 쪽이 옳은지 모르겠으나, 몽골 사람과 말의 수효만은 떠벌린 것이 분명하다. 황녀로서 몽골에 시집간 자가 오면, 궁실을 별도로 만들어 거처하다가 가고 나면 잠가 둔다. 왕녀도 시집가는 것은 임의로 못하고 황지皇旨를 기다려야 하므로, 작년에는 왕녀 한 사람이 25살이 되어서 비로소 몽골에 시집갔다 한다. 또 시집갈 때 싫어서 피하던 상황과 울부짖던 형상을 말했는데, 매우 가소로웠다. 일찍이 들으니 몽골이 28부라고 하였는데, 이는 헛말인 듯하다. 그러나 생각건대 장성 너머는 다 몽골 땅이고 부락이 강대하니, 청국에서 두려워하고 시샘하는 것을 알 만하였다.[7]

청나라의 만몽연혼정책에 대한 후속 기록의 차이에서도 나타나듯이, 몽골

7) 『연행록』「1713년 1월 14일」조 : 晴, 通官等招余賜茶, 茶罷後, 求索如昨, 且聞皇帝之女嫁蒙古者三人, 王女之嫁者五人, 而卽今蒙古之四十八部王及其他三王, 以皇帝命來會, 而畜類五六十萬, 人物五萬餘, 故禮部請減我行及蒙古等供饋粮饌, 而皇帝只減蒙古之供, 余行則依古云, 通官以此一節, 誇矜甚矣, 余問以何事許多人馬來集, 而大國之費不些耶, 答云皇帝生日不遠, 參宴後可以罷歸云, 或議立太子, 故招集云, 未知孰是, 而第蒙古人馬之數, 必是誇張矣, 皇女嫁蒙古者來, 則別作宮室而處之, 去則鎖之, 而王女之許嫁, 不得任意, 以待皇旨, 故昨年王女一人, 年至二十五, 始嫁于蒙古, 而亦言嫁時避厭之狀, 號泣之形, 極可笑也, 曾聞蒙古二十八部云者, 似是虛言, 而第念長城之外, 盡是蒙古之地, 而部落强大, 淸國之畏猜可知.

부분에 관한 한 최덕중의 기록이 김창업의 기록보다는 내용이나 관찰력 면에서 분명 한 수 위임이 나타난다. 그런데 보다 중요한 것은 이러한 관찰력과 인식의 차이가 그대로 대외 인식의 차이로 나타난다는 점이다. 후술하겠지만 최덕중은 자신에게 부여된 임무인 군사 스파이적인 관찰과 정세 분석을 통해 조선의 미래는 조·몽 화친에 있다고 결론짓고 있다. 즉 조·몽 군사동맹을 최초로 주장한 인물이다.

마지막으로 최덕중은 군사전문가답게 그의 여행기에 군사지도와 같은 노정기路程記를 남기고 있다. 그런데 최덕중의 노정기를 소개하기 전에 청나라 시대 조선 사절단이 한양을 떠나 북경에 이르는 전형적인 길을 설명하고자 한다. 청나라의 북경 점령 후 조선 사절단의 사행길은 크게 압록강을 건넌 뒤 요동遼東→요서遼西→산해관山海關 입관入關→북경北京에 이르는 길로 이루어져 있지만, 시기에 따라 약간의 차이를 지닌다.

첫째는 청이 입관한 1645년(순치 2년) 이후 1665년(강희 4년)에 봉천부奉天府가 설치될 무렵까지의 노정으로, 책문柵門→봉황성鳳凰城→요양遼陽→안산鞍山→경가장耿家莊→우가장牛家莊→반산盤山→광녕廣寧→금주錦州→산해관山海關→심하深河→영평永平→풍윤豐潤→옥전玉田→계주薊州→통주通州→북경北京에 이르는 길이다.

둘째는 1679년(강희 18년) 해방海防을 위하여 우가장에 진보鎮堡가 설치될 때까지의 노정으로, 책문柵門→봉황성鳳凰城→요양遼陽→봉천奉天(瀋陽)→안산鞍山→경가장耿家莊→우가장牛家莊→반산盤山→광녕廣寧→금주錦州→산해관山海關→심하深河→영평永平→풍윤豐潤→옥전玉田→계주薊州→통주通州→북경北京에 이르는 길이다.

셋째는 그 이후의 노정으로, 책문柵門→봉황성鳳凰城→요양遼陽→봉천奉天(瀋陽)→고가자孤家子→백기보白旗堡→소흑산小黑山→광녕廣寧→금주錦州→산해관山海關→심하深河→영평永平→풍윤豐潤→옥전玉田→계주薊州→통주通州→북경北京에 이르는 길이다.

최덕중의 여행기에 나타난 길은 세 번째 길이다. 그는 이 길을 군사지도를 보는 것과 같이 자세히 묘사했는데, 그것을 도표로 나타내면 다음과 같다.

지점	지점
고양高陽 40리	◂◂ 봉황점鳳凰店 2리 : 참 대는 곳
파주坡州 40리	망해점望海店 5리
장단長湍 30리	심하보深河堡 10리 : 찰원이 있음
개성부開城府 50리	망자점網子店 10리
금천金川 70리 : 해주海州·배천白川 등 참站	유관榆關 10리/합 80리 : 찰원은 없으나 지금 참소站所로 되었음
평산平山 30리 곡산谷山 연안延安	영가장榮家莊 3리
……	상백석포上白石鋪 2리
(원문 결락)	하백석포下白石鋪 3리
……	오관영吳官塋 3리
대황기보大黃旗堡 8리 : 참 대는 곳	무령현撫寧縣 9리 : 예전에는 찰원이 있었으나 지금은 없어졌다 함
노하구蘆河溝 8리	양하羊河 2리
석사자石獅子 15리	오리포五里鋪 3리
고성자古城子 10리	노봉구蘆峯口 10리
백기보白旗堡 5리/합 70리 : 찰원察院이 있음	다붕암茶棚庵 5리
소백기보小白旗堡 10리	배음보背陰堡 5리 : 참 대는 곳
일판문一板門 20리	쌍망포雙望鋪 5리
이도정二道井 20리/합 50리 : 찰원이 있음	요참要站 5리
적은사寂隱寺 8리	부락령部落嶺 12리
신점新店 22리	십팔리보十八里堡 3리
토자정土子井 1리	여조驢槽 13리
연대煙臺 15리 : 여기부터 연대가 있기 시작하여 산해관 밖에 가서 그침	누택원漏澤園 3리
소흑산小黑山 4리 합 50리 : 찰원이 있음. 비로소 의무려산醫巫閭山 기슭이 나타남	영평부永平府 2리/합 88리 : 찰원이 있음
양장하羊腸河 12리 ▸	청룡하靑龍河 1리 : 큰 하수임

◀ 중안보中安堡 18리	남구점南坵店 2리
우가대于家垈 5리	난하灤河 2리 : 큰 물임
구점리舊店里 13리	범가장范家莊 10리
이대자二臺子 5리	망해대望海臺 5리
달자점㺚子店 5리	매하점每河店 8리
대우가자大于家子 3리	야계둔野鷄屯 12리 : 참 대는 곳
신점新店 2리	사하보沙河堡 8리
신광녕新廣寧 7리/합 70리. 찰원이 있음	사하역沙河驛 12리/합 60리 : 찰원이 있음
흥륭점興隆店 5리	삼관묘三官廟 5리
쌍하포雙河鋪 7리	마포영馬鋪營 5리 : 다른 이름은 칠가령七家嶺임
장진보壯鎭堡 5리	신점포新店鋪 5리
상흥점常興店 2리	간하초干河草 5리
삼대자三臺子 3리	신평점新平店 5리
여양역閭陽驛 15리 : 참 대는 곳	강중교扛中橋 12리
이대자二臺子 10리	청룡교靑龍橋 7리
삼대자三臺子 5리	진자점榛子店 1리 : 참 대는 곳. 채소와 과실을 파는 곳임
사대자四臺子 5리	철성감鐵城坎 20리
오대자五臺子 5리	소령하小鈴河 1리
육대자六臺子 5리	판교板橋 7리
십삼산十三山 10리/합 77리 : 찰원이 있음	풍윤현豐潤縣 22리/합 100리 : 성 안에 찰원이 있음
삼대자三臺子 12리	조가점趙家店 2리
대릉하大凌河 14리 : 배를 이용하지 않고 건넘	장가점蔣家店 1리
대릉하참大凌河站 4리 : 참 대는 곳	환하교渙河橋 1리
사동비四同碑 12리 : 명나라 때 왕평王平에게 칙유勅諭한 글을 새긴 비석임	여가점廬家店 4리
쌍연참雙沿站 10리	고려보高麗堡 7리 : 비로소 논이 있음
소릉하참小凌河站 4리/합 60리 : 찰원이 있음	초리장草里莊 1리
소릉하교小凌河橋 3리	연계보軟鷄堡 10리
송산보松山堡 17리 : 참 대는 곳	다붕암茶棚庵 2리
행산보杏山堡 18리	사류하沙流河 12리 : 참 대는 곳
십리하점十里河店 10리	양수교兩水橋 10리
고교포高橋鋪 8리/합 56리 : 찰원이 있음	양가점兩家店 5리
탑산점塔山店 12리	십오리둔十五里屯 10리

주사하走獅河 5리	동팔리보東八里堡 7리
탁리산점卓羅山店 5리	용지암龍池庵 1리
이대자二臺子 3리	옥전현玉田縣 7리/합 80리 : 성 안에 찰원이 있음
연산역連山驛 7리 : 참 대는 곳	서팔리보西八里堡 8리
오리하五里河 5리	오리둔五里屯 5리
쌍석점雙石店 5리	채정교彩亭橋 3리
쌍석성雙石城 3리	대고수점大枯樹店 9리
영녕사永寧寺 10리	소고수점小枯樹店 2리
영원위寧遠衛 8리/합 63리 : 성 안에 찰원이 있고, 또 조대수曹大壽의 패루牌樓가 있음	봉산점蜂山店 8리
청돈대靑墩臺 7리	나산점螺山店 2리
조장역曹莊驛 6리	별산점別山店 8리 : 참 대는 곳
칠리파七里坡 5리	이리점二里店 2리
오리교五里橋 7리	현교現橋 4리
사하소沙河所 8리 : 참 대는 곳	소교방小橋坊 2리
건구대乾溝臺 3리	어양교漁陽橋 14리
연대하煙臺河 5리	계주성薊州城 5리/합 72리 : 성 안에 찰원이 있는데 찰원은 바로 와불사臥佛寺임
반교점半橋店 5리	오리교五里橋 5리
망해점望海店 2리	방균점邦均店 25리 : 참 대는 곳. 바늘가게임
곡척하曲尺河 5리	백간점白澗店 12리 : 이사尼寺가 있고 절 안에 백갑송白甲松이 있음
삼리교三里橋 7리	공반점公盤店 8리
동관역東關驛 3리/합 63리 : 성 안에 찰원이 있음	단가령段家嶺 1리
이대자二臺子 5리	석비石碑 9리
육도하교六渡河橋 11리	호타하滹沱河 5리 : 근원이 있는 물임
중후소中後所 2리 : 참 대는 곳. 모자 전포廛鋪임	삼하현三河縣 5리/합 70리 : 성 안에 찰원이 있음
일대자一臺子 5리	조림장棗林莊 6리
이대자二臺子 3리	백부도白浮圖 6리
삼대자三臺子 4리	신점新店 6리
사하참沙河站 8리	황두점皇頭店 6리
섭가분葉家墳 7리	하점夏店 6리 : 참 대는 곳
구어하둔口魚河屯 2리	유하둔柳河屯 6리

구어하교口魚河橋 1리	마망핍馬亡乏 6리
양수하참兩水河站 9리/합 57리 : 찰원이 있음	연교포煙郊鋪 8리
전둔위前屯衛 6리	삼가장三家莊 5리
왕가대王家臺 10리	등가장鄧家莊 3리
왕제구王濟溝 5리	호가장胡家莊 4리
고령역高寧驛 5리	습가장習家莊 3리
송령구松嶺溝 5리	백하白河 4리 : 큰 강임
소송령小松嶺 4리	통주通州 1리/합 70리 : 중성重城 안에 찰원이 있음. 물화와 인가가 항주杭州·소주蘇州와 같음
중전소中前所 11리 : 참 대는 곳	팔리교八里橋 8리 : 관문關門 안 도랑물이 흘러 나오는 다리임
대석교大石橋 7리	양가갑楊家閘 2리
양수호兩水湖 3리	관가장管家莊 3리
노계둔老鷄屯 2리	삼간방三間房 3리
왕가장王家莊 3리	정부장定府莊 3리
팔리보八里堡 10리 : 동쪽에 망부석望夫石이 있음	대왕장大王莊 2리
806리 산해관山海關 10리/합 85리 : 성 뒤에 각산사角山寺, 성 앞에 망해정望海亭이 있고, 중성重城 안에 찰원이 있음	태평장太平莊 3리
심하深河 3리	홍문紅門 3리
홍화점紅花店 7리	십리보十里堡 2리
범가점范家店 20리	팔리보八里堡 2리 : 공경公卿의 무덤이 서로 연해 있는 곳임
대리영大理營 10리	미륵원彌勒院 7리
왕가령王家嶺 3리 ▸▸	660리 조양문朝陽門 1리/합 40리임 : 황성皇城 동대문임
도합 3126리이다. 한양漢陽에서 만상灣上(의주)까지 1070리, 만부灣府(의주)에서 봉성鳳城까지 150리, 봉성에서 심양瀋陽까지 443리, 심양에서 삼해관山海關까지 803리, 산해관에서 북경北京까지 660리이다.[8]	

8) 김창업도 그의 여행기 속의 往來總錄에서 노정기를 "임진년(1712) 11월 3일에 서울을 떠나서, 22일 의주에 도착하여 4일을 묵었다. 26일에 강을 건너 12월 27일 북경에 도착하였고, 옥하관에서 46일을 지냈다. 2월 15일에 귀국길에 올라 3월 13일에 다시 강을 건넜고, 30일에 서울로 들어왔다. 왕복 5개월, 날짜로 146일이다. 서울에서 의주까지 1070리, 의주에서 북경까지 1949리인데, 북경에서의 나들이와 도중에서의 유람 및 우회한 거리가 또 653리다(壬辰十一月初三日, 自京離發, 二十二日至義州, 留四日, 二十六日渡江, 十二月二十七日至北京, 留玉河館四十六日, 二月十五日回程, 三月十三日還渡江, 三十日入京, 往返五朔, 合一百四十六日, 自京至義州一千七十里, 自義州至北京一千九百四十九里, 合三千十九里, 在北京出入及在道爲遊覽迂行者, 又六

2. 박지원 여행기의 몽골 관계 기록과 특징

박지원朴趾源(1737~1805)의 『열하일기熱河日記』는 1780년 건륭제乾隆帝의 칠순연七旬宴을 축하하기 위하여 파견된 박명원朴明源의 사절단을 수행하면서 남긴 여행기이다. 정사 박명원은 그의 삼종형이다. 이 여행기에는 여행지의 견문 기록과 역사 사적의 고찰, 청나라 문인과 명사들과의 교류 및 문물제도의 분석 등 가히 당대의 최고 지식인이 남길 수 있는 기록들이 실려 있다. 이 때문에 『열하일기』는 조선시대를 대표하는 여행기로 당대에도 큰 영향을 미쳤으며, 현재 수많은 연구 성과가 나와 있다. 따라서 이 여행기에 대한 더 이상의 설명은 사족이 될 정도이다.

그러나 이토록 유명한 여행기임에도 불구하고 실제 그 파괴력은 그다지 크지 않았다. 그렇다면 그곳에는 분명히 말 못할 원인이 숨어 있지 않으면 안 된다. 필자는 『열하일기』를 곰곰이 읽어 내려가면서 주자학과 라마교의 세계대전과 같은 「찰십륜포札什倫布」, 「판첸시말班禪始末」, 「황교문답黃敎問答」, 「태학유관록太學留館錄」, 「피서록避暑錄」 편에 주목했다. 또 이 논쟁을 통해 그가 주자학적 이념보다 현실적으로 더 영향력이 있는 티베트 불교(라마교)[9]의

百五十三里).”처럼 간략히 남기고 있는데 전체 거리에서 107리의 차이를 보이고 있다.

9) 불교 密宗의 일파인 라마교는 원래 티베트 불교(Tibetan Buddhism)라 불러야 정확한 의미가 형성된다. 티베트 불교란 7세기 때부터 그 지역에서 전개되어온 독특한 형태의 불교이다. 티베트 불교는 주로 中觀學派와 瑜伽行派 철학의 철저한 지적 훈련에 그 기반을 두고 있으면서 탄트라Tantra 불교인 금강승 불교의 상징적 의례 행위를 받아들이고 있다. 또한 티베트 불교는 초기 上座部佛敎의 승가 계율 및 티베트의 재래 종교인 본교Bon敎의 무속적 특색들을 포용하고 있다. 중국 학계에서는 라마교를 티베트에서 전래된 불교라 하여 藏傳佛敎라는 용어를 사용하고 있다. 라마교란 말은 근대 초 일본 학자들에 의해 정착된 용어이지만, 몽골어에서도 “라마의 종교”라는 뜻의 람인-샤신(ламын шашин)이라는 단어가 존재하기는 한다. 그러나 이는 문어적인 표현이고, 몽골인들은 “노란 종교”라는 뜻의 샤르-샤진(шар шажин)이나 “불교”를 뜻하는 보르항니-샤신(бурхны шашин)이라는 말로 자신들의 종교를 표현하고 있다. 조선시대 여행기에는 몽골이나 티베트의 불교를 黃敎라고 표현하고 있으며, 그 승려를 喇嘛僧(南華僧)이나 喇嘛大師라고 표현하고 있다. 필자는 본고에서 이미 한국인들에게 잘 알려지고 정착화 된 용어인 라마교를 티베트 불교와 동일한 뜻으로 사용했음을 밝혀둔다. 티베트 불교의 개략에 대해서는 山口瑞鳳, 『チベットの佛敎と社會』, 東京, 1986 ; 石濱裕美子, 『チベット佛敎世界の歷史的

실체에 어떻게 접근하며 받아들이는지 유심히 살폈다. 왜냐하면 이 이념의 논쟁이 결국 그의 모든 기록과 결론의 방향을 좌우할 수 있기 때문이다.[10)]

사실 고려시대 이제현의 예처럼 만권의 책을 읽고 만 리를 여행한 사람만이 읽을 수 있다는 시집이나 여행기는 지식의 향연장으로서 그럴싸해 보일지는 몰라도 그것을 접하는 일반인들에게 피로만 가중시킬 뿐이다. 그러나 편중된 지식은 막다른 곳에서 한계에 부딪치기 마련이다. 필자는 조선을 대표하는 지식인이 만몽 연합정권인 청나라의 실체를 파악하기 위한 방편으로 몽골을 어떤 입장에서 보았으며, 또 그들을 형식적으로 이어준 이념의 고리인 라마교를 어떻게 이해하고 있는가에 집중해 보았다.[11)] 또 그가 곳곳에 남긴 원대

研究』, 東京, 2000를 참조.

10) 필자는 박지원이 라마교와 이념 전쟁을 벌이는 관련부분들을 읽을 때 불현듯 역관 李彦瑱(1740~1766)의 모습이 어른거렸다. 조선의 버려진 진주들인 역관들은 실제 조선시대에서 세계를 보는 눈의 역할을 수행했다. 그러나 어두운 바다의 북극성과 같았던 이들 역시 신분의 속박은 물론 이념적으로도 주자학의 세계에서 벗어날 수 없었다. 이언진은 일본여행 중 宋學을 비판하면서 의견을 묻는 일본의 문인에게, "국법이 宋儒를 벗어나 경서를 설명하는 자는 중형을 내리니, 이런 일에 대해 감히 말할 수 없습니다"라고 답했다. 뛰어난 천재였지만 신분의 속박을 받았던 이언진은 박지원이야말로 자신의 뜻과 사상을 잘 알아주리란 믿음에서 자기가 지은 시를 보냈다. 그러나 박지원의 품평은 뜻밖에도 혹평이었다. 이에 절망한 젊은 천재는 분노하여 원고를 모두 불 속에 던져 버렸는데, 그의 아내가 불길 속에 뛰어들어 일부를 건져냈다. 이 때문에 그의 원고는 嘔血草(피를 토하는 글)라 불렸고, 그의 문집은 "타다 남은 글"이란 뜻의 『松穆館燼餘稿』라 불렸다. 이후 박지원은 자기의 경솔을 탓하며 虞裳傳을 지어 변명에 나섰지만 대세는 되돌릴 수 없었다. 이 실화는 사실 박지원의 이념적 한계를 보여주는 예라고 할 수 있다. 박지원의 사상적 토대였던 주자학은 노예 출신 洪世泰(1653~1725)가 읊은 鹽谷七歌의 "누가 천리마에게 소금 수레를 끌게 했던가? 태행산이 높아서 올라갈 수 없구나"라는 시구처럼, 천리마(인재)에게 소금 수레나 끌게 하는 사회를 만든 불운한 시대이념이었다. 박지원의 역사 수상록이라 할 수 있는 「황교문답」 중 尹亨山과 문답하는 부분을 새겨 읽을수록 조선의 사대부는 주자학이라는 사상적 외길로 들어섰으며, 따라서 운명적으로 모든 것을 볼 수 없게 되었다는 느낌이 강하게 들었다. 같은 시대를 사는 역관이나 천민들이 인식한 현실과 사대부들이 인식한 현실이 이렇게 다를 수 있는가가 새삼스럽게 다가온다. 이 같은 박지원의 현실 인식은 「막북행정록」에서 발을 다쳐 서럽게 우는 하인 昌大를 잔인하게 내버려두고 떠난 기록에서도 입증된다. 창대를 구해준 사람은 청나라의 고위 관리인 提督이었다.

11) 사실 청나라는 몽골과 조선을 견제하고 통치하는 사상적 방편으로 라마교와 주자학을 이용했다고 할 수 있다. 물론 이 두 이념은 청나라가 강요한 것이 아닌 모두 자생적인 것이다. 청 태종이 조선에 변발을 강요하지 않고 주자학적 질서를 용납한 것, 몽골에 라마교의 확산을 계속적으로 강화시킨 것은 이미 그들이 이 이념과 질서가 가져올 한계와 모순을 파악했기 때문일 것이다. 이는 이전의 대몽골제국이 주변 제국의 사상적 모순을 혁파하려고 시도했던 것과는 큰 차이가 있다. 이것이 바로 대몽골제국과 대청제국의 차이이다. 대몽골제국은 폐쇄적인 이념을 혁파하여 열린사회로 유도하려 했지만, 대청제국은 그 반대의 조치를 취했다. 즉 주변 제국이 지닌

사적을 비롯한 몽골 관련기록들의 정확도와 이해의 깊이도 유심히 살펴보았다.

『열하일기』는 서문을 제외하면 크게 26개의 항목으로 이루어져 있다. 그리고 몽골 관계 기록은 21개의 항목에서 나타나고 있다. 그것을 간략히 도표로 제시하면 다음과 같다.

NO	항목	특징
몽골 관계 기록이 있는 항목		
1	도강록渡江錄	압록강부터 요양遼陽까지 15일의 기록(6.24~7.9)
2	성경잡지盛京雜識	십리하十里河부터 소흑산小黑山까지 5일의 기록(7.10~7.14)
3	일신수필馹汎隨筆	신광녕新廣寧부터 산해관山海關까지 9일의 기록(7.15~7.23)
4	관내정사關內程史	산해관부터 북경까지 11일의 기록(7.24~8.4)
5	막북행정록漠北行程錄	북경부터 열하熱河까지 5일의 기록(8.5~8.9)
6	태학유관록太學留館錄	피서산장 6일의 기록(8.9~8.14)
7	환연도중록還燕道中錄	피서산장에서 북경까지 6일의 기록(8.15~8.20)
8	경개록傾蓋錄	피서산장 6일 동안 만난 학자들과의 대화록
9	심세편審勢編	조선의 오망五妄, 중국의 삼난三難 등의 기록
10	망양록忘羊錄	음악에 관한 기록
11	찰십륜포札什倫布	열하에서 본 판첸-에르데니Panchen Erdeni에 대한 기록
12	판첸시말班禪始末	황제의 라마교에 대한 정책 및 라마교의 교리 등
13	황교문답黃敎問答	세계정세를 논하면서 라마교에 대한 소견을 피력

기존의 모순을 유지시키고 강화하는 정책을 통해 혹시라도 모를 도전 그 자체를 봉쇄하고 나섰다. 주변 민족을 모두 닫힌사회로 만들기 위해서 시행된 보조 정책이 이동의 자유를 법적으로 구속하는 법령인데, 몽골에서는 盟旗制度, 조선에서는 封禁과 海禁으로 나타났다. 필자가 『열하일기』에서 관심을 가지고 보았던 부분도 동등한 속박 관계에 놓인 조선의 지식인이 몽골의 라마교를 주자학과 연관해 어떻게 이해하고 있는가의 부분이었다. 참고로 1711년 일본을 방문한 조선 사절단인 정사 趙泰億(1675~1728)이 당시 막부의 실력자이며 주자학자인 源璵君美(1657~1725)와 대화를 나눌 때, 源璵君美는 "지금 서방의 여러 나라들도 모두 大淸의 관복 제도를 쓰고 있는데, 귀국만이 大明의 옛 의례를 보유하고 있는 것은 무엇 때문입니까? … 귀국에는 만국전도가 없습니까. … 저의 집에 지도 한 장이 있으니 필요하다면 드릴 수 있습니다(『東槎日記』「江關筆談」: 當今西方諸國, 皆用大淸冠服之制, 貴邦獨有大明之舊儀者何也…貴邦無萬國全圖耶…僕家藏有一本圖, 呈之梧右也否)"라는 질문을 통해 조선의 이념적 모순과 지리 지식의 부족을 정확하게 지적하고 있다.

14	피서록避暑錄	열하산장에서 조선과 중국의 시문詩文을 논평
15	동란섭필銅蘭涉筆	가악歌樂에 대한 잡록
16	행재잡록行在雜錄	행재소行在所의 견문록과 청나라의 조선 정책 분석 등
17	산장잡기山莊雜記	열하산장에서의 여러 가지 견문기
18	구외이문口外異聞	기문이담奇聞異談을 적은 60여 종의 이야기
19	황도기략黃圖紀略	황성皇城의 문물제도 약 38종을 기록
20	알성퇴술謁聖退述	순천부학順天府學에서 조선관朝鮮館까지의 견문기
21	앙엽기盎葉記	홍인사弘仁寺 등 20개 명소名所를 관람한 기록
		몽골 관계 기록이 없는 항목
22	금료소초金蓼小	의술醫術에 관한 이야기
23	옥갑야화玉匣夜話	역관들의 무역 형태(이후의 허생전)
24	희본명목戱本名目	만수절에 행한 연극 놀이의 대본과 종류를 기록
25	곡정필담鵠汀筆譚	천문에 대한 기록
26	환희기幻戱記	중국 요술에 대한 기록

이 방대한 여행기에서 21개 항목에 걸쳐 몽골 관련 기록이 나타난다는 것은 실로 놀랍다 하지 않을 수 없다. 정말 박지원은 조선을 대표하는 정예 학자답다는 느낌이 저절로 들 정도이다. 그러나 기록 자체가 다양한 분야에 걸쳐 있지만 라마교 부분을 제외하면 몽골에 대한 뚜렷하고 분명한 인식은 찾아보기 힘들었다. 어느 면에서 그의 몽골 인식은 역사적인 기록의 추론에 바탕을 두고, 피서산장에서 갑작스럽게 만난 판첸라마의 라마교에 대한 황급한 입장정리를 통해 이루어졌다는 느낌이 든다.

그러나 그가 알고 있는 몽골의 역사 사실도 정밀한 문헌 기록이나 객관적인 사리분석에 바탕을 둔 것이 아니기 때문에, 그의 몽골 인식에는 한계가 있음이 나타난다. 그러나 그의 몽골 인식은 그와 함께 동시대를 대표했던 지식인인 이덕무나 홍대용의 터무니없는 몽골인식보다는 확실히 격이 다르다. 사실 『열하일기』를 유심히 읽어보면, 그의 몽골 인식은 주자학적 이념에 바탕을 둔 전통적인 역사 해석에다 여행 도중에 만난 몽골인들의 내면관찰, 라마교에 대한 입장정리 등을 덧붙여 대체적인 판단을 만든 뒤, 당시의 정치적인 판세와 결부하여 최종 결론을 냈다는 느낌이 강하다. 즉 몽골의 실체에는 어느 정도 접근했지만, 실상을 보는 데는 실패했다고 할 수 있다.

이러한 사실은 그의 역사 수상록이라 할 수 있는 「황교문답黃教問答」에서 "오늘날 천하의 정세를 분석해 볼 때 몽골이 미래의 주역이다"라고 간파한 다음과 같은 말에서도 잘 드러난다.

> 오늘 천하의 형세를 돌이켜볼 때, 그 두려운 바는 항상 몽골에 있고 다른 오랑캐에 있지 않다. 그것은 무슨 까닭일까. 몽골의 강하고 사나움은 티베트나 회회국만은 못하나, 전장과 문물이 가히 중원과 서로 대항할 만하기 때문이다. 유독 몽골은 땅이 서로 접하기가 백 리도 못 되는데, 흉노·돌궐부터 거란에 이르기까지 모두 대국의 후예이다. 위율衛律과 중행설中行說이 이미 도망가는 소굴로 삼았고, 더욱이 그 전장과 문물이 아직도 옛날 원나라의 유풍을 가지고 있음에랴. 아울러 군사와 말이 강장한 것은 본래 사막의 본질이다. 따라서 천하의 법도가 한 번 해이해지고 호흡이 잠깐 급해지면, 48부의 몽골왕들이 강한 활을 가지고 장성 밖에서 한갓 토끼나 여우만 좇을 뿐이겠는가. 내가 본 바로는 그들 추장이 이미 저와 같고, 나와 더불어 이야기한 자들 가운데 부재孚齋·앙루仰漏 같은 사람은 모두 문학하는 선비이다. 옛날 유연劉淵이 장성 안에 들어와 살 때에 유주幽州·기주冀州의 명사들은 그를 많이 따라갔다. 유연의 아들 유총劉聰은 경사經史에 해박한데, 어린 시절 경사에 있을 때 그와 사귀지 않는 명사가 없었다. 아! 천하가 한 번 흔들려 풀처럼 요동치고 바람처럼 일어나면, 어찌 유연과 유총의 무리가 그 안에 없을 수 있으리오. 이것은 내가 눈으로 본 것만 해도 몇 명인데, 하물며 내가 보지 못한 자가 얼마나 많은지는 알지 못함이랴.[12]

12) 顧今天下之勢, 其所畏者, 恒在蒙古, 而不在他胡何也, 其强獷莫如西番回子, 而無典章文物可與中原相抗也, 獨蒙古壤地相接, 不百里而近, 自匈奴突厥, 沿至契丹, 皆大國之餘也, 自衛律中行說已爲逋逃之淵藪, 況其典章文物, 猶存故元之遺風乎, 兼以士馬强壯, 固自沙漠之本俗, 則天下綱維一弛, 呼吸乍急, 其四十八部之玉, 亦安得徒擁控弦, 馳逐兎狐於塞下而已, 吾所

확실히 박지원은 주자학의 세계에 살았던 조선의 지식인 중에 돋보이는 존재이다. 그러나 후술하는 라마교의 인식에서도 보이듯이 주자학적 이념의 세계를 넘는 데는 실패했다. 이는 역으로 박지원의 『열하일기』가 조선시대 일반적인 지식인들이 지녔던 몽골 인식을 대표하는 상징성을 지니고 있다고 할 수 있다. 이것이 바로 필자가 『열하일기』를 조선시대 일반적인 몽골 인식의 상징적 존재로 뽑게 된 원인이다.

박지원의 『열하일기』에서 몽골과 관련하여 가장 돋보이는 부분은 역시 만몽 연합정권의 실체에 접근할 수 있는 피서산장에서의 사색과 만주의 몽골 통치이념의 축으로 작용하고 있는 라마교 관련 부분이다. 즉 라마교라는 거대한 사상의 벽과 벌이는 이념의 전쟁이 박지원의 『열하일기』 몽골 부분의 특징이라고 할 수 있다. 사실 『열하일기』가 사상적 파괴력을 지니기 위해서는 이 이념전쟁의 승리가 가장 중요하다고 보인다. 과연 이 이념의 전쟁에서 누가 이길까. 보다 정교한 논리와 설득으로 독자들에게 감동을 주고 미래에 대한 비전을 제시할 수 있다면 그 자체가 승리일 것이다.

박지원의 노정은 위에서 언급한 바 있는 제3의 길을 통해서 먼저 북경에 도달한 뒤 밀운현密雲縣과 고북구古北口를 거쳐 열하에 도착하는 수순을 밟았다. 돌아오는 길은 10년 뒤 서호수가 택한 몽골 부락 횡단루트, 즉 열하에서 건창현建昌縣과 조양현朝陽縣, 의주성義州城을 거쳐 광녕廣寧으로 직행하는 방안을 검토했지만 안전을 염려한 예부禮部 통관通官들의 반대로 실현되지 못하였다. 박지원은 북경에서 열하에 이르는 길을 밟은 최초의 조선 사절단이란 자부심이 대단했는데, 실제 「막북행정록漠北行程錄」은 조선시대 여행기의 최고봉이라 할 수 있을 정도의 뛰어난 명문이다.

見酋長旣如彼, 所與談論者如孚齋, 仰漏, 皆文學之士也, 昔劉淵之居塞內, 幽冀名士, 多往歸之,淵之子聰, 博涉經史,弱冠游京, 名士莫不與交, 噫, 天下一搖,草動風起, 安知淵聰之徒, 不在其中乎, 是吾所目見者適然數人耳, 況乎吾所未得以見者, 未知有幾人哉.

3. 서호수 여행기의 몽골 관계 기록과 특징

『연행기燕行紀』는 1790년 건륭제乾隆帝의 만수절萬壽節을 축하하기 위하여 파견된 조선 사절단의 부사副使 서호수徐浩修(1736~1799)가 남긴 여행기로, 5월 27일부터 10월 22일까지의 일들이 일기체로 기록되어 있다. 이 여행기는 사행길이 몽골 지역을 통과한 까닭에 몽골에 대한 견문 기술이 실려 있는데, 조선시대의 여행기 중에서 몽골 관련 기록으로서는 가장 방대하고 정확하며 몽골과 몽골인을 보는 시각도 매우 객관적이다.[13]

이 사절단은 조선시대 최초로 투메ㄷTümed나 카라친Kharachin 몽골부족이 사는 지역을 통과했기 때문인지 정사 황인점黃仁點도 『승사록乘槎錄』, 서장관 이백형李百亨도 『경술열하기庚戌熱河記』를 남겼다. 또 수행원인 유득공柳得恭도 『난양록灤陽錄(熱河紀行詩)』이란 시집을 남겼다. 그러나 황인점의 여행기는 서호수의 기록을 그대로 전재한 것이며, 이백형과 유득공의 여행기나 시는 단편적인 기록에 불과하다.

필자는 서호수의 여행기가 몽골 부분에 관한 한 객관적인 입장에서 매우 정밀한 관찰기록을 남긴 것에 주목하고 있다. 이는 최소한 서호수가 당대의 지식인들과 이념적으로 미묘한 차이를 가지고 있다는 것과 평소 방대한 문헌지식을 소유한 인물이라는 것을 보여주기 때문이다. 따라서 서호수의 여행기를 분석하기 위해서는 먼저 서호수라는 인물을 분석할 필요가 있다. 그래야만 이 여행기에 담긴 메시지, 즉 그가 이 여행기를 통해 말하고 싶은 숨겨진 이념을 찾아낼 수 있을 것이다.

먼저 서호수의 몽골에 대한 기록은 1910~1920년대에 작성된 일본 학자들

13) 서호수의 『연행기』에 대한 논문을 발표한 바 있는 임유경도 그의 대외 인식이 매우 긍정적이며, 이러한 인식을 조선시대의 다른 여행기에서는 찾아볼 수 없다고 평하고 있다(임유경, 「서호수의 『연행기』 연구」, 『고전문학연구』 28, 2005, pp.390~391).

의 초기 몽골 보고서와 비교해 전혀 뒤지지 않는 수준임을 밝혀 둔다.[14] 그리고 내용도 분야를 달리하는 학자들이 연합해야 가능할 정도로 다방면에 걸친 세밀한 관찰기록으로 이루어져 있다. 20세기 초에나 가능한 기록이 18세기 말에, 그것도 주자학적 세계인 조선에서 나왔다는 것이 실로 놀랍다. 동시대에 북학파로 잘 알려진 인물들의 보고서보다 더 예리한 관찰과 분석 능력으로 이러한 여행기를 작성한 서호수는 과연 누구일까.

현재까지 역사학계에서 서호수란 인물에 대해서 크게 주목한 적은 없다. 그런데 막상 서호수를 추적하자마자 그가 왜 지금까지 주목받지 못했을까가 이상할 정도로 당시의 주자학적 세계 질서를 깰 수도 있었던 인물로 나타났다. 어마어마한 사상적 파괴력을 가질 수 있었던 이 인물이 그렇게 손쉽게 잊힌 데에는 무슨 사연이 있지 않으면 안 된다. 그것을 추적하는 순간 이 여행기에 숨겨진 그의 메시지도 말없이 부활할지 모른다.

서호수는 1736년 서명응徐命膺(1716~1787)의 맏아들로 태어났다. 그가 태어나고 성장할 때인 영조와 정조 시대는 소론少論과 노론老論이라는 두 정치 세력이 정국을 좌지우지하고 있었다. 바로 아버지 서명응을 비롯한 달성達城 서씨 가문은 소론의 대표 세력으로 정국을 주도하던 대표적인 경화사족京華士族이었다. 특히 정조 시절 서명응이 대제학으로 재임할 때 아우인 서명선徐命善(1728~1791)이 영의정으로 부임하여 일시 두 형제가 학계와 정계를 대표하는 인물로 부상하기도 했다.

아들은 운명적으로 반면교사인 아버지의 사상을 많이 닮게 된다. 따라서 아버지 서명응에 대한 탐구는 서호수를 추적하는 첫 번째 열쇠로 등장할 수밖에 없다. 그러면 서명응의 길을 잠시 따라가 보기로 하자.

---

14) 1910~1920년대에 작성된 일본 학자들의 초기 몽골 보고서에 대해서는 山田信夫, 『天山のかなた —ユ-ラシアと日本人』, 神戸, 1994를 참조.

서명응은 이용후생利用厚生을 추구하는 북학파北學派의 시조라고 칭해질 정도로 박학한 인물이다. 그는 정조의 즉위 초 규장각 설립은 물론, 규장각에서 이루어진 대부분의 편찬 사업도 실질적으로 주도했다.15) 또 박학다식한 학자답게 1783년에 천문과 역법, 지리, 수학, 농학, 음악, 도교, 건축학까지 망라한 『보만재총서保晩齋叢書』를 발간했다.16) 이로 인해 정조는 그에게 친히 보만保晩이란 호를 하사하고, 1787년 그가 죽자 그의 문집을 규장각에서 간행하도록 명할 정도로 총애했다.17)

그는 천문학에 조예가 깊었다. 또 지위에 걸맞게 1755년과 1769년 사신단의 정사로 북경에 파견되었다. 그리고 두 번째 여행인 1769년에 북경 천주당을 방문하고 있다. 이는 북경 천주당의 신부들이 서양의 최신 천문학 지식과 이론에 조예가 깊다는 정보 때문이었을 것이다.18) 그러나 그는 주자학의 세계에 살았던 주자학의 신봉자였다. 따라서 그가 접한 방대한 서적들은 모두 주자학적 질서에 편입되지 않으면 안 되었다. 그의 주자학적 질서는 역학易學 중심의 학문관으로 집약되는데, 이러한 사상의 발판을 이루고 있는 것이 천체에 대한 설명서인 『비례준髀禮準』, 천문 계산의 원리 해설서인 『선구제先句齊』, 또 모든 천체의 현상과 이론을 성리학적으로 재해석한 『선천사연先天四演』이다.

의외이지만 서명응의 관심 사항 중에는 몽골과 관련된 것도 있는데, 그것이

15) 당시 그가 편찬을 주도한 책으로는 『易學啓蒙集箋』, 『皇極一元圖』, 『啓蒙圖說』 등의 역서류, 『列聖誌狀通記』, 『耆社慶會曆』, 『箕子外紀』, 『大丘徐氏世譜』, 『兩漢詞命』 등의 사서류, 『攷事新書』의 類書 등이 있다.

16) 『보만재총서』는 일종의 백과사전(叢書)으로, 『고사신서』와 함께 그의 농업을 중심으로 한 이용후생의 학문 정신을 대표적으로 반영하고 있다. 『보만재총서』는 1786년 정조로부터 "우리 동쪽에서 400년 동안 이런 鉅篇이 없었다"고 극찬을 받았으며, 이후 유학자들 사이에 총서 붐을 일으키는 기폭제가 되었다. 이후 서명응은 1787년 직접 序와 凡例를 짓고 『保晩齋叢書十三種』이라고 이름 붙였다. 그러나 이 총서는 결국 간행되지 못한 채 罫印淨寫本으로 전해져, 현재 고려대학교 중앙도서관과 규장각에 소장되어 있다.

17) 그의 문집은 『保晩齋集』과 『保晩齋剩簡』으로 정리되어 출간되었다.

18) 그는 청나라에 사신으로 가서 천문과 역법에 관한 500권에 이르는 책을 구입할 정도였다.

바로 『방언유석方言類釋』이다. 이 책은 중국, 만주, 몽골, 일본의 언어를 분류하여 한글로 음을 수록한 외국어 학습서인데, 그는 이 책에 대한 서문을 작성했다.[19]

이러한 집안 분위기에서 자란 서호수가 어릴 적부터 자연스럽게 천문학을 접하고, 나아가 정치적 흐름까지 눈여겨볼 수 있는 능력도 지니게 되었으리라는 것은 말할 필요도 없다. 그러면 그는 어떠한 인생 여정을 겪었을까.[20]

서호수는 1765년 식년문과式年文科에 장원급제하여 사헌부지평司憲府持平에 초임될 정도로 비상한 두뇌의 소유자였다. 그러나 그해 곧바로 언사言事로 인해 해남海南으로 유배되는 불운을 겪었다. 이러한 경험은 그에게 말의 무서움을 일깨워주는 교훈으로 작용했을 것이다. 실제 그는 이후 말을 통한 논박보다도 글을 통한 침묵의 메시지를 선호했다. 인생에서 최초의 시련을 맛본 직후인 1766년, 그는 홍문관부교리弘文館副校理로 특채되어 관직 생활을 시작하였다. 이후 대사성, 대사헌 등 청관직淸官職을 거치는 비교적 순탄한 행로를 밟았다.

그러다 1776년 정조의 시대가 열리자마자 그의 능력은 빛을 발하기 시작했다. 인물은 인물을 알아보듯이, 정조는 즉위하기 전부터 그의 뛰어난 학문적 능력을 눈여겨보고 있었다. 정조는 즉위하자마자 서호수를 도승지로 발탁함과 동시에, 국립도서관인 규장각奎章閣을 창덕궁昌德宮의 북원北苑에 건립했다. 그리고 그를 북경에 파견하여 1772년에 완성된 『사고전서四庫全書』를 구해오라는 명령을 내렸다. 그러나 구입에 실패하고 그 대신 『고금도서집성古今圖

19) 서문 중 몽골 부분에 관한 것을 인용하면 다음과 같다. 『保晩齋集』 卷七 「方言類釋序」: "…上之二年戊戌(1778), 旣撰奎章韻瑞, 復命臣率舌官洪命福等, 博採漢淸蒙倭之方言今時所用者, 分門彙類, 以我國諺文釋之, 且附以中州鄕語, 名曰方言類釋, 我國諺文, 雖虫聲鳥語, 亦可以形容, 況於方言乎, 從今以往, 我國爲使者, 素不習四國之言…."

20) 서호수의 학문과 생애에 대한 기존의 연구로는 염정섭, 「서호수 –천문학과 농학을 겸전한 전문가」 『63인의 역사학자가 쓴 한국사 인물 열전』, 서울, 2003이 있다.

書集成』을 구해 돌아왔다. 이후 그는 당대 문화 사업의 핵심기관이었던 규장각의 직제학이 되어 정조의 의중을 반영하는 문화사업의 총책을 맡았다.

그는 『어정송사전御定宋史筌』을 교열하고, 1781년에는 『규장총목奎章總目』을 책임 편찬했다. 또 『국조보감國朝寶鑑』에서 봉모당奉謨堂에 봉안할 임금의 글(御製)들을 자세히 살피는 작업 등 규장각의 여러 편찬 사업에서 주도적인 역할을 수행했다. 그리고 정조의 문집인 『홍재전서弘齋全書』의 기초가 된 『어제춘저록御製春邸錄』의 간행을 주관하였다. 그는 규장각에 원임직제학原任直提學의 직함으로 간여하면서 이조·형조·병조·예조판서를 두루 역임하였다.

서호수는 예조판서로 있을 때인 1790년에 건륭제 만수절萬壽節 축하 사절의 부사로 임명되어 청나라에 다녀왔다. 이때 남긴 여행기가 바로 몽골에 대한 기록이 가득 실려 있는 『연행기』이다. 따라서 이때까지의 학문성과가 그대로 이 여행기에 반영되었다고 해도 좋다. 그가 이 속에 무엇을 담고 싶어 했을까는 그의 학술성과를 세밀히 살펴보면 추론이 가능할 것이다. 그런데 이 추론에 앞서 잠시 그의 집안에 대해 살펴보고 넘어갈 필요가 있다. 그럴 경우 그의 학문적 태도와 성향이 더욱 분명히 나타날지 모른다.

문벌 가문의 대표적인 인물인 서호수는 조선의 대표적인 장서가라 불릴 정도로 책을 많이 모았다. 물론 아버지의 유산이 다수였을 것이다. 서호수의 집안은 그 자체가 소규모 학자 군단이라 해도 좋을 정도였다. 큰아들인 서유본徐有本은 당시의 대표적인 학자였으며, 둘째아들인 서유구徐有榘(1764~1845)도 농업의 백과사전인 『임원경제지林園經濟志』를 집필했다. 서유본의 부인인 빙허각 이씨(1759~1824)도 의식주 문제를 종합적으로 정리하고 이론적으로 체계화한 생활경제 백과사전인 『규합총서閨閤叢書』를 남길 정도였다.

서호수의 동생인 서형수徐瀅修(1749~1824)도 『명고전집明皐全集』이란 문집을 남길 정도로 문사에 뛰어났다. 그러나 그는 형과 반대로 정치적인 성향이 강한 인물이었다. 이로 인해 1791년에는 남인南人으로 우의정의 자리에 있던 채제공蔡濟恭과 갈등을 빚어 일시 파직되기도 했다. 파직의 원인은 부임 인사를 하지 않았기 때문이다. 그러나 집안의 배경이 든든한 그는 곧 복직되었고, 1799년 7월에는 진하겸사은사進賀兼謝恩使의 부사로 임명되어 북경에 다녀왔다. 또 고모부인 이휘중李徽中(1715~?)도 1760년 서장관으로 중국에 다녀왔다. 이때 아들인 이의봉李義鳳(1733~1801)을 자제군관으로 데리고 갔는데, 그는 『북원록北轅錄』이라는 여행기를 남겼다.

즉 서호수의 집안은 세상의 부러움을 사고도 남을 정도로 조선의 지배층만이 가질 수 있는 모든 혜택과 기회를 마음껏 누렸음을 알 수 있다. 그러나 세상만사가 그렇듯 그가 1799년 1월 세상을 떠난 후 순조純祖의 시대가 열리자, 그의 집안은 벽파辟派의 공격을 받아 동생인 서형수는 오랜 유배생활 끝에 1824년 유배지에서 죽고, 아들인 서유구도 1827년 이후에야 관로에 나올 수 있었다.

이상 겉으로 드러난 서호수의 집안과 학문을 보면, 그가 주자학적 세계 질서를 부정하거나 그것을 탓할 필요가 전혀 없는 인물임이 나타난다. 그런 그가 도대체 왜 이러한 여행기를 남기게 된 것일까. 그것은 아무래도 그의 관심분야에서 찾지 않으면 안 될 것이다. 즉 학문 분야가 사람의 관점이나 사상을 바꾸듯, 그가 이러한 시각을 가지게 된 원인도 거기에 있을 것이다. 왜 서호수는 시대의 말없는 배반자가 되어 침묵의 메시지를 남긴 것일까. 그러면 그가 시대의 이념에 반기를 들게 된 여정을 현재 단편적으로 남겨진 학문성과를 통해 추적해 보기로 하자.

서호수는 규장각직제학奎章閣直提學과 관상감제조觀象監提調를 지내는 동안 집필에 힘을 기울였다. 그가 일생 동안 남긴 저술은 천문학 관련 저서 외에 『농가집성農家集成』과 『산림경제山林經濟』를 기초로 우리나라 농업의 특성에 맞도록 만든 『해동농서海東農書』(1798)가 있으며, 1799년에는 『홍재전서弘齋全書』[21] 편찬에도 참여하였다.

그러나 그의 저술 활동에서 가장 주목되는 것은 역시 천문학 분야이다. 서호수의 천문학적 재능은 이미 영조 말기인 1770년 『동국문헌비고東國文獻備考』를 편찬할 때, 천문학 분야의 「상위고象緯考」[22] 집필을 맡을 정도로 뛰어났다. 사실 별의 등급을 매긴 그 한 가지 사실만 가지고도 그는 이미 희대의 천재라고 칭송받아도 좋을 것이다. 천문학의 천재인 그는 정조 시대 내내 관상감 제조로서 당대에 이루어진 크고 작은 대부분의 천문학 관련 사업들을 주관했다. 그의 손을 거치지 않은 천문역산 사업은 상상할 수도 없었다. 그는 당대 최고의 중국 천문학 책인 『역상고성曆象考成』의 해설서인 『역상고성보해曆象考成補解』와 수학 이론의 해설서인 『비례약설比例約說』 및 『수리정온보해數理精蘊補解』를 집필했다. 이 결과 당시 조선의 천문역산이 중국의 의존에서 완전히 벗어날 정도였다.

천문학이란 그 속성 상 속세의 아집을 떠나 인생의 관점을 넓혀 주는 학문이다. 또 내부적으로는 주관이 아닌 객관적인 관찰력을 토대로 변화 속에서 본질을 추구하는 학문적 특징을 지니고 있다. 아울러 천문학은 농업 및 수학과 밀접한 관계를 맺고 있기 때문에 최신 이론들의 접목이 매우 필요한 분야이다. 서명응이나 서호수가 북경의 천주당을 방문한 이유도 그 때문임은 물론

21) 『弘齋全書』는 正祖(1752~1800)의 詩文을 규장각에서 편찬하고 간행한 책이다. 홍재전서는 1799년(정조 23) 12월에 1차 정리되었고, 1801년(순조 1) 12월에 2차 정리되었으며, 1814년 3월에 간행되었다. 제1차 정리 사업은 1798년 가을 정조가 서호수에게 자신의 御製를 편찬할 것을 명령함으로써 시작되었다. 정조는 서호수의 주도하에 李晩秀, 金祖淳, 李存秀 등에게 어제의 繕寫 작업을 공동으로 감독하도록 하였으나, 얼마 지나지 않아 1799년 1월 서호수가 사망함으로써 잠시 중단되기도 했다.

22) 「象緯考」는 항성 등급에 따른 별의 밝기를 크기로 표현한 것이다. 1등성은 2등성의 2.43배, 2등성은 3등성의 2.55배라는 비율로 전개되는데, 1등성은 크기가 지구의 68배, 2등성은 지구의 28배, 3등성은 지구의 11배 등을 나타내고 있다. 이러한 계산법은 영국의 천문학자 J. 허셜Herschel이 1830년대에 와서야 1등급 차이의 밝기 비율이 2.51배라는 사실을 처음 발견했다는 점을 미루어 보면, 당시 서호수의 천문학 수준이 얼마나 뛰어난지 잘 말해주고 있다.

이다. 우리는 역사상 천문학자들이 기존 사상의 벽을 깨고 새로운 시대의 발판을 마련한 예를 갈릴레오나 코페르니쿠스에서 보았다. 과학적으로 입증되는 것을 신화적 논리로 푼다는 사실이 그들에게는 꽤나 우스운 모습이었을 것이다.

서호수도 당대의 세계적인 천문학자였던 만큼 아버지의 구닥다리 같은 논리를 보는 시각도 그들과 같았을 것이다. 그런 사실을 잘 알고 있는 이 희대의 천재가 왜 새로운 시대이념의 창출자로 나서지 못하고 입속으로만 새로운 이념의 필요성을 뱅뱅 맴돌게 했을까. 그것은 아마 그를 억누르는 시대 상황보다도 그의 성격에 기인한 바가 컸을 가능성이 높다. 바로 그것을 보여주는 대표적인 예가 여행기 내에 존재하고 있다. 그것을 소개하면 다음과 같다.

> 서양의 새로운 역법은 옛 역법과는 아주 다르다. … 서양의 역법 이전에는 오직 곽태사郭太史의 수시력授時曆을 가장 정밀하다고 일컬었다. 그것은 측량에 중점을 두었기 때문이다. … 대체로 악樂과 역曆, 역易과 역曆의 이치는 일관되지 않음이 없으나, 그 법은 아주 다른 것이니 절대 억지로 갖다 붙여서 현혹되게 만들어서는 안 될 것이다.[23]

이 편지는 유득공을 통해 중국의 대표적인 천문학자 옹방강翁方綱에게 보낸 것으로, 자신이 집필한 『혼개도설집전渾蓋圖說集箋』[24]에 대한 의견을 구하면서 결론과 같은 속내를 드러낸 말이다. 사실 옹방강翁方綱이나 서명응은

23) 『연행기』「1790년 8월 25일」조 : 西洋新曆與古法絕異, …西曆以前, 惟郭太史授時曆, 最號精密, 蓋因其專主測量, …大抵樂與曆, 易與曆理, 未嘗不貫, 而法自迥殊, 決不容傅會而眩耀也. 郭太史는 원나라 때의 인물인 郭守敬이다. 그는 코빌라이칸의 명을 받아 中書左承 許衡 등과 함께 지금까지의 역법을 개선한 실측 위주의 授時曆을 만들었다.

24) 『渾蓋通憲圖說集箋』은 마테오 리치Matteo Ricci의 협력자였던 李之藻가 지구설에 대해 논한 저술인 『渾蓋通憲圖說』의 해설서이다.

같은 시각을 지닌 학자들이다. 따라서 위의 편지는 아버지 서명응의 천문학 이론을 옹방강을 끌어들여 교묘하고 은근히 부정하고 있는 것이다.

이 편지와 책을 받은 옹방강은 서호수의 예상처럼 늘 그렇고 그런 말로 답변을 보내왔다. 이에 서호수는 절망하고 분노한 듯하다. 좀처럼 속내를 드러내지 않는 그도 더 이상 참을 수 없었던지 시대에 대한 반역선언과도 같은 메시지를 다음처럼 토해냈다.

> 대체로 현재 중국의 사대부들은 성률聲律과 서화書畫로써 덧없이 명예나 낚고 승진을 위한 사다리로 삼을 뿐이다. 예악禮樂과 도수度數를 쓸모없는 것으로 보고 있다. 일부나마 실질을 추구하고자 하는 자들도 정림亭林(顧炎武)이나 죽타竹垞(朱彝尊)가 행하다 남긴 것들을 주워 모으는 데 지나지 않는다.[25)]

당시 조선이나 중국에서 전통적 이념을 지닌 사대부들은 물론 스스로 개혁파라 자처하고 있는 자들의 이념까지도 모두 엉망진창이라는 이 말은 실로 어마어마한 폭탄선언이라고도 할 수 있다. 아마 조선의 공식적인 자리에서 이런 말을 했다면 그는 물론 그의 집안도 풍비박산이 났을 것이다. 이러한 점에서 서호수는 참으로 묘한 인물이다. 시대를 변혁하고 싶은 불타는 열정을 지녔으면서도 말 대신에 수수께끼와 같은 메시지를 통해 그것을 토로하고 있다. 아버지의 존재를 부정할 수 없었기 때문일까. 실제 그는 아버지의 대표 저서인 『보만재총서』의 편찬과 간행을 옆에서 묵묵히 도왔을 뿐 비판의 문구 하나 던진 적이 없었다. 아버지와 정반대의 학문적 관점을 지닌 아들이 겪어야 했던 고통을 생각하면 정말 마음이 아려온다. 이것이 바로 조선시대였다.

그러나 그가 느낀 시대의 절망감은 주변의 다른 민족을 관찰하는 데에는

25) 『연행기』 「1790년 9월 2일」 조 : 大抵目今中朝士大夫, 徒以聲律書畫, 爲釣譽媒進之階, 禮樂度數, 視如弁髦, 稍欲務實者, 亦不過掇拾亭林·竹垞之緖餘而已.

전혀 지장이 되지 않았다. 그것이 바로 『연행기』에 묘사된 몽골의 모습이라고 할 수 있다. 이러한 점에서 『연행기』에 대한 세밀한 연구는 그의 사상적 재발견의 불을 댕기는 의미도 지니고 있다.[26)]

서호수는 위의 인용문에서도 나타나듯이 몽골족이 지배했던 원나라 때의 과학기술, 즉 천문학의 발전을 정확히 꿰뚫어 보고 있었다.[27)] 사실 대원제국 때의 천문학은 유럽의 시대가 대두되기 이전까지 최고 수준이었다. 이란인 자말-우딘Jamal ud-Din을 필두로 중국인 곽수경郭守敬에 이르기까지 국적을 불문한 동서양의 과학자들이 참가하여 만든 수시력授時曆은 1년의 길이를 365.2425일까지 계산한 당대 최고의 역법이었다.[28)]

26) 사실 필자는 이『연행기』를 세밀하게 읽으면서 그가 추구하는 이념이 이 책의 곳곳에 숨어 있다는 느낌을 강하게 받았다. 필자가 분석하는 범위가 몽골에 한정된다는 것이 무척 아쉬웠을 정도로 그가 곳곳에 숨겨 놓은 시대의 메시지를 발견할 수 있었다. 그 대표적인 한 사례가 삼학사에 대한 그의 시각이다. 삼학사 부분은 본 논고의 분석 대상이 아니지만 그냥 지나치기 너무 아쉬워 한번 인용해 보기로 하겠다. "오직 우리나라의 춘신사인 나덕헌, 이확만이 태묘에 절하지 않았다. (이에 태종이) 말하기를 '조선 사신의 무례함은 일일이 들어 말하기 어렵다. 이것은 다 조선이 원망을 맺으려는 생각이 있어, 짐이 먼저 빌미를 열어 그 사신을 죽인 다음 짐에게 맹세를 저버렸다는 구실을 뒤집어씌우려는 것이다. 짐은 결코 한때의 작은 분노로써 분풀이하기를 좋아하지 않는다. 두 나라가 전쟁을 할 때에도 사신으로 온 자를 죽이지 않는 법이다. 하물며 조회하는 때이겠는가. 불문에 부친다'라고 하였다. 이윽고 나덕헌 등을 돌려보냈다. (그런데 이들은 청 태종의) 답서가 몹시도 도리에 어긋나고 거만하다고 (판단했다. 이에) 나덕헌 등은 그 답서를 연산관에 버리고 갔다. … (9월 3일 박제가가 북경의 유리창 서점에서 아직 장정되지 않은『皇淸開國方略』의 몇 줄을 스파이처럼 베껴가지고 왔다. 조선 사신단은 청나라의 법령에 의해 이 책을 구입하는 것이 금지되었다. 박제가가 베껴온 것은 삼학사 부분이다) … 태종이 맹약을 깨뜨린 두세 신하를 묶어 보내라고 (조선에) 유시했다. … (崇德 2년[1637] 3월 갑진에) 홍익한, 윤집, 오달제를 저자에서 베어 죽여, 그들이 명나라에 가담하여 맹약을 깨뜨리고 전쟁을 일으킨 죄를 다스렸다(惟我國春信使羅德憲李廓不拜太廟, 諭曰, 朝鮮使臣無禮處, 難以枚擧, 皆是朝鮮有意構怨, 欲朕先啓釁端, 戮其使臣, 加朕以背棄盟誓之名耳, 朕終不肯逞一時之小忿, 兩國爭戰之際, 亦無戮其來使之理, 況朝會乎, 其勿問, 尋遣羅德憲等歸, 答書極其悖慢, 德憲等, 棄之連山關而來(1790년 8월 25일조) … 太宗諭令縛送首謀敗盟二三臣…誅洪翼漢, 尹集, 吳達濟于市, 以正其倡議袒明, 敗盟搆兵之罪(1790년 8월 25일조)." 그는 삼학사에 대하여 우국의 감정 표현 대신 객관적인 역사 서술로 대체했다. 또 당시 조선에서 돌고 있는 삼학사에 대한 황당한 소문, 즉 유배를 갔다거나 오삼계에게 투항했다는 것이 사실이 아니라는 것만을 부언할 뿐 아무런 평도 내리지 않았다. 그러나 그 자체가 그냥 논평일 정도로 그는 정치와 맹약의 상식만을 강조하고 있다. 즉 조선의 엉터리 같은 외교정책과 대외 인식을 말없이 비판하고 있는 것이다.

27) 참고로 고대 몽골의 점성술에 대해서는 Д. Мөнх-Очир, 『Сав шин хүн ертөнц ба зурхай』, УБ, 1998 및 『Монгол зурхайн түүх』, УБ, 2000를 참조.

28) 몽골의 천문학에 대해서는 졸저, 『유라시아 대륙에 피어났던 야망의 바람 – 칭기스칸의 꿈과

서호수의 몽골 관계기록의 특징은 정확성과 정밀성 및 객관성이다. 그 한 예가 몽골 지리에 대한 상세한 기록을 남긴 다음, 청나라에 투항한 내몽골 부족의 수와 그를 바탕으로 편성된 기旗(khoshigu>хошуу)의 숫자를 거의 정확히 파악하고 있음을 보여주는 다음과 같은 기록이다.

> 이상 모두 25부이며 이것은 51기旗로 나누어진다. 강역은 동쪽으로 성경盛京 및 흑룡강에 이르고, 서쪽으로는 오이라트Oyirad(厄魯特)에 이른다. 남쪽은 장성에 이르며, 북쪽은 삭막朔莫에 이른다. (그들의 영토는) 기다랗게 만 여리에 뻗친다.[29]

사실 조선시대 여행기에서 몽골 부족의 자사크기(Jasag-un khoshigu>засгийн хошуу) 숫자를 거의 정확히 맞춘 것은 서호수가 유일하다. 만주족은 명나라에 앞서 몽골족과 치열한 전투를 벌였는데, 몽골의 내부분열을 틈타 결국 태종 홍-타이지Khong-Tayiji(皇太極)는 1636년 4월 심양에서 내몽골 16부 49명의 왕공王公으로부터 자신이 칭기스칸의 후계자임을 인정받는 데 성공했다. 이로 인해 청 태종은 몽골로부터 "성스럽고 현명한 칸(Bogda-Sechen Khan, 博克多徹辰汗)"이란 대칸 명칭을 받음과 동시에, 만주와 몽골의 황제로서 나라이름도 푸른 제국(Yeke Jüsin Ulus, 大淸帝國)이라고 개칭했다.

이후 대청제국은 승복치 않는 몽골 부족과의 전투를 계속하면서 그들의 복속을 받아냈으며, 투항한 부족은 자사크기로 편성되었다. 청 태종 9년(1635)부터 건륭乾隆 원년(1736)에 이를 때까지 모두 24부 49개의 자사크기가 편성되었다. 이들은 모두 내몽골의 자사크기들이다. 서호수는 이 자사크기 외에 귀

길』 pp.355~356을 참조.

29) 『연행기』 「1790년 7월 16일」조 : 凡二十五部, 分爲五十一旗, 疆域東至盛京黑龍江, 西至厄魯特, 南至長城, 北至朔漠, 袤延萬有餘里.

화성-투메드 2기 도통기(歸化城土默特二旗都統旗)를 첨가하여 25부 51기로 계산하고 있다. 조선시대에 수많은 사절단이 북경에 파견되었고 나름대로의 정보 수집을 통해 주변 정세를 파악했으리라 보인다. 그러나 기존의 여행기에 한하는 한 그들이 수집한 정보는 매우 부정확하다. 내몽골 25부 51기를 정확히 파악하고 있는 서호수의 능력은 실로 감탄을 불러일으킨다.

그는 대몽골제국 시절의 외국 사절단처럼 몽골을 전문적으로 파악하기 위해 파견된 사절이 아니다. 또 최덕중 같은 정보 수집의 임무를 부여받은 것도 아니다. 그런 그가 마치 몽골의 정보수집 스파이와도 같은 정밀한 기록을 남겼다는 것은 어딘가 예사롭지 않다는 느낌이 든다. 사실 그의 진가는 지리 부문에서 더욱 빛을 발한다. 청나라에서 몽골의 지리를 처음으로 다룬 인물이 장목張穆(1805~1849)이다. 그가 남긴 『몽골유목기蒙古游牧記』는 이후 일본군이 만몽을 침략하는 안내서로 활용할 정도로 정밀하다.[30] 그러나 그보다 한 시대가 앞선 서호수가 남긴 몽골 지리를 자세히 살펴보면 장목의 그것과 별 차이가 없다. 장목의 『몽골유목기』가 나오기 전에 조선에 이미 이러한 기록이 존재했다는 것은 실로 놀랍다 하지 않을 수 없다.

서호수는 여행길에서 직접 수많은 몽골인들을 만나고 또 관찰했다. 그는 몽골인들을 다음과 같이 평가하고 있다.

> 그런데 몽골의 풍속은 소박하며, 아직도 순수하고 착한 마음이 남아 있어 남을 대하거나 (음식 등) 물건을 바칠 때 진심과 성의가 있었다. 진실로 어진

30) 일본은 조선을 병합하고 만주를 침략하면서 지리서의 확보에 심혈을 기울였다. 일본이 만주국을 세운 뒤 그 안에 존재하는 몽골인들을 파악하기 위해 먼저 지리 지식부터 정리하는 작업을 전개했는데, 그 중의 하나가 만주국 蒙政部總務司調査科에서 1935년에 펴낸 『蒙古地名の解說』이다. 그러나 이 책은 서호수의 기록과는 비교가 안 될 정도로 엉성하다. 일본 육군은 장목의 『몽골유목기』를 확보한 뒤 그것을 재빨리 번역했는데, 그 책이 바로 須佐嘉橘 譯, 『蒙古游牧記』, 東京, 開明堂出版部, 1939이다. 이 책이 번역되자 당시 육군 대신인 板垣征四郎는 "신동아건설의 聖業에 기여하는 책"이라고 직접 서문을 쓸 정도로 큰 관심을 나타냈다.

> 이로 하여금 그들을 가르쳐 인도하게 한다면, 보고 느끼고 변화하는 것이 남방의 제번諸蕃보다 뛰어날 것이다.[31]

그가 이 글을 쓰면서 무엇을 생각했는지는 몰라도 필자는 마치 그가 고려시대에 몽골을 방문한 고려인들과 같다는 신선한 충격을 느꼈다. 물론 우리들은 아직도 고려시대의 몽골에 대해 조선시대의 사대부들 이상으로 많은 편견을 가지고 있지만 말이다. 서호수는 몽골인들의 품성에 대해 논한 다음, 모든 조선의 사대부들이 절대로 인용하지 않는 코빌라이칸을 내세워 조선 선비들의 자부심인 소중화 의식을 은근히 비판하고 있다.

> 옛날에 원나라 세조(코빌라이칸)가 노재魯齋 허형許衡을 국자감 좨주로 삼고 친히 몽골의 제자를 선택하여 가르치게 했다. 노재가 명령을 듣고 기뻐하여 말하기를, "이것이 내가 할 일이다. 국인國人의 자제들이 크게 질박하여 마음이 흐트러지지 않고, 보고 듣는 것이 한결같다. 그들을 착한 무리 속에 두고 두어 해 동안 함양涵養시킨다면, 장차 반드시 국가의 유용한 인재가 될 것이다"라고 하였다. 이 말이 『원사』에 실려 있다. 옛일을 가지고 지금을 보면, 하늘이 인재를 낳는 것은 진실로 화이華夷에 국한하지 않는 것이다.[32]

서호수는 이전 몽골인과 남방인의 심성을 비교해 몽골인이 더 낫다고 말한 바 있다. 그의 남방인에 대한 개념 형성은 분명 역사문헌의 탐독에서 나왔을 것이다. 그런 그가 1790년 7월 19일 열하의 피서산장에서 베트남 사신인 반휘익潘輝益과 무휘진武輝瑨과 시를 주고받았다. 물론 이 시에 남방인의 품평에

---

31) 『연행기』「1790년 7월 11일」조 : 而蒙俗質樸, 尙有混沌未鑿底意, 待人接物, 純是誠款, 苟使賢者敎導之, 觀感變化, 常勝於南方諸番.

32) 『연행기』「1790년 7월 11일」조 : 昔元世祖以許魯齋衡, 爲國子祭酒, 親擇蒙古弟子, 俾敎之, 魯齋聞命, 喜日, 此吾事也, 國人子, 大朴未散, 視聽專一, 若置之善類中, 涵養數年, 將必爲國用, 語載元史, 以古視今, 天之生才, 固不限於華夷也.

대한 기록은 없다. 그 중 한 시를 소개하면 다음과 같다.

> 집이 삼한의 동쪽에서도 끝에 있어
> 일남(베트남) 소식에 어둡고 알기도 어려웠네.
> 사신이 멀리서 도착하니 남방의 별이 움직이기 시작하고
> 천자는 높이 있어 사해四海가 이미 같은 땅일세.
> 말젖 술 좋은 맛이 긴긴 밤을 잊게 하니
> 나르는 수레 타고 긴 바람을 헤치며 날고 싶네.
> 그대의 만 리 고향 가고픈 꿈은 알지만
> 여전히 구진(별자리)과 표미(별자리) 사이에 있구나.[33]

위의 시는 마치 동화의 세계처럼 별의 이야기들이 수놓아져 있다. 그리고 하늘의 별들을 통해 현실 세계가 구성되고 있다. 그의 시에는 정말 천문학 지식을 가진 자들만이 누릴 수 있는 시각과 행복이 넘쳐난다. 그도 대몽골제국 때 몽골과 베트남의 관계를 알고 있었을 것이다. 그런 역사적 배경을 가진 나라의 사신에게 보내는 시에 그는 거리낌 없이 몽골을 떠올리는 말젖술(ayirag chege)을 등장시켰다. 의도했든 아니든 그것은 분명히 파격이었다. 서호수는 여행기의 마지막을 다음처럼 장식하고 있다.

33) 이 시는 서호수가 武輝瑨의 시에 대한 답장으로 쓴 것으로 원문은 다음과 같다. "家在三韓東復東, 日南消息杳難通, 行人遠到星初動, 天子高居海旣同, 挏酒眞堪消永夜, 飛車那得溯長風, 知君萬里還鄕夢, 猶是鉤陳豹尾中." 시의 문구 중 鉤陳은 북극성 주변의 별자리이며, 豹尾는 인도에서 유래된 상상의 별자리이다. 즉 이 두 별자리는 남과 북을 상징하고 있다. 참고로 朴齊家(1750~1805)의 문집인『貞蕤閣』三集에도 "次韻潘輝益, 代副使作"이란 이름으로 같은 내용의 시가 수록되어 있다. 따라서 박제가가 서호수를 대신하여 지은 것처럼 보일 수도 있지만, 내용적인 면은 물론『연행기』내에 "나는 (두 사람에게) 시 2수를 화답해 보내주면서 각자에게 부채 10자루와 청심원 10개도 보냈다(余和送二詩, 各致扇十柄, 淸心元十丸)" 및 "무(휘진)에게 화답한 시는 이러하다(和武詩曰)"라는 구절을 미루어 볼 때 박제가가 서호수의 구술을 받아 쓴 것이 분명하다고 보인다. 당시 서호수의 사절단에는 유득공과 박제가가 포함되어 있는데, 이들의 임무는 정조의 지시 사항인 朱子書 善本을 구입하는 것이었다.

> 황제가 재차 신 등을 불러 보고 긴 말을 하고자 하면서 만주어나 몽골어를 할 줄 아는 자가 있는가를 물었습니다. 신 등이 '데리고 오지 않았다'고 대답하였더니 황제가 매우 답답해했습니다. 대체 사대事大하는 일 중에 가장 긴급하고도 절실한 것이 바로 만주어입니다. 그런데 역원譯院의 청학淸學이 점점 예전만 못해지고 있습니다. 신 등의 이번 사행에 수행한 이혜적李惠廸은 이름은 비록 청학을 했다고는 하나 으레 쓰는 말도 알지 못하였습니다. 그래서 부득이 데리고 오지 않았다고 대답한 것입니다.[34]

즉 만주어나 몽골어를 모르면 외교적 실익은커녕 국가적 체면도 세우기 어렵다는 뜻이다. 역관들의 통역실력 부족을 개탄하는 사신들의 하소연은 각종 여행기에서 시대별로 누차 반복되고 있다. 그러나 무슨 사정 때문인지 조선 역관들의 외국어 실력은 좀처럼 개선되지 않았다. 그렇지만 좀 더 관점을 넓혀 생각하면 조선 사대부들의 책임도 적지 않다. 역관은 역관일 뿐 그들이 상대방 고위 관리들의 파트너가 될 수는 없다.

우리나라 역사상 외국어를 가장 능숙하게 구사했던 관료층이 원나라 때의 고려이다. 그로 말미암아 최고위층과의 교류가 일가처럼 행해졌다. 그래서 원나라와 고려는 원나라의 지배 세력이 교체될 때마다 정치적 파란을 동시에 맞는 적이 많았다. 고려와 조선은 분명 형제의 나라이다. 그러나 주인공만 같은 뿐 그들의 이념은 너무 달랐다.

소중화를 자처했던 조선의 사대부들이 명분상 만주어나 몽골어를 배운다는 것은 상상할 수도 없었다. 또 평생 한 번 북경을 여행할 기회가 주어질까말까 하는 상황에서 사대부들에게 만주어나 몽골어는 그다지 필요하지 않을 수도 있는 언어였다. 따라서 서호수의 외국어 능력 부족을 탓할 필요도 없다.

34) 『연행기』 「1790년 10월 22일」 조 : 皇帝再次召見臣等, 欲與之長語, 問有淸蒙語者, 而臣等以未帶來仰對, 皇帝甚爲之沓沓, 大抵事大中最緊切, 卽淸語, 而譯院淸學, 漸不如古, 臣行所帶去之李惠迪, 名雖淸學, 未達例用話頭, 故不得已以未帶來爲對矣.

그 시대가 그것을 용납하지 않았기 때문이다. 그러나 그 결과는 참혹했다.

서호수를 비롯한 조선시대의 여행기에서 단 한 사람도 만주어나 몽골어를 구사하는 고위 관리는 없었다. 그래서 청나라 시대의 조선 여행기에 상대방 고위 관리와 일가처럼 지내거나 고급 정보를 나누는 기록이 존재하지 않는다. 그 뛰어난 지식을 지닌 서호수조차도 외국어 능력 때문에 정치적으로 조선과 동병상련의 위치에 있는 몽골 통치자들과 직접 만나 친분을 쌓을 수 없었다. 서호수가 역관이라는 방편을 무기 삼아 정조에게 동아시아 지배자의 언어인 만주어와 몽골어의 필요성을 강조한 것은 어찌 보면 조선의 이념에 대한 점잖은 비판일 수도 있다.

서호수의 여행기에는 내용은 물론 여정에도 몽골의 향기가 짙게 흐르고 있다. 그의 여행길은 조선 사신단 중 유일하게 투메드 등 몽골 부족이 사는 지역을 통과하여 피서산장에 도착한 뒤, 이후 박지원이 밟았던 길을 통해 귀국하는 포물선 형태로 이루어져 있다. 서호수도 이러한 특수성을 의식하고 뒷날의 참고에 대비한다고 하면서 심양에서 열하에 이르는 길을 특기하고 있다. 그것을 도표로 나타내 보면 다음과 같다.

심양瀋陽의 신점新店에서 구관대九關臺를 경유하여 열하에 이르는 길과 이수里數	
출발지 신점新店	경유 지점
백대자白臺子 경유	조양현朝陽縣 15리
정안보正安堡 50리	대영자大營子 20리
망산포望山鋪 10리	호접구蝴蝶溝 경유
사방포四方鋪 10리	삼가아三家兒 30리
사보자四堡子 10리	라마구喇嘛溝 25리
위가령魏家嶺 15리	행호자대杏胡子臺 10리
화아루花兒樓 10리	담장구량擔杖溝梁 30리
황토감黃土坎 10리	공영자公營子 20리
세하細河 10리	야불수夜不收 30리
관제묘참關帝廟站 5리	장호자張鬍子 30리
고대자高臺子 20리	건창현建昌縣 35리
사하沙河 도강	송가장宋家莊 30리
묘구참廟口站 20리	쌍묘雙廟 25리
대릉하大凌河 도강	북궁北宮 40리
의주성義州城 35리	양수구楊樹溝 35리
최가구崔家口 20리	대묘참大廟站 20리
두도하자頭到河子 10리	평천주平泉州 30리
육대변장六臺邊墻 25리	봉황령鳳凰嶺 30리
유하柳河 도강	칠구七溝 20리
석인구石人溝의 지장사地藏寺 5리	상운령祥雲嶺 15리
수촌자水村子 30리	서륙구西六溝 25리
만자령蠻子嶺 20리	황토량자黃土梁子 30리
장가영張家營 경유	홍석령紅石嶺 경유
망우영蟒牛營의 복령사福寧寺 25리	평대자平臺子 30리
대릉하大凌河 25리	승덕부承德府 30리
총 970리	

서호수가 택한 노정은 10년 전에 박지원의 사절단이 귀국길로 논의한 노선과 매우 유사하다. 그것을 탐색 과정의 우여곡절까지 포함해 소개하면 다음과 같다.

모든 조선 사신단의 특징이자 공통점이 만주어나 몽골어에 능통한 역관이 드물었다. 또한 고급 정보를 독점하고 있는 만주의 고관들은 한어를 몰랐다. 따라서 그들과 무슨 일을 할 경우에 번잡한 다중 통역을 거쳐야 할 때가 많았다. 박지원의 사절단도 예외는 아니었다. 이들이 귀국길을 알아내기까지는 다음과 같은 시련을 거쳐야 했다.

> 역관은 더 물어볼 사람이 없어 답답해하던 판이었다. 그때 마침 한 늙은 장경章京이 일찍이 이 길을 간 적이 있어 자세히 말할 수 있다 했다. 그래서 종이와 붓을 내주며 쓰게 했지만 그는 한자를 전혀 몰랐다. 하늘을 잠시 쳐다보다가 엎드려서 (먼저) 땅에다 (지도를) 그리기 시작하였다. 손으로 모래를 모아 산 모양을 만들고, 다시 검부러기를 잘라 배를 만들어 강을 건너는 형상을 만들었다. 그리고 붓을 잡아 글씨를 빨리 쓰는데 만주 글자였다. 아무도 이를 알아보는 자가 없어서 구경하던 사람들이 모두 깔깔 웃었다. 내가 이 종이를 가져다가 왕혹정王鵠汀에게 보였더니, 혹정 역시 해득하지 못하여 왕나한王羅漢에게 보였다. 나한은 "내가 비록 이 글을 안다고 하나 한자로 번역하기는 어렵다. 내가 사는 이웃에 봉천奉天 사람이 손님으로 와 있는데 그가 이 길을 알 듯하다. 내일 그에게 물어 상세히 적어서 갖고 오겠다"고 했다. 그리고 곧 종이를 품속에 집어넣고 가 버렸다. 이튿날 그는 과연 자세히 적어 가지고 왔다.[35]

이 우여곡절 끝에 늙은 만주 장경章京에게서 알아낸 길이 바로 다음과 같은 길이다.

---

35) 『열하일기』「口外異聞」武列河條：任譯更無向人探問處, 方納悶, 有一老章京曾經行者, 能歷歷言之, 而給紙筆, 使之開錄, 則目不識漢字, 仰視天, 俯畫地, 手扱沙作山形, 復截芥爲舟渡狀, 然後操筆疾書, 乃滿字, 無解見者, 觀者皆大笑, 余偶以此紙, 示王鵠汀, 鵠汀亦不能解, 以示王羅漢,羅漢曰, 吾雖知之, 漢字翻謄則難, 俺鄰舍有奉天人來客者, 似當識此路, 明日問諸此人, 詳錄以來也, 因納紙懷中而去, 明日果爲詳錄而來.

열하에서 30리를 가면 평대자平臺子요, 또 30리를 가면 홍석령紅石嶺이요, 또 25리를 가면 황토량黃土梁이요, 또 15리를 가면 서륙구西六溝에 이르는데, 여기가 곧 승덕부承德府의 경계로서 경계비境界碑가 있다. 여기서부터 20리를 가면 상운령祥雲嶺이요, 30리를 가면 칠구七溝요, 30리를 가면 봉황령鳳凰嶺이요, 20리를 가면 평천주平泉州요, 35리를 가면 대묘참大廟站인데, 여기가 평천주의 경계이다. 여기서 40리를 가면 양수구楊水溝요, 25리를 가면 쌍묘雙廟요, 30리를 가면 송가장宋家庄이요, 30리를 가면 건창현建昌縣이요, 30리를 가면 장호자長鬍子요, 25리를 가면 야불수夜不收요, 20리를 가면 공영자公營子요, 30리를 가면 담장구擔杖溝인데, 여기가 곧 건창현의 경계이다. 여기서부터 10리를 가면 행호자대杏湖子臺요, 25리를 가면 라마구喇麻溝요, 15리를 가면 대영자大營子요, 25리를 가면 조양현朝陽縣이요, 25리를 가면 대릉하大凌河이다. 강을 건너 25리를 가면 망우영蟒牛營이요, 30리를 가면 장가영張家營이요, 25리를 가면 만자령蠻子嶺이요, 25리를 가면 석인구石人溝인데, 여기가 조양현의 경계이다. 여기서부터 30리를 가면 육대변문六臺邊門이요, 30리를 가면 최가구崔家口에 이른다. 20리를 더 가면 의주성義州城을 지나게 되는데, 거기에서 대릉하를 건너 금주위錦州衛로 나갈 수 있다. 거기서 광녕로廣寧路을 거쳐가는 길을 택하면 된다.

이 길은 비록 리수里數의 차이는 있지만 서호수의 사절단이 택한 노정 가운데 의주성義州城에서 승덕까지 이르는 지점이 정확히 일치함을 알 수 있다. 이 하나의 예만 보아도 조선시대에 만주어와 몽골어가 얼마나 중요한지 나타난다. 만주의 관리들은 거의 대부분 몽골어를 자국어처럼 구사하고 있었다.

4. 역대 몽골 여행기와의 비교

몽골에 관련된 여행기는 대몽골제국이나 대원제국 시대부터 오늘날에 이르기까지 무수히 많다. 특히 국경이 없었던 유라시아의 통합 제국 대몽골 시대는 여행자들의 천국이었다. 이들은 몽골이 구축한 유라시아 및 바닷길의 순환로를 따라 수많은 곳을 여행하며 그곳을 기록으로 남겼다.[36] 대몽골의 시대를 증언하는 대표적인 여행기로는 마르코 폴로Marco Polo(1254~1324)의 『동방견문록』과 모로코 출신 이븐 바투타Ibn Batutah(1304~1368)가 남긴 『이븐 바투타 여행기(Rihlatu Ibn Batutah)』이다. 이 두 여행기에는 아라비안나이트 못지않은 흥미진진한 내용들이 담겨 있다. 그러나 그들 역시 몽골의 세기를 장식한 수많은 이름 모를 여행자들의 극히 일부에 불과하다.

필자가 본고에서 언급하고자 하는 여행기는 당시 존재했던 수많은 여행기 가운데 몽골만을 전적으로 파악하기 위한 염탐 여행기이다. 이 여행기에 나타난 항목은 조선시대 여행객들이 남긴 기록의 심도를 살펴보는 데 간접적인 참고와 도움을 줄 수 있기 때문이다. 물론 조선시대 여행기가 몽골만을 대상으로 한 기록이 아니기 때문에 그들과 내용적인 비교는 불가능하다. 그러나 관찰의 시각만큼은 서로 비교가 될 수 있지 않나 생각한다.

염탐 여행기의 대표적인 존재가 바로 칭기스칸Chinggis Khan 시대의 여행기인 조공趙珙의 『몽달비록蒙韃備錄』, 어거데이-카간Ögödei Khagan[37] 시대의

---

36) 일반인들은 잘 모르고 있지만 우리 선조들은 여행을 무척 즐겼던 사람들이다. 삼국시대에 미지의 세계를 찾아 동해를 떠난 신라의 젊은이나 부처의 길을 따라 동남아나 인도, 중앙아시아를 맴돈 구도 여행객들은 말할 필요도 없고, 세계적인 파란이 시작된 대몽골제국의 시대에 사신이나 유랑객으로 몽골고원을 밟은 인물들도 적지 않다. 서양에 고려라는 나라의 존재가 처음 알려진 것도 카르피니가 카라코롬에서 만난 고려 왕족 永寧公 綧과 그 일행들 때문이었다. 카르피니는 귀국 후 유명한 연사가 되어 각지를 떠돌며 대몽골과 동방의 여러 나라들을 이야기해 주다가 일생을 마친 신부님이다. 그러나 우리나라 사람들이 상하를 가리지 않고 마음껏 여행의 자유를 누린 시대는 원나라와 일가처럼 행동했던 고려시대였다. 고려와 원은 영토가 서로 개방되었다고도 해도 좋을 정도로 유배지까지도 공유했다. 원나라 때 몽골의 왕족이나 대신들은 우리 서해의 섬으로 유배되었다. 그 가운데 大靑島(오늘날 소연평도)로 유배된 어린 소년도 있었는데, 그가 이후의 원나라 순제이다. 이에 맞추어 고려의 관리들도 고국이 아닌 타향에서 유배 생활을 한 자가 많은데, 유배지는 중국 남부인 광동성이나 서부인 산서성 安西 일대부터 실크로드인 臨洮나 티베트 일대까지 미쳤다.

37) Khagan은 북방 민족의 최고통치자를 뜻하는 칭호로 藤田豊八의 연구에 의하면(藤田豊八, 「蠕蠕の國號及び可汗號につきて」, 『東洋學報』 13-1, 1923) 역사상에 처음 나타나는 Khagan 칭호

여행기인 팽대아彭大雅·서정徐霆의 『흑달사략黑韃事略』, 구유크-카간Güyüg Khagan 시대의 여행기인 카르피니John of Plano Carpini(1182~1252)의 『몽골여행기(History of the Mongols)』, 멍케-카간Möngke Khagan 시대의 여행기인 루브루크William of Rubruck의 『루브루크 여행기(The Journey of William of Rubruck)』이다.

이들의 여행기는 1급 사료로 취급될 만큼 정확성이 높고 또 매우 다양한 기록을 수록하고 있는데, 본고에서는 그 항목만 소개하는 것으로 그치고자 한다.

는 柔然제국의 군주인 쿨테부리 카간(Kültebüri Khagan, 社崙, 丘豆伐可汗) 때부터라고 한다. 그러나 Khagan과 관계를 가지는 Khan 혹 Kha(n) 칭호는 白鳥庫吉(「可汗及可敦稱號考」『塞外民族史研究(下)』, 東京, 1970, pp.141~148)이나 內田吟風(「柔然族に關する研究」『北アジア史研究(鮮卑柔然突厥篇)』, 京都, 1975, pp.284~292), 朴漢濟(『中國中世胡漢體制研究』, 서울, 1988, pp.170~176)의 지적처럼 부여·고구려어의 加나 백제어의 瑕, 가야어의 旱岐, 신라어의 干貴, 거란어의 呵, 선비어의 "虜俗呼天爲可汗"(『資治通鑑』 卷77 「元帝景元二年條」) 등 이미 유연제국 이전서부터 동북아시아계 민족에 등장하고 있다. 원래 북방계 민족에 최초 등장한 최고통치자의 칭호는 흉노의 군장 칭호인 單于이다. 單于의 음가는 白鳥庫吉이나 內田吟風 등의 연구에 따르면, Targü나 Sanhü로 나타난다(白鳥庫吉, 「單于について」『塞外民族史研究』, 東京, 1970；內田吟風, 「單于の稱號と匈奴庭の位置ついて」『北アジア史研究(匈奴篇)』, 京都, 1975). 흉노 멸망 후 최고통치자를 뜻하는 單于라는 칭호는 大單于戊寅可汗(吐谷渾王樹洛干)이나 可地汗莫何單于(宇文部大人)라는 예에서도 알 수 있듯이, 흉노의 옛땅을 점거한 鮮卑系 민족에도 계승되고 있다. 그러나 여기에서 주목되는 것은 선비계 민족이 최고통치자를 單于나 可汗으로 병칭하고 있다는 것이다. 즉 4~5세기 무렵부터 선비계나 貊族系의 군장 칭호인 Khan系 언어가 종래의 군장 칭호인 單于를 누르고 광범위하게 전파되고 있음을 볼 수 있는데, 이는 이들이 북방을 제패한 결과임은 말할 필요도 없다. 대몽골제국 시대에 테무진의 칭호는 Khagan이 아니라 Khan이었고, 그 뒤를 이은 어거데이 때부터 Khagan이라는 칭호가 등장했다. 그러나 발음에서 두 칭호는 단모음과 장모음이란 차이에 불과하며 문자상으로만 차이를 지닌다. 특히 몽골 중세어에 해당하는 대원제국 때부터는 K가 H로 전환하는 와중에 있어 카간이 하안으로 발음전이가 되고 있다(Khagan>kha-an>Haan>хаан). 본고에서는 대몽골제국의 어거데이, 구유크, 멍케를 표시할 때만 카간으로 표시했으며, 대원제국의 코빌라이부터는 대칸의 명칭을 문어체인 카간이란 용어보다 구어체인 칸이라는 용어로 통일 표기했다. 그러나 대칸명을 영문으로 표기할 때에는 Khagan이란 명칭을 붙였음을 밝혀둔다. 참고로 Khan과 Khagan의 관계에 대해서는 졸저 『몽골비사의 연구(I)』, 서울, 1997, pp.35~38을 참조.

『몽달비록』과 『흑달사략』의 항목

몽달비록蒙韃備錄		흑달사략黑韃事略			
NO	항목	NO	항목	NO	항목
1	입국立國	1	나라이름	26	몽골의 점
2	달주시기韃主始起	2	몽골의 군주	27	몽골인의 상용어
3	국호년호國號年號	3	대칸의 아들	28	몽골의 과세
4	태자제왕太子諸王	4	몽골의 재상宰相	29	몽골의 무역
5	제장공신諸將功臣	5	몽골의 땅	30	몽골의 상업
6	임상任相	6	몽골의 기후	31	몽골의 관칭
7	군정軍政	7	몽골의 산물	32	몽골의 사회조직
8	마정馬政	8	몽골의 가축	33	몽골의 금기
9	양식糧食	9	몽골의 주거	34	몽골의 상벌
10	정벌征伐	10	몽골의 음식	35	몽골의 범죄
11	관제官制	11	몽골의 음료	36	몽골인의 말타기와 활쏘기
12	풍속風俗	12	몽골의 양념	37	몽골의 말
13	군장기계軍裝器械	13	몽골의 연료	38	몽골의 안장과 고삐
14	봉사奉使	14	몽골의 등불	39	몽골의 군대
15	제사祭祀	15	몽골의 사냥 습속	40	몽골의 군사 장비
16	부녀婦女	16	몽골의 모자	41	몽골군의 군량
17	연취무락燕聚舞樂	17	몽골의 의복	42	몽골군의 행군
		18	몽골의 언어	43	몽골군의 군영
		19	몽골의 칭위	44	몽골군의 진형陣形과 야전법野戰法
		20	몽골의 예절	45	몽골군의 전술
		21	몽골인의 자리	46	몽골의 군사령관
		22	몽골의 달력	47	몽골 제왕諸王들의 주둔지
		23	몽골인의 택일	48	몽골의 정복국
		24	몽골인의 기록법	49	몽골군의 전사戰死
		25	대칸의 도장	50	몽골의 무덤

카르피니 『몽골여행기』의 항목

몽골여행기(History of the Mongols)	
NO	항목
1	타르타르인의 땅, 그 위치, 자연의 특징 및 기후
2	타르타르인의 풍채, 그들의 의복, 그들의 주거·재산·결혼에 대하여
3	몽골인들이 숭배하는 신, 그들이 죄악이라고 간주하는 것, 점복술과 부정제거 방법(액막이), 장례 습속 등
4	타르타르인의 성격, 좋은 점과 나쁜 점, 그들의 관습, 식물 등
5	타르타르인 제국의 흥기, 그 수장들, 황제 및 제후들이 행하는 지배
6	전쟁, 타르타르인의 전투대형, 무기, 교전에서 그들의 교활함, 포로를 대하는 잔학함, 방어시설의 습격, 그들에게 항복했던 자들의 배신 등
7	타르타르인의 강화講和 방법, 그들이 정복했던 각국의 이름, 그 주민들에게 행한 학정 및 타르타르인에게 용감히 저항했던 나라들
8	타르타르인과 어떻게 싸워야 하는가. 타르타르인의 의도 및 무기와 군대 조직, 그들이 지닌 전투의 교활함에 어떻게 대처해야 하는가, 숙영宿營과 도시의 방비, 타르타르인 포로를 어떻게 취급해야 하는가
9	우리가 통과했던 각국들, 그들의 위치, 우리들과 만나 언어를 나누었던 사람들, 타르타르인의 황제 및 그 제후들의 궁정

『루브루크 여행기』의 항목

루브루크 여행기(The Journey of William of Rubruck)	
NO	항목
1	가자리아Gazaria 지방
2	타르타르인과 그 주거
3	타르타르인의 음식물
4	타르타르인의 코스모스cosmos(말젖술) 양조법
5	타르타르인이 먹는 동물, 그 의복, 수렵
6	남자의 두발 방식, 여자의 몸치장
7	여인들의 일과 의무
8	타르타르인의 재판과 판결, 죽음과 매장에 대하여
9	야만인이 사는 곳으로 우리가 도착, 그들의 망은忘恩

10	스카타이Scatai의 본영, 이곳의 기독교 신자는 코스모스를 마시지 않는다.
11	영혼강림의 대축일 전야에 알란Alan인이 일행을 방문하다
12	세례를 받고 싶다고 말했던 이슬람교도, 문둥병 환자처럼 보였던 사람들
13	일행이 맛보았던 고난, 코만Coman인의 무덤
14	사르타크Sartag의 영역과 그 주민
15	사르타크의 본영과 그들의 호사스러움
16	일행이 사르타크의 아버지, 바토Batu가 있는 곳으로 여행하도록 명을 받다
17	사르타크, 멍케칸, 구유크칸은 기독교 신자를 중시한다.
18	루데니아Ruthenian인, 항가리인, 알란인 및 카스피해에 대하여
19	바토의 본영, 바토는 어떻게 일행을 대접했는가
20	멍케칸 궁전으로의 여행
21	야카트Iagat강, 그리고 다양한 지역과 종족
22	배고픔과 목마름 및 그밖의 일 등 일행이 여행하며 맛본 고난에 대하여
23	부리Büri는 어떻게 처형되었는가
24	네스토리안Nestorian 교도와 사라센인Saracen(이슬람교도)은 어떻게 섞여 살고 있는가. 그리고 그들의 사원에 대하여
25	이교도의 사원과 우상, 이교도들은 그들의 신을 예배할 때 어떻게 행동하는가
26	다양한 종족, 이전부터 자기의 부모를 먹던 사람들에 대하여
27	멍케칸 궁전으로의 여정
28	멍케의 궁전과 최초의 알현
29	윌리엄 수도사가 멍케의 궁전에서 행한 것과 본 것
30	카라코롬에 있는 멍케의 궁정, 부활의 대축일
31	윌리엄 금장 기술자의 와병臥病, 네스토리우스교 사제의 죽음
32	카라코롬과 멍케의 가족
33	윌리엄 수도사가 귀환 허락을 구하는 것과 신학 토론
34	윌리엄 수도사와 멍케의 최후 회견
35	점치는 사람들
36	칸의 향연, 루이왕(king Louis)에게 보내는 편지, 윌리엄 수도사의 귀국에 대하여
37	윌리엄 수도사가 히르카니아Hircania에 있는 바토Batu의 궁정으로 간 여정
38	히르카니아Hircania에서 트리폴리Tripoli까지의 여정

이 4대 여행기를 분석해 보면 동서양의 사람들이 몽골을 바라보는 관점은 이념에 따라 차이를 보일 뿐만이 아니라, 그 결론에서도 큰 차이가 있음을 알 수 있다. 그러나 보고 들었던 것만큼은 서로를 조합해 읽을 경우 큰 차이를 보이지 않는다. 이들이 사상적으로 물질적으로 세계를 휘어잡은 팍스-몽골리카의 주역들인 몽골인을 어떻게 생각했던지 간에 당시의 몽골인들은 정보와 이념의 어린아이들과 같았던 이들을 정성껏 대해 주었다. 신학 토론을 즐겼던 신부 루브루크는 그가 상대했던 멍케카간이 종교 이론의 전문가이며 몇 개 국어를 능통하게 구사하는 인물임을 알고 있었을까.

다가오는 몽골의 공포에 직면하여 두려움이 가득한 속에 만들어진 이 여행기들은 작성자들의 입장에 따라 가감이 행해진 것도 있고, 들은 것을 본 것처럼 포장한 것도 있다. 또 보고 들은 것에 차이가 있을 경우 진위를 분명히 가리기 위해 차이가 난 부분을 동시에 수록한 것도 있다. 조선시대에 북경을 여행한 다양한 사람들의 다양한 인식처럼, 이 4대 여행기도 작자에 따라 모두 뉘앙스가 다르다.[38] 그러나 중요한 것은 자신들처럼 다른 곳에도 나름대로의 질서와 꿈을 가진 사람들이 살고 있다는 것을 이들 모두가 인식했다는 점이다. 하여튼 위의 항목들은 조선시대 여행기를 읽는 사람들에게 주자학에 갇힌 조선시대 사람들의 여행기가 가지는 관점 및 한계를 큰 시각에서 바라볼 수 있는 참고자료가 될 수 있으리라 믿는다.

38) 이 4대 여행기의 작자와 특징에 대해서는 졸저, 『유라시아 대륙에 피어났던 야망의 바람 - 칭기스칸의 꿈과 길』, pp.381~399를 참조.

제2부 몽골 관계 기록의 분석

제1장 역사 사적

조선시대 북경으로 파견된 사절단의 책임 관료나 선비 신분의 수행원들은 문헌지식이 송나라의 관료들만큼이나 뛰어나다. 따라서 여행길 주변의 역사 사적에 대해서도 모든 여행기가 기록을 남길 만큼 집요하게 중복되고 있다. 여기서는 그들이 남긴 기록 중 몽골과 관계된 부분만을 시대별로 간략히 살펴보기로 하겠다.

1. 대몽골제국 시대의 역사 사적

대몽골제국(Yeke Monggol Ulus) 시대에 관한 기록은 3개의 여행기 가운데 박지원의 것에만 나타난다. 그것을 소개하면 다음과 같다.

첫 번째는 대몽골제국 시대의 고북구古北口에 대한 역사 사적으로서, 다음과 같이 기록되어 있다.

【고북구古北口】

가정嘉定 2년(1209)에 몽골이 금나라에 침입하여 고북구에 이르매, 금인은 물러나 거용관居庸關을 지켰다. … 『금사』에 "정우貞祐 2년(1214)에 물이 넘쳐 흘러, 고북구의 쇠로 만든 관문을 허물어 버렸다"고 적혀 있다.[1]

위의 기록 중 첫 부분은 시대적인 착오가 있는데, 1209년 당시 몽골은 서하 원정 중이었다. 몽골의 금나라 공략은 1211년부터 시작되었다. 1209년 당시 고북구의 북변 일대에 몽골의 주력군단이 위치하고 있었음은 분명하지만, 그들은 그곳의 거란족을 회유하는 데 주력을 기울이고 있었다.

두 번째 부분은 당시 고북구에 내린 폭우를 말해주는 것이지만, 금나라의 멸망에 가까운 파멸을 자연재해에 빗대 표현한 부분이기도 하다. 몽골군은 1213년 여름, 금나라 군사들의 시체에서 흘러나온 핏물이 온 나라의 산야를 적셨다고 기록될 정도로 금나라에 일대 타격을 가했다. 그리고 중도 방어의 최후 요새인 거용관도 함락한 후 곧바로 중도의 포위에 들어갔다. 이로 인해 금나라는 위소왕衛紹王 영제永濟(재위 1209~1213)가 피살되고 세종의 손자인 완안순完顔珣이 등극하는 종실宗室 쿠데타가 발생했다. 그리고 결국 1214년 3월 몽골이 내건 강화조건에 응했다. 이러한 형태의 표현은 "원나라 지정至正 19년(1359)에 접동새(子規)가 거용관에서 울었다"와 같은 종류에 속한다.

두 번째는 칭기스칸과 전진교全眞敎의 지도자인 장춘진인에 대한 부분으로 다음과 같이 기록되어 있다.

【장춘진인長春眞人 구처기邱處機】

원이 개국하던 초기에 도사이면서 유학을 논하고, 승려이면서도 유학의 행실

1) 『열하일기』「還燕道中錄」 1780년 8월 17일조 : 嘉定二年, 蒙古侵金, 兵至古北口, 金人退保居庸關…按金史, 貞祐二年, 潮河溢, 漂古北口鐵裹門關.

을 남긴 자가 장춘진인長春眞人 구처기邱處機이다. 자는 통밀通密이며 등주登州 사람이다. 장춘은 그의 별호이다. 금나라 황통皇統 무진년(1148) 5월 19일에 태어났다. 정우貞祐 을해년(1215)에 금나라 황제가 그를 불렀으나 응하지 않았고, 기묘년(1219)에 송나라에서도 사신을 보내어 불렀으나 역시 일어서지 않았다. 이 해 5월에 몽골 태조가 나이만Naiman(奈蠻)에서 근시近侍를 파견하여 손수 쓴 조서를 보내 초청을 하자 드디어 응하였다. 철문관鐵門關을 넘어 수십 나라 만 여리를 거쳐 설산雪山에서 황제를 만나게 되었다. 그는 맨 먼저 천하를 통일하고자 하는 자는 살인을 즐기지 않는 것에 있다고 했다. 대규모 사냥을 그치기를 권하면서 "하늘의 도는 살리기를 좋아 한다"고 말했다. 정치하는 방법을 묻자, "하늘을 공경하고 백성을 사랑해야 한다"고 답했다. 수양修養의 도리를 묻자 그는, "마음을 맑게 하고 욕심을 적게 하소서"라고 답했다. 불로장생의 약이 있느냐고 묻자 그는, "위생衛生의 처방은 있지만 장생하는 약은 없다"고 답했다. 매번 불러서 대좌할 때마다 황제에게 권하는 것이 모두 자애와 효도에 관한 말뿐이었다. 이것이 어찌 도사의 입에서 나온 유가의 말이라 하지 않을 수 있는가. 당시 몽골은 중원 땅을 유린하고 있었는데, 하남河南과 하북河北이 더욱 심했다. 백성들은 포로로 잡히거나 살육 당할 것을 염려하면서도 도망쳐 목숨을 보존할 곳이 없었다. (구처)기는 얼마 뒤 연경으로 돌아와서 그 제자들에게 (칭기스칸이 준) 문서를 가지고 전쟁 중에 유랑하는 백성들을 불러들여 구제하도록 하였다. 이로 인해 남의 노예가 된 자들은 다시 양민이 될 수 있었으며, 죽을 지경에 놓여 있다가 다시 살아난 자들도 무려 2~3만 명이나 되었다. 이 이야기는 『원사』에 나온다.[2)]

2) 『열하일기』「口外異聞」胡元理學之盛條：元開國之初, 道士之儒言, 釋氏之儒行也, 長春眞人邱處機, 字通密, 登州人, 長春, 其號也, 生于金皇統戊辰五月十九日, 貞祐乙亥, 金主召不起, 己卯, 宋亦遣使召之, 又不起, 是年五月, 蒙古太祖自柰蠻, 遣近侍持手詔致聘, 遂赴召, 踰鐵門關, 經數十國地萬餘里, 見帝於雪山, 首以一天下者, 在不嗜殺人爲對, 諫止大獵, 則曰天道好生, 問爲治之方,對以敬天愛民, 問修身之道, 則對以淸心寡欲, 問長生之藥, 則曰有衛生之經, 無長生之藥, 每召就坐, 勸帝者皆慈孝之說也, 豈非道士而儒言者乎, 是時蒙古踐蹂中原, 河南北尤甚, 民罹俘戮, 無所逃命處, 幾還燕, 使其徒持牒, 招求於戰伐之餘, 由是爲人奴者得復爲良, 與濱死而得更生者, 毋慮二三萬人, 此出元史.

위의 기록은 칭기스칸의 일면목을 잘 보여주는 기록으로 역사에 흔히 인용되는 부분이다. 장춘진인의 본명은 구처기邱處機(1148~1227)이며, 어릴 적에 부모를 여의고 친척 손에 자라다가 19세에 하늘의 뜻을 깨닫고 도학道學에 정진한 인물이다. 그의 스승은 도교의 일파인 전진교全眞敎를 창시한 왕철王喆이었다. 인생과 삶에 대한 장춘진인의 가르침은 암울한 시대의 백성들에게 일종의 샘물과도 같았다.

대몽골제국이 발흥한 뒤 중원의 민심이 흉흉해지자 금나라와 송나라는 경쟁적으로 그를 자기편으로 만들고자 했다. 그러나 그는 금나라와 송나라의 부름에 침묵만 지켰다. 그가 중원의 권력자들에게 침묵을 지킨 이유는 명확치 않지만, 아마 정권에 대한 실망감 때문일 가능성이 크다. 위구르 출신의 서역 상인인 자파르-코자Jafar-Khoja로부터 그의 명성을 전해들은 칭기스칸은 서아시아 원정 중이었던 1219년 유중록劉仲錄을 산동에 파견하여 그와 만남을 갖고자 원했다.

두 사람의 만남은 1222년 4월 5일 아프가니스탄에 위치한 힌두쿠시산맥의 어느 계곡에서 이루어졌으며, 칭기스칸은 그에게 하늘의 사람이란 뜻의 텡게리-쿠믄Tenggeri kümün이라는 칭호를 주었다. 당시 통역은 야율아해耶律阿海가 맡았다. 그런데 역사는 이 두 사람의 만남에 대해 선문답만을 전한 채 이들이 맺은 계약을 알지 못한다. 두 사람의 만남 이후 전진교도들은 모두 면세·면역의 특권을 받았다. 그리고 문서처리·회계사무·징세업무 등 다양한 부분에서 몽골 화북지배의 하청기관과 같은 역할을 수행했다. 또 금나라를 공격하러 떠난 톨로이Tolui 군단이 섬서陝西로 진입할 때 이들은 공작 부대로 나서 그 진입을 준비했다.

사실 칭기스칸은 가난한 백성들과 실무 하층관료들로 이루어진 이들을 야율초재耶律楚材로 대표되는 중원의 사대부들보다 더 존중했다. 가난하고 무식한 전진교도들이 화북 지역에서 계약을 담당하는 주체가 되자, 몽골에 투항한 금나라의 관료들은 이들을 격렬히 공격하고 나섰다. 그 저격병의 최전선에 있던 인물이 바로 야율초재와 점합중산粘合重山이었다. 중원의 대표적인 지식인인 야율초재는 거란 황실의 피를 이은 자였고, 점합중산은 금나라 황실의 후예였다. 야율초재는 계약 실무관료로서의 자신의 입지를 지키기 위해 장춘진인의 사상을 정면으로 공격한 『서유록西遊錄』을 저술할 정도였다.

여기서 그 시대의 역사를 모두 설명할 수는 없다. 그러나 박지원의 눈에 장춘진인을 포용한 칭기스칸이 어떤 모습으로 비쳤을까가 매우 궁금하다. 그가 무슨 논평도 하지 않았기 때문에 알 수는 없지만, 이 같은 장편의 기록을 남긴 그가 칭기스칸의 꿈과 길을 조금이라도 생각해 보았을까.

전진교도들의 기록에 따르면, 칭기스칸은 1227년 8월 죽기 전 어느 날 다음과 같은 말을 했다고 전해진다. "나는 항상 하늘의 인간(장춘진인)을 생각하는데, 그도 나를 생각할까." 우연의 일치인지는 모르지만 칭기스칸이 파란만장한 생을 마칠 때 장춘진인도 이 고난의 세상을 떠나 하늘로 돌아갔다.[3]

세 번째는 백운관白雲觀이란 도교 사원을 방문한 뒤 다시 장춘진인에 대한 부분을 언급한 기록이다.

【장춘진인長春眞人 구처기邱處機】

오른쪽 전각에 구장춘丘長春을 안치하였는데, 원나라 세조의 국사國師이다.[4]

---

3) 장춘진인이 칭기스칸을 만나고 돌아오는 만리 여정의 기록이 『西游記』라는 여행기로 남아 있다. 이 여행기는 그와 동행한 18명의 제자 가운데 가장 뛰어났던 李志常(1193~1256)이 기록한 것이다. 이 속에는 칭기스칸의 몽골고원과 중앙아시아에 관한 지리·풍속을 비롯해, 칭기스칸과 장춘진인의 극적인 만남 및 대화가 파노라마처럼 생생히 묘사되어 있다. 그리고 누구라도 금방 알아챌 수 있는 칭기스칸과 장춘진인 두 사람간의 밀약이 짙은 향기를 내뿜으며 여행기의 전면을 감싸고 있다. 1220년 봄부터 1223년 늦가을까지의 서역왕래 기록이 수록된 이 여행기를 잘 음미하면 道家를 녹인 몽골의 사상을 발견할 수 있을지도 모른다.

4) 『열하일기』 「盎葉記」條 : 右一殿, 安丘長春, 元世祖國師也.

원 세조 코빌라이칸(Khubilai Sechen Khagan)은 “티베트는 점령할 수 있지만 그들의 마음을 통치할 수는 없다”는 유명한 말을 남길 정도로 종교와 정치에 이해가 깊은 인물이다. 하지만 그의 치세 중에 국사, 즉 제사帝師로 임명된 인물은 1270년 팍빠(Ḥphags-pa Blama)를 비롯해 롭뾘-린첸-겔첸slob-dpon rin-chen rgyal-mtshan, 닥니첸뽀-다르마팔라-라끼스타bdag-nyid-chen-po Dharmaphhala rakista, 예쉐-린첸ye-shes rin-chen, 라마닥빠(Blama Gragapa hodzer) 등 모두 티베트[5] 출신인 5명이며, 이전의 인물 중에 제사로 추증된 예는 없다.[6]

네 번째는 대몽골제국 시대 때 몽골인들로부터 하늘의 뜻을 전하는 사람(Teb-Tenggeri, 告天人)이라고 존경을 받았던 해운대사海雲大師에 대한 기록이다.

【해운대사海雲大師】

해운국사海雲國師의 이름은 인간印簡이며, 산서山西 영원寧遠 사람이다. 나이 열 살에 대중 앞에서 강의를 하여 많은 흉악한 사람들을 감화시켰다. 그리하여 금나라 선종宣宗은 그에게 통원광혜대사通元廣惠大師라는 호를 내렸다. 영원성寧遠城이 함락되자 그의 스승인 중관中觀과 함께 포로가 되었다. 원나라의 칭기스칸(成吉思皇帝) 즉 원나라의 태조가 대사에게 사신을 보내어 말하기를 “늙은 장로長老건 젊은 장로건 모두 좋다”라고 하였다. 이로부터 세상에서는 모두 그를 젊은 장로라고 불렀다. 해운은 대관인大官人인 시카-코토코Shigi-khutukhu(忽都護)에게 말할 때마다 “공자는 성인이니 마땅히 세봉世封하여 제사를 받들게 할 것이요, 안자顏子와 맹자의 후손 및 주공周公과 공자의 학문을 배운 자는

5) 참고로 고대 몽골인들은 티베트를 종교의 땅이라는 의미를 지닌 멍케가자르Möngke Gajar(영원의 땅)라 불렀다. 멍케-텡게리Möngke Tenggeri(영원한 하늘)를 최고신으로 숭배하는 몽골인들이 자신들의 개념으로 붙인 이름이다. 이에 반해 티베트인들은 몽골인들을 북방의 유목민이란 뜻인 호르Hor라고만 불렀다.

6) 이에 대한 자세한 것은 札奇斯欽(Jagchid-Sechin), 『蒙古與西藏歷史關係之硏究』, 台北, 1978, pp.89~96을 참조.

> 모두 부역을 면제하고 그 학업(儒戶)에 종사토록 해야 합니다"고 일러, 그가 그 말에 따랐다. 이는 왕만경王萬慶이 지은 구급탑九級塔의 비문에 보인다. (그는) 승려이지만 유가의 도를 행하지 않았다고 어찌 말할 수 없겠는가. 이에 여기에 적는다.[7]

해운대사(1202~1257)는 모칼리Mukhali가 화북을 경영할 때부터 몽골인들의 존경을 받았던 불승으로서 장춘진인과 같은 대접을 받았다.[8] 박지원이 왕만경王萬慶의 비문 기록을 인용하여 표기한 장로長老는 천신天神이란 뜻의 몽골어 텝-텡게리Teb-Tenggeri를 당시의 속어로 표기한 것이다. 장로는 때에 따라서는 고천인告天人으로 표기되기도 한다. 칭기스칸은 샤만 집단을 아주 교묘

7) 『열하일기』「口外異聞」胡元理學之盛條：海雲國師名印簡, 山西之寧遠人也, 年十一, 能開衆講義濟衆凶, 金宣宗賜號通元廣惠大師, 寧遠城陷, 與其師中觀皆被執, 元成吉思皇帝元太祖, 遣使語大師曰, 老長老, 小長老皆可好, 自是天下皆稱小長老焉, 海雲每言于大官人忽都護曰, 孔子聖人, 宜世封以祀, 顔子, 孟子之後及習周公, 孔子之學者, 宜皆免差役, 以勤服其業, 從之, 此見王萬慶所撰九級塔碑文, 豈非釋氏而儒行者歟, 玆並錄之.

8) 해운대사는『元史』「憲宗本紀」의 "以僧海雲掌釋教事, 以道士李眞(志)常掌道教事"라는 기록처럼 일시 중원의 불교를 대표하면서 몽골칸들의 제사를 주관한 적도 있었다. 그의 이러한 역할은 어거데이카간 시대 캐시미르의 불승인 나모Namo의 활동과 덧붙여져, 티베트 불교 사까빠Saskya-pa(薩迦派)의 지도자 사까-판디타Saskya Pandita가 조카인 팍빠Phags-pa를 데리고 어거데이의 아들인 커텬Kötön(闊端)의 軍門에 이르는 계기를 만들었다. 그것이 바로 티베트 불교가 중원에 첫 걸음을 내딛는 순간이다. 해운대사의 사적을 좀 더 구체적으로 살펴보면 다음과 같다. 그는 8세 때 출가한 禪宗 승려로 속명은 宋印簡이다. 1214년에 칭기스칸을 고향인 寧遠에서 만났는데, 그때 칭기스칸은 그의 뛰어남을 칭찬하며 '하늘의 뜻을 전하는 어린 샤만(小長老)'이라고 불렀다. 1219년 한인군벌인 史天澤이 그를 모칼리에게 추천하여 寂照英悟大師라는 칭호를 받았다. 그리고 興安(오늘날 하북 承德 서쪽)의 香泉院에 거주하면서 官府로부터 모든 물자를 공급받았다. 1220년 모칼리의 명을 받들어 燕京의 慶壽寺에 들어가 書記를 맡았다. 어거데이카간 때인 1235년에는 대칸의 명령으로 僧徒에 관한 일을 관장했으며, 1239년 慶壽寺의 주지가 되었다. 1242년에는 코빌라이의 부름을 받아 카라코롬에 이르렀다. 이때 그는 南堂寺의 젊은 중인 子聰을 데리고 갔는데, 그는 '세상에 안 읽은 책이 없고(于書無所不讀), 세상의 일을 손바닥 보듯 논한다(論天下如指掌)'고 할 정도로 뛰어난 학식과 안목을 가진 인물이었다. 그의 총명에 감탄한 코빌라이는 그에게 劉秉忠이라는 이름을 하사할 정도로 총애했다. 유병충은 코빌라이에게 '말 위에서 천하를 얻을 수는 있지만 통치할 수는 없다(以馬上取天下, 不可以馬上治)'고 하면서 역대 정치의 경험을 강의하는 동시에 의례, 법률 및 관제의 제정, 賦稅의 정비, 漢法 채용을 주장하는 등 코빌라이 한인막료를 대표하는 인물이 되었다. 유병충은 해운대사가 코빌라이에게 남긴 최대의 선물이기도 하다. 해운대사는 구유크카간 때인 1247년에 황태자의 명을 받들어 카라코롬에 가서 일시 太平興國禪寺에 머물렀다. 멍케카간 때인 1252년에는 천하의 僧事를 관장하는 책임을 맡았다.

하게 이용했는데, 그 가운데 텝-텡게리라는 명칭을 지닌 인물도 있다. 그는 1206년 봄 오난하변에서 칭기스칸이 칸위에 등극할 때 즉위 의식을 주재하면서 칭기스라는 칸명을 내려준 대샤만이다.[9] 실제 당시의 몽골인들은 도교나 불교, 기독교, 이슬람교의 지도자들을 자신들의 개념인 큰 샤만으로 이해하고 있다.

박지원의 기록 속에 보이는 대관인大官人은 몽골어 예케-노얀Yeke Noyan의 직역인데, 어거데이카간 때에는 칭기스칸의 막내아들인 톨로이를 지칭하는 말로 흔히 사용되었다. 해운대사가 만난 홀도호忽都護는 대몽골제국의 신질서를 관장하는 시키-코토코Shigi-khutukhu[10]로서, 그의 정확한 관칭은 "구르 데에레-인 자르고치Gür de'ere-yin Jarguchi(전체의 위에 있는 심판관)"로, 중원 지역에서는 대단사관大斷事官으로 번역되어 사용되었다.

대몽골제국의 특징 중의 하나가 칭기스칸 이래 코빌라이칸에 이르기까지 의도적이라 할 정도로 민중을 조직화하고 집단화시키고 있다는 점이다. 마치 모든 사람과 사회를 컴퓨터에 입력시켜 번호를 매긴 다음 체계적으로 관리하려는 듯한 느낌을 받을 정도로 집요하게 그것을 추구하고 있다. 몽골이 고려에게 처음 요구한 사항도 그것을 만들기 위한 사전 작업이라고 보아도 좋다. 이러한 민중의 분류를 제색호諸色戶라고 부르는데, 이는 종교 조직에도 그대로 반영되었다.[11] 이러한 방침으로 인해 그동안 미미했던 각종 종교세력이

---

9) 텝-텡게리Teb-Tenggeri의 본명은 커커추Kököchü로 역대 칭기스칸 집안의 隸臣인 멍리크-에치게 Mönglig-Echige의 일곱 아들 중의 하나이다. 그는 텝-텡게리(天神)라는 명칭에서도 나타나듯이 코르치Khorchi와 버금가는 대샤만으로서 "하늘은 테무진Temüjin에게 이 대지를 통치케 할 것이다"(Издательство Акадэмин Наук СССР, 『Сборник Летопсей』, Москва-Ленинград, 1952, том I-1 p.167, I-2, p.253)라는 예언을 자주 내렸다. 또한 몽골제국 4대 칸인 멍케의 이름도 "有黃忽答部知天象者, 言帝後必大貴, 故以蒙哥爲名"(『元史』「憲宗本紀」)처럼 그가 지어 주었으며, 1206년 칭기스라는 칸 호칭도 그가 지어 주었다고 『集史』는 전하고 있다(『Сборник Летопсей』 I-1, p.167, I-2, p.253). 텝-텡게리에 대해서는 졸저, 『몽골고대사연구』, 서울, 1994, pp.532~533을 참조.

10) 시키-코토코Shigi-khutukhu에 대해서는 졸저, 『몽골고대사연구』, pp.544~546을 참조.

11) 몽골의 민중분류나 종교정책에 대해서는 졸저, 『유라시아대륙에 피어났던 야망의 바람 – 칭기

대몽골 시대에 체계적으로 집단화되고 조직화되었다. 몽골의 통치자들은 유학도 일종의 종교 및 정치단체로 간주했다. 이로 인해 유학자들은 민중 분류에서 유호儒戶로 편성되었으며 공자의 사당은 몽골 중앙정부의 지원과 보호를 받았다. 위의 기록은 바로 대몽골제국의 정책을 보여주는 것이며, 해운대사의 노력으로 이루어진 것은 아니다.

2. 대원제국 시대의 역사 사적

대원제국의 몽골명칭은 대원울로스(Yeke Yüan Ulus)이다. 이 시대에 관한 기록은 3개의 여행기 모두에 나타난다. 내용은 주로 지방의 연혁이나 유물의 연원 소개, 종교사적, 유교 관련사적, 대도의 원대유적, 인물(문천상, 곽수경 등), 원과 고려, 전적지 및 기타 등 모두 81건으로 이루어져 있다. 또 여행길이 서로 겹치는 부분에서는 동일 사적에 대한 기록이 중복 출현하는 경우가 나타난다. 그러나 지방의 연혁이나 유물의 연원을 소개하는 부분만 제외하면 바라보는 시각이 모두 다르다. 따라서 먼저 여행기별로 원대 사적에 대한 항목을 도표로 제시한 다음 그것을 소개하고자 한다.

(1) 최덕중의 연행록에 등장하는 대원제국 시대의 역사 사적

최덕중의 『연행록』에는 원대 관련 사적이 모두 6건이 등장하는데, 그것을 도표로 나타내면 다음과 같다.

스칸의 꿈과 길』, pp.339~348 및 黃淸連, 「元代戶計的劃分及其政治社會地位」『臺大歷史學系學報』 2, 1975 ; 上同, 「元代諸色戶計的經濟地位」『食貨』 6-3, 1976 ; 陳高華, 「元代戶等制略論」『中國史研究』, 1979-1을 참조.

번호	분류	내용	비고
1	지방의 연혁 소개	요동성遼東城, 계주薊州	2건
2	유물의 연원 소개	구요동舊遼東의 비문	1건
3	종교사적	동악묘東岳廟	1건
4	유교 관련 사적	태학太學	1건
5	인물	문천상文天祥	1건
총계	6건		

위의 도표에 제시된 기록을 도표의 순서대로 지방의 연혁 부분부터 소개하면 다음과 같다.

【요동성遼東城】

이 성은 고구려의 옛 도읍이었으나 당나라 고종高宗 때 중국에 편입되었다. 그 뒤 요遼·금金·원元이 점거하였다.12)

【계주薊州】

세상에서는 지금의 계주薊州가 옛날의 계구薊丘라고 하지만, 계구는 북경 서북쪽에 있는 계구였다. 경성京城 서북쪽에 요나라와 원나라의 옛 도읍이 있었는데, 거기기 바로 계구 지역이다.13)

다음은 구요동의 비문에 관한 것이다.

【구요동舊遼東의 비문】

백탑 아래에 비석 하나가 서 있는데, 비면에는 정덕正德에 다시 수리한 탑이

12) 『연행록』「1712년 12월 4일」조 : 此城乃高句麗舊都, 而唐高宗時, 割入中國, 後爲遼金元之所據.
13) 『연행록』「1713년 1월 6일」조 : 世爭以今薊州爲古之薊丘, 丘乃北京西北薊丘也, 此京城之西北, 有遼, 元舊都, 此乃薊丘之地.

라고 적혀 있다. 그 탑을 어느 시대에 처음 쌓았는지 알 수 없으나 원나라 때인 듯하다. 혹은 이세적李世勣이 세운 것이라 하고, 또 화표주華表柱라고 일컬으니, 어느 말이 옳은지 알 수 없다.[14]

최덕중이 이 비문을 원대에 세워졌다고 기록한 데에는 나름대로의 들은 이야기가 있겠지만 근거를 밝히지 않아 정확한 판단을 내릴 수 없다. 정덕正德은 명나라 무종武宗(1506~1521)의 연호이며, 화표주華表柱란 무덤 앞에 세우는 망주석望柱石 또는 큰 길거리나 고을 앞 같은 곳에 세우는 솟대를 말한다. 이 비문은 후대 여행기에 등장하지 않는 것으로 보아 곧 산실된 것으로 보인다.

다음은 북경의 동악묘東嶽廟(東岳廟)에 대한 기록이다.

【동악묘東嶽廟】

이것은 원나라와 명나라 때부터 있었던 사당祠堂인데, 명나라 때 동악제東岳帝라는 명칭을 신神으로 고쳤다. 강희康熙 때에 불이 났었는데, □년에 새로 지은 것이 이처럼 장대하다. 뜰 앞에 기적비記績碑 10여 개가 있고, 또 조맹보趙孟普의 친필親筆로 된 비가 있다.[15]

동악묘는 조선시대의 거의 모든 여행기에 등장하는 유명한 곳으로, 분석 대상의 여행기 중에는 서호수의 기록이 가장 상세하다.[16] 대원제국 시대에

14) 『연행록』「1712년 12월 4일」조 : 白塔之下, 有一立碑, 碑面書曰正德重修塔也, 其塔之初築, 未知在何世, 而似是元朝事也, 或云李世勣所立, 且稱華表柱, 未知孰是.

15) 『연행록』「1712년 12월 27일」조 : 此乃元明連有之祠, 至明改以東岳帝之名曰神, 至康熙失火, 逮至□年新建者, 如是壯麗, 庭前有記績碑十數, 而又有趙孟普親筆碑.

16) 참고로 1574년 광녕성을 방문한 바 있던 許篈(1511~1588)은 자신의 여행기인 『朝天記』「1574년 7월 5일」조에 그곳에 있었던 광녕 동악묘에 대해 "동악묘에 이르자 사람들이, '6~7년 전에 몽골이 분탕하고 가 버렸다. 병화의 뒤에는 다만 부서진 집들만 우뚝 서 있을 뿐이었다. 안치된 초상들도 망가져 내팽개쳐졌고, 쑥대만 널리 자라고 있어 (마치) 망국의 옛터와 같은 생각이 들 정도로 매우 슬프다'고 말했다(抵東岳廟, 人言頃在六七年前, 達子焚蕩而去, 兵火之後, 只有破屋巋然而已, 像設毁落, 蒿萊遍生, 愴然有舊國遺墟之思)."처럼 1560년대 중반 북원 알탄 칸Altan khan 군대의 침공을 받아 폐허로 변했다는 목격기를 남기고 있다. 그러나 이곳의 동악

세워진 이 사당은 앞에서도 기술한 바 있는 몽골의 종교정책을 그대로 반영한 것이다. 위의 기록 가운데 조맹보趙孟普는 조맹부趙孟頫(1254~1322)의 오기誤記이다. 코빌라이칸은 송나라 황실의 후예인 그가 정거부程鉅夫(1249~1318)를 통해 투항해 오자 병부낭중兵部郎中에 임명하여 우대했다. 그의 그림과 글씨는 원대 최고라고 일컬어질 만큼 사람들의 사랑을 받았다.

다음은 태학太學에 대한 기록이다.

【태학太學의 석고石鼓】

태학에 주나라 선왕宣王의 석고가 있는데, 높이가 2척에 지름이 1척이다. 원나라 대덕大德 연간에 풀밭 속에서 발견된 것이다.[17]

주자학적 이념을 지닌 조선 사대부들에게 유학과 관계된 장소인 태학은 일종의 성소이다.[18] 따라서 모든 여행기에 관찰기록이나 방문 소감이 남아 있는데, 본 분석 대상 여행기 중 서호수의 것이 가장 상세하다.

다음은 남송의 마지막 충신 문천상文天祥에 대한 기록이다.

묘는 허봉 자신의 "대개 동악(묘)는 연주의 땅에 있다(夫東岳在兗州地)"라는 말처럼 그 위치가 무언가 부자연스러우며, 후대의 여행기에는 보이지 않는다.

17) 『연행록』「1713년 1월 13일」조 : 太學有周宣王石鼓, 高二尺徑一尺, 元大德年, 得於泥草中.

18) 태학이나 공자 문묘의 방문은 조선시대 사대부들의 이념이 어디에 있는가를 잘 보여준다. 조선시대 여행기 가운데에서는 그들의 의식이 어느 정도인가를 극명하게 보여주는 예가 존재한다. 그것이 洪大容(1731~1783)의 『湛軒燕記』에 실린 "조교 한 사람이 우리를 (태학으로) 인도하였다. 사신이 역관 김재협을 시켜 묻기를, "우리나라는 성묘를 존엄하게 여겨 엄숙히 공경하는데, 지금 이 묘전에 잡인이 어지러운 것은 어째서인가"라고 했다. 조교는 처음에 어이없는 표정을 짓다가 조금 후에는 노기를 띠었으니, 영문을 알 수 없었다(助敎一人, 前導使臣, 使譯官金在協, 傳語曰, 東國聖廟, 尊嚴肅敬, 今此廟殿, 雜人紛拏, 何也, 助敎初若憮然, 後又怫然, 未可知也)"라는 부분과 李德懋(1741~1793)의 『入燕記』에 실린 "문묘를 관람했는데, 지키는 사람이 문을 열어 주며 배알하도록 해주었다. 그런데 마침 그때 우리들이 예복을 갖추지 않아 감히 배알할 수 없었다(觀文廟, 守者開門許謁, 時使行不具帽帶, 不敢謁焉)"라는 부분이다.

【문천상文天祥의 사당】

문승상文丞相의 사당이 순천부 학궁學宮 안에 있는데, 이곳은 승상이 의義를 다한 곳인 시시柴市이다. 원나라 세조 지원至元 임오년(1282) 12월 9일, 모래 바람으로 대낮이 컴컴해져 궁중에서는 촛불을 들고 다니는 이변이 났다. 세조가 뉘우쳐서 (그에게) 금자광록대부태보金紫光祿大夫太保 중서평장사中書平章事 여릉군공廬陵郡公을 추증하고 시호를 충무라 했다. 왕적옹王積翁에게 신주의 글씨를 쓰게 했다. 시시柴市를 쓸고 단을 설치하여 제사를 지냈다. 승상 패라孛羅(Boru)가 초헌례를 행하자, 회오리바람이 일어 신주를 감싸 구름 속으로 말아 올렸다. 천둥이 은은하게 일어났는데 마치 노한 소리 같았다. 낮이 더욱 어두워졌다. 이에 이전 송나라 소부少傅 우승상右丞相 신국공信國公이라 고쳐 썼더니 드디어 하늘이 개었다.[19]

문천상文天祥(1236~1282)을 정확히 설명하기 위해서는 먼저 코빌라이칸이 남송을 접수하는 과정을 먼저 설명하는 것이 순서일지 모른다.[20] 그러나 그것을 여기서 자세히 설명할 수는 없고, 결론적으로 몽골이 남송을 공격하는 방식은 조선시대 사대부들이 생각하는 임진왜란이나 병자호란 등 전통적인 침략개념과는 많이 다르다는 것만을 언급해 둔다.

바얀Bayan이 이끄는 몽골군 및 여문환呂文煥의 투항군은 1276년 1월 18일 임안臨安을 무혈 입성했다. 그리고 문천상과 육수부陸秀夫 등이 이끄는 남송의 마지막 저항군은 1279년 2월 다국적군인 서하西夏와 한인군단에게 몰려 오늘날 광동성 남부 주강珠江 삼각주에서 최후를 맞았다. 최후의 항장이었던 육수

19) 『연행록』「1713년 1월 13일」조 : 文丞相祠, 在於順天府學宮中, 此地乃丞相之盡義處柴市也, 元世祖至元壬午十二月初九日, 風沙晝晦, 宮中秉燭而行, 世祖悔之, 追贈金紫光祿大夫太保中書平章事廬陵郡公諡忠武, 命王積翁書神主, 灑掃柴市, 設壇而祭, 丞相孛羅行初獻禮, 旋風起捲神主雲中, 雷殷殷如怒聲, 晝尤晦, 乃改書前宋少傅右丞相信國公, 天乃霽.

20) 코빌라이칸과 남송의 관계 및 남송 접수과정에 대해서는 졸저, 『유라시아 대륙에 피어났던 야망의 바람 - 칭기스칸의 꿈과 길』, pp.254~255 및 졸고, 「대몽골제국과 南宋의 외교 관계 분석」『몽골학』 8, 1999를 참조.

부는 9살에 불과한 어린 황제 조병趙昺을 등에 업고 애산厓山의 섬 절벽에서 출렁이는 파도를 향해 몸을 날렸고, 문천상은 사로잡혔다. 사로잡힌 문천상은 코빌라이로부터 용기를 칭찬받고 합류하기를 권유받았다. 그러나 그는 명예로운 죽음을 원했다. 그의 뜻을 갸륵하게 여긴 몽골의 수뇌부는 그의 소원대로 명예로운 죽음을 선사했다.

이것이 문천상의 최후이다. 그런데 여기서 주목할 만한 것이 있다. 몽골은 매우 독특하다고 할 수 있을 정도로 자기들과 대항하여 끝까지 싸우는 자들을 칭송하는 습관이 있다. 이는 『고려사』에 실린 귀주성전龜州城戰에서도 그 사례를 발견할 수 있다. 귀주성 공방 후 고려측은 몽골에 대한 사죄로 박서朴犀 등 주장主將들을 처벌하려 했지만 몽골측은 주군을 위해 혈전을 벌인 장군들을 처벌하는 것은 옳지 않다는 공식견해를 피력했다.

이 같은 몽골측의 견해는 바로 칭기스칸이 제국성립과정에서 구축했던 신질서(주군에게의 절대 충성)를 여타 제국에까지 적용시키고 있기 때문이다. 문천상이 최후를 맞은 곳을 공개 보존하고 있는 것은, 비록 적이지만 "훌륭한 용사는 칭송할 가치가 있다"는 몽골측의 태도에서 기인된 것이다. 즉 문천상의 전설이 오늘날까지 남아 있는 원인은 뛰어난 적장에 대한 몽골군의 전통적인 예우방식에 의한 것이다. 몽골의 이 같은 조치와 청나라가 삼학사를 비롯한 임경업林慶業 장군에게 행한 조치를 비교하면 그 차이를 금방 느낄 것이다. 이것이 바로 시대이념의 차이이다.

(2) 박지원의 열하일기에 등장하는 대원제국 시대의 역사 사적

박지원의 『열하일기』에는 원대 관련 사적이 모두 39건이 등장하는데, 그것을 도표로 나타내면 다음과 같다.

번호	분류	내용	비고
1	지방의 연혁 소개	요동성遼東城, 열하熱河	2건
2	유물의 연원 소개	원사천자명元史天子名, 역대비歷代碑	2건
3	종교사적	북진묘北鎭廟, 동악묘東嶽廟, 천불사千佛寺, 화덕진군묘火德眞君廟	4건
4	유교 관련 사적	원대 이학理學, 한유韓愈의 사당, 순천부학順天府學, 태학太學, 석고石鼓	5건
5	인물	문천상文天祥	1건
6	대도의 원나라 유적	대도大都, 건덕문建德門과 문 밖의 토성, 경화도瓊華島, 광한전廣寒殿, 옥전玉殿	5건
7	전적지 및 기타	백하白河, 대흥주大興州, 전족의 유래, 고북구古北口, 원대 서역지방의 양배꼽 전설, 원대 의학서, 거용관의 접동새, 문연각文淵閣 총서, 대성악大晟樂	9건
8	원과 고려	원 순제와 고려 사신, 충선왕忠宣王과 만권당萬卷堂, 민충사憫忠寺과 충선왕, 이제현李齊賢, 정가신鄭可臣, 민지閔漬, 이인로李仁老, 몽골 변발, 고려와 위구르, 고려 여인 이궁인李宮人, 경수사대장경비략慶壽寺大藏經碑略	11건
총계	39건		

위의 도표에 제시된 기록을 도표의 순서대로 지방의 연혁 부분부터 소개하면 다음과 같다.

【요동遼東】

요동의 옛 성은 한漢의 양평襄平·요양遼陽 두 현縣 지역에 있었다. 진秦이 (처음) 요동이라 불렀다. 그 뒤 위만조선衛滿朝鮮이 차지하였다가 한나라 말년에 공손도公孫度가 차지했다. 수나라와 당나라 때에는 고구려의 영토에 속했다. 거란은 이곳을 남경南京이라 불렀고, 금나라는 동경東京이라 불렀다. 원나라는 행성行省을 두었다. 명나라는 정료위定遼衛를 설치했는데, 지금은 요양주遼陽州로 승격되었다.[21]

21) 『열하일기』「渡江錄」舊遼東記條：遼東舊城, 在漢襄平遼陽二縣地, 秦曰遼東, 後入衛滿朝鮮, 漢末爲公孫度所據, 隋唐時, 屬高勾麗, 契丹稱南京, 金稱東京, 元置行省, 皇明置定遼衛,

【열하熱河】

열하는 황제의 행재소行在所가 있는 곳이다. 옹정 황제 때에 승덕주承德州를 두었는데, 지금 건륭 황제가 주州를 승격시켜 부府로 삼았다. 황성(북경)의 동북 420리에 위치하며, 장성에서는 200여 리 떨어져 있다. 『열하지熱河志』를 살펴보면 "한나라 시대에 요양要陽·백단白檀의 두 현縣이 어양군漁陽郡에 속하였고, 북위 때에는 밀운密雲과 안락安樂 두 군郡의 변계로 되었다. 당나라 때에는 해족奚族의 땅이 되었으며, 요나라 때에는 흥화군興化軍이라 하여 중경中京에 소속되었다. 금나라는 영삭군寧朔軍으로 이름을 바꾸어 북경에 예속시켰다. 원나라는 다시 상도로上都路에 예속시켰다. 명나라 때에는 (몽골족) 타안위朶顔衛의 땅이 되었다"고 기록되어 있는데, 이것이 지금까지 열하의 연혁이다.[22]

『열하지熱河志』는 건륭 42년(1777)에 칙명에 의하여 만들어진 책이고, 행재소行在所란 군주가 임시로 머무는 곳을 말한다. 해족奚族은 거란의 별종이며, 타안위朶顔衛는 몽골 동부의 유목부족인 오리양카이Uriyangkhai 삼위의 하나로 타안朶顔은 산명을 뜻하는 도얀Doyan이나 귀족을 뜻하는 노얀Noyan의 음역이다. 명나라 초기 동몽골 흥안령 동쪽에서 유목하다가 점차 남하하여 장성 근처까지 이르렀다. 오리양카이 삼위는 뒤에 상세하게 기술되어 있다.

다음은 원대 비문에 관한 것이다.

【원사천자명비元史天子名碑】

『원사』를 볼 때 천자의 호와 이름이 매우 특이해 늘 읽기가 어려운 것이 한스러웠다. 고북부 밖에 원나라 때 세운 한 폐찰이 있는데, (그곳에 있는) 잘려

今陸爲遼陽州.

22) 『열하일기』「漠北行程錄序」: 熱河, 皇帝行在所, 雍正時, 置承德州, 今乾隆, 昇州爲府, 在皇城東北四百二十里, 出長城二百餘里, 按志, 漢時要陽白檀二縣, 屬漁陽郡, 元魏時, 爲密雲安樂二郡邊界, 唐時爲奚地, 遼時爲興化軍, 屬中京, 金改寧朔軍, 屬北京, 元改屬上都路, 皇明時爲朶顔衛地, 此其古今沿革也.

진 비문에 역대 원나라 황제들의 공덕이 기술되어 있었다. 성길사成吉思는 태조太祖요, 와활태窩濶台는 태종太宗이요, 설선薛禪은 세조世祖요, 완택完澤은 성종成宗이요, 곡률曲律은 무종武宗이요, 보안독普顏篤은 인종仁宗이요, 격견格堅은 영종英宗이요, 홀도독忽都篤은 명종明宗이요, 역련진반亦憐眞班은 중종中宗이다.[23]

대몽골이나 대원제국의 대칸들은 몽골어 및 돌궐어나 페르시아어에 익숙했으며 한어는 사용하지 않았다. 대몽골제국의 모든 문서는 해당 국가의 언어로 쓴 문서와 함께 몽골어나 페르시아로 번역된 문서가 반드시 짝을 이루어 제출·보관되는 것이 원칙이었다. 즉 중원의 경우에는 한자와 몽골어로 된 문서가 동시에 존재했다. 대몽골의 시대에는 페르시아어가 국제어였는데, 이는 몽골이 당시 경제의 주도권을 쥔 문자를 공용어로 선택했기 때문에 나온 결과이다. 또 몽골의 중원지배 때에도 한자가 국제어로 자리 잡지 못했다. 이 역시 중원의 상인세력이 중앙아시아나 페르시아의 상인들을 능가하는 경제적 영향력을 확보하지 못했기 때문이다.

다국어가 혼용되고 있었던 대몽골제국이나 대원제국에서는 고위직의 경우 몽골어를 비롯한 몇 개의 외국어 구사능력이 매우 필요했다. 한자만을 아는 사대부들은 정치나 경제의 주도 세력으로 부상할 수 없었다. 몽골어를 아는 한인이라 하더라도 그것을 한자로 번역하거나 표기하는 데는 언어구조 상 한계가 있다. 이로 인해 중원의 인사들은 몽골어나 인명을 한자로 표기하는 데 무척 애를 먹었다. 그 결과 한 사람의 이름이 서로 다른 한자로 음역된 예도 적지 않다. 위의 비문 중에 등장하는 성길사成吉思는 칭기스Chinggis, 와활

23) 『열하일기』「口外異聞」元史天子名條 : 看元史, 自天子號名殊不類, 常恨艱讀, 口外有一廢刹, 元舊也, 斷碑有歷叙元諸帝功德, 有曰, 成吉思者, 太祖也, 窩濶台者, 太宗也, 薛禪者, 世祖也, 完澤者, 成宗也, 曲律者, 武宗也, 普顏篤者, 仁宗也, 格堅者, 英宗也, 忽都篤者, 明宗也, 亦憐眞班者, 中宗也.

태窩濶台는 어거데이Ögedei, 설선薛禪은 세첸Sechen(현명), 완택完澤은 얼제이Öljei (행복, 평안), 곡률曲律은 쿨루크Külüg(준마), 보안독普顔篤은 보얀토Buyantu(착함), 격견格堅은 게겐Gegen(빛), 홀도독忽都篤은 코톡토Khutugtu(복), 역련진반亦憐眞班은 이렌친발Irenchinbal의 음역이다.

【역대비歷代碑】

반적潘迪의 석고음훈비石皷音訓碑는 대성문 왼쪽 극문戟門에 있다. 원나라 대덕大德 11년(1307)에 세운 가봉성호조비加封聖號詔碑 한 개는 외지경문外持敬門에 있고, 지순至順 2년(1331)에 세운 가봉선성부모처병사배제사비加封先聖父母妻竝四配制詞碑 한 개는 대문 서쪽에 있다.[24]

다음은 종교 사적에 관한 것들이다.

【북진묘北鎭廟】

이 사당이 어느 시대에 비롯하였는지는 알 수 없으나, 당의 개원開元 때에 의무려산의 신을 봉하여 광녕공廣寧公으로 삼았다. 요나라와 금나라 때에는 왕호를 붙였으며, 원나라의 대덕大德 연간에 정덕광녕왕貞德廣寧王으로 봉했다. 명나라 홍무洪武 초년에는 다만 북진의무려산지신北鎭醫巫閭山之神이라 했다. (명나라는 해마다) 정초가 되면 향을 바쳐 축원하는데, 축문祝文에는 천자의 성명까지 쓴다. 나라에 행사가 있으면 예관禮官을 보내어 제사하였다. 지금은 청이 동북에서 일어났으므로 이 산의 신을 받드는 의례가 더욱 융숭하다.[25]

24) 『열하일기』「謁聖退述」歷代碑條 : 潘廸石鼓音訓碑, 在大成門左戟門, 元大德十一年, 加封聖號詔碑一通, 在外持敬門, 至順二年, 加封先聖父母妻並四配制詞碑, 一通, 在門西. 참고로 潘迪은 원나라의 학자로서 저서에 『易春秋學庸述解』, 『格物類編』, 『文經發明』 등이 있다.

25) 『열하일기』「馹汛隨筆」北鎭廟記(1780년 7월 15일)조 : 雖未知廟刱何代, 而唐開元時, 封醫巫閭山神爲廣寧公, 遼金時始加王號, 元大德中, 封貞德廣寧王, 皇明洪武初, 止稱北鎭醫巫閭山之神, 歲時降香祝, 有天子姓諱, 國有大典, 遣官告祭, 今淸肇基東北, 故崇奉之典, 尤有加焉.

북진묘는 의무려산醫巫閭山의 산신을 모신 사원으로, 북방민족의 산악숭배 사상을 그대로 나타내 주고 있다.[26] 의무려산을 모시는 사당인 북진묘는 뒤에 서호수의 여행기에서도 나타나듯이 수나라 개황開皇 연간에 처음 세워졌다. 수나라를 건국한 주력세력은 북방에서 기원한 타브가치Tabgachi(북위)족이다. 일반적으로 조선시대의 모든 여행기에는 이 산이 몽골과 중원의 경계를 이루고 있다고 지적하고 있는데, 실제 고고학적 발굴을 통해 보아도 이 산은 고대부터 문화의 경계선을 이루고 있다.[27]

현재 이 일대에서는 흉노Hun-na나 고조선의 모태 문화로 간주되는 초원의 문화, 즉 올랑하드Ulagan Khada(улаан хад, 붉은 바위) 문화 유적이 대량으로 발굴되고 있다. 이로 인해 중국 고고학계에서는 이 문화유적을 홍산문화紅山文化라 부르고, 이들이 이룩한 문명을 요하문명이라 지칭하면서, 자국의 역사에 편입하는 작업을 진행하고 있다. 그러나 문명의 주인공이 초원의 사람이 분명한 이상 요하문명도 북방언어(알타이어)를 사용해 시라무렌Shira Müren(누런 강) 문명이라 부르는 것이 합당할 것이다.[28]

---

26) 북방민족의 산악숭배 사상에 대해서는 졸고, 「고대 몽골의 친환경적 사상에 대한 고찰」『아시아 생태민속의 비교연구』(2009년 비교민속학회 추계학술대회논문집) 2009를 참조.

27) 한국 고대사를 추적하고 있는 정형진은 이 산이 고대 숙신단군의 영역에 속하며, 이 산을 경계로 요하·대릉하 일대를 접경지대로 한 요서 지역의 하가점 상층문화와 요동 지역의 요녕식 동검을 특징으로 하는 문화가 구분된다고 지적하고 있다(정형진, 『천년왕국 수시아나에서 온 환웅』 서울, 2006, pp.45~46).

28) 시라무렌 문명은 근래 발굴되고 있는 문명으로서 玉器(Khas>xac)의 대량출토가 특징 중의 하나이다. 옥기는 몽골고원 차강아고이Chagan Agui 구석기 유적 등 북방문화권의 유적에서 공통적으로 발견되고 있다. 이로 인해 중국에서는 고대 중국인이 최초로 접한 옥기는 서역이 아니라 시라무렌 일대의 옥기라는 학설을 공식적으로 인정하고 있다. 웅녀의 초상도 발견된 이 일대의 문화를 체계적으로 소개한 학자가 우실하이다. 참고로 이 일대에서 발굴되는 유적의 연대나 유물의 현황에 대해 그의 저서(『동북공정 너머 요하문명론』, 서울, 2007)에 소개된 것을 요약해 도표로 나타내 보면 다음과 같다.

문화별 시대구분	문화 특징
소하서문화小河西文化 (B.C. 7000~B.C. 6500)	·동북아시아 최고最古의 신석기 유적으로 입증 ·동북아 최고最古의 흙으로 만든 얼굴상(陶塑人面像)의 발견
흥륭와문화興隆洼文化 (B.C. 6200~B.C. 5200)	·세계 최고最古의 옥 발견 ·중화원고제일촌中華遠古第一村, 화하제일촌華夏第一村의 발굴 ·최초의 용 형상물 저수룡猪首龍의 발견(2003년)

올랑하드 문화의 한 축을 이루는 의무려산은 중국학자들의 보고서에 의하면, 몽골어로 "큰 산(大山)"을 뜻한다고 되어 있다.[29] 이는 고대 몽골어로 예케-아골라Yeke Agula(их уул)의 음역이다. 몽골인들은 성산을 복드bogda(богд), 하이르항Khayirkhan(хайрхан), 한올Khan agula(хаан уул)이라고도 표기하는데, 이 명칭이 붙은 곳에는 고대로부터 신성한 의식이 행해지고 있다.

김경선金景善(1788~1853)은 그의 여행기에서 북진묘가 사당의 웅장함이나 화려함 면에서 북경 조양문 밖의 동악묘東嶽廟와 서로 맞먹었다고 기록하고 있다.[30] 또 이갑李押(1737~1795)은 두 사당 가운데 청나라의 존숭을 받는 것은 자신들과 관련이 있는 북진묘라는 기록을 남기고 있다.[31]

【동악묘東嶽廟】

이 사당은 원나라의 연우延祐 연간에 처음 세웠고, 명나라 정통正統 연간에 더 넓혔다. 그 안에는 인성제仁聖帝·병령공炳靈公·사명군司命君과 네 승상丞相의 소상이 있는데, 이들은 모두 원나라의 소문관昭文館 태학사太學士 정봉대부

	·동북아에서 가장 이른 시기의 빗살무늬토기 발견
사해문화査海文化 (B.C. 5600~B.C. 5000)	·세계제일옥世界第一玉의 발굴(1982) ·중화제일용中華第一龍의 발굴(1994) ·요하제일촌遼河第一村의 발굴(1982)
부하문화富河文化 (B.C.5200~B.C. 5000)	·가장 오래된 복골卜骨의 발견
조보구문화趙寶溝文化 (B.C. 5000~B.C. 4400)	·중화제일봉中華第一鳳의 발굴 ·요서지역 최초의 채도彩陶 발굴
소하연문화小河沿文化 (B.C. 3000~B.C. 2000)	·갑골문의 전신 도부문자陶符文字의 발견
홍산문화紅山文化 (B.C. 4500~B.C. 3000)	·우하량牛河梁 유적(B.C. 3500~B.C. 3000)의 발견 ·우하량 제2지점 제단祭壇 유적지 ·우하량 제2지점 여신묘女神廟 유적지 ·지금도 새롭게 발견되고 있는 거대 적석총 유적지

참고로 일본도 1933년부터 1944년까지 내몽골 일대에서 각종 연구기관이 고고 및 인류학적 조사를 행하고 있는데, 그 연구 성과에 대해서는 山田信夫,『天山のかなた -ユ-ラシアと日本人』, pp.126~180을 참조.

29) 陳逸民·陳蔦 共著,『紅山玉器』, 上海大學出版社, 2004, p.10

30)『燕轅直指』「北鎭廟記」: 廟貌壯麗,與朝陽門外東嶽廟相伯仲.

31)『燕行記事』「1778년 2월 26일」조 : 金元以後, 連都燕京, 至於淸人, 則肇基東北, 故尤爲崇奉.

> 正奉大夫 비서감경秘書監卿 유원劉元이 만든 소상이다. 유원의 조각술은 천하에 비할 바 없을 정도로 뛰어났다. … 대臺 위에 놓인 값진 모든 그릇은 거의 대부분 송나라와 원나라 시대의 것들이다. 뜰 가운데에는 1백여 개의 큰 비석들이 있는데, 조맹부趙孟頫가 쓴 글씨가 대부분이며 그의 아우 세연世延이나 우집虞集이 쓴 것도 있다.[32]

동악묘 역시 북방민족의 산악신앙 존숭을 보여주는 예의 하나로 대원제국의 인종仁宗, 즉 아요르-바리바드칸Ayur-Baribad Khagan 때 만들어졌다. 물론 동악묘는 중국 도교의 신앙 체계에서 비롯된 것으로 태산泰山의 산신을 모시는 사당이다. 중국의 주산은 크게 다섯 개의 산(五嶽)으로 나타나는데, 중악中嶽은 숭산崇山, 서악西嶽은 화산華山, 남악南嶽은 형산衡山, 북악北嶽은 항산恒山이다. 위의 기록 가운데 인성제仁聖帝는 동악태제東嶽太帝의 별칭이며, 병령공炳靈公은 동악태제의 셋째아들이고, 사명군司命君은 사람의 목숨을 맡은 신이다. 우집虞集(1272~1348)은 원대를 대표하는 유학자 중의 하나로 충선왕과도 교류를 맺고 있다.[33] 유원劉元은 "더할 수 없는 기예의 소유자"라 칭송받을 만큼 당대 최고의 조각가이다.[34]

---

32) 『열하일기』「關內程史」東嶽廟記(1780년 8월 1일)조 : 廟始建于元延祐中, 皇明正統時, 益拓之, 廟中仁聖帝, 炳靈公, 司命君, 四丞相像, 皆元昭文館太學士正奉大夫秘書監卿劉元所塑, 元最善摶換之法, 天下無雙…臺上所設金寶諸器, 多宋元款識, 庭中穹碑百餘笏, 多趙孟頫所書, 亦有其弟世延及虞集筆.

33) 虞集은 지금의 江西省 崇仁 출신으로 字는 伯生이다. 吳澄에게서 학문을 배웠다. 시문이 매우 뛰어나 당시 사람들은 그를 邵庵 선생이라고 불렀다. 대덕 초에 大都路儒學敎授, 國學助敎가 되었고, 인종 때 集賢修撰이 되었다. 태정제 초에는 秘書少監이 되어 王約과 함께 태정제를 따라 上都에 가서 몽골어와 한어를 사용해 경서를 강독했다. 이후 翰林直學士兼國子祭酒로 임명되었다. 문종 때에는 奎章閣 侍書學士가 되어 中書平章 趙世延 등과 함께 經世大典을 편수할 것을 명받았다. 그러나 과로에 따른 눈병과 대신들의 시기로 인해 병을 핑계로 고향으로 돌아갔다. 저서에는 『道園學古錄』, 『道園類稿』 등의 문집이 있다.

34) 劉元은 원나라 寶抵 사람으로서, 처음에 도사가 되어 杞道錄에게 초상 만드는 법을 배웠다. 또 네팔 출신의 아니카(阿尼哥)에게 불상을 만드는 법을 배웠다. 초상 제작의 명수로 소문이 나자 1270년 코빌라이칸이 大護國仁王寺를 세울 때 그를 불렀다. 이후 상도 및 대도에 있는 명찰의 불상은 거의 모두 그가 만들었다고 할 정도로 능력을 발휘했다. 특히 상도의 三皇과 대도 동악묘의 仁聖帝 및 신하의 초상은 사람들에게 "絕藝"라고 칭송받았다. 이러한 재주로

【천불사千佛寺의 원나라 승상 톡토Togto(脫脫)의 초상】

> 절의 창건은 언제인지 모르겠으나 원나라의 승상 탈탈脫脫의 소상이 있다. 머리에는 두건을 썼다. 붉은 옷에 수염이 길고 눈썹도 빼어나 기품이 깨끗해 보였다. 의관은 모두 중국의 것과 비슷하다. 원나라 때의 재상이 왜 머리를 깎지 않았는지 좀 이상해 보였다. 옆에 봉황관을 쓰고 붉은 치마를 입고 있는 노파는 탈탈의 아내이다.[35)]

천불사는 박지원의 기록에 따르면 원명이 호국사護國寺나 숭국사崇國寺라 불리는 절이다. 그런데 불상 천 개가 안치되어 있기 때문에 도성 사람들이 천불사라는 애칭으로 부르고 있는 절이다. 여기에 등장하는 탈탈脫脫(1314~1355)은 몽골어 톡토Togto의 음역이다. 그는 몽골 메르키트Merkid 부족 출신으로 원말의 개혁세력을 대표하는 인물이다. 또 큰아버지이자 당시 대권을 쥐고 있었던 바얀Bayan(伯顏, ?~1340)을 몰락시키는 데 결정적인 역할을 수행했으며, 황하의 치수나 『송사』, 『요사』 및 『금사』의 편찬, 홍건적의 토벌 등 문무에 걸쳐 큰 공적을 남겼다. 특히 당시 지구적인 자연재해의 시대를 맞아 범람하는 황하를 막아내는 데 결정적인 공을 세워 다르칸Darkhan이란 칭호를 수여받기도 했다. 그러나 1354년 도적인 장사성張士誠을 포위·공격하는 도중 정적의 탄핵을 받아 유배되었고 또 그곳에서 독살된 비운의 인물이기도 하다.[36)]

인해 벼슬은 昭文館太學士, 正奉大夫, 秘書監卿에 이르렀다. 참고로 제주도에는 충렬왕의 왕비인 코톨록-카이미시 공주(Khutulug Khayimish Beki, 1259~1297)의 願刹로 비정되는 法華寺가 있다. 이 법화사에는 원나라의 良工이 만들었다고 알려진 아미타 삼존불상이 있었는데, 이후 명나라 영락제의 요청에 의해 태종 6년(1406)에 명나라로 보내졌다. 필자는 시기적인 면에서 제주도 법화사의 불상을 만든 원의 良工이 혹시 劉元이 아닌가 하는 생각도 해본다.

35) 『열하일기』「盎葉記」大隆善護國寺條：未知寺刱何代, 而有元丞相脫脫塑像, 幞頭朱衣, 髯長眉脩, 氣宇淸肅, 衣冠皆似華制, 元時宰相, 或不開剃歟, 是可異也, 旁有鳳冠赤裳老嫗, 乃脫脫妻也.

36) 톡토Togto에 대해 조금 더 자세하게 소개하면 다음과 같다. 그는 몽골 메르키트 부족 출신으로 字는 大用이다. 아버지는 마자르타이Majartai(馬札兒台)이다. 어릴 적에 큰아버지 바얀Bayan(伯顏, ?~1340)에게서 키워졌다. 15살에 황태자의 怯怜口(Ger-yin Kö'üd) 케식텐Keshigten(怯薛官)이 되었다. 순제 元通 때에 관직이 同知樞密院事에 이르렀다. 당시 바얀이 정권을 휘두르고

호국사, 즉 천불사에 그의 소상이 안치된 것은 이러한 그의 경력 때문인 것으로 보인다.

박지원은 원나라 때의 재상이 왜 머리를 깎지 않았는지 이상해 보였다고 기록하고 있는데, 실제 칭기스칸 시대부터 일부 몽골인들은 자신의 기호에 따라 변발을 하지 않는 예도 종종 나타난다. 그 대표적인 예가 중원지역을 다스리는 책임을 맡았던 국왕國王 모칼리Mukhali의 아들인 보로Boru이다. 조공趙珙의 『몽달비록』에는 이에 대한 기록이 "국왕의 아들은 한 명뿐으로 이름은 보로Boru이다. 용모는 준수하며 의례에 따른 변발을 하려고 하지 않는다. 단지 두건으로 머리를 감싼 채 몸에 꽉 끼는 의복을 입었다. 그는 여러 나라 말에 능하다"[37]고 수록되어 있다. 그러나 실제 톡토가 변발을 했는지 안했는지는 알 수 없다.

【화덕진군묘火德眞君廟】

화덕진군묘는 북안문北安門 일중방日中坊에 있다. 원나라 지정至正 연간에 지었으며, 명나라 만력 때에 증축하였다. (청나라) 천계天啓 원년(1621)에 태상太常의 관원에게 매년 6월 22일 화덕신火德神을 제사하도록 명했다.[38]

있었고 자못 적폐가 쌓였다. 至元 6년(1340) 순제의 측근인 世杰班, 阿魯(Aru) 등과 함께 바얀이 柳林(오늘날 하북 通縣 남쪽)에서 사냥하는 때를 틈타 순제의 조서를 받들어 바얀을 축출했다. 至正 원년(1341)에 우승상으로 임명되자마자 바얀의 舊政을 폐하고 諸王들의 冤獄을 해결했다. 또 과거를 다시 시행하고 『송사』, 『요사』, 『금사』를 편수하는 등 일시 賢相으로 칭송받았다. 1344년 병으로 일시 사직했다가 1349년 다시 복귀했다. 이때 鈔法을 개정하여 至正交鈔를 발행했다. 또 賈魯를 등용하여 황하의 범람을 막는 결정적인 공을 남김으로써 神工이란 다르칸(答剌罕)의 칭호까지 받았다. 1352년에는 군대를 통솔하여 徐州의 홍건군을 토벌했다. 1354년에 高郵의 張士誠을 포위·공격하여 거의 성을 함락시킬 무렵 정적의 탄핵을 받아 파면되고 운남으로 유배되었다. 1355년 유배지에서 카마Khama(哈麻, ?-1356)에게 독살되었다.

37) 趙珙, 『蒙韃備錄』「諸將功臣」條：國王止有一子, 名袍阿, 美容儀, 不肯剃婺焦, 只裹巾帽, 著窄服, 能諸國語.

38) 『열하일기』「盎葉記」火神廟條：火德眞君廟, 在北安門日中坊, 元至正間建, 皇明萬曆時改增, 天啓元年, 著令以每年六月二十二日, 太常官祀火德之神.

화덕진군묘火德眞君廟는 화신묘火神廟라고도 부른다. 불에 대한 신앙은 아주 오래된 것으로, 그 의례의 기원은 메소포타미아 지역에서 유래된 것이 많다. 몽골고원의 유목민족들도 동서 문화교류의 영향을 받아, 불을 부정정화의식의 대표적인 것으로 삼을 만큼 불에 대한 숭배 의식이 몹시 강하다. 몽골인들은 불에 대한 의례를 갈인-타힐가Gal-yin Takhilga(гальын тахилга)라고 부른다.[39]

이갑의 여행기에서는 화덕진군묘의 시작이 당나라 때부터라고 기록하고 있는데,[40] 당나라의 주역이 북방 유목민족인 타브가치 출신들이고 당시 마니교가 활발히 전파되고 있다는 점을 감안할 때 매우 가능성이 높다. 일반적으로 중국에서는 화덕진군을 축융祝融의 신령이라고 간주하고 있다. 즉 중국 상고시대 전욱顓頊의 손자인 중려重黎가 고신씨高辛氏의 화정火正이 되었으며, 그가 죽어서 화신火神이 되었다고 여기고 있다. 그러나 이는 동서 문화교류의 영향에 의해 발생된 신화를 받아들이면서 자국화시킨 것에 불과하다고 보인다.

다음은 유교 관련 사적이다. 먼저 박지원은 원대에는 이학理學이 가장 융성한 시대라는 기록을 다음과 같이 남기고 있다.

【원대元代 이학理學】

중국에서 이학理學이 융성하기는 원나라 때보다 더한 적이 없었다.[41]

이어 원나라의 유학과 관련된 사적들을 다음과 같이 남기고 있다.

---

39) 북방 유목민족의 불에 대한 신앙이나 그 역사에 대해서는 졸저, 『유라시아 초원제국의 역사와 민속』, 서울, 2001, pp.389~406을 참조.

40) 『燕行記事』「聞見雜記」: 火德眞君廟在京城北, 始唐貞觀至元明更修築.

41) 『열하일기』「口外異聞」 胡元理學之盛條 : 中國理學之盛, 莫尙于胡元之世.

【한유韓愈의 사당】

이 고을에는 한문공韓文公과 한상韓湘의 사당이 있다. 『당서唐書』「본전本傳(韓愈傳)」에는 문공을 등주鄧州 남양인南陽人이라 하였고, 『광여기廣輿記』에는 창려인昌黎人이라 하였다. 송나라 원풍元豊 연간에 문공을 창려백昌黎伯으로 봉하였고, 원나라 지원至元 때에 이곳에 처음 사당을 세웠는데, 지금도 문공의 소상塑像이 남아있다고 한다.[42]

한유韓愈(768~824)는 육조六朝 이래의 병우문체騈偶文體를 반대하고 산문체를 제창한 인물이자, 유종원柳宗元과 같이 고문古文 운동의 창도자이기도 하다. 저서에 『창려선생집昌黎先生集』이 있다. 『광여기廣輿記』는 명나라 육응양陸應陽의 저서이다. 박지원이 한유의 사당을 특기한 것은 "내 평생에 문공을 꿈속에서도 그리워했다(吾平生夢想文公)"는 언급에서도 나타나듯이 그의 개인적인 사모의 정 때문이다.

【순천부학順天府學】

동무東廡와 서무西廡 사이에는 늙은 전나무들이 많다. 세상에 전하기를 "허노재許魯齋 형衡이 손수 심은 나무다"라 하고, 또는 "야율초재耶律楚材가 심었다"라고도 한다. … 부학은 옛날의 보은사報恩寺이다. 원나라 지정至正 말년에 수행승이 여러 곳에서 시주를 받아 절을 지었는데, 불상을 안치하기도 전에 명나라의 군대가 북경을 함락했다. (이때) 병사들은 공자묘에 들어가지 말라는 명령을 받았는데, 스님이 위급한 와중에 공자의 위패를 빌려다가 성전 안에 모셨다. 그 뒤에 마침내 이 위패를 감히 옮기지 못하게 되어 결국 북평北平의 부학이 되었다. (청나라가) 수도를 북경으로 옮긴 뒤에는 순천부학이 되었다고 한다.[43]

---

42) 『열하일기』「關內程史」 1780년 7월 25일조 : 昌黎縣有韓文公廟, 又有韓湘廟, 唐書本傳, 公爲鄧州南陽人, 廣輿記以爲昌黎人, 宋元豊間, 封公爲昌黎伯, 及元至元時, 始立廟於此, 有文公塑像云.

43) 『열하일기』「謁聖退述」 順天府學條 : 兩廡之間, 多古栢樹, 世傳許魯齋衡手植, 或云耶律楚

위의 기록에 등장하는 허형許衡(1209~1281)은 오늘날 하남성 심양沁陽에 해당하는 회맹하내懷孟河內 출신으로, 자字는 중평仲平, 호는 노재이다. 어릴 적부터 경서에 능통했던 그는 요추姚樞(1201~1278), 두묵竇默(1196~1280) 등과 함께 정주이학程朱理學을 대표하는 인물이다.[44] 야율초재耶律楚材(1190~1243)는 서세동점西勢東漸의 파고가 높았던 동양근대 초 중국과 일본의 지식인들에게 동양 자존심의 상징으로 부각될 만큼 대몽골제국 시대에 중국의 유학을 상징하는 인물이다. 그는 대몽골제국 때 서기관에 취임했으며, 팔척장신에 긴 수염을 휘날리는 특징적인 외모로 인해 몽골인들에게 긴 수염을 가진 자라는 오르토-사칼Urtu Sakhal이란 애칭도 받았다. 유고에는 『담연거사문집湛然居士文集』과 『서유록西遊錄』이 있다.[45]

材所植…府學, 故報恩寺也, 元至正末, 有遊僧募緣湘潭以造寺, 未及安像, 而明師下燕, 戒士卒毋得入孔子廟, 僧蒼黃借宣聖木主, 置殿中, 後不敢去, 遂爲北平府學, 遷都北京, 則爲順天府學云.

44) 許衡의 사적에 대해 좀 더 구체적으로 살펴보면 다음과 같다. 그는 1254년 코빌라이의 부름에 응해 京兆提學을 맡았다가 이후 하남으로 돌아갔다. 그리고 1260년에 다시 부름을 받아 京師에 이르렀다. 1261년 太子太保에 제수되었지만 응하지 않았고, 다시 國子祭酒로 임명되었지만 곧 병을 핑계로 사직했다. 1265년 中書省에서 일하도록 명을 받아 時務五事를 올리면서 漢法의 중원시행을 주장했다. 1269년 劉秉忠 등과 함께 朝儀와 官制 등을 논의해 정했고, 1270년에 中書左丞에 임명되었다. 1271년에 集賢大學士兼國子祭酒로 임명되어 몽골인 자제들을 선발해 교육시키는 일을 맡았다. 1276년에 太史院使의 책임자로 郭守敬 등과 함께 儀象圭表, 日測晷景을 새로 제정하고 수시력을 編定했다. 문집에 『魯齋叢書』가 있다. 허형에 대한 연구서는 袁國藩, 『元許魯齋評述』, 台北, 1972을 참조.

45) 야율초재에 대해서는 졸저 『유라시아 대륙에 피어났던 야망의 바람 - 칭기스칸의 꿈과 길』, pp.330~338 및 劉曉, 陳高華, 「耶律楚材與早期蒙麗關系 -讀李奎報的兩封信」『(成吉思汗與蒙古汗國硏究紀念文集)天驕偉業』, 北京, 2006；賈敬顔, 「耶律楚材之官稱」『民族歷史文化萃要』, 長春, 1990；姜寶才, 『耶律楚材』, 北京, 1997；孟廣耀, 「論耶律楚材的佛敎思想」『內蒙古社會科學』, 1981-6 및 「蘇東坡與耶律楚材家族的關係」『民族硏究』, 1982-3 및 「試探耶律楚材的幾個主要稱號」『內蒙古師院學報』, 1982-3；謝方, 「耶律楚材 —一位傑出的少數民族政治家」『文史知識』, 1985-7；杉山正明, 『耶律楚材とその時代』, 東京, 1996；岩村忍, 『耶律楚材』, 東京, 1942；楊培桂, 「元初大政治家耶律楚材」『思與言』, 1-1, 1963；楊樹森, 「論耶律楚材」『東北師大學報』, 1982-3；余大鈞, 「論耶律楚材對中原文化恢復發展的貢獻」『內蒙古大學學報』, 1979-3·4 및 「論耶律楚材」『中國蒙古史學會成立大會記念集刊』, 呼和浩特, 1981；余三樂, 「談北京西四磚塔及耶律楚材」『文物天地』, 1982-1；烏蘭杰, 「耶律楚材與綽·莫爾根辨析」『內蒙古社會科學』, 1994-1；王月珽, 「論耶律楚材的宗儒重禪」『內蒙古大學學報』, 1990-4 및 「耶律楚材道敎觀剖析」『內蒙古大學學報』, 1991-2 및 「耶律楚材經世思想發微—兼論其士的品格」『內蒙古大學學報』, 1992-1；姚從吾, 「元好問癸巳上耶律楚材書的歷史意義與書中五十四人行事考」『姚從吾先生全集(6)』, 台北, 1982；李桂芝, 「耶律楚材」『旅游』,

【태학太學】

황성 동북쪽 모퉁이에 있는 곳을 숭교방崇敎坊이라 하고, 패루牌樓의 서쪽을 성현가成賢街라 하는데, 패루에는 (현판 사면이 모두) 국자감國子監이라고 쓰여 있다. 영락永樂 2년(1404)에 왼편에 묘廟를, 오른편에 태학을 세웠다. 선덕宣德 4년(1429) 8월에는 대성전大成殿 앞의 동무東廡와 서무西廡를 수리하였다. 이는 이부주사吏部主事 이현李賢이 원나라 때의 것이 좁기 때문에 수리할 것을 아뢰어 그 말을 좇았던 것이다. … 『장안객화長安客話』에는 "국초에 고려에서 김도金濤 등 네 사람을 보내어 태학에 들었는데, 홍무洪武 4년(1371)에 김도가 진사가 되어 귀국하였다"라 하였다. 또 『태학지太學志』를 살펴보면 "융경隆慶 원년(1567)에 천자가 국자감에 거둥하였는데, 조선 사신 이영현李榮賢 등 여섯 사람이 각자 제 급수에 알맞은 의관衣冠을 갖추고 이륜당에 가서 문신文臣 반열의 다음에 섰다"고 되어 있다. … 이륜당 앞에 심은 솔과 전나무는 세속에서 전하기를 "원나라의 유학자 허형許衡이 손수 심었다"고 한다.46)

1980-5；「試論耶律楚材·元好問·邱處機—兼論金元之際儒生的出路與文獻—」『中央民族學院學報』, 1984-1 및「耶律楚材」『歷史教學』, 1986-5；李愼儀,「耶律楚材評傳」『史學月刊』, 1981-4；任崇岳·景愛 共論,「元代大政治家耶律楚材」『人物』, 1981-2；張廣然,「杰出的封建政治家耶律楚材」『歷史知識』, 1983-6；張相文,『湛然居士年報(耶律楚材)』, 北京, 1935；趙秉昆·李桂枝 共論,「耶律楚材與 "五戶絲制" —『元史·食貨志·羅賜門』」『中國蒙古史學會論文選集(1981)』, 呼和浩特, 1986；趙振績,「耶律楚材族系與在台族姓」『台北文獻』40, 1977；周雙利,「耶律楚材評傳」『東北亞歷史與文化』, 瀋陽, 1991；陳得芝,「耶律楚材, 劉秉忠, 李孟合論 —蒙元時代制度轉變關頭的三位政治家 」『蒙元史研究叢稿』, 北京, 2005；陳瑞臺,「耶律楚材的經濟政策及其指導思想」『內蒙古大學學報』, 1982-3·4；陳垣,「耶律楚材父子信仰之異趣」『燕京學報』6, 1929 및「耶律楚材之生卒年」『燕京學報』8, 1930；青木彌生,「長春眞人と耶律楚材 —元代道佛論爭の遠因」『東海史學』17, 1983；何曉芳,「論耶律楚材多民族文化融合思想及其對中國歷史的貢獻」『中央民族學院學報』, 1992-6；韓儒林,「耶律楚材在大蒙古國的地位和所起的作用」『穹廬集』, 上海, 1982；許孝德,「略論耶律楚材的歷史貢獻」『歷史教學與研究』, 1982-2；邢莉,「耶律楚材詩歌中的政治理想與生活理想」『中央民族學院學報』, 1985-2；黃時鑒,『耶律楚材』, 上海, 1986 등의 논저를 참조. 또『西遊錄』에 대해서는 淸·李文田,『(耶律楚材)西游錄注』；內田吟風,「元·耶律楚材著『西遊錄』(圖書寮所藏完本)譯註」『朔風』4, 1968；大谷健夫,「西遊錄」『書香』113, 1939；中野美代子,『耶律楚材西遊錄他』, 東京, 1961；白壽彝,「耶律楚材西遊錄考釋」『禹貢』7-1·2·3合, 1938；姚從吾,「耶律楚材『西遊錄』足本校注」『姚從吾先生全集(7)』, 台北, 1982；向達,『(校注)西遊錄』, 北京, 2000；陳得芝,「耶律楚材詩文中的西域和漠北歷史地理資料」『蒙元史研究叢稿』, 北京, 2005 등의 논저를 참조.

46)『열하일기』「謁聖退述」太學條：皇城東北隅坊日崇敎, 西牌樓街日成賢, 牌樓內皆書國子監, 永樂二年成左廟右學, 宣德四年八月修大成殿前兩廡, 先是, 太學因元之陋, 吏部主事李賢, 奏

위의 기록에 등장하는 김도金濤(?~1379)는 고려 말의 문신으로 자는 장원長源이며, 연안부延安府 출신 인물이다. 공민왕 19년(1370) 8월 박실朴實, 유백유柳伯濡 등과 함께 향공으로 뽑혀 정조사正朝使 권균權鈞을 따라 명나라에 갔다. 이듬해에 제과制科에 급제하여 동창부東昌府 구현丘縣의 승丞에 임명되었으나, 중국어에 서투르고 고향에 노친이 있음을 이유로 사퇴하고 돌아왔다. 그는 우왕 때 환관의 정치 간여 금지 등 정치개혁을 주장했으며, 1377년 밀직제학密直提學으로 있을 때 권신 이인임李仁任과 정치적 갈등을 겪다가, 결국 1379년 7월에 양백연楊伯淵의 옥사에 연루되어 효수되었다.

【석고石鼓】

정강靖康 2년(1127)에 금나라 사람들이 변경을 함락시킨 뒤 담요로 여러 번 싸서 수레에 싣고 북경까지 가지고 왔다. (글자를 메웠던) 금은 후벼 (파서 가져갔다. 그리고) 왕선무王宣撫의 집에 두었다가 이후 대흥부학大興府學으로 옮겼다. 원나라 대덕大德 11년(1307)에 우집虞集이 대도大都의 교수敎授로 있으면서 이를 풀숲의 진흙 속에서 찾아내 비로소 국학에 안치했다.[47]

다음은 인물에 관한 부분이다.

【문천상文天祥】

문승상의 사당은 시시柴市의 교충방敎忠坊에 있다. … 유악신劉岳申의 「신공전信公傳」을 살펴보면, "공이 연경 객사에 이르자 존귀한 손님처럼 장막을 치고 대우했다. 그러나 공은 의롭게도 그곳에 눕지 않고 앉아서 새벽을 맞았다. 장홍

請修舉, 從之…國初, 高麗遣金濤等四人, 入太學, 洪武四年, 濤登進士歸國, 按太學志, 隆慶元年, 駕幸國子監, 朝鮮陪臣李榮賢等六員, 各具本等衣冠, 赴彝倫堂, 立文臣班次之次…彝倫堂前松柏, 世傳元儒許衡手植.

47) 『열하일기』「謁聖退述」石鼓條：靖康二年, 金人陷汴, 重氈輦至燕, 剔其金, 置鼓王宣撫家, 復移大興府學, 元大德十一年, 虞集爲大都教授, 得之草泥中, 始置國學.

범張洪範이 와서 보고 그가 굴복하지 않는 상황을 상세히 보고했다. (그러자) 병마사兵馬司를 보내어 형틀을 채우고 빈 집에 10일 남짓 가두었다. (그래도 굴복하는 의사를 보이지 않자) 결박을 풀고 형틀을 제거한 뒤 4년 동안을 감금하였다. (그동안)『지남록指南錄』 3권과 그 후록後錄 다섯 권, 집두集杜 2백여 편의 시를 지었는데, 모두 서문을 남겼다"고 되어 있다. 조필趙弼의 「신공전信公傳」에는 "공이 시시로 끌려 나오자 구경꾼이 만 명이나 되었다. 공은 남쪽을 향하여 두 번 절을 하였다. 이날 큰 바람이 일어 모래가 사방으로 날렸다. 천지가 어두워져 궁중에서는 촛불을 켜들고 다닐 정도였다. 세조世祖가 장진인張眞人에게 까닭을 물었더니 답하기를 '이는 아마도 문승상을 죽였기 때문인가 봅니다'고 했다. 이에 (코빌라이칸은) 공에게 금자광록대부金紫光祿大夫 개부의동검교태보開府儀同檢校太保 중서평장정사中書平章政事 여릉군공廬陵郡公을 추증하고 충무忠武라는 시호를 내렸다. 추밀樞密 왕적옹王積翁에게 신주의 글씨를 쓰도록 명했다. 시시를 깨끗이 쓸고 단을 설치하여 제사를 지냈다. 승상 패라孛羅가 초헌례를 행할 때 갑자기 회오리바람이 불어 신주를 휩싸 구름 속으로 말아 올렸다. 이에 전송승상前宋丞相이라 고쳐 썼더니 하늘이 비로소 맑게 개었다. 처음에 강남江南의 의사義士 10명이 공의 시체를 거적에 싸서 둘러메고 남문南門 밖 한길 가에 장사를 지냈다. 대덕 2년(1293)에 수양아들인 승陞이 직릉호織綾戶의 여인을 만났는데, 그는 곧 공의 옛날 몸종인 녹하綠荷이다. 그는 승에게 이야기하여 드디어 공의 시체를 여릉廬陵에 반장하였다. 선덕宣德 4년(1429)에 부윤府尹 이용중李庸重이 사당을 짓고 해마다 봄과 가을 중삭仲朔에 유사有司로 하여금 제사를 차려 모시게 하였다"고 기록되어 있다.[48]

48)『열하일기』「謁聖退述」文丞相祠條：文丞相祠, 在柴市, 坊曰敎忠…按劉岳申信公傳, 公至燕館, 供帳如上賓, 公義不寢處, 坐達朝, 張洪範至具言不屈狀, 送兵馬司械繫空宅中十餘日, 解縛去械, 囚四年, 爲詩有指南錄三卷, 後錄五卷, 集杜二百首, 皆有自序, 趙弼信公傳言, 公至柴市, 觀者且萬人, 公南向再拜, 是日大風揚沙, 天地晝晦, 宮中秉燭行, 世祖問張眞人, 對曰, 此殆殺文丞相所致也, 乃贈公特進金紫光祿大夫開府儀同檢校太保中書平章政事廬陵郡公謚忠武, 令樞密王積翁書神主, 灑掃柴市, 設壇祀之, 丞相孛羅行初奠禮, 狂飈旋地, 卷主入雲中, 改書前宋右丞相, 天始開霽, 初江南十義士, 舁公藁葬南門外道旁, 大德二年, 繼子陞見織綾戶婦, 公舊婢綠荷也, 爲陞語, 遂以歸葬廬陵, 宣德四年, 府尹李庸重拓其祠, 歲春秋仲朔, 有司陳設行祀.

위의 기록에 등장하는 장홍범張洪範은 장홍범張弘範(1238~1280)의 오기이다. 장홍범은 한인만호漢人萬戶 장유張柔(1190~1268)의 아들로 문천상을 해풍海豊 오파령五坡嶺에서 사로잡은 장군이다.[49] 집두集杜는 두시杜詩에서의 집구集句를 말한다. 승상인 패라孛羅는 몽골어로 갈색을 뜻하는 보로Boru의 음역이며, 장진인張眞人은 송나라 출신의 도사인 장백단張伯端이다. 박지원의 문천상에 대한 기록은 최덕중에 비해 아주 상세할 뿐만 아니라, 나름대로의 논평도 다음과 같이 기록되어 있다.

> 당시 하늘의 명을 받은 군주라면 이 같은 사람에 대해 어떻게 대처해야 하는가. "그대를 백성으로 대할 뿐 신하로 삼지 않는다. 존경하되 직위는 주지 않는다. 봉작도 조회도 하지 않는 반열에 둘 뿐이다"고 말하는 것이 원나라 세조로서의 계책이라 할 수 있다. 그리고 친히 (문천상이 머무는) 관을 찾아가 손수 칼을 벗긴 다음 동향東向하여 절하면서 하夏를 사용하여 이夷를 변화시키는 방도를 물으며 천하의 백성들과 함께 그를 스승으로 삼았다면, 성군의 도리를 지닐 수 있었을 것이다.[50]

박지원은 문천상을 기록하면서 나름대로 삼학사의 최후와 같은 모습을 떠올렸을지도 모른다. 위의 역사논평은 박지원이 지닌 중화주의적 문명관을

49) 장홍범은 易州 定興 사람으로 자는 仲疇이다. 장유의 9번째 아들로 1262년 行軍總管에 임명되어 李璮의 난을 평정하는 데 공을 세웠다. 코빌라이는 이 난을 기점으로 世侯子弟의 兵權을 박탈하고 軍職도 면제시켰다. 그는 1264년 順天路管民總管이 되었고, 1269년에는 益都淄萊等路行軍萬戶로 임명되어 襄樊의 전투에 참가했다. 1274년 송나라 공격 때 선봉대를 이끌었으며, 그 공으로 亳州 萬戶 및 바토Batu(拔都 : 용사)의 칭호를 하사받았다. 1278년 蒙古漢軍都元帥가 되어 송나라의 잔존 부대가 버티고 있는 閩廣으로 진격하여 문천상을 海豊 五坡嶺에서 사로잡았다. 그리고 1279년 崖山(광동 新會縣 남쪽)에서 마지막 저항군을 토벌하여 송나라를 멸망시켰다. 문집으로는 『淮陽集』이 있다.

50) 『열하일기』 「謁聖退述」 文丞相祠堂記條 : 當時受命之君,當如何處斯人也,曰,民焉而不臣,尊之而無位,置之不封不朝之列已矣,爲元世祖計,親造館而手破其械,東向而拜之,問用夏變夷之道,率天下而師之,則是亦先王之道也.

그대로 보여주고 있다. 실제 그의 역사논평은 묘청의 반란 이래 초원과 중원을 균형 있게 바라보지 못하고 한쪽으로 편중된 시각이 계속 계승되고 있음을 보여주는 한 예에 불과하다.

그런데 문천상 관련 항목에서 주목되는 것이 서호수의 태도이다. 서호수는 아예 문천상을 언급하지도 않고 있으며 코빌라이에 대한 평가도 박지원과는 상반된다. 이러한 점에서 문천상에 대한 부분은 두 사람의 역사의식의 차이를 극명하게 보여주는 지표로 간주할 수 있다. 이는 결국 두 사람이 지닌 시대이념의 차이가 역사를 보는 관점까지도 다르게 만든다는 것을 보여주는 일례라 할 수 있다.

다음은 대도의 원대 유적 부분이다.

【대도大都】

그들은 나라를 세워 이름을 청淸이라 하고, 수도를 세워 그곳을 순천順天(하늘에 따른다)이라 했다. (북경은) 천문으로 보면 기箕·미尾 두 별의 사이에 위치한다. 지리로 말한다면 우공禹貢의 기주冀州, 고양씨高陽氏(顓頊)의 유릉幽陵에 해당한다. 도당씨陶唐氏(堯) 때는 유도幽都, 우虞 때는 유주幽州, 하夏·은殷 때는 기주冀州라 불렀다. 진나라 때에는 상곡上谷·어양漁陽이라 하였다. 한나라 초기에는 연국燕國을 두었다가 탁군涿郡으로 만들었으며 다시 광양廣陽이라 이름을 고쳤다. 진晉·당唐에서는 범양范陽이라 하였다. 요나라는 남경이라 하였다가 뒤에 석진부析津府라 고쳤다. 송나라는 연산부燕山府라 하였고, 금나라는 연경燕京이라 했다가 곧 중도中都라 고쳤다. 원나라는 대도大都라 하였다. 명나라 초년에는 북평부北平府라 하였다. 태종황제太宗皇帝가 수도를 옮기면서 순천부順天府라 고쳤다. 지금 청나라는 그로 인해 이곳에 수도를 세웠다.[51]

51) 『열하일기』「關內程史」 1780년 8월 1일조 : 其建國之號曰淸, 其設都之府曰順天, 在天之文曰箕尾之分, 在地之志曰禹貢冀州之域, 高陽氏謂之幽陵, 陶唐曰幽都, 虞曰幽州, 夏殷曰冀州, 秦爲上谷漁陽, 漢初爲燕國, 後分爲涿郡, 又改爲廣陽, 晉唐曰范陽, 遼爲南京, 後改爲析津府,

위의 기록은 북경의 역사적 변천을 보여주고 있다. 오늘날의 북경은 명나라 영락제 때 건설한 도성의 모습이 계승된 것이다.[52] 청나라가 북경을 수도로 선포한 시기는 태종 때가 아니라 순치제 때인 1644년 10월이다. 명나라와 청나라의 근거가 되었던 대도는 1368년 주원장朱元璋(1328~1398)의 대도 진입 때 크게 파괴되어 현재는 유적의 일부만이 남아있을 뿐이다. 그럼에도 불구하고 대도는 인류역사상 주목받는 도시의 하나에 속한다. 따라서 그 건설배경과 특징을 간략히 소개해 보기로 하겠다.

대도의 건설은 멍케카간 사후에 벌어진 대몽골제국의 역사와 관련이 깊다. 쿠데타로 중원과 몽골고원 일대의 권력을 장악한 코빌라이는 군사적인 절대 우세를 바탕으로 만주지역의 타차르Tachar, 중앙아시아의 아르곤Argun, 페르시아의 훌레구Külregü, 러시아의 베르케Berke 등을 설득했다. 그리고 제국의 모든 통치집단들이 1266년 코빌라이의 근거지에 모여 그의 대칸 즉위를 공식화하고, 제국의 새로운 미래를 기획하자는 데 합의를 보았다.

코빌라이에게는 이 1266년이 바로 꿈의 해였다. 그는 이들에게 자기의 야망이 무엇인가를 보여주기 위해 세계 통합의 수도를 건설하기를 원했다. 대도는 바로 이러한 목적을 가지고 1266년부터 건설에 들어가기 시작했으며 1283년에 그 첫 모습을 드러냈다. 코빌라이가 생전에 완성한 대도는 그야말로 처음부터 끝까지 완벽하게 기획된 도시였다. 세계제국의 수도이자 기획된 도시로서의 성격을 극명하게 상징하는 것이 바로 성 한가운데 인공적으로 조성된 적수담積水潭이란 호수이다.

이 인공호수는 오늘날 북경의 관문을 이루는 또 하나의 기획 도시 천진天津

宋改名燕山府, 金稱燕京, 尋改號中都, 元爲大都, 皇明初爲北平府, 太宗皇帝徙都焉, 改稱順天府, 今淸因以都之.

52) 靖難의 변이라는 쿠데타를 통해 정권을 장악한 영락제는 1406년 명나라의 수도를 남경에서 자신의 세력 근거지인 북경으로 옮기기로 결정했다. 그리고 13년의 건설기간 끝에 1420년에 완공했다. 북경이란 명칭도 이때 처음 시작되었다.

과 운하로 연결되어 있다. 운하는 1293년에 완성되었다. 바로 이 인공호수는 바닷길의 종착역이었다. 적수담의 동북 기슭에는 국제시장과 경제 관청들이 줄지어 늘어선 거대한 경제특구가 조성되었다. 이 인공호수의 아래쪽에는 몽골초원을 상징하는 인공 초지와 수림이 조성되었다. 자연 호수인 태액지太液池 옆에 조성된 이 초지와 수림에는 고정식 궁궐과 이동식 궁전이 건립되었다. 그리고 세계 인류의 화합을 염원하듯 각 종교를 대변하는 거대한 성전들이 이 주위를 빙 둘러 건립되었다. 그야말로 오늘날의 뉴욕 월가와 워싱턴 및 바티칸을 한곳에 집중시켜 놓은 모양과 같았다.

대도는 초원과 바다를 잇는 상징이었다. 또 성 자체와 그 안에 들어선 모든 건물들도 세계 최고의 아름다움을 가지도록 지어졌다. 오늘날 북경을 방문하는 사람들은 아직도 그 옛날의 향기를 맡을 수 있다. 북해공원北海公園과 고위 관리들이 모여 사는 중남해中南海가 바로 몽골이 인공적으로 조성한 초지와 숲의 유적들이다. 대도에서 처음 선보인 초지와 숲은 이후 세계 각국 도시공원의 모델이 되어 역사에 그 맥을 이어갔다.

대도는 몽골인들에게는 예케-호타Yeke Khota(큰 도시), 서역인들에게는 돌궐어로 대칸이 사는 도성이라는 뜻의 칸-발리크Khan-Balig라고 불려졌다. 대도는 유라시아 대륙을 관통해 흐르는 잠치Jamchi의 출발점이자 종착점이었다.[53)]

53) 대도에 관한 논저는 北京大學歷史系北京史編寫組, 『北京史』, 北京(增訂版),1999；賈洲杰, 「元大都」『內蒙古大學學報』, 1977-3 및 「元大都調査報告」『文物』, 1977-5；駒井和愛, 「元の上都并に大都の平面について」『東亞論叢』3, 1940；渡邊健哉, 「元代大都南城について」『集刊東洋學』82, 1999；黙書民, 「元代大都糧食來源與消費」『元史論叢』9, 2004；杉山正明, 「クビライと大都」『中國近世の都市と文化』京都, 1984；岩村忍, 「元の大都」『蒙古』115, 1942；愛宕松男, 「元の大都」『歷史教育』14-12, 1966；余兆權, 「元代大都城之沿革及其平面建築規劃述略稿」『史潮(홍콩中文大)』7, 1982；王鏌, 「14世紀大都的 "馬拉松"賽」『文史知識』, 1982-9；王燦熾, 「談元大都的城墻和城門」『故宮博物院院刊』, 1984-4 및 「元大都鍾樓考」『故宮博物院院刊』, 1985-4；王浩, 「試析忽必烈定都大都之原因」『內蒙古社會科學』, 1998-4；張寧, 「馬可波羅與元大都」『文物天地』, 1982-2；趙其昌, 「『析津志』所記元大都府咢斗式機輪水車」『文物』, 1984-10；周繼中, 「元大都人口考」『中國蒙古史學會論文選集(1981)』, 呼和浩特, 1986；朱玲玲, 「元大都與北京城」『百科知識』, 1982-2 및 「元大都的坊」『殷都學刊』, 1985-3；朱偰, 『元大都宮殿圖考』, 北京, 1990；中村淳, 「元代法旨に見える歷代帝師の居所—

【건덕문建德門과 문 밖의 토성】

덕승문은 곧 원나라의 건덕문이다. 명나라 홍무洪武 원년(1368)에 대장군 서달徐達이 지금의 이름으로 고쳤다. 문 밖 8리 되는 곳에 토성의 옛터가 있으니, 이는 원나라 때 쌓은 것이다.[54]

【경화도瓊華島】

태액지 복판에 있는 섬을 경화瓊華라고 부른다. 세상에 전하기를 "요나라 태후太后가 화장하던 대臺이다"라 한다. 원나라 순제順帝는 영영英英을 위해서 채방관采芳館을 이곳에 짓고 섬까지 돌다리를 놓았는데, 형태는 금오교와 같다. 다리 양끝에는 나무로 만든 두 궁전을 세웠는데, 퇴운堆雲과 적취積翠라고 불렀다. 더러는 "이 다리의 이름은 금해교金海橋이다"라고도 한다.[55]

위에 기록된 이야기의 출처는 『원납시주元納詩註』로, 채방관采芳館은 미방관米芳館의 오기이다. 순제 토곤-테무르Togun-Temür(1333~1370)는 11살 때인 1330년 7월 고려의 서해안인 대청도에 유배되어 1년 5개월을 그곳에서 보낸 적이 있는 불운한 인물이다. 그런데 그의 마음을 사로잡았던 영영英英은 누구일까.

순제의 정후正后(Khatun)는 킵차크 출신의 권신인 엘-테무르El-Temür(燕鐵木兒)의 딸 타나시리Tana-Shiri(答納失里), 몽골 옹기라트Onggirad 부족 출신의 바

大都の花園大寺と大護國仁王寺」『待兼山論叢(史學篇)』27, 1993 및 「元代大都の勅建寺院をめぐって」『東洋史研究』58-1, 1999 ; 陳高華, 『元大都』, 北京,1982 및 「元代大都的飮食生活」『中國史研究』, 1991-4 ; 淺海正三, 「元大都雜考」『史潮』6-1, 1936 ; 青木富太郎, 「元の大都」『歷史教育』5-7, 1957 ; 村田治郎, 「元·大都の都市計劃に關する一考察」『滿洲學報』3, 1934 및 「元の大都の都市計劃に就いて」『建築學會論文集』9, 1938 ; 侯仁之, 「元大都城與明清北京城」『故宮院刊』, 1979-3 ; 金濤·侯仁之 共著, 『北京史話』, 上海, 1980을 참조.

54) 『열하일기』「還燕道中錄」1780년 8월 20일조 : 德勝門, 元之建德門也, 皇明洪武元年, 大將軍徐達改今名, 門外八里, 有土城舊址, 元之築也.

55) 『열하일기』「黃圖紀略」瓊華島條 : 太液池中, 有島日瓊華, 世傳遼太后粧梳臺, 元順帝爲英英, 起采芳館于此, 跨島有大石橋, 制如金鼇, 兩端亦樹二坊, 日堆雲, 日積翠, 或日此名金海橋也.

얀-코톡토Bayan-Khutugtu(伯顔忽都), 고려 출신의 얼제이투-코톡토Öljeitü-Khutugtu(完者忽都) 등 3명이다. 이 가운데 순제의 사랑을 독차지한 여인이 고려 출신의 기황후奇皇后였다.[56] 영영英英은 몽골어의 원음을 줄여 부르는 애칭 같은데, 그 주인공이 순제의 행적으로 미루어 기황후일 가능성이 높다.

【만수산萬壽山의 광한전廣寒殿】

원나라 세조는 그 위에 광한전을 세웠는데, (그 사실이) 명나라 선종宣宗 황제가 직접 쓴 「광한전기廣寒殿記」에 있다. 고려 공민왕 때에 원나라의 태자는 고려 찬성사贊成事 이공수李公遂를 광한전으로 불러서 만났다고 했는데, (만수산은) 곧 이 만세산이다.[57]

위의 기록에서 이공수李公遂(1308~1366)가 대원제국의 태자인 아요르-시리다라Ayur-Siridara(愛猷識理達臘)와 만난 때는 1363년부터 1364년의 어느 때라고 보인다. 당시 대원제국은 최유崔濡(?~1364)[58]의 뜻을 받아들여 공민왕을 폐위하고 덕흥군德興君을 왕으로 세우고자 했다. 이에 공민왕은 찬성사 이공수와 밀직제학密直提學 허강許綱(?~1366)을 파견하여 그 부당함을 호소하는 진정표陳情表를 올렸다. 그러나 결국 성공하지 못하고 1364년 1월 최유가 원나라 군대 1만 명을 이끌고 고려에 침입하여 고려군과 전투를 벌이는 파란을 맞았다. 이공수와 허강은 계속 대도에 머물면서 사태 해결에 노력한 결과 최유를 고려에 압송하여 그를 사형시키는 성과를 거두었다.

광한전은 태액지太液池 한가운데의 경화도瓊華島에 자리하고 있다. 원대에

56) 기황후 및 타나시리, 바얀-코톡토의 관계에 대해서는 졸저, 『서약의 땅, 배반의 호수 -21세기 한국에 몽골은 무엇인가』, 서울, 2008, pp.36~39를 참조.

57) 『열하일기』 「黃圖紀略」 萬壽山條 : 元世祖置廣寒殿于其上, 皇明宣宗皇帝御製廣寒殿記是也, 高麗恭愍王時, 元太子召見高麗贊成事李公遂於廣寒殿, 卽萬歲山也.

58) 최유는 同知密直司事 安道의 아들로 몽골 이름은 테무르-보카Temür-Bukha(帖木兒不花)이다.

는 경화도를 만세산萬歲山이나 만수산萬壽山으로 부르기도 했다. 그리고 명대에 이르러 누군가의 오해로 신무문神武門 밖에 있는 경산景山을 만세산으로 부르는 일이 나타났다. 경산은 명나라 때 인공적으로 만든 산으로, 산 아래에 석탄을 노적하는 일이 많아 매산煤山이라고도 불려졌다. 바로 이 산에서 명나라의 마지막 황제인 의종毅宗이 이자성李自成 반란군이 진입하는 것을 바라보며 스스로 목을 매었다.

【만수산萬壽山 옥전玉殿】

또 고려 원종元宗 5년(1264) 9월에 왕이 연경에 왔고, 10월에 만수산 옥전에서 황제를 작별하였다. 또 신사전申思佺은 만수산 옥전을 두루 구경하였다고 하였으나, 다만 옥전이라고만 말하고 전각의 이름은 말하지 않았다. 그러나 이미 만수산이라 불렀은즉, 이른바 옥전은 광한전이 아님이 분명하다.[59]

위의 기록에 등장하는 신사전申思佺(?~1289)은 고려 원종 때의 재상이다. 그는 무반 출신으로 1260년에 상장군, 1263년에 병부상서가 되었으며, 1268년 지문하성사知門下省事로 원나라의 사신 케레이드Kereyid(黑的)와 함께 일본에 다녀오기도 하였다. 그는 1271년 코빌라이칸을 만나 임연林衍의 원종 폐위를 사실대로 고해 원종이 복위하는 데 공을 세웠다. 그가 옥전을 두루 구경한 것은 바로 이때에 해당한다.

다음은 전적지 및 기타 부분이다.

【백하白河】

수십 리를 가서 백하를 건넜다. 백하의 근원은 새문塞門 밖에서 흘러나와

59) 『열하일기』 「黃圖紀略」 萬壽山條 : 又高麗元宗五年九月, 王至燕都, 十月辭帝於萬壽山玉殿, 又申思佺遍觀萬壽山玉殿, 但云玉殿而不言殿名, 然旣稱萬壽山, 則所謂玉殿, 非廣寒亦明矣.

석당령石塘嶺에서 장성을 뚫고, 황화黃花의 진천鎭川, 창평昌平의 유하楡河 등 새문 밖의 모든 물과 합하여 밀운성密雲城 밑으로 지나간다. 원나라의 승상 탈탈脫脫이 일찍이 수리 사업에 능한 자를 뽑아서 둑을 내고 논을 만들어 해마다 곡식 백만여 섬을 거두었다. 뒤에 명나라의 태감太監 조길상曹吉祥이 그곳을 몰수하여 관장官庄으로 삼았다. 이 때문에 가난한 백성들이 생업을 잃었고, 백하의 수리도 마침내 폐지되었다. 금나라의 알리불斡離不이 순주에 들어와서 곽약사郭藥師를 백하에서 깨뜨렸다고 하는 곳이 바로 이곳이다. 물살이 세고 빛이 탁한데, 일반적으로 새외塞外의 물은 모두 누런빛이다.[60]

박지원은 조선시대에 최초로 열하를 방문한 인물답게 고북구古北口나 밀운성密雲城의 지세 및 역사 사적을 자세히 기록하고 있다. 위의 기록에 등장하는 원대 개간사업은 승상 톡토가 1349년에 복귀한 뒤 황하를 비롯한 각 곳의 수리 사업을 전개하면서 행한 사업 중의 하나이다.[61]

【대흥주大興州】

한나라의 옛 요양要陽·백단白檀·활염滑鹽 세 고을의 땅이다. 한나라 경제景帝가 이광李廣에게 조칙을 내려 말하기를, "장군은 군사를 거느리고 동으로 달려 백단에서 깃발을 멈추라"고 한 것이 곧 이곳을 말한다. 거란의 아보기阿保機가 활염滑鹽의 허물어진 성을 고쳐 쌓았는데, 세속 사람들은 이를 '대흥주'라 일컬었다. 명나라 상우춘常遇春가 (원나라 장군) 야속也速을 추격하여 전녕全寧에서 패퇴시키고 대흥주로 나가 머물렀는데, 바로 그곳이 이 땅이다.[62]

---

60) 『열하일기』「漢北行程錄」 1780년 8월 6일조 : 行數十里, 渡白河, 白河源出塞外, 自石塘嶺, 穿長城, 會黃花鎭川昌平之楡河, 諸塞外水, 經密雲城下, 元承相脫脫, 募能水利者, 圍堰水種, 歲收穀可百餘萬石, 明太監曹吉祥抄沒之地, 撥爲官庄, 小民由是失業, 白河水利遂廢, 金斡離不, 入順州, 敗郭藥師於白河, 卽此地也, 水勢悍急黃濁, 大抵塞外之水, 皆黃河也.

61) 원나라의 농토 개간에 대해서는 長瀨守, 「元朝における農田水利の若干の規定について 一宋代の規定と對比して」 『都立衫并高校紀要』 4, 1963을 참조.

62) 『열하일기』「漢北行程錄」 1780년 8월 9일조 : 漢故要陽白檀滑鹽縣地, 漢景帝詔李廣曰, 將軍其率師東轅, 弭節白檀是也, 契丹阿保機, 治滑鹽廢城, 俗謂之大興州, 明常遇春, 追敗也速於

위의 기록에 등장하는 원나라 장군의 이름인 야속也速은 몽골어로 9를 뜻하는 예순Yesü-n[63]의 음역이다. 그와 명나라 장군 상우춘常遇春의 전녕 전투는 1368년에 일어났는데, 그 지점은 오늘날 산동성 장구현章丘縣 서쪽이다.

【원나라 때의 고북구古北口 : 천력지전天曆之戰】

원나라 치화致和 원년(1328)에 태정제泰定帝의 아들 아속길팔阿速吉八을 상도上都에서 대칸으로 옹립했다. (그는) 군대를 파견해 길을 나누어 대도에 있는 연철첩목아燕鐵帖木兒를 공격케 했다. 이때 탈탈목아脫脫木兒는 고북구를 지키고 있었는데, 상도의 군대를 만나 의흥宜興에서 전투를 벌였다.[64] … 원나라 문종文宗을 세울 때 당기세唐其勢의 군대가 이곳에 주둔하였다. 산돈撒敦이 상도 군사를 추격한 것도 여기였다.[65]

위의 기록은 태정제泰定帝 예순-테무르Yesün-Temür(1323~1328)의 사후 대칸의 옹립을 둘러싸고 상도파와 대도파 사이에 벌어졌던 대규모의 내전, 즉 천력지전天曆之戰(兩都之戰)에 대한 기록이다. 위에 등장하는 태정제의 황태자인 아속길팔阿速吉八(?~1328)은 아리길팔阿里吉八, 아랍길백阿拉吉伯, 아랄길팔阿剌吉八이라고도 표기되는데, 모두 몽골어 아라지박Arajibag의 음역이다.[66] 연

全寧, 進次大興州, 卽此地也.

63) 예순Yesü-n(也速)은 어거차르Ögöchar(月闊察兒)의 아들이다. 그는 1352년 승상 톡토를 따라 徐州의 芝麻李를 진압하면서 徐州城을 공략하는 계책을 헌상하였다. 이후 각지의 농민 반란군을 진압하였다. 1364년 황태자 아요르-시리다라Ayur-Siridara의 병권 박탈에 항의하여 大同에서 대도로 진격하는 보로-테무르Boru-Temür(孛羅帖木兒)의 군을 昌平에서 맞아 싸웠으나 패배하였다. 보로-테무르는 대도에 진입한 뒤 그를 남쪽의 커케-테무르Köke-Temür(擴廓帖木兒)를 방어하는 部將으로 임명했다. 그러나 커케-테무르의 군이 良鄕에 이르자, 그는 커케-테무르와 연합하여 보로-테무르의 맹장인 姚伯顔不花(姚Bayan-Bukha)를 살해했다. 1367년 우승상이 되어 산동에 머물렀는데, 1368년 常遇春이 이끄는 명군이 산동에 진입하자 패배하여 북쪽으로 달아났다.

64) 『열하일기』「還燕道中錄」 1780년 8월 17일조 : 元致和元年, 泰定帝子阿速吉八立於上都, 遣兵分道,討燕鐵帖木兒于大都, 時脫脫木兒守古北口, 與上都兵戰于宜興.

65) 『열하일기』「山莊雜記」 夜出古北口記條 : 元文宗之立也, 唐其勢屯兵於此, 撒敦追上都兵於此.

66) 티베트 사료인 『勝教寶燈』에는 Rachabag이라 표기되어 있다.

철첩목아燕鐵帖木兒는 연첩목아燕帖木兒(?~1333)의 오기로, 몽골어 엘-테무르 El-Temür 또는 옌-테무르Yen-Temür의 음역이다. 탈탈목아脫脫木兒는 몽골어 톡-테무르Tug-Temür의 음역이다. 문종文宗의 몽골 이름은 톡-테무르Tug-Temür이다. 당기세唐其勢(?~1335)는 몽골어 텡기스Tenggis의 음역으로, 그는 엘-테무르의 아들이다. 산돈撒敦(?~1335)은 몽골어 사돈Sadun의 음역으로, 그는 엘-테무르의 아우이다.

천력지전天曆之戰이란 대도大都 계열의 군벌과 상도上都 계열의 군벌이 정권을 장악하고자 벌였던 일종의 골육상잔이다. 예순-테무르의 치세 때 실권을 장악하고 있었던 인물이 타라샤Tarasha와 엘-테무르였는데, 이들은 각기 상도와 대도의 군벌을 대표하는 자들이었다. 대도의 군벌은 킵차크, 아스, 캉글리 등 돌궐계 출신이 다수를 점하는 근위군단近衛軍團세력이라는 특징도 지니고 있다. 엘-테무르는 예순-테무르가 1328년 7월 상도에서 죽자마자, 그해 8월 대도에서 무종武宗 카이산khaisan(1307~1311)의 아들을 대칸으로 옹립한다는 것을 선포한 뒤 9월에 카이산의 둘째아들인 톡-테무르를 대칸으로 옹립했다. 이에 맞서 타라샤도 그해 9월 상도에서 아라지박을 대칸으로 옹립하여 무력 대결을 벌였지만 결국 패배하고, 그를 지지한 상도파上都派는 10월 10일 모두 항복하였다.

참고로 천력지전의 주인공인 엘-테무르는 고려 출신의 황후 다마시리-카톤 Darmashiri-Khatun과 관계가 깊은 인물이다.[67] 엘-테무르는 충혜왕을 아들처럼 사랑했으며, 또 보얀테니Buyanteni(不顔帖你)라는 고려 여인을 애첩으로 두고 있다.

67) 다마시리-카톤은 金深(1262~1338)의 딸이다. 이 황후에 대해서는 졸고, 「대원제국의 고려 출신 황후 다마시리-카톤Darmashiri-Khatun」『몽골학』 24, 2008을 참조.

【원나라 때의 고북구古北口】

독견첩목아禿堅帖木兒가 들어오자 원나라의 태자는 이 관으로 도망하여 흥송興松으로 갔다.[68]

위의 기록에 등장하는 독견첩목아禿堅帖木兒는 몽골어 투겐-테무르Tügen-Temür나 투르겐-테무르Türgen-Temür의 음역이다. 독견첩목아는 보로-테무르Boru-Temür(孛羅帖木兒, ?~1365) 휘하의 장군이다. 위의 원나라 태자는 기황후의 아들인 아요르-시리다라Ayur-Siridara(1338~1378)이다.[69]

보로-테무르는 대흥주 편에서 언급한 바 있는 예순 장군과도 관계가 있는 인물이다. 그는 대동大同 일대를 근거로 대원제국의 병권을 장악하고 있었는데, 황태자 아요르-시리다라와 관계가 나빴다. 이에 아요르-시리다라는 그와 대립 관계에 있는 장군 커케-테무르Köke-Temür(擴廓帖木兒, ?~1376)와 연합한 뒤, 1364년 1월 순제에게 보로-테무르의 병권을 박탈할 것을 건의하여 통과시켰다. 그러나 보로-테무르가 이에 불복하고 군대를 대도로 보내 압박하자, 순제는 그를 다시 복직시켰다. 그가 군대를 대동으로 철수하자 태자는 커케-테무르와 함께 대동을 공격했다. 그러자 그는 1364년 7월 다시 군대를 거느리고 대도로 진격하여 순제를 알현한 뒤 무력을 배경으로 중서좌승상中書左丞相에 올랐다. 또 8월에는 우승상右丞相이 되어 천하의 군마軍馬를 통괄했지만,

68) 『열하일기』「山莊雜記」夜出古北口記條：禿堅帖木兒之入也, 元太子出奔此關趨興松.

69) 참고로 『元史』「順帝紀」에는 이 부분의 기록이 "夏四月甲午朔, 命擴廓帖木兒討孛羅帖木兒, 乙未, 太陰犯西鹹池, 孛羅帖木兒悉知詔令調遣之事非出帝意, 皆右丞相搠思監所爲, 遂令禿堅帖木兒舉兵向闕,壬寅, 禿堅帖木兒兵入居庸關, 癸卯, 知樞密院事也速·詹事不蘭奚迎戰於皇後店, 不蘭奚力戰, 也速不援而退, 不蘭奚幾爲所獲, 脫身東走, 甲辰, 皇太子率侍衛兵出光熙門, 東走古北口, 趨興·松, 乙巳, 禿堅帖木兒兵至清河列營, 時都城無備, 城中大震, 令百官吏卒分守京城, 使達達國師至其軍問故, 以必得搠思監及宦官樸不花爲對, 詔慰解之, 不聽, 丁未, 詔屏搠思監於嶺北, 竄樸不花於甘肅, 執而與之, 復孛羅帖木兒前官, 仍總兵, 以也速爲左丞相, 庚戌, 禿堅帖木兒陳兵自健德門入, 覲帝於延春閣, 慟哭請罪, 帝就宴賚之, 加孛羅帖木兒太保, 依前守禦大同, 禿堅帖木兒爲中書平章政事, 辛亥, 禿堅帖木兒軍還, 皇太子至路兒嶺, 詔追及之, 還宮"처럼 비교적 상세하게 기록되어 있다.

1365년 7월 순제가 보낸 자객에게 피살되었다. 바로 위의 대목은 1364년의 사건을 묘사한 것이다.

【전족의 유래와 습속】

남당南唐 때 장소랑張宵娘이 송궁宋宮에 사로잡혀 왔다. 궁인宮人들이 모두 그 뾰족한 작은 발이 보기 좋다 하여 다투어서 헝겊으로 발을 팽팽하게 싸매니 마침내 풍속이 되었다. 원나라 시절엔 한족 여인들이 발을 싸매 스스로 표식으로 삼았다. 명나라에 이르러 이를 금하였으나 소용이 없었다. 북방 여인들은 한족 여인들의 발 싸맨 것을 비웃어 회음誨淫이라 한다.[70]

위의 기록에 등장하는 장소랑張宵娘은 남당 후주後主의 궁인이다. 그녀는 초승달같이 작은 발로 금련金蓮 위에서 춤추며 후주의 마음을 사로잡은 여인이라고 전해진다. 회음은 음란이나 음탕을 뜻하는 말이다.

【원대 서역지방의 양배꼽 전설】

고태사高太史 역생棫生이 나에게 말하기를 "서역에서는 양의 배꼽을 심는다. 양을 잡을 때 먼저 배꼽을 따서 흙을 두텁게 덮어 심는다. 그러면 1년 만에 양이 생긴다. 그 양은 땅 위에 엎드려 있는데, 모습이 가축과 같다. 그러다 천둥소리를 들으면 배꼽이 떨어진다고 하는데, 이는 『원사』에 실려 있다"고 했다.[71]

위의 기록을 필자는 『원사』에서 찾아볼 수 없었다.

70) 『열하일기』「太學留館錄」 1780년 8월 10일조 : (鵠汀曰)南唐時張宵娘, 俘入宋宮, 宋宮人爭效其小脚尖尖, 勒帛緊纏, 遂成風俗, 故元時漢女, 以小脚彎鞋, 自爲標異, 前明時, 禁他不得, 韃女之嗤, 漢女纏脚, 以爲誨淫.

71) 『열하일기』「銅蘭涉筆」條 : 高太史棫生謂余曰, 西域有種臍羊, 捕羊先採臍, 種之厚土, 至朞生羊, 羊伏地上, 形如家畜, 聞雷則臍落, 此載元史云.

【원대 의학서, 심법心法과 위생보감衛生寶鑑】

주단계朱丹溪가 『심법心法』을 지었고, 남의南醫로서 관중關中에 나타났다. … 옛날 나익지羅益之가 『위생보감衛生寶鑑』을 지었다.[72]

위의 기록에 등장하는 주단계朱丹溪는 원나라의 의학자 주진형朱震亨이며, 단계는 그의 호이다. 나익지羅益之는 원나라의 의학자 나천익羅天益이며, 익지는 그의 자字이다.[73]

【거용관의 접동새】

원나라 지정至正 19년(1359)에 접동새가 거용관에서 울었다. 이 관은 연경과의 거리가 70리로, 연경 팔경八景의 하나인 거용첩취居庸疊翠이다. 원나라의 왕운旺惲은 이르기를 "진시황이 만리장성을 쌓을 때 일꾼들을 이곳에 두었다 하여 곧 거용居庸이라 일컬었다. 모용수慕容垂가 모용농慕容農을 추격하여 얼옹새蠮螉塞로 나갔는데 (얼옹은) 거용의 잘못된 소리이다"라고 하였다.[74]

접동새는 중원에서 망국을 상징하는 새로, 촉나라 임금 두우杜宇의 전설에서 유래되었다. 우리나라의 영월에 있는 단종의 자규루子規樓나 자규사子規詞도 그 대표적인 예의 하나이다. 거용관에서 접동새가 울었다는 것은 원나라가 멸망할 것을 상징한 것이다. 접동새(두견이)는 몽골어로 살랑salang(салан)이라 하고, 그 울음소리를 "국구güg güü(гүг гүү)"라고 표현한다. 접동새와 짝을 이루는 소쩍새는 몽골어로 보슬락buslig(буслаг)이라 부른다.

72) 『열하일기』「口外異聞」東醫寶鑑條：朱丹溪著心法, 以南醫而顯于關中…昔羅益之著衛生寶鑑.

73) 원나라의 의학에 대해서는 石田秀實, 「金元醫學硏究序說」『矢數道明先生退任記念東洋醫學論集』, 東京, 1986을 참조.

74) 『열하일기』「口外異聞」子規條：元至正十九年, 子規啼於居庸關, 關距皇城七十里, 燕都八景, 居庸疊翠, 其一也, 元王惲以爲始皇築長城時, 居息庸徒於此地, 遂稱居庸, 慕容垂遣慕容農, 出蠮螉塞, 卽居庸之訛音云.

【문연각文淵閣 총서】

문화전 앞에 있는 전각을 문연文淵이라 부른다. 천자의 장서藏書가 있는 곳이다. 명나라 정통正統 6년(1441)에 송나라·금나라·원나라 때의 모든 책을 합하여 목록을 만들었는데, 모두 43,200여 권이다. 그 뒤에 또 『영락대전永樂大全』 23,937권을 더 보태 두었다.[75]

【대성악大晟樂】

송나라가 강남으로 건너간 뒤로 금나라 태종太宗은 변경汴京(開封)에 있는 악기와 악공을 모조리 거두어 북쪽으로 옮겨가 태화악太和樂이라고 이름을 고쳤다. 그러나 이것도 실제는 대성악이다. 금나라가 난을 만나 (수도를) 또다시 남쪽 변채汴蔡로 옮겼지만, 변채가 함락되자 중원의 옛 물건은 모두 원나라로 들어갔다. 원나라의 오래吳萊가 태상이 되어 사용한 음악은 본래 대성악의 유법遺法이다. 옛날 악공들에게 교습을 시켜 종묘의 제사에 썼기 때문이다. 원나라 악호樂戶의 자손은 대대로 하변河汴 지방에 살고 있다. 명나라가 원나라를 몰아내고 악공과 악기들을 모두 얻게 되었다. 때문에 (명나라의) 태상 아악과 악관들이 익히던 음악은 가히 대성악이라고 불러도 좋다. 심지어 여럿이 추는 춤이나 모든 놀이까지 원나라의 옛 제도를 본받았다. 명나라의 고황제高皇帝는 원나라의 정치를 혁신하였다. 그러나 대성악만큼은 혁신하지 않았다. (그 이유는) 금나라는 송나라를 따랐고 원나라는 금나라를 따랐기 때문에 전통도 오래되었고, 또 실제 중국의 옛 제도인지라 음악을 새로 만들 필요가 없었기 때문이다. 따라서 홍무 때 반포된 것이 대성악임을 알 수 있다.[76]

---

75) 『열하일기』 「黃圖紀略」 文淵閣條：文華殿前有閣日文淵, 天子藏書之所也, 皇明正統六年, 合宋金元所儲而編定目錄, 凡四萬三千二百餘卷, 增以永樂大全, 多至二萬三千九百三十七卷.

76) 『열하일기』 「忘羊錄」條：然宋旣南渡, 而金太宗悉取汴京樂器樂工, 遷之北去, 改號太和樂, 其實大晟樂也, 及金喪亂, 而又復南遷汴蔡, 及汴蔡陷沒, 而中原舊物, 悉入于元, 元人吳萊以爲太常所用樂, 本大晟之遺法, 令舊工敎習, 以備太祀, 故元之樂戶子孫, 猶世籍河汴, 及明逐元, 悉得其工器, 故太常雅樂及樂官所肄, 猶稱大晟樂, 以至隊舞百戲, 率皆元舊, 高皇帝一革元政, 而至於大晟樂, 則謂金沿宋, 元沿金,其來已久, 必中國之遺, 故不復改刱, 以是知洪武所頒, 本一大晟樂也.

위의 기록에 등장하는 오래吳萊(1297~1340)는 오늘날의 절강浙江에 위치한 포강浦江 사람이다. 본명은 래봉來鳳이며, 자字는 입부立夫고, 호는 심뇨산도인深裊山道人인데, 일반적으로 연영선생淵穎先生이라고 불려졌다. 그는 『상서표설尙書標說』, 『당률산요唐律刪要』, 『연영집淵穎集』등의 저작을 남겼다.

다음은 원과 고려 관계 부분이다.

【원 순제와 고려 사신】

옛날 원나라 순제가 북으로 도망갈 때에 이르러서야 고려의 사신을 본국으로 돌아가게 했다. 사신은 관을 나선 뒤 비로소 명나라의 군대가 온 천하를 점령한 줄 알았다.[77]

【충선왕과 만권당萬卷堂 등】

고려 충선왕(휘는 장璋이다)은 원나라에 가서 연경 저택에 만권당을 지었다. 염복閻復·요수姚燧·조맹부趙孟頫·우집虞集 등과 더불어 교유하면서 서사書史를 연구했다. 원나라는 그를 심양왕瀋陽王에 봉하고 승상으로 삼았다. 박사 유연劉衍 등을 강남으로 보내어 서적을 사들였는데 배가 파선했다. 당시 판전교判典校 홍약洪瀹이 남경南京에 있으면서 100정錠을 연에게 주어 서적 1만 8백 권을 사서 돌아가게 했다. 또 홍약은 황제에게 청하여 책 4천 70권을 (충선)왕에게 하사케 했는데, 이 책들은 모두 송나라의 비각秘閣에 간수된 책들이다. 심양왕은 강남의 (유명한 절들에) 강향降香할 수 있도록 원나라 영종英宗에게 허락을 청하였다. (충선왕은) 강소江蘇·절강浙江을 유람하면서 보타산寶陀山에 이르렀다. 이듬해에 또 강향을 청하여 금산사金山寺까지 이르렀다. (이에) 황제는 사신을 보내 '군사들은 (충선왕을) 옹위해 북쪽으로 모시고 올 것이며, 또 본국까지 호송하라'는 긴급 명령을 전달했다. (그러나) 왕은 어기적거리며 즉시 떠나지 않았다.

---

77) 『열하일기』「漠北行程錄」1780년 8월 5일조 : 昔元順帝之北遁也, 始放高麗使東還, 麗使出館, 然後始知天下有大明兵也.

(그러자 분노한) 황제는 (그렇게 절이 좋다면 충선왕은) 머리를 깎고 불경을 공부하라고 명하면서 토번의 살사길撒思吉 땅으로 유배流配시켰다. 박인간朴仁幹 등 18명이 그를 따라갔는데, 이곳은 연경에서 1만 5천 리나 떨어진 곳이다. 충선왕이 어찌 한갓 왕의 천승千乘 지위를 버리고 서적만 탐혹해서 그랬을 것이랴.[78]

위의 기록은 충선왕의 만권당과 서적 구입 및 티베트 유배 등에 관한 것이다. 먼저 만권당은 『고려사』에 제미기덕濟美基德이라는 몽골어 명칭으로 등장한다. 이는 몽골어로 "아름다운, 장식을 갖춘"이라는 뜻의 'chimegtei'(чимэгтэй)나 "소식이 있거나 이야기가 있다"는 뜻의 'chimegetei'(чимээтэй)의 음역 가운데 하나라고 보인다.[79] 귀중한 서적이 소장된 만권당에는 당대 유명 학자들이 많이 드나들었는데, 그들이 바로 위에 기록된 염복閻復[80]·요수姚燧[81]·조맹부

78) 『열하일기』「銅蘭涉筆」조 : 高麗忠宣王諱璋朝元, 搆萬卷堂於燕邸, 與閻復姚燧趙孟頫虞集等遊, 攷究書史, 元封瀋陽王以爲丞相, 遣博士柳衍等, 詣江南購書籍, 船敗, 時判典校洪瀹在南京, 以寶鈔一百五十錠遺衍, 購書一萬八百卷而還, 瀹又奏元, 賜王書四千七十卷, 皆宋秘閣所藏也, 瀋王請于元英宗, 降香江南, 遊江浙, 至寶陀山, 明年, 又請降香, 行至金山寺, 遣使急召, 令騎擁逼以北, 命護送本國, 王遲留不卽發, 帝命祝髮, 以學佛經爲名, 流之吐蕃撒思結之地, 朴仁幹等十八人從之, 距燕京萬五千里, 忠宣豈徒爲遺外千乘, 耽嗜書籍而已哉.

79) 필자는 이 가운데 "사물로 몸을 치장하는 것보다 학식으로 몸을 치장하는 것이 훌륭하다(Эрдээр биеэ чимэснээс эрдмээр биеэ чимэсэн нь дээр)"라는 몽골 격언의 존재로 미루어 chimegtei(чимэгтэй)가 원어일 가능성이 높다고 보고 있다.

80) 閻復(1236~1312)은 오늘날 산동에 위치한 高唐 출신으로 字는 子靜이다. 처음 산동의 한인군벌인 東平 嚴實의 막료로서 당시 직책이 御史掾이었다. 이후 1271년 王磐의 추천으로 대원제국의 翰林應奉이 되었으며, 1286년에 翰林學士가 되었다. 1291년에는 浙西道肅政廉訪使가 되어 桑哥를 輔政하면서 비문을 편찬하기도 했다. 성종의 즉위 후 集賢學士로 임명되었으며, 1297년에는 한림학사, 1300년에는 翰林學士承旨가 되었다. 무종이 즉위하자 관직을 고사하고 낙향했다. 저서에 『靜軒集』이 있다.

81) 姚燧(1238~1313)는 洛陽 출신으로 字는 端甫, 號는 牧庵이다. 3살 때 고아가 되어 큰아버지인 姚樞의 집에서 자랐고 그때 許衡에게 학문을 배웠다. 姚樞나 許衡은 劉秉忠, 張文謙, 張德輝, 李治, 王鶚, 趙璧, 楊惟中, 宋子貞, 郝經, 王文統 등과 함께 코빌라이의 한인막료집단으로 흔히 金蓮川 幕府集團으로 불려진다. 이들은 코빌라이가 정권을 잡을 때까지 10년 동안 중원통치법, 즉 코빌라이의 漢法(漢化가 아님)을 완성시킨 자들이다. 漢法이란 몽골의 귀족집단과 漢人 武裝地主階級의 이익에 부합되는 제국의 통치술을 말한다. 요수는 어릴 적부터 이들을 통해 정치와 학문에 대한 견문을 넓혀 나갔으며 38세에 秦王府文學이 되었다. 그리고 곧 奉議大夫에 임명되었고, 또 翰林直學士, 大司農丞으로 승진하면서 陝西, 四川, 中興路 등의 교육도 관장했다. 1295년 한림학사로서 世祖實錄 편찬을 주관했으며, 1305년에는 江西行省參政으로

趙孟頫·우집虞集을 비롯해 소구蕭㪺(1241~1318), 왕구王構(1245~1308), 원명선元明善(1269~1322), 장양호張養浩(1270~1329) 등이다.

충선왕이 티베트로 유배된 살사길撒思吉(撒思結)은 사까Saskya의 음역이며, 그 지방은 오늘날 라싸에서 남서쪽으로 약 400㎞ 떨어진 사까Sa'gya(薩嘎)이다. 사까는 팍빠로 대표되는 티베트 불교 사까빠의 본거지이다. 그가 티베트로 유배될 때 박인간朴仁幹(?~1343)과 대호군 장원지張元祉를 비롯한 18명의 고려 용사들이 파란만장한 길을 동행했다. 위에 등장하는 박인간은 1315년 장원으로 급제한 고려의 문신이다.

박인간과 그의 일행은 1321년 1월 충선왕을 따라 10개월에 걸치는 대장정 끝에 1321년 10월 27일 사까에 이르렀다. 그리고 1323년 4월 2일 대칸의 명령에 의해 도메mdo-smad(朶思麻, 脫司麻, 감숙과 청해지구)의 유배지로 옮기기 전까지 16개월을 그곳에서 보냈다. 그리고 도메의 유배지에서 1323년 10월 28일 사면령이 내리기 전까지 10개월을 또 지냈다. 사면령이 내리자 이들은 충선왕을 모시고 1323년 12월 8일 북경으로 돌아왔다.

【민충사憫忠寺와 충선왕】

『송사宋史』에는 "사첩산謝疊山이 원나라 지원至元 26년(1289) 4월 연경에 이르러, 사태후謝太后의 빈소殯所와 영국공瀛國公이 있는 곳을 찾아 절하면서 통곡했다. (그러자) 원나라 사람들이 그를 민충사에 보냈다. (그는) 벽 사이에 서 있는 조아비曹娥碑를 보고 울면서 '한 여인으로도 오히려 이렇거늘 …' 하고는 먹지 않고 굶어 죽었다"고 기록되어 있다. … 『고려사』에 "충선왕이 연경에 이르니 황제가 머리를 깎아 석불사石佛寺에 두었다"고 하였는데, 그곳이 이 절

임명되었다. 1309년에는 翰林學士承旨, 知制誥兼修國史에 임명되었으며 1311년에 퇴직했다. 요수는 당대를 대표하는 유학자로서 저서에 『牧庵集』이 있다. 요수는 생전에 충선왕을 "저 작은 나라의 군주는 오직 재물만 중히 여긴다"고 하면서 그리 높지 않게 평가한 인물이기도 하다.

이라 하기도 하는데 상세히는 알 수 없다.[82]

위의 기록에 등장하는 사첩산謝疊山은 남송의 관료로, 본명은 사방득謝枋得이며 첩산疊山은 그의 호이다. 영국공瀛國公(1271~1323)은 남송의 공제恭帝(1274~1276)로, 1276년 항복과 함께 대도로 압송되어 영국공으로 봉해졌다. 이종理宗의 황후인 사태후謝太后도 공제의 뒤를 이어 대도에 압송되었다. 영국공은 후대의 충선왕의 경우와 같이 1288년에 티베트의 사까사(薩迦寺)로 보내졌다. 그는 그곳에 오랫동안 거주하면서 합존대사合尊大師라는 칭호와 함께 『인명입정이론因明入正理論』, 『백법명문론百法明文論』 등의 저서를 남길 만큼 불교 교리에 뛰어났지만, 결국 1323년 영종에게 피살되었다. 조아비曹娥碑란 후한後漢 때 채옹蔡翁이 효녀 조아曹娥를 기리기 위해 지은 비문을 말한다.

【이제현李齊賢】

이익재李益齋의 자는 중사仲思요, 또 하나의 호는 역옹櫟翁이다. 본관은 경주이고, 나이 15세에 급제했다. 충선왕이 원나라에 머물 때 만권당을 세웠다. (충선왕은) 동으로 돌아올 뜻이 없어서, 익재를 불러 부중府中에 두고 중국의 명사 조자앙趙子昂·원복초元復初 등과 함께 시를 짓게 했다. 그는 서촉西蜀까지 사신으로 간 적도 있고, 강남에도 강향降香했다. 이르는 곳마다 읊은 시가 남의 입에 회자될 정도였다. 그가 동으로 돌아온 뒤 다섯 임금을 섬겨 네 번이나 재상이 되었다. 충선왕이 고자질에 얽혀 토번에 귀양살이 갔을 때 만 리를 달려가서 위문하였는데, 충분忠憤의 마음이 절절하였다. 그 뒤에 김해후金海侯에 봉해졌는데, 나이 81세에 졸하였다. 시호는 문충文忠이다.[83] … 이덕무李德懋의 『청비

82) 『열하일기』 「盎葉記」 崇福寺條 : (崇福寺, 本憫忠寺)…宋史, 謝疊山以元至元二十六年四月, 至燕京, 問謝太后欑所及瀛國公所在, 再拜慟哭, 元人送置憫忠寺, 見壁間曹娥碑, 泣曰, 一女子尙爾, 遂不食而死…高麗史, 忠宣王至大都, 帝祝髮置之石佛寺, 或云此寺, 未可詳也.

83) 『열하일기』 「避暑錄」 條 : 李益齋字仲思, 一號櫟翁, 慶州人, 十五登第, 忠宣王在元邸, 構萬卷堂, 不肯東還, 召益齋置府中, 與中州趙子昂元復初諸名流, 唱酬, 其奉使西蜀, 降香江南, 所至

록淸脾錄』에 "삼한 사람으로 중국을 골고루 구경한 사람은 이익재, 즉 이제현만 한 이가 없다. … 그 시도 동방 2천 년 이래의 명가名家가 지은 것으로 간주되어야 한다. 화려하고 곱고 밝으며 우아함이 삼한의 궁벽한 자태를 활짝 벗어났다. 그러나 요즈음 사람들은 더러 익재가 이제현이라는 것도 알지 못한다. 고군협顧君俠이 『원백가시선元百家詩選』을 엮을 때 고려 사람의 시는 한 수도 뽑지 않았다. 당시 목암牧菴 요공姚公과 염자정閻子靜·장양호張養浩 등이 모두 익재의 시를 칭찬했는데, 한 수도 뽑힌 것이 없으니 이는 실로 괴이한 일이다"라고 운운했다. … 우리나라 시인들이 중국의 고사를 쓸 때 멋대로 차용하기는 했으나, 정말 눈으로 보고 발로 밟아서 체험한 이는 오직 익재 한 사람뿐이다. 내 이제 한 번 고북구古北口를 나오자 스스로 옛사람보다 낫다고 생각되었으나, 다만 익재에 비한다면 참으로 모자라는 것이 많음을 깨달았다.[84] … 당시의 종신 이제현의 무리는 비록 문학과 재망才望으로 우리나라의 거벽이라 일컬어졌으나, 염閻·요姚·조趙·우虞의 틈에 끼었다면 응당 하백이 바다를 본 것처럼 부끄러워했을 것이다.[85]

위의 기록에 등장하는 조자앙趙子昂과 조趙는 조맹부趙孟頫, 원복초元復初는 원명선元明善, 요공姚公과 요姚는 요수姚燧, 염자정閻子靜과 염閻은 염복閻復, 우虞는 우집虞集이다. 이곳에 처음 등장하는 원명선元明善[86]은 몽골어에 능한

題咏, 膾炙人口, 及東歸相五王, 四爲冢宰, 忠宣王之被讒竄吐蕃也, 萬里奔問, 忠憤藹然, 後封金海侯, 八十一卒, 謚文忠.

84) 『열하일기』「避暑錄」條 : 淸脾錄 李德懋著 云, 三韓人遍踏中土者, 無如李益齋, 名齊賢…其詩當爲東方二千年來名家, 華艶昭雅, 快脫三韓僻滯之習, 今世之人, 甚至有不識益齋之爲李齊賢, 顧君俠編元百家詩選, 而高麗人詩無一首與焉, 當時牧菴姚公及閻子靜張養浩, 擧皆推轂公詩, 而亦無一首入選, 是可怪也云云…我東詩人用事, 率皆借用, 而眞能目覩足踏者, 惟益齋一人, 今余一出古北口而自多前人, 其視益齋, 眞堪缺然.

85) 『열하일기』「銅蘭涉筆」條 : 當時從臣如李齊賢輩, 雖文學才望, 推爲東國之巨擘, 然置諸閻姚趙虞之間, 還應望洋而知醜矣.

86) 元明善(1269~1322)은 오늘날 하북성에 위치한 大名 淸河 출신으로 字는 復初이다. 어릴 적에 吳中에게서 가르침을 받았고, 후에 南行台椽이 되었다. 인종 때 直學士, 侍講學士가 되었으며, 成宗實錄과 順宗實錄 및 武宗實錄을 찬수했다. 또 『尙書』에서 정치에 유관한 것을 뽑아 몽골어로 번역해 바쳤다. 1315년 진사를 선발할 때 考試官 및 讀卷官으로 활약했고, 이후 禮部尙書가 되었다. 영종 때 한림학사가 되었으며, 仁宗實錄을 편수하는 데 참여했다. 저서에 『淸河集』

인물이며, 장양호張養浩는 정치적 자질이 뛰어난 자이다.[87]

박지원이 고려시대의 인물인 이제현(1288~1367)을 주목하고 그의 여정이나 시에 대한 존경스런 기록을 남기게 된 원인은 열하여행을 통해 형성된 심적 공감대 때문이라고 보인다. 그러나 그를 포함한 고려의 전반적인 학문 수준에 대해서는 뜻밖에도 혹평을 남기고 있다.[88]

【정가신鄭可臣】

원나라 황제가 세자를 자단전紫檀殿으로 부를 때 (정)가신이 배종했다. 황제가 (그를) 앉으라 한 뒤 갓을 벗도록 명하며 말하기를, "수재秀才는 머리를 묶을 필요가 없으니, 의당 건巾을 써야 할 것이다"라고 하였다. 어안御案 앞에 어떤 물건이 있었다. 둥글면서도 조금 뾰족하고 빛깔이 깨끗했다. 높이는 한 자 다섯 치며, 속은 술 댓 말쯤 담을 만했다. 이는 마하발국摩訶鉢國에서 바친 낙타새(駱駝鳥)의 알이라 한다. 황제는 세자에게 그것을 보라고 명한 뒤, 곧 세자와 종신從臣들에게 술을 내렸다. 그리고 (정)가신에게 시를 읊게 하였다. 가신이 시를 올렸다. "알이 있는데 크기는 항아리만하구나. 그 안에는 영원히 늙지 않는 봄이

이 있다. 順宗 다르마발라Darma-Bala(答剌麻八剌, 1274~1292)는 진킴Jinkim(眞金)의 둘째아들로 무종의 아버지이다.

87) 張養浩(1270~1329)는 오늘날 산동에 위치한 濟南 출신으로 字는 希孟이다. 經史에 정통한 그는 보큼Bukhum(不忽木, 1255~1300)의 추천으로 御史台椽이 되었다. 이후 堂邑縣尹에 임명되어 10년 동안 눈에 띄는 치적을 남겼다. 무종 때는 監察御使, 인종 때 禮部侍郎知貢擧를 거쳐 禮部尙書가 되었다. 영종 초년 中書省의 일에 참여했으며, 1329년 陝西에 대기근이 발생하자 陝西行台中丞이란 특별 직함으로 파견되어 기민 구휼에 힘쓰다가 그곳에서 죽었다. 저서에 『歸田類稿』, 『三事忠告』 등이 있다.

88) 이제현은 고려의 마르코 폴로라고 해도 좋을 정도로 대원제국의 각지를 여행했다. 그리고 여행한 곳들을 시로 남겼다. 그가 남긴 시는 만 권의 책을 읽어야만 시 곳곳에 숨어 있는 문구의 출처를 알아낼 수 있다고 평가될 정도로 중원의 지적 유산이 숨어 있다. 그런데 그의 시를 몽골의 관점에서 바라보면 무엇이 보일까. 아쉽지만 몽골의 시대에 써진 그의 시에 주인공인 몽골의 모습은 전혀 보이지 않는다. 그가 몽골의 세기를 맞아 가장 유리한 지위에 있으면서 시대에 눈 감고 과거만을 읊게 된 원인은 알 수 없다. 그러나 역사적으로 전해지는 위대한 시들은 모두 그 시대의 꿈과 아픔을 노래한 것들이지, 이웃나라의 지나간 영화를 그리워한 것들은 없다. 중원의 시시콜콜한 고사까지 죄다 인용한 그의 시집은 어느 면에서 중원 문화의 고수가 쓴 중원의 역사고사 모음집과도 같다. 이로 인해 그의 시집은 이후 고려나 조선보다 중원에서 더 선호되었다.

> 들어 있어 (황제께서) 천수를 누리기 바라나이다. 그 은택을 고려인에도 미치게 하소서." 그러자 황제는 기뻐하며 자기 식탁에서 국을 하사하였다."[89]

위의 기록은 청나라의 학자 주이준朱彝尊의 『일하구문日下舊聞』에 수록된 것을 박지원이 소개한 것으로, 『고려사』 「정가신 열전」 부분에 해당한다. 위에 등장하는 마하발摩訶鉢은 범어 마하라자mahārāja의 음역이며, 마하발국은 대리大理를 가리킨다. 마하라자mahārāja는 대왕大王이란 뜻으로 이전 대리국왕大理國王의 칭호였다. 대리국이 멸망한 뒤에는 대리총관大理總管이 이 칭호를 사용했다. 대리는 오늘날의 운남雲南이다.[90] 여담이지만 박지원은 고려시대 문신들이 직접 황제와 대면하여 시를 주고받는 모습을 보면서 조선과 청나라의 관계를 어떻게 생각했을까.

> **【정가신鄭可臣과 민지閔漬】**
>
> 『일하구문日下舊聞』에 『동국사략東國史略』과 『고려사』 열전의 기록을 실었는데, 그곳에 "고려 세자가 원나라에 들어가서 원나라 황제를 편전便殿에서 알현했다. 그때 (황제가) 무슨 글을 읽느냐고 물으니, 답하기를 '유학자 정가신·민지가 (저를) 따라왔습니다. 시위할 때 틈이 나면 그들에게 『효경』과 『논어』를 질문합니다'라고 했다. 황제가 기뻐하여 세자에게 그들과 함께 들어와 앉으라고 명하였다. 그리고 '본국本國의 세대世代가 전해온 순서와 치란治亂의 자취와 풍속의 아름다움을 말하라'고 하면서 조금도 지루하게 여기지 않고 들었다. 그 뒤 공경에게 명하여 교지交趾를 치려고 할 때, 그 두 사람을 불러 함께 의론했다. 그 논지가 맞기에 정가신을 한림학사, 민지를 직학사直學士 로 임명했다"고 기

89) 『열하일기』 「避暑錄」 조 : 列傳帝召見世子于紫檀殿, 可臣從, 帝使之坐, 仍命脫笠曰, 秀才不須編髮, 宜著巾, 御案前, 有物大圓小銳, 色潔而貞, 高尺有五寸, 內可受酒五斗云, 摩訶鉢國所進駱駝鳥卵也, 帝命世子觀之, 仍賜世子及從臣酒, 命可臣賦之, 可臣獻詩曰, 有卵大如甕, 中藏不老春, 願將千歲壽, 醺及海東人, 帝嘉之輟賜御羹.

90) 원나라 때 郭松年은 1279년부터 1288년까지의 견문과 1293년의 견문을 합쳐 『大理行記』란 여행기를 편찬했는데, 당시의 대리국에 대한 자세한 기록이 수록되어 있다.

록되어 있다.[91] … 주곤전朱昆田이 말하기를 "고려의 세자는 곧 충선왕忠宣王 장璋으로, 일찍이 만권당을 수도에다 지은 자이다. 정가신은 동국東國에 있을 때 『천추금경록千秋金鏡錄』을 지었으며, 민지는 『세대녹년절요世代錄年節要』를 증수增修하였다. 또 『본국편년강목本國編年綱目』 42권을 지었다 하나 아깝게도 그 책들을 얻어 볼 수 없었다"고 했다.[92]

위의 기록에 등장하는 주곤전朱昆田은 주이준朱彝尊의 아들이다. 교지交趾는 지금의 베트남 북부인 안남安南을 가리킨다. 코빌라이칸의 안남 정벌은 1284년과 1287년 두 차례에 걸쳐 행해졌는데, 폭우와 질병 등으로 인해 모두 실패했다. 당시 사령관은 진남왕鎭南王 토곤Togun(脫歡)으로 코빌라이칸의 열한 번째 아들이다.[93] 충선왕이 세자 시절 코빌라이칸에게 읽었다고 말한 책 가운데 『효경』은 칙령에 의해 몽골어로 번역된 책이다. 대원제국의 통치자들이 사서삼경 중 『효경』만을 번역한 이유는 이 책이 자기들의 가치체계에 맞는다고 판단했기 때문이다. 이는 역으로 당시의 몽골인들이 유학을 어떻게 바라보고 있는가를 보여주는 단적인 예이기도 하다.

91) 『열하일기』「避暑錄」조 : 日下舊聞, 載東國史畧及麗史列傳, 高麗世子如元謁帝便殿, 問讀何書, 對曰, 有儒士鄭可臣閔漬者從行, 宿衛之暇時, 從質問孝經論語, 帝悅, 命世子引與俱入賜坐, 問本國世代相傳之序, 理亂之跡, 風俗之宜, 聽之不倦, 其後命公卿議征交趾, 召二人同議, 對稱旨, 於是授可臣翰林學士, 漬直學士.

92) 『열하일기』「避暑錄」 朱昆田小識條 : 朱昆田按高麗世子, 卽忠宣王璋, 嘗搆萬卷堂于京師者, 可臣在東國, 撰千秋金鏡錄, 漬增修世代錄, 年節要七卷, 又撰本國編年綱目四十二卷, 惜其書不可得見也.

93) 원나라의 안남 공격은 성종 테무르칸 때 정식으로 중지되었다. 원대 안남에 대한 기록은 1288년 사신으로 파견된 徐明善의 여행기인 『安南行記』와 1334년에 사신으로 파견된 智熙善의 여행기인 『越南行稿』에 상세히 수록되어 있다. 참고로 코빌라이칸의 아들에 대해서는 아직도 정확히 고증되지 않고 있는데, 『元史』「宗室世系表」에는 코빌라이의 10명의 아들이 기록되어 있으며, 페르시아의 사료인 『집사』「코빌라이紀」에는 7명의 부인에게서 출생한 12명의 아들 이름만이 기재되어 있다. 이를 종합해 보면 대략 다음과 같이 나타난다. ① 도르지Dorji(朶而只), ② 燕王 친킴Chinkim(眞金), ③ 安西王 망갈라Manggala(忙哥剌), ④ 北安王 노모간Nomugan(那木罕), ⑤ 코리다이Khoridai, ⑥ 雲南王 후게치Hügechi(忽哥赤), ⑦ 西平王 오그룩치Ogrugchi(奧魯赤), ⑧ 아야치Ayachi(愛牙赤), ⑨ 寧王 커커추Kököchü(闊闊赤), ⑩ 코틀룩-테무르Khutlug-Temür(忽都魯帖木兒), ⑪ 鎭南王 토곤Togun(脫歡) ⑫ 姓名 未詳.

정가신鄭可臣[94]과 민지閔漬[95]는 충렬왕 때 고려를 대표하는 문장가이자 역사가들로 당시 세자인 충선왕의 스승들이다. 이들의 유학에 대한 이해는 위의 기록에서도 나타나듯이 당시의 몽골인들과 큰 차이를 보이지 않고 있는데, 이는 신유학이라 불리는 주자학보다 공자의 정명正名 사상을 더 중시했기 때문에 나온 결과라고 보인다. 이들은 『천추금경록千秋金鏡錄』이나 『본국편년강목本國編年綱目』이라는 역사서를 편찬했는데, 후대 조선시대의 학자들이 성리학을 모르는 인물들이라고 평가한 점으로 미루어 고려 특유의 자주성에 바탕을 둔 역사서일 가능성이 높다. 위에 기록된 민지의 『세대녹년절요世代錄年節要』는 『고려사』에 『세대편년절요世代編年節要』로 표기되어 있다.

민지의 묘비명에는 교지交趾 문제에 대해 코빌라이칸에게 올린 의견이 다음처럼 수록되어 있다.

> 경인년(1290)에 천자가 조서를 내려 왕세자가 원에 들어가게 되었는데, 이때 도적을 피해 도읍을 옮기니 도로가 막혀서 어지러웠다. 공이 국자國子 …(결락)… 로서 세자를 가르쳤는데, 밤낮으로 말을 달려 (원나라의) 조정에 이르니

94) 鄭可臣(?~1298)은 고종 때 과거를 거쳐 1277년(충렬왕 3) 寶文閣待制에 임명된 인물로, 1290년 세자가 원나라에 갈 때 그 스승으로 閔漬와 함께 수행하였다. 1291년에 政堂文學이 되어 원나라에 가서 聖節을 축하하였으며, 僉議贊成事世子貳師에 임명되었다. 1294년 成宗 테무르가 한림학사 실레문Shilemün(撒剌蠻)을 통해 고려가 귀부한 年月을 물어오자 문서로 답하였다. 그는 고려 태조의 조상인 虎景大王(文德大王)부터 원종까지의 일을 기록한 역사서 『千秋今鏡錄』 7권을 편찬하였지만 현재 전해지지 않는다.

95) 閔漬(1248~1326)는 1266년(원종 7) 문과에 장원으로 급제한 인물로, 通文院錄事에 있을 때 원종을 따라 원나라에 들어간 적이 있다. 1290년 鄭可臣과 함께 세자를 따라 원나라에 가서 翰林直學士 朝列大夫의 벼슬을 받았다. 또 1292년 원나라가 2번이나 실패한 일본 정벌을 결행하려 하자, 1293년 좌부승지로 왕을 따라 원나라에 가서 洪君祥을 통해 그 불필요함을 역설하여 전함 건조를 중지시켰다. 1323년에는 許有全 등과 함께 원나라에 가서 충선왕의 환국을 청하는 表文을 지어 올렸지만, 瀋王파의 견제로 뜻을 이루지 못하였다. 그는 정가신이 지은 『千秋今鏡錄』 7권을 權溥와 교열, 증수하여 『世代編年節要』라 이름 붙였고, 또 文德大王(호경)부터 고종에 이르는 역사서인 『本國編年綱目』 42권을 편찬하였으나 모두 전해지지 않는다. 민지는 고종 때 李奎報, 원종 때 金坵에 필적할 정도로 충렬왕 때 국가의 중요한 외교문서 작성을 전담하였다. 또 유학의 해석이나 역사 편찬에서 자주성을 강조하였기 때문에 조선시대의 학자들로부터 성리학을 알지 못하는 자란 비난을 받았다.

조정의 신하들이 교지交趾에 대한 군사 침공을 논의하고 있었다. (그때) 고려 세자의 스승인 유학자를 불러 의견을 묻는다는 (코빌라이칸의) 조서(Jarlig)가 있었다. 공이 "수고롭게 군사를 내어 토벌하는 것은 사신을 파견하여 항복을 받는 것만 못하다"라고 답하니, 그 말이 황제의 뜻과 맞았다. 이에 (코빌라이칸은 그를) 조열대부朝列大夫 한림직학사翰林直學士로 특별 임명하였다.[96)]

코발라이칸이 이들에게 교지 문제를 의논한 때는 정가신과 민지가 원나라로 파견된 연대로 미루어 보면, 제1차·제2차 베트남 정벌이 실패한 뒤인 1290년 무렵인 듯하다. 그리고 이들의 건의가 코빌라이칸에게 받아들여졌다는 것은, 이후 성종 테무르칸 때 안남에 대한 공격 중지선언과 평화관계 구축에서도 어느 정도 사실로 추정할 수 있다.

【이인로李仁老】

만력萬曆 병오년(1606)에 허균許筠이 신라와 고려 이래의 시가를 뽑아서 4권을 만들어 주태사朱太史 지번之蕃에게 보였다. 주朱가 하룻밤 사이에 모두 읽고 그 이튿날 허균에게 "고운孤雲의 시는 약하고, 이인로와 홍간洪侃의 것이 가장 아름답다"고 말했다. 옛 역사를 상고해 보면, 고려 이인로의 호는 쌍명재雙明齋이다. 그는 일찍이 원나라에 사신으로 가서 원나라 관문館門의 춘첩春帖을 지어 중국에 이름을 드날렸다. 명나라의 학사學士가 우리나라 사신을 만나면 그 시를 외워서 들려주는 자도 있었다.[97)]

위의 기록에 등장하는 고운孤雲은 최치원崔致遠의 호이다. 이인로李仁老[98)]와

---

96) 歲庚寅, 天子詔王世子入朝, 時因避寇遷都道路梗艱, 公以國子(缺)傅世子, 晨夜兼馳以達朝廷, 廷臣方議用兵交趾, 有旨高麗世子師儒者其召問之, 公對以爲勞師致討, 不如遣使招降, 言稱旨, 特拜朝列大夫翰林直學士.

97) 『열하일기』「避暑錄補」條 : 萬曆丙午, 許筠選羅麗以來詩歌爲四卷, 以示朱太史之蕃, 朱一夜盡觀, 明日謂筠曰, 孤雲詩弱, 李仁老洪侃最佳, 按高麗李仁老號雙明齋, 使元, 元朝館門春帖, 喧籍中朝, 明學士過本朝, 使有誦其詩者.

홍간洪侃[99]은 시문에 뛰어난 자들이다. 박지원은 이인로가 원나라에 사신으로 파견된 적이 있다고 언급하고 있는데, 아마 1182년 금나라 하정사행賀正使行 때 서장관書狀官으로 수행한 일을 원나라 때로 착각한 것 같다.

【몽골식 변발】

북평北平 손승택孫承澤의 저서인 『춘명몽유록春明夢游錄』에 "그들의 국사國史인 『고려사』를 상고해 보니 다음과 같다. 원나라의 전성기에 원효왕元孝王(高宗)이 강화도로 옮기니, 원나라도 어쩔 수가 없어 그가 육지에 오르지 않는 것만 책망할 뿐이었다. 비록 원나라에 신복했지만 육지에 오르지 않았다. 그의 아들 순효왕順孝王(元宗)에 이르러 친히 왕주王主, 즉 원나라 공주를 맞으러 가서 원나라 의복을 입고 함께 가마를 타고 입국했다. 보는 자들이 해괴히 여겼다. 그때 따르는 종실들은 머리를 깎지 않았다 하여 왕은 이를 책망하였다. 그 아들 충렬왕 때에 이르러 재상부터 하료下僚에 이르기까지 머리를 깎지 않는 자가 없었다. 다만 금내禁內에 있는 학관學館에서만 머리를 깎지 않았다. 이에 좌승지左承旨 박환朴桓이 집사執事를 불러 유시하니, 비로소 관학생館學生들도 모두 머리를 깎았다"라고 기록되어 있다.[100]

---

98) 李仁老(1152~1220)는 어릴 적 고아가 되어 華嚴僧統인 寥一이 그를 거두어 키웠다. 어릴 때부터 寥一에게서 유학과 제자백가를 배웠으며, 1170년 鄭仲夫의 난을 만나 잠시 불문에 귀의하기도 했다. 이후 환속하여 1180년 진사과에 장원급제하였고, 1182년에는 금나라 賀正使行에 書狀官으로 수행하였다. 어릴 적부터 관문에 등장한 이후까지 파란만장한 인생행로를 겪었고, 또 佛門을 거치기도 했던 그는 시의 본질과 그 독자적 가치에 대한 인식이 뚜렷한 시문을 남겼다. 저술로는 『銀臺集』, 『雙明齋集』, 『破閑集』 등이 있으나, 현재는 『파한집』만이 전해지고 있다.

99) 洪侃(?~1304)은 1266년에 閔漬와 함께 급제한 인물로, 뒤에 원주의 州官으로 나갔다가 언사 때문에 동래현령으로 좌천되었고 그곳에서 죽었다. 唐調를 위주로 한 시문에 능하였고, 시체가 청려하여 국내외로 명성이 높았다. 저서에 『洪崖集』이 있다.

100) 『열하일기』 「銅蘭涉筆」條 : 春明夢餘錄, 北平孫承澤著, 攷其國史, 高麗史, 元盛時, 元孝王遷居江華島, 元無如之何, 但責其不登陸而已, 竟臣服於元, 而終不登陸, 至其子順孝王, 親迎王主, 元公主, 以元服同輦入國, 觀者駭愕, 時從行宗室, 不開剃, 王責之, 至其子忠烈王則宰相至下僚, 無不開剃, 惟禁內學館不剃, 左承旨朴桓呼執事論之, 於是館學生皆剃髮云.

위의 기록은 충렬왕 때의 일을 원종 때의 일로 착각하는 등 사실 관계에 오류가 많다. 위에 등장하는 원나라 공주는 코톨록-카이미시-베키Khutulug Khayimish Beki(1259~1297)로서 코빌라이칸의 막내딸이다. 코톨록-카이미시-베키는 뛰어난 미인으로 그 어머니는 예수진Yesüjin이다.101) 이 부분에 해당하는 기록은 『고려사절요』에 가장 잘 요약·묘사되어 있는데, 그것을 소개하면 다음과 같다.

> (1274년) 서북면에 거둥하여 공주를 맞이하였는데, 순안공順安公 종悰, 광평공廣平公 혜譓, 대방공帶方公 징澂, 한양후漢陽候 환儇, 평장사 유천우兪千遇, 지추밀원사 장일張鎰, 지주사知奏事 이분희李汾禧, 승선 최문본崔文本, 박환朴桓, 상장군 박성대朴成大, 지어사대사知御史臺事 이분성李汾成이 따라갔다. 왕이 분희 등에게 머리 깎지 않은 것을 책하니, 대답하여 아뢰기를 "신 등이 머리 깎기를 싫어하는 것이 아니라, 여러 사람이 다 같이 하기를 기다릴 뿐입니다"라고 하였다. 몽골 풍속은 정수리에서 이마까지 (앞부분만 남겨 두고) 네모나게 머리를 밀어 깎는다. 머리 (앞부분) 가운데 남겨진 머리털을 겁구아怯仇兒라고 부른다. 왕은 원나라에 들어가 조회할 때 이미 머리를 깎았으나, 나라 사람들이 아직 안 깎았기 때문에 책한 것이다. 뒤에 송송례宋松禮와 정자여鄭子璵가 머리를 깎고 조회하니 다른 사람도 모두 따랐다. 처음에 인공수印公秀가 원종에게 원나라 풍속을 따라 복색을 고치기를 권하였다. (그러나) 원종이 이르기를 "나는 차마 조종祖宗의 법을 갑자기 변하게 할 수 없다. 내가 죽은 다음 경들이 마음대로 하라"고 하였다.102)

101) 코톨록-카이미시-베키에 대해서는 졸저 『배반의 땅, 서약의 호수 -21세기 한국에 몽골은 무엇인가』, pp.22~25를 참조.

102) 『高麗史節要』「甲戌十五年, 至元十一年」條：幸西北面迎公主, 順安公悰, 廣平公譓, 帶方公澂, 漢陽侯儇, 平章事兪千遇, 知樞密院事張鎰, 知奏事李汾禧, 承宣崔文本, 朴恒, 上將軍朴成大, 知御史臺事李汾成, 從行, 王責汾禧等不開剃, 對日, 臣等非惡開剃, 唯俟衆例耳, 蒙古俗, 剃頂至額, 方其形, 留髮其中, 謂之怯仇兒, 王入朝時已開剃, 而國人則未也, 故責之, 後宋松禮鄭子璵開剃而朝, 餘皆效之, 初印公秀勸元宗效元俗改服色, 元宗日, 吾未忍遽變祖宗之法, 我死之後, 卿等自爲之.

위의 기록에 등장하는 겁구아怯仇兒는 몽골어 케굴kegül의 음역이다. 북방 유목민족들은 각자 민족적 특징을 보여주는 나름대로의 변발양식을 지니고 있다. 돌궐계 유목민족들은 체질인류학적으로 약간 곱슬머리이기 때문에, 머리를 뒤로 묶어 버리는 단순한 형태를 가지고 있다. 이에 반해 몽골계는 직모이기 때문에 다양한 형태의 변발이 나타나고 있다. 거란은 가운데 머리를 모두 미는 대머리스타일(禿髮)이고, 여진이나 만주족은 정수리를 중심으로 앞부분을 모두 미는 스타일을 가지고 있다. 한국의 변발은 거란처럼 정수리 주변을 밀고 앞뒤 머리를 묶어 정수리에 두는 형태를 취하고 있다.[103] 고대 몽골의 변발은 정수리 부분을 깎고 앞머리는 이마로 늘어뜨리는데 이를 케굴kegül이라 부른다. 뒷머리는 두 가닥으로 묶은 뒤 둥글게 말아 귀 밑에 두는데 이를 시불게르shibülger라 부른다.[104]

고대의 몽골인들은 사람을 죽인 증거로 시체의 일부분을 가져오는 관습, 즉 "토노크 아바흐 요스(тоног авах ёс)"가 있는데 모두 변발을 가져온다. 고대 몽골인들은 사람의 생명을 머리, 허파, 심장, 변발로 간주하고 있는데 이를 줄드jüldü(зүлд)라고 부른다. 이 생명의 상징 가운데 가장 귀중한 것이 변발이다. 따라서 변발을 자르는 것은 그를 죽였다는 상징과 같다.[105]

【고려와 위구르】

『당서唐書』에 "회흘回紇의 일명은 회골回鶻"이라 하였다. 『원사』에 외올아부畏兀兒部가 있는데, 외올畏兀은 곧 회골이고, 회회回回는 또 회골의 전음이다.

---

103) 한국어 중 속알머리라는 말은 바로 한국의 변발형태를 나타내 주는 용어이다.

104) 몽골식 변발의 형태에 대해서는 바이에르 지음(박원길 옮김), 『몽골석인상의 연구』, 서울, 1994, pp.57~68을 참조.

105) 홍대용의 『湛軒燕記』 「巾服」조에도 "10세 이상이 되면 머리를 뒤쪽으로 수백의 머리카락만 남겨 세 가닥으로 땋아 변발을 하는데, 귀천이 다 똑같다. 사사로이 싸우다가 잘못하여 남의 변발을 뽑는 자는 살인한 것과 똑같은 형벌로 다스린다고 한다(其十數歲以上, 惟留頂後數百莖, 分三條爲辮子, 貴賤同然, 其私鬪, 誤拔人辮子者, 與殺人同律云)"처럼 만주인들도 변발을 뽑으면 사형에 처한다는 기록이 실려 있다.

또 『고려사』에 "원나라는 고려 사람에게 외오아畏吾兒 말을 가르쳤다" 하였는데, 외오아畏吾兒는 또한 외올畏兀의 변음이다. 합밀哈密은 한나라 때의 이오伊吾이며, 당나라 때의 이주伊州이다. 고려 말기에 설손偰遜이란 이가 곧 회골 사람인데, 원나라에서 벼슬하다가 공주를 따라 동으로 왔다. 고려에서도 벼슬을 하였다. 본조李朝에 들어와서 벼슬한 설장수偰長壽는 곧 설손의 손자이다.106)

위의 기록에 등장하는 회흘回紇, 회골回鶻, 외올아畏兀兒, 외오아畏吾兒, 외올畏兀은 모두 위구르Uigur의 음역이다. 회흘回紇이나 회골回鶻은 당나라 때 위구르제국(745~840)의 한자어 표기이며, 그 나머지는 모두 원나라 때 위구르인들을 나타내는 한자어 표기이다. 이에 반해 원나라 때 회회回回(Sarta'ul)는 서역의 회교도 사람들을 가리키는 말로 주로 중앙아시아나 이란, 아라비아 출신들을 대상으로 사용되었다.

위 기록에 등장하는 위구르인 설장수偰長壽107)는 설손偰遜108)의 손자가 아

106) 『열하일기』「口外異聞」哈密王條 : 按唐書回紇, 一名回鶻, 元史有畏兀兒部, 畏兀, 卽回鶻也, 回回者, 卽回鶻之轉聲也, 高麗史元使高麗人, 教習畏吾兒語, 畏吾兒, 又畏兀之轉聲也, 哈密, 漢時伊吾地, 唐時伊州地, 麗末偰遜者, 回鶻人也, 仕於元朝, 從公主東來, 因仕於麗朝, 其仕於本朝者, 偰長壽, 卽遜之子也,

107) 偰長壽(1341~1399)는 설손의 아들로 아버지와 함께 고려에 귀화하였으며, 자는 天民, 호는 芸齋이다. 1360년 慶順府舍人으로 있던 중 부친상을 당했는데, 서역인이므로 왕이 특별히 상복을 벗고 과거에 나가게 하였다. 1362년 문과에 급제한 뒤, 1387년 知門下府事로 명나라에 다녀왔다. 이후 1388년(창왕 즉위년) 政堂文學으로 우왕 遜位의 表文을 가지고 다시 명나라에 다녀왔다. 1392년 정몽주가 살해될 때 그 일당으로 지목되어 해도에 유배되었지만, 조선 건국 후 태조의 특명으로 풀려났다. 1396년 檢校門下侍中에 복직되었으며, 鷄林(慶州)을 본관으로 하사받았다. 1398년 정종이 즉위하자 啓稟使로 명나라에 가던 도중 명 태조가 죽었음으로 進香使로 사명이 바뀌어 북경에 갔다가 이듬해 귀국하였다. 전후 8차에 걸쳐 명나라에 사신으로 왕래하였다. 시와 글씨에도 능하였으며, 저서로는 『直解小學』, 『芸齋集』이 있다.

108) 偰遜(?~1360)의 원명은 백료손百遼遜(Belbesün 또는 Balgasun)이다. 고조부 얼린-테무르Ölin-Temür(嶽璘帖穆爾) 이래 원나라에서 벼슬을 하였는데, 아버지 지둔Jidün(哲篤)은 江西行省右丞을 지냈다. 그가 귀화 후 성을 설씨로 삼았던 이유는 그의 조상이 대대로 오늘날 몽골의 중앙부에 위치한 偰輦河, 즉 셀렝게하Selengge müren에 살았기 때문이다. 순제 때 진사에 합격한 뒤 翰林應奉文字, 宣政院斷事官을 역임했다. 그리고 端本堂正字로 선발되어 황태자에게 경전을 가르쳤다. 당시 공민왕도 그곳에 와 있었는데 서로 친교가 있었다. 그러나 승상 카마Khama(哈麻)의 시기를 받아 單州의 방어 담당으로 전출되었으며, 이후 다시 大寧으로 옮겼다. 1358년 홍건적이 大寧을 핍박하자 난을 피하여 고려로 왔다. 그는 귀화한 뒤 1360년 高昌伯에 봉해졌다. 그리고 이후 富原侯로 승격되어 부원의 전토를 하사받았다. 문학과 시에

니라 아들이다. 이들 부자의 귀화 시기는 홍건적의 난이 기승을 부리던 1358년이다. 박지원은 설손과 충렬왕 때 코톨록-카이미시-베키를 따라온 장순룡張舜龍[109]을 혼동하는 듯한 기록을 남기고 있는데, 장순룡은 위구르가 아닌 중앙아시아 계열의 인물이다.

【고려 여인 이궁인李宮人과 코빌라이칸】

양염부楊廉夫의 『원궁사元宮詞』에 다음과 같은 시가 있다. "북쪽으로 화림和林에 행차하니 오르도Ordo(幄殿)도 넓을시고, 고려(출신)의 시녀가 첩여婕妤로 시중드네. 대칸이 스스로 명비곡을 부르실 때, 님(대칸)께서 주신 비파를 말 위에서 타는구나." 『고려사』「악지」에 "비파는 줄이 다섯이다"라 하였으니, 첩여들이 탔다는 비파는 반드시 다섯줄일 것이다. 이 기록은 「온광루잡지韞光樓雜志」에 있다.[110]

위의 기록에 등장하는 양염부楊廉夫는 양유정楊維楨이다. 또 시 속에 등장하는 화림和林은 카라코롬Kharakhorum을 말하지만, 실제는 상도上都를 가리키고 있다. 첩여婕妤는 여관女官의 명칭이다. 명비곡明妃曲은 한나라 때 흉노로 시집간 왕소군王昭君을 읊은 노래이다. 위의 시에 등장하는 고려 출신의 궁녀가 그 유명한 코빌라이칸의 여인 이궁인李宮人이다. 그녀의 비파 솜씨는 옛적의

매우 뛰어났으며, 저서에 『近思齋逸藁』가 있다. 아들은 長壽, 延壽, 福壽, 慶壽, 眉壽이다.

109) 張舜龍(1255~1297)은 본명이 셍게Sengge(三哥)이며, 아버지는 코빌라이칸 때 서기관(Bichigchi)을 지냈다. 고려에 들어온 뒤 진급을 거듭하여 장군이 되자 장순룡으로 이름을 바꾸었다. 원나라에 6회에 걸쳐 사신으로 파견되었으며 외교에 능숙한 능력을 발휘했다. 이에 왕도 그를 신임하여 그의 집에 御駕를 자주 옮길 정도였다. 1281년 원나라의 칙명으로 宣武將軍鎭邊管軍摠管征東行中書省都鎭撫에 임명되었다. 1287년 그를 원나라에 보내어 李仁椿의 딸을 바치고 공주의 眞珠衣를 구하니 코빌라이칸이 雙珠金牌를 하사하였다. 그가 죽은 뒤인 1298년에 충렬왕이 충선왕에게 양위하고 그의 집으로 퇴거하여 德慈宮이라 불렀다.

110) 『열하일기』「口外異聞」五絃琵琶條 : 楊廉夫元宮詞云, 北幸和林幄殿寬, 句麗女侍婕妤官, 君王自賦明妃曲, 勅賜琵琶, 馬上彈, 按麗史樂志所載樂品, 琵琶絃五, 則婕妤所彈, 斯五絃矣, 韞光樓雜志.

왕소군에 비견된다는 평판처럼 당대 최고였다. 이 위에 뛰어난 미모와 애절한 노랫가락으로 대칸을 비롯한 모든 이의 마음을 휘어잡았다.[111]

원나라 때의 인물인 게혜사揭傒斯는 자신의 문집인 『추의집秋宜集』에서 양염부가 묘사한 고려 여인의 이름과 사적을 간략히 언급한 뒤, 그녀의 파란만장한 일생을 장엄하고도 슬픈 시로 나타냈다. 게혜사는 고려의 사정에 정통한 인물이기도 하다. 그런 그가 "호현鄠縣의 항주부亢主簿가 말하기를 이궁인李宮人이란 사람이 있는데, 비파에 능하다. 지원至元 19년(1282)에 양가자제良家子弟로 궁에 들어와 총애를 얻었는데, 옛적의 왕소군에 비견된다"로 시작되는 글을 남김으로써 이궁인을 영원히 살아 있는 여인으로 만들었다.

게혜사의 시가 나온 이후 후대의 시인들도 경쟁하듯 시를 남기고 있는데, 그 대표적인 것이 왕사희王士熙의 「이궁인비파인李宮人琵琶引」, 원각袁桷의 「이궁인비파행李宮人琵琶行」이다. 그러나 비파에 관련된 고려나 조선시대 선비들의 시에는 왕소군만 있을 뿐 이궁인은 보이지 않는다.[112]

---

111) 고려 때 원나라로 간 고려 여인들에 대한 집중 연구는 매우 중요하다. 아마 고려 여인들에 대한 연구가 이루어질수록 원과 고려와의 관계도 재조명될 것이다. 실제 고려 여인의 인기는 "恨身不作三韓女"(迺賢, 『金台集』「新鄉媼」)처럼 당시 고려 여인이 아닌 것을 한탄하는 노래가 있을 정도로 높았다. 이로 인해 현지에서는 "女兒未始會穿針, 將去高麗學語音, 敎得新番鷓鴣曲, 一聲準擬値千金"(劉基, 「山鷓鴣」『太師誠意伯劉文成公文集』)처럼 한족 출신의 어린 여아들을 고려로 보내 고려어와 음악 등을 익히게 한 뒤 고려 여인으로 위장하여 데리고 가는 현상도 나타나고 있다.

112) 필자는 이궁인과 시대적으로 가장 가까웠던 이제현의 시를 유심히 살펴본 뒤 "初生이 타는 비파 소리를 듣다(聽初生彈琵琶)"를 주목했다. 그리고 "얼굴을 아름답게 꾸미고, 머리에 복타 Bogta(固姑冠)를 쓴 사람의 성은 이씨이네(傅粉驤冠 人姓李)"라는 시구를 통해 그 여인의 이름이 李初生이고, "(대칸이 타는 수레인) 데레크에서 황제(코빌라이칸)를 모시었네(六尺輿中侍天子)"에서 그 여인이 바로 楊廉夫(楊維楨)의 「元宮詞」에서 말한 "句麗女侍婕妤官"이라는 것을 알았다. 이제현이 말한 "六尺輿中侍天子"는 바로 "北幸和林幄殿寬"과 같은 의미이다. 왜 이제현은 코빌라이칸의 이름을 말하지 않았던 것일까? 이름도 알고 있고, 또 "오로지 동쪽 (고향)으로 갈 꿈만 꾸지만 陽臺의 비와 같은 (운명이네)(東歸一夢陽臺雨)"라는 구절로 미루어 그녀가 코빌라이칸의 사랑을 받았던 고려여인이라는 것을 분명히 알고 있으면서도 왜 고려 여인이라고 말하지 않았던 것일까. 이제현이 揭傒斯(1274~1344)의 이름은 알고 있으리라 믿지만, 그의 문집인 『秋宜集』을 읽었는지는 의문이다. 여러 정황으로 미루어 보면, 이 시에는 무슨 곡절이 있는 것이 분명한데 그것을 알 수 없다.

【경수사慶壽寺 대장경비략大藏經碑略】

"국가에서 불법佛法을 숭봉하여 큰 절을 세울 때엔 반드시 불경을 안치한다. 그리하여 천하의 글씨 잘 쓰는 자들을 모아서 금가루를 이겨 불경을 베낌으로써 그 위엄을 보인다. 천하의 글자 잘 파는 자들을 뽑아 좋은 나무에 판각을 하여 보전함으로써 널리 전하게 한다. 북경에 있는 모든 절에는 날마다 중을 공양한다. 단정하게 앉아서 떼를 지어 불경을 외고 종을 치며, 소라와 고동을 부는 것이 밤낮으로 그치지 않는다. 한 해에 한두 번은 칙사를 역마에 태워 보내어 향과 폐물을 받들게 한다. 온 천하를 골고루 돌아다니는데, 이렇게 해야만 온 항하사恒河沙의 세계가 모두 복을 받게 된다. 아아, 참 지극하도다. 고려는 예로부터 시서詩書와 예의의 나라로 불려왔다. 원나라가 천하를 차지한 뒤 세조황제와 결은을 맺었는데, (황제가 고려를) 예법으로 대접함이 유달랐다. 부자(충렬왕과 충선왕)가 왕위를 이으며 모두 부마의 자리를 차지하였다. 지금 왕은 충선왕忠宣王인데 총명하고 충효하며 황제와 황태후의 사랑을 받고 있다. 대덕大德 을사년(1305)에 불경을 경수사에 시주하여 황제께 영광을 돌렸다. 이 절은 유황裕皇(진킴)의 복을 비는 곳으로서 수도의 여러 절 가운데 가장 오래된 절이다. 황경皇慶 원년(1312) 여름 6월에 나에게 일러 글을 짓고 이를 돌에 새기게 하였다. 왕의 이름은 장璋인데, 어진 사람을 좋아하고 착한 일을 즐겨 도덕과 문장을 갖추었다. 그는 세조를 섬길 때 황제의 외손자이자 세자로서 숙위宿衛로 입직하여 포상을 받았다. 성종成宗 때에도 등용되었고, 공주에게 장가들었다. 대덕 말년에는 지금의 황제를 따라 내란을 평정하였고, 무종武宗을 옹립하는 데 공로가 있어 추충규의협모좌운공신推忠揆義協謀佐運功臣 개부의동삼사태자태사開府儀同三司太子太師 상주국부마도위上柱國駙馬都尉 심양정동행중서성우승상瀋陽征東行中書省右丞相의 칭호를 받았다. (또 이 공로로) 고려왕의 자리를 이어받게 했으며, 지금의 황제(仁宗)가 즉위하자 책훈策勳에 태위太尉가 더해졌다." 이 비문은 정거부程鉅夫가 지은 것으로 (그의) 『설루집雪樓集』에 실려 있다. 글에 풍자의 말이 많은데, 이는 외국 저술을 빙자하여 그 속에 약간 자기의 견해를 나타낸 것이다. 『고려사』에 응당 실려 있지 않을 터이므로 이에 잘라서 그 대략

을 소개해 둔다.[113]

위의 기록에 등장하는 항하사恒河沙는 『금강경金剛經』에 나오는 말로, 사물이 많은 것을 갠지스강의 모래 숫자에 비유한 것이다. 숙위宿衛는 몽골어 케식텐keshigten[114]의 한자어 표기이다. 정거부程鉅夫(1249~1318)는 남송에서 투항한

113) 『열하일기』「口外異聞」慶壽寺大藏經碑略條：國家崇信佛法, 建大佛寺, 必置經藏, 叢天下之工書者, 泥黃金繕寫, 以示其嚴, 選天下之善鍥者, 刊美木傳刻, 以致其廣, 京師諸寺, 日飯僧端坐群誦, 撞鍾吹螺, 晝夜不絕, 歲又一再遣使, 乘驛奉香幣, 徧天下亦如之, 斯盡恒河沙界, 並受其福, 於虖至矣, 高麗古稱詩書禮義之國, 皇元之有天下也, 世祖皇帝結之恩, 待之禮, 亦最優異, 父子繼王, 並列貳館, 今王忠宣王, 又以聰明忠孝, 爲皇帝皇太后所親幸, 大德乙巳, 乃施經一藏, 入大慶壽寺, 歸美以報于上寺, 爲裕皇祝釐之所, 於京城諸剎, 爲最古, 皇慶元年夏六月, 謂某爲文勒之石, 王名璋, 好賢樂善, 有德有文, 逮事世祖, 以皇甥爲世子, 入宿衛, 被賞識, 成宗朝選尚公主, 大德末年, 從今上平內難, 立武宗有功, 爲推忠揆義協謀佐運功臣開府儀同三司太子太師上柱國駙馬都尉瀋王征東行中書省右丞相嗣高麗國王, 今上卽位, 策勳加太尉, 碑程鉅夫所撰也, 在雪樓集, 辭多譏諷, 盖寓諸外國撰述, 以微見其志, 麗史未必見載, 故截錄其略.

114) 케식텐Keshigten 제도는 대칸의 친위군단적인 성격을 띤 군사기관인 동시에 관제 면에서는 실질적인 중앙정부의 역할을 수행했다. 대몽골제국의 대칸은 이 케식텐 제도를 통해 각 지역의 정보 및 행정 상황을 소상하게 파악할 수 있었으며, 명령 또한 신속히 전달할 수 있었다. 천호제와 케식텐제를 제국의 근간으로 하는 군정일치의 대몽골제국에서 관제란 Yeke Jarguchi(대법관), Yeke Bichigchi(대서기관) 등 일부 특수관직을 제외하고는 모두 케식텐에서의 직무에 따른 명칭이 전부라고 해도 과언이 아니다. 케식텐은 원래 은총이나 賞賜를 뜻하는 몽골어 케시크Keshig의 복수형이다. 그러나 "당번·번직·숙직"을 뜻하는 돌궐어와 혼용되어 대칸의 호위군을 뜻하는 말로 점차 보편화되었다. 1206년 대몽골제국의 건설 당시 칭기스칸은 Kebte'ül(宿衛) 1천 명, Khorchi(箭筒士) 1천 명, Turkha'ud(護衛) 8천 명 등 1만 명의 케식텐軍이 있었다. 케식텐軍의 후보자는 주로 천호장·백호장·십호장 등의 자제로 선발되었지만, 유능한 평민의 자제들도 지원할 수 있었다. 대몽골제국의 몽골인들은 『黑韃事略』의 "나이가 15세 이상인 자는 군사가 된다(其軍, 卽民之年十五以上者)"라는 기록처럼 15세(만 14세)를 성년의 기준으로 삼고 있으며, 70세에 현직에서 은퇴한다. 따라서 케식텐에 선발 혹은 충원되는 인물들도 대략 15세 이후부터이다. 케식텐軍에는 각자의 신분에 따라 3~10명의 동지(Nökör)들이 수행했기 때문에 케식텐軍의 총수는 실제 수만에 달했다. 케식텐은 4개의 반으로 나누어져 3일 1교대로 칭기스칸을 보위했다. 케식텐의 일상 업무는 오르도의 유지·관리를 비롯한 대칸의 생활 전반에 걸쳐 있었다. 그래서 케식텐軍은 그들의 담당 업무에 따라 Ba'urchi(요리사)나 Balagachi(성문 지키는 자) 등 각자 다른 직함으로 불렸다. 이들은 케식텐에서의 본연의 직무를 가지고 있으면서 원정이나 특수임무로 어떤 지역에 파견될 때에는 그에 알맞은 칭호를 덧붙인다. 몽골 역사에 흔히 등장하는 ~장군이나 다로가치Darugachi란 명칭은 바로 이것에 해당한다. 그러나 케식텐軍의 직함은 잘 알려진 것 이외에도 시기와 상황에 따라 유동적으로 나타나는 것도 있다. 즉 몽골의 케식텐은 상황의 변화에 가장 민감하게 반응하면서 그것을 곧바로 수용할 수 있는 능동적인 조직이었다. 또 케식텐은 제국의 확장에 따라 인종·종족·언어·생활습관이 다른 젊은이들까지 조직원으로 흡수해 그들을 새로운 몽골인으로 재탄생시켰다. 사실 대몽골제국의 강력함은 케식텐을 바탕으로 한 주도면밀한 계획성과 탄력적인 조직력에 있었다. 세계역사상 그 유례를 찾아볼 수 없는 몽골군의 정보수집 능력과 철저한 보급전략의

인물로 코빌라이칸의 존중을 받았던 학자이다.[115)]

(3) 서호수의 연행기에 등장하는 대원제국 시대의 역사 사적

서호수의 『연행기』에는 원대 관련 사적이 모두 36건이 등장하는데, 그것을 도표로 나타내면 다음과 같다.

번호	분류	내용	비고
1	지방의 연혁 소개	봉황성鳳凰城, 요양遼陽, 심양瀋陽, 의주義州, 영성寧城, 조양현朝陽縣, 승덕부承德府, 난평현灤平縣, 밀운현密雲縣, 고북구古北口, 회유현懷柔縣, 통주通州, 삼하현三河縣, 계주薊州, 옥전현玉田縣, 풍윤현豐潤縣, 노룡현盧龍縣, 무령현撫寧縣, 영원寧遠, 광녕현廣寧縣	20건

비밀이 바로 이 케식텐 조직에 숨어 있었다. 이러한 중추적인 기능에서도 나타나듯이 케식텐은 칭기스칸 권력의 상징이었다. 칭기스칸의 케식텐은 그의 계승자들에게 대대로 전해져 정통성의 확보와 함께 제국을 장악하는 확실한 수단으로 작용했다. 케식텐은 대칸만이 아니라 제국의 한 부분을 이루며 각자의 封地 위에 군림하고 있었던 宗王이나 諸王들도 소규모로 보유할 수 있었다. 참고로 지금까지 문헌에 나타난 케식텐의 직제를 정리해 보면, 코르치Khorchi(弓矢를 찬 호위 : 火兒赤), 올도치Ulduchi(칼을 찬 호위 : 云都赤), 고로치Gorochi(새매 관리자 : 怯憐赤), 시바오치Shiba'uchi(매를 관리하는 자 : 昔寶赤, 打捕鷹坊의 주관자), 바르스치Barschi(표범 전문사육사 : 巴兒赤), 자를릭치Jarligchi(聖旨를 書寫하는 자 : 札里赤), 비칙치Bichigchi(서기관 : 必闍赤), 바오르치Ba'urchi(요리사 : 博爾赤), 커덜치Ködölchi(從馬 관리자 : 闊端赤), 발라가치Balagachi(성문 지키는 자 : 八剌哈赤), 다라치Darachi(술을 관리하는 자 : 答刺赤), 올라가치Ulagachi(驛馬와 車를 관리하는 자 : 兀刺赤), 모린치Morinchi(말 관리자 : 莫倫赤), 수쿠르치Sükürchi(천막과 의상을 담당하는 자 : 速古兒赤), 켈레메치Kelemechi(통역관 : 怯里馬赤), 테메게치Temegechi(낙타 관리자 : 帖麥赤), 코니치Khonichi(양 관리자 : 火你赤), 콜라가치Khulagachi(도적 잡는 자 : 忽刺罕赤), 코르치Khurchi(음악 연주하는 자 : 虎兒赤), 논톡치Nuntugchi(이동과 야영을 담당하는 자 : 農土赤), 악타치Agtachi(군마를 관리하는 자 : 阿黑塔赤), 카라치Kharachi(암말 관리자 : 哈刺赤), 구유치Güyüchi(맹견 관리자 : 貴由赤), 바아토르Ba'atur(돌격대 : 覇都魯) 등으로 나타난다.

115) 程鉅夫는 오늘날의 강서성 南城에 해당하는 建昌 출신으로, 원명은 程文海이다. 鉅夫는 字인데 武宗 海山(Khaisan)의 이름을 피하여 字로 이름을 삼았다. 남송 말 숙부 程飛卿을 따라 建昌에서 원나라에 투항하여 千戶로 임명되었다. 1283년 이후 翰林集賢直學士, 侍御使, 集賢學士 등을 역임했다. 코빌라이칸의 명을 받들어 강남의 문사들을 구하려 다녔는데, 조맹부 등 20여 명을 추천했다. 한때 권신 셍게Sengge(桑哥, ?~1291)와 사이가 나빠 살해될 위기에 처했지만 코빌라이칸의 특명으로 생명을 보존했다. 1293년 이후 閩海道, 山南江北道, 浙東海右道 肅政廉訪使를 역임했다. 시문에 능하며 성종실록과 무종실록을 편수하는 데도 참가했다. 저서에 『雪樓集』이 있다.

2	유물의 연원 소개	청절묘비淸節廟碑	1건
3	종교사적	관제묘關帝廟, 인자보전仁慈寶殿의 전단불상旃檀佛像, 동악묘東嶽廟, 북진묘北鎭廟	4건
4	유교 관련 사적	국자감國子監과 석고石鼓	1건
5	인물	곽수경郭守敬의 통혜하通惠河 운하	1건
6	대도의 원나라 유적	건덕문健德門, 경화도瓊華島	2건
7	전적지 및 기타	코빌라이칸과 교육, 원과 버마, 전녕全寧 전투, 조하천潮河川, 천력지전天曆之戰, 고북구古北口, 합밀哈密 과 티베트	7건
총계	36건		

위의 도표에 제시된 기록을 도표의 순서대로 지방의 연혁 부분부터 소개하면 다음과 같다.[116]

【봉황성鳳凰城】

봉황성은 낭두산狼頭山에서 서북쪽으로 1리, 육도하六道河에서 동북쪽으로 4리 지점에 있다. 주나라 때는 본래 예맥穢貊의 땅이었다. 진나라에 이르러 조선에 소속되었고, 한나라 때에는 현도玄菟에 속했다. 진晉나라 때에는 평주平州에 예속되고, 수나라 때에는 고려의 경주慶州에 속했다. 당나라가 고려를 평정한 후 안동도호安東都護에 속하였다가, 뒤에 발해渤海의 대씨大氏가 이곳을 점거하여 동경용원부東京龍原府라 하였다. 요나라 때 개주開州로 고치고 국군을 주둔시켜 동경東京에 속하게 하였다. 금나라는 석성현石城縣의 땅으로 삼았고, 원나라는 동녕로東寧路에 소속시켰으며, 명나라는 봉황성보鳳凰城堡로 하였다. 청나라가 천총天聰 8년(1634) 통원보通遠堡에 관병官兵을 설치하였다가, 숭덕崇德 3년(1638)에 이곳으로 옮겨서 지켰다.[117]

116) 서호수는 지리에 능숙한 학자답게 지방의 연혁이 고대부터 청대에 이르기까지 요연하게 기록되어 있다. 본고에서는 해당 부분만 소개하려 했지만 독자들이 서호수의 지리 지식을 판단할 수 있도록 모두 수록했다.

117) 『연행기』 「1790년 6월 24일」조 : 鳳凰城在狼頭山之西北一里, 六道河之東北四里, 周本濊貊地, 至秦屬朝鮮, 漢屬玄菟, 晉隸平州, 隋屬高麗慶州地, 唐平高麗, 屬安東都護, 後渤海大氏

위의 기록에 등장하는 고려는 고구려를 말한다. 고구려의 원명에 대해서는 학설이 많은데, 알타이어의 원형을 간직하고 있는 후대 몽골의 문헌인『몽골비사(Monggol-un Nigucha Tobchiyan)』에 의거할 경우 코리Khori가 원명일 가능성이 높다.『몽골비사』에는 고구려의 기원 설화와 계통을 같이 하는 코릴라르타이-메르겐Khorilartai-Mergen 설화가 수록되어 있다.[118] 고구려 이래 고려라는 명칭은 한국을 지칭하는 민족 명칭으로 사용되었다. 이러한 사례는 조선시대 여행기에서도 "고려사람 조선국 관리 ○○○"라는 형식으로 많이 나타나고 있다.

【요양주遼陽州】

요양주遼陽州에 진나라는 요동군遼東郡을 두었다. 한나라는 양평현襄平縣을 두어 요동군의 중심지로 삼았는데, 후한 때도 그대로 따랐다. 진晉나라는 요동국의 치소로 삼았는데, (명제明帝) 태흥太興 초에 모용외慕容廆가 점거했다. 후연後燕 때에는 이 땅이 고구려에 들어갔다. 후위後魏부터 수나라 때까지 모두 고구려에 속하여 요동성遼東城이 되었다. 당나라가 정관貞觀 19년(645)에 고구려를 공격하여 요동성을 함락하고 그곳을 요주遼州로 만들었고, 상원上元 3년에 안동도호부安東都護府를 여기에 옮겼다가 뒤에 폐하였다. 요나라 초년에 동평군東平郡을 세웠는데, 천현天顯 3년(928)에 남경南京으로 승격시켰다. 13년(938, 태종 회동會同 1년)에는 다시 동경東京으로 (이름을 바꾸어) 요양부遼陽府를 두었다. 그러다 다시 요양현을 설치하여 부치府治로 삼았는데, 금나라도 그대로 따랐다. 원나라 초년에는 동경총관부東京總管府를 두었다가 지원至元 24년(1287)에 요양등처행중서성遼陽等處行中書省을 세웠는데, 25년(1288)에 동경을 요양로遼陽路로 바꾸고 요양현을 요양로의 치소로 삼았다. 명나라는 홍무洪武 4년(1371)에

據之爲東京龍原府, 遼改開州鎭國軍屬東京, 金爲石城縣地, 元屬東寧路, 明爲鳳凰城堡, 淸天聰八年, 設官兵於通遠堡, 崇德三年, 移此鎭守.

118) 이에 대해서는 졸고,「몽골비사에 나타난 몽골족 기원설화의 분석」『몽골학』13, 2002를 참조.

정요도위定遼都衛를 설치했는데, 8년(1375)에 요동도지휘사사遼東都指揮使司로 고쳐 25위衛 2주州를 거느렸다. 도사都司가 다스리는 곳은 정요좌위, 정요우위, 정요전위, 정요후위 (등) 4위衛와 동녕위東寧衛, 자재주自在州, 중좌中左 2천호소, 좌우전후 4천호소이다. 청나라 순치順治 10년(1653)에 요양부遼陽府를 설치하여 요양, 해성海城 2현을 거느리게 했는데, 14년(1660)에 부府를 폐하여 요양현으로 하였다. 강희康熙 4년(1665)에 요양주遼陽州로 고쳐 봉천부奉天府에 속하게 하였다. 요양의 성지城池는 홍무洪武 임자년(1372)에 도지휘都指揮 마운馬雲, 섭왕葉旺이 원나라의 옛터(遺址)에다 고쳐 쌓은 것인데, 도지휘 반경潘敬이 동성東城을 북토성北土城까지 넓혔다. 그리고 영락永樂 병신년(1416)에는 도지휘 왕진王眞이 성벽을 둘러쌓았는데, 둘레가 11리 395보에 높이가 3장丈 3척이며, 못의 깊이가 1장 5척에 둘레가 24리 285보이고, 성문은 9개이다. 뒤에 다 퇴락하였는데, 건륭乾隆 계묘년(1783)에 중건重建하였다. 성안에는 오직 지주知州가 머물면서 다스릴 뿐이고, 관병은 동경성東京城 내에 주둔한다.[119)]

위의 기록에 등장하는 당나라 고종高宗의 연호인 상원上元은 공식적으로 674년과 675년에만 사용하며, 676년을 표기할 때에는 의봉儀鳳 1년이라 쓴다. 그러나 당시 연호가 자주 바뀌는 바람에 당시의 기록에서도 676년을 상원 3년이라 표기하는 경우도 많다. 서호수는 안동도호부가 의봉 1년으로 개칭하기 전에 옮겼다는 것을 나타내기 위해 의도적으로 상원 3년이라 표기한 것이

119) 『연행기』「1790년 6월 27일」조 : 遼陽州, 秦置遼東郡, 漢置襄平縣, 爲遼東郡治, 後漢因之, 晉爲遼東國治, 太興初, 爲慕容廆所據, 後燕時, 地入高句麗, 後魏至隋, 俱屬高句麗, 爲遼東城, 唐貞觀十九年, 征高麗, 克遼東城, 以其地爲遼州, 上元三年, 移置安東都護府於此後廢, 遼初建東平郡, 天顯三年, 升爲南京, 十三年, 改日東京, 置遼陽府, 復置遼陽縣, 爲府治, 金因之, 元初置東京總管府, 至元二十四年, 立遼陽等處行中書省, 二十五年, 改東京爲遼陽路, 以遼陽縣爲路治, 明洪武四年, 置定遼都衛, 八年, 改遼東都指揮使司, 領衛二十五, 州二, 都司所治, 爲定遼左右前後四衛, 東寧衛, 自在州, 中左二千戸所, 左右前後四千戸所, 清順治十年, 設遼陽府, 領遼陽海城二縣, 十四年, 罷府爲遼陽縣, 康熙四年, 改爲遼陽州, 屬奉天府, 遼陽城池, 洪武壬子, 都指揮馬雲葉旺, 因元遺址修築, 都指揮潘敬, 開擴東城迤北土城, 永樂丙申, 都指揮王眞, 包砌週一十一里三百九十五步, 高三丈三尺, 池深一丈五尺, 週二十四里二百八十五步, 門九, 後皆頹廢, 乾隆癸卯, 重建, 城內惟知州駐治, 而官兵駐防, 則在東京城內.

다. 이러한 표기법은 그의 여행기에서 자주 발견되는데, 그 대표적인 예의 하나가 청 태종 관련 부분이다. 태종은 1636년 4월 11일에 대청제국을 선포했는데, 서호수는 그 이전을 천총天聰 10년이라 표기하고 그 이후를 숭덕崇德 1년이라 표기하고 있다. 그의 이러한 표기법은 아마도 천문학 전문가다운 정확한 날짜 기록법에서 나왔다고 보인다.

위의 기록에서 명나라 요동도지휘사사遼東都指揮使司 관련 부분은 세밀한 주의를 요한다. 요동도지휘사사 관련 부분은 오늘날 역사학계에서도 그 실질 통치범위를 둘러싸고 논란이 많은데,[120] 서호수의 기록을 중심으로 이를 간략하게 한 번 살펴보기로 하자.

중원에서 몽골을 몰아낸 주원장朱元璋(1368~1398)은 막북의 몽골 세력을 방어하기 위하여 장성을 따라 요동遼東·대동大同·선부宣府·유림楡林·계주薊州·태원太原·영하寧夏·감숙甘肅·고원固原 등 9개의 군사중진軍事重鎭(역사용어로 구변九邊이라 함)을 설치하고, 자기의 아홉 아들을 각 진의 책임자로 배치하였다. 이 가운데 요동과 관련된 부분을 살펴보면 다음과 같다.

명나라는 1371년 요양로를 점령하자 그해 7월에 정요도위定遼都衛를 설치하고 나하초Nakhachu(納哈出)의 몽골군이나 고려, 여진 등 적대 세력들에 대한 적극적 방어에 나섰다. 그리고 보다 효율적인 공격 및 방어체제를 구축하기 위해, 1375년 10월 정요도위를 요동도지휘사사遼東都指揮使司로 바꾼 뒤 1377년부터 군정 일체의 위소衛所 체제를 시행했다.[121] 요동도지휘사사의 치소는

120) 遼東都指揮使司의 실질적 통치범위를 둘러싼 논쟁은 1409년 영락제 때 설치된 奴兒干都司의 통치범위 때문이다. 흑룡강이 태평양으로 흘러드는 뜨이르Тыр 지방의 절벽 위에 세워진 奴兒干都司는 명칭만 존재했지 실질적으로는 요동도사에 예속된 존재나 마찬가지다. 奴兒干都司에 대해서는 楊暘, 『明代奴兒干都司及其衛所研究』, 鄭州, 1982 ; 남의현, 「명과 여진의 관계」 『고구려연구』 29, 2007 및 『明代遼東支配政策研究』, 춘천(강원대), 2008 ; 최석영 역주, 『인류학자와 일본의 식민지 통치』, 서울, 2007, pp.251~256을 참조. 남의현의 논문에는 역대 요동도사 및 奴兒干都司에 대한 연구가 집약되어 있으며, 최석영의 번역서에는 그 지역을 실제 조사한 바 있었던 鳥居龍藏의 수기가 실려 있다. 최석영의 책은 鳥居龍藏, 『人類學及人種學上より見たる北東亞細亞, 西伯利, 北滿, 樺太』, 東京, 1924을 번역 역주한 것이다.

정요중위定遼中衛이며, 그 밑에 25위衛 및 11소所를 거느렸다. 25위는 영락제 때까지 설치된 것을 포함하고 있는데, 그것을 도표로 소개하면 다음과 같다.

요동도지휘사사遼東都指揮使司 관할 위소		
25위衛	현재 위치(요녕성)	11소所[122]
동령위東寧衛	요양시 노성구老城區	무순소撫順所
심양중위瀋陽中衛	심양시	포하소蒲河所
철령위鐵嶺衛	철령시	신하소汎河所
요해위遼海衛	개원시開元市	금주중좌소金州中左所
삼만위三萬衛	개원시 북노성北老城	광령중둔소廣寧中屯所
정요우위定遼右衛	봉성鳳城	영원중좌소永遠中左所
정요중위定遼中衛	요양시 주변	영원중우소永遠中右所
정요좌위定遼左衛	요양시 주변	광령중후소廣寧中後所
정요전위定遼前衛	요양시 주변	광령중전소廣寧中前所
정요후위定遼後衛	요양시 주변	
해주위海州衛	해성海城	
개주위蓋州衛	개현蓋縣	
복주위復州衛	와방점시瓦房店市 복주성復州城	
금주위金州衛	대련시 금주金州	
광령위廣寧衛	북진현北鎭縣	
광령중위廣寧中衛	북진현 일대	
광령좌위廣寧左衛	북진현 일대	
광령우위廣寧右衛	북진현 일대	
의주위義州衛	의현義縣	
광령후둔위廣寧後屯衛	북진현 일대	
광령우둔위廣寧右屯衛	금현錦縣	

121) 명대 遼東都司에 대해서는 楊暘, 『明代遼東都司研究』, 鄭州, 1988을 참조.
122) 11소의 명칭은 현재 9개만 알려져 있다.

광령중둔위廣寧中屯衛	금주시錦州市 남쪽	
광령중좌둔위廣寧中左屯衛	금주시	
영원위永遠衛	흥성시興城市	
광령전둔위廣寧前屯衛	수중현綏中縣 전위前衛	

요동도지휘사사遼東都指揮使司는 요동도사遼東都司라고도 부르는데, 그 관할 위소가 모두 오늘날 요양성 일대에 위치하고 있음을 알 수 있다. 그러나 당시 이들이 실질적으로 관할하는 범위는 오늘날 요녕성과 길림성 대부분 지역 및 내몽골 부분지구이다.[123] 요동도사는 군정일체의 독립조직이지만, 인구 및 경제력이 취약해 산동포정사사山東布政使司로부터 군사 및 각종 군수품을 지원받았다.

서호수의 요동도사 관련 기록은 『명사』의 기록에 근거를 둔 것인데[124] 그 부분에 나오는 요새에 대해서 간략히 기술하면 다음과 같다. 먼저 동녕위는 1386년 설치되었고 치소는 요양이다.[125] 자재주自在州는 영락제 때인 1409년에 안락주安樂州와 함께 설치되었는데, 초기의 치소는 모두 개원開元 북노성北老城이었다.[126] 그러나 자재주의 치소는 곧 요양의 노성老城으로 옮겨졌다. 중좌

123) 『遼東志』「疆域」條에는 이들의 관할 지구가 "東至鴨綠江五百三十里, 西至山海關一千五十里, 至北京一千七百里, 南至旅順口七百三十里, 渡海至南京三千四十里"처럼 동쪽의 압록강, 서쪽의 산해관, 남쪽의 여순구, 북쪽의 개원에 이르는 지역으로 나타나 있다.

124) 『明史』「地理志 二」: 洪武四年(1371)七月置定遼都衛, 六年(1373)六月置遼陽府·縣, 八年(1375)十月改都衛爲遼東都指揮使司, 治定遼中衛, 領衛二十五, 州二, 十年(1377), 府·縣俱罷, 東至鴨綠江, 西至山海關, 南至旅順海口, 北至開原, 由海道至山東布政司, 二千一百五十里, 距南京一千四百里, 京師一千七百里, 定遼中衛元遼陽路, 治遼陽縣, 洪武四年(1371)罷, 六年(1373)複置, 十年(1377)複罷, 十七年(1384)置衛. 西南有首山, 南有千山, 又東南有安平山, 山有鐵場, 又西有遼河, 自塞外流入, 至海州衛入海, 又西北有渾河, 一名小遼水, 東北有太子河, 一名大梁水, 又名東梁水, 下流俱入於遼水, 又東有鴨綠江, 東南入海, 又東有鳳凰城, 在鳳凰山東南, 成化十七年築, 爲朝鮮入貢之道, 又南有鎮江堡城, 又連山關亦在東南, 定遼左衛·定遼右衛俱洪武六年(1373)十一月置, 定遼前衛洪武八年(1375)二月置, 定遼後衛本遼東衛, 洪武四年(1371)二月置, 八年(1375)二月改, 九年(1376)十月徙治遼陽城北, 尋複, 東寧衛本東寧·南京·海洋·草河·女直五千戶所, 洪武十三年(1380)置, 十九年(1386)七月改置, 自在州永樂七年(1409)置於三萬衛城, 尋徙, 以上五衛一州, 同治都司城內.

125) 동녕위에 대해서는 河內良弘, 「明代遼陽の東寧衛について」『東洋史研究』44-4, 1986을 참조

中左 2천호소는 금주중좌소金州中左所와 영원중좌소永遠中左所를 가리키는 것으로 보이며, 좌우전후 4천호소는 광령중후소廣寧中後所 및 광령중전소廣寧中前所와 아직 고증되지 않았지만 광령중좌소廣寧中左所, 광령중우소廣寧中右所를 가리키는 것으로 보인다.

【심양瀋陽】

심양은 옛날 읍루挹婁의 땅이다. 우공禹貢 때는 청주靑州 구역이다. 양한兩漢 때는 요동군遼東郡에 속하였고, 당나라 때에는 안동도호安東都護에 속하였다. 요遼, 금金 2대에 와서 비로소 요양에 동경을 세우고 심주소덕군瀋州昭德軍을 설치하였다. 원나라에서는 심양로瀋陽路로 하였고, 명나라에서는 심양위瀋陽衛를 두었다. 청나라에서는 천명天命 10년(1625)에 수도를 요양에서 이곳으로 옮기고 성경盛京으로 승격시켰다. … 순치順治 원년(1644)에 연경에 수도를 정하고, 성경은 유도留都로 삼았다. 14년(1657)에는 봉천부奉天府를 설치하여 요양주遼陽州, 복주復州 2주와 승덕현承德縣, 해성현海城縣, 익평현益平縣, 철령현鐵嶺縣, 영해현寧海縣 등 여섯 현을 거느리게 했다. 금주부錦州府의 주현州縣인 영원주寧遠州, 의주義州, 금현錦縣, 광녕현廣寧縣도 다 여기에 예속되었다.[127]

위의 기록에 등장하는 요나라의 동경은 발해의 유민들과 관계가 깊다. 따라서 그것을 간략히 언급해 보고자 한다. 거란은 야율아보기耶律阿保機(916~926)의 등장 후 발해의 영역인 요동 지방으로 급속히 세력을 확대해 나갔다. 그리

126) 개원에 치소를 둔 위는 遼海衛와 三萬衛가 있다. 이 가운데 三萬衛는 1387년 斡朶里(오늘날 길림성 琿春 부근)에 세워졌는데, 그해 나하추Nakhachu가 투항하자 1388년 치소를 개원 북노성으로 옮겼다.

127) 『연행기』 「1790년 6월 28일」 조 : 瀋陽古挹婁地, 禹貢靑州之域, 兩漢時, 屬遼東郡, 唐屬安東都護, 遼金二代, 始建東京於遼陽, 置瀋州昭德軍, 元爲瀋陽路, 明置瀋陽衛, 淸天命十年, 自遼陽遷都於此, 升爲盛京…順治元年, 定鼎燕京, 以盛京爲留都, 十四年, 設奉天府, 領州二, 縣六, 遼陽州, 復州, 承德縣, 海城縣, 益平縣, 開原縣, 鐵嶺縣, 寧海縣, 錦州府之州縣, 皆隸焉, 寧遠州, 義州, 錦縣, 廣寧縣.

고 919년에 요양의 옛 성을 수리하여 동평군東平郡을 세웠다. 야율아보기는 황태자로 지목받지 못한 맏아들 돌욕突欲을 위해 925년 겨울부터 발해를 정면 공격해 926년에 멸망시켰다. 그는 그해 2월 발해를 동쪽의 거란이란 뜻인 동단국東丹國으로 개칭하고, 돌욕에게 통치시켰다. 그러나 그는 귀로 도중인 926년 7월 부여성扶餘城에 이르러 암살로 의심되는 최후를 맞았다.

야율아보기가 죽은 뒤 등극한 태종은 928년 돌욕의 세력을 약화시키기 위해 상경용천부上京龍泉府에 있는 동단국의 수도를 동평군으로 옮겼다. 그리고 동평군을 남경南京으로 승격시킨 다음 요양부遼陽府를 설립했다. 태종은 938년 연운燕雲 16주를 얻자 유주幽州를 유도부幽都府로 승격시키고 남경이라 칭했다. 그리고 종래의 남경인 요양을 동경으로 바꾸었다. 심주소덕군瀋州昭德軍도 그때 설치되었다. 요양의 발해인들은 이후 금나라를 세우는 주축 세력의 하나가 되었다. 유도留都(陪都)는 황제를 대신하여 신하가 다스리는 곳을 말한다.

성경盛京은 만주어로 "흥기, 흥성, 날아오름"을 뜻하는 묵던Mukden(穆克敦)이라 부른다. 1621년 누르하치가 심양과 요양을 함락시키고 요양을 수도로 정했다. 그리고 1625년에는 요양에서 심양으로 수도를 옮겼다. 심양이 성경으로 명칭이 바뀐 연유는, 1634년 4월 홍-타이지가 심양을 "하늘이 돌보아주는 흥성興盛의 도시(天眷盛京)"라는 칙유를 내린 데서 기인한다.

【의주義州】

의주는 한나라 때의 무려현無慮縣 땅이다. 당나라 때는 영주營州의 땅이 되었다. 요나라는 의주숭의군宜州崇義軍을 두었고, 금나라는 의주義州로 고쳐 북경로北京路에 속하게 했다. 원나라에서는 대녕로大寧路에 예속시켰다. 명나라는 의주위義州衛를 두어 요동도지휘사사遼東都指揮使司에 속하게 했다. 청나라 초에 그 땅을 찰합이察哈爾에게 내려 주었다. 그러나 강희康熙 연간에 찰합이가 반란을 일으키자, 진압한 뒤 순검사巡檢司를 설치하여 광녕현廣寧縣에 속하게 하였다. 옹정雍正 연간에 의주로 승격시켜 금주부錦州府에 속하게 했다.128)

위의 기록에 등장하는 찰합이察哈爾는 북원의 대칸을 세습하는 차하르 Chakhar(Цахар)의 음역이다. 차하르부에 대해서는 뒤에 언급하기 때문에 여기서는 생략한다.

【영성寧城】

진나라와 한나라 때는 요서군遼西郡의 경내境內였다. 후한 때는 선비鮮卑의 땅이 되었다. 진晉나라 때는 모용씨慕容氏의 땅이 되었고, 원위元魏(北魏) 때에는 고막해庫莫奚가 여기에 살았다. 당나라 태종太宗 초년에 해奚가 귀부해 오자, 요락도독부饒樂都督府를 설치해 영주營州에 예속시켰다. (해족은) 후일 동해東奚, 서해西奚로 나뉘어졌는데, 얼마 안 되어 거란에 병합되었다. 요나라는 통화統和 연간에 중경대정부中京大定府를 세웠다. 금나라는 정원貞元 연간에 북경北京으로 고쳐 유수사留守司를 두었다. 원나라에서는 대령로大寧路로 삼아 요양행성遼陽行省에 예속시켰다. 명나라는 홍무洪武 연간에 대령도지휘사사大寧都指揮使司를 설치하고, 황자皇子 권權을 영왕寧王으로 봉해 주둔시켰다. 영락永樂 초년에 영왕을 강서江西에 옮겨 봉하고, 대녕의 땅을 삼위추장三衛酋長 타안朶顔에게 주었다.129)

위의 기록에 등장하는 해족奚族은 북위 때인 4세기 무렵 고막해庫莫奚란

128) 『연행기』 「1790년 7월 6일」 조 : 義州, 漢無慮縣地, 唐爲營州地, 遼置宜州崇義軍, 金改曰義州, 屬北京路, 元屬大寧路, 明置義州衛, 屬遼東都指揮使司, 淸初以其地, 賜察哈爾, 康熙間, 察哈爾叛, 討平之, 設巡檢司, 屬廣寧縣, 雍正間, 陞爲義州, 屬錦州府.

129) 『연행기』 「1790년 7월 7일」 조 : 秦漢爲遼西郡境, 後漢爲鮮卑地, 晉爲慕容氏地, 元魏時庫莫奚居此, 唐太宗初, 奚內附, 置饒樂都督府, 隷營州, 後分爲東西奚, 尋倂於契丹, 遼統和間, 建中京大定府, 金貞元間, 更爲北京, 置留守司, 元爲大寧路, 隷遼陽行省, 明洪武間, 置大寧都指揮使司, 封皇子權爲寧王以鎭之, 永樂初, 徙封寧王於江西, 以大寧地, 賜三衛酋長朶顔.

이름으로 처음 역사상에 등장한 부족이다. 일부 학자들은 이들이 선비족 계통의 부족이 아닐까 추정하고 있지만, 아직 확실한 기원은 밝혀지지 않고 있다. 노합하老哈河 일대에서 유목생활을 영위하며 대세력을 구축해 가던 이들은, 388년 북위 도무제道武帝의 공격을 받아 큰 타격을 입은 뒤 점차 약화되어 이후 수隋·당唐의 기미를 받았다. 안사安史의 난 이후 일시 세력을 회복했지만 거란의 흥기로 말미암아 독립세력을 구축하지 못하고, 927년부터 거란의 한 구성세력으로 흡수되어 점차 역사에서 사라져 갔다.

명나라는 홍무제가 죽은 뒤 영락제永樂帝(1402~1424)가 정난지변靖難之變을 통해 황제로 등극했다. 그는 권력의 공고화를 위해 이전의 새왕수변塞王守邊 정책을 황제수변皇帝守邊 정책으로 바꾸는 동시에, 압록강에서 가욕관嘉峪關에 이르는 장성(역사용어로 명대 만리장성)을 구축하기 시작했다. 위의 기록에 등장하는 영왕寧王 관계 기록은 그러한 정책의 변화를 나타내 주는 것이다.

위의 기록에 등장하는 삼위추장三衛酋長 타안朶顏은 명대 몽골 삼위三衛의 대표 세력인 타안부朶顏部를 나타낸다. 몽골 삼위는 타안朶顏·태녕泰寧·복여福余인데, 타안은 산명인 도얀Doyan(朶顏) 또는 몽골어로 귀족을 뜻하는 노얀Noyan의 음역이다. 이들의 역사와 관계에 대해서는 뒤에 자세히 언급하기 때문에 여기서는 생략한다.

【조양현朝陽縣】

한나라는 유성현柳城縣을 두어 요서군遼西郡에 예속시켰다. 진晉나라 함강咸康 중에 전연前燕의 모용황慕容皝이 용성현龍城縣으로 고쳐 도읍으로 삼았는데, 화룡궁和龍宮이라 불렀다. 원위元魏는 영주營州를 세워 (용성현에) 치소治所를 두었다. 수나라는 유성현柳城縣을 다시 설치해 요서군의 치소로 삼았다. 당나라는 영주도독부營州都督府의 치소로 삼았는데, 뒤에 해奚 종족에게 점거되었다. 요나라 태조는 해족을 평정하고 흥중부興中府를 설치해 중경도中京道에 예속시

> 켰다. 금나라는 그대로 따랐다. 원나라는 주州로 강등시켜 대녕로大寧路에 예속시켰다.[130] … 조양현朝陽縣은 요나라에서는 흥중부興中府, 원나라에서는 의주로懿州路 흥중주興中州, 명나라에서는 타안위계朶顔衛界로 삼았다. 청나라 초기에 삼좌탑통판三座塔通判을 설치하였다가, 건륭 병신년(1776)에 조양현으로 승격시켜 영덕부永德府에 예속시켰다.[131]

서호수는 조양현을 7월 7일과 9일 두 차례에 걸쳐 언급하고 있다. 또 조양현이 원나라 때 대녕로에 예속되었다고 기록했다가 뒤에 의주로에 예속된 듯이 기록하고 있다. 이는 서호수의 착오라기보다는 후대 필사과정에서 생긴 착오로 보이는데, 원대 요양행성遼陽行省에서 의주로懿州路는 존재하지 않는다.

서호수의 조양현에 대한 기록은 역사·지리 지식이 없으면 이해하기 어려운 부분이 있어 조양현의 변천에 대해 간략히 살펴보고자 한다. 조양현은 한나라 때의 유성현柳城縣으로서, 그 치소는 오늘날 조양시 남쪽에 위치한 십이태영자十二台營子이다. 유성현은 북위 태평진군太平眞君 5년(444)에 영주로 이름이 바뀌었는데, 치소는 용성현이다. 영주는 수나라 개황開皇 18년(598)에 용산현龍山縣으로 개명했다가 다시 유성현으로 환원했다. 수양제 때 이 일대에 유성군柳城郡을 세웠는데, 치소는 유성현이다. 당나라 무덕武德 원년(618)에 영주도독부를 두었다. 그리고 천보天寶 원년인 742년에 다시 유성군으로 바꾸었다가, 건원乾元 원년인 758년에 다시 영주로 개칭했다.

서호수는 위에서 요서군遼西郡의 치소를 유성현柳城縣이라 언급하고 있다. 요서군은 수나라 문제文帝 대업大業 8년(612)에 세웠는데, 최초의 치소는 요서

130) 『연행기』「1790년 7월 7일」조 : 漢置柳城縣屬遼西郡, 晉咸康中, 燕慕容皝, 改爲龍城縣, 遂建都, 號和龍宮, 元魏爲營州治, 隋復置柳城縣, 爲遼西郡治, 唐爲營州都督府治, 後爲奚所據遼, 太祖平奚, 置興中府, 隸中京道, 金因之, 元降爲州, 屬大寧路.

131) 『연행기』「1790년 7월 9일」조 : 朝陽縣, 遼爲興中府, 元爲懿州路興中州, 明爲朶顔衛界, 淸初設三座塭通判, 乾隆丙申, 陞爲朝陽縣, 隸承德府.

현遼西縣으로 오늘날 의현 동남에 위치한 왕민둔王民屯에 해당한다. 유성현은 두 번째의 치소로 615년에 옮긴 것이다. 요서군은 이연李淵(565~635)이 당나라를 건국한 618년에 연주총관부燕州總管府로 이름이 바뀌었다. 모용황慕容皝이 세운 용성龍城은 북방민족의 전통적인 관념을 수도에 반영한 것이다.[132]

【승덕부承德府】

승덕부는 한나라 때 요양要陽과 백단白檀의 두 현縣에 해당하는데, 어양군漁陽郡에 예속되었다. 후위後魏(北魏) 때는 안락安樂, 밀운密雲 두 군郡의 변방 경계로 삼았다. 당나라 때는 해족奚族의 땅이 되었다. 요나라는 북안주흥화군北安州興化軍을 두어 중경대정부中京大定府에 예속시켰다. 금나라는 흥주영삭군興州寧朔軍으로 고쳐 북경로北京路에 예속시켰다. 원나라는 중통中統 연간에 상도로上都路에 예속시켰다. 명나라 때는 타안위朶顔衛의 땅이 되었다. 청나라 때 처음으로 열하熱河라 일컬었으며, 강희 연간에 피서산장避暑山莊을 설치하였다. 옹정雍正 연간에 승덕주承德州를 두었고, 건륭 병신년(1776)에 승덕부로 승격시켰다.[133]

열하 피서산장의 설치는 원나라 코빌라이칸의 여름 수도인 상도上都를 모방한 것인데, 실제 목적은 몽골을 견제하기 위한 것이다. 피서산장에 대해서는 뒤에 언급하기 때문에 여기서는 생략한다.

【난평현灤平縣】

난평현은 당나라 때 해왕부서성奚王府西省의 땅이다. 요나라는 북안주흥화군

132) 이에 대해서는 졸저, 『유라시아 초원제국의 샤마니즘』, 서울, 2001, pp.22~30을 참조.

133) 『연행기』 「1790년 7월 15일」조 : 承德府, 漢爲要陽白檀二縣, 屬之漁陽郡, 後魏爲安樂密雲二郡邊界, 唐爲奚地, 遼置北安州興化軍, 屬中京大定府, 金改興州寧朔軍, 屬北京路, 元中統間改屬上都路, 明爲朶顔衛地, 清初稱熱河, 康熙間, 初避暑山莊, 雍正間, 置承德州, 乾隆丙申, 陞爲承德府.

北安州興化軍을 두어 중경中京에 예속시켰다. 금나라는 흥주영삭군興州寧朔軍이라 했는데, 원나라에서도 그대로 흥주興州라 하여 상도로上都路에 예속시켰다. 속칭 대흥주大興州라고도 한다. 명나라는 홍무洪武 연간에 … 흥주를 북평부北平府에 예속시켰다. 뒤에 흥주興州를 좌左, 우右, 중中, 전前, 후後의 5위衛로 고쳤다. 영락永樂 초에 내지로 위衛를 옮겨 흥주는 타안朶顔의 경계가 되었다. 청나라 초기에 객라하둔喀喇河屯이 되었다가, 건륭乾隆 병신년(1776)에 난평현灤平縣으로 승격시켜 승덕부承德府에 예속되었다.134)

【밀운현密雲縣】

밀운현은 한나라 때의 백단현白檀縣이다. 『삼국지三國志』에 "조공曹公이 백단白檀을 지나 유성柳城에서 오환烏丸을 격파하였다"고 했는데 백단이 바로 이곳이다. 후위後魏 황시皇始 때 밀운군密雲郡을 처음 설치하고, 치소를 제휴성提携城에 두었다. (밀운군에) 밀운, 요양要陽, 백단 3현이 소속되어 있다. 북제北齊에서는 밀운군을 폐지하고, 요양과 백단 2현을 밀운현에 속하게 했다. 수나라 개황開皇 연간에 밀운, 연락燕樂 2현으로 단주檀州를 설치하였다. 당나라는 천보天寶 연간에 밀운군으로 고쳤다. 건원乾元 연간에 다시 단주라 하였다. 요나라는 단주무위군檀州武威軍으로 삼아 밀운, 행당行唐 2현을 거느리게 하였다. 송나라는 선화宣和 연간에 횡산군橫山郡이라는 사명賜名을 내려 진원군절도鎭遠軍節度로 승격시켰다. 금나라는 밀운현을 순주順州에 예속시켰다. 원나라는 다시 단주檀州로 하여 대도로大都路에 예속시켰다. 명나라는 홍무洪武 연간에 밀운현으로 고쳐 순천부順天府에 예속시켰다가, 정덕正德 초에 평주平州에 예속시켰다. 청나라 초에 다시 순천부에 예속시켰다.135)

134) 『연행기』 「1790년 7월 21일」 조 : 灤平縣, 唐爲奚王府西省地, 遼置北安州興化軍, 屬中京, 金爲興州寧朔軍, 元仍曰興州, 屬上都路, 俗稱大興州, 明洪武間…以興州屬北平府, 後改爲興州左右中前後五衛, 永樂初, 移衛入內地, 而興州爲朶顔界, 清初爲喀喇河屯, 乾隆丙申, 陞爲灤平縣, 隸承德府.

135) 『연행기』 「1790년 7월 23일」 조 : 密雲縣, 漢爲白檀縣, 三國志, 曹公歷白檀, 破烏丸於柳城, 是也, 後魏皇始開置密雲郡治提携城, 領密雲要陽白檀三縣, 北齊廢密雲郡及要陽白檀二縣, 入密雲縣, 隋開皇間, 以密雲燕樂二縣, 置檀州, 唐天寶間, 改爲密雲郡, 乾元間, 復爲檀州,

위의 기록에 등장하는 황시皇始는 386년 북위를 건국한 도무제道武帝 탁발규拓跋珪(371~409)의 연호이다. 그는 황시 2년인 397년 밀운현과 밀운군을 처음 설치했는데, 밀운군의 치소인 제휴성은 오늘날 북경시 밀운현 동북이다.

【고북구古北口】

고북구는 당나라 때 처음 시작된 이름이다. 『당서唐書』에 '단주檀州 연락현燕樂縣에 동군東軍과 북구北口의 두 방어요새가 북구를 지키고 있는데, 장성의 입구이다'라고 기록되어 있다. 『금사』에 고북구는 나라말로 유알령劉斡嶺이라고 기록되어 있다. 『원사』에 '고북구천호소古北口千戶所는 단주檀州의 북쪽 동구東口에 관사官司를 두었다'고 기록되어 있다.[136]

【회유현懷柔縣】

회유현은 한나라 때 어양현漁陽縣의 땅이다. 당나라 초기에는 밀운密雲, 창평昌平 2현에 속한 땅이었는데, 정관貞觀 때 탄한주彈汗州를 설치했다. 개원開元 때에는 귀순주歸順州 회유현懷柔縣으로 고쳤다. 천보天寶 초에 귀화군歸化郡으로 고쳤고, 건원乾元 초에 다시 귀순주로 하였다. 요나라는 주州를 폐하고 현縣으로 삼아 순주順州에 예속시켰다. 송나라 선화宣化 때에도 그대로 따랐다. 금나라 명창明昌 때에 온양溫陽으로 고쳤는데, 원나라는 폐하였다. 명나라 홍무洪武 때에 다시 회유현을 설치하여 북평부北平府에 예속시켰다가 뒤에 순천부順天府로 예속시켰다. 정덕正德 초에 창평주昌平州에 예속시켰다. 청나라 초에 다시 순천부에 예속시켰다.[137]

遼爲檀州武威軍, 領密雲行唐二縣, 宋宣和間, 賜名橫山郡, 陞鎭遠軍節度, 金以密雲縣, 屬順州, 元復爲檀州, 隷大都路, 明洪武間, 改爲密雲縣, 屬順天府, 正德初, 屬平州, 淸初, 復屬順天府.

136) 『연행기』「1790년 7월 23일」조 : 古北口, 自唐始名, 唐書, 檀州燕樂縣, 有東軍, 北口二守, 捉北口, 長城口也, 金史, 古北口, 國言曰, 劉斡嶺, 元史, 古北口千戶所於檀州北面東口置司.

137) 『연행기』「1790년 7월 24일」조 : 懷柔縣, 漢漁陽縣地, 唐初爲密雲, 昌平二縣地, 貞觀中, 置彈汗州, 開元間, 改曰歸順州, 懷柔縣, 天寶初, 改曰歸化郡乾元初, 復爲歸順州, 遼廢州, 以縣屬順州, 宋宣化中, 因之, 金明昌間, 改曰溫陽, 元廢, 明洪武間, 復置懷柔縣, 屬北平府, 後改屬

【통주通州】

통주는 한나라 때의 노현路縣으로 어양군漁陽郡에 예속되었다. 후한 때도 노현潞縣이라 불렀다. 진晉나라 때는 연국燕國에 속했으며, 수나라 때는 탁군涿郡에 속했다. 당나라 무덕武德 연간에 원주元州를 두었고, 정관貞觀 초에 다시 노현으로 삼아 유주幽州에 예속시켰다. 요나라는 그대로 따랐다. 송나라 선화宣和 때 연산부燕山府에 속했다. 금나라 천덕天德 때에 통주通州를 두어 대흥부大興府에 예속시켰다. 원나라는 대도로大都路에 예속시켰다. 명나라 초기에 순천부順天府에 예속시켰는데, 청나라는 그대로 따랐다.[138]

위의 기록에 등장하는 연국燕國은 모용황慕容皝이 세운 전연前燕(337~370)과 모용수慕容垂가 세운 후연後燕(384~407)을 포함한 명칭으로 보인다.

【삼하현三河縣】

삼하현은 한나라 때 노현潞縣의 땅이다. 당나라 무덕武德 연간에 땅을 갈라 임구현臨泃縣을 세우고 원주元州에 예속시켰는데, 정관貞觀 초에 폐지하였다. 개원開元 연간에 다시 삼하현을 설치하여 유주幽州에 예속시켰는데, 뒤에 계주薊州로 예속시켰다. 오대五代 초에는 폐했는데, 후당後唐 장흥長興 연간에 다시 설치했다. 요나라는 계주에 예속시켰다. 송나라 선화宣和 연간에 연산부燕山府에 예속시켰다. 금나라는 통주通州에 예속시켰는데, 원나라와 명나라도 그대로 따랐다. 청나라는 순천부順天府에 예속시켰다.[139]

順天府, 正德初, 改屬昌平州, 清初復屬順天府.

138) 『연행기』「1790년 9월 4일」조 : 通州, 漢爲路縣, 屬漁陽郡, 後漢曰, 潞縣, 晉屬燕國, 隋屬涿郡, 唐武德間, 置元州, 貞觀初, 復爲潞縣屬幽州, 遼因之, 宋宣和中, 屬燕山府, 金天德間, 置通州屬大興府, 元屬大都路, 明初屬順天府, 清因之..

139) 『연행기』「1790년 9월 5일」조 : 三河縣, 漢潞縣地, 唐武德間, 析置臨泃縣, 屬元州, 貞觀初廢, 開元間, 改置三河縣, 屬幽州後, 改屬薊州, 五代初廢, 後唐長興間復置, 遼屬薊州, 宋宣和中, 屬燕山府, 金改屬通州, 元明因之, 清屬順天府.

【계주薊州】

계주는 춘추시대의 무종자국無終子國이다. 진나라는 무종현無終縣을 설치해 우북평군右北平郡에 예속시켰고, 한나라는 그대로 따랐다. 후위後魏 때 어양군漁陽郡에 예속시켰다. 수나라 대업大業 연간에 어양현漁陽縣으로 고쳐 계속 어양군에 예속시켰다. 당나라 무덕武德 초에 군을 폐하고 현은 유주幽州에 예속시켰다. 개원開元 연간에 비로소 현에 계주薊州를 두었다. 건원乾元 초에 하북도河北道에 예속시켰다. 요나라는 계주薊州에 상무군尙武軍을 두고 석진부析津府에 예속시켰다. 송나라 선화宣和 연간에 광천군廣川郡이라는 사명賜名을 내렸다. 금나라는 계주어양현薊州漁陽縣으로 하여 중도로中都路에 예속시켰다. 원나라는 대도로大都路에 예속시켰다. 명나라 홍무洪武 초에 주치州治인 어양현漁陽縣을 빼내 순천부順天府에 예속시켰는데, 청나라는 그대로 따랐다.[140]

【옥전현玉田縣】

옥전은 한나라 때 우북평군右北平郡 무종현無終縣의 땅이다. 수나라는 무종현을 어양현漁陽縣으로 고쳤다. 당나라 무덕武德 연간에 어양漁陽을 분할하여 무종현을 두었다. 건봉乾封 연간에 유주幽州에 예속시켰다. 만세통천萬歲通天 연간에 옥전玉田으로 고쳐 불렀다. 신룡神龍 연간에 영주營州에 예속시켰다. 개원開元 연간에 다시 유주幽州에 예속시켰다가 뒤에 계주薊州에 예속시켰다. 요나라는 그대로 따랐다. 송나라 선화宣和 연간에 현縣에다 경주經州를 두었다. 금나라도 계속 계주에 예속시켰다. 원나라와 명나라는 그대로 따랐다. 청나라 초에 순천부順天府에 예속시켰다가, 옹정雍正 연간에 영평부永平府로 예속시켰다.[141]

140) 『연행기』「1790년 9월 6일」조 : 薊州, 春秋山戎無終子國, 秦置無終縣, 屬右北平郡, 漢引之, 後魏改屬漁陽郡, 隋大業間, 改縣曰漁陽, 仍屬漁陽郡, 唐武德初, 郡廢縣屬幽州, 開元間, 始於縣置薊州, 乾元初, 屬河北道, 遼於薊州, 置尙武軍, 屬析津府, 宋宣和間, 賜名廣川郡, 金曰薊州漁陽縣, 屬中都路, 元屬大都路, 明洪武初, 以州治漁陽縣省, 入屬順天府, 淸因之.

141) 『연행기』「1790년 9월 7일」조 : 玉田, 漢右北平郡無終縣地, 隋改無終, 爲漁陽縣, 唐武德間, 分漁陽, 別置無終縣, 乾封間, 屬幽州, 萬歲通天間, 改曰玉田, 神龍間, 改屬營州, 開元間, 還屬幽州, 後改屬薊州, 遼因之, 宋宣和間, 於縣置經州, 後入金, 仍屬薊州, 元明因之, 淸初屬

【풍윤현豐潤縣】

풍윤은 한나라 때의 토은현土垠縣으로 우북평군右北平郡에 예속되었다. 후위後魏 때 다시 어양현漁陽縣에 예속되었다. 당나라 때 옥전현玉田縣의 땅이 되었다가, 금나라 태화泰和 연간에 땅을 나누어 풍윤현을 설치하고 계주薊州에 예속시켰다. 원나라 지원至元 연간에 현을 폐지하고 옥전玉田에 넣었다가, 뒤에 다시 현을 두었다. 명나라 홍무洪武 초에 '윤閏'을 '윤潤'으로 고쳤다. 청나라 강희 연간에 준화주遵化州에 예속시켰다가 옹정雍正 연간에 영평부永平府에 예속시켰다.[142]

【노룡현盧龍縣】

노룡현은 본래 상나라 고죽국孤竹國이다. 춘추(시대)에는 비자국肥子國이었다. 한나라는 비여현肥如縣을 설치하여 요서군遼西郡에 예속시켰다. 후위後魏 연화延和 초에 요서군과 평주平州의 치소로 삼았다. 또 임시로 신창현新昌縣을 설치하여 북평현北平縣의 치소로 삼았다. 북제北齊는 요서군을 폐지하고 북평北平에 편입시켰다. 수나라 개황開皇 연간에 비여현을 신창新昌에 편입하였다가, 뒤에 신창을 노룡盧龍이라 고쳤다. 대업大業 연간에 북평군北平郡 치소를 임유臨渝로 옮기고, 다시 노룡을 비여肥如라고 고쳤다. 당나라 무덕武德 연간에 다시 노룡으로 고치고, 평주平州에 치소를 두었다. 요나라는 그대로 따랐다. 송나라 선화宣化 연간에 노성盧城으로 고쳤다. 금나라 때 다시 노룡으로 고쳤다. 원나라는 영평로永平路의 치소로 삼았다. 명나라는 영평부永平府의 치소로 삼았으며, 청나라는 그대로 따랐다.[143]

順天府, 雍正間, 改屬永平府.

142) 『연행기』 「1790년 9월 8일」 조 : 豐潤, 漢爲土垠縣, 屬右北平郡, 後魏改屬漁陽縣, 唐爲玉田縣地, 金泰和中, 又分置豐潤縣, 屬薊州, 元至元間, 省入玉田, 後復置, 明洪武初, 改閏曰潤, 清康熙間, 改屬遵化州, 雍正間, 改屬永平府.

143) 『연행기』 「1790년 9월 10일」 조 : 盧龍縣, 本商孤竹國, 春秋爲肥子國, 漢置肥如縣, 屬遼西郡, 後魏延和初, 爲遼西郡, 及平州治, 又僑置新昌縣, 爲北平縣治, 北齊廢遼西郡, 入北平, 隋開皇間, 省肥如縣, 入新昌, 後改新昌曰盧龍, 大業間, 移北平郡治于臨渝, 復改盧龍曰肥如, 唐武德間, 又改曰盧龍, 仍爲平州治, 遼因之, 宋宣和間, 改曰盧城, 金又改曰盧龍, 元爲永平路治, 明爲永平府治, 清因之.

【무령현撫寧縣】

무령현은 한나라 때 양락현陽樂縣을 두어 요서군遼西郡에 예속시켰다. 후한 때 군치郡治로 삼았다. 수나라 때 노룡현의 땅이 되었다. 당나라 무덕武德 연간에 무령현을 나누었다가 뒤에 노룡盧龍에 편입시켰다. 금나라 대정大定 연간에 다시 무령현을 두어 평주平州에 예속시켰다. 원나라 지원至元 연간에 현을 폐지하고 창려현昌黎縣에 편입시켰다가, 뒤에 다시 현을 두어 영평로永平路에 예속시켰다. 명나라는 영평부永平府에 예속시켰고, 청나라는 그대로 따랐다.144)

【영원寧遠】

영원주寧遠州는 한나라 때 도하현徒河縣의 땅이다. 수나라는 유성현柳城縣의 땅으로 삼았다. 당나라 때 영주營州와 서주瑞州의 땅이 되었다. 요나라는 암주흥성현巖州興城縣을 두어 금주錦州에 예속시켰고, 또 남쪽 땅에 내주來州를 설치했다. 금나라는 암주巖州를 폐지하여 흥성興城을 흥중부興中府에 예속시켰다. 내주는 서주로 고쳤다. 원나라는 이곳을 금주와 서주의 땅으로 만들었다. 명나라는 처음에 광녕전둔廣寧前屯, 중둔中屯의 2위衛를 설치하였다. 선덕宣德 3년(1428)에 2위의 땅을 분할하여 영원위寧遠衛를 설치하고 요동도지휘사사遼東都指揮使司에 예속시켰다. 청나라 강희 2년(1663)에 동쪽의 탑산소塔山所 땅을 떼어 금현錦縣에 편입시켰다. 서쪽은 전둔위前屯衛의 땅과 합병하여 영원주로 고쳤다. (강희) 3년(1664)에 광녕부廣寧府에 예속시켰는데, 4년(1665)에 다시 금주부錦州府에 예속시켰다.145)

144) 『연행기』「1790년 9월 11일」조 : 撫寧縣, 漢置陽樂縣, 屬遼西郡, 後漢爲郡治, 隋爲盧龍縣地, 唐武德間, 分置撫寧縣, 後省入盧龍, 金大定間, 復置撫寧縣, 屬平州, 元至元間, 省入昌黎縣, 後復置屬永平路, 明屬永平府, 淸因之.

145) 『연행기』「1790년 9월 16일」조 : 寧遠州, 漢徒河縣地, 隋爲柳城縣地, 唐爲營州及瑞州地, 遼置嚴州興城縣, 屬錦州, 又於南境置來州, 金廢嚴州, 以興城, 屬興中府, 改來州, 爲瑞州, 元爲錦州, 及瑞州地, 明初置廣寧前屯, 中屯二衛, 宣德三年, 分二衛地, 置寧遠衛, 屬遼東都指揮使司, 淸康熙二年, 東割塔山所地, 入錦縣, 西盡併前屯衛地, 改爲寧遠州, 三年屬廣寧府, 四年改屬錦州府.

【광녕현廣寧縣】

광녕현은 한나라 때 동남을 무려無慮, 망평望平의 2현을 만들어 요동군遼東郡에 예속시켰다. 서북은 참현參縣의 땅으로 삼아 요서군遼西郡에 예속시켰다. 진晉나라는 무려현無慮縣은 폐지하고 망평현望平縣은 현도군玄菟郡에 예속시켰다. 후위後魏는 다시 망평현을 폐지하고 광도현廣都縣으로 편입시켰다. 당나라 때 무려, 망평 2현의 땅에 무려수착성巫閭守捉城을 설치하였다. 이후 발해의 땅이 되어 현덕부顯德府로 되었다. 요나라에서는 현주봉선군顯州奉先軍을 설치하여 동경東京에 예속시켰다. 금나라는 광녕廣寧, 망평望平, 여양閭陽, 종수鍾秀의 4현을 광녕부廣寧府에 예속시켰다. 원나라는 망평, 여양 2현을 설치하여 광녕부로廣寧府路에 예속시켰다. 명나라는 광녕위廣寧衛를 설치하여 요왕遼王의 후예를 (방어 책임자로) 봉해 요동도지휘사사遼東都指揮使司에 예속시켰다. 청나라는 광녕현을 금주부錦州府에 예속시켰다.[146]

광녕현은 북진의무려산지신北鎭醫巫閭山之神의 소재지라는 것에서도 나타나듯이, 지형적으로 동북 계열의 민족이 중원으로 진입하거나 서쪽으로 진출할 때 반드시 거쳐야 하는 교통의 요지이다. 광녕을 둘러싼 대립 가운데 가장 유명한 것이 누르하치와 북원의 릭단칸Ligdan Khagan이다. 릭단칸이 즉위할 때 건주여진建州女眞의 누르하치가 여진 제부諸部를 통일하고 점차 세력을 서·남부로 확대하고 있었다. 누르하치와 마찬가지로 릭단칸도 몽골 제부의 통일을 꿈꾸고 있었기 때문에 둘 사이에는 충돌이 그치지 않았다.[147] 누르하

146) 『연행기』 「1790년 9월 20일」조 : 廣寧縣, 漢東南爲無慮望平二縣, 屬遼東郡, 以西北爲參縣地, 屬遼西郡, 晉省無慮縣, 以望平縣, 屬玄菟郡, 後魏又省望平縣, 入廣都縣, 唐以無慮, 望平二縣地, 置巫閭守捉城, 後入渤海, 爲顯德府, 遼置顯州奉先軍, 屬東京, 金爲廣寧, 望平, 閭陽, 鍾秀四縣, 屬廣寧府, 元爲望平, 閭陽二縣, 屬廣寧府路, 明爲廣寧衛, 封建遼王, 後屬遼東都指揮使司, 淸爲廣寧縣, 屬錦州府.

147) 이들의 이념적 대결은 릭단칸이 누르하치에게 보낸 편지에서 잘 나타난다. 릭단칸의 생애 및 서신에 대해서는 萩原淳平, 「リクダン・カ-ンの生涯とその時代」 『明代蒙古史研究』, 京都, 1980 및 鴛淵一, 「陵丹汗の書信について」 『史學硏究』 7-3, 1936을 참조.

치가 1621년 요동의 중심인 심양성을 함락시키자 릭단칸도 광녕성을 점령하여 그들이 남하하는 길목을 차단할 정도였다.

이때부터 후금後金의 정책이 몽골과의 정면 대결로 바뀌었는데, 바로 청나라의 건국과 판도는 몽골족의 예속 및 정벌의 길과 일치한다. 오늘날 중화인민공화국이 추진하고 있는 동북공정 외에 신강공정, 북방공정, 티베트공정은 사실 몽골족의 복속 과정과 밀접한 관계를 맺고 있다. 서호수는 그의 여행기에서 차하르Chakhar 몽골과 릭단칸의 어머니에 대한 사적도 언급하고 있다. 이로 미루어 보면 그가 릭단칸에 대한 지식을 가지고 있음이 분명한데 광녕성과 릭단칸의 관계까지는 아직 파악하지 못한 것 같다는 느낌이 든다.

다음은 원나라 때의 비문에 관한 것이다.

【청절묘비淸節廟碑】

(청절묘淸節廟) 전정殿庭의 서쪽에 원나라 어사중승御史中丞 마조상馬祖常이 지은 청성묘비淸聖廟碑가 있는데, 명나라 성화成化 10년에 지부知府 왕새王璽가 다시 세운 것이다.[148]

위의 기록에 등장하는 마조상馬祖常(1279~1338)은 엉구트Önggüd 부족 출신으로 시문에 능한 인물이다.[149]

다음은 종교사적에 관한 것들이다.

---

148) 『연행기』「1790년 9월 10일」조 : 殿庭西, 有元御史中丞馬祖常所撰淸聖廟碑, 而明成化十年, 知府王璽重立.

149) 馬祖常은 오늘날 하남성 潢川에 해당하는 光州에서 태어났다. 예부상서 月合乃의 증손으로 아버지는 漳州路 同知 馬潤이다. 엉구트Önggüd부 출신인 그는 張𤫊에게서 유학을 배웠으며, 인종 延祐 때 과거에 급제했다. 이후 監察御使, 翰林侍制, 禮部尙書, 樞密副使 등을 역임하면서 권신 테무데르Temüder(?~1322)를 탄핵하는 글을 올리기도 했다. 그는 문장이 교묘하고 시에 능하다는 평을 받았으며, 영종실록의 편수에도 참여했다. 저서에 『石田文集』이 있다.

【관제묘關帝廟】

관제묘는 (요양遼陽의) 서문 밖에 있다. 원나라 지원至元 을해년(1335)에 창건했다.[150]

【인자보전仁慈寶殿의 전단불상旃檀佛像】

원나라의 한림학사 정거부程鉅夫의 기記가 있다. 그 설은 세론과는 달리 주나라 목왕穆王 12년에 우전국왕優闐國王이 만든 것이라고 했다. 그러나 『석씨감통록釋氏感通錄』에는 "양무제梁武帝가 학건郝騫 등을 천축국天竺國에 보내 불전단상佛旃檀像을 맞아 오라고 하자, 그 왕이 불상 하나를 조각하여 학건에게 주었다"고 기록되어 있어 장거부의 기와 같지 않다. 어느 것이 옳은지 알 수 없다.[151]

서호수는 인자보전의 전단불상에 대한 매우 상세한 기록을 남기고 있다. 전단불旃檀佛은 향나무로 만든 불상을 말한다. 그가 전단불상에 큰 관심을 나타낸 이유는 잘 모르겠지만, 아마 라마교와의 접촉 후에 나타난 흥미일지도 모른다. 위의 기록은 전달불상에 대한 기록 중 유래에 대한 부분인데, 우전優闐은 서역의 도시국가인 코탄Khotan을 말한다.[152)]

150) 『연행기』「1790년 6월 27일」조：關帝廟, 在西門外, 元至元乙酉刱建.

151) 『연행기』「1790년 8월 26일」조：元翰林學士程鉅夫有記, 其說弔詭云, 是周穆王十二年, 優闐國王所造, 然攷釋氏感通錄云, 梁武帝遣郝騫等, 往天竺國, 迎佛旃檀像, 其王摹刻一像付騫, 與鉅夫記不同, 未詳孰是.

152) 코탄의 불교에 대해서는 光島督,「于闐(Khotan)の名刹グマティ寺について」『東洋史學論集(1)』, 東京, 1953 및「于闐國ツアルマ寺の僧侶等の流轉について」『史潮』51, 1954 및「ツアルマ寺の僧侶達の流轉について」『東洋史學論集(3)』, 東京, 1954；靳生禾,「『佛國記』多名和于闐佛事」『史學月刊』, 1983-6；渡邊海旭,「二楞學人に寄す—于闐迦濕爾羅の佛教に關し」『宗粹雜誌』8-4, 1904 및「古于闐及其珍貴の古物」『新佛教』8-10, 1907 및「于闐發見の大品般若斷片」『宗教界』8-6, 1912；本田義英,「于闐出土梵本法華經と妙本との關係」『宗教研究』2-7, 1918；寺本婉雅,『于闐國史』, 京都, 1921；石濱純太郎,「于闐出土梵本法華經考を讀んで」『芸文』9-7, 1918 및 (ネフスキ·ニコライ 共論)「于闐文智炬陀羅尼經の斷片」『龍谷大學論叢』302, 1932；松本榮一,「于闐國王李聖天と莫高窟」『國華』35-1(410), 1925 및「于闐(ホ-タン)地方の佛畵に見る一特殊性とその流傳」『東方學報』2, 1931；張廣達, 榮新江,「于闐佛寺志」『世界宗教研究』, 1986-3；田久保周譽,『燉煌出土于闐語秘密經典集の研究—論說篇·賢劫佛名經と毘盧遮那佛の研究』, 東京, 1975 등의 논저를 참조.

【동악묘東嶽廟】

원나라 연우延祐 연간에 세운 것이다. 전하는 말에 신상神像은 원나라 소문관태학사昭文館太學士 유원劉元이 만든 것이라고 한다. 『철경록輟耕錄』에 "유원은 계薊 지방의 보저寶坻 사람이다. 처음에 황관黃冠(道士)이 되어 청주靑州의 기도록杞道錄에게 흙을 두드리고 금을 입혀 상像을 만드는 법을 전수받았다. 동악묘를 만들 때 유원이 인성제仁聖帝의 상을 제작했는데, 자못 제왕의 풍도가 있었다. 그리고 신하의 초상은 우수에 잠긴 채 깊은 생각에 빠진 모습을 하고 있다. 유원은 처음에 신하의 상을 만들고자 했으나 오래도록 손을 대지 못하고 있었다. 그런데 마침 비부秘府의 도함圖函을 열람하다가 위징魏徵의 상을 보고 눈을 휘둥그렇게 뜨며 말하기를, '그렇다. 이와 같지 않으면 위엄 있는 신하라고 일컬을 수 없다'고 하면서 급히 사원으로 달려가 그날로 만들었다'고 기록되어 있다. 전殿 앞에 조맹부趙孟頫의 해서楷書로 된 장천사신도비張天師神道碑, 우집虞集의 예서隸書로 된 인성공비仁聖公碑, 조세연趙世延의 해서楷書로 된 소덕전비昭德殿碑가 있다.153)

위의 기록에 등장하는 『철경록』은 『남촌철경록南村輟耕錄』의 약칭으로, 원말의 인물인 도종의陶宗儀가 지은 것이다.154)

153) 『연행기』「1790년 9월 4일」조 : 元延祐中, 所建也, 相傳神像, 卽元昭文館太學士劉元手塑, 輟耕錄云, 劉元薊之寶坻人, 初爲黃冠師事, 靑州杞道錄, 傳其搏土範金換像法, 東嶽廟成, 元爲造仁聖帝像, 巍巍有帝王度, 其侍臣像, 乃若憂深思遠者, 始元欲作侍臣像, 久之未措手, 適閱祕府圖函, 見魏徵像, 矍然曰, 得之矣, 非若此, 莫稱爲相臣, 遽走廟中爲之, 卽日成, 殿前, 有趙孟頫楷書張天師神道碑虞集隸書仁聖公碑趙世延楷書昭德殿碑.

154) 원말의 인물인 陶宗儀는 松江 일대에 거주할 때 이전의 사람들이 남긴 기록에 실려 있는 것이나 본인이 직접 보고 들은 것을 382개의 항목으로 엮어 1366년 『南村輟耕錄』이란 책으로 출간했다. 그는 원대의 법령, 제도 및 원 말기의 東南兵亂의 시말에 대한 상세한 내용부터 소설, 희극, 서화, 시가 등에 대한 소소한 부분까지 기록했다. 따라서 원나라의 문화사를 연구하는 데 매우 유용한 자료이다. 현존하는 판본은 明玉蘭草堂刊本, 津逮秘書本, 又明刊本, 日本刊本 등이 있는데, 1959년 중화서국에서 출판한 元明史料筆記叢刊本이 가장 이용하기에 편하다.

【북진묘北鎭廟】

의무려산醫巫閭山은 높이가 10리가 넘으며, 둘레가 240리이다. 순舜이 십이산十二山을 봉할 때 의무려산을 유주幽州의 진산鎭山으로 삼았다. 산세가 6리를 포괄함으로 육산六山이라고도 한다. 남쪽으로 7리 떨어진 곳에 북진묘北鎭廟가 있다. 수나라 개황開皇 연간에 처음 세웠다. 당나라 천보天寶 연간에 광녕군廣寧君으로 봉했고, 송나라는 왕호王號를 올렸다. 원나라 대덕大德 연간에 정덕광녕왕貞德廣寧王으로 봉했다. 명나라 초기에 북진의무려산지신北鎭醫巫閭山之神으로 이름을 높였다. 원나라 말년에 사원이 훼손되어 명나라 영락永樂 19년(1421)에 칙명으로 중건하고, 성화成化 연간에 중수하였다. 청나라 강희康熙, 옹정雍正, 건륭乾隆 사이에도 여러 번 보수를 했다. … (전정殿庭)전의 계단 위의 좌우와 계단 아래에 요나라, 원나라, 명나라, 청나라의 중수강향비重修降香碑가 있다.[155]

【국자감國子監과 석고石鼓】

국자감은 안정문安定門 안의 성현방成賢坊에 있다. 원나라 지원至元 연간에 창건하였다. … 원나라 반적潘迪의 석고음훈갈石鼓音訓碣 1개가 있다. … (이륜당彝倫堂) 계단 아래의 서남쪽에 허노재許魯齋가 손수 심은 소나무가 있다. 줄기와 가지가 이미 말라 죽었는데도 단을 쌓아 보호하고 있다. … (석고石鼓는) 정강의 난(靖康之亂)에 금나라 사람들이 연경燕京으로 가져가 (글자 안의) 금을 후벼 팠다. 원나라 황경皇慶 연간에 우집虞集이 대도교수大都敎授가 되어서 이것을 문묘文廟의 극문戟門 안에 두었다. 그동안 세월이 많이 흘러 글자는 거의 다 마멸되었다. 『금석제편金石諸篇』을 살펴보니 송나라 치평治平 때에 465자가 남아 있었고, 원나라 지원至元 때에 386자가 남아 있었다.[156]

---

155) 『연행기』「1790년 9월 21일」조 : 毉巫閭山, 高十餘里, 週二百四十里, 舜封十二山, 以毉巫閭爲幽州之鎭山, 勢掩抱六里, 亦名六山, 南距七里有北鎭廟, 隋開皇間始建, 唐天寶間, 封廣寧君, 宋加王號, 元大德間, 封貞德廣寧王, 明初尊爲北鎭毉巫閭山之神, 元季廟燬, 明永樂十九年勅建, 成化間重修, 清康熙·雍正·乾隆間, 屢加修葺…殿階上左右及階下, 有遼·元·明·清重修降香碑.

태학의 석고石鼓에 대한 부분은 조선 여행기 중에서 서호수가 가장 상세한 기록을 남겼다. 본고에서는 인용하지 않았지만, 그는 국자감 안에 있는 석고의 내력과 함께 석고문石鼓文 전문을 수록하고 있다.

다음은 인물에 관한 부분이다.

【곽수경郭守敬의 통혜하通惠河 운하】

대통하大通河는 성 안을 관통해 동쪽으로 흐르다 백하白河와 합류한다. 옛 이름은 통혜하通惠河이며, 발원지는 창평주昌平州 백부촌白浮村 경신산逕神山의 샘이다. 일묘一畝의 마안천馬眼泉에서 유하楡河와 합류한 뒤, 서남으로 흘러 완평현宛平縣 경계로 들어온다. 그리고 해정海淀에서 동남으로 방향을 틀어 흐르다 서수관西水關에 이르러 경성京城으로 들어온다. 그리고 월교月橋에서 대내大內로 들어와 남쪽의 정양문正陽門 옥하교玉河橋로 흘러 나간다. 그 다음 동편문 밖의 대통교大通橋를 거쳐 통주通州에 이른다. (통주)성을 관통해 흐른 뒤 동쪽으로 몇 리를 나가 백하白河와 합류한다. 원나라의 태사太史 곽수경이 뚫은 것으로, 속명으로는 이조하裏漕河라고 한다. 명나라의 성화成化, 가정嘉靖 사이와 청나라의 강희康熙, 옹정雍正 사이에 몇 번 하도河道를 준설하고 제방을 수리했다. 매년 7, 8월이 되면 영통교永通橋 아래에 모여든 배들이 수십 리에 이른다.[157]

위의 기록은 곽수경郭守敬(1231~1316)의 통혜하通惠河 운하에 대한 부분이다.

156) 『연행기』「1790년 8월 26일」조 : 國子監, 在安定門內成賢坊, 元至元間刱建…元潘迪石鼓音訓碣一…階下西南邊, 有許魯齋手植松, 幹株已枯, 築壇護之…靖康之亂, 金人取歸燕, 剔其金, 元皇慶中, 虞集爲大都敎授, 置之文廟戟門內, 歷世旣久, 缺蝕殆盡, 考之金石諸篇, 則宋治平中, 存字四百六十有五, 元至元中, 存者三百八十有六.

157) 『연행기』「1790년 9월 4일」조 : 大通河穿城內東注白河, 舊名通惠河, 源出昌平州白浮邨, 逕神山泉, 過楡河, 會一畝馬眼泉, 西南流入宛平縣界, 由海淀折東南流, 至西水關入京城, 又從月橋入大內, 南出正陽門玉河橋, 經東便門外大通橋, 抵通州, 穿城而東出數里, 入白河, 元郭太史守敬所鑿, 俗名裏漕河, 明成化嘉靖間, 淸康熙雍正間, 屢加疏濬河道, 修築堤壩, 每歲七八月, 永通橋下, 舳艫彌亘數十里.

서호수와 곽수경은 여러모로 유사하다. 정조와 코빌라이칸에게 신임을 받은 것도 그러하고, 천문학 등 과학 분야에 종사한 것도 그러하다. 심지어 저술까지 모두 사라진 것도 그러하다. 단지 차이가 있다면 시대와 이념뿐이다. 그러나 그 시대와 이념이 두 사람의 길을 확연하게 갈랐다. 그러면 곽수경이 누구인지 간략히 살펴보기로 하자.

곽수경은 오늘날 하북에 위치한 순덕형태順德邢台에서 1231년에 태어났다. 자字는 약사若思이며 일찍부터 유병충劉秉忠에게 학문을 배웠다. 그리고 1282년 장문겸張文謙의 추천으로 전국의 하천을 담당하는 초급관리(提擧諸路河渠)로 임명되었고, 1283년에는 부하거사副河渠使로 승진했다. 그를 키운 유병충이나 추천한 장문겸은 모두 코빌라이의 한인막료집단의 핵심 인물들이다. 그의 재능은 1264년 서하西夏의 비교적 큰 하천인 당래唐來와 한연漢延을 멋지게 수리해 복원함으로써 빛을 발하기 시작했다.

재능을 인정받은 그는 1265년 도수소감都水少監에 임명되어 전국의 하천, 제방, 수리 시설, 교량, 갑문 등을 주관했다. 그리고 1276년부터 수시력을 제정하는 일에 참여하여 천문관측도구 10여 종도 만들었다. 당시 그가 만든 간의簡儀는 세계 최초의 대적도의大赤道儀였다. 또 고표高表는 기존의 팔척표八尺表에 비해 높이가 5배나 높아 그림자까지도 정밀하게 측정할 수 있었다. 코빌라이칸은 동서양에서 모여든 학자들을 위해 제국 안에 27개소의 관측소를 설치했다. 이러한 지원을 토대로 학자들은 북위 15°(지금의 14.8°)부터 65°(지금의 64.1°)에 이르기까지 대규모로 실측을 행했다. 그 결과 1년의 길이는 365.2425일이며 황적교각黃赤交角은 23°33′34″이라는 것을 추산해 냈다.

또 그는 왕순王恂과 함께 초차술招差術을 창제하여 구면삼각학球面三角學이라는 학문분야도 개척했다. 이러한 공적으로 1286년 태사령太史令에 임명되었으며, 1291년에는 수리의 책임자인 영도수감領都水監도 맡았다. 이때 통혜하를 개통시키는 책임을 맡아 치밀하게 일을 처리했다. 그를 알아주었던 코빌라이칸이 세상을 떠난 1294년, 그는 지태사원사知太史院事로 임명되어 여생을 보냈다. 그가 남긴 천문역산 서적 10권의 이름은 알려져 있지만 모두 산실되었다.[158]

아마 서호수는 같은 길을 가고 있었던 곽수경에게 깊은 관심을 가지고 있는 것처럼 보인다. 그는 곽수경을 통해 그를 알아준 코빌라이칸을 유심히 바라보았을지도 모른다. 서호수의 여행기에 코빌라이칸의 교육관이 특기된 것도 그 때문일 가능성이 높다.

다음은 대도의 원대 유적에 대한 부분이다.

【건덕문健德門】

덕승문은 원나라의 건덕문健德門이다. 명나라 홍무洪武 원년(1368)에 대장군 서달徐達이 지금의 이름으로 고쳤다.[159]

【경화도瓊華島 만세산萬歲山】

경화도瓊華島는 금나라 때에 시작되었다. 원나라에 이르러 만수산萬壽山으로 고쳐 불렀다. 혹은 잘못 전해져 만세산萬歲山이라고도 하는데, 그것을 자세히 논하지는 않겠다. … 살펴보니 만세산은 둘이 있다. 원래의 만세산은 지금의 경화도이다. 명나라의 매산煤山도 만세산이라 부르는데, 지금의 경산景山이다.[160]

158) 곽수경의 수리사업에 대해서는 長瀨守, 「元朝における郭守敬の水利事業」『中國水利史硏究』 1, 1965；張跌銘, 「論郭守敬的歷史地位」『遼寧師院學報』, 1979-2；謝照明, 「通惠河的開鑿」『歷史教學』, 1984-2；禹之, 「關于通惠河的開鑿問題」『歷史教學』, 1984-9를 참조.

159) 『연행기』「1790년 7월 25일」조：德勝門, 元之健德門, 明洪武元年, 大將軍徐達, 改今名.

160) 『연행기』「1790년 8월 26일」조：瓊華島始於金, 至元時改稱萬壽山, 或訛爲萬歲山, 玆不具論…按萬歲山有二, 元萬歲山, 卽今瓊華島, 明煤山, 亦名萬歲山, 卽今景山.

경화도의 만수산에 대해서는 이미 앞에서 언급했기 때문에 여기서는 생략한다.

다음은 전적지 및 기타이다.

> **【코빌라이칸과 교육】**
>
> 옛날에 원나라 세조가 노재魯齋 허형許衡을 국자감 좨주로 삼고 친히 몽골의 제자를 선택하여 가르치게 했다. 노재가 명령을 듣고 기뻐하여 말하기를, "이것이 내가 할 일이다. 국인國人의 자제들이 크게 질박하여 마음이 흐트러지지 않고, 보고 듣는 것이 한결같다. 그들을 착한 무리에 두고 두어 해 동안 함양涵養시킨다면, 장차 반드시 국가의 유용한 인재가 될 것이다"라고 하였다. 이 말이 『원사』에 실려 있다. 옛일을 가지고 지금을 보면, 하늘이 인재를 낳는 것은 진실로 화이華夷에 국한하지 않는 것이다.161)

위의 기록은 서호수의 숨겨진 이념을 잘 나타내주고 있는 부분이다. 그는 어느 면에서 코빌라이라는 인물을 통해 조선의 주자학적 이념의 한계를 바라보고 있다는 느낌이 든다. 서호수가 주목했던 코빌라이칸은 이미 마르코 폴로의 『동방견문록』을 통해 유럽인들에게 더 잘 알려져 있었다. 무역과 교류를 통해 멸망한 나라는 없다는 대몽골제국의 원칙을 유럽인들은 코빌라이에게서 배웠다. 훗날 아메리카 대륙을 발견하여 유럽의 세기를 열은 콜럼버스의 항해일지에는 몽골의 대칸인 코빌라이를 만나면 어떻게 할 것이라는 사연이 수없이 기록되어 있다. 그때가 15세기였다.

사실 대원울로스는 코빌라이칸의 제국이라는 표현이 더 정확할 만큼 처음부터 끝까지 코빌라이에 의해 기획되고 그 기획안이 실행된 제국이다. 따라서

161) 『연행기』「1790년 7월 11일」조 : 昔元世祖以許魯齋衡, 爲國子祭酒, 親擇蒙古弟子, 俾敎之, 魯齋聞命, 喜曰, 此吾事也, 國人子, 大朴未散, 視聽專一, 若置之善類中, 涵養數年, 將必爲國用, 語載元史, 以古視今, 天之生才, 固不限於華夷也.

원대사의 연구는 그로부터 시작하여 그로부터 끝난다고 해도 좋을 정도 그에 대한 수많은 연구 성과가 나와 있다. 따라서 그가 누구라는 것을 여기서 굳이 언급할 필요는 없지만, 18세기의 인물인 서호수의 눈에 그가 보였다는 것은 예사스럽지 않다. 코빌라이칸은 21세기에 들어와 몽골이 아닌 중화인민공화국에서 화려한 부활을 맞았다. 오늘날 중화인민공화국의 국가 이념인 "통일다민족국가"의 한가운데에는 코빌라이칸이 논리의 핵심으로 자리 잡고 있다.[162)]

【원과 버마】

면전緬甸은 옛날 주파朱波의 땅이다. 송나라 영종寧宗 때 면전, 파사波斯 등의 나라에서 흰 코끼리를 바친 뒤부터 중국과 교류하게 되었다. 원나라 지원至元 연간부터 명나라의 홍무洪武, 천계天啓 연간에 이르기까지 사신을 보내어 방물方物을 바쳤다.[163)]

위의 기록에 등장하는 면전緬甸은 오늘날의 미얀마이다. 미얀마의 역사에서 최초의 통일국가로 간주되는 왕조가 버간Bagan이다. 버간 왕조는 1287년 코빌라이칸의 공격을 받아 멸망했다. 버간 왕조는 400만 개의 탑이 있는 나라라고도 불렸던 불교 국가였다.[164)]

162) 통일적 다민족국가 이론의 출현과 적용에 대해서는 졸고 「북방공정의 논리와 전개 과정 연구」 『고구려연구』 29, 2007 및 「원나라는 몽골의 지배사인가, 중화인민공화국사인가」 『(고구려연구회 엮음)동북공정과 한국학계의 대응논리』, 서울, 2008, pp.1150~1239를 참조.

163) 『연행기』 「1790년 7월 16일」 조 : 緬甸, 古朱波地, 宋寧宗時, 緬甸波斯等國, 進白象, 始通中國, 元至元間, 明洪武至天啓, 皆遣使進方物.

164) 원과 버마의 관계에 대해서는 高榮盛, 「元代中緬關系略述」 『元史及北方民族史研究集刊』 12·13, 1990을 참조.

【전녕全寧 전투】

명나라 홍무洪武 연간에 상우춘常遇春이 야속也速을 전녕에서 패배시켰다. 그리고 대흥주로 진격하여 수비군을 격파한 다음, 신개령新開嶺을 넘어 개평開平을 점령했다.[165)]

전녕 전투에 대해서는 이미 앞에서 언급한 바 있다. 위의 기록에 등장하는 개평은 상도上都를 말한다. 명나라가 코빌라이칸을 상징하는 상도를 개평이라고 표기한 것은 그들의 기준에 따른 것이다. 여기서 코빌라이칸과 상도의 관계를 간략히 언급해 보기로 하겠다.

코빌라이는 1251년 멍케카간이 내린 명(漠南漢地軍國庶事)을 수행하기 위해 금나라의 여름 행궁이 소재했던 금련천金蓮川[166)]으로 남하하여 이곳에다 막부幕府를 세운 적이 있었다. 코빌라이는 이곳으로 유병충劉秉忠, 장문겸張文謙, 장덕휘張德輝, 이치李治, 왕악王鶚, 조벽趙璧, 양유중楊惟中, 요추姚樞, 송자정宋子貞, 학경郝經, 허형許衡, 왕문통王文統 등을 불러들였는데, 이 한인 집단을 금련천 막부집단이라고 한다.

이후 코빌라이는 1256년에 이 지역과 가까운 난수灤水의 북쪽에 위치한 언덕에 개평부성開平府城을 쌓아 막부의 본거지로 삼았다. 그리고 1260년 여기서 대칸에 즉위했다. 그는 1263년 개평부를 상도로 승격시켰고, 1272년에는 중도中都를 대도로 승격시켰다. 상도는 대칸들의 여름철 유목지로서 여름의 정사는 모두 이곳에서 이루어졌다. 이 때문에 상도는 대도와 함께 양도兩都라 불렸다.

165) 『연행기』「1790년 7월 21일」조 : 明洪武間, 常遇春敗也速於全寧, 進攻大興州, 敗其守兵, 踰新開嶺克開平, 遂以興州, 屬北平府.

166) 금련천의 원래 이름은 曷里滸東川이다. 그런데 그 주변에 金蓮花가 많았기 때문에 金 世宗이 이곳의 지명을 金蓮川이라 賜名했다. 위치는 正藍旗 閃電河(灤河) 상류이다. 당시 몽골인들은 이 지역을 금나라의 용병 부족들이 거주하는 곳이라는 자오트Ja'ud라고 불렀다. 금련화는 몽골어로 길발질-체체크gilbaljil checheg(гялбалзал цэцэг)라고 부른다.

【조하천潮河川】

조하潮河는 고북구의 서북으로 300리 떨어진 곽가둔郭家屯의 서쪽에 위치한 옛 개평開平의 남쪽 경계에서 발원한다. 서쪽에 위치한 난하灤河의 발원지와 거리가 겨우 수십 리에 불과하다. 『수경주水經注』의 "포구수鮑邱水는 이夷를 방어하는 북쪽 변방에서 시작된다"는 기록이 바로 이것이다. 동남쪽으로 계곡 사이를 흐르다 고북구에 이르러 서쪽으로 방향을 틀어 흐른다. 밀운현密雲縣의 경계에 들어와서는 서남쪽으로 꺾어져 흐르다 현縣의 치소 서남에 이르러 백하白河와 합류한다. 물 흐름이 사납고 빨라 조수潮水가 들어오는 것 같은 소리를 낸다. 정림亭林 고염무顧炎武는 "고북구의 북쪽 3리 지점이 조하천이다. 수어천호守禦千戶가 있는 곳으로 관關이 있다. 『원사』에 '중통中統 2년(1261) 황제가 친히 여러 만호萬戶 및 한군漢軍과 무위군武衛軍을 거느리고 단순주檀順州를 거쳐 조하천에 주둔하였다'고 기록된 곳이 바로 여기다"고 말했다.[167]

서호수는 지리에 대한 관심이 매우 높은데, 천문학의 전문가답게 실증적인 면에서도 매우 꼼꼼하다. 그는 문헌을 통해 익힌 지식을 이번 여행을 통해 실증하고 있다. 그것이 조하영潮河營의 위치 논증에 대한 다음과 같은 기록이다.

생각해 보니 정림亭林은 "석갑石匣의 동북 42리가 고북구이고, 또 3리를 가면 조하천영성潮河川營城이다"고 했다. "조하영潮河營이 고북구의 밖에 있다"고 한 것은 내가 본 것과 일치한다. 그리고 그가 석갑성부터 거리를 계산한 것은 지금과 불과 5리 차이가 날 뿐이다. 그러나 『청일통지淸一統志』에는 "고북구는

167) 『연행기』「1790년 7월 22일」조 : 潮河, 發源于古北口西北三百里, 郭家屯西, 古開平南境, 西去灤河源僅數十里, 水經注所謂, 鮑邱水, 出禦夷北塞中, 是也, 東南行歷山峪中, 自古北口西流, 入密雲縣界, 折以西南, 至縣治西南, 與白河會, 水勢悍急, 響如潮到, 亭林顧炎武曰, 古北口北三里, 爲潮河川, 守禦千戶所有關, 元史中統二年, 帝親將諸萬戶漢軍及武衛軍, 繇檀順州駐潮河川者, 是也.

밀운密雲의 동북쪽 120리에 있다"고 잘못 기록되어 있다. 조하영은 실제 밀운 동북쪽 100리에 있다. 이것은 정림이 물이 많을 때 우회하는 노정을 계산하여 착오를 일으킨 것이다. 그에 따르면, 조하영이 도리어 고북구의 안쪽에 들어와 지금의 관방關防 형세와는 판이하게 다르게 된다. 이는 작은 실수가 아닌 듯하다.[168]

【원나라의 고북구古北口 : 천력지전天曆之戰】

원나라 문종文宗을 세울 때 당기세唐其勢는 고북구에 주둔했다. 살돈撒敦은 고북구를 거쳐 상도병을 치러 나갔다.[169] … (회유현懷柔縣에서) 또 서쪽으로 15리를 가면 남석조南石槽에 이르는데, 여기도 행궁이 있다. 석조石槽라는 곳이 셋이 있는데, 동석조東石槽·남석조·북석조이다. 『원사』에 "상도병上都兵이 석조를 공격하자 연철목아燕鐵木兒가 살돈撒敦을 보냈다. 그는 (상도병이 미처 준비가 안 된 틈을 노려) 불시에 습격해 유린했다"고 한 곳이 바로 여기다.[170]

위의 기록에 등장하는 사건에 대해서는 이미 앞에서 언급했기 때문에 생략한다.

【원나라의 고북구】

독견첩목아禿堅帖木兒가 들어오자 (원나라의) 태자는 광희문光熙門으로 나가 동쪽의 고북구로 달아났다.[171]

---

168) 『연행기』「1790년 7월 23일」조 : 按亭林謂石匣東北四十二里, 爲古北口, 又三里, 爲潮河川營城, 此以潮河營, 爲在古北口外, 而與余所覩合, 其自石匣城計程, 與今相差, 不過五里爾, 淸一統志, 誤以古北口, 爲距密雲東北一百二十里而潮河營, 則實距密雲東北一百里, 是錯看亭林水大時紆廻之計程, 而潮河營反在古北口內, 與今關防形勢判異, 恐非細失也.
169) 『연행기』「1790년 7월 23일」조 : 元文宗之立也, 唐其勢屯古北口, 撒敦進上都兵於古北口.
170) 『연행기』「1790년 7월 24일」조 : 又西十五里, 爲南石槽, 有行宮, 石槽有三, 日東石槽南石槽北石槽, 元史上都兵掠石槽, 燕鐵木兒遣撒敦, 掩其不備蹂之, 卽此.
171) 『연행기』「1790년 7월 23일」조 : 禿堅帖木兒之入也, 太子出光熙門, 東走古北口.

위의 기록에 등장하는 사건에 대해서는 이미 앞에서 언급했기 때문에 생략한다.

> **【합밀哈密과 티베트】**
>
> 합밀은 원나라 때 족자族子 납홀례納忽禮의 봉지이다. 명나라 영락永樂 초에 투항하여 합밀위哈密衛를 설치했는데, 성화成化 이후에 토로번吐魯番에 점거되었다. … 청해는 당나라, 송나라 때의 토번吐番 땅이다. 원나라, 명나라 때는 타감사서번朶甘思西蕃 땅이다. 서장西藏도 당나라와 송나라 때 토번 땅이다. 원나라, 명나라 때는 오사장烏思藏의 땅이다. 청해의 공물貢物에 장향藏香이 있는데, 서장에서 생산되기 때문에 그렇게 이름 붙인 것이다. … 오십왕烏什王이 우리와 가장 친숙하였다. 왕은 아주 총명하며 한어, 청어, 몽골어 3국어도 능히 구사한다.[172]

위의 기록에 등장하는 합밀哈密은 몽골어 'Khamil,' 돌궐어 'Qamul'의 음역이다. 납홀례納忽禮는 차카타이의 후예인 원元 숙왕肅王 온나시리Unashiri이다. 온나시리는 한자로 '兀納失里' 또는 '忽納失里'로도 표기된다. 서호수가 표기한 '納忽禮'는 '忽納(失)禮'의 오기이다. 합밀위哈密衛는 1406년 3월에 설치되었으며, 당시의 통치자는 온나시리의 아들인 톡토Togto(脫脫)이다. 치소는 처음에는 카밀에 두었지만, 무종武宗(1506~1521) 정덕正德 이후에 투르판Turfan으로 옮겼다. 그러나 헌종憲宗(1465~1487) 때부터 합밀위는 유명무실해졌는데, 오이라트Oyirad부 카라-코이트Khara-Khoyid 씨족 출신인 베케리순Bekerisün(伯加思蘭)이 1457년 무렵 카밀의 북부로 이주하여 곧 카밀의 내정內政 및 그 주변

172) 『연행기』「1790년 7월 16일」조 : 哈密, 元爲族子納忽禮封地, 明永樂初內附, 設哈密衛, 成化後, 爲吐魯番所據…靑海,卽唐·宋之吐番地, 而元明之朶甘思西番地, 西藏亦唐·宋之吐番地, 而元·明之烏思藏地也, 靑海貢物, 有藏香, 以出於西藏, 故名…烏什王, 與余等最親熟, 而王聰穎異常, 能爲漢·淸·蒙三國話.

의 동서무역을 장악했기 때문이다.[173)]

청해와 티베트는 대몽골제국 때부터 정치적으로 몽골과 긴밀한 관계를 맺기 시작했다. 그리고 북원의 알탄칸Altan Khan이 행한 청해 원정(1552~1573)과 1578년 티베트 불교지도자인 쇠남-갸초bsod-nams rgya-mtsho와의 앙화사仰華寺 회견을 기점으로 종교까지 공유하는 단계로 발전했다. 이때부터 몽골은 라마교의 세계가 되었으며, 몽골족은 청해는 물론 티베트까지 이주하여 그들의 종교 분쟁에 개입했다.[174)]

위의 기록에 등장하는 오십왕烏什王은 우쉬Ush[175)]의 도로이-군왕Doro-i Giyun Wang(多羅郡王)으로, 그 본명은 정확히 파악할 수 없다.[176)] 신강 위구르

173) 명대 카밀Khamil 왕가에 대해서는 松村潤, 「明代哈密王家の起源」『東洋學報』39-4, 1957 ; 絲路, 「哈密王」『新疆師範大學學報』, 1983-1 ; 聶一鳴, 「有關哈密伊吾歷史的一些情況」『地名知識』, 1983-1 ; 小田壽典, 「明初の哈密王家について一成祖のコムル經營」『東洋史研究』22-1, 1963 ; 姚勝, 「明朝哈密末代忠順王名稱譯寫小考」『民族史研究』4, 2003 ; 田澍, 「明代哈密危機述論」『中國邊疆史地研究』, 2002-4 ; 佐口透, 「新疆コムルのイスラム公國一哈密郡王の歷史」『東洋學報』72-3·4, 1991 ; 陳高華·楊訥 共編, 『明代哈密·吐魯番資料匯編』, 烏魯木齊, 1985 ; 蒿峰, 「明代哈密述論」『山東師大學報』, 1984-1 ; 侯丕勳, 「哈密國"三立三絕"與明朝對土魯番的政策」『中國邊疆史地研究』, 2005-4 등의 논저를 참조.

174) 몽골과 티베트의 역사적 관계에 대해서는 王輔仁·陳慶英, 『蒙藏民族關係史略(十三世紀至十九世紀半葉)』, 北京, 1985 ; 樊保良, 『蒙藏關係史研究』, 西寧,1992를 참조. 청해 몽골에 대해서는 N. M. Przhevaliskii 著, 高橋勝地·谷耕平·田村秀文 共譯, 『蒙古と青海』 2vols, 東京, 1939-40 ; Сүмбэхамба ишбалжир 原著, Д.Дашбадрах 譯, 『Хөх нуурын түүх』, УБ, 1997 ; 江國眞美, 「青海モンゴル史の一考察」『東洋學報』67-3·4, 1986 ; 楊建新, 「明代中期 "西海" 蒙古述略」『青海社會科學』, 1982-4 ; 崔永紅·張得祖·杜常順 共編, 『青海通史』, 西寧, 1999 등의 논저를 참조.

175) 우쉬Ush(烏什)의 주력 민족은 위구르족으로, 이들은 청초 준가르제국과 대청제국 간의 전투를 피해 투르판에서 이동해 왔다. 이에 대한 자세한 고찰은 佐口透, 『18-19世紀東トルキスタン社會史研究』, 東京, 1963, pp.167~180을 참조. 참고로 투르판에 대해서는 張羽新, 「清代前期吐魯番維吾爾族移居瓜州始末記」『新疆大學學報』, 1984-1 ; 田衛疆, 『絲綢之路與東察合台汗國史研究』, 烏魯木齊, 1997 및 「關於明代吐魯番史若幹問題的探討」『中國邊疆史地研究』, 2005-3 ; 佐口透, 「吐魯番城の成立と發展」『金澤大學文學部論集(史學篇)』2, 1982 및 「吐魯番郡王領の構成」『新疆民族史研究』, 東京, 1986 ; 陳高華, 「關于明代吐魯番的幾個問題」『民族研究』, 1983-2 ; 黃文弼, 『吐魯番考古記』, 北京, 1954 ; 荒川正晴, 「吐魯番·烏魯木齊周邊地域の史跡について」『內陸アジア史研究』7·8合, 1992 ; 侯燦, 「吐魯番歷史與吐魯番」『新疆古代民族文化論集』, 烏魯木齊, 1990 등의 논저를 참조.

176) 『欽定外藩蒙古回部王公表傳』에는 청나라에 입공한 인물들의 이름이 실려 있는데, 우쉬Ush(烏什)의 경우 Mayimad Abdul-a, Sēdid Aldi이란 두 사람의 이름밖에 기록되어 있지 않다. 카밀의 경우는 Ebeyidül-a, Kopa Bek, Emin, Yosob, Isag, Erdesir 등 6명이다.

인들의 청조 복속은 준가르제국의 멸망과 함께 시작되었다. 특히 카밀이나 벽전투르판Pichan-Turfan(闢展吐魯番)의 회부回部는 몽골과 같은 자사크Jasag로 편성되어 몽골과의 교류를 엄격히 통제받았다. 청나라는 1762년 일리Ili(伊犁)에 일리장군伊犁將軍을 두고, 그 아래에 북로·남로·동로를 설치하여 군사통치에 나섰다. 북로의 통치 거점은 일리장군이 거주하는 일리와 탑성搭城이며, 남로의 통치거점은 카슈가르Kashgar(喀什噶爾), 동로의 통치거점은 우룸치 Ürümchi(烏魯木齊)이다. 카슈가르는 다시 양기샤르Yangishar(英吉沙爾), 야르칸트Yarkand(葉爾羌), 코탄Khotan(和田), 우쉬Ush(烏什), 아크수Aksu(阿克蘇), 쿠차 Kucha(庫車), 카라샤르Karashar(喀喇沙爾)를 통제하며, 우룸치는 다시 투르판 Turfan(吐魯番), 카밀Khamil(哈密), 진서鎭西, 고성古城, 쿨카라우수Kül Khara usu (庫爾喀喇烏蘇)를 통제한다.

서호수는 열하의 피서산장에 있을 때 카밀에서 온 젊은 고산패자固山貝子 (khoshigun-u beyise)와 우쉬Ush에서 온 우쉬-도로이-군왕Ush Doro-i Giyun Wang(烏什多羅郡王)을 만났는데, 특히 후자와 서로 상대국의 말을 배울 정도로 친밀하게 지냈다.[177] 카밀의 젊은 왕자나 우쉬왕은 모두 한어, 몽골어, 청나라어에 능통한데, 이들의 외국어 구사 능력은 그 지역의 생존 역사와도 일치한다.[178]

177) 이들의 상대국 말 배우기에 대해 서호수는 그 방식을 "날마다 조방에서 검서 등을 만나는데, 왕이 회회어를 하면 검서가 동국 글자로 번역을 하고, 검서가 동국 말을 하면 왕은 회회어로 번역한다. 그리고 곧바로 한음으로 바꾸어 암송한다(每日朝房遇檢書等, 則王爲回回話, 檢書以東國字譯之, 檢書爲東國話, 王以回回字譯之, 質以漢音變幻成誦)"처럼 기록하고 있다.

178) 서호수를 수행한 박제가도 그의 燕行詩에서 "回回王子 : 王子宿衛久, 頗通諸國言, 亦有旁行字, 從以漢語翻, 一聽竟不忘, 道遇能寒暄," "燕京雜絕 : 哈密少年王, 能爲蕃漢語, 自寫傍行書, 東西音可譜"처럼 이들의 언어능력에 대한 기록을 남기고 있으며, 유득공도 『灤陽錄』에서 "回回諸王(有日哈密王, 烏什王) : 回回帽子兩頭尖, 箇箇髠鬠倒豎髯, 却愛回王多俊秀, 漢蒙淸話也能兼"처럼 같은 기록을 남기고 있다.

3. 북원 시대의 역사 사적

대원올로스의 붕괴 이후 중원을 장악한 명나라는 몽골고원으로 후퇴한 코빌라이계 세력들과 항쟁을 계속하고 있었다. 고원의 몽골 세력들은 대칸부인 차하르몽골이 청나라에 멸망될 때까지 자신의 국가를 여전히 대원제국의 연속으로 간주하고 있었다. 이렇듯 몽골고원의 대원 세력과 중원의 명나라가 남북으로 대립하는 상황에서 몽골고원의 세력을 지칭하는 새로운 용어가 등장했는데, 그것이 바로 북원이다. 이 용어를 만들어낸 사람들이 고려인들이다.

종전까지 학계에서는 이 시대의 몽골사를 명대 몽골사라는 명칭으로 불러왔지만, 현재는 북원사라는 이름으로 대체하고 있다. 이 시대에 관한 기록은 3개의 여행기 모두에 나타난다. 내용은 주로 양측의 군사 충돌이나 지방의 경계선, 방어진지의 구축 등 18건으로 이루어져 있다.

(1) 최덕중의 연행록에 등장하는 북원의 역사 사적

최덕중의 『연행록』에는 북원 관련 사적이 모두 2건이 등장하는데, 모두 방어선에 관한 것들이다.

【구광녕성舊廣寧城 북진北鎮】

이 진鎮은 명나라 때 웅장한 부府가 위치했던 곳으로, 24위衛 군사를 총괄하던 곳이다. 몽골 사람이 왕래하는 요충 지대이다.[179]

광녕에 대해서는 위의 광녕현 부분에서 이미 자세하게 기술한 바 있다.

179) 『연행록』「1712년 12월 11일」조 : 此鎭卽皇明時雄府, 二十四衛摠管之所, 蒙胡往來要衝之處也.

북진은 최덕중의 기술과는 달리 명나라 때 부府가 설치된 적이 없다. 북진은 1278년에 설치된 광녕부로廣寧府路의 치소이지만 홍무 초에 폐지되었다. 주원장은 이곳에 광녕위廣寧衛를 세워 1378년 15번째 아들인 주식朱植을 위왕衛王으로 봉해 이곳에 주둔케 했다. 위왕은 요동도지휘사사遼東都指揮使司와 함께 요동 일대를 방어했는데, 군공軍功을 인정받아 1392년 요왕遼王으로 다시 책봉되었다. 아마 최덕중의 기록은 요왕의 근거지를 염두에 두고 기술한 것 같다고 판단된다. 위의 기록 중 24위衛는 25위의 착오이다.

앞서 언급했듯이 주원장은 9명의 황자皇子들을 북변의 9개 중진重鎮에 집중 배치하여 몽골을 방어하는, 이른바 새왕수변塞王守邊 정책을 실시했다. 9명의 황자들은 모두 자신의 호위군180)을 소유함은 물론, 조정에서 파견된 장군과 군대까지 통제하는 권한을 행사하고 있었다. 이러한 독립적 지위의 번왕藩王들 중 대녕大寧(오늘날 寧城)을 근거로 한 영왕寧王 주권朱權의 경우 3호위군이 모두 정예 기병으로 이루어져 있으며, 그 주변의 모든 군대까지 통솔하는 등 황제에 버금가는 세력을 구축하고 있었다. 영왕의 방어선은 대녕을 중심으로 어양漁陽, 노룡盧龍을 거쳐 희봉구喜峰口를 나가 조양朝陽, 적봉赤峰을 포함하는 곳까지였다. 즉 동부 변경을 통해 중원에 이르는 몽골의 남진로를 절단하는 것이 그의 주 임무였다.

【몽골 및 여진 방어선】

소흑산에서 산해관까지 2~3리 간격으로 돈대墩臺와 봉수대를 설치하여 방수防戍와 경보警報를 겸했다. 그 까닭에 (방어 기지가) 그대로 마을 이름이 되었다. 혹은 벽돌로 쌓은 것도 있고, 혹은 터만 남은 것도 있다. 명나라의 재력이 이것을 쌓느라 다 없어지게 되었다. 그로 인해 나라까지 잃었으니, 안타까움을 억누를

180) 번왕들은 원칙적으로 모두 3개의 호위 군대를 둘 수 있는데, 1 호위 군대의 숫자는 5,600명이다. 따라서 번왕은 공식적으로 16,800명의 사병을 지닐 수 있다.

수 없다.[181)]

위의 기록은 명말의 발해연안지역 방어선을 나타내주는 것으로, 이전의 요왕 및 영왕의 방어선에 해당한다. 명나라는 몽골족을 방어하기 위해 장성과 함께 압록강에서부터 개원開元, 요양遼陽, 의주義州를 거쳐 산해관에 이르는 또 하나의 방어선을 가지고 있다. 요동반도와 중국 본토와의 통로를 감싸고 있는 듯한 이 방어선을 요동변장遼東邊牆이라고 부른다.[182)] 요동변장은 크게 서단변장西段邊墻(遼西邊墻), 요하투변장遼河套邊墻, 동단변장東段邊墻으로 나누어지는데, 이 방어선은 오리양카이 삼위 및 건주여진의 남하를 방지하기 위해 1442년부터 1467년까지 구축한 것이다.[183)] 그러나 1616년 이후 청나라의 침공

181) 『연행록』「1712년 12월 12일」조 : 自小黑至山海, 間間數三里, 設墩臺烟臺, 一以防戍, 一以報警, 故仍爲村名, 而或有磚築, 或有基址, 而明之財力, 耗盡於此役, 因之失國, 可勝惜哉.

182) 요동변장은 장성처럼 성벽을 연결한 견고한 축조물이 아니라, 황토·목책·석축을 재료로 하여 방어벽을 쌓고 산과 구릉 등 자연지형을 방어벽으로 활용한 형태의 방어선이다. 또 그 효율성과 견고성을 유지하고자 적의 침입이 우려되는 중요한 관문과 출입지역에는 견고한 城堡를 축조하는 방식을 취하였다. 변장에서 衛城과 所城은 약 500~1000명, 堡에는 100~500명 정도가 주둔했으며, 邊臺 등에는 평균 5명이 주둔하여 2~3리의 지역을 감시하였다. 요동변장에 대해서는 楊昭全·韓俊光 共著, 『中朝關係簡史』, 遼寧, 1992 ; 楊昭全·孫玉梅 共著, 『中朝邊界史』, 長春, 1993 ; 叢佩遠, 「明代遼東邊墻」『東北地方史研究』, 1985-1 ; 上同, 「明代遼東軍屯」『中國史研究』, 1985-3 ; 上同, 「明代遼東軍戸的反抗鬪爭」『史學集刊』, 1985-3 ; 李治亭 主編, 『東北通史』, 鄭州, 2003 ; 남의현, 「명과 여진의 관계 -명은 압록강 북쪽을 다 차지하였는가」『동북공정과 한국학계의 대응논리』, 서울, 2008, pp.1271~1272를 참조.

183) 遼河套邊墻은 오리양카이 삼위의 남하를 방지하기 위해 가장 이른 시기에 구축된 변장이다. 黑山에서 開元까지 34개의 성보와 414개의 돈대로 구성되어 있다. 변장의 중간 부분에 해당하며 요하를 따라 형성되었다. 그러나 이 방어선은 그다지 효과가 없었는데, 그 이유는 이 지역에 험산이 없고, 또 대부분의 하천도 수심이 낮으며 겨울에는 쉽게 결빙되는 단점을 지니고 있었기 때문이다. 遼河套邊墻의 주요 연결보는 鎭遠堡(10)-鎭寧堡(13)-西興堡(16)-鎭武堡(15)-西平堡(13)-西寧堡(9)-東昌堡(12)-東勝堡(19)-長靜堡(9)-長寧堡(13)-長定堡(12)-長安堡(15)-長勝堡(13)-長營堡(16)-長勇堡(13)-武靜營堡(0)-奉集堡(0)-靖遠堡(14)-平虜堡(5)-上榆林堡(12)-十方寺堡(14)-丁字泊堡(13)-宋家泊堡(13)-曾遲堡(7)-鎭西堡(11)-定遠堡(12)-殷家窩堡(12)-慶雲堡(10)-古城堡(7)-永寧堡(4)-鎭夷堡(12)-淸陽堡(13)-鎭北堡(18)-威遠堡(20)이다. 괄호 안의 숫자는 墩臺의 숫자이다. 西段邊墻(遼西邊墻) 역시 오리양카이 삼위 등 몽골족의 남하를 막기 위해 구축된 변장으로, 주요 연결보는 鐵場堡(8)-永安堡(9)-背陰章堡(8)-新興營堡(11)-三山營堡(15)-平山營堡(12)-瑞昌堡(12)-高臺堡(8)-三道溝堡(9)-新興營堡(11)-錦川營堡(13)-黑莊窩堡(13)-仙靈寺堡(12)-小團山堡(16)-興水縣堡(20)-白塔峪堡(19)-寨兒山堡(13)-灰山堡(9)-松山寺堡(14)-長嶺山堡(10)-沙河兒堡(11)-椵木冲堡(18)-大興堡(19)-大福堡(18)-大鎭堡(18)-大勝堡(22)-大茂堡(17)-大定堡(17)-大康堡(22)-

으로 요동 일대가 함락되자, 소흑산에서 산해관에 이르는 방어기지들이 새로 정비되어 청나라의 공격에 대비했다.

(2) 박지원의 열하일기에 등장하는 북원의 역사 사적

박지원의 『열하일기』에는 북원 관련 사적이 모두 7건이 등장하는데, 그것을 순서대로 소개하면 다음과 같다.

【고북구古北口와 나얀보카Nayan-Bukha】

명나라 홍무 22년(1389)에 연왕燕王에게 군사를 거느리고 고북구로 나가 내안

大平堡(18)—大寧堡(11)—大安堡(6)—大靖堡(13)—大淸堡(13)—鎭夷堡(13)—鎭邊堡(14)—鎭靖堡(17)—鎭安堡(13)이다. 東段邊墻은 여진방어를 위해 설치된 것으로, 開元에서 撫順 방면으로 진행되어 봉황성으로 연결된 변장이다. 주요 연결보는 靖安堡(21)—松山堡(10)—柴河堡(17)—撫安堡(10)—花抱沖堡(불명)—三岔兒堡(10)—會安堡(10)—撫順所城堡(12)—東州堡(17)—馬根單堡(7)—散羊峪堡(4)—淸河堡(16)—堵墻堡(5)—鹹場堡(10)—孤山堡(7)—酒馬吉堡(9)—靉陽堡(14)—險山堡(17)—大甸子堡(불명)—新安堡(17)—寧東堡(불명)—江沿臺堡(12)이다. 이 가운데 여진을 막으려고 설치된 동단변장의 국경출입문은 봉황성에 설치되어 있다. 여진의 세력은 명대 중·후기로 올수록 급속히 확장되고 있는데, 이는 몽골의 동향과 깊은 관련이 있다. 에센의 등장 후 몽골은 여진이나 조선과 연합해 명나라를 공격할 의지를 가지고 있었지만, 여진의 호응만 얻었을 뿐 조선으로부터는 호응을 얻지 못하였다. 당시 조선의 공격으로 인해 심각한 위기에 놓인 건주여진은 몽골에 적극적으로 호응하여 위기를 벗어나고자 하였다. 그리고 에센의 명나라 공격을 기점으로 명나라의 변방이 약화되자 李滿住, 董山 등이 이끄는 건주여진도 무순의 동쪽 渾河와 그 지류인 蘇子河 유역으로 옮겨와 요동도사 동부지역을 공격하였다. 특히 1454년 에센의 사후 몽골이 내부분열에 빠지고 조선의 건주여진 공격이 다시 시작되자, 건주여진은 서부지역으로 일시 근거지를 옮기면서 명나라의 변방공략에 주력했다. 이로 인해 성화 2년(1466) 1년간 97차례의 변방공격이 일어날 정도였다. 이러한 상황에 심각성을 느낀 명나라는 撫順 남쪽으로 방어선을 형성하여 東州堡, 馬根單堡, 淸河堡, 靉陽堡 등을 구축·정비하였으며, 鎭城, 路城, 衛城, 所城, 驛城, 鋪城, 路臺 등 관방시설을 유기적으로 연결시키는 방어선을 형성하였다. 그러나 전반적으로 요동변장은 구조적인 약점을 지니고 있었다. 즉 산해관에서 봉황성에 이르는 방어선의 길이가 800㎞가 넘었고, 또 衛所兵 등 요동의 인구가 과중한 부역 등을 피해 도주하는 등 인구감소 현상이 일어나 방어인력을 균형 있게 투입할 수 없는 단점을 지니고 있었다. 이러한 현상은 명대 후기로 갈수록 현저해져 인구와 둔전 생산량이 급감하고 있다. 따라서 방어를 위해 대량의 재원과 인력이 투입될 수밖에 없었다. 이러한 인력투입과 재정적 어려움으로 인해 명나라의 일각에서는 이전의 오르도스 방어선 축소처럼 요동방어선도 축소하자는 의견을 자주 제기할 정도였다. 李滿住 당시의 국제관계에 대해서는 河內良弘, 「李滿住とその時代 一明代初期·建州衛·中國·朝鮮關係史の硏究」『天理大學學報』 78,1972 ; 上同, 「朝鮮の建州衛再征と也先の亂」『朝鮮學報』 67, 1973를 참조.

불화乃顔不花를 이도迤都에서 습격하도록 명령했다.[184]

위의 기록에 등장하는 연왕은 이후의 영락제永樂帝(1402~1424)로 이름은 주체朱棣(1360~1424)이다. 연왕의 내안불화 공략은 1389년이 아니라 1390년 정월에 결정되어 그해 3월에 행해진 원정이다. 박지원이 기록한 내안불화乃顔不花(Nayan-Bukha)는 내아불화乃兒不花의 오기로, 내아불화는 태양의 황소를 뜻하는 몽골어 나란-보카Naran-Bukha의 음역이다. 이도迤都(Ide>Иди)는 수니드Sünid 좌익기(Jegün Khoshigu) 이북에 위치한 지역으로, 오늘날 몽골국 수흐바아타르 아이마크의 영내에 해당한다.

눈보라가 휘날리는 계절에 이루어진 이도 원정은 연왕의 생애 첫 원정이다. 그는 이 원정에서 휘하의 몽골 출신 장군인 관동觀童을 통해 대원제국의 태위太尉인 나란-보카(乃兒不花) 및 승상 요조Yooju(咬住)의 투항을 이끌어 냈다.[185] 연왕은 이 원정으로 주원장의 두터운 신임을 얻었으며 이후 황제로 향하는 발판을 마련하게 되었다. 연왕이 고북구를 통해서 북방으로 진출하고 있는 것은 그의 봉국封國이 옛 대원제국의 수도인 북평北平이기 때문이다.

【고북구古北口의 관문關門】

영락永樂 8년(1410) 고북구의 소관구小關口 및 대관大關의 바깥문을 메워서

---

184) 『열하일기』「還燕道中錄」 1780년 8월 17일조 : 皇明洪武二十二年, 命燕王出師古北口, 襲乃顔不花于迤都.

185) 迤都 원정은 『明史』「太祖本紀」에 “二十三年(1390)春正月丁卯, 晉王棡·燕王棣帥師征元丞相咬住·太尉乃兒不花, 征虜前將軍穎國公傅友德等皆聽節制, 己卯, 大祀天地於南郊…三月癸巳, 燕王棣師次迤都, 咬住等降”처럼 기록되어 있다. 이 공략에 대한 자세한 과정은 晁中辰, 『明成祖傳』, 北京, 1993, pp.31~33을 참조. 참고로 연왕의 어머니는 고려 출신의 여인 碽妃로 알려져 있는데, 이에 대해서는 吳晗, 「明成祖生母考」 『清華學報』, 1935-3 ; 朱希祖, 「再駁明成祖生母爲碽妃說」 『東方雜誌』 33-12, 1936 ; 劉昭晴, 「談‘明成朝生母’考」」 『中國邊政』 57, 1977 ; 劉學銚, 「淡明成祖生母兼答劉昭晴先生」 『中國邊政』 57, 1977 ; 周清澍, 「明成祖生母弘吉剌氏說所反映的天命觀」 『元蒙史札』, 呼和浩特, 2001을 참조. 연왕은 어머니의 영향을 받아서인지는 몰라도 고려 여인을 편애하고 있는데, 그가 가장 사랑했던 여인은 조선 공조판서 권집중의 딸인 顯仁妃 권씨였다.

사람 한 명과 말 한 필만 겨우 통과하도록 하였다. 지금 다섯 개의 관문이 있지만 메운 흔적은 없었다.[186]

영락제의 일생은 몽골과 밀접한 관계를 맺고 있다. 위의 기록에 등장하는 1410년은 몽골고원의 코빌라이칸 계열의 북원 대칸들과 5차례에 걸쳐 전쟁을 벌이는 첫해에 해당한다. 따라서 위의 기록을 확실하게 살펴보기 위해 그 전에 일어났던 역사를 잠시 살펴볼 필요가 있다.

1398년 윤閏 5월 10일, 주원장이 사망하자 황손인 건문제建文帝가 황위를 계승했다. 건문제는 즉위 후 각지에 독립국가를 이루고 있는 번왕藩王들의 세력을 축소시키는 정책을 시행했다. 이에 위기를 느낀 연왕은 1399년 7월 5일 기병하여 장장 3년에 걸치는 전쟁을 벌인 끝에, 1402년 6월 13일 남경南京에 입성하는 데 성공했다. 정난지변靖難之變이라 불리는 이 전쟁에서 그에게 결정적인 도움을 준 세력이 동부 몽골의 오리양카이(兀良哈) 삼위三衛였다.

정난지변을 통해 황제로 즉위한 영락제는 권력의 공고화를 위해 이전의 새왕수변塞王守邊 정책을 황제수변皇帝守邊 정책으로 바꾸는 동시에, 압록강에서 가욕관嘉峪關에 이르는 장성[187]을 구축하기 시작했다. 이러한 시기인 1409년에 오이라트Oyirad 초로스Choros 씨족 출신의 마흐무드Mahmud(馬哈木)가 북원의 대칸인 보나시리Bonashiri(本雅失里[Öljei-Temür Khagan], 1408~1411)와 권신인 아룩타이-타이시Arugtai-Tayishi(阿魯台太師)[188]를 공격하여 카라코롬을 점령하고, 보나시리가 켈루렌Kelüren하로 패주하는 사건이 발생하였다.

그러자 영락제는 그 틈을 타 북원의 정통 세력(코빌라이칸 계열)을 일소하려는

186) 『열하일기』「還燕道中錄」 1780년 8월 17일조 : 永樂八年, 塞古北口小關口及大關外門, 僅容一人一馬, 今關五重門而無所塞也.

187) 이것을 역사용어로 明代 萬里長城이라 부른다.

188) 太師를 뜻하는 타이시Tayishi는 후대 타이지Tayiji(台吉)로 변화되는데, 실제 몽골인들은 현재까지 타이지란 발음보다 타이시tayishi(тайш)란 발음을 사용하고 있다.

의도 하에 구복丘福에게 10만군을 주어 보나시리를 공격케 했다. 그러나 구복의 명나라 정예군은 켈루렌 하변에서 보나시리의 역습을 받아 오히려 전군이 전멸하는 참패를 당했다. 북원 정통 세력의 발흥에 위기를 느낀 영락제는 친히 군대를 이끌고 1410년부터 1424년까지 5차에 걸쳐 북정을 감행했지만, 북원 세력에게 결정적인 타격을 입히는 전과를 거두지는 못했다.[189]

바로 위의 기록은 영락제가 친히 50만 대군을 이끌고 북정을 시작할 때의 기록이다. 고북구의 통로를 철벽처럼 만든 것은 몽골고원에 위치한 북원 세력과의 결전 의지와 함께 이전의 동맹 세력이었던 동부 몽골 오리앙카이 삼위까지도 친밀 관계를 단절하겠다는 의지를 나타낸 것이라 할 수 있다. 뒤에 기술하겠지만, 이러한 영락제의 행동에 배신을 느낀 오리앙카이 삼위가 실제 그의 사후 남하를 시작해 장성 이북을 모두 차지하는 상황이 전개되고 있다.

【고려사에 적힌 북원의 초기 역사】

주곤전朱昆田은 죽타竹坨의 아들이다. 그는 "원나라 순제가 북으로 달아나 응창應昌에 머무를 때 태자 애유지리납달愛猷識里臘達이 대칸을 계승했다. 그리고 화림和林으로 옮겨 선광宣光이라는 연호를 사용했다. 고려는 그 나라를 북원北元이라 부른다. 신우辛禑는 일찍부터 그 연호를 받들었다. 그때가 명나라 홍무洪武 10년(1377)이다. 그 이듬해 두질구첩목아豆叱仇帖牧兒가 즉위하자 북원은 고려에 사신을 보내 이를 통고했다. 이어서 연호를 천원天元이라 바꾼다는 것도 고려에 통고했다. 이 모든 것이 정인지의 『고려사』에 보이는데, 순제를 이어 연호를 세운 자는 선광에 그치지 않는다. 대개 순제라는 칭호는 중국이 붙인 시호諡號이다. 혜종惠宗이란 묘호廟號는 원나라의 잔존 세력이 붙인 시호이다.

189) 영락제의 親征과 對蒙防禦策에 대해서는 李素英, 「明成祖北征紀行初編」 『禹貢』 3-8, 12, 1935 ; 許振興, 「論明成祖對北邊蒙古民族的備禦政策」 『西北史地』, 1986-2 ; 王復興, 「論明成祖對蒙古的和平爭取政策」 『齊魯學刊』, 1985-5 ; 松村潤, 「漢北の經略 —永樂帝のタタ-ル, オイラ-ト征討」 『日本と世界の歷史(12)』, 東京, 1970 ; 播磨楢吉(譯, カザケ-ヰチ 著), 「永樂帝及康熙帝の北伐記念碑」 『善隣協會調査月報』 80, 1939를 참조.

그 뒤에 겨우 선광의 시호가 소종昭宗이라는 것밖에 모른다. 천원의 시호는 (명나라의) 역사가들이 생략해 버렸다. 따라서 이 사실들을 『고려사』를 통해 증명하지 않으면 안 된다"고 하였다.[190]

위의 기록에 등장하는 애유지리납달愛猷識里臘達은 아요르-시리다라Ayur-Siridara의 음역이다. 아요르-시리다라는 토곤-테무르-칸Togun-Temür Khagan의 큰아들로 1338년에 태어났다. 어머니는 고려 출신의 황후 얼제이투-코톡토-카톤Öljeitü-Khutugtu-Khatun(完者忽都)이다. 북원의 1대 대칸인 그의 몽골어 시호는 빌릭토-칸Biligtu Khagan이며, 한문 시호는 소종昭宗이다. 재위 연대는 1371년부터 1378년이다. 두질구첩목아豆叱仇帖牧兒는 몽골어 터구스-테무르 Tögüs-Temür의 음역이다. 터구스-테무르는 아요르-시리다라의 아들로 북원의 2대 대칸이며, 재위 연대는 1379년부터 1388년이다. 몽골어 시호는 오스칼-칸 Uskhal Khagan이며, 한문 시호는 익종益宗이다.

위의 기록 가운데 토곤-테무르-칸의 한문 시호가 명나라에서는 "순제順帝," 북원에서는 "혜종惠宗"으로 다르게 나타남을 알 수 있다. 이는 양자의 관점이 서로 다르기 때문에 나타난 결과임은 말할 필요도 없다.[191] 명나라에서 순제라고 시호를 붙인 이유는 주원장의 철학과도 관계가 깊다. 주원장은 북송의 이학가理學家 소옹邵雍이 창립한 선천학先天學을 신봉하고 있는 인물이다. 선천학이란 일체의 사물에는 모두 일정한 형상과 수량이 있기 때문에, 이를 분석하면 자연계 및 사회현상을 해석할 수 있다는 철학사상이다. 이 철학사상

190) 『열하일기』「口外異聞」證高麗史條：朱昆, 田竹坨之子也, 其按元順帝北走, 駐蹕應昌, 太子愛猷識里臘達嗣立, 徙和林改元宣光, 高麗稱爲北元, 辛禑嘗奉其年號, 時洪武十年也, 明年豆叱仇帖木兒立, 北元遣使告高麗, 繼又以改元天元告高麗, 具見鄭麟趾高麗史, 則繼順帝而建元者, 非止宣光矣, 盖順帝之稱中國所號, 而惠宗廟號, 殘元所謚, 其後僅識宣光之謚昭宗, 則天元之立, 史家之所略, 而所以據麗史爲證也歟.

191) 북원과 명의 초기 관계에 대해서는 Ч. Далай, 「"Ар Юан"–ий үеийн монгол хятадын харилцааны асуудал」『Түүвэр зохиол(I)』, УБ, 2000를 참조.

은 역사에서 숙명론과 순환론으로 나타난다. 따라서 주원장은 토곤-테무르가 대도에서 도망친 것을 황제로서의 천명이 다한 것으로 인식하여 그의 시호를 순제라 했던 것이다.

위의 기록은 북원 초기 역사에 있어서 『고려사』의 사료적 가치와 중요성을 말해주고 있다. 그러면 아요르-시리다라 및 터구스-테무르의 사적과 초기 북원의 상황을 간략히 고찰해 보기로 하자.

원말명초 양군兩軍의 주 격전장은 대동大同·선부宣府·요동 방면이었다. 그러나 커케-테무르Köke-Temür군의 붕괴를 기점으로 전의를 상실한 내지內地나 요동의 원나라 군대는 거의 저항 없이 명나라에 속속 투항하였다. 당시 막강한 군사와 전투력을 보유하고 있는 내지의 원나라 장군이나 귀족들이 무저항적으로 명군에 투항하게 된 주원인은, 유목 사회로 복귀를 두려워한 일면과 함께 새로운 정치세력(명나라)에 대한 기대에 기인된 바가 컸다.

막북으로 후퇴한 원나라(북원)는 아요르-시리다라와 터구스-테무르의 영도하에 명군과 크고 작은 전투를 주고받았다. 그러나 명과 북원 간의 대결은 1387년 나하초Nakhachu의 명나라 투항과 1388년 보이르Buyur(Буйр)호 전투를 기점으로 명나라의 우세로 기울어졌다. 보이르호 전투의 패배 후 북원 적계適系인 터구스-테무르(코빌라이칸 계통)가 토올라Tu'ula 하변에서 아리크-버케Arig-Böke계 예수데르Yesüder의 습격을 받아 피살되는 사건이 발생하였다.

이 피살사건을 계기로 북원은 제 세력 간에 상호공방이 끊이지 않는 대혼란 국면에 빠져들었다. 몽골족 적계인 타타르Tatar(韃靼)부의 내분은 타타르부의 세력을 크게 약화시켰을 뿐만이 아니라, 서부의 오이라트Oyirad(瓦剌)부와 동부의 오리양카이Uritangkhai(兀良哈)부가 크게 대두하는 국면을 만들어 주었다. 이 혼란국면은 칭기스칸의 후예인 다얀칸Dayan-Khagan이 등장하여 몽골을 재통일시키는 1488년까지 이어졌다.

【토목보土木堡의 전투와 북경의 토성土城】

성문 8리 밖에 옛 토성의 터가 있는데, 원나라 때 쌓은 것이다. 정통正統 14년(1449) 10월 기미己未일에 먀선乜先이 상황上皇을 모시고 토성에 올랐다. (이에 경제景帝는) 통정사참의通政司參議 왕복王復을 좌통정左通政으로 삼고, 중서사인中書舍人 조영趙榮을 태상시소경太常寺少卿으로 삼아 토성으로 보내 상황을 뵙게 했는데, 여기가 바로 그곳이다. 『명사明史』에 "먀선이 상황을 끼고 자형관紫荊關을 돌파하여, 곧바로 (토성까지) 진입해 경사京師의 (상황을) 엿보았다. (이에 경제는) 병부상서兵部尙書 우겸于謙에게 석형石亨과 함께 부총병副摠兵 범광무范廣武를 이끌고 덕승문 밖에 진을 쳐 먀선을 상대하도록 했다. 병부의 사무는 시랑侍郎 오녕吳寧에게 일임했다. (그리고) 모든 성문을 폐쇄한 다음 스스로 독전에 나서면서 '전투에 임하여 장군이 군사를 돌보지 않은 채 먼저 물러선다면 그 장군을 벨 것이다. 군사들이 장군을 돌보지 않은 채 먼저 물러선다면 후대가 전대를 죽여라!'는 명령을 내렸다. 이리하여 장군과 병사들은 필사의 각오로 모두 그 명령을 따랐다. 경신庚申일에 적군이 덕승문을 침범했다. 우겸이 석형에게 빈 집에 군사를 매복토록 명한 뒤, 기병 몇 기를 내보내 적을 유인했다. (그러자) 적의 1만 기병이 경솔하게 다가왔다. 그때 복병이 일어나 (공격했다). 먀선의 아우 패라孛羅가 포에 맞아 죽었다. 서로 5일을 대치했다. 먀선은 (명나라에게) 강화를 요청했으나 응함이 없을 뿐더러, 전세 또한 불리하게 돌아가 결국 뜻을 이루지 못하리라는 것을 알았다. 이리하여 상황을 끼고 북으로 돌아갔다"고 기록되어 있다.[192)]

위의 기록에 등장하는 먀선乜先[193)]은 평화와 건강을 뜻하는 몽골어 에센

192) 『열하일기』「還燕道中錄」 1780년 8월 20일조 : 門外八里, 有土城舊址, 元之築也, 正統十四年十月己未, 乜先奉上皇登土城, 以通政司參議王復, 爲左通政, 中書舍人趙榮, 爲太常寺少卿, 出見上皇于土城, 卽此地也, 按明史, 乜先挾上皇, 破紫荊關, 直入窺京師, 兵部尙書于謙與石亨, 率副摠兵范廣武, 陣德勝門外, 當乜先, 以部事付侍郎吳寧, 悉閉諸城門, 身自督戰, 下令曰, 臨陣, 將不顧軍先退者, 斬其將軍, 不顧將先退者, 後隊斬前隊, 於是將士知必死, 皆用命, 庚申寇窺德勝門, 謙令石亨, 設伏空舍中, 遣數騎誘敵, 敵以萬騎來薄, 伏起, 乜先弟孛羅中礮死, 相持五日, 乜先邀請旣不應, 戰又不利, 知終不可得志, 遂擁上皇北去.

Esen의 음역이며, 패라孛羅는 갈색을 뜻하는 몽골어 보로Boru의 음역이다. 박지원은 토목보의 전투에 관한 기록 중 통정사참의 왕복을 좌통정으로 표기하고 있지만, 이는 우통정右通政의 오기이다.[194] 같은 사건과 인물에 대한 기록이 서호수의 여행기에서도 "통정사좌참의通政司左參議 왕복을 우통정으로 삼고" 처럼 나타나는데, 이 기술이 정확하다. 상황上皇은 당시 에센의 포로가 된 영종英宗(1435~1449, 1457~1464)을 말하며 경제景帝(1449. 9~1457)는 영종의 이복동생이다.

1449년 8월 오늘날의 하북성 회래현懷來縣에서 일어난 토목보 전투는 북원과 명나라 간의 공수攻守 관계를 뒤바뀌게 하는 대사건이다. 그러나 이 전투의 승리 후 오히려 북원은 타타르부와 오이라트부 간의 알력이 심해져 에센과 대칸이 서로 공격하는 자체내분에 휩싸였다. 북원이 이전의 칭기스칸이나 후대의 청나라처럼 명나라에 지속적인 공세를 감행하지 못하고 자체내분에 휩싸인 것은 무엇 때문일까. 이는 당시의 복잡한 북원의 내부 사정과 밀접한 관계가 있다. 그러면 위의 기록을 좀 더 정확히 이해할 수 있도록 토목보 전투를 전후한 북원의 역사를 간략히 언급해 보기로 하겠다.

토목보 전투의 주역인 에센Esen(?~1455)은 토곤Togun(脫歡)의 아들이며 마흐무드Mahmud[195]의 손자이다.[196] 1431년 마흐무드의 아들인 토곤은 아다이-칸·아룩타이-타이시의 연합군과 대흥안령에서 대회전을 벌여 대승을 거둔 후, 코빌라이칸 계열의 톡토-보카Togto'a-Bukha(脫脫不花, 1433~1452)를 북원의

193) 乜先은 也先, 額森으로 표기되는 경우가 더 많다.

194) 通政司의 원명은 通政使司이며 三司의 하나이다. 內外 奏章이나 백성의 密封申訴를 처리하는 것이 주요 업무이다. 통정사의 업무가 송대 銀台司의 업무와 같기 때문에 속칭 銀台라고도 부른다. 통정사사의 조직은 通政使(장관), (좌·우)통정, (좌·우)참의 순으로 이루어져 있다.

195) 마흐무드는 1416년 카밀Khamil(哈密) 근처의 찰만Chalman산에서 아다이-칸Adai Khagan(阿岱汗, 1390~1438)과 아룩타이-타이시Arugtai-Tayishi(阿魯台太師) 연합군의 공격을 받아 피살되었다. 아다이-칸은 칭기스칸의 동생인 조치-카사르Jochi-Khasar系의 인물이다.

196) 에센칸에 대해서는 Одон(奧登) 編著, 『Эсэн хаан』(蒙文), 呼和浩特(Хөх хот), 1988를 참조.

대칸으로 옹립했다. 토곤은 1434년 톡토-보카와 함께 오르도스 북부의 모나산 Muna agula(母納山)으로 도피한 아록타이-타이시를 공격·살해하여 몽골고원 내의 적대 세력을 일소한 후, 1438년 칭기스칸의 "나이만 차강 겔Naiman Chagan Ger" 앞에서 북원의 대칸으로 즉위하였다. 그러나 칭기스칸의 피를 잇지 않은 토곤의 대칸 즉위는 봉건귀족들의 강한 저항을 불러일으켜 곧 취소되고, 톡토-보카만이 대칸으로 인정되었다.[197] 토곤이 "나이만 차강 겔" 앞에서 대칸으로 즉위한 사건은 "나이만 차강 겔"을 수호하는 오르도스Ordos 부에게 큰 충격을 주었을 뿐만 아니라, 톡토-보카와 에센이 "외친내기外親內忌"하는 원인을 만들어 주었다.

1439년 토곤의 뒤를 이어 태사太師로 즉위한 에센은 톡토-보카를 앞세워 오리양카이부를 비롯한 몽골고원의 제부를 통합한 후[198] 호시무역互市貿易의 불공정성과 결혼사에 대한 위약을 명분으로 1449년 7월 명나라에 대한 공격을

197) 토곤의 대칸 즉위와 "나이만 차강 겔(八白室)"의 저주에 대한 史話가 道潤梯步, 『新譯校注蒙古源流』, 呼和浩特, 1981, pp.246~248 및 楊·道爾吉, 『成吉思汗陵史話』, 呼和浩特, 1993, pp.44~45에 소개되어 있다.

198) 톡토-보카는 동몽골 지역에 진입한 뒤 오리양카이의 통합 이외에 海西女眞과 朝鮮까지 연계를 가지고자 했다. 이에 1440년 대칸 톡토-보카의 이름으로 朶顔衛의 高照吐를 해서여진과 조선에 파견했다. 그러나 高照吐는 해서여진만 招撫했고, 조선의 경우 가는 길이 익숙하지 않아 그냥 돌아왔다. 1441년 톡토-보카는 다시 朶顔衛의 篤吐兀 및 해서여진의 波伊叱間 등 16명으로 이루어진 사신단을 조선에 파견하여 招諭했다. 톡토-보카의 조서는 칭기스칸과 코빌라이칸 이래 양국이 서로 형제처럼 지내던 것을 회복하자는 내용으로 이루어져 있는데, 조선은 招撫에 응하지 않고 이 사실을 명나라에 알렸다. 톡토-보카가 여진 및 조선과 연합을 맺고자 했던 목적은 자신들이 원조의 정통세력으로 인정받음과 함께, 공동으로 명나라를 침공하기 위한 사전 조치였다. 톡토-보카와 조선과의 관계에 대해서는 達力扎布, 『明代漠南蒙古歷史硏究』, 呼和浩特, 1998, pp.252~257을 참조. 톡토-보카가 몽골문자로 세종에게 보낸 편지의 내용은 『조선왕조실록』 「世宗 24년(1442) 5월 9일」 조에 "태조 칭기스황제(成吉思皇帝)가 팔방을 통어했으며, (세)조 세첸황제(薛禪皇帝 : 코빌라이칸)가 즉위할 때는 천하가 명령에 순종하지 않는 나라가 없었는데, 그 중에 고려국은 교의가 좋기를 다른 나라의 배나 되고, 친근함이 형제와 같았는데, 세상이 쇠퇴하여 난리를 만나서 도성을 버리고 북방에 의탁한 지가 이미 여러 해가 되었다. 지금 내가 조종의 운수를 계승하여 즉위한 지가 벌써 10년이나 되었으니, 만약 사람을 시켜 서로 통호하지 않는다면 이는 조종의 신의를 잊는 것이다. 지금부터 만약 해동청과 하표를 보낸다면, 짐이 후하게 상주고 후하게 대우할 것이다(太祖成吉思皇帝, 統馭八方, 祖薛禪皇帝卽位時分, 天下莫不順命, 內中高麗國交好, 倍於他國, 親若兄弟, 世衰遭亂, 棄城依北, 已累年矣, 今我承祖宗之運, 卽位今已十年, 若不使人交通, 是忘祖宗之信意也, 今後若送海靑及賀表, 則朕厚賞厚待)"처럼 수록되어 있다.

감행했다. 북원의 4로군四路軍[199]이 명의 북변을 파죽지세로 돌파하자, 영종英宗은 태감太監 왕진王振의 건의에 따라 친히 50만 군사를 거느리고 반격에 나섰다. 그러나 영종의 50만 명군은 1449년 8월 토목보에서 에센이 이끄는 2만군의 포위공격을 받아 전멸하고 영종도 사로잡혔다.[200]

토목보 전투를 통해 에센의 능력이 입증되자, 에센은 대칸에의 야망을 노골적으로 드러냈다. 이에 따라 에센과 대칸 톡토-보카 간의 알력이 구체화되었으며, 양자 간의 알력은 1452년 밍간-카라Minggan-Khara 회맹[201]을 기점으로 전쟁으로 비화되었다. 톡토-보카와 에센 사이의 전쟁은 에센의 승리로 끝났으며, 패배한 톡토-보카는 샤보단Shabudan(沙不丹)에게 피살되었다. 톡토-보카의 피살 후 에센은 톡토-보카의 아우인 아그바리지-지농Agbariji-Jinong(阿噶巴爾濟濟農)을 비롯해 칸위계승권을 지닌 후예들을 일소하였다.[202]

1452년 가을, 에센은 톡토-보카 세력의 본거지 카라-망나이Khara-Mangnai(哈剌莽來)[203]로 진군한 뒤 1453년 "대원천성대칸大元天聖大汗(Yeke Yüan Tenggeri Bogda Khagan)"[204]이라는 북원의 대칸으로 등극했다. 에센의 정권장악 후 일시 동아시아는 서변의 티무르제국, 중원의 명제국, 북방의 대원제국으로 정립되었다.[205] 그러나 에센이 건립한 대원제국은 아마산지Amasanji(阿馬桑赤)[206]의

199) 북원의 四路軍은 에센Esen(也先), 톡토-보카Togto'a-Bukha(脫脫不花), 알락-칭상Alag-Chingsang(阿剌知院), 오로치Orochi(阿樂出)가 이끄는 독립군단으로 이루어져 있으며, 이들의 진공로는 각각 大同·遼東·宣府·陝西 방면이다.

200) 土木堡의 戰에 대해서는 奧山憲夫, 「土木堡の變」『史朋』 1, 1974를 참조.

201) 밍간-카라Minggan-Khara 회맹은 皇太子 選立問題에 대한 양측의 異見調整場이다.

202) 이러한 상황은 『明實錄』「景泰 4年 8月 甲午」條의 "凡故元頭目苗裔, 無不見殺"라는 기록에서도 입증된다.

203) 카라-망나이는 오늘날 몽골국 수흐바아타르 아이마크 경내에 위치한다.

204) 에센의 연호에 대해서는 曹永年, 「也先與 "大元" 一也先王號·年號和汗號的考察」『蒙古史研究』 5, 1997를 참조.

205) 에센이 세운 제국의 성격에 대해서는 萩原淳平, 「エセン・カーンの遊牧王國」『明代蒙古史研究』, 京都, 1980 ; 薄音湖, 「評15世紀也先對蒙古的統一及其與明朝的關係」『內蒙古社會科學』, 1985-2를 참조.

206) 아마산지는 에센의 아들이다.

태사太師 임명에 불만을 품은 알락-칭상Alag Chingsang(阿剌知院)이 1454년 에센을 공격하여 살해함으로써 붕괴되었다.[207]

【왕진王振의 무덤】

지난해 곧 건륭 기해년(1779)에 왕진의 무덤이 서산西山에서 발견되었다. 그 관을 쪼개어 죄를 나열하면서 시신을 찢었다. 아울러 그 파당들의 무덤 20여 개도 모두 파헤쳐 목을 잘랐다. 『명사』에 "황제의 어가가 토목土木에 이르렀다. 왕진의 군수품 수레가 천여 대나 되었다. 적병이 사방으로 추격해 일시에 종관從官과 장병들이 모두 전사했다"고 기록되어 있는데, 어찌 왕진 혼자 탈출이 가능했겠는가. 또 당시에 "왕진의 집안을 모두 죽였다. 마순장馬順長은 때려 죽였고, 왕진의 조카인 왕산王山까지 저자에서 죽였다" 하였으니, 그 파당의 무덤이 어찌 있으랴. 그러나 천순天順이 복위하자 왕진의 벼슬을 되돌리고 사당을 세워 제사지냈다. 따라서 그의 무덤이 남아 있음도 괴이함은 아니다.[208]

위의 기록에 등장하는 왕진王振은 영종을 토목보로 이끌어 명군이 전멸하고 영종도 사로잡히게 했다고 비난받는 인물이다. 그러나 이는 결과에 대한 희생양을 찾는 중국측 사가들의 입장일 뿐이다. 천순天順은 영종이 복위한 뒤의 연호이고, 그 이전은 정통正統의 연호를 사용했다.

영종은 1450년 8월 귀환했다. 그리고 태상황太上皇으로서 남궁南宮에 거주했다. 복위할 기회를 노리고 있었던 그는, 1457년 1월 경제景帝가 병이 들자 그 틈을 노려 석형石亨, 조길상曹吉祥 등을 사주해 병부상서 우겸于謙(1398~

207) 『黃金史綱』에는 보간Bogan(孛歡)이 에센을 살해한 것으로 기록되어 있다. 보간은 永謝布(Yüngshiebü)部의 영주인 소르송Sursung(蘇兒松)의 아들이다(留金鎖 校注, 『黃金史綱』, 呼和浩特, 1981, p.88).

208) 『열하일기』「口外異聞」王振墓條 : 去年乃乾隆己亥, 得王振墓於西山, 剖其棺, 數其罪而磔之, 並掘其黨與二十餘塚, 皆斬之, 按明史, 駕至土木, 振輜重千餘兩, 敵四面追之, 一時從官及兵將皆沒, 振安得獨脫, 且當時族誅振家, 歐殺馬順長, 磔振侄王山於市, 則其黨與安得有墓, 天順旣復位, 復振官爵, 立祠祀之, 然則振之有墓, 亦無足恠也已.

1457), 대학사大學士 왕문王文 등을 살해하고 권력을 쟁탈하는 탈문지변奪門之變을 일으켰다. 영종이 복위한 후 한 달만인 2월에 경제는 사망했다. 복위에 성공한 영종은 그해 10월 왕진의 벼슬을 환원하고 다시 장례를 치르는 동시에 정충사旌忠祠를 세워 그의 충절을 기렸다. 아마 박지원이 전해들은 왕진의 관은 영종이 행한 복장復葬 때의 관이라고 판단된다.

【구광녕성舊廣寧城의 기자箕子 소상塑像】

혹은 이르기를 "광명은 기자의 나라여서 예로부터 기자의 우관冔冠(은나라 때의 갓 이름)을 쓴 소상이 있었는데, 명나라 가정嘉靖 연간의 전쟁에서 불타 버렸다"고 한다.[209]

위의 기록에 등장하는 명나라 가정嘉靖 연간의 전쟁이란 알탄칸Altan Khan(1508~1582)이 1550년에 북경을 포위한 경술지변庚戌之變을 말한다.

【고북구古北口와 알탄칸】

명의 가정 연간에 엄답俺答이 경사京師를 침범할 때 모두 이 관을 통해 들어오고 나갔다.[210] … 가정嘉靖 때 엄답俺答이 갑자기 수도를 포위한 일이 있었다.[211]

위의 기록에 등장하는 엄답俺答은 몽골어로 황금을 뜻하는 알탄Altan의 음역으로 알탄칸Altan Khan을 가리킨다. 알탄칸은 16세기 중반 몽골족의 맹주이자 몽골을 라마교의 세계로 이끈 인물이다. 그의 존재로 말미암아 몽골은

---

209) 『열하일기』「馹汎隨筆」 1780년 7월 15일조 : 或云, 廣寧, 箕子國, 古有箕子冠冔塑像, 皇明嘉靖間, 燬於兵.

210) 『열하일기』「山莊雜記」 夜出古北口記條 : 明嘉靖時, 俺答犯京師, 其出入皆由此關.

211) 『열하일기』「漠北行程錄」 1780년 8월 5일조 : 嘉靖時俺答猝圍皇城.

그 이전의 세계와 그 이후의 세계가 확연히 구분되는 사상 혁명을 겪게 되었다. 알탄칸의 명나라 침공과 티베트 불교(라마교)의 몽골 전입을 이해하기 위해서는 그간에 전개된 북원사를 살펴볼 필요가 있다. 에센칸의 사후부터 알탄칸에 이르는 몽골의 역사를 간략히 소개하면 다음과 같다.

에센의 사후 몽골고원은 또다시 20년에 이르는 내전 상태로 돌입했다. 이 내전상태에서 최초로 두각을 나타낸 인물이 카라친Kharachin(哈剌愼)부 출신인 볼라이Bolai(孛來)였다. 볼라이는 에센의 아들인 아식-테무르Ashig-Temür, 옹니고드Ongnigud(翁牛特)부의 몰리카이Molikhai(毛里孩)와 연합하여, 1455년 8월 톡토-보카와 에센의 누이 사이에서 태어난 메르구르키스mergürkis(馬兒古兒吉思, Ükegtü Khagan, 1455~1465)를 대칸으로 옹립한 뒤 1456년 10월 알락-칭상을 공격하여 살해했다. 알락-칭상을 살해한 볼라이는 그해 몰리카이의 유목지로 변하고 있었던 오르도스Ordos의 북부 지구를 자신의 주목지駐牧地로 정한 다음 휘하의 병력을 이끌고 그곳으로 이동하였다. 그리고 이듬해부터 오르도스를 비롯한 명나라의 북변을 침공하기 시작하였다. 당시의 오르도스는 원말명초 이래 인적이 끊긴 상태였기 때문에 초목이 되살아나 유목민들에게는 아주 매력적인 유목지였다.

볼라이의 동맹자였던 몰리카이는 볼라이의 행동을 자신에 대한 견제로 간주하고, 1460년 코빌라이칸의 적계適系인 볼코Bolkhu(孛羅忽)와 연합하여 원주지인 동몽골 북부 일대에서 대청산大青山 일대로 남하하였다. 대청산 일대로 남하한 몰리카이는 일시 볼라이와 함께 서녕西寧 등 명나라의 서변에서 활동하다가, 1462년 1월 오로치Orochi(Oroju, 阿羅出), 볼코와 함께 오르도스로 진입하였다. 이들의 오르도스 진입과 동시에 볼라이는 그해 흥안령을 넘어 도얀Doyan(朶顔), 태녕T'ai-ning(泰寧), 포요르Fuyur(福余) 등 오리양카이Uriyangkhai 삼위三衛를 복속시켰다. 이 이후 볼라이의 세력은 점차 강대해져 1464년 무렵에는 몽골고원의 강자로 군림했지만, 볼라이 정권의 내부적인 갈등은 심각한 편이었다.

몰리카이가 오르도스 북부에 머무는 사이, 볼라이는 1464년 자신에게 반기를 든 오이라트부의 체지바Chechiba(扯只八)를 공격하기 위해 6만 기병을 이끌고 서쪽으로 출정하였다. 그러나 그 틈을 노려 몰리카이가 배후에서 반기를 들자, 볼라이는 곧 회군하여 그와 정면 대결에 나섰다. 볼라이는 몰리카이와의 공방과정에서 메르구르키스칸과 불화를 빚어 1465년 그를 살해했다.

메르구르키스칸이 피살되자 몰리카이는 1465년 메르구르키스칸의 이복형인 터구스Tögüs를 무렌-칸Müren-Khagan으로 옹립한 후 1466년 볼라이를 공살攻殺하고, 1466년 9월에는 볼라이의 동맹자였던 오로치마저 격파하여 몽골고원의 새 강자로 군림하였다. 그는 오로치와 공방을 주고받는 과정에서 자기가 옹립한 터구스-칸도 살해하였다. 오로치를 축출한 몰리카이는 1468년 근거지인 오르도스를 떠나 동부지방으로 출정하는 도중 올코이Ulkhui하 주변에서 카사르의 후예인 운네-볼로드Üne-Bolod의 공격을 받아 대패하였다. 이 패배 후 주로 타타르부나 삼위부三衛部의 부민들로 구성된 몰리카이의 부중은 3분되었으며, 서쪽으로 도망간 몰리카이는 1468년 말 잡항하 하류 부근에서 사망하였다.

몰리카이의 몰락 후 오이라트의 카라-코이드Khara-Khoyid(哈剌輝特)부 출신인 베케리순Bekerisün(乩加思蘭)이 몽골고원의 유력자로 등장하였다. 베케리순은 원래 투르판 일대에서 300~400명의 부중과 함께 동서무역에 종사하는 대상이나 서역 제국의 조공단들을 상대로 약탈을 일삼던 인물이었다. 그는 1457년 무렵 카밀Khamil(哈密)의 북부로 이주한 뒤 뛰어난 용병술과 정치적 수완을 발휘하여 몇 년 안에 휘하의 부중이 4만에 달할 정도로 세력을 확장했다. 그리고 이를 토대로 카밀의 내정과 그 주변의 동서무역을 공제控制하였다.

그가 서방의 실력자로 부상하자 1466년에는 오로치가, 1468년에는 아식-테무르 휘하의 4만 부중이 그에게 귀부해 왔다. 그는 몰리카이의 몰락 후 코르친Khorchin부의 보로나이Boronai(孛羅乃), 황금가족계의 만다콜Mandakhul(滿都魯, 볼코의 작은 아버지) 및 볼코와 연합을 맺은 뒤, 이들과 함께 1469년 겨울 오르도스로 이동하였다.

몽골의 중심 세력이 대거 오르도스로 진입하자 위협을 느낀 명나라는 우부도어사右副都御史 왕월王越 및 연수순무좌부도어사延綏巡撫左副都御史 여자준余子俊에게 오르도스 방어의 책임을 맡겼지만, 그들의 침략을 막아내기에는 역부족이었다. 이에 명나라는 오르도스를 포기하고 그 남쪽에 변색을 구축한 뒤 방어에 주력했다. 이 때문에 오르도스에 진입하는 몽골족은 더욱 늘어나, 1471년에는 이미 수만 명에 달할 정도였다. 오르도스는 이후 몽골족의 한 중심지가 되었다. 명나라의 기투棄套 정책으로 인해 오르도스를 장악한 베케리순은, 1475년 5월 만도콜을 칸으로 옹립한 뒤 태사太師로 즉위하였다. 태사로 즉위한 베케리순은 오로치를 축출하는 동시에, 1476년 황금가족계 정통파인 볼코마저 공살攻殺하여 몽골고원의 실질적인 1인자로 등장하였다. 그러나 베케리순은 볼코의 아내인 시길Shigil과 부중을 강탈한 이스마일Ismail(베케리순의 족제)에게 1479년 5월 피살되었으며, 만다콜도 그해 사망하였다.

만다콜칸의 사망 후 몽골 제부는 만다콜의 카툰khatun(皇后)인 만도카이Mandukhai(滿都海)가 옹립한 바얀멍케Bayan-Möngke(볼코의 작은아들)와 이스마일이 옹립한 소왕자小王子, 즉 바토멍케Batu-Möngke(볼코의 큰아들)의 지지파로 갈라져 서로 공방을 주고받았다. 만도카이 및 토고치Togochi와 이스마일 및 케시Keshi를 주축으로 한 양측의 대결은, 1486년 7월에 벌어진 결전에서 만도카이의 승리로 끝났다. 이 결전 후 이스마일이 옹립한 바토멍케도 1487년 3월 만도카이에 의해 피살되었다.

만도카이의 힘으로 주적을 섬멸한 다얀칸Dayan-Khagan(Bayan-Möngke, 1488~1517)은 1488년 칭기스칸의 "나이만 차강 겔" 앞에서 정식으로 대칸에 등극하였다.[212] 다얀칸은 등극 후 권신의 발호를 차단하기 위하여 황태자 제도인 지농Jinong(濟農)[213] 제도를 부활시키고, 몽골 제부에 대한 효율적인 통치와 통제를 강화하기 위하여 칭기스칸 시대의 통치지침이었던 만호제萬戶制(Tümen-ü noyan)를 실시하였다. 그는 영주들의 영지를 재조정한 후, 이를 바탕으로 차하르Chakhar(察哈爾) 만호, 오리양카이Uriyangkhai(兀良哈) 만호, 칼카Khalkha(喀爾喀) 만호라는 좌익左翼 3만호와 오르도스Ordos(鄂爾多斯) 만호, 몽골친Monggolchin(蒙郭勒津) 만호, 웅시예부Yüngshiyebü(永謝布) 만호라는 우익右翼 3만호로 통치구역을 재편했다.[214] 그리고 흥안령 동서 일대의 코르친Khorchin부와 삼위三衛(泰寧衛, 兀良哈衛, 福余衛)에 속한 몽골 제부는 속부屬部로 서부의 오이라트는 자치부로 설정했다.

1486년 7월 만도카이에게 패배한 오이라트부는 내분이 일어나 일부 오이라트부가 카밀 부근으로 이동했다. 이때 에센의 손자인 이브라힘Ibrahim[215]도 카밀 북부의 메크린Mekrin(野乜克力)[216]으로 이주했는데, 그 후 세력이 확장되

212) 아요르-시리다라Ayur-Siridara에서 다얀칸에 이르는 북원의 칸위 세계도는 매우 복잡한데, 이에 대해서는 本田實信, 「On the genealogy of the early Northern Yüan」『モンゴル時代史硏究』, 東京, 1991 ; 薄音湖, 「關于北元汗系」『內蒙古大學學報』, 1987-3 ; 寶音德力根, 「15世紀中葉前的北元可汗世系及政局」『蒙古史硏究』 6, 2000을 참조.

213) 황태자를 뜻하는 濟農은 吉囊으로 표기되기도 하는데, 이는 모두 원나라 때의 왕호인 晋王의 음변이다(Jin ong→Jinong). 원나라 때에는 晋王의 지위가 대칸과 황태자인 燕王 다음으로 높았다. 이러한 인식은 북원 시대에도 바뀌지 않았는데, 특히 다얀칸 이후 우익의 수령을 吉囊으로 지칭했다. 우익의 수령은 대칸과 다름없는 실질 지위를 누리고 있다.

214) 차하르 만호는 오늘날 내몽골 실링골맹(錫林郭勒盟) 일대, 오리양카이 만호는 오늘날 몽골국 헨티아이마크 보르칸산과 헤를렌하 일대, 칼카 만호는 오늘날 몽골국 동부 지역인 할흐하 유역 일대, 오르도스 만호는 오늘날 내몽골 오르도스 일대, 몽골친 만호는 오늘날 내몽골 大青山 아래의 투메트(土黙特) 일대, 웅시예부 만호는 오늘날 올란자브맹(烏蘭察布盟) 일대이다. 차하르의 뜻에 대해서는 Ж.Төмөрцэрэн, 「Цахар хэмээх үгийн тухай」『Studia Mongolica』 3, 1961을 참조.

215) Ibrahim(『明實錄』 등의 한문 문헌에는 亦不剌라고도 표기)은 間野英二의 고증에 따르면 Esen의 손자로 나타난다(間野英二, 「15世紀初頭のモグ-リスタン —ヴァイス汗の時代」『東洋史硏究』 23-1, 1964).

자 부중을 이끌고 이스마일의 영지였던 웅시예부로 동진해 왔다. 1490년 당시 다얀칸과 오이라트부의 관계는 비교적 우호적이었다. 그러나 다얀칸의 영지 개혁에 불만을 품고 있었던 몽골친부의 영주인 코사이Khosai(火篩)[217]가 1500년 무렵 하란산賀蘭山(Arashan) 일대로 이동한 후 일부는 다얀칸과 적대적으로 전변되었다.

코사이는 이브라힘이 메크린에서 웅시예부로 동진해 오자, 오르도스부의 영주인 만돌라이-아칼라코Mandulai Akhalakhu(滿都賚阿忽勒呼) 및 이브라힘을 부추겨 1509년 함께 반란을 일으켰다. 그리고 우익의 통치자로 임명된 올로스-볼로드Ulus-Bolod를 살해했다.[218] 올로스-볼로드가 피살되자 다얀칸은 이를 우익의 도전으로 간주하여, 그해 좌익의 전군全軍을 소집한 뒤 코르친부와 오이라트부의 군대도 소집해 코사이의 반란군을 달란-테리군Dalan-Terigün(答蘭特里溫)에서 격파하였다. 패배한 이브라힘은 다얀칸의 추격을 피해 청해青海로 도주했다.

우익의 반란을 평정한 다얀칸은 바르스-볼로드Bars-Bolod에게 오르도스를 관장케 하고, 바르스-볼로드의 둘째아들인 알탄Altan(阿勒坦, 俺答)에게는 투메

---

216) 野乜克力에 대해서는 和田清, 「乜克力考」『東亞史研究(蒙古篇)』, 東京, 1959 ; 珠榮嘎, 「 "野也克力"釋 —Mekrin說商榷」『內蒙古社會科學』, 1981-5을 참조.

217) 코사이(火篩)는 朵顏衛의 大臣이었던 토르칸Torkhan(脫羅干, 1495년 사망)의 아들이며, 만도카이의 딸인 에시케Esike의 남편이다. 토르칸의 유목지는 大同 서쪽부터 황하 동쪽 지역이다.

218) 다얀칸과 만도카이-카톤 사이에는 터러-볼르드Törö-Bolod(圖嚕博羅特), 올로스-볼로드Ulus-Bolod(烏魯斯博羅特), 터럴투-군지Töröltü-Günji(圖嚕勒圖公主), 바르스-볼로드Bars-Bolod(伯爾色博羅特), 아로스-볼로드Arus-Bolod(阿爾蘇博羅特), 알초-볼로드Alchu-Bolod(阿勒楚博羅特), 와치르-볼로드Wachir-Bolod(斡齊爾博羅特) 등 7명의 자식이 태어났다. 이 가운데 터러-볼르드와 올로스-볼로드, 터럴투-군지와 바르스-볼로드, 알초-볼로드와 와치르-볼로드는 쌍둥이이다. 다얀칸은 또 잘라이르Jalayir(札賴爾)부 코톡크-시구시Khutug-Shigüshi(呼圖克實古錫)의 딸인 수메르-카톤Sümer-Khatun(蘇密爾福晉) 사이에 게레-볼로드-타이지Gere-Bolod Tayiji(格哷博羅特台吉), 게레-산자-타이지Gere-Sanja Tayiji(格哷森札台吉), 오이라트부 바가토드-바가르칸Bagatud-Bagarkhan(巴圖特巴噶爾觀) 씨족(otog)의 알락-칭상Alag-Chingsang(阿拉克丞相)의 아들 망가일라이-아골코Manggailai-Agulkhu(孟克類阿古勒呼)의 딸인 쿠시-카톤Küshi-Khatun(古實福晉) 사이에 오브신곤-칭-타이지Ubshingun-Ching-Tayiji(鄂卜錫袞青台吉), 게레투-타이지Geretü-Tayiji(格哷圖台吉) 등 모두 11명의 자녀를 두었다.

트Tümed부를 관장케 했다.[219] 이후 알탄은 뛰어난 군사적 재능과 통솔력으로 서서히 몽골의 강자로 성장하였다. 그는 1533년 청해青海의 오이라트 세력을 정벌하고, 1538년에는 대칸인 보디-알라크칸Bodi-Alag Khagan(1520~1547)을 따라 보르칸Burkhan산 일대의 오리양카이 만호[220]를 토벌하기도 하였다.

몽골족은 원나라 이래 기본적인 생필품을 중국에서 공급받고 있었는데, 이러한 경제패턴은 명대에서도 변함이 없었다. 따라서 몽골족은 명나라에 군사적 압력을 가하여 조공과 호시互市를 개설케 할 필요가 있었고, 명나라는 이를 통해 몽골족을 효과적으로 통제할 수가 있었다. 보디-알라크칸이 통치할 때 몽골의 실력자는 허흐호트(呼和浩特) 일대를 근거지로 한 투메트부의 알탄칸이었다. 그는 웅시예부 만호의 땅을 거의 잠식해 들어갔으며 1550년 명나라를 압박해(庚戌之變) 호시를 개설하고, 1552년부터 1573년까지 수시로 청해나 오이라트 원정을 감행하여 그 일대의 몽골족도 장악하였다. 보디-알라크칸 사후 몽골의 대칸으로 등극한 다라이손-쿠뎅칸Darayisun-Güdeng Khagan(1548~1557)은 알탄칸의 위세와 명나라를 대하는 입장의 차이로 말미암아 좌익을 이끌고 오리양카이 지구로 동천하였다.

---

219) 바르스-볼로드는 모두 7명의 아들이 있었다. 맏아들은 군-빌리크-메르겐-지농Gün-Bilig-Mergen-Jinong(袞必里克墨爾根濟農, 1506년생)이고, 둘째가 알탄칸(1507년생)이다. 셋째는 라보크-타이지Labuk-Tayiji(拉布克台吉, 1509년생), 넷째는 바야스칼-컨델렝-칸Bayaskhal-Köndelen Khan(巴雅斯哈勒昆都楞汗, 1510년생), 다섯째는 바얀다라-나린-타이지Bayandara-Narin-Tayiji(巴延達喇納琳台吉, 1512년생), 여섯째는 보디다라-오드칸-타이지Bodidara-Odkhan Tayiji(博第達喇鄂特罕台吉, 1514년생), 일곱째는 타라카이-타이지Tarakhai Tayiji(塔剌海台吉, 어릴 때 사망)이다.

220) 兀良哈(烏梁海) 만호는 兀良哈三衛의 別種으로 黃毛達子, 黃毛兀良罕으로 불리기도 한다. 兀良哈 萬戶는 몽골고원의 헨티산맥 보르칸칼돈산 주변과 헤를렌하 일대에서 유목 생활을 영위하고 있으며(寶音德力根, 「兀良哈萬戶牧地考」『內蒙古大學學報』 2000-5), 부중의 숫자는 작지만 "異種黃毛, 性悍席死地毋所憚, 三部入寇, 則黃毛每擣其虛, 諸虜孕重墮殰罷極苦之, 夷狄□苦中國必先併部落聚兵興擊降下黃毛"(明·陳子龍, 『皇明經世文編』「俺答前志」) 및 "二虜之北, 又有別種曰黃毛, 凶悍不別生死, 衆少於二部, 二虜時入內地, 黃毛輒尾其後, 掠取玉帛子女, 二虜患之, 乃合兵逐北, 大破黃毛, 臣其部落"(明·張瀚, 『松窗夢語』「北虜紀」)처럼 여타 몽골부가 명나라의 변방을 침략할 때 그 몽골부의 근거지를 습격하곤 하여 여타 몽골부에게 외경의 대상이 되었다고 전해진다.

몽골의 실질적인 맹주인 알탄칸은 1558년의 청해 원정에서 1천명의 티베트 황교 라마승을 사로잡았는데, 이는 "몽골이 황교를 믿게 된 것은 알탄칸에서 시작한다(蒙古敬信黃教, 實始于俺答)"라는 말처럼 이후 몽골족의 역사에 큰 획을 긋는 일대사건이었다. 알탄칸은 명나라와의 대결과정에서 대동大同 반란자들과 백련교도白蓮教徒들을 받아들여, 1560년 무렵부터 본거지인 허흐호트 일대에다 고정성시固定城市라 할 수 있는 바이싱Baising(板升)들을 구축하기 시작했다. 허흐호트 바이싱은 알탄칸이 1571년 명나라로부터 순의왕順義王이란 칭호를 수여받은 후 귀화성歸化城이라 명명되었다.

알탄칸은 1577년 부중 수만을 이끌고 청해로 출발하여, 1578년 앙화사仰華寺에서 티베트의 황교 지도자인 쇠남-갸초bsod-nams rgya-mtsho와 회견하였다. 이 앙화사 회견은 라마교의 윤회론을 통해 몽골의 대칸이 되려는 알탄칸의 야망과 그를 통해 몽골로 황교를 전파하려는 티베트의 입장이 일대조화를 이루어 성공리에 끝났다. 회견 후 양자는 서로 "와치르다라Wachir-dara 달라이 라마Dalai Lama"와 "차크라와르Tsakrawar 세첸칸Sechen Khan"이라는 존호를 주고받았다. 앙화사 회견 후 라마교는 몽골 지구로 급속히 전파되기 시작했다.[221)]

(3) 서호수의 연행기에 등장하는 북원의 역사 사적

서호수의 『연행기』에는 북원 관련 사적이 에센칸과 알탄칸 관련 각 1건, 지리 관련 7건 등 모두 9건이 등장한다. 그것을 순서대로 소개하면 다음과 같다.

221) 알탄칸 및 그 후예에 대해서는 青木富太郎, 『萬里の長城』, 東京, 1972, pp.123~259를 참조.

【소흑산小黑山의 삼위三衛 유목지】

명나라 때 소흑산에 변성邊城을 쌓았다. (이곳에서) 동쪽의 노변역老邊驛에 이르기까지 삼위三衛의 유목지이다. 지금도 변장邊墻의 흔적이 아직 남아 있다. 청나라는 대릉하 주변을 목장으로 삼았다. 여름이면 수초가 풍요로운 곳에 말을 방목하고, 겨울이면 내부관장內府官莊의 기인旗人에게 나누어주어 사육시킨다. 지금 기르고 있는 말의 수가 20만 2,800여 마리이다.[222)]

위의 기록에 등장하는 변장은 앞에서도 언급한 바 있는 요동변장遼東邊墻을 말한다. 삼위三衛는 도얀Doyan(朶顔), 태녕T'ai-ning(泰寧), 포요르Fuyur(福余) 등 오리양카이Uriyangkhai 삼위를 말하는 것으로, 그들의 역사를 간략히 살펴보면 다음과 같다.

14세기 중엽의 몽골 동부, 즉 동서로 대흥안령 이동부터 여진 지구에 이르는 지역, 남북으로 흑룡강 유역부터 시라무렌Shiramüren하에 이르는 지역에는 오리양카이부·옹니고드Ongnigud(翁牛特)부·올코노오드Olkhunu'ud(烏齊葉特)부·잘라이르Jalayir(札剌亦兒)부를 비롯한 몽골 부족들이 유목 생활을 영위하고 있었다. 이 부족들이 여기에 살게 된 내력은 칭기스칸과 코빌라이칸 시대까지 거슬러 올라간다.

칭기스칸은 일찍이 대흥안령 이동의 부분 지구를 막내 동생인 테무게-오드치긴Temüge-Odchigin과 조카인 알치다이Alchidai 2인에게 분봉하여 그들의 올로스Ulus로 삼도록 했다. "땅은 크고 물산은 많다(地大物博)"로 유명한 테무게-오드치긴의 올로스는, 동서로는 대흥안령부터 눈강嫩江을 가로질러 여진 지구까지, 남북으로는 송화강과 흑룡강을 접하고 있다. 이 올로스의 주요 백성

222) 『연행기』 「1790년 9월 21일」 조 : 明時築邊于小黑山, 東至老邊驛, 爲三衛駐牧之地, 今邊牆遺址猶存, 淸以大淩河邊爲牧場, 夏則放馬於水草豐饒處, 冬則分交內府官莊旗人餧養, 今孳育之數, 爲二十萬二千八百餘匹.

은 올코노오드 부족이다.

테무게-오드치긴 올로스의 남쪽에 위치하고 있는 알치다이 올로스의 남한선은 시라무렌하이다. 이 올로스의 주요 구성원은 오리양카이인과 나이만Naiman인으로 이루어졌다. 이곳의 오리양카이인들은 칭기스칸 시대의 명장인 젤메Jelme의 후예들이 이끌고 있으며, 그들은 알치다이를 따라 보르칸을 떠나 이곳으로 이동해 왔다. 최초 이곳의 오리양카이들은 예케-도얀-언더르Yeke-Doyan-Öndür(額客朶顔溫都兒)[223]산 일대 및 촐하(Chol-gol, 搠河, 오늘날 綽爾河) 유역에 거주하고 있었다.

칭기스칸은 잘라이르부 출신의 명장인 모칼리Mukhali를 국왕으로 임명하여 그에게 대흥안령 동서의 땅을 통괄하도록 하였다. 이후 그 후예들은 국왕의 칭호를 이어가면서 요양행성遼陽行省을 통치하였다. 이로 인해 대흥안령의 동쪽은 모칼리의 후예들이 이끄는 잘라이르부의 주요 활동 무대가 되었다.

칭기스칸의 이복동생인 벨구테이Belgütei의 봉지는 임황臨潢(오늘날 巴林左旗 동쪽)의 동북방인 원대의 태녕로泰寧路(오늘날 길림성 洮兒河 유역과 前郭爾羅斯蒙古族自治縣 일대) 일대, 즉 눈강嫩江과 송화강 합류처의 서쪽 지역이다. 또 벨구테이의 손자인 카이도Khaidu(瓜都)는 코빌라이칸에 의해 요양행성의 진하陳河(오늘날 흑룡강성 湯旺河) 일대의 탐마치Tammachi(探馬赤)로 파견되었다. 이 때문에 벨구테이의 후예 중 일부는 대흥안령 이동 지구에 거주하게 되었다. 몽골 문헌에는 그들을 옹니고드Ongnigud(翁牛特)부라고 기록하고 있다.

이외 대흥안령 이동에는 옹기라트Onggirad(弘吉剌惕)·이키레스Ikires(亦乞烈思)·오로오트Uru'ud(兀魯兀惕)·망코트Mangkhud(忙兀惕) 등의 부족이 유목 생활을 영유하고 있었다. 그러나 이 부족들의 당시 유목지는 아직 명확히 밝혀지

---

223) 후대 오리양카이 귀족들은 Yeke-Doyan-Öndür(額客朶顔溫都兒)의 Doyan을 귀족을 뜻하는 Noyan으로 자칭하는 경우가 흔하다.

지 않고 있다.

토곤-테무르칸Togun-Temür Khagan이 몽골 초원으로 후퇴한 후, 이 지구의 각 올로스와 부족들은 영지의 보위保衛와 명나라의 공격을 방어하기 위해 적극적이고도 공격적인 방어 전술을 채택하였다. 당시 모칼리의 후예인 나하초Nakhachu(納哈出)장군은 20만 몽골군을 거느리고 요하遼河 이북의 금산金山에서 용안龍安(오늘날 흑룡강성 農安縣)·일독하一禿河(오늘날 伊通河)·역미하亦迷河(오늘날 驛馬河) 일대에 이르는 몽골 제부의 방어막을 이루고 있었다. 그러나 홍무 20년(1387) 풍승馮勝과 부우덕傅友德, 남옥藍玉 등이 이끄는 20만 명군이 경주慶州(오늘날 내몽골 巴林右旗 경내)를 돌아 나하초의 군대를 포위했다. 나하초는 명나라와 협의 끝에 전투 없이 투항하였다.

나하초가 투항하자 동부 지역의 몽골 부족들은 방어막을 잃게 되었다. 이에 따라 이들은 명나라의 공격을 받을 가능성에 직면하게 되었다. 나하초가 명나라에 투항한 다음해인 1388년, 남옥이 이끄는 명군은 보이르 호수(Buyur Nagur)에서 몽골 대칸인 터구스-테무르Tögüs-Temür를 습격하였다. 이 전투에서 남옥의 명군은 북원에 결정적인 대승을 거두고, 패배한 터구스-테무르는 수백기를 이끌고 서쪽으로 도주하였다. 이 중대한 군사상의 패배는 대흥안령 이동의 몽골 제부를 고립무원의 지경에 빠뜨렸다. 이에 그들은 할 수 없이 명나라로 귀부하였다.

동부 몽골의 제부가 귀순해 오자, 명나라는 홍무 22년(1389) 이 지구에 도얀위(朵顏衛), 태녕위泰寧衛, 포요르위(福余衛)를 설치했다.[224] 동시에 명나라는 삼위 영주들, 즉 아차시리Achashiri(阿札失里)를 태녕위지휘泰寧衛指揮, 타빈-테무르Tabin-Temür(塔賓帖木兒)를 지휘동지指揮同知, 카이산-난다시Khaisan-Nandashi

224) 도얀위는 屈裂兒河 상류와 朵顏山 일대, 태녕위는 塔兒河(오늘날 洮兒河)유역 즉 元代의 泰寧路, 포요르위는 嫩江과 福余河(오늘날 烏裕爾河) 유역이다.

(海撒男答奚)를 복여위지휘동지福余衛指揮同知, 터러-코차르Törö-Khuchar(脫魯忽察兒)를 타안위지휘동지朶顔衛指揮同知로 임명하는 등 크고 작은 관직을 수여하면서 기미전술을 사용하기 시작하였다. "각기 소부를 거느리게 하고, 목축을 영위케 한다(各領其所部, 以安畜牧)"[225]는 명나라의 기미정책은 이들을 명나라의 "속이屬夷"로 삼기 위한 정책이었다.

몽골인은 도얀위를 오리양카이(兀良哈), 태녕위를 옹니고드(翁牛特), 포요르위를 올코노오드(烏齊葉特)라고 부른다. 그 이유는 도얀·태녕·포요르 삼위가 각기 오리양카이부·옹니고드부·올코노오드부 등의 3부를 주축으로 만들어졌기 때문이다. 당초 삼위 중 태녕위가 가장 강대했고 다음이 포요르위, 도얀위 순이었으나, 나중에 도얀위의 세력이 급속히 팽창되어 명나라가 도얀위를 오리양카이위로 개칭할 정도로 삼위의 첫 번째가 되었다. 오리양카이위가 두각을 나타내자 명나라는 삼위를 도얀삼위(朶顔三衛) 혹은 오리양카이삼위(兀良哈三衛)라고 부르기 시작했으며, 도얀·태녕·포요르위의 유목지도 "오리양카이지구(兀良哈地區)"라 통칭하였다.

명나라는 건문建文 원년(1399) 역사상 '정난의 역(靖難之役)'이라 불리는 황실 전쟁에 휘말렸다. 주체朱棣(永樂帝)는 정난의 역을 일으킨 후 오리양카이 삼위의 지원을 받아 대녕위大寧衛(衛治는 오늘날 赤峰市 寧城縣)를 진수鎭守하고 있었던 영왕寧王 주권朱權을 격파하였다. 이후 그는 오리양카이 삼위의 3천 정예기병을 차출해 정난군定難軍의 골간으로 삼았다. 1402년 황제에 즉위한 주체는 "종전유공從戰有功"의 오리양카이 삼위에 대한 보답으로 대녕위(오늘날 承德市, 平泉縣, 建昌縣, 老哈河 유역)을 할양하기로 약속하면서,[226] 삼위의 영주들에게 도독都督과 지휘指揮, 천호千戶, 백호百戶 등의 관직을 수여했다. 그리고 오리양

225) 『明實錄』 洪武 22年 5月 癸巳條.
226) 이에 대해서는 賈敬顔, 「明成祖割地兀良哈考辯」 『蒙古史研究』 1, 1985를 참조.

카이 삼위인들이 명나라와 교역할 수 있도록 개원開元과 광녕廣寧에 호시互市를 개설하였다.

영락제는 즉위 후 이전에 오리양카이 삼위에게 약속한 대녕위 할양건을 서서히 파기하는 태도를 취하기 시작했다. 즉 영락제는 삼위의 몽골인들이 남하하여 유목하는 것을 허락하지 않았다. 영락제가 약속을 저버리자 오리양카이 삼위는 무력으로 대녕 지구의 유목권을 획득하기 위하여 당시 북원의 강자인 아룩타이-타이시Arugtai-Tayishi(阿魯台太師)와 연합한 뒤 누차 명의 북변을 침략하였다. 이에 영락제는 오리양카이 삼위를 배후조종하고 있는 아룩타이-타이시를 제거하기 위하여 1422년부터 1424년 동안 매년 아룩타이를 목표로 삼은 친정을 감행하였다. 영락제는 아룩타이의 군軍이 계속 정면대결을 회피하자, 회군 때마다 구일레르Güiler(屈裂兒)하 유역으로 진군하여 아룩타이를 지지하는 오리양카이 삼위에게 참혹한 타격을 가했다.

그러나 영락제의 가혹한 공격에도 오리양카이 삼위는 굴복하지 않고 대녕 지구를 획득하기 위해 명나라와 지루한 전쟁을 계속했다. 이들은 전쟁을 계속하면서 난하灤河 유역까지 서서히 남하하였다. 선종宣宗 초기에 이들은 이미 난하 유역을 완전히 장악하였으며, 1428년에는 대녕성大寧城에 진입하는 데 성공하였다. 대녕성을 함락시킨 오리양카이 삼위는 여세를 몰아 회주會州(오늘날 하북 平泉縣)를 경유하여 관하寬河(오늘날 하북 瀑河)까지 침공해 들어와 선종이 이끄는 3천 기병과 치열한 전투를 벌이기도 하였다. 당시 코르친부의 일부는 아다이칸Adai-Khagan(1426~1438)과 아룩타이-타이시의 통솔 하에 눈강嫩江 유역으로 유목지를 옮긴 뒤, 오리양카이 삼위가 남진하여 대녕지구를 탈취하도록 강권했다.

명나라는 선종 말년과 영종 초년, 즉 1430년대 후반 북변의 경비가 매우 이완되고 있었다. 이를 틈타 삼위 몽골인들은 시라무렌하로부터 요하 유역에 이르기까지 전면적인 공세를 감행하면서 남하하기 시작하였다. 그리고 15세기 중엽 그들은 마침내 장성 변외를 완전히 장악하는 데 성공했다. 이로부터 명나라의 장성 변외 지구, 즉 동쪽의 개원開元부터 서쪽의 선부宣府에 이르는 지역은 오리양카이 삼위의 유목지로 변했다. 이후 오리양카이 삼위의 유목지를 살펴보면, 대녕大寧부터 희봉구喜峰口에 이르는 지역과 선부宣府에 가까운 지역은 도얀 지구, 금주錦州·의주義州에서 광녕위廣寧衛를 지나 요하遼河에 이르는 지역은 태녕 지구, 황니와黃泥窪·심양瀋陽·철령鐵嶺부터 개원開元에 이르는 지역은 포요르 지구이다.

【태령위泰寧衛와 투메드】

명나라 초기에 내부했고 부장部長을 삼위지휘사三衛指揮使로 삼았다. 금의錦義부터 광녕廣寧을 거쳐 요하에 이르는 지역이 태령위泰寧衛이다. 뒤에 토묵특土默特이 점거했다.[227]

위의 기록에서 금의錦義는 금주錦州와 의주義州를 말한다. 태녕위는 16세기 중엽 투메드의 지구로 전변되었는데, 그 과정을 간략히 기술하면 다음과 같다.

알탄칸의 투메드 만호의 세력은 대칸인 다라이손-쿠뎅칸Darayisun-Güdeng Khagan(1548~1557)이 동천하기 이전에 이미 계주薊州와 요서遼西 일대에 이르고 있었다. 알탄칸의 큰아들인 셍게-훙-타이지Sengge-Khong-Tayiji(Sengge Dügüreng Temür Khan, 辛愛黃台吉=僧格黄台吉)는 오리양카이 지구, 특히 태녕위의 지구에 진입한 후 그곳의 몽골 부족들과 연혼정책을 펴서 서로 견고한 정치관계를 유지했다. 알탄칸은 자신의 딸을 오리양카이의 부장 게렐테-노얀Gereltei Noyan(革蘭台諾顏)의 셋째 아들인 망고타이Manggutai(猛古伍, 莽古岱)의

227) 『연행기』 「1790년 7월 7일」 조 : 明初以內附, 部長爲三衛指揮使, 自錦義歷廣寧, 至遼河, 日泰寧衛, 後爲土默特所據.

자식에게 주었고, 셍게-홍-타이지는 오리양카이부에서 4~5명의 부인(카톤)을 취했다. 오리양카이부의 게렐테-노얀의 아우인 혁발래革勃來(Gebüle?)의 큰아들 바얀-터구스Bayan-Tögüs(伯彦帖忽思), 화통和通(花當, Kötön?)의 손자인 판복板卜(Banbu?) 등은 모두 셍게-홍-타이지의 장인이 되었다.[228] 셍게-홍-타이지는 14명의 아들이 있었는데, 그 가운데 엥케투Engketü(安克圖), 촉트Chogtu(朝克圖), 타올라이토Taulaitu(土拉圖), 톨리-바토Toli-Batu(土力巴圖), 바얀Bayan(巴延), 밍간Minggan(明安)은 모두 판복의 딸 소생이다. 그들의 오토크otog(鄂托克)[229]를 올애兀愛라고 부르며, 올애의 소재지는 만투이滿套尔라고 부른다. 만투이의 땅은 서쪽으로 용문소龍門所(오늘날 하북성 赤城 동북의 龍門所)와 마주보는데, 독석구獨石口의 서변장西邊墻에서 겨우 50㎞ 떨어져 있다. 셍게-홍-타이지와 오리양카이부의 카톤 소생의 자녀들은 투메드 만호의 영지로 이동하지 않고 줄곧 모친을 따라 오리양카이 지구에서 유목하고 있었다. 이것이 이후의 동투메드부의 전신이다. 동투메드부는 오리양카이 출신의 귀족이 통치하는 집단(Tabunnang)과 함께 알탄칸의 후예가 통치하는 집단(Noyan, Tayishi=Tayiji)으로 나누어진다.

【객라심喀喇沁과 타안위朶顔衛】

명나라는 홍무 연간에 대령도지휘사사大寧都指揮使司를 설치하고, 황자皇子 권權을 영왕寧王으로 봉해 주둔시켰다. 영락永樂 초년에 영왕을 강서江西에 옮겨 봉하고, 대령의 땅을 삼위추장三衛酋長 타안朶顔에게 주었다. (타안은 삼위 가운데) 가장 강력하였는데, 뒤에 찰합이에게 멸망되었다. (청 태종은) 그 땅을

228) 당시 오리양카이 도얀부의 系圖에 대해서는 和田淸, 『東亞史硏究(蒙古篇)』, pp.469~476을 참조.

229) 오토크otog는 원래 씨족을 뜻하는 말이지만, 다얀칸의 領地再劃定 후에는 萬戶 내의 小領地를 뜻하는 말로 전변되었다. 오토크는 小領地인 동시에 기본적인 군사단위이기도 하다. 오토크의 뜻에 대해서는 達力扎布, 『明代漠南蒙古歷史硏究』, pp.176~179를 참조.

탑포낭塇布囊에게 주었는데, 이것이 객라심喀喇沁이다.[230]

위의 기록에 등장하는 카라친Kharachin(喀喇沁)이란 명칭은 토곤 시대부터 등장하고 있다. 또 에센의 사후 카라친부의 볼라이Bolai(孛來)가 일시 권력을 장악하였다는 것에서도 나타나듯이, 북원 초기의 유력한 부족이었다고 보인다.[231] 카라친부는 1530년대 이후 알탄칸의 동생인 바야스칼-컨델렝-칸Bayaskhal-Köndelen Khan에게 통속되었으며, 그 영지는 대동大同, 선부宣府 이북이다.

도얀-오리양카이는 앞서 기술한 태녕위와 마찬가지로 알탄칸의 투메드 만호의 세력이 확장될 때 카라친부의 바야스칼-컨델렝-칸에게 복속되었다. 또 북쪽의 포요르위는 칼카Khalkha 만호의 세력에게 흡수되었다.[232] 바야스칼-컨델렝-칸의 카라친부와 결합된 도얀-오리양카이는 이후 새로운 개념의 카라친부를 만들어 냈는데, 이를 간략히 설명하면 다음과 같다.

17세기 초 성립된 새로운 개념의 카라친은 몽골 우익 3만호 중의 카라친부 사람과 도얀-오리양카이를 중심으로 하는 삼위 백성의 결합체이다. 이들의 통치계층을 얼게인-노야드-타븐-옹고드Ölge-yin noyad tabun ong-ud(山陽諸諾顔塔布囊)나 카라친-타븐낭Kharachin-Tabunnang(喀喇沁塔布囊)이라 부른다. 얼게인Ölge-yin(山陽的)은 그들의 주목지가 흥안령 이남이기 때문에 붙인 명칭이며, 노야드Noyad(諸諾顔, Noyan의 복수형)는 황금가족(Altan ulug)계, 타븐 옹고드tabun ong-ud(Tabunnang)[233]는 그들과 인척 관계를 가진 오리양카이의 지배층을 가리

230) 『연행기』 「1790년 7월 7일」 조 : 明洪武間, 置大寧都指揮使司, 封皇子權爲寧王以鎮之, 永樂初, 徙封寧王於江西, 以大寧地, 賜三衛酋長朶顔, 最强, 後爲察哈爾所滅, 以地予其塇布囊, 是爲喀喇沁.

231) 명대 사서에 카라친부는 哈剌慎, 哈喇嗔, 哈喇慶 등으로 표기되어 있다. 喀喇沁이란 한문 표기는 청나라 초기에 고정된 것이다.

232) 포요르위와 칼카 만호의 관계에 대해서는 和田清, 『東亞史研究(蒙古篇)』, pp.605~612를 참조

233) 타븐낭Tabunnang(塔布囊, табнан)은 다섯 명의 왕들(tabun ong-ud)이란 뜻에서 기원하여,

킨다.[234] 도얀-오리양카이의 지배층은 칭기스칸 시대 몽골 오리양카이 귀족인 젤메Jelme의 후예들이다.

바야스칼-컨델렝-칸의 둘째아들인 칭-바아토르Ching-Bagatur(靑把都)는 딸을 젤메의 후예인 조농Jonung(長昻)에게 주어 연혼 관계를 강화시켰다. 1620년대 나소지브Nasu-Jib(拉斯奇卜)가 카라친칸이었을 때 도얀-오리양카이와 카라친은 결합하여 하나가 되었으며, 이후 도얀-오리양카이는 다시 오리양카이라 칭하지 않고 얼게인-노야드-타븐-옹고드나 카라친-타븐냥이라고 칭했다.

명나라 초기 동방의 유력한 몽골 세력이었던 오리양카이 삼위는 알탄칸의 세력 확장에 의해 독립된 정치세력으로 성장하지 못하고 서부의 카라친과 동투메드 황금가족의 부용이 되었다. 이후 이들은 황금가족과 연합하면서 명나라의 북변을 공격하거나 혹은 무역을 통해 이익을 취했다. 이러한 정치정세의 변화로 말미암아 명나라는 자신의 동북지역을 수호해 주던 변장을 잃은 셈이나 마찬가지일 정도로 심대한 타격을 입었다. 사실 명대 오리양카이 3위는 내부적으로 명의 북방을 방어하는 세력이었으며, 명나라와 몽골 본부의 대치상황에서 명과 호시互市의 개설 등을 통해 양자 간의 완충 역할을 수행하고 있었다.

오리양카이 삼위가 황금가족과 연합을 이룩한 뒤에도 이러한 성향은 크게

이후 사위(女壻)란 뜻으로 전변된 말이다. 원래 몽골어로 사위를 뜻하는 말은 쿠르겐Kürgen(хүргэн)이다. 그러나 카라친부와 도얀-오리양카이의 결합 이후 타븐냥이란 말은 官家의 사위라는 새로운 개념이 정립되었다. 이로 인해 『武備志』「北虜考」所引의 「薊門防禦考」의 虜語解에는, 일반적인 사위는 苦力干(Kürgen), 관가의 사위는 他不浪(Tabunnang)으로 구분하여 기록하고 있다. 타븐냥은 명측의 기록에 他卜囊, 他不能, 倘不浪으로도 표기되고 있으며, 『蒙古源流』에도 바야스칼의 아들인 靑把都, 黃把都에 버금가는 존칭으로 기록하고 있다. 그러나 이러한 구분에도 불구하고 타븐냥은 만주어로 額駙(efu), 한어로 駙馬라고 번역되고 있다. 카라친 내부의 황금가족은 노얀Noyan이나 타이지Tayiji, 도얀-오리양카이의 상층 귀족은 타븐냥이라고 불린다. 타븐냥에 대한 전론은 靑木富太郎, 「蒙古の稱號にタブナンついて」 『和田博士古稀記念東洋史論叢』, 東京, 1961을 참조.

234) 山陽諸諾顔塔布囊의 개념에는 알탄칸의 아들인 셍게-홍-타이지의 아들 安兎(噶爾圖, Galtu)와 朝兎(朝克圖, Jorigtu) 등 동방계 노얀Noyan(귀족)들과 그와 연합한 카라친의 타브냥 등 이후의 東투메드 지배층도 포함되어 있다.

바뀌지 않았다. 따라서 정치적인 변동이 일어나 명과의 무역이 순조롭지 않을 경우 카라친-타이지와 타븐냥 간에는 서로의 입장 차이로 상호공방하는 경우도 있었다. 카라친부는 1627년 여름 릭단칸의 서정에 의해 일거에 카라친 본부(카라친 노얀)가 분쇄되었고, 개평과 상도 일대의 카라친 고지古地가 차하르부에 몰수당했다. 그러나 카라친-차하르의 전쟁에서 카라친의 타븐냥들은 큰 타격을 입지 않았다.

릭단칸의 서정 때 세력을 온전히 보존했던 카라친-타븐냥들은 1628년 8월 3일 후금과 결맹하여 자신들의 안위를 도모하기 시작했다. 그리고 1629년 이후 차하르나 명나라와의 전쟁에 적극적으로 참가하였다. 1635년 후금이 카라친을 병탄하자, 1627년 릭단칸에게 심대한 타격을 받은 카라친의 황금가족 휘하의 부민들은 만주 팔기나 몽골 팔기로 흡수되었다. 그리고 카라친이라는 명칭은 오리양카이 귀족(타븐냥)만 사용하는 것으로 바뀌어졌다. 이후 청조에 의해 편성된 카라친 3기旗의 상층 인물들은 모두 도얀-오리양카이의 귀족들이다.

서호수의 기록에 등장하는 도얀위의 멸망은 1627년 여름 릭단칸의 카라친 본부공격을 말하는 것이다. 또 타븐냥과 카라친의 관계는 1635년에 일어난 역사 사실을 말하는 것이다.

【건창현建昌縣】

건창현은 명나라 때 타안위朶顔衛의 경계이다.[235]

【평천주平泉州】

평천주는 명나라 때 타안위朶顔衛의 경계이다.[236]

235) 『연행기』 「1790년 7월 12일」 조 : 建昌縣, 明爲朶顔衛界.
236) 『연행기』 「1790년 7월 14일」 조 : 平泉州, 明爲朶顔衛界.

【흥주興州】

흥주를 북평부北平府에 예속시켰다. 뒤에 흥주를 좌左, 우右, 중中, 전前, 후後의 5위衛로 고쳤다. 영락永樂 초에 내지로 위衛를 옮겨 흥주는 타안의 경계가 되었다.[237)]

【고북구古北口의 조하천수어천호소潮河川守禦千戶所】

파극습영巴克什營에서 서남으로 8리를 가면 고북구의 조하천영성潮河川營城이다. 서북쪽에 있는 조하潮河와의 거리는 겨우 100여 보이다. 강으로 끊어진 곳에는 작교柞橋를 만들었다. 북문北門과 통하는 협곡의 동쪽과 서쪽은 모두 뾰족한 산등성으로 진나라 때 쌓은 장성이 산마루에 구불구불 이어져 있다. 명나라 때의 적대敵臺는 봉우리 꼭대기에 별처럼 펼쳐져 있다. 기세가 웅장하고 경치도 장관이다. 실로 남북의 큰 방위선防衛線이자 화이華夷의 큰 경계이다. 조하천영潮河川營에 명나라는 조하천수어천호소를 두었다. 청나라는 조하천파총潮河川把摠을 설치해서 수비군을 주둔시켰다.[238)]

위의 기록에 등장하는 파극습영巴克什營의 파극습巴克什은 티베트어 및 몽골어에서 선생이나 학자를 뜻하는 박시Bagshi(багш)의 음역이다.

【토성관土城關】

또 남으로 10리를 가면 토성관이 있는데, 원나라의 옛터이다. 정통正統 14년(1449)에 야선也先이 상황上皇을 모시고 토성에 올랐다. (이에 경제景帝는) 통정사좌참의通政司左參議 왕복王復을 우통정右通政으로 삼고, 중서사인中書舍人

237) 『연행기』 「1790년 7월 21일」조 : 以興州屬北平府, 後改爲興州左右中前後五衛, 永樂初, 移衛入內地, 而興州爲朶顏界.

238) 『연행기』 「1790년 7월 22일」조 : 由巴克什營, 西南行八里, 爲古北口之潮河川營城, 西北距潮河, 僅百餘步, 絕河爲柞橋, 通北門, 夾間, 東西, 皆四稜山麓, 秦築長城, 逶迤于岡脊, 明時敵臺, 星羅于峯巔, 氣勢雄豪, 形勝奇壯, 實南北之大防, 而華夷之大界也, 潮河川營, 明置潮河川守禦千戶所, 淸設潮河川把摠駐守.

조영趙榮을 태상시소경太常寺少卿으로 삼아 토성으로 보내 상황을 뵙게 하였는데, 여기가 바로 그곳이다. 장안객화長安客話에 "도성 덕승문德勝門 밖에 토성관이 있다. 전하는 말에 옛날 계문薊門의 터라 한다"고 했고, 또 "계구薊邱는 경사팔경京師八景의 계문연수薊門煙樹가 바로 이곳이다"고 했다. 토성관은 속칭 답련파畓連坡라고 일컫는 곳이다. 지금은 성이 없어지고 흙 언덕만 동서로 마주대한 채 나무만 울창하게 우거져 있다. 건륭乾隆 병신년(1776)에 작은 정자와 조그마한 비석을 동쪽 언덕에 세우고 계구의 고적古蹟을 기록해 놓았다.[239)]

위의 기록에 등장하는 토성관은 토목보와 함께 명과 북원 간의 전투가 일어난 곳으로 이미 앞에서 자세히 언급한 바 있다.

【고북구古北口와 알탄칸】

본조本朝(조선) 가정嘉靖 연간에 엄답俺答이 경사京師를 침범할 때 고북구로 들어왔다.[240)]

고북구와 알탄칸에 대해서도 이미 앞에서 자세히 언급한 바 있다. 또 고북구의 지리적 위치에 대해서도 여러 차례 언급한 바 있다. 여기서는 명나라 때의 몽골족을 중심으로 고대부터 알탄칸에 이르는 고북구에 대하여 간략히 언급해 보기로 하겠다.

고북구는 북경 방면에서 열하를 거쳐 요동으로 통하는 지름길이다. 따라서 당대까지 북경 방면에서 요동으로 가려면 고북구에서 열하를 거쳐 가는 것이

239) 『연행기』「1790년 7월 25일」조 : 朝陽門以東, 又南行十里, 爲土城關元舊也, 正統十四年, 也先, 奉上皇登土城, 以通政司左參議王復爲右通政, 中書舍人趙榮, 爲太常寺少卿, 出見上皇於土城, 卽此地, 長安客話都城德勝門外, 有土城關, 相傳古薊門遺址, 亦曰薊邱, 京師八景之薊門烟樹卽此, 按土城關, 俗稱畓連坡, 今城廢, 土阜東西相對, 林木蓊翳蒼翠, 乾隆丙申, 建小亭短碣于東阜, 以存薊邱古蹟.

240) 『연행기』「1790년 7월 23일」조 : 本朝嘉靖間, 俺答之犯京師也, 入古北口.

보통이었다. 고북구는 북쪽으로 열하의 산지가 펼쳐져 있고, 동서도 산으로 둘러싸여 있으며, 북방에서 흐르는 조하潮河를 연하고 있다. 북에서 오는 길은 요동에서 분수령을 넘어 한 번에 하북평야의 오지까지 내려오는데, 그 사이에 위치한 곳이 바로 고북구이다. 군사 및 상업상의 요지이기 때문에 당대唐代에는 북구수착北口守捉으로 알려져 있으며, 『금사』 「지리지」에도 이미 고북구의 이름이 보이고 있다. 요나라의 야율야보기가 중국에 침입할 때도 고북구를 통했으며, 금나라의 침공도 이곳을 통했다. 명대 후반에는 고북구 북방 일대에 오리양카이의 도얀부가 자리 잡고 있다. 투메드부의 알탄칸은 오리양카이를 복속시킨 뒤 서쪽의 카라친, 동쪽의 차하르부 등 몽골 노얀들을 이끌고 고북구를 중심으로 산해관에서 독석구獨石口까지 여러 관구들을 돌파하여 내지로 침공했다. 알탄칸이 고북구를 돌파하여 북경 부근을 몇 차례 침공할 수 있었던 배경에는 오리양카이의 협조가 결정적이었다.

4. 대청제국 시대의 역사 사적

대청제국 시대의 역사 사적은 1616년 누르하치의 후금건국 때부터 1755년 준가르제국의 멸망에 이르기까지 만주와 몽골의 군사 연합, 충돌에 관한 총 11건의 기록으로 구성했다. 후금을 건국한 누르하치는 만주의 눈강 일대에서부터 내·외몽골, 신강, 중앙아시아, 청해, 티베트에 걸쳐 크고 작은 세력을 형성하고 있는 몽골부를 떠도는 구름에 비유했다. 그리고 그 구름들이 뭉치면 누구도 막을 수 없는 비가 내린다고 했다.

사실 몽골측에서 보면 여진의 누르하치 세력은 그다지 강력한 상대는 아니었다. 그러나 누르하치는 조각구름이 모여 비를 만들기 전에, 분열 상태의 몽골부를 각개격파 혹은 연합의 형식으로 순식간에 평정해 나갔다. 몽골이 집단 방어의 능력을 상실하자 곧바로 러시아까지 몽골영토 침탈 공세에 가담했다. 17세기부터 18세기 중반까지의 몽골 역사는 그들이 지닌 막강한 군사력에도 불구하고 내부분열이라는 소용돌이에 빠져 세계사의 저편으로 침몰되는 과정과도 같다.

(1) 최덕중의 연행록에 등장하는 대청제국 시대의 역사 사적

최덕중의 『연행록』에는 대청제국 시대의 관련 사적이 모두 4건이 등장하는데, 그것을 순서대로 소개하면 다음과 같다.

【금주錦州】

여기는 명나라 때 큰 진鎭이었다. 또 청나라 초기에 우리 군사를 불러들여 공격시켜 함락시킨 성이기도 하다. 지금 여기를 지나면서 다만 '산 빛과 물 색깔에 슬픔을 누를 수 없다'라는 글귀를 읊조릴 뿐이었다.[241)]

금주는 명나라 초기 광령우둔위廣寧右屯衛, 광령중둔위廣寧中屯衛, 광령중좌둔위廣寧中左屯衛 등이 소재한 군사 중진이다. 또 1641년 4월부터 1642년 3월까지 청나라와 명나라 총병 조대수祖大壽 간에 치열한 공방전이 전개된 곳이다. 당시 금주 전투에 참가한 조선군은 조선 총병總兵 유림柳琳이 이끄는 1천 명의 포병들이다. 인평대군麟坪大君의 『연도기행燕途紀行』에는 당시의 전투 상황이 매우 자세히 기록되어 있는데, 그 중 주목을 끄는 부분이 명나라와 연합한 몽골군에 관한 부분이다. 그 부분을 소개하면 다음과 같다.

241) 『연행록』「1713년 2월 28일」조 : 此乃明時巨鎭, 而當淸初, 請我師擊陷之城也, 今過此地, 只吟山光水色不勝悲之句而已.

> 임오년(1642)에 연조총병燕趙摠兵 왕정신王廷臣·조변교曹變蛟가 송산松山을 들어 청淸에 내응하자, 군문軍門 홍승주洪承疇, 총병摠兵 조대락祖大樂·조대필祖大弼·조대청祖大淸 등도 모두 청에 항복했다. … 이때 조대수는 송산이 패몰하여 모든 조씨祖氏가 투항했단 말을 듣고 드디어 청진淸陣에 무릎을 꿇었다. 그러나 유독 몽골병 수천 명만은 의기義氣를 지켜 굽히지 않았다. 청인이 크게 노하여 연회에 유인해 활과 칼을 버리게 한 다음, 평야로 몰아내 철기鐵騎로 유린했다. 몽골 군사는 본래 싸움에 능한지라 맨손으로 육박전을 벌여 활과 칼을 빼앗고 해가 높이 뜰 때까지 격렬하게 싸웠다. 비록 삶을 얻지는 못했지만 수천의 철기를 잡아 죽였으니, 이와 같은 충용은 비록 중화인에게도 드문 것이었다. 그 해골이 지금까지도 금주 동천東川 가에 쌓여 있다. 노조老祖(祖大壽)가 금주에서 곤욕을 당할 때에 비록 적을 섬멸하지는 못하였겠지만, 족히 포위망을 무너뜨리고 한 번 싸울 수는 있었다. 그러나 편안히 앉아서 관망만 하며 일이 되는 대로 내버려 두었다. 4세世의 원융元戎을 돌아볼 때 그 조상을 더럽히고 황은皇恩을 저버리며, 즐겨 오랑캐에게 항복하여 마침내 절개를 굽혔으니, 비록 황천에 돌아간들 어찌 몽골 군사에게 부끄럽지 않겠는가.[242]

금주의 포위 후 청 태종은 다음에 등장하는 박지원의 기록처럼 1641년 8월 송산松山·행산杏山에서 홍승주의 명군을 대파했다. 그리고 1642년 2월 홍승주의 항복[243]과 3월 조대수의 항복을 받아냈다. 그런데 주목되는 것은 인평대군의 목격담과도 같은 명나라 쪽에 가담한 몽골군에 대한 기록이다.

---

242) 麟坪大君, 『燕途紀行』 「1656년 9월 8일」 조 : 歲壬午, 燕趙摠兵王廷臣曹變蛟翻松山內應, 軍門洪承疇摠兵祖大樂祖大弼祖大淸等俱降…于時大壽聞松山敗沒, 諸祖納降, 遂屈膝淸陣, 獨蒙兵數千, 仗義不屈, 淸人大怒, 誘以宴會, 使去弓劍, 驅出平野, 以鐵騎蹂之, 蒙兵素善戰, 以赤手相搏, 還奪弓劍, 崇朝鏖戰, 縱未得生, 亦能搏殺數千鐵騎, 如此忠勇, 華人所罕, 骸骨秪今堆積于錦州東川邊, 老祖之受困錦州也, 雖未殲賊, 足可以潰圍一戰, 而安坐觀望, 任其事去, 顧以四世元戎, 忝厥祖負皇恩, 甘心降虜, 終至隳節, 縱歸黃泉, 其不媿於蒙兵乎.

243) 洪承疇의 항복에는 코르친Khorchin부 출신인 청 태종의 몽골 황후 보르지기드Borjigid(博爾濟吉特, 孝庄文皇后) 씨의 회유가 큰 역할을 했다는 전설이 구전되고 있다. 이에 대해서는 蕭一山, 『清代通史(1)』, 北京, 1986, pp.210~211 및 李玲九·李顯深 共著, 『中國歷代皇帝』, 北京, 1992, p.524를 참조.

지금까지 금주나 송산 전투를 언급한 연구 논저에는 청나라와 연합한 몽골군에 대한 기록이 주축을 이루었지 명군과 연합한 몽골군에 대한 기록은 거의 없다. 소일산蕭一山은 1641년 청군이 금주를 공격할 때 투항한 몽골 부락 및 몽골군에 대해 언급하고 있는데,[244] 이들의 실체에 대해서는 분명히 밝히지 않고 있다. 명대 중엽에는 투항한 몽골군을 장군의 사병으로 편성한 예가 있기는 하지만,[245] 그 수는 소수의 병력에 그친다. 따라서 인평대군의 기록처럼 정말 대규모의 몽골 군대가 명나라에 가담하였고, 또 투항 후 대량학살되어 금주의 동천東川에 버려졌다면, 청나라 측에서 밝힐 수 없는 무엇인가의 역사적 진실이 은폐되어 있을 가능성이 있다. 하여튼 조대수의 항복과 함께 투항한 몽골군의 진실 여부에 대한 기록은 추후의 연구 대상이 아닐 수 없다.[246]

244) 蕭一山, 『淸代通史(1)』, pp.206~208.

245) 許篈(1511~1588)의 『朝天記』에는 楊照(1524~1563)의 사적을 기술하는 가운데 광녕의 몽골 투항병 중 건장한 자들을 모아 家將이라는 총병관의 사병으로 만들었다는 기록이 "達子納款者多處廣寧, 摠兵官等擇其驍健者, 娶婦女優資財, 以爲手足, 號曰家將"처럼 보인다.

246) 만주족 출신의 몽골 사학자인 金啓孮은 명나라 정부군으로 복무하는 몽골군에 대한 몇 가지 기록을 남기고 있다. 먼저 그는 청나라 초기 徐秉義의 『培林堂書目』의 史部에 인용된 失名, 『獻賊記事略』「張獻忠 大西軍」의 기록을 분석하면서, 명나라 장군 馬科의 휘하에 2,500명의 몽골군이 있으며, 이들이 정치변동에 따라 1644년부터 1646년까지 張獻忠이나 李自成의 군대에 복무했는데 원래 이들은 모두 명나라 정부군이었다는 점을 지적하고 있다(金啓孮, 「大順, 大西軍中皆有蒙古兵」 『淸代蒙古史札記』, 呼和浩特, 2000, pp.68~70). 그리고 同書 pp.91~92의 「淸官書中散見蒙古人數」에서 錦州의 몽골병에 관한 기록을 다음과 같이 남기고 있다. ① 1639년 2월 청병이 송산을 공격했는데, 명나라의 몽골병 3백이 錦州에서 구원하러 왔으나 청병에게 격퇴되었다. ② 1641년 3월 明의 錦州 몽골병 吳巴什, 諾木齊 등이 반란을 일으켜 청병을 이끌고 외성을 공격했다. 항복한 몽골 남자 1,573명, 한인 139명, 부녀와 어린이 3,655명을 9牛錄으로 편성했다. 諾木齊의 부하 몽골병 204명은 正黃旗로 편입하고, 吳巴什의 부하 몽골병 702명은 鑲藍旗로 편입했다. ③ 1642년 2월 송산을 파하고 홍승주를 사로잡았다. 3월 금주의 조대수가 항복했다. 그리고 조대수의 부하였던 몽골병들은 모두 살해되었다. 명나라의 금주 방어는 몽골병을 믿고 한 것이다. 5월 한군팔기(烏眞超哈八旗)를 세웠다. 7월 한군팔기에 우록장경을 설치했다. 금주 외성에서 투항한 몽골인 吳巴什 등을 三等梅勒章京에 봉했다. ④ 1643년 7월 조선 국왕에게 보내는 국서에 "明之蒙古兵無復存者"라는 문구가 보인다. 金啓孮의 기록은 기존의 명대 몽골사에 대한 새로운 시각을 제시한다는 점에서 매우 주목된다고 할 수 있다.

【청나라 초기의 몽골 방어선】

중후소 이래로 서북쪽은 가로로 담을 친 것처럼 산이 겹쳐져 뻗어 나가고 있다. 동남쪽은 바다가 끝없이 펼쳐져 있다. … 산맥이 옆으로 막아섰는데, 돈대와 봉수대가 겹겹이 늘어서 있다. 해변의 산꼭대기에도 역시 봉수대가 설치되어 있다. 산에 설치한 것들은 몽골 군사를 탐보探報하기 위한 것이며, 해변에 있는 것은 해적을 감시하기 위한 것이다. 방수防戍하는 곳이 아주 많다는 것을 알 수 있다.[247]

위의 기록에 등장하는 "몽골 군사" 운운의 기록은 청나라 초기의 몽골 상황을 보여주고 있는 부분이다. 최덕중이 방문했던 1712년 이전 청나라의 상황은 1673년 오삼계吳三桂의 반란을 시작으로 크고 작은 반란과 전투가 1690년대 말까지 이어지고 있었다. 이 가운데 몽골과 관계된 것은 1675년 3월 차하르의 보르니Burni(布爾尼) 친왕의 반란,[248] 1690년 8월 적봉赤峰 북쪽의 올란보당Ulaganbudang(烏蘭布通)에서 일어난 청군과 준가르제국 군대 간의 격전[249]을 들 수 있다. 따라서 최덕중이 지나간 일대의 산에 몽골 군사를 대비하기 위한 봉수대는 차하르와 준가르제국과 관계된 것이라고 볼 수 있다.

247) 『연행록』「1712년 12월 12일」조 : 第自中後所以來, 西北重疊之山, 逶迤橫亘, 東南無涯之海…且以山脉之橫遮, 墩烟臺重重, 海汀山頭, 亦設烟臺, 山臺則探報蒙兵, 海臺則亦察水賊, 其防戍之多方可知.

248) 보르니 친왕의 반란에 대해서는 森川哲雄, 「チャハルのブルニ親王の亂をめぐって」『東洋學報』 64-1·2, 1983을 참조.

249) 올란보당Ulaganbudang은 붉은 안개를 뜻하는 몽골어로, 오늘날 내몽골 케식텐Keshigten기 서남에 있는 大紅山으로 비정되고 있다. 이곳은 북경에서 700리 떨어진 곳으로, 당시의 위급 상황은 "京師戒嚴, 情況危急"(劉獻庭, 『廣陽雜記』 권1)에서도 잘 입증되고 있다. 갈단칸Galdan Boshogtu Khagan(噶爾丹, 1644~1697)의 칼카몽골 침략과 올란보당 전투의 과정에 대해서는 準噶爾史略編寫組編, 『準噶爾史略』, 北京, 1985, pp.97~120 ; С. Цолмон, 『Галдан бошгот хаан –нийгэм улс төрийн үйл ажиллагаа(1644-1697)』, УБ, 1994, pp.76~89를 참조.

【강희제 때의 몽골】

주인은 수재秀才 전홍田鴻과 전붕田鵬의 형제였는데 문자도 조금 알았다. 밤이 깊도록 이야기를 나누었다. 비록 대놓고 말하지는 않았지만, (산해)관 밖 해적이 평강왕平康王이라 불린다는 것, 황태자가 불효하고 공경심도 없기 때문에 폐위된 것, 황제가 매번 북쪽 변경을 순행해서 몽골을 진압한다는 것 등은 거의 사실인 듯하였다.[250]

위의 기록에 등장하는 황태자는 강희제의 둘째아들인 윤잉允礽이다. 그는 1675년 태자로 봉해졌지만, 품행을 이유로 1708년 폐위되어 함안궁咸安宮에 유폐되었다. 이후 1709년 일시 복위되었지만, 1712년에 재차 폐위되었다. 이후 강희제는 죽을 때까지 황태자를 책봉하지 않았다. 강희제의 몽골 관련 기사는 위에서 언급한 차하르와 준가르, 칼카몽골에 관련된 것이다. 칼카Khalkha(Халх, 哈爾哈)몽골, 즉 막북몽골은 1688년 아르-엘스테이Aru-Elstei(Ар Элстэй, 阿魯額勒蘇台) 회맹과 1691년의 돌로온-노오르Dolugan-Nagur(Долоон Нуур, 多倫諾爾) 회맹을 기점으로 청조에 복속되었다.[251]

【강희제의 칼카Khalkha와 준가르Jegüngar 평정】

또한 전공戰功도 말했다. 해외에서 조공을 바치는 나라로는 바로 유구流球와 섬라暹羅 두 나라이다. 중원의 남쪽으로는 교지交趾, 서쪽으로는 서역西域에 이른다. 북쪽으로는 합이합哈爾哈·액노특厄魯特 등 여러 호지胡地에 이르며, 동쪽으로는 우리나라에 이른다. (이렇게) 천하를 하나로 만들어 50년 동안 천하를

250) 『연행록』 「1712년 12월 20일」조 : 主人乃秀才田鴻鵬兄弟也, 稍知文字, 夜深酬酢, 雖不直說關外海賊之稱平康王, 皇太子之以不孝不悌見廢, 皇帝之每巡北邊, 以鎭蒙古等事, 似是眞的矣.

251) 칼카족의 역사에 대해서는 Ш. Нацагдорж, 『Халхын түүх. Манжийн эрхшээлд байсан үеийн Халхын хураангүй түүх(1691-1911)』, УБ, 1963 ; Д. Гонгор, 『Халх товчоон(I-II)』, УБ, I(1970), II(1978) ; Ц. Дамдинсүрэн, 『Халхын угсаатны зүй』, УБ, 1987을 참조.

다스린 것은 당나라와 송나라 이후로 이 같은 사람이 없었다.[252]

위의 기록에 등장하는 유구流球는 오키나와, 섬라暹羅는 태국, 교지交趾는 베트남을 말한다. 합이합哈爾哈은 칼카의 음역이고, 액노특厄魯特은 오이라트 Oyirad의 음역으로 막북몽골과 막서몽골을 말한다. 당시 오이라트, 즉 준가르 제국은 체왕-아랍탄Tsewang arabtan(策旺阿喇布坦, 1697~1727)의 통치시기로 청조와는 대립 관계에 있었다. 최덕중이 말하는 오이라트란 1969년 6월 15일 오늘날 울란바아타르의 동쪽에 위치한 테렐지Terelji에서 청군에 격파된 갈단 칸을 지칭한 것은 아니라고 판단된다. 따라서 청조가 1702년 체왕-아랍탄에게 자사크-도로이-군왕Jasag Doro-i Giyun Wang(扎薩克多羅郡王)을 제수한 것을 복속으로 판단하여 위와 같이 표현했다고 보인다.

(2) 박지원의 열하일기에 등장하는 대청제국 시대의 역사 사적

박지원의 『열하일기』에는 대청제국 시대의 관련 사적이 모두 6건이 등장하는데, 그것을 순서대로 소개하면 다음과 같다.

【1641년 8월 송산松山·행산杏山 전투의 몽골군】

송산, 행산, 고교高橋, 탑산塔山사이의 백여 리는 … 옛날 숭정崇禎 경진庚辰·신사辛巳 연간(1640~1641)에 큰 전쟁터였다. 벌써 백여 년이 지났건만 (이 지방이) 아직도 소생하는 기색이 없으니, 그 당시 용과 범의 싸움(龍爭虎鬪)이 얼마나 격렬하였는가를 능히 짐작할 수 있다.

지금 황제가 지은 전운시全韻詩 주注에 "숭덕崇德 6년(1641) 8월에 명나라 총병 홍승주洪承疇가 구원병 13만을 송산에 집결시켰다. (이에 맞서) 태종이

252) 『연행록』「1713년 1월 27일」조 : 且言戰功, 而海外來朝之國, 乃琉球暹羅兩國, 中原則南至交趾, 西至西域, 北至哈爾哈厄魯特等諸胡之地, 東至我國, 第混一天下五旬餘, 治天下者, 唐宋之後, 未有如此者矣.

군사를 출발하려 할 때 마침 코피를 쏟았다. 행군이 매우 빨랐기 때문에 코피가 더욱 심해지다가 3일 만에 그쳤다. 제왕諸王과 패륵貝勒들이 천천히 행군하기를 청했으나, 태종은 '행군의 신속함으로 승리를 얻는 것이다'고 말했다. (이렇게) 질주하여 엿새 만에 송산에 이르렀다. 그리고 곧 송산과 행산 사이에 군대를 펼쳐 가로로 길을 끊었다. 명나라 총병 여덟 명이 (명군을 이끌고) 전봉을 치자, 격퇴시킨 다음 그들이 필가산筆架山에 쌓아둔 양식을 빼앗았다. 그리고 해자를 파서 송산과 행산의 길을 끊었다.

이날 밤 명나라의 여러 장군들이 칠영七營의 보병을 철수시켜 송산성松山城 가까운 곳에 군영을 세웠다. 태종은 여러 장군들에게 이르기를, '오늘 밤에 적병이 반드시 도망칠 것이다'고 했다. 이에 호군護軍 오배鼇拜 등은 사기四旗의 기병을 거느리고 전봉대인 몽골병과 같이 짝을 이루어 해변까지 도달할 것을 명했다. 또 몽골 고산액진固山額眞 고로극固魯克 등은 행산의 길에 매복했다가 (적이 이르면) 길을 막아 습격하라고 명했다. 또 예군왕睿郡王은 금주로 가서 탑산의 큰길에 이르면 적을 옆에서 공격할 것을 명했다.

이날 밤 초경初更에 명나라의 총병 오삼계吳三桂 등이 해변을 따라 도망쳐 나갔다. 이에 (군대가) 서로 이어 추격하였다. 또 파포해巴布海 등에게 탑산 길을 막으라고 명했다. 또 무영군왕武英郡王 아제격阿濟格도 탑산으로 가서 길을 막고 공격하라고 명했다. 또 패자貝子 박락博洛에게 군을 이끌고 상갈이채桑噶爾寨로 가서 길을 막고 공격하라고 명했다. 또 고산액진 담태주譚泰柱에게 소릉하로 가서 해변까지 (군대를 배치해) 적의 귀로를 끊으라고 명했다. 또 매륵장경梅勒章京 다제리多濟里에게 패잔병을 추격하도록 명했다. 또 고산액진 이배伊拜 등에게는 행산에 머물면서 행산으로 도망쳐 들어오는 명나라 군을 사방에서 공격할 것을 명했다. 또 몽골 고산액진 사격도思格圖 등은 (명나라) 도망병들을 추격하도록 명했다. 또 국구國舅 아십달이한阿什達爾漢 등은 행산에 가서 군영지를 살필 것을 명했다. 만약 그 땅이 좋지 않다면 나은 곳을 골라 군영을 옮기도록 명했다. 이튿날 예군왕과 무영군왕에게 탑산의 사대四臺를 포위하고 홍의포紅衣礮로 공격하도록 명했다.

명의 총병 오삼계와 왕박王樸이 행산으로 달아났다. 이날 태종은 송산으로 군영을 옮겨 해자를 깊이 파고 포위했다. 이날 밤 총병 조변교曹變蛟가 진지를 버리고 포위를 뚫고 나가려는 시도를 4차례나 했다. 이에 내대신內大臣 석한錫翰 등과 사자부락四子部落 도이배都爾拜에게 각기 정병 250명을 거느리고 고교보高橋堡와 상갈이보桑噶爾堡에 매복할 것을 명했다. 태종이 친히 군사를 거느리고 고교보 동쪽에 이른 뒤 (다시) 패륵 다탁多鐸에게 매복하라고 명했다. 오삼계와 왕박이 패하여 고교보에 이르자 복병이 사방에서 일어나 (공격하자) 겨우 몸만 도망칠 수 있었다. 이 싸움에서 명나라 병사 5만 3천 7백 명을 죽이고 말 7,400필, 낙타 60필, 갑옷과 투구 9,300벌을 노획하였다. 행산부터 남쪽의 탑산에 이르기까지 바다로 뛰어들어 죽은 자도 아주 많아, 시체가 마치 물오리와 따오기처럼 물에 둥둥 떠다녔다. (그러나) 청군은 실수해 다친 자가 겨우 여덟일 뿐, 그 나머지는 코피조차 흘리지 않았다"라고 기록되어 있다. 아아, 슬프다. 이것이 이른바 송산·행산의 싸움이다.[253]

위의 기록은 1641년 8월 송산과 행산에서 일어난 청나라와 명나라의 전투를 묘사한 것이다. 이 전투에 참가한 군대 중 몽골군 부분은 몽골팔기 소속의

253) 『열하일기』「馹汛隨筆」1780년 7월 18일조 : 松杏高塔之間百餘里…崇禎庚辰辛巳之際, 魚肉之場也, 至今百餘年間, 尙未蘇息, 足想當時龍爭虎鬪之跡矣, 按今皇帝全韻詩註曰, 崇德六年八月, 明摠兵洪承疇, 集援兵十三萬於松山, 太宗卽統軍啓行, 時適鼻衄, 因行急, 衄益甚, 三日方止, 諸王貝勒請徐行, 諭曰, 行軍制勝利在神速, 疾馳六日, 抵松山, 陳師於松山杏山之間, 橫截大路, 明摠兵八員, 犯前鋒擊敗之, 獲其筆架山積粟, 濬壕斷松杏路, 是夜明諸將, 撤七營步兵, 近松山城而營, 太宗諭諸將曰, 今夜敵兵必遁, 命護軍鼇拜等, 率四騎旗兵, 前鋒蒙古兵, 俱比翼排列, 直抵海邊, 又命蒙古固山額眞固魯克等, 於杏山路設伏遮擊, 又命睿郡王往錦州, 至塔山大路橫擊之, 是夜初更, 明摠兵吳三桂等沿海潛遁, 相繼追擊, 又命巴布海等, 截塔山路, 又命武英郡王阿濟格, 亦往塔山截擊之, 又命貝子博洛率兵往桑噶爾寨, 截擊之, 又命固山額眞譚泰柱, 往小淩河, 直抵海濱, 絕其歸路, 又命梅勒章京多濟里, 追擊敗兵, 又命固山額眞伊拜等, 於杏山, 四面擊明兵之奔入杏山者, 又命蒙古固山額眞思格圖等, 追擊逃兵, 又命國舅阿什達爾漢等, 往視杏山駐營處, 如其地未善, 卽擇善地移營, 翌日, 命睿郡王武英郡王圍塔山四臺, 以紅衣礮攻克之, 明摠兵吳三桂王樸奔入杏山, 是日太宗移營, 至松山, 欲濬壕圍之, 其夜摠兵曹變蛟棄寨欲突圍而出者數四, 又命內大臣錫翰等及四子部落都尒拜, 各率精兵二百五十, 伏於高橋及桑噶爾堡, 太宗親率軍, 至高橋東, 令貝勒多鐸設伏, 吳三桂王樸敗奔至高橋, 伏兵四起, 僅以身免, 是役也, 殺明兵五萬三千七百, 獲馬七千四百, 駝六十, 甲胄九千三百, 自杏山南至塔山, 赴海死者甚衆, 漂蕩如鴈鶩, 淸軍誤傷者, 只八人, 餘無挫衄云, 嗚呼, 此所稱松杏之戰也.

고산액진固山額眞(khoshigun-u ejen) 구루게Gülüge(固魯克)와 시케투Shigetü(思格圖), 사자부락四子部落(Dörben ke'üged)의 자사크Jasag 옴보Ombu(鄂木布)의 휘하 장군인 더르베이Dörbei(都爾拜)이다. 사자부락은 차하르의 토벌에도 참가했고, 1636년 조선에 청 태종의 선유칙서宣諭勅書를 가지고 오다가 피도皮島에서 명나라 군대의 차단을 받아 명나라 병사 2명을 참하고 돌아간 청 태종의 측근 몽골 부족이다. 이 때문에 1636년 옴보가 자사크로 임명되었다. 청나라에서 몽골 기병은 주로 전봉대로 활약하고 있다.

고산액진固山額眞의 고산은 기旗를 뜻하는 몽골어 코시곤khoshigu(n)의 음역이며, 액진은 군주나 주인을 뜻하는 몽골어 에젠ejen의 음역이다. 고산액진은 고산장경固山章京이라고도 표기하는데, 장경은 장군을 뜻하는 만주어 장긴janggin의 음역이다.

위의 기록에 등장하는 만주인 가운데 오배鼇拜(?~1669)는 이후 의정대신議政大臣이 되고, 강희 초년에 선제의 고명顧命을 받아 정치에 참여했으나 전횡이 심하여 적몰籍沒 당하였다. 예군왕睿郡王은 청 태조의 열넷째 아들로, 이후 순치제를 받들고 입관入關하여 이자성李自成 군을 격파하였다. 파포해巴布海는 청 태조의 열한째 아들이다. 무영군왕武英郡王 아제격阿濟格은 청 태조의 열두째 아들이다. 패자貝子 박락博洛은 청 태조의 손자이다. 고산액진 담태주譚泰柱는 담태譚泰(?~1651)의 오기이다. 그는 1636년 병자호란에도 참가한 인물로, 이후 일등공一等公이 되었으나 순치제 때 전횡을 이유로 극형을 당하였다. 매륵장경 다제리多濟里(1587~1648)는 팔기八旗의 부장副將이다. 고산액진 이배伊拜는 송산에서 홍승주를 사로잡은 인물이다. 아십달이한阿什達爾漢(1580~1642)은 해서여진海西女眞 예허Yehe(葉赫)부 출신으로 청 태종의 장인이다. 패륵 다탁多鐸은 청 태조의 열다섯째 아들로 봉호는 보정왕輔政王이다.

【갈단칸(1644～1697) 평정비】

아로덕阿魯德 추장의 평정(에 대한 것을 기록한) 어제헌괵비御製獻馘碑 하나가 있는데, 강희 43년(1704)에 세운 것이다.[254]

위의 기록에 등장하는 아로덕阿魯德은 오이라트Oyirad의 음역이며, 추장은 갈단칸Galdan Boshogtu Khagan(1644~1697)을 가리킨다.[255] 강희제의 갈단칸 평정비는 위에 언급된 것 이외에 2개가 더 존재한다. 하나는 몽골국 헨티아이마크 델게르항솜 헤를렌 강변의 토노Тооно산에 위치한 기공비紀功碑로, 바트-오치르Бат-Очир가 1920년대에 처음 발견하여 1955년 페를레X. Пэрлээ에 의해서 울란바아타르 국립역사박물관으로 옮겨졌다. 비의 건립 연도는 1696년 음력 5월 12일이며, 몽골국에서는 발견지를 따라 비명을 토노산의 중국비(Тооно уулын хятад бичээс)로 이름을 붙였다.[256] 다른 하나는 오늘날 내몽골 허흐호트시 구성舊城 실릭토조Shiligtu juu(席力圖召)에 1703년 건립된 강희평정갈이단기공비康熙平定噶爾丹紀功碑이다.

갈단칸은 준가르제국의 초대 대칸이며, 준가르제국은 흉노부터 시작되는 유라시아 초원의 유목기마제국의 계보를 잇고 있는 마지막 유목국가이다. 준가르제국은 동서에 위치한 청조와 제정러시아는 물론, 중앙아시아의 투르크 이슬람 사회나 라마교 국가인 티베트와도 깊은 정치적 교섭을 가지고

254) 『열하일기』「謁聖退述」歷代碑條：(太學)平阿魯德馘, 御製獻馘碑一通, 康熙四十三年立.

255) 갈단칸에 대해서는 Б. Буянчуулган, 『Монгол өөлдийн түүх, Галданцэрэн хааны бүлэг』, бичмэл. Унс.；С. Цолмон, 『Галдан бошгот хаан —нийгэм улс төрийн үйл ажиллагаа (1644~1697)』, УБ, 1994；上同, 「Галдангийн түүхэн үүргийг үнэлэх асуудалд」『Түүхийн судлал』 29, 1995；Д. Цэмбэл, 『Галдан бошгот хаан』, УБ, 1994；Н.Ишжамц, 「Галдан бошигтын үйл ажиллагааг үнэлэн дүгнэх асуудалд」『Түүхийн судлал』 29, 1995 등의 논저를 참조.

256) 토노산의 한문 비명은 大淸皇帝征厄魯特噶爾丹駐拖諾山御筆勒銘이다. 현재 이 비문은 국립역사박물관에 소장되어 있는데, 비문에 대한 자세한 것은 Д. Дашнямб·А. Очир·Н. Уртнасан·Д. Цэвээндорж 공저, 『Монголын нутаг дахь түүх соёлын дурсгал』, УБ, 1999, pp.227~228 및 X. Пэрлээ, 『Тооно уулын хятад бичээс』 ШУХ ЭШХ, 1960을 참조.

있다. 따라서 준가르제국에 대한 고찰은 청나라나 러시아 및 근세 중앙아시아사의 흐름과 동향을 이해하는 데 중요하다. 또 이후 본문에 등장하는 청조의 티베트 정책을 살펴보는 데에도 매우 필요하다. 그러면 준가르제국의 성립 배경부터 갈단칸에 이르는 역사에 대하여 비교적 세밀하게 살펴보기로 하자.

준가르Jegüngar의 전신은 13~14세기 때 역사에 첫 모습을 드러낸 오이라트Oyirad부이다.[257] 오이라트부는 에센칸Esen Khan 때 명의 북변을 침공하여 영종英宗을 사로잡은 토목보土木堡의 전투를 위시해, 서쪽으로는 모골리스탄칸국Mughalistan Khanate이나 킵차크 초원에도 침입하여 위세를 떨쳤다. 중앙아시아의 이슬람교도는 오이라트족을 칼마크Qalmaq(Kalmuk)라고 불렀는데, 이 호칭은 이슬람교도를 통해 러시아를 비롯한 서구제국에 전파되었다.

그러나 몽골의 패자였던 에센칸이 1454년 부하에게 피살되자 오이라트족의 패권은 와해되고, 동몽골족인 타타르Tatar(韃靼)부가 세력을 확장해 갔다. 이로 말미암아 오이라트족은 본래의 활동 무대였던 서몽골로 후퇴하였다. 그리고 동서 투르케스탄과 킵차크 초원 방면으로 진출을 꾀했다.

오이라트가 서방으로 영토확장의 열의를 보인 시기는, 알탄오르도Altan ordo의 킵차크가家가 내분으로 붕괴의 조짐을 보이고, 이를 틈타 투르크계 유목민인 우즈베크족이 아부르-카이르칸Abūr-Khair-Khan의 영도 하에 급속히 대두하고 있는 시기와 일치하고 있다. 킵차크가는 15세기 중엽부터 첨예화된 내분으로 말미암아 정치적 통합력을 잃은 채 사실상 붕괴하고 있었다. 이는

257) 오이라트의 역사에 대해서는 А. Очир, 『Монголын Ойрадуудын түүхийн товч』, УБ, 1993 ; С. Буянчулуун, 『Дөрвөн ойрадын түүх』(гар бичмэл. УТНС-д буй) ; Д. Гонгор, 『Ховдын хураангуй түүх』, УБ, 1964 ; Ч. Далай, 『Ойрад Монголын түүх』, УБ, 2002 ; 上同, 「Ойрад Монголчуудын түүхээс өгүүлэх нь」『Түүвэр зохиол(I)』, УБ, 2000 ; 上同, 「Ойрад Монголчуудын түүхээс өгүүлэх нь Түрүү Дөрвөн ойрадын холбоо」『Түүвэр зохиол(I)』, УБ, 2000 ; 白翠琴, 『瓦剌史』, 長春, 1991 ; 若松寬, 「オイラ-ト族の發展」『岩波講座世界歷史』, 東京, 1971 ; 上同, 「ジュンガル王國の形成過程」『東洋史研究』 41-4, 1983 등의 논저를 참조.

그 지배하에 있었던 투르크계 유목민들이 발호할 수 있는 절호의 기회를 주었는데, 킵차크가에 반기를 들었던 중앙아시아 유목민은 아부르-카이르칸이 영도하는 우즈베크족이었다.

그는 킵차크 일대를 비롯해 티무르의 자손에게서도 시르-다리아Syr-Dariya 하의 이북 지방을 탈취했을 뿐만이 아니라, 샤-르부Shāhrbu의 사망 후 발생한 혼란을 틈타 마와라-안나푸르mā warà an-nahr(Transoxiana)에 침입하여 사마르칸트와 그 주변까지 유린했다. 오이라트족의 서방 진출은 당시 이 지역에서 급속히 세력을 확장하고 있는 아부르-카이르칸을 공격하는 데부터 시작되었다. 오이라트족의 아부르-카이르칸 공격은 사료에 따라 시기의 차는 있지만, 1452~1455년 또는 1457년 무렵이라고 간주되고 있다.

오이라트족은 아부르-카이르칸과 1452~1457년의 어느 때에 시르-다리야 하변에서 일대 격전을 벌여 대승을 거두었다. 이 시르-다리야 하변의 전투로 말미암아 오이라트족은 서방 진출의 확고한 발판을 마련했으며, 패배한 아부르-카이르칸은 휘하의 우즈베크족이 양분되는 뼈아픈 결과를 맛보아야 했다. 왜냐하면 시르-다리야 하변 전투의 패배 후 아부르-카이르칸의 지도력에 불만을 품은 일부 우즈베크족이 동차카타이칸국의 변경으로 이동해, 자신들에 대한 동차카타이칸국의 종주권을 인정하며 아부르-카이르칸에게 반기를 들었기 때문이다.

동차카타이칸국, 즉 모골리스탄의 변경 지대인 츄Chu하와 탈라스Talas하 유역으로 이주한 우즈베크인들은 동차카타이칸국의 보호 아래 점차 카자흐라는 이름으로 새로운 정치 세력을 구축해 나갔다. 아부르-카이르칸은 자신의 권위를 인정하지 않고 이탈해 나간 이 카자흐족을 무력으로 억압하려 했지만, 1468년 동차카타이칸국의 지원을 받고 있던 그들과 전투 끝에 오히려 아들과 함께 전사하고 말았다. 이 일전은 이전의 우즈베크족을 우즈베크와 카자흐라는 두개의 대립되는 민족으로 고정화시키는 결정적인 역할을 하였다. 우즈베크, 카자흐 두 민족의 항쟁은 15세기 후반부터 16세기를 통하여 단속적으로 전개되었다.

아부르-카이르칸이 이끄는 우즈베크와 힘겨운 전쟁을 수행했던 카자흐는 아부르-카이르칸의 뒤를 이은 쉐이반니Sheibāni 및 그가 건립한 쉐이반니 왕조의 칸들에 대항하기 위하여 권력의 중앙집권화를 도모하기 시작했다. 또 그들은 우즈베크족을 제외한 인접의 여러 민족들과 1530년대까지 우호적인 관계를 유지하고자 노력했다. 당시 카자흐의 오이라트에 대한 우호 정책도 이 같은 배경에서 나온 것이다.

15세기 후반부터 1530년대까지 카자흐와 모골리스탄, 카자흐와 오이라트족 간에는 비교적 평화로운 관계가 유지되었다. 그러나 서로 독립관계에 있는 오이라트족과 모골리스탄 간의 관계는 카자흐와의 경우와는 달리 평화보다는 대립이 주를 이루었다. 몽골족계인 이들은 그들의 공동의 적인 투르크족계 민족국가와 항쟁할 경우에만 제휴했을 뿐, 일반적으로는 대립하고 있었다. 15세기 후반 모골리스탄의 동차카타이칸국은 그동안 진행되어온 동·서부의 대립이 심화된 끝에 결국 투르판과 카슈가르를 양축으로 동서로 분열되었다.

모골리스탄의 동부는 15세기 중엽부터 두각을 나타내기 시작하여 인근의 오이라트 제후들과 장기간 분쟁·대립을 계속했지만, 16세기 중엽부터 세력이 급속히 와해되었다. 이 사정은 서부도 별반 다르지 않았다. 모골리스탄의 세력이 급속히 와해된 원인은 우즈베크, 카자흐 두 민족국가의 두드러진 발전에 따른 외부적인 위축과 그로 인해 그동안 잠재해 있던 내부의 모순들이 내란의 형태로 빈번히 분출되었기 때문이다.

구심점이 와해된 모골리스탄의 할거세력들은 주변의 오이라트 세력을 끌어들여 자신들에게 유리한 환경을 만들고자 노력했다. 따라서 오이라트족은 모골리스탄의 정쟁에 깊숙이 개입하게 되었다. 오이라트가 개입한 일례는 샤-칸Shāh Khan의 피살 사건에서도 찾아볼 수 있다. 동부 모골리스탄의 샤-칸은 재위기간(1545~1570) 내내 카밀에 웅거하고 있는 아우 무함마드Muhammad와 칸위를 둘러싼 대립을 벌이고 있었다. 대립이 장기화되자 무함마드는 오이라트를 끌어들여 샤-칸을 공격·살해하고, 오이라트의 후원 속에 칸위에 올랐다.

카자흐족과 오이라트족은 거의 1세기에 걸쳐 평화적 관계를 유지하고 있었다. 그러나 1530년대 카자흐에 하끄-나자르칸Hakk-Nazar Khan(재위 1538~1580)이 출현하자 사태는 일변하여, 이후 2세기에 걸친 무력항쟁의 서막을 열었다. 결론적으로 말하면 양측의 항쟁은 서로 인접·교차하는 농경지대, 즉 시르하 상류유역의 상업도시 및 그곳으로 통하는 통로의 획득을 둘러싸고 치열히 전개되었다. 양측의 항쟁은 이반Иван 4세가 1570년대에 노카이Ногай족 지역으로 파견한 러시아 사절의 "카자흐는 강력하다. 칼마크는 이들에 복종하고 있다"라는 보고를 근거로 할 경우, 16세기 중엽부터 후반까지 카자흐칸이 오이라트 제후에 대하여 우세를 견지하고 있었다고 생각된다.

마지막으로 오이라트족과 동몽골족과의 관계를 살펴보기로 하자. 오이라트 세력은 에센칸 이래 몽골의 서반부를 확보하고 타타르부를 동쪽으로 몰아냈다. 타타르부가 형세를 만회하기 위해서는 무엇보다도 서방계의 오이라트 세력을 서북으로 몰아내지 않으면 안 되었다. 1510년 타타르부의 중흥 군주인 다얀칸은 오이라트의 한 세력인 이브라힘Ibrāhīm(에센칸의 손자)이 오이라트 내부의 분쟁으로 인해 카밀 근처로 남하해 메르킨Merkin부의 영주로 추대되어 점차 이 근방에서 실력을 구축해 가자, 후환을 없애기 위한 방편으로 그의 토벌에 나섰다. 다얀칸은 그를 청해青海(Köke-nagur)로 패주시키고 오르도스를 점령했다. 다얀칸의 오르도스 점령은 이후 알탄칸Altan Khan과 지농Jinung

(濟農) 등 내몽골의 실력파를 만들어내는 계기가 되었다.

이후 허흐호트 일대를 근거지로 한 동몽골족의 알탄칸은 1552년 오이라트부를 에센칸 이래의 본거지인 항가이와 알타이산 사이의 훈구이하·잡항하 유역에서 격파하여 그들을 이르티쉬하 상류지방으로 패주시켰다. 그리고 1559년과 1560년에는 청해의 오이라트 세력을 공격하여 와해시키고 청해를 장악했다. 오이라트가 이르티쉬하로 퇴각한 후에도 알탄칸은 계속 군대를 파견하여, 1574년까지 오이라트부에 대한 공세를 멈추지 않았다.

알탄칸의 공세는 에센칸 이래 상실한 외몽골을 다시 타타르부가 수복했다는 뜻 깊은 의미를 가지고 있다. 즉 명나라 영락永樂 연간에 외몽골을 오이라트부에 내준 이래 지금에야 겨우 그곳을 되찾는 데 성공한 셈이었다. 알탄칸의 대공세는 예전 오이라트부에 밀려 칼카Khalkha(Халх)하 유역에 핍박되어 있었던 동몽골족계의 외外칼카Khalkha족이 대거 서방으로 진출할 수 있는 발판을 마련해 주었다.

외칼카족의 영주 중 서방개척에 가장 의욕적인 인물은 아보다이-사인칸 Abudai-Sayin Khan으로서, 그는 1567년서부터 오이라트 정복사업에 종사했다. 그는 1580년대 후반에 오이라트부를 격파하고, 1592년에 큰아들인 소보다이 Subu'udai를 오이라트칸으로 임명했다. 그러나 소보다이는 아버지의 사후 반란을 일으켰던 오이라트부에 피살되었다.

아보다이-사인칸이 죽은 후 오이라트 경영에 종사한 인물은 라이호르칸 Layixor Khan(초대 자삭토칸Jasagtu Khan인 소보다이의 아들)이었다. 그는 17세기 초 오이라트부와 수차례 격전을 벌여 모두 승리했다. 열세에 몰린 오이라트부는 에미르Emir 하구의 사라-홀손Sara xolsun에서 그의 종주권을 인정하고 부분적인 납공納貢의 의무까지 진다는 화의를 체결하지 않을 수 없었다.

당시 오이라트부는 4부 오이라트(Dörben Oyirad)라 불려 졌지만, 내부적으로는 초로스Choros(綽綽羅斯),[258] 코이트Khoyid(輝特), 바토드Batud, 토르코트 Turkhud(土爾扈特), 코소트Khoshod(和碩特) 5부족의 연합체였다. 이 중 동몽골계인 코소트부가 4부 오이라트의 최고 권력자였다. 그러나 동몽골계의 코소트부장이 언제 어떠한 사정으로 위와 같은 지위를 얻었는가는 알 수 없다. 하여튼 오이라트족으로서는 16세기 중엽부터 17세기 초반에 이르는 기간이 수난의 시대였다.

17세기 초 에센칸의 후예라 불리는 초로스의 부장 카라-콜라Khara Khula(哈喇忽喇)가 오이라트부의 맹주로 등극했다. 당시 초로스부의 유목지는 오브하 상류유역에 자리하고 있었기 때문에, 서쪽에 위치한 여타 부와 구분하여 준가르Jegüngar라 불렸다. 이 때문에 카라-콜라와 그를 둘러싼 정치적 집단도 준가르부라고 지칭되었다. 청조에서는 몽골의 서방에서 발흥한 이 유목국가를 준갈이準噶爾 또는 위랍특衛拉特이라고 불렀다. 때에 따라서는 액로특厄魯特이라고도 불렀는데, 액로특은 4부 오이라트 내의 한 부족을 가리키는 말에 틀림없지만 준가르칸국의 중심 세력이었던 초로스부를 말하는 것인지, 혹은 카라-콜라의 등장 이전에 오이라트에서 가장 유력했던 코소트부를 가리키는 것인지는 명확치 않다.

준가르칸국 형성의 기초를 닦은 초로스 부장 카라-콜라는 생애의 반을 알탄칸과의 투쟁에 보내지 않으면 안 되었다. 알탄칸은 외몽골 라이호르칸 Layixor Khan의 종제從弟로서, 종주宗主인 자삭토칸Jasagtu Khan에 명목상으로 복속된 코토-코이트Khoto-Khoyid(喀爾喀-和托輝特)부의 영주인 솔로이-오바시-홍-타이지Sholoi-Ubashi-Khong-Tayiji(烏巴什洪台吉, 1567~1623?)의 칭호이지만, 이 칭호는 그의 증손 때까지 3대에 걸쳐 사용되었다.[259] 알탄칸이란 칭호는 몽골

258) Dörbed(杜爾伯特)는 그 별파이다.

259) 알탄칸 3대에 대해서는 若松寬, 「アルトゥン·ハ-ン三世傳考證 ―17世紀後半の―モンゴル王侯の生涯」『京都府立大學學術報告(人文)』 30, 1978을 참조.

이나 중국의 문헌에는 보이지 않고, 17세기 러시아 외교문서에만 나타난다. 러시아는 이들을 알틘칸Алтын хаан이라고 투르크 식으로 표기하고 있는데, 이는 러시아가 이르티쉬하 상류 유역에 유목하고 있었던 투르크계 유목민을 통해서 이들과 접촉했기 때문이라고 보인다.

알탄칸 3대의 영역은 대체로 동으로는 헙스걸호, 서로는 본영이 소재했던 옵스호, 남으로는 알타이산맥, 북으로는 타그나-오리양카이를 넘어 남시베리아까지 미치고 있다. 외몽골의 서북변에 위치한 알탄칸국은 지리적으로 러시아제국과 인접해 있기 때문에 러시아와 교섭이 잦았다. 알탄칸이 독립적인 정치세력을 유지했던 시기는 1670년대까지로, 그 기간 동안 알탄칸국은 서북몽골사 및 남시베리아사에 중요한 역할을 담당했다.

러시아 외교문서에는 1606년 칼마크 사절이 러시아령 시베리아의 타라Тара에 와서 러시아 황제에게 카자흐와 노카이족을 방비해 달라는 탄원서를 제출했다고 기록되어 있다. 또 1607년에 다시 칼마크 사절이 타라에 와, 카자흐를 방비해 달라는 탄원서와 함께 최초로 알탄칸의 이름을 거론하면서 그에 대한 방비도 탄원하고 있다. 더욱이 1609년 칼마크는 칼마크를 방문했던 러시아 사절에게 카자흐에 대한 방비를 3차례, 알탄칸에 대한 방비를 2차례씩 언급하며 러시아 황제의 개입을 요구했다. 그러나 이 일련의 요청에 대하여 러시아 측이 응했던 흔적은 없다.

이보다 늦은 1616년, 이르티쉬하반에 있는 초로스부 바아토르Ba'atur의 본영을 방문했던 러시아 사절은 바아토르 등의 칼마크가 카자흐, 노카이 등의 서방 세력과는 소강상태를 유지하고 있지만, 알탄칸과 그 종주宗主인 자삭토칸에게는 여전히 복종하면서 공납을 바치고 있다고 보고하고 있다. 이는 이전 사라-홀손 협약이 아직도 유효하게 지켜지고 있다는 뜻으로, 아직도 오이라트는 동몽골족의 질곡에서 벗어나지 못하고 있다는 것을 암시해 주고 있다.

그러나 1619년 5월 알탄칸이 러시아 황제에게 보낸 서신에는 알탄칸은 러시아 황제에 신종臣從한다는 기록과 함께 카라-콜라와의 전투를 위한 군사원조로 톰스크, 또보리스크 및 타라에 주둔하고 있는 모든 러시아군의 출동을 강력히 요구하는 기록이 보인다. 이 서신의 기록은 1616년서부터 1619년까지의 사이에 카라-콜라가 오이라트에서 몽골 세력, 즉 알탄칸의 세력을 몰아냈을 뿐만이 아니라 도리어 알탄칸의 위협세력으로 성장했다는 것을 말해주고 있다.

17세기 초반 오이라트의 최고 권력자는 코소트 부장 바이바가스칸Bayibagas Khan(拜巴噶斯汗)이었지만, 알탄칸을 몰아낸 후 카라-콜라는 사실상 그를 능가하는 실질적인 실력자였다. 1619년 신흥의 카라-콜라도 러시아에 사신을 파견하여 원조를 요청했다. 그러나 러시아는 몽골과 오이라트 모두에 중립을 선언했다. 양측은 1620년부터 1621년까지 격전을 전개했지만 결과는 카라-콜라측의 참패로 끝났다. 이로 인해 오이라트는 자신들의 본거지인 이르티쉬하의 상류 유역까지 몽골에 빼앗겨 부중이 대거 남하해야만 하는 비극을 맛보았다. 이후 카라-콜라는 1623년에 대거 오이라트군을 이끌고 재차 알탄칸을 공격하여 이르티쉬하의 실지를 만회하는 데 성공했다. 그러나 알탄칸의 거센 반격으로 인해 실지회복 이외의 전과는 거두지 못했다.

1623년 말 러시아 외교문서에는 카라-콜라와 알탄칸 간에 전쟁을 벌였다는 기록은 물론, 러시아 당국과 빈번히 교섭을 가져왔던 알탄칸에 대한 기록도 보이지 않는다. 이후 알탄칸과 러시아와의 교섭기록은 1631년에 이르러서야 찾을 수 있다. 이때의 알탄칸은 제2대에 해당하는 옴보-에르데니Ombu Erdeni(1659년 사망)이며, 교섭의 주제도 종전과 같은 오이라트 문제가 아니라 외몽골의 내분에서 살아남기 위해 러시아 황제의 보호를 요청하는 것이었다. 이 같은 상황이 발생한 것은 1628년 신흥의 청조 세력이 차하르몽골로 진공하여 차하르몽골의 내부질서가 붕괴되자, 막남 몽골의 일부 세력이 외몽골로 들어와 이 지방의 토착 세력들과 내분을 일으켰기 때문이다.

한편 이 사이 오이라트에서도 1625년에 유혈내전이 발생하였다. 이 유혈내전은 카라-콜라의 아들인 칭-타이지Ching-Tayiji의 유산을 둘러싸고 그 형제인 바이바가스-타이지Bayibagas-Tayiji(拜巴噶斯台吉)와 추케르-타이지Cüker-Tayiji(書庫爾台吉)가 대립하면서 야기된 것이다. 당초 카라-콜라는 두 형제의 화해를 시도했지만 추케르-타이지의 약속파기에 의해 실패하자, 바이바가스-타이지 측에 가담하여 무력으로 추케르-타이지 측을 제압하고자 했다. 그러나 사태는 조속히 호전되지 않고, 결국 1629년에 이르러 추케르-타이지와 그를 지원하는 일부 더르베드 세력을 토볼하 유역으로 몰아내는 데 성공했다.

타르바가타이 지방에 근거를 두고 있었던 토르코트부의 영주인 커-어를루크Kö-örlüg(和鄂爾魯克)가 초로스부의 세력에 몰려 부민을 이끌고 얍시(이르티쉬하 상류)호를 경유하여 토볼하 상류로 이동했던 것도 내전기간인 1627~1628년 무렵의 일이다. 이후 토르코트부는 더욱 서진하여 1632년 무렵 볼가강 하류일대에 이르렀다. 러시아는 이들을 여타 유목세력의 완충막으로 삼을 목적으로 비교적 후대하는 입장을 나타냈다. 오이라트족의 민족이동이라는 점에서 관심을 끈 이 부족이 바로 볼가-칼마크의 기원이다. 그러나 이 부족의 대부분은 1771년 카자흐의 습격을 받아 부민의 반 이상이 피살되는 우여곡절을 겪으면서 청조지배 하의 천산북로 고향으로 귀환했다.[260]

1625년 내전 발발을 마지막으로 1634년 사망할 때까지의 카라-콜라의 행적은 알려지지 않고 있다.[261] 그러나 타르바가타이Tarbagatai에 본영을 둔 그가

260) 토르코트부의 라마교 귀의와 주변 세력과의 관계에 대해서는 若松寛, 「カルムツクにおけるラマ教受容の歷史的側面」『東洋史研究』25-1, 1966 및 「十七世紀中葉のカルマ-ク族と東トルキスタン」『內陸アジア史研究』3, 1986를 참조.

261) 카라-콜라의 생애에 대해서는 若松寛, 「カラクラの生涯」『東洋史研究』22-4, 1964를 참조.

휘하 부중의 붕괴를 저지하면서 언젠가 몽골을 정복하려는 야망을 품고 있었으리라는 것은 상상하기 어렵지 않다.

오이라트의 지배계급이 겔룩빠Gelüg-pa 라마교를 믿게 된 때가 바로 카라-콜라의 시대였다. 오이라트에 최초로 라마교가 도입된 것은 자삭토칸과 알탄칸, 특히 후자의 강요에 의한 것이라고 생각된다. 그러나 본격적인 도입은 당시 내·외몽골에서 명성이 높았던 차강-노몽칸 만주쉬리-코톡토Chagan-Nomun-khan Manjushiri-Khutugtu[262)]가 1615년 오이라트를 방문하여, 오이라트의 종주宗主 지위에 있었던 바이바가스칸을 비롯한 지배계층에게 설법을 행한 다음부터이다.

그의 설법 후 바이바가스칸은 출가를 원했지만, 카라-콜라가 대두하는 상황 속에서 종주宗主를 잃는 것을 두려워한 제후들에 의해 저지되어 실행에 옮기지는 못했다. 그 대신 바이바가스칸은 1615년 자신을 대신하여 일족의 아들인 자야-반디타Jaya Bandida(1599~1662)를, 카라-콜라를 비롯한 그 밖의 제후들도 각각 한 아들씩 차강-노몽칸 만주쉬리-코톡토에게 출가시켰다. 이 중 자야-반디타는 1617년 티베트로 떠난 후 21년 뒤인 1638년에 귀국하여 오이라트 문화사에 화려한 족적을 남겼다.[263)]

카라-콜라의 사망 후 아들인 바아토르-홍-타이지Ba'atur-Khong-Tayiji(巴圖爾洪台吉, 재위 1634~1653)가 초로스부의 영주로 등극했다. 즉위 후 그는 본영을 최초에는 타르바카타이에 두었지만, 후에는 그 동쪽에 위치한 코보크-사아리Khobug-Sa'ari로 옮겨 오이라트를 경영했다. 바아토르는 즉위 후 카자흐 원정

262) 차강노몽칸에 대해서는 若松寬, 「ツァガン·ノムンハン(CaƔan nom-un gan)の事蹟」『京都府立大學學術報告(人文)』 32, 1980 및 「察漢諾們汗在淸代靑海蒙古史上的作用」『中國蒙古史學會論文選集(1981)』, 呼和浩特, 1986을 참조.

263) 자야반디타에 대해서는 Ч. Далай, 「Зая Бандидын тухай зарим эргэцүүлэл」『Түүвэр зохиол(I)』, УБ, 2000 및 「Зая Бандида Намхайжамцынамьдрал үйл ажиллагаа(Ойрадын их гэгээнтэн соён гэгээрүүлэгч Огторгуйн далай)」『Түүвэр зохиол(I)』, УБ, 2000를 참조.

을 단행했다. 그는 1634~1635년 사이에 두 차례 친히 군대를 이끌고 카자흐로 출병하여, 카자흐의 칸(술탄) 이심Ishim의 아들인 지항기르Jihāngīr를 포로로 잡는 등 눈부신 전과를 올렸다. 지항기르는 이후 탈출하여 카자흐로 되돌아 갔다.

또 그는 치세 초기에 코소트부의 구시칸Güshi Khan(顧實汗)을 앞세워 티베트를 정복했다. 티베트 정벌은 오이라트는 물론 주변 세력들에게도 큰 영향을 미치는 중요한 사건이었다.[264] 1634년 청조의 차하르몽골 토벌의 여파는 외몽골까지 파급되어 영주 간에 혈전이 전개되고 있었다. 이 외몽골의 혈전은 종교 문제까지 결부되어 일종의 종교전쟁적인 색채를 띠고 있었다. 촉트-홍-타이지Chogtu-Khong-Tayiji가 열성적인 까르마빠Karma-pa 신도였기 때문에 겔룩빠를 신봉하는 영주들을 공격하고 있었기 때문이다.[265]

촉트-홍-타이지는 1634년 아직 청조 세력이 미치지 않은 청해로 들어가, 알탄칸 이래 겔룩빠를 신봉하면서 그곳에 살고 있는 몽골족을 정복했다. 몽골 방면에서 티베트로 통하는 유일한 입구인 청해 지방을 까르마빠가 장악한다는 것은, 중앙 우스Dbus를 본거로 하는 겔룩빠 세력에게는 몽골과의 연락이 단절된다는 것을 의미한다. 이 위기를 타개하기 위하여 겔룩빠 법주法主인 제5세 달라이라마 나왕-로상-갸초ngag-dbang blo-bzang rgya-mtsho(阿旺羅桑嘉措)는 자파의 신자인 오이라트부에 구원을 요청했다.

달라이라마의 구원 요청을 받은 바아토르-홍-타이지는 친히 1만의 군대를 이끌고 1636년 초겨울 청해에 도달했다. 그리고 1637년 초 촉트-홍-타이지가 이끄는 3만 군과 회전하여 하루 만에 그들을 격멸했다. 전투 후 바아토르-홍-

264) 오이라트의 티베트 정벌 여파에 대해서는 石濱裕美子,「ジュンガルのチベット侵攻以前における青海ホショトとジュンガルの協力關係について」『早稻田大學大學院文學研究科紀要』, 別册 14(哲學·史學篇), 1987 ; 山口瑞鳳,「十七世紀初頭のチベットの抗爭と青海モンゴル」『東洋學報』74-1·2, 1993를 참조.

265) 촉트-홍-타이지에 대해서는 Ж. Дашдондог,『Халхын Цогт Хун Тайж』, УБ, 1992를 참조.

타이지는 곧바로 타르바가타이로 돌아갔지만, 구시칸Güshi Khan(바이바가스칸의 아우)을 청해에 남겨 사후 처리를 맡겼다. 반대세력의 소탕에 나선 구시칸은 1642년에 이르러 청해와 티베트의 전토를 평정하는 데 성공했다.[266] 그리고 이 해 그는 제5세 달라이라마를 추대하고, 자신은 티베트왕의 자리에 올랐다. 구시칸은 1655년에 사망했지만 그의 자손은 4대에 걸쳐서 티베트를 보호령으로 지배했다.[267] 그러나 1723년 청조의 영토인 서녕西寧을 공격하다가 패배한 것을 전기로 결국 청조에 복속되었다. 이것이 청해 코소트Khoshod부이다.[268]

이전 오이라트칸의 지위에 있었던 코소트의 영주가 칭기스칸의 자손, 즉 황금의 씨족으로서 형식적인 권위는 유지하고 있었지만 점차 그 실권은 초로스부의 영주에게 넘어갔다. 바이바가스칸 사후 코소트부의 영주 자리는 아들인 오치르트-타이지Ochirtu-Tayiji(오치르트-체첸칸Ochirtu-Chechen-Khan, 鄂齊爾圖車臣汗으로 개칭)에게 이어졌다.

그런데 『자야-반디타전(Jaya Bandida-yin tūji)』에는 바이바가스칸이 1640년에 고령으로 사망한 것을 분수령으로, 이후 오이라트 집회(chulgan)의 통치자가 2명의 타이지Tayiji라고 기록되어 있다. 이는 바아토르-홍-타이지가 종전의 관례를 깨고 오치르트-타이지와 함께 집회의 통치자가 되었다는 것을 의미하는

266) 구시칸Güshi Khan에 대해서는 山口瑞鳳, 「顧實汗のチベット支配に至る經緯」 『岩井博士古稀記念典籍論集』, 東京, 1963 ; 若松寬, 「ロシア史料より見たグシ汗の事績」 『史林』 59-6, 1976을 참조.

267) 티베트의 왕으로서 군림한 4대는 구시칸Güshi Khan(1642~1665), 다얀칸Dayan Khan(達顔汗, 1665~1668), 달라이칸Dalai Khan(達賴汗, 1668~1701), 라장칸Lha bza'n Khan(拉藏汗, 1701~1717)이다.

268) 청해 코소트부에 대해서는 石濱裕美子, 「グシハン王家のチベット王權喪失過程に關する一考察—ロブサン·ダンジン(Blo bzang bstan 'dzin)の'反亂'再考」 『東洋學報』 69-3·4, 1988 ; 李貝頌, 「青海和碩特蒙古族概說」 『青海民族學院學報』, 1980-1 ; 張哲誠, 「青海和碩特蒙古對西藏之經營」 『中國邊政』 112, 1990 ; 佐藤長, 「近世青海諸部落の起源(1-2)」 『東洋史研究』 32-1(1), 32-3(2), 1973 ; 學銚, 「漠西及青海額魯特蒙古簡誌」 『中國邊政』 31, 1970 ; 胡日査, 「略論17世紀初期的青海蒙古」 『衛拉特史論文集(新疆師範大學學報專號)』, 烏魯木齊, 1987 ; 若松寬, 「貢吉哈屯考—十七世紀前期的和碩特部」 『蒙古民族與周邊民族關係學術會議論文集』, 台北, 2000을 참조.

것이다. 오치르트-타이지는 바아토르의 치세 동안 그의 매우 충실한 협력자였지만, 자이슨호 근방의 이르티쉬하 주변에 잔류하여 오치르트-타이지 및 아블라이-타이지Ablai-Tayiji(阿巴賴台吉) 두 형제의 지배하에 있었던 코소트부 백성들은 양자의 불화에 고심했다.

다음 바아토르-홍-타이지의 치세 중 또 하나 중요한 사건은 1640년 9월 초에 타르바가타이에서 개최되었던 오이라트-몽골 봉건영주 28인의 대집회이다. 여기에는 바아토르-홍-타이지, 오치르트-타이지는 물론 청해의 구시칸, 볼가강 하류 유역의 커-어를루크 등을 위시한 오이라트의 제후들이 모두 참석했고, 외몽골에서는 자삭토칸과 투시에투칸Tüshiyetü Khan이 참석했다. 고령의 체첸칸Chechen Khan은 자기 대신 두 아들을 참가시켰다. 그러나 당시 이미 형식상이나 실질적인 양면에서 청조에 신속臣屬하고 있었던 내몽골의 대표자들은 출석치 않았다.

이 집회의 상세한 내용은 오늘날 불명한 것이 많지만, 이들은 소위 "1640년 몽골-오이라트 법전" 또는 "대법전(Yeke Chajin Bichig)"이라 불리는 일련의 법규를 만들어 냈다. 이 법전의 기본적 성격은 "① 봉건영주 상호간의 관계 개선과 그에 기초를 둔 내전의 방지, ② 공통의 외적(특히 청조 세력)을 물리치기 위한 군사동맹의 보장, ③ 봉건적 지배 구조의 강화"라는 3조로 요약된다. 이 법전에는 겔룩빠를 모든 몽골족의 국교로 확인하고 이단에 대한 투쟁을 천명한 라마교 관련 규정도 다수 포함되어 있다.[269]

269) 할흐-오이라트 법전에 대해서는 С. Жалан-Аажав, 『Халх журам нь Монголын хууль цаазны эртний дурсгалт бичиг мөн』, УБ, 1958 ; 田山茂, 「モンゴル·オイラ-ト法典(1-3)」『遊牧社會史探究』 5(1959)·6(1961)·19(1963) ; 上同, 「モンゴル·オイラ-ト法典及びハロハ·ジロムについて」『遊牧社會史探究』 27, 1965 ; 上同, 『蒙古法典の研究』, 東京, 1967 ; Ц. Насанбалжир, 『Халх журам』, УБ, 1969 ; Ч. Далай, 「"Халх журам" Монголын хууль цаазын нэгэн тулгуур сурвалж мөн」『Түүвэр зохиол(I)』, УБ, 2000 ; Б. Баярсайхан, 『Монгол цаазын бичиг』, УБ, 2002 ; Г. Баярхүү, 『Монголын нэгдсэн төрийн болон дараа үеийн хууль цааз, заншилын хэм хэмжээг харьцуулан судалсан нь(13-18 зуун)』, УБ, 1997 ; 島田正郎 著, 임대희·박원길·우덕찬·이광수 역, 『아시아법사』, 서울, 2000, pp.223~282 등의 논저를 참조.

겔룩빠를 국교로 확정한 것은 이전부터 성립되어 있었던 티베트의 겔룩빠 세력과 오이라트-몽골 봉건영주들 간의 동맹관계가 법제화라는 성격을 빌려 더욱 구체적으로 천명되었다는 데 큰 의미를 지니고 있다. 또 이 집회가 준가르칸국의 중심지인 타르바가타이에서 개최되었다는 사실은, 당시 바아토르-홍-타이지가 몽골족의 주도적인 역할을 수행하고 있다는 것을 암시해 주고 있다. 이는 대법전의 기본적인 성격이 바아토르-홍-타이지의 내외 정책의 방향과 일치하는 모든 몽골족의 정치적 독립과 봉건적 질서유지라는 점에서도 명백히 입증되고 있다.

다음은 바아토르-홍-타이지의 대외정책을 살펴보도록 하자. 첫 번째로 그는 죽을 때까지 청조와는 접촉하지 않았다. 그가 청조와 접촉하지 않은 이유는 준가르와 청조가 거리상으로 멀리 떨어져 있기 때문이 아니라, 원천적으로 청조의 존재를 거부했기 때문이라는 것이 진상에 가깝다. 그의 이러한 태도는 당시 그를 위시한 준가르칸국의 제후들 및 모든 주민들로부터 오로이-인 치멕 urui-yin chimeg(頂飾)으로 추앙받고 정치적으로도 그의 고문 역할을 담당하고 있는 자야-반디타의 사상과 밀접한 관계가 있다고 보인다.

자야-반디타는 반청적인 태도를 가진 인물로, 1640년에 체결된 대법전의 노선을 강력히 유지하고자 했다. 그의 전기에는 그가 1651~1652년 두 번째의 티베트 여행을 마치고 준가르로 돌아오는 도중 청해에서 구시칸의 아들이며 후계자인 달라이-홍-타이지Dalai-Khong -Tayiji와 회담한 구절이 기록되어 있다. 그 대목 중 주목할 부분은 달라이-홍-타이지가 교세확장을 위해서는 청의 황제에게도 도움을 청할 필요가 있다는 것을 그에게 권고했을 때, 자야-반디타가 "너의 말도 지당하며 청 황제(Jürchidi-yin Bogda Khagan)는 존대하다. 귀향해서 생각해 보겠다"라는 것과 "후에 (자야-반디타는) 청조의 황제는 존경할 수 없다고 확신했다"라고 것이다. 즉 자야-반디타는 이 증언에서도 나타나듯이, 철저한 반청적인 인물임을 알 수 있다. 따라서 바아토르-홍-타이지도 자기의 정치고문인 자야-반디타의 노선에 따랐으리라는 것은 의심할 바 없다.

바아토르-홍-타이지는 카자흐에 대해서는 적극적인 공세의 태도를 취했다. 즉위 초 그가 카자흐로 친정했다는 것은 이미 언급했지만, 이후 1643~1644년에도 원정을 감행했다. 그는 새로 술탄에 등극한 지항기르Jihāngīr의 카자흐군을 습격하여 그들을 대파했다. 이때 준가르군에 알탄칸의 아들도 군대를 이끌고 참가하고 있는데, 이는 대법전의 동맹 규정에 따른 참가라고 보인다. 그는 1652년에 다시 카자흐로 출병하여 술탄인 지항기르를 살해했다. 당시 바아토르-홍-타이지의 구체적인 카자흐 정책을 살펴볼 수 있는 사료는 매우 빈약하지만, 위와 같은 단편적인 기록을 통해 볼 때 카자흐 관계만큼은 그에게 유리하게 전개되고 있다는 것을 파악할 수 있다.

외몽골에 대해서는 그의 치세를 통하여 어떠한 충돌도 확인할 수 없다. 이는 1640년의 대법전의 정신을 준수했기 때문이라고 보인다. 그는 러시아에 대해서는 순종적인 태도를 유지하고자 노력했으며, 러시아 측도 그에 대해서는 비교적 우호적인 편이었다. 일례로 양국은 예니세이-키르키즈족의 귀속을 둘러싸고 약간의 국지적인 충돌이 발생하자, 그 지방민의 이중신속二重臣屬과 이중공납二重貢納을 서로 묵인하는 선에서 타협을 이루었다. 양측은 이러저러한 현안의 처리 등을 위해 서로 간에 빈번히 사신을 파견했다. 당시 러시아 측의 기록에 의하면, 러시아에서 준가르로 사신을 파견한 횟수가 33회이며, 직접 바아토르-홍-타이지가 있는 곳으로 사신을 파견한 횟수도 19회에 이르고 있다.

그의 치세시기에 문화적으로 주목되는 것이 몇 가지가 있는데, 그 첫째가 소위 토드문자(托忒文, todorxoi üjüg)의 창조이다. 토드문자는 오이라트 음音의 서사書寫를 용이하게 하기 위해 기존의 몽골문자에 새로 7개의 문자를 더한 것이다. 이 토드문자는 1648년 자야-반디타가 만들어 냈다. 자야-반디타는 이 문자를 사용하여 라마교 티베트어 경전을 170여 종이나 번역했다.[270]

두 번째는 정주 사원도시의 출현이다. 1643년 바아토르-홍-타이지가 있던 곳에 파견된 러시아 사절 일인Г. Ильин은 코부크-사우르Khobug-Sa'ari(Кобук-саур)에 승원僧院 및 기타 부속 시설을 갖추고 있는 라마교 사원을 중핵으로 하는 도시(город)가 각 1일 행정의 간격으로 3개소에 이미 완성되어 있었으며, 네 번째는 건설 중에 있다고 보고하고 있다. 또 그는 이 도시들이 바아토르-홍-타이지의 명령으로 만들어졌다고 덧붙이고 있다. 1650년에 바아토르-홍-타이지를 방문했던 러시아 사절 클리예삐코프В. Клепиков는 바아토르-홍-타이지가 러시아에 대공大工, 석공石工, 단야공鍛冶工 등의 직인職人이나 도구, 자재 등을 요구하고 있다고 보고하고 있다. 이 보고로 미루어 보면, 정주 사원도시의 규모는 매년 확대되고 있다고 생각된다. 그러나 바아토르-홍-타이지 자신이 정주 사원도시에 거주했던 흔적은 없으며, 그의 사후 칸국의 수도는 일리Ili(伊犁)로 옮겨졌다.

세 번째로 바아토르-홍-타이지의 명령으로 정주 사원도시에 농경민이 거주하면서 보리, 밀, 기장 등을 재배하기 시작했다는 것이다. 그들은 포로로 잡혔거나 스스로 도망쳐 왔던 부하라인, 즉 주로 동투르케스칸의 위구르인들이었다. 이들은 후에 타리아친tariyachin(塔哩雅沁) 혹은 타란치taranchi라고 불리는 준가르의 국가 농노로 변모했다. 부하라 출신의 타리아친은 이후 1680년 갈단Galdan의 타림분지 정복 후 그 수가 더욱 증가하였으며, 특히 일리 지역에 대량으로 배치되었다.

바아토르-홍-타이지의 아들이며 후계자인 셍게Sengge(僧格, 재위 1653~70)에 대해서도 전대와 마찬가지로 중국 문헌에는 거의 나타나지 않는다. 오이라트

270) 토드문자에 대해서는 Ч. Сундуй, 『Тод бичиг』, Улаангом, 1998을 참조.

의 사료에 의하면, 바아토르-홍-타이지는 치세 중에 자기의 예속민(ulus)을 반분하여 반은 다섯째아들인 셍게에게 주고, 나머지 반은 여덟 아들에게 분여한 것으로 나타난다.

바아토르-홍-타이지가 큰아들인 세첸-타이지Sechen-Tayiji(車臣台吉)를 외면하고 셍게를 후계자로 지명한 것은 자신의 사후 오이라트부의 내부 안정을 고려한 조치였다. 왜냐하면 키르키즈 출신의 버르테Börte 카톤에게서 태어난 세첸-타이지보다 토르코트부의 실력자인 수쿠르-다이칭Sükür-Dayiching(書庫爾岱青, 커-어를루크Kö-örlüg의 아우)의 딸이 생모이자 코소트부의 영주인 오치르트-세첸칸Ochirtu-Sechen-Khan의 손녀딸인 아노anu(阿奴)[271]를 아내로 맞은 셍게를 후계자로 삼는 편이 오이라트부의 결속과 내부질서 유지에 유리했기 때문이다. 셍게의 지명은 세첸-타이지와 조브다-바아토르Jodba Ba'atur(卓特巴巴圖爾, 세첸-타이지의 아우)의 노골적인 불만을 야기했지만, 세불리로 인하여 내전 발발과 같은 사태는 발생하지 않았다. 그러나 아버지의 사후 셍게의 형제들은 부민의 재분배를 요구하고 나섰다. 초로스부 내의 이러한 상황전개는 여러 부내部內의 갈등과 맞불려 점차 무력대결로 발전할 조짐을 나타냈다.[272]

『자야-반디타전』에는 이 대립의 전말이 비교적 상세히 소개되어 있다. 이 전기에 의하면 당시 초로스부는 1657년 여름까지 서로 대립하는 두개의 진영, 즉 셍게의 소령所領인 우부右部(barun anggi)와 셍게 형제들의 소령인 좌부左部(jegün anggi)로 분열되어 있었다. 양측이 무력충돌의 조짐을 보이자, 오이라트

---

271) 아노Anu(Ану)는 아노다라Anu-Dara라고도 불리는데, 셍게의 사후 갈단칸에게 재출가했다. 뛰어난 미모와 총명을 지닌 갈단칸의 충실한 보조자 아노다라는 1696년 테렐지에서 청군과 전투 중 전사했다. 갈단칸의 또 하나의 부인은 아노다라의 동생인 아가Aga(Агаа, 阿海)이다. 갈단칸의 두 카톤Khatun에 대해서는 С. Цолмон, 『Галдан бошгот хаан –нийгэм улс төрийн үйл ажиллагаа(1644~1697)』, pp.37~38 ; 金啓孮, 「噶爾丹之二可敦」『清代蒙古史札記』, pp.168~169를 참조.

272) 셍게 시대의 내란에 대해서는 若松寬, 「センゲ支配期のジュンガル汗國の內亂」『遊牧社會史探究』 42, 1970을 참조.

내의 제후들도 각자의 이해관계에 따라 어느 한편을 지지하고 나섰다. 셍게 측에는 수쿠르-다이칭과 오치르트-세첸칸이 포진했다. 셍게와 대립하는 좌부 측에는 바이바가스칸의 유산분배에 불만을 품고 일찍부터 오치르트-세첸칸과 대립하고 있었던 그의 동생 아블라이-타이지Ablai Tayiji가 포진했다.

1657년 여름, 양군은 에미르 하변에서 대치했지만 오치르트-세첸칸의 아들인 갈담바Galdamba의 중개에 의해 유혈 사태는 발생하지 않았다. 그러나 양측의 대립은 결국 1659년 겨울, 셍게와 그의 숙부인 추케르-타이지 및 오치르트-세첸칸 등의 연합군이 무력으로 조브다-바아토르 등의 좌부를 접수하는 것으로 끝났다. 그리고 전후 처리를 위해 1660년 여름 자야-반디타의 임석 하에 초로스·코소트 양부의 합동 집회가 개최되었지만, 그 내용과 결과는 기록되어 있지 않다.

이 사건을 계기로 오치르트-세첸칸과 아블라이-타이지 형제 간의 불화는 더욱 가열되었다. 양자의 불화가 심해지자 자야-반디타는 1660년 가을 두 형제와 회동하여 화해를 주선했다. 그러나 양측의 전쟁 의지만 확인한 채 그의 주선은 실패로 끝났다. 이 해 겨울 오치르트-세첸칸은 3만의 군사를 이끌고 아이고쉬Ayigush하 계곡에 있는 아우를 향해 진군을 시작했다. 자야-반디타는 다시 한 번 형제간의 조정에 나섰지만, 아블라이-타이지의 동의를 얻지 못해 실패했다.

아블라이-타이지는 코소트부의 쿤덜렁-오바시Kündölöng-Ubashi의 아들들 및 더르베드Dörbed부의 세력으로 이루어진 3만의 군사를 이끌고 영격迎擊에 나섰다. 1661년 4월 양군은 최초의 전투에 돌입했다. 그러나 세력의 균형으로 인해 양측의 대결은 점차 일패도지가 아닌 지루한 장기전의 양상을 띠기 시작했다. 전쟁이 장기화되고 점차 확대될 기미를 보이자, 셍게를 비롯한 코이트부의 솔톤-타이지Solton-Tayiji 등 친親 오치르트-세첸칸파는 오치르트-세첸칸 측에 가담하여 아블라이-타이지의 동맹군을 공격하기 시작했다. 생게의 가담은 양측의 세력균형을 파괴시키는 전기가 되었다. 열세에 몰린 아블라이-타이지는 1667년 자기가 이전에 이르티쉬하의 지류인 베슈카하반에 건립했던 성채인 소위 아블라인-케이트Ablaiyin-Keyid로 후퇴하였지만 곧 생게의 연합군에게 포위되었다. 궁지에 몰린 아블라이-타이지는 포위된 지 1개월 반이 지난 어느 날 연합군에게 화해를 요청했다. 사실상 아블라이-타이지의 투항을 받은 승리자의 진영에서는 그의 사후 처리에 대한 격렬한 논쟁이 벌어졌다. 생게 측은 격렬한 논쟁 끝에 종전대로 그의 소령所領을 모두 인정하며 포로도 모두 돌려보낸다는 결정을 내렸다. 이리하여 오치르트-세첸칸과 아블라이-타이지 형제간의 전쟁은 종말을 고했다.

생게의 지위는 그간 전개된 전쟁에서의 계속적인 승리로 인해 1660년대 중반 무렵에는 이미 확고한 단계에 돌입했다. 생게는 지위가 공고해지자 아버지의 말년인 1650년대 초부터 사실상 중단 상태에 있었던 러시아와의 관계를 정상적으로 회복하고자 기도했다. 러시아의 기록에 의하면 양국의 교섭은 생게의 사신이 톰스크에 도착한 1664년부터 재개되었다. 생게의 러시아 외교 방침은 전대와 거의 동일하다. 그러나 전대와 다른 점이 있다면, 이르티쉬-키르키즈족인 더르베드Dörbed의 귀속을 둘러싼 협의에서 그가 러시아에 대해여 때때로 위압적인 태도를 나타냈다는 점이다. 그의 이러한 태도는 준가르칸국 내에서의 지위 향상과 무관하지 않다고 보인다.

1667년 생게는 키르키즈 지구의 더르베드족의 귀속을 둘러싸고 외몽골의 알탄칸(이름은 Lobsan Tayiji, 羅卜藏台吉)과 전쟁을 벌여 그를 포로로 잡는 결정적인 승리를 거두었다. 알탄칸 왕조는 이 전쟁의 패배 후 역사의 무대에서 사라졌다.

1670년 말 생게는 세첸-타이지Sechen-Tayiji, 조브다-바아토르Jodba-Ba'atur,

바가반디-타이지Baga-Bandi-Tayiji(巴哈班第台吉 : 바아토르-홍-타이지의 아우인 추게르-오바시의 큰아들) 등의 연합세력에게 암살되었다. 셍게의 즉위 초부터 대립을 나타내고 있었던 세첸-타이지, 조브다-바아토르 등은 셍게의 지지 세력에게 눌려 불만을 잠복시키고 있었지만, 일련의 정복전쟁의 와중에서 셍게와 바가반디-타이지가 대립하는 양상을 보이자 바가반디-타이지를 끌어들여 일종의 궁중 쿠데타를 감행했던 것이다. 셍게의 피살은 갈단Galdan의 즉위를 유발시켰다는 점에서 준가르칸국 사상의 일대사건이었다.

다음은 셍게 시대의 대외관계를 살펴보기로 하자. 셍게 시대 준가르의 러시아·외몽골 관계는 위에서 기술한 바와 같으며, 카자흐와의 관계에서는 특별히 주목할 만한 사건이 발생하지 않았다. 그러나 동방의 패자覇者인 청조에 대해서는 전대와 마찬가지로 교섭을 거부했다. 준가르칸국의 이러한 태도는 당시 청해 코소트부가 1640년대부터 티베트의 겔룩빠 교단과 함께 청조와 우호 관계를 맺고 있다는 것과 외몽골의 칼카족이 1660년대부터 청조의 정치적 간섭을 받으면서 서서히 독립성을 서서히 상실하는 과정에 있다는 것을 감안할 때 매우 주목될 수밖에 없다. 즉 준가르칸국은 몽골족 정권 중 청조에 대해 어떠한 관계설정도 거부한 유일한 국가였다.

갈단Galdan(噶爾丹)은 셍게의 친동생으로 1644년에 태어났다. 그는 어려서 출가하여 판첸라마의 아래서 수업을 받았다. 그에 관한 최초의 기록은 『자야-반디타전』에 나타난다. 즉 1662년 가을, 자야-반디타가 입멸入滅하자 각지의 사원에서는 그의 공덕을 기리는 법회를 개최했다. 갈단이 머물고 있던 따실훈뽀Tashi Lhunpo(bkra-shis-lhun-po) 사원에서도 그해 겨울 추도 공양이 행해졌는데, 이때 갈단-코톡토Galdan-Khutugtu[273]가 공양품으로 은제의 다기茶器, 안장, 고삐 등을 바쳤다고 기록되어 있다.

273) Khutugtu(呼圖克圖)는 活佛이란 뜻이다.

갈단은 자야-반디타의 입멸 후 일시 준가르로 귀국한 것으로 보인다. 왜냐하면 러시아 외교문서에는 1664년 가을 쿠뚜끄따Кутукта가 파견한 사신이 생게의 사신과 함께 톰스크에 왔다는 기록이 나오는데, 기록 중의 쿠뚜끄타는 갈단이라고 생각되기 때문이다. 그 후 갈단은 다시 티베트로 돌아갔는데, 바로 그때 궁중 쿠데타가 발생했다.

형의 피살 소식을 들은 갈단은 달라이라마로부터 환속을 허락받아 급거 귀국하였다. 귀국 후 형의 유민을 수습한 갈단은 1670년 말 혹 1671년 초에 조브다-바아토르를 포살捕殺하고, 세첸-타이지를 공격하여 알탄칸령으로 쫓아냈다. 그러나 그의 복수전은 쿠데타 측의 배후세력이었던 바가반디-타이지의 반격을 불러일으켜, 일시 코소트부 오치르트-세첸칸에게 도피하는 우여곡절도 겪어야 했다. 그러나 갈단은 오치르트-세첸칸의 지원에 의해 1671년 말까지 죽은 형의 지배권을 회복하고, 다음해인 1672년 준가르의 왕 칭호인 홍-타이지Khong Tayiji를 계승하는 데 성공했다.

오치르트-세첸칸의 지원에 의해 반대자들을 물리치고 홍-타이지를 계승하는 데 성공한 갈단은 눈에 띄게 1인 독재체제의 구축에 나섰다. 이러한 갈단의 행보는 그의 후원자인 오치르트-세첸칸의 경계심을 불러일으켜 결국 양자는 서서히 대립의 길로 들어서게 되었다. 양자의 갈등은 1674년 초 오치르트-세첸칸, 추케르-오바시 측이 러시아의 모스크바로 사절단을 파견하여 러시아 황제에게 갈단의 침략 행위를 말려 달라는 호소에서도 알 수 있듯이, 점차 무력충돌의 단계로까지 발전했다.

러시아의 침묵 속에 양자 간의 갈등은 결국 전쟁으로 비화하였다. 갈단은 1675년부터 추케르-오바시, 오치르트-세첸칸 등 자신의 노선에 반대하는 세력들에 대한 공격에 나섰다. 갈단의 군대는 반대 세력들을 계속 격파하면서 포위망을 좁혀가기 시작했다. 그리고 1676년 여름에 철문관鐵門關 일대에서 강력한 저항세력인 추케르-오바시의 군대와 조우하여 대첩을 거두었다. 이 전투에서 추케르-오바시는 사로잡히고, 그의 아들인 바가반디-타이지는 피살되었다. 주변 세력이 모두 투항하거나 격파된 오치르트-세첸칸은 그해 10월 갈단에게 투항하였다. 투항한 오치르트-세첸칸은 1680년 겨울에 세상을 떠났다. 오치르트-세첸칸의 투항을 분수령으로 오이라트부 내의 코소트부 세력은 일소되어졌으며, 준가르는 1인의 강력한 대칸인 갈단의 지배하에 놓이게 되었다. 즉 갈단은 종래의 연맹체를 붕괴시키고 제국체제를 구축하는데 성공하였다.

국내의 정적을 모두 제거하고 1인 독재체제를 구축하는 데 성공한 갈단은 주변 제국의 정벌에 나섰다. 갈단의 첫 번째 목표는 청해의 장악이었다. 그는 1678년 청해 침공을 시도했지만, 행군 11일 만에 갑자기 군을 돌려 중앙아시아 쪽으로 향했다. 그의 군대는 1679년 여름 카밀, 투르판을 복속시켰다. 갈단의 군대가 청해로 진군할 무렵인 1678년 6월 30일, 티베트의 달라이라마 5세는 갈단을 보속트칸Boshogtu Khan(博碩克圖汗)으로 책봉한다는 사신을 준가르로 파견하였다. 이 사신단은 그해 겨울 갈단을 접견했다. 달라이라마로부터 보속트칸 칭호를 수여받고 또 중앙아시아 일대를 정벌한 갈단은 1679년 겨울 청조로 사절단을 보내 자기가 달라이라마한테 "교의敎義의 칸"이라는 칭호를 수여받았음을 통보하기도 했다.

달라이라마로부터 보속트칸이라는 칭호를 수여받은 갈단은 이후 그의 정치적·군사적 행동에 겔룩빠의 수호자로서의 종교적 사명까지 가미시켰다. 이로 말미암아 그는 역사상 최후의 유목제국 건설과정에서 제5세 달라이라마의 적극적인 지지를 받게 되었다. 당시 티베트의 명목상 실권자는 고령의 달라이라마였지만, 실질적인 실권자는 그를 보좌하는 디바-상계갸초Diba Sangs rgyas rgya mtsho(第巴桑結嘉措)였다.[274] 갈단은 티베트에서 수도할 때 그와 친밀한 관계를 맺고 있었는데, 이에 이르러 일종의 정치적 동반자로까지 발전했다. 그의 갈단 지지는 티베트·준가르·칼카·청조 모두에 큰 영향을 미쳤다.

겔룩빠의 수호자로 변모한 갈단은 1680년에 알투-샤르Alty-Shahr로 원정하여 카슈가르kashgar, 야르칸트yarkand 등을 정복했다. 정복 후 그는 이샤끼야Ishāqīya(후의 소위 黑山黨의 Qara Tāghlyq)가 옹립했던 카슈가르칸 이스마일Ismā'īl을 일리Ili(伊犁)로 납치하여 유폐하고, 이샤니야Ishānīya(후의 소위 白山黨의 Aq Tāghlyq)의 수령인 아파끄Āfāq를 10만 은전銀錢(tanga)의 공납貢納(alban)을 대상代償으로 야르칸트에서 고자Khwāja로 만들어 풀어주고, 투르판칸인 아브디 알-라시드Abd al-Rashīd를 야르칸트의 칸으로 옹립했다.

또 1681년 갈단은 대군을 이끌고 천산을 넘어 남강지구南疆地區의 쿠차kucha(庫車), 아크수Aksu(阿克蘇), 코탄Khotan(和闐) 등을 정복했으며, 1683~1685년에는 사이람Sairam, 안디얀Andijan 등 북강北疆 일대도 모두 평정했다. 이리하여 타림분지의 투르크-이슬람 사회는 이교도 준가르의 속령이 되었으며, 이 상태는 1750년 무렵까지 변하지 않았다. 갈단의 타림분지정복 이후 부하라인들은 준가르의 납공민納貢民 및 예민隷民으로 전락하여, 곡물·면綿(布)·홍화紅花·가축·비단·금·은·동·과실 등의 현물이나 동전銅錢(pul), 은전銀錢(tanga)이라 불리는 화폐로 준가르의 지배자들에게 공납(alban)을 바치는 외에 각종 노역에도 수시로 동원되었다.

1681년부터 거의 매년 서방으로 군대를 파견하여 천산남북로 일대의 이슬람국들을 복속한 갈단은 카자흐와 키르키즈-부루트Būrūt에 대해서도 공격의 고삐를 늦추지 않았다. 특히 1684년 카자흐의 대오르도大Ordu가 소재하고 있었던 타슈켄트Tashkent와 사이람Sairam의 점령은 카자흐의 대오르도(세레미체

274) 제5세 달라이라마와 디바-상계갸초의 관계에 대해서는 陳慶英,『五世達賴喇嘛與第巴桑結嘉措關係探討』, 台北, 1995를 참조.

의 카자흐 세력)를 몰락시킨 결정적인 계기가 되었다.[275]

중앙아시아를 평정한 갈단은 이어 디바-상계갸초의 은밀한 지원으로 청해의 동족까지 복속시키는 데 성공했다. 제국의 배후를 모두 정리한 갈단은 1688년 자삭토칸국과 투시에투칸국 간의 내홍을 빌미로 외몽골로 진공하였다. 그의 외몽골 진공은 염원의 목표였던 몽골족의 통합을 위한 첫 단계였다. 그의 외몽골 진공은 막북을 거의 손아귀에 장악한 청조에 대한 정면 도전과 같았다. 이로 인해 갈단의 준가르군과 강희제의 청군은 막북의 패권을 놓고 10년간 치열한 사투를 전개하였다.

외몽골로 진공한 갈단의 준가르군은 외칼카족을 막남으로 몰아내면서 1690년에는 오늘날 내몽골 적봉赤峰(Ulagan-Khada : 붉은 바위) 근처의 올란보당 Ulaganbudang(烏蘭布通)까지 이르렀다. 그러나 갈단의 준가르군은 영격에 나선 청군과 올란보당에서 조우하여 대패하였다. 올란보당에서 갈단의 예봉을 끊은 청군은 크고 작은 공세를 계속하다가, 준가르 국내의 사정으로 외몽골에 고립된 갈단의 준가르군을 일거에 격멸시킬 목적으로 1696년 대공세를 감행했다. 이 공세는 청조의 강희제가 삼로三路의 군을 직접 거느리고 친정에 나서는 대규모적인 것이었다. 강희제의 청군은 오늘날 울란바아타르 동쪽에 위치한 톨강 상류의 존모드Jagun-Modu(昭莫多), 즉 테렐지에서 준가르군과 조우하여 갈단이 재기불능에 빠질 만큼 대승을 거두었다. 존모드전은 외몽골이 정식으로 청조의 판도 속에 흡수되는 역사적인 사건이었다.

갈단이 외몽골 원정에 나선 후 1년도 되지 않아 준가르 국내에서는 생게의

---

275) 갈단 시기 준가르칸국의 급격한 대외적인 발전은 무엇보다도 갈단의 뛰어난 전략과 지도력에 기인하지만, 그것을 가능케 해준 것은 당시 준가르칸국에서 제조된 우수한 병기들이다. 『秦邊紀略』 卷5 「嘎爾旦列傳」의 "준가르가 유황을 정제하여 화약을 만들고, 살상력이 뛰어난 병기들을 자체 제작하고 있다. … 갈단은 부하라인들을 조교로 임명하여 준가르 국민의 화기 훈련을 담당시키는 한편, 화기를 중심으로 하는 기마 전술을 만들어냈다"라는 기록은 바로 그것을 입증해주는 한 예이다.

큰아들인 체왕-아랍탄Tsewang arabtan(策旺阿喇布坦)의 쿠데타가 발생했다. 1689년에 발생한 이 쿠데타는 셍게의 옛 장군 7인과 5,000명의 군대에 의해 이루어졌다.[276] 갈단의 천대에 불만을 품고 있었던 체왕-아랍탄은 쿠데타의 성공 후 일리Ili(伊犁)의 보로탈Boru-Tala을 근거지로 삼고, 갈단의 부재를 틈타 준가르 본토는 물론 카밀과 투르판 방면까지도 접수했다. 이로 인해 올란보당에서 청군에 패한 갈단은 보급은 물론 본국으로의 귀환도 어렵게 되어, 홉드를 새로운 근거지로 삼고 진군해 오는 청군을 상대하지 않으면 안 되었다. 그러나 존모드의 패배 후 홉드까지 청군이 진격해 오자 진퇴양난에 빠진 갈단은, 1697년 홉드 근처 알타이의 산중에서 독을 마시고 스스로 생명을 끊었다.

【티베트를 둘러싼 청조와 준가르의 대결】

> 살펴보건대 티베트(西番)는 멀리 사천四川·운남雲南의 밖에 있는 이른바 서장西藏의 땅이다. 변방의 밖에 위치해 중국과 거리가 더욱 멀었다. … 소위 황교라는 것이 무슨 도道인 줄은 알 수 없으나, 대개 몽골 제부諸部가 숭배하는 교이다. 그래서 서장에 침탈의 환난이 있으면 강희 황제 때부터 친히 육군六軍을 거느리고 영하寧夏에 이른다. 그리고 그곳에서 장군을 보내 구원하여 난을 진정시킨 것이 한두 번이 아니다.[277]

위의 기록에 등장하는 서번西番은 티베트를 말한다. 청나라 초기에는 티베트를 서변西邊, 서방西方, 서로西路로 통칭하다가 이후 서장西藏으로 고정되었다. 티베트를 둘러싼 청조와 준가르의 대립은 강희제 때 가장 격렬했으며,[278]

276) 체왕-아랍탄의 쿠데타에 대해서는 若松寛, 「ツェワン·アラブタンの登場」 『史林』 48-6, 1965을 참조.

277) 『열하일기』 「太學留館錄」 1780년 8월 11일조 : 按西番在四川雲南徼外, 所謂藏地, 蓋在番外, 益遠中國…所謂黃教, 未知何道, 而蒙古諸部之所崇信, 故藏地或被侵擾之患, 則自康熙時, 親統六師至寧夏, 遣將援救, 爲定其亂, 非一再也.

278) 당시의 티베트를 둘러싼 국제 정세를 잘 보여주는 것이 강희제가 갈단칸에게 보낸 편지이다.

전투에서 승리한 청조는 옹정제雍正帝 때인 1727년부터 라사에 주장대신駐藏大臣을 두고 간접 통치에 임했다. 초대 주장대신은 몽골 바아린Ba'arin 씨족 출신인 생게Sengge(僧格)이다.[279]

【몽골과 티베트 : 1720년 강희제의 티베트 점령】

강희 59년(1720)에 책망아라포원策妄阿喇布垣이 납장한拉藏汗을 유인하여 죽이고 그 성지城地를 점령했다. 묘당을 헐어 버리고 번승을 몰아냈다. 그래서 도통都統 연신延信을 평역장군平逆將軍, 갈이필噶爾弼을 정서장군定西將軍으로 삼아 새로 봉한 달뢰라마達賴剌麻와 함께 군사를 거느리고 가 서장 일대를 모조리 평정한 뒤 황교黃敎를 진흥시켰다.[280]

위의 기록에 등장하는 책망아라포원策妄阿喇布垣은 준가르제국의 2대 대칸인 체왕-아랍탄Tsewang arabtan(1665년 출생, 재위 1697~1727)이며, 납장한拉藏汗은 티베트왕인 청해 코소트부의 라장칸Lha bza'n Khan(1701~1717)이다. 새로 봉한 달라이라마達賴剌麻는 제7세 달라이라마인 로상-껠상-갸쵸blo-bzang bskal-bzang rgya-mtsho(羅桑格桑嘉措)[281]로, 그는 청군과 함께 1720년 10월 라사에 입성했다. 박지원의 기록에 등장하는 라장칸의 피살은 1720년 아니라 1717년이며, 1720년은 연신延信의 청군이 준가르의 군대를 내몰고 티베트를 점령한 해이다. 라장칸의 피살과 청조의 티베트 입성은 75년간 티베트에 군림해 온 청해 코소트부 구시칸Güshi Khan 세력의 몰락과 함께 티베트가 청조의 보호령으로 편입되는 계기가 되었다. 그러면 준가르의 티베트 침공 배경과 청조의 반격을

이에 대해서는 岡田英弘, 『康熙帝の手紙』, 東京, 1979를 참조.

279) 역대 駐藏大臣에 대해서는 吳豊培·曾國慶 編撰, 『清代駐藏大臣傳略』, 許昌, 1988을 참조.

280) 『열하일기』「太學留館錄」 1780년 8월 11일조 : 康熙五十九年, 策妄阿喇布垣, 誘殺拉藏汗, 占據城池, 毁其廟堂, 逐散番僧, 於是以都統延信爲平逆將軍, 噶爾弼爲定西將軍, 將兵送新封之達賴剌麻, 藏地悉平, 振興黃敎.

281) 제7세 달라이라마에 대해서는 牙含章 編著, 『達賴喇嘛傳』, 北京, 1984, pp.39~56을 참조.

좀 더 구체적으로 살펴보기로 하자.

갈단칸의 뒤를 이어 준가르제국의 2대 칸으로 등장한 체왕-아랍탄의 시대는 준가르제국의 최성기에 해당한다. 이 시기의 준가르제국은 동방에 위치한 몽골보다는 중앙아시아와 카자흐 초원으로의 진출을 획책했다. 이러한 정책으로 말미암아 준가르는 카자흐와 우즈베크 등 주변의 제국과 격렬한 군사적 충돌을 벌였으며 또 날카롭게 대립했다. 당시의 무력 충돌은 갈단 시대를 능가할 정도로 빈번히 발생했다.

체왕-아랍탄은 갈단칸의 사후 지배권의 확립을 위해 무엇보다도 갈단칸의 지원 세력이었던 디바-상계갸초를 제거할 필요가 있었다. 그는 1700년에 청해로 진공하여 그를 토벌할 계획을 세웠지만 실행에 옮기지는 못했다. 그 대신 티베트왕인 청해 코소트부의 라장칸과 혼인 동맹을 맺어 라장칸이 디바-상계갸초를 견제하도록 했다. 체왕-아랍탄의 교묘한 조종으로 인해 디바-상계갸초는 1705년 라장칸에게 피살되었다.

디바-상계갸초의 피살 후 체왕-아랍탄과 라장칸의 관계는 급속히 냉각되었다. 왜냐하면 라장칸은 강희제와 두터운 관계를 맺고 있어 전통적으로 청조와 대립관계에 있었던 준가르의 외교 노선과 배치되기 때문이었다. 체왕-아랍탄은 현 상태를 그대로 두면 티베트가 청조의 영향권 내로 편입될지도 모른다는 두려움을 갖게 되었다. 따라서 그는 티베트에 대한 무력정벌을 결정한 뒤 종제從弟인 체링-돈도브Tsering dondub(大策凌敦多卜)를 원정군 사령관으로 임명하여, 1717년 티베트로 진공케 하였다.

준가르의 침공을 받은 라장칸은 전투와 함께 청조에 구원을 요청하였다. 그러나 구원 요청이 청조에 도달하기 전인 1717년 12월, 체링-돈도브의 준가르군은 라장칸을 살해하고 라샤도 일시 점령하였다. 1718년 2월 라장칸의 구원 요청을 접한 청조는 액륜특額倫特과 세렝Sereng(色楞)을 파견하였지만, 1718년

11월 카라오스Khara-Usu(哈喇烏蘇 : 오늘날 怒江 상류)의 북쪽에서 벌어진 전투에서 액륜특은 전사하고 세렝은 사로잡히는 패배를 당했다.

이에 청조는 1719년 1월, 14황자 윤제胤禵를 무원대장군撫遠大將軍으로 삼아 청해로 보내는 한편, 연신延信과 갈이필噶爾弼에게 북로군北路軍과 남로군南路軍을 통솔하여 청해 코소트부의 몽골군과 같이 체링-돈도브의 준가르군을 공격하도록 했다. 청군은 1720년 9월 카라오스 하변에서 체링-돈도브의 준가르군을 격파하고 티베트를 점령했다.[282] 이 일련의 사건은 결과적으로 청해 코소트부의 몰락과 함께 티베트가 청조의 보호령으로 편입되는 계기를 만들어 주었다. 청조는 이 사건을 전후하여 준가르에 대한 경계를 강화했다.[283] 체왕-아랍탄은 1727년 소다르잡Sodarjabu(索多爾扎布) 카톤에게 독살 당했다.

【몽골과 티베트 : 금천金川 반란과 건륭제의 토벌】

건륭 을미년(1775)에 삭락목索諾木이 금천에서 반란을 일으키자, 황제는 서장 길이 막힐까 두려워했다. 그리하여 아계阿桂를 정서장군, 풍승액豊昇額·명량明亮을 부장副將, 해란찰海蘭察·서상舒常을 참찬參贊, 복강안福康安·규림奎林 등

282) 이 전투의 전개과정에 대해서는 張云·鄧鋭齡·陳慶英·祝啓源 共著, 『元以來西藏地方與中央政府關係研究(上)』, 北京, 2005, pp.384~411을 참조.

283) 준가르가 청조의 중압을 받기 시작하고 또 카자흐로부터도 끊임없는 저항을 받기 시작하는 위기 상황을 내보이자, 러시아는 이전 갈단 시대와는 달리 준가르에 대해 적극적인 압박외교 정책을 펼쳤다. 러시아는 전대의 미해결 과제였던 이르티쉬하 상류의 바라빈찌Барабинцы의 귀속 문제를 유리하게 해결하고자 준가르에 수차례 사절단을 파견했다. 1722~1723년 일리Ili의 쿨자Kulja 근변에 있는 체왕-아랍탄의 본영을 방문했던 포병 대위 운고프스키И. Унковский 일행도 당시 러시아 측이 준가르측에 파견한 사절단의 하나였다. 운고프스키 일행은 비록 귀속 문제에 대한 합의를 도출하는 데는 실패했지만, 당시 준가르의 상황을 엿볼 수 있는 귀중한 기록을 남기고 있다. 그의 보고서에는 "준가르는 카자흐나 카라-가르파구인을 공격하여 시르하 중류 유역의 사이람, 타시켄트 등의 도시를 점령했다. 체왕-아랍탄 휘하의 병력은 약 6만이며, 경우에 따라서는 10만까지 동원할 수 있다. 그는 다수의 카자흐인, 오리양카이인, 테렌쿠트인, 야르칸트의 부하라인, 이식쿨 주변의 키르키즈인, 소수의 러시아인, 二重貢納民인 바라빈인 등을 지배하에 두고 있다. 준가르는 동서남북 쪽으로 각각 중국·카자흐-오르도·탕구트(青海)·러시아와 국경을 접하고 있다"라고 기록되어 있다. 이 보고서로 미루어 보면, 체왕-아랍탄 시대 준가르의 통치 영역은 동투르케스탄 전역과 카자흐 초원의 동남부, 시르하 중류 유역까지 이르고 있음을 알 수 있다. 또 체왕-아랍탄 시대는 갈단 시대보다 카자흐 초원으로의 영향력이 매우 강화되었음을 보여주고 있다.

을 영대領隊로 삼아, 군사를 보내 그들을 토벌하였다. 이 전투 역시 서장을 위한 것이었다.[284]

위의 기록은 1771년부터 1776년까지 지속된 사천四川의 소금천小金川과 대금천大金川의 토사土司 반란을 묘사한 것이다. 대소금천大小金川의 반란은 1771년 소금천의 승격상僧格桑이 대금천의 삭락목索諾木과 연합하여 인근의 명정토사明正土司를 침공하면서 시작되었다. 이에 건륭제는 사천총독四川總督 아이태阿爾泰(?~1773)에게 토벌을 명했지만, 반년 동안 공이 없자 그를 파직시키고 계림桂林(?~1780)을 사천총독, 온복溫福을 통병統兵으로 임명해 반란군을 공격토록 하였다. 그리고 1772년 아계阿桂[285]를 계림의 후속으로 임명해 소금천의 근거지인 미낙美諾을 공략했다. 이 공격으로 승격상은 대금천으로 도망했으며, 승격상의 아버지인 택왕澤旺은 항복하였다.

그러나 항복한 소금천의 부중들이 1773년 삭락목의 부추김을 받아 재차 반란을 일으켜, 온복을 공격하여 죽이는 사태가 발생하였다. 이에 건륭제는 아계를 정서장군으로 삼아 미낙을 재차 함락하고 소금천을 평정했다. 1774년 아계와 풍승액豐升額,[286] 명량, 복강안福康安[287] 등이 이끄는 청군이 대금천을

284) 『열하일기』「太學留館錄」 1780년 8월 11일조 : 乾隆乙未年, 索諾木叛金川, 則帝恐梗藏路, 命阿桂爲定西將軍, 豐昇額明亮爲副, 海蘭察舒常爲參贊, 福康安奎林等爲領隊, 進兵討平之, 是役亦爲西藏也.

285) 阿桂(1717~1797)는 正白旗 만주인으로, 姓은 章佳氏이며 字는 廣廷이다. 阿克敦(1685~1756)의 아들이다. 그는 준가르를 평정한 뒤 일리에 주둔한 바 있으며, 또 여러 번 청군을 이끌고 大小金川의 進攻 및 西北回民의 반란을 진압한 인물이다. 伊犁將軍, 兵部尙書, 吏部尙書, 武英殿大學士兼軍機大臣 등을 역임했다.

286) 豐升額(?~1777)은 鑲黃旗 만주인으로 姓은 鈕祜祿氏이다. 1770년 參贊大臣이 되어 大小金川으로 進攻하여 6년을 전장에서 보냈다. 박지원은 이 인물을 豐昇額으로 표기하나 昇은 升의 誤記이다.

287) 福康安(1754~1796)은 鑲黃旗 만주인으로 姓은 富察氏이며 傅恒(?~1770)의 아들이다. 字는 瑤林이다. 金川 정벌의 공으로 嘉勇巴圖魯의 칭호를 받았다. 그는 이후 건륭제의 숨겨진 아들이라고 의심될 만큼 건륭제로부터 신임을 받았다. 傅恒은 福靈安, 福隆安, 福康安, 福長安 등 네 아들을 두었는데 그를 제외한 세 아들이 모두 공주에게 장가들었다. 그는 金川 정벌 이후 正白旗 滿洲都統을 거쳐 吉林將軍, 盛京將軍, 雲貴 및 四川總督, 兵部尙書 등의

공격하자, 위기에 몰린 삭락목은 승격상을 살해하고 시체를 바치기도 했다. 그러나 1775년 아계는 대금천의 요지인 륵오위勒烏圍를 포위하여 그의 투항을 받고자 했다. 삭락목은 갈이애噶爾厓로 도주했지만, 청군에게 포위되어 결국 1776년 투항하였다. 투항 후 그는 능지처참에 처해졌고 대소금천의 반란도 종결되었다. 티베트로 가는 길목에 위치한 이곳의 반란은 그 평정에 들어간 군비가 무려 7,000만 냥에 이를 정도로 청조의 주목을 끌었다.

【1779년 몽골의 소릉하小凌河 마을 공격】

> 강가에 민가 몇 백 호가 있었는데, 지난해(1779) 몽골의 침략을 받아 모두 아내를 잃고 몇 리 밖으로 옮겨갔다고 한다. 지금은 그 길가에 허물어진 담들만 둘러져 있고 네 벽만이 쓸쓸하게 서 있다. 강 아래위로 흰 장막을 쳐서 파수를 보고 있다. 대개 이 강은 몽골 땅의 경계에서 50리 밖에 떨어져 있지 않다. 며칠 전에도(1780년 7월) 몽골 기병 수백이 이르렀다가 수비가 있음을 알고 도망쳤다고 한다.[288]

위의 기록은 청나라 맹기제도 하의 몽골 부족이 엄격한 내부통제에도 불구하고 인근을 침입하고 있다는 것을 증언하는 기록이라 할 수 있다. 이와 유사한 기록이 당시 이 지역을 거쳐 간 이덕무의 여행기에도 나오는데,[289] 실제 몽골측 사료에서는 이러한 기록을 찾아볼 수 없다. 박지원의 말대로 수백

요직을 거쳤다. 그는 군사 지휘관으로도 매우 뛰어난 역량을 발휘했는데, 1784년 이슬람교도인 西北回民의 반란을 진압했고, 1787년에는 臺灣 林爽文의 반란을 진압했다. 1791년에는 西藏을 침입한 네팔의 구르카(廓爾喀)족을 격퇴하였다. 1795년부터 貴州와 湖南에서 발생한 苗族의 반란을 진압하다가 병사하였다. 시호는 文襄이다.

288) 『열하일기』 「馹汎隨筆」 1780년 7월 18일조 : 河邊居民數百戶, 去歲爲蒙古所掠, 盡失其妻, 撤移數里地, 今其路傍頹垣周遭, 四壁徒立, 沿河上下, 設白幕戍守, 蓋蒙境距河五十里也, 數日前蒙古數百騎, 猝至河邊, 見有守備而遁去云.

289) 李德懋의 『入燕記』 「1778년 5월 2일」 조에도 "소릉하 지방은 몽골사람이 수시로 나와서 부녀들을 약탈해 가기 때문에 사람들이 마음 놓고 살 수가 없다(小凌河則蒙古有時掠婦女而去, 故人不聊生)"처럼 몽골인들의 소릉하 지역 습격기사가 보인다.

명 정도의 몽골 기병이 움직였다면, 이는 곧바로 청조에 즉각 보고되고 그에 대한 대응 조치가 이 일대의 카라친Kharachin이나 투메드Tümed의 자사크들에게도 하달되는 것이 순리이다. 필자는 이 기록이 진실이라면 몽골을 빗댄 비적匪賊의 소행일 가능성이 높다고 보고 있다. 그러나 당시의 정치정세 상 이 소문은 조선 사신단을 노려 고의로 꾸며진 거짓말일 가능성도 배제하지 않고 있다. 당시 조선 사신단이 몽골에 대한 정보를 몰래 수집하고 있다는 사실은 박지원의 여행기 속에 보이는 나약국서羅約國書 가짜 몽골 문서 판매 미수사건에서도 잘 입증되고 있다.

참고로 1713년 2월 소릉하 지역을 거쳐 간 김창업의 여행기에는 이곳에 물고기를 잡아 생활을 영위하는 몽골인 마을이 있다고 보고하고 있다.[290] 이덕무나 박지원이 청나라로 갈 때 이 부락의 존재가 보이지 않는데, 아마 소릉하 마을 폐허 운운은 다른 곳으로 옮겨간 이들의 흔적일 가능성도 배제할 수 없다.[291]

290) 金昌業, 『燕行日記』「1713년 2월 28일」조 : "고교를 떠나 금주위에 이르러 아침을 먹었고 소릉하에 도착하여 잤다. … 금주 서문에 도착했다. 성 밖 시장에는 몽골 수레가 빽빽하게 길을 메우고 있었다. 김덕삼과 최수창, 신지순 두 역관이 녹용과 사향을 사기 위해 잠시 머물기를 청했다. … 8~9리를 걸어가니, 길 우측에 있는 대피수는 길이가 수백 보나 되는데, 여러 호인들이 그물을 던졌다가 강 언덕으로 끌어올리고 있었다. 50여 호의 마을 앞에는 큰 배나무가 몇 그루 있어, 마침내 말에서 내려 나무 밑에 앉아 그물을 끌어올리는 모습을 구경하였다. 마을 남녀들이 조금씩 모여드는데 그 모습을 보았더니 몽골족이었다. 금주성 서북쪽으로 10리 정도에 대산이 있다. 그 바깥은 모두 몽골 지방으로 50~60리 정도의 가까운 거리다. 몽골에서 북경을 가려는 사람은 모두 이 길로 가야 하기 때문에, 도로에 오가는 사람은 거의 절반 이상이 몽골인이었다. 녹용과 사향이 많은 것은 이 때문이었다. 이 마을 사람들은 몽골의 별도 종족인데, 황제의 명으로 이곳에 살게 되어 저절로 한 촌락이 되었다고 한다. 한 호인이 붕어를 가지고 와서 팔기에 부시 하나를 주고 5마리와 바꾸었는데, 작은놈은 손바닥만 하고 큰놈은 신짝만 하다. 노끈으로 아가미를 꿰어 말안장에다 달고 몇 리를 지나가니, 소릉하의 촌락이 바라보였다(自高橋鋪行, 至錦州衛朝飰, 至小凌河宿, …至錦州西門, 城外, 市肆稠列, 蒙古車塞路, 金德三, 崔, 申兩譯爲賣鹿茸麝香, 請小住…凡行八九里, 有大陂水在路右, 長數百步, 羣胡方投網而引之, 岸上有五十餘家, 村前有大梨樹數株, 遂下馬, 坐樹下, 觀引網, 村中男女稍稍來集, 見其狀, 乃蒙古之種也, 錦州城西北十里許有帶山, 其外則盡爲蒙古地方, 近或五六十里, 而蒙古往北京者, 皆取道于此, 故道路間往來者, 太半是蒙古, 鹿茸麝香之多, 以此也, 此村人則乃是蒙古別種, 而因皇帝命, 來居此地, 自作一村云, 有一胡持鮒魚來賣, 以一火鐵換五頭, 小者如掌, 大者如鞋, 以繩貫腮, 縣鞍後, 過此數里, 望見小凌河村落)."

291) 작자 미상의 『薊山紀程』「1803년 12월 13일」조에 "(관마산은) 옛날의 싸움터였는데, 지금은

(3) 서호수의 연행기에 등장하는 대청제국 시대의 역사 사적

서호수의 『연행기』에는 대청제국 시대의 관련 사적이 모두 4건이 등장하는데, 그것을 순서대로 소개하면 다음과 같다.

【전국새傳國璽와 대청제국의 성립】

청나라 천총天聰 10년(1636) 4월에 여러 패륵貝勒(Beile), 대신, 만주인과 한인 문무 각원이 표表를 받들어 올리며 말하기를, "황상께서는 하늘의 뜻과 보살핌을 받아 이미 정해진 운명대로 일어났다. 뭇 백성들을 사랑으로 기르시고, 여러 나라들을 어울려 화목하게 만들었다. 더욱이 옥새까지 얻었으니, 이는 하늘의 천명을 받으라는 명령과 같다. 이에 관온인성황제寬溫仁聖皇帝라는 존호를 올리기를 청한다"라고 하였다. 세 번 주청하자 비로소 윤허한 뒤, 4월 11일에 그 사실을 하늘과 땅 및 태묘太廟에 알리는 제사를 올렸다. 덕성문德盛門 밖에 단을 쌓고 황제로 즉위했다. 국호를 대청大淸이라 정하고, 숭덕崇德으로 연호를 고쳤다. 이를 신하들에게 공포하니, 모두 삼궤구고두三跪九叩頭의 예를 행했다.[292]

위의 기록은 후금의 홍-타이지가 대원제국 이래 전래의 보물인 전국새傳國璽를 얻은 뒤, 1636년 4월 11일 대청제국을 선포하고 연호도 숭덕崇德으로 바꾸었다는 것을 말해주는 부분이다.[293] 위의 기록에서는 홍-타이지가 대청제

목장이 되었다. 산 뒤에는 옛날의 몽골 부락이 있었는데, 거처하는 고정 가옥이 없이 좋은 물과 풀을 따라 머물러 살 뿐이었다. 명나라 말기인 어느 때에 (몽골인들이) 비바람같이 급작스레 닥쳐와 사람들과 부녀자를 약탈해 갔다. (남은) 주민들은 그것을 두려워하여 다른 데로 옮겨갔다고 한다(<官馬山>古之戰地, 而今爲牧場, 山後, 舊有蒙古部落, 居无宮室, 就善水草止舍, 明末嘗颯然風雨至, 掠人婦女而去, 居民畏之, 轉而之他云)"라는 기록이 나오는데, 아마 박지원이 전해들은 몽골병의 침입기록은 명대의 역사적 사실을 각색한 것일지도 모른다.

292) 『연행기』「1790년 6월 25일」조 : 淸天聰十年四月, 諸貝勒大臣滿漢文武各員, 奉表言, 皇上承天眷祐, 應運而興, 愛育羣黎, 輯寧諸國, 更獲玉璽, 符命昭然, 請上尊號, 曰寬溫仁聖皇帝, 三請始俞, 乃於四月十一日, 祭告天地太廟, 築壇於德盛門外, 卽皇帝位, 建國號曰大淸, 改元崇德, 宣諭羣臣, 皆行三跪九叩禮,

293) 대청제국 성립의 이론적 배경을 제공한 전국새에 대해서는 종래부터 학자들의 관심을 끌어왔는데 이에 대한 전론으로는 駒井義明, 「傳國璽について」『藝林』 14-2, 1963 ; 曹永年, 「"傳國

국 성립 때 참가한 내몽골 16부 49명의 왕공에 대한 기록이 빠져 있다. 사실 청 태종의 등극은 몽골 대칸으로서의 등극이다. 이때부터 만주와 몽골은 실질적인 연합국가가 되었다. 위의 기록에서 서호수가 청나라 천총天聰 10년이라 쓴 것은 1636년 3월까지의 칭호이며, 4월 11일부터 숭덕崇德 1년이라 간주한 것이기 때문에 나온 것이다.

전국새에 대한 기록은 섭자기葉子奇의 『초목자草木子』나 도종의陶宗儀의 『철경록輟耕錄』에도 보인다. 『동화록東華錄』에는 청나라가 전국새를 입수할 때까지의 기록이 간략히 실려 있는데 그것을 소개하면 다음과 같다.

> 도르곤(多爾袞)[294]이 차하르를 정벌하면서 전국새를 얻었다. 원 순제가 명나라에게 패해 도성을 버린 채 옥새를 가지고 달아나 사막에 이르렀다. 뒤에 순제는 응창부應昌府에서 죽었는데, 그때 옥새를 잃어버렸다. 2백여 년이 지난 어느 날, 양치기가 산언덕 아래에서 양들을 바라보며 앉아 있었다. 그런데 한 양이 3일 동안 풀을 먹지 않고 발굽으로 땅을 파는 것을 보았다. 그곳에 옥새가 있었다. 옥새를 발견한 양치기는 이것을 원의 후예인 보속토칸Boshogtu Khan에게 주었다. 후에 차하르의 릭단칸이 그 나라를 침략하여 그것을 빼앗았다. 도로곤은 솝타이Subtai(蘇泰) 태후에게 옥새가 있다는 것을 듣고 그것을 얻었다.[295]

璽"與明蒙關係」 『內蒙古社會科學』, 1990-2 ; 金啓孮, 「傳國璽」 『淸代蒙古史札記』, pp.58~59를 참조.

294) 도르곤Dorgon(1612~1650)은 누르하치의 열넷째 아들이다. 1628년 홍-타이지를 따라 차하르에 원정했다. 1635년 차하르 릭단칸의 아들인 에제이Ejei(額哲)를 투항시켰고 솝타이Subtai(蘇泰) 태후에게서 전국새를 얻었다. 1636년 睿親王으로 봉해졌다. 1644년 入關을 지휘하여 그해 10월 전국을 통일했다.

295) 徐慶淳의 『夢經堂日史』 「1855년 10월 8일」조에 전국새의 유래와 유전에 대한 상세한 기록이 있다. "『성경통지』에 천총 초에 서번의 라마승이 옥새인 전국새를 낙타에 싣고 검정소, 흰말을 끌고 와서 말하기를, 동방에 성인이 탄생하여 바친다고 하므로 이 절을 세웠다고 기록되어 있다. … 원나라 지원 31년(1294)에 중승 최욱과 비서 양환이 옥새를 바치면서 그 문자를 설명하기를 수명우천기수영창이라 새겨져 있으니, 이것이 전국새라고 하였다. … 또 『개국방략』을 살펴보면 다음과 같다. 천총 9년(1635) 9월 계축에 버일러Beile 도르곤 등이 차하르Chakhar 부락 백성들에게 항복을 받고 역대의 전국옥새를 노획했다. (원래 이) 옥새는 원나라의 궁중에 감추어 두었다. 순제 때 도성을 버리고 옥새만 가지고 사막 지방에 들어갔다. (순제는) 뒤에 응창부에서 죽고 옥새는 잃어버렸다. 200년 지난 뒤에 산언덕 밑에서 양을 치는

대청제국이 성립할 때 나덕헌羅德憲, 이확李廓 등 조선의 사신단도 참가했다. 아마 이들도 몽골 왕공들과 조우했을 것이다. 그러나 이들은 정치적으로 비슷한 처지였던 몽골 왕공과는 달리 태묘太廟에 절하지 않는 등 청 태종의 등극을 인정하지 않는다는 태도를 취했다. 유독 조선만 시대의 흐름을 거스르고 있었던 그 배경에는 주자학적 세계 질서란 논리가 조선 지배층에 강력히 자리 잡고 있었던 것과 무관치 않다. 위의 기록에 등장하는 삼궤구고두三跪九叩頭의 예는 칭기스칸 때부터 보이는 북방 민족의 오래된 종교 의례이며, 조선 사신들의 여행기에도 많이 등장하고 있다.[296)]

자가 있었는데, 염소 한 마리가 사흘 동안 풀을 먹지 않고 단지 발굽으로 땅만 후비는 것을 보았다. 양치기가 파니 옥새가 나왔다. 그래서 원나라의 후예인 보속트칸Boshogtu Khan에게 돌려주었다. 뒤에 차하르의 릭단칸Ligdan Khagan에게 격파되어서 옥새는 릭단칸에게 돌아갔다. 릭단칸 역시 원나라의 후예였다. 패륵 등이 옥새가 솝타이 황후(蘇泰福晉)의 집에 있다는 말을 듣고 수색하여 얻었다. 그 문자를 보니 곧 한문 전자로 제고지보 넉 자였다. 번여의 좋은 옥으로 인뉴웅이를 하고 용트림으로 손잡이를 하여 광채가 찬란하였는데, 참으로 지극히 귀한 보배였다. 도르곤 등이 너무 좋아하여 '황상의 홍복이 비상하여 하늘이 귀중한 보화를 내리니, 만년을 통일할 상서입니다'라고 말하면서 그 옥새를 가지고 돌아왔다. 태종이 황색 서안을 설치하고 향불을 피운 뒤, 옥새를 친히 받아 여러 신하들을 거느리고 하늘에 배례했다. 예를 마친 뒤에 좌우에게 유시하기를, '이 옥새는 역대 제왕들이 사용하던 옥새인데, 하늘이 짐에게 보내 주었으니 우연한 일이 아니다'고 하였다. 이것이 『성경통지』의 '서번 라마승이 낙타에 옥새를 싣고 왔다'는 말과는 다르니, 옥새의 상서로운 일이 두 번이나 있었던지 모르겠다(按盛京通志, 天聰初, 西蕃喇嘛僧駝載玉璽傳國璽, 牽烏牛, 白馬而來, 日, 東方聖人出, 故奉獻, 因建此寺…元至元三十一年, 中丞崔彧, 秘書楊桓獻璽, 而辨其文日, 受命于天, 旣壽永昌, 此爲傳國璽云云…又按開國方略日, 天聰九年九月癸丑, 貝勒多爾衮等, 收服察哈爾部衆, 獲歷代傳國玉璽, 璽藏於元朝大內, 至順帝, 棄都城, 携之入沙漠, 後崩於應昌府, 璽遂遺失, 越二百餘年, 有牧羊於山岡下者, 見一山羊三日不囓草, 但以蹄跑地, 牧者發之, 璽乃見, 歸於元後裔博碩克圖汗, 後爲察哈爾林丹汗所破, 璽歸林丹汗, 林丹汗, 亦元裔也, 貝勒等聞璽在蘇泰福晉所索之, 旣得視其文, 乃漢篆制誥之寶四字, 璠璵爲質, 交龍爲紐, 光氣煥爛, 洵至寶也, 多爾衮等喜甚日, 皇上洪福非常, 天錫至寶, 此一統萬年之瑞也, 逐收其璽而還, 太宗設黃案, 焚香受玉璽, 親捧之, 率衆拜天, 禮畢, 諭左右日, 此玉璽, 乃歷代帝王所用之寶, 天以畀朕, 非偶然也, 此與盛京通志西蕃喇嘛僧駝載玉璽之說有異, 未知璽之瑞有二至歟)." 위의 인용문 중 보속트칸Boshogtu Khan은 "敎義의 칸"이란 뜻으로 歸化城 투메드부 제4대 順義王의 이름이며, 준가르의 갈단칸도 이러한 존호를 사용했다. 이 이름의 주인공은 명대 사료에 卜失克兎나 卜失兔, 布石图, 卜石兔, 卜什图 등으로 표기되고 있는 제4대 順義王 보속트칸이라고 보인다. 그의 사후 歸化城 투메드부는 차하르 릭단칸의 공격을 받았다. 제4대 순의왕과 그의 사후 릭단칸의 공격에 대해서는 青木富太郎, 『萬里の長城』, pp.197~228을 참조.

296) 조선 사신단의 여행기 중 洪大容의 『湛軒燕記』에 三拜九叩頭의 모습이 "조회에 참석하여 (황제에게) 절하고 고두하는 법은, 무릎을 굽히고 단정히 꿇어앉아 두 손을 땅에 내리고서 궁둥이를 발바닥에 붙이지 않는 것을 배라 하고, 두 손으로 땅을 짚고 머리를 땅에다 대는 것을 고두라고 하는데, 3번 머리를 땅에 댄 다음 일어나 다시 절한다. 이처럼 3번을 하면

【전국새傳國璽와 마하갈라Maha Khala(嗎哈噶喇) 불상】

실승사實勝寺는 외양문外攘門의 관장關墻 밖에 있다. 숭덕崇德 6년(1641)에 태종太宗이 소수의 군사로 명나라 총독 홍승주洪承疇의 군사 13만 명을 송산松山과 행산杏山에서 대파하고 돌아왔다. (그리고) 이 절을 세워 공적功績을 기렸다. 절 안에 마합갈라루嗎哈噶喇樓가 있다. 천총天聰 9년(1635)에 원나라의 후예인 찰합이察哈爾부 임단林丹의 어머니가 흰 낙타에 마합갈라嗎哈噶喇 금불金佛과 금으로 쓴 라마경喇嘛經 및 전국새傳國璽를 싣고 여기에 이르렀다. 낙타가 누워서 일어나지 않자 이곳에 누각을 세웠다고 한다.[297]

위에 등장하는 기록에서 릭단칸의 어머니 이하 부분은 다른 역사서에서는 보이지 않는다. 서호수의 기록은 근거가 매우 명확하기 때문에, 그가 이러한 기록을 남긴 것은 어떤 구체적인 것에 근거했음이 틀림없다. 필자는 아마 그가 여행 중에 학식 있고 신뢰할 만한 몽골인에게 직접 들은 것이 아닐까라고 판단하고 있다.

일반적으로 마합갈라(Maha Khala Burkhan)불상은 연화정토실승사비기蓮華淨土實勝寺碑記의 기록을 근거로 릭단칸의 종교 고문이었던 메르겐-라마Mergen Lama(墨爾根喇嘛)[298]가 1634년 12월 후금에 투항할 때 가지고 온 것으로

모두 3번 절하고 9번 고두하게 되는데, 이것이 군신의 예이다(朝參拜叩之法, 屈膝危跪, 兩手垂地, 尻不着踵者, 謂之拜, 雙手按地, 頓首至地者, 謂之叩頭, 三叩而後, 起而復拜, 如是者三, 摠爲三拜九叩頭, 是君臣之禮也).”처럼 상세하게 기록되어 있다. 이 의례에 대한 자세한 것은 矢野仁一, 「三跪九叩頭の禮について」『狩野敎授還曆記念支那學論叢』, 東京, 1928을 참조.

297) 『연행기』「1790년 6월 28일」조 : 實勝寺在外攘門關牆外, 崇德六年, 太宗以偏師, 破明總督洪承疇兵十三萬於松山杏山, 歸建此寺, 紀功績, 寺內有嗎哈噶喇樓, 天聰九年, 元裔察哈爾林丹之母, 以白駝, 載嗎哈噶喇金佛, 並金字喇嘛經傳國璽至此, 駝臥不起, 遂建樓云.

298) 메르겐-라마의 원명은 沙日巴呼圖克圖(Sharpa Khutugtu)이다. 그는 차하르 릭단칸의 존경을 받는 종교 고문으로, 1617년부터 차하르 메르겐-라마Mergen Lama(현명한 라마)라는 존칭으로 불려졌다. 1626년부터 릭단칸이 창건한 차강조Chagan Juu(백색 사원)에서 차하르 지구의 종교 사무를 관장했다. 그는 불경을 몽골어로 번역하고, 또 몽골 왕공들의 기원을 논하는 저서도 집필하는 등 내몽골 동부의 라마교 발전에 크게 기여했다. 릭단칸의 패주 후 1634년 후금에 투항했다.

알려져 있다.[299]

마합갈라(마하깔라)는 대흑천신大黑天神으로 번역되는 라마교 밀종의 중요 호법신의 하나이다.[300] 밀종은 그를 대자재천大自在天인 곤파주파昆波朱巴의 화신으로 간주하고 있다. 그의 형상은 몸은 청색이고, 머리 셋에 여섯 개의 팔을 가지고 있다. 맨 앞의 두 손에는 검을 들었고, 중간의 왼손에는 사람의 해골, 오른손에는 양을 잡고 있다. 마지막의 두 손에는 코끼리 가죽을 움켜쥐고 있다. 등에는 해골로 엮은 띠를 걸었다. 이빨을 내밀고 눈을 부릅뜬 것이 매우 공포에 가깝다. 이 신은 전쟁의 신이며, 위덕이 증가하여 하는 일마다 승리를 얻는다. 그래서 복귀福貴의 신으로 간주되기도 한다. 라마교에서는 그가 대일여래불大日如來佛이 항복시킨 악마의 화신이라고도 한다.

티베트의 팍빠 제사帝師가 라마들에게 명령해, 천금을 녹여 이 마하깔라 신상을 만든 다음 코빌라이칸에게 보냈다고 전해진다. 이후 마하깔라는 원나라 궁전에서 모시는 주신主神이 되었다. 즉 대원제국의 호법불이자 전신戰神이다. 차하르의 메르겐-라마가 청 태종에게 바친 마하깔라는 실승사에 안치되어 청나라 군대의 호법전신護法戰神으로 숭배받았다. 청 태종은 마하깔라에 친히 삼궤구고두三跪九叩頭의 예를 행할 정도로 극히 중시했다. 청나라 때 실승사의 라마승은 거의 대부분 몽골인들이다. 또 몽골인들은 실승사 자체도 마하칼라 조Maha Khala Juu라고 부른다.[301]

299) 蓮華淨土實勝寺碑記의 내용에 대해서는 金啓孮, 「嘛哈噶喇」『淸代蒙古史札記』, p.59를 참조. 金昌業의 『燕行日記』「1712년 12월 8일」조에는 실승사의 전경에 대한 묘사가 세밀하게 되어 있다. 그 가운데 비문에 관한 기록이 있다. "동쪽 비석에 연화정토실승사, 숭덕 3년 무인년(1638)에 세우다. ……'라 쓰여 있고, 뒷면은 청나라 글로 되어 있었다. 서쪽 비석은 앞뒤가 모두 청나라 글로 적혀 있어 해독할 수가 없었다.(庭東西有兩碑, 極高大, 東碑前面, 題曰蓮華淨土實勝寺, 崇德三年戊寅立云云, 後面淸書, 西碑前後皆淸書, 不可解也)" 그러나 마하깔라 누각에 대한 언급은 나타나지 않는다.

300) 마하깔라의 성격에 대해서는 李龍範, 「元代 喇嘛敎의 高麗 傳來」『韓滿交流史研究』, 서울, 1989, pp.266~275를 참조. 아울러 라마교의 신들에 대해서는 德勒格 編著, 『內蒙古喇嘛敎史』, 呼和浩特, 2000, pp.549~559를 참조.

301) Maha Khala의 티베트어 발음은 마하깔라이지만 몽골어 발음은 마하칼라이다. 필자는 2008년

위에 등장하는 전국새와 마하깔라 불상은 청 태종이 대원제국의 적통을 계승하고 전국을 통일할 수 있는 논리적 근거를 주었다는 점에서 매우 중요하다. 서호수의 기록은 마하깔라 불상, 불경, 전국새가 동시에 청 태종에게 전달되었고, 흰 낙타가 멈춘 곳이 이후 실승사의 터가 되었음을 보여주고 있다.[302) 서호수의 기록은 차하르 릭단칸의 아들인 에제이Ejei(額哲)[303)]가 1635년 후금에 투항했고, 1636년 1월 청 태종이 자기의 둘째딸을 에제이에게 출가시켰다는 점으로 미루어 볼 때 어딘가 근거가 있다는 느낌을 받는다. 즉 메르겐-라마와 솝타이 카톤이 이전에 개별적으로 행했던 것을, 이후 다시 통합해 정식으로 바쳤을 가능성을 배제할 수 없다는 것이다. 그럴 경우 1636년 4월에 행해진 대청제국의 성립을 보다 체계적으로 설명할 수 있다. 하여튼 이에 대해서는 추후 연구가 더 필요하다고 생각한다.

【의주義州와 차하르몽골】

명나라는 의주위義州衛를 두어 요동도지휘사사遼東都指揮使司에 속하게 했다. 청나라 초에 그 땅을 찰합이察哈爾에게 내려 주었다. 그러나 강희康熙 연간에 찰합이가 반란을 일으키자, 진압한 뒤 순검사巡檢司를 설치하여 광녕현廣寧縣에 속하게 하였다. 옹정雍正 연간에 의주로 승격시켜 금주부錦州府에 속하게 했다.[304)]

위의 기록은 차하르몽골의 귀속과 이반 및 그 뒤의 조치에 대해 기록한

6월 30일 몽골 울란바아타르에서 중국사회과학연구원 올란Ulagan(烏蘭) 교수를 만나 이 불상의 행방을 물은 적이 있다. 필자의 물음에 올란 교수는 "이 불상은 국공내전 시기에 장개석에게 탈취되었다. 비행기로 불상을 대만으로 이송하다가 비행기가 대륙과 팽호 열도 사이에 추락해 버렸다. 마하칼라는 그곳에 수장되어 있다"고 답해주었다.

302) 실승사는 1638년에 건립되었다.

303) 에제이Ejei의 원명은 에르케-콩코르-에제이Erke-Khongkhor-Ejei(額爾克孔果爾額哲)이다.

304) 『연행기』「1790년 7월 6일」조 : 義州, 明置義州衛, 屬遼東都指揮使司, 淸初以其地, 賜察哈爾, 康熙間, 察哈爾叛, 討平之, 設巡檢司, 屬廣寧縣, 雍正間, 陞爲義州, 屬錦州府.

부분이다.[305] 후금에 투항한 에제이는 호쇼이-친왕Hosho-i Chin Wang(和碩親王)으로 봉해져 몽골 제부의 칸과 같은 지위를 누렸다. 또 청 태종은 그를 의주義州 일대에서 유목생활을 영위토록 했으며, 좌우익左右翼 차하르팔기(察哈爾八旗)를 설치했다. 숭덕崇德 연간에 외번外藩 몽골은 좌우 양익으로 나뉘어 회맹했다. 코르친부의 투시에투Tüshiyetü 친왕은 좌익 코르친 등 10기의 수령이고, 에제이는 우익 자사크 각 기旗의 수령이다. 그러나 에제이는 1641년 20세의 나이로 세상을 떠나고, 그의 동생인 아보나이Abunai(阿布奈, 阿布鼐)가 차하르 친왕을 계승했다. 아보나이는 친왕 계승 후 1659년 5월, 우익 각 기와 이번원理藩院의 협의를 거치지 않고 범죄행위를 무단 처벌한다는 이유로 청조로부터 말 천 마리 징수의 형벌을 받았다.

이 조치에 불만을 품은 아보나이는 8년 동안 청조의 조회에 참석하지 않았다. 이에 강희제는 1669년 정월, 그의 작위를 박탈하고 성경盛京(瀋陽)에 유폐시켰다. 그리고 그해 9월 아들인 보르니Burni(布爾尼)에게 작위를 계승시켰다. 보르니는 1674년에 일어난 오삼계吳三桂의 반란을 틈타, 1675년 3월 심양을 공격해 유폐된 아버지를 구하고 청조의 통치에서 벗어나려는 반란을 기도했다. 그러나 그의 반란은 몽골 각 부의 호응을 받지 못하고, 1675년 4월 20일 전투를 기점으로 청군에게 신속히 진압되었다. 5월 보르니와 그의 아우 롭상blo-bzang(羅布藏)[306]은 코르친부 샤진Shajin(沙津) 친왕에게 살해되었다.

반란을 진압한 청조는 아보나이 및 그 아들을 모두 죽이고 여자들은 관노로 삼았다. 이리하여 몽골 대칸의 적통을 이었던 차하르칸의 후예가 단절되었다. 포로로 잡힌 차하르인들은 모두 북경으로 압송되어 팔기만주八旗滿洲나 팔기

305) 차하르부의 변천에 대해서는 和田清, 「察哈爾部の變遷」 『東亞史研究(蒙古篇)』, pp.521~666 및 達力扎布, 『明代漠南蒙古歷史研究』, pp.77~129, 287~321을 참조.

306) "배움이 있는" 또는 "고귀한 마음을 지닌"이란 뜻의 티베트어 "blo-bzang"은 로상이나 롭상이라 발음되는데, 몽골 문어에서는 흔히 롭드장Lobdzang으로 표기한다.

몽골八旗蒙古에 예속되었으며, 노약자는 청나라 병사들에게 포상으로 주어졌다. 이로 인해 차하르 자사크기(Chakhar Jasag-un khoshigun)는 멸망하였다. 오삼계의 반란평정 종군 등 여타의 이유로 반란에 참여하지 못했던 차하르인들은 보르니의 반란 평정 후 선화宣化, 대동大同 변외로 옮겨져 유목 차하르팔기(察哈爾八旗)로 재편성되었으며, 청조의 직할 통치를 받는 내속몽골內屬蒙古로 지위가 변경되었다. 그 지역은 오늘날 내몽골자치구 올란자브맹 동남부 및 실링골맹 남부에 해당한다.

【티베트 몽골 세력의 평정과 자광각紫光閣】

건륭乾隆 초에 티베트(西蕃)를 평정했다. 운대雲臺 능연각凌煙閣의 고사를 모방해 자광각紫光閣에 공신들의 그림을 그리고 황제가 직접 글을 썼는데, 태학사太學士 충용공忠勇公 부항傅恒 이하 50인이다. 부도통副都統 아계阿桂도 역시 있다.[307]

건륭제는 1780년 자신의 팔순 잔치에 티베트의 제6세 판첸-에르데니를 초청할 만큼 티베트와의 관계를 돈독히 한 황제이다.[308] 위의 기록에 등장하는 부항(傅恒[309])은 건륭제의 황후인 효현순황후孝賢純皇后의 동생이다.

307) 『연행기』「1790년 8월 26일」조 : 乾隆初, 平定西番, 用雲臺凌烟閣古事, 圖畫功臣於紫光閣, 各系御製贊, 自太學士忠勇公傅恒以下, 五十人, 副都統阿桂, 亦與焉.

308) 건륭 초기의 티베트 관련사에 대해서는 張云·鄧銳齡·陳慶英·祝啓源 共著, 『元以來西藏地方與中央政府關係研究(上)』, pp.476~609를 참조.

309) 傅恒(?~1770)은 鑲黃旗 만주인으로 姓은 富察氏이다. 건륭제의 황후인 효현순황후의 동생이며 최초 貴戚으로 인해 總管內務府大臣을 수여받았다. 이후 戶部尙書, 保和殿大學士兼軍機大臣, 加太子太保 등의 관직을 역임했다. 軍機處에서 20년을 있으면서 건륭제의 두터운 신임을 받았다. 1748년 大金川 전투에 참가했으며, 1754년 준가르의 내란을 틈타 일리로 진군하여 청조가 준가르에게 최후의 승리를 얻는 데 큰 역할을 수행했다. 1768년 緬甸 전쟁에 종군 중 전염병에 걸려 귀환 도중 사망하였다. 시호는 文忠이며, 1796년 郡王의 칭호를 추증했다.

제2장 몽골의 지리적 위치 및 지명, 강명

1. 몽골의 지리적 위치

(1) 최덕중의 연행록에 등장하는 몽골의 지리적 위치

최덕중의 『연행록』에는 몽골의 지리적 위치에 관한 기록이 3건이 등장하는데, 모두 몽골과 중원의 경계에 관한 것들이다.

【장성 이북은 몽골의 땅】

생각건대 장성 너머는 다 몽골 땅이고 부락이 강대하니, 청국에서 두려워하고 시샘하는 것을 알 만하였다.[1)]

1) 『연행록』「1713년 1월 4일」조 : 而第念長城之外, 盡是蒙古之地, 而部落强大, 淸國之畏猜可知.

【의무려산醫巫閭山 북쪽은 몽골의 땅】

의무려산이 보이기 시작했는데, 서북쪽으로 가로로 걸쳐 있다. 한 줄기는 남쪽 바닷가로 달려가다가 한 맥이 십삼산十三山에 이르러 멈추었다. 한 줄기는 동북쪽으로 뻗어 나가 이리저리 돌면서 심양 북쪽에 이른 뒤 다시 동쪽으로 뻗어 나간다. 이 산 너머가 몽골 지방이다.[2)]

【의무려산醫巫閭山은 몽골과 중원의 경계】

산해관 뒤에 이르러 각산角山이 된다. 다시 꾸불거리며 동쪽으로 뻗어 나가 광녕廣寧에 이르러 의무려산이 되어 유주幽州의 북진(北鎭)을 이루었다. 또 북쪽으로 뻗어 나가다가 어느 곳에서 멈춘다. 이 산의 앞과 뒤로 이夷·하夏의 경계를 나눈다. 지금은 북쪽이 몽골 지역이고, 남쪽이 관내關內이며, 동쪽이 요동遼東 들판이다. 그 사이에 큰 강이 셋이 있는데, 난하灤河·주류하周流河·통진通津 등이 그것이다. 산이 줄기줄기 옆으로 뻗어 나가고, 물이 굽이굽이 가닥을 나누어 모두 다 기록하기가 불가능하다.[3)]

(2) 박지원의 열하일기에 등장하는 몽골의 지리적 위치

박지원의 『열하일기』에는 몽골의 지리적 위치에 관한 기록이 2건이 등장하는데, 요양과 심양 등 동북의 지리적 요충에 관한 것이다.

【요양성遼陽城의 역사·지리적 위치】

천하의 안정과 위태로움은 늘 이 요양의 넓은 들에 달렸다. 이곳이 편안하면 천하의 풍진風塵이 자고, 이곳이 한 번 시끄러워지면 천하의 싸움 북이 서로

2) 『연행록』「1712년 12월 11일」조 : 自此始見醫巫閭山, 而在西北橫亘, 一帶南走海汀, 一脉至十三山而止, 一帶東北走, 逶迤至瀋陽之北, 走東云, 此山之外, 乃蒙古地方.

3) 『연행록』「1713년 3월 30일」조 : 至于山海關之後爲角山, 仍蜿蜒東走至廣寧, 爲醫巫閭山, 作幽州之北鎭, 仍北走至止於何方, 而以山之前後, 分夷夏之境, 卽今則北爲蒙古地, 南爲關內, 東爲遼野, 其間大河有三, 乃灤河周流河通津等河也, 山之脉脉橫馳, 水之曲曲分派, 不可盡錄.

요란하게 울린다.[4]

【심양瀋陽의 역사·지리적 위치】

심양은 청나라가 발흥한 곳이다. 동으로 영고탑寧古塔과 이어졌고, 북으로 열하熱河를 누르고, 남으로는 조선을 어루만지며, 서로는 향하는 곳마다 감히 움직일 수 없다. 때문에 그곳을 근본으로 삼은 술책이 장대하다 할 수 있으며, 이는 역대에 비할 바가 아니다.[5]

누르하치Nurkhachi(努爾哈赤, 1559~1626)는 1616년 허투알라Hetu-ala(赫圖阿拉)[6]에서 후금을 건국하고 칸을 칭했다. 이후 1621년 요동을 점령하고 요양遼陽으로 근거지를 옮겼다가, 다시 1625년 심양에 칸국의 수도를 정했다. 참고로 누르하치는 몽골어에 매우 능했으며, 건주여진의 공용문서는 모두 몽골문자로 작성하는 것이 보편적이었다. 1599년 에르데니Erdeni(額爾德尼)가 몽골문자를 기초로 만주어를 만든 것도 모두 이러한 문화적 배경 때문에 가능했다. 즉 만주인의 발흥은 그들의 지리적 요충 장악과 함께 몽골족과 자유롭게 대화할 수 있는 언어능력 때문이라고 해도 과언이 아니다.[7]

(3) 서호수의 연행기에 등장하는 몽골의 지리적 위치

서호수의 『연행기』에는 몽골의 지리적 위치에 관한 기록이 4건이 등장하는데, 몽골의 강역 및 몽골과 중원의 경계에 관한 것들이다.

---

4) 『열하일기』「盛京雜識」 1780년 7월 10일조 : 然天下安危, 常係遼野, 遼野安則海內風塵不動, 遼野一擾, 則天下金鼓互鳴.

5) 『열하일기』「盛京雜識」 1780년 7월 10일조 : 瀋陽, 乃其始興之地, 則東接寧古塔, 北控熱河, 南撫朝鮮, 西向而天下不敢動, 所以壯其根本之術, 非歷代所比故也.

6) 赫圖阿拉(Hetu-ala)은 가로 언덕(橫崗)이란 뜻의 만주어로, 오늘날 요녕성 新賓滿族自治縣 老城村에 해당한다. 청 태종은 1634년 赫圖阿拉을 높여 天眷興京이란 명칭을 부여했다.

7) 명대 여진족에 대한 몽골 문화의 영향에 대해서는 達力扎布, 『明代漠南蒙古歷史研究』, pp.252~264를 참조.

【몽골의 강역】

강역은 동쪽으로 성경盛京 및 흑룡강에 이르고, 서쪽으로는 액로특厄魯特에 이른다. 남쪽은 장성에 이르며, 북쪽은 삭막朔莫에 이른다. (그들의 영토는) 기다랗게 만여 리에 뻗친다.[8]

위의 기록에 등장하는 액로특厄魯特은 오이라트Oyirad의 음역이다. 삭막朔莫은 오늘날 몽골국에 해당한다. 서호수는 몽골강역 기술에서 청해 등 내지에 위치한 지역을 생략하고 있지만, 전체적인 면에서 그 범위가 매우 정확하다.

【각산角山은 초원과 중원의 경계】

각산은 현성의 동북 100리, 산해관山海關의 북쪽에 있다. 산세가 거용居庸, 고북古北, 희봉喜峯의 여러 산을 거쳐 동쪽으로 천여 리를 이어 나오다가, 여기에 이르러 뿔처럼 높이 솟았다. 장성이 그 위를 베고 있어 화華와 이夷의 큰 경계가 된다.[9]

【위가령魏家嶺 북쪽은 몽골의 땅】

위가령 동쪽은 광녕廣寧의 경계이고, 서쪽은 의주의 경계다. 남쪽은 중국의 경계며, 북쪽은 몽골의 경계다. 남북의 경계 사이에 유조성柳條城을 설치했는데, 이것이 바로 변장邊墻이다. (변장은) 구관대九關臺 등 여러 변문邊門과 연결된다. 광녕의 마시하馬市河는 이 재에서 발원한다.[10]

위의 기록에 등장하는 유조성柳條城은 유조변柳條邊을 말한다. 유조변, 즉

8) 『연행기』「1790년 7월 16일」조 : 疆域東至盛京黑龍江, 西至厄魯特, 南至長城, 北至朔漠, 袤延萬有餘里.

9) 『연행기』「1790년 9월 11일」조 : 角山, 在縣城東北一百里, 山海關北, 山勢, 由居庸古北喜峯諸山, 而東延亘千餘里, 至此聳峙如角, 長城枕其上, 爲華夷大界.

10) 『연행기』「1790년 7월 5일」조 : 魏家嶺以東, 爲廣寧界, 以西爲義州界, 南爲中國界, 北爲蒙古界, 南北界間設柳條城, 卽邊墻, 聯九關臺等諸邊門, 廣寧馬市河發源於此嶺.

버드나무 담장은 유변柳邊, 유장柳墻, 조자변條子邊으로도 불린다. 청조의 통치자들은 자신들의 발흥지(龍興)를 보호하기 위하여 동북 지구에 버드나무 담장을 설치하여 금계선禁界線으로 삼았다. 버드나무 담장은 순치 연간부터 부분적으로 쌓기 시작해 강희 연간에 완성되었다.

버드나무 담장은 노변老邊과 신변新邊의 두 부분으로 이루어져 있다. 노변은 성경변장盛京邊墻이라고도 불린다. 성경변장은 남쪽의 봉황성鳳凰城(오늘날 요녕 鳳城)에서 시작해 동남으로 바다에 이르고, 서북으로는 개원현開元縣 위원보威遠堡를 경유한다. 서남으로는 산해관에 이르러 장성과 접한다. 길이는 총 1,900여 리이다. 신변新邊은 주로 길림 경내에 있다. 북으로 길림성吉林城 북쪽의 법특동량자산法特東亮子山에서 시작해 남쪽으로 요녕 개원현 위원보에 이르는데, 길이는 690여 리이다.

요하 유역의 노변은 성경장군 관할이며, 길림 부분의 신변은 영고탑장군 이후의 길림장군 관할이다. 신구변을 따라 21개의 변문(뒤에 20개로 감축)이 설립되었다. 변문마다 각종 방어 시설을 구축하고, 필첩식筆帖式[11]과 기병旗兵들을 배치해 출입자들을 조사한다. 변내邊內의 기민旗民이 버드나무 담장을 넘는 것은 엄격히 금지되며, 위반할 경우 가혹한 처벌을 받는다. 변외邊外의 경우 허가받은 자들에 한해 인삼 채취, 수렵, 방목 등이 행해진다.[12] 그러나 청나라 중엽 이후 국내 정치의 혼란을 틈타 산동, 하북, 산서의 유민들이 대량으로 흘러들어와 이 금지선은 유명무실해졌다. 청나라 말기에는 완전 개방된 상태로까지 발전했다. 아래에 등장하는 서호수의 기록은 바로 이 유조변장에 대한

11) 筆帖式은 만주어 Bithesi의 음역으로, 원래 몽골어로 書記를 뜻하는 Bichigechi에서 유래되었다. 이들의 직무는 번역 및 각종 문서의 취급이다.

12) 강희 중엽에 편찬된 楊賓의 『柳邊紀略』에는 청나라 초기 성경, 영고탑, 흑룡강 세 장군의 관할구, 즉 유조변장 내외 만주족 거주지구의 산천, 形勢, 官制, 兵額, 城堡, 역참, 부락, 寺廟, 貢賦, 物産, 民情, 풍속 및 문화, 古迹 등이 상세하게 기술되어 있다. 청대 동북의 교통로에 대해서는 叢佩遠, 「淸代東北的驛路交通」 『北方文物』, 1985-1을 참조.

상세한 기록이다.

【청나라 동북 지역 21개의 변문邊門과 개원 서쪽의 몽골 유목지】

변문은 모두 21개가 있다. ① 봉황성변문은 봉황성의 남쪽 30리에 있는데, 우리나라의 용만龍灣과 통한다. ② 애하변문靉河邊門은 봉황성의 북쪽 120리에 있는데, 우리나라의 옥강진玉江鎭 신후수동辛後水洞과 통한다. ③ 왕청변문汪淸邊門, 즉 흥경변문興京邊門은 흥경興京의 동남쪽 30리에 있는데, 우리나라의 창성昌城 운두리雲頭里와 통한다. ④ 감창변문鹻廠邊門은 흥경의 남쪽 140리에 있는데, 우리나라의 초산楚山 파저강婆瀦江과 통한다. ⑤ 영액변문英額邊門은 개원開原의 동쪽 200리에 있는데, 우리나라의 강계江界 만포진滿浦鎭과 통한다. ⑥ 위원보변문威遠堡邊門은 개원의 동북쪽 30리에 있는데, 우리나라의 강계 폐사군廢四郡과 통한다. ⑦ 발고변문發庫邊門은 개원의 동북쪽 30리에 있다. ⑧ 창무대변문彰武臺邊門은 광녕廣寧의 동북쪽 170리에 있다. ⑨청하변문淸河邊門은 의주의 동북쪽 55리에 있다. ⑩ 백토창변문白土廠邊門은 의주의 동북쪽 130리에 있다. ⑪ 구관대변문九關臺邊門은 의주의 서북쪽 30리에 있다. ⑫ 장령산변문長領山邊門은 금주錦州의 서북쪽 90리에 있다. ⑬ 신대변문新臺邊門은 금주의 서쪽 130리에 있다. ⑭ 송령변문松領邊門은 금주의 서북쪽 90리에 있다. ⑮ 이수구변문梨樹溝邊門은 금주의 동서쪽 140리에 있다. ⑯ 백석취변문白石嘴邊門은 금주의 서남쪽 210리에 있다. ⑰ 명수당변문鳴水塘邊門은 금주의 서남쪽 290리에 있다. 개원 서쪽의 변문 밖은 모두 몽골 과이심科爾沁 등 여러 부족이 유목하는 곳이다. 위에 적은 17변문은 성경장군盛京將軍이 통할한다. 문마다 장경章京, 필첩식筆帖式 각 1인과 관군官軍 50명이나 40명을 두고 출입하는 사람을 사찰한다.

① 포이덕고소파이한布爾德庫蘇巴爾漢은 길림오라吉林烏喇의 서북쪽 568리에 있다. ② 혁이소赫爾蘇는 길림오라의 서북쪽 460리에 있다. ③ 여의둔餘衣屯은 길림오라의 서북쪽 190리에 있다. ④ 파연악불라巴延鄂佛羅는 길림오라의

북쪽 210리에 있다. 위에 적은 4변문은 영고탑장군寧古塔將軍이 통할한다. 문마다 장경, 필첩식 각 1인과 관군 20명을 둔다.[13]

위의 기록에 등장하는 과이심科爾沁은 몽골 코르친Khorchin부의 음역이며, 길림오라吉林烏喇의 오라烏喇(烏拉)는 강을 뜻하는 만주어 올라Ula의 음역이다. 이 변문들은 모두 주방만주팔기駐防滿洲八旗 관병官兵들이 주둔한다. 길림 부분의 신변에 위치한 포이덕고소파이한布爾德庫蘇巴爾漢(布爾圖庫蘇巴爾罕)은 오늘날 길림성 사평시四平市 동남의 반랍산문半拉山門에 위치해 있다. 혁이소赫爾蘇는 염지에 자라는 풀의 이름인 케르수kersu의 음역이다. 이 변문은 오늘날 길림성 이수현梨樹縣 동쪽에 위치하는데, 길림吉林과 이통伊通을 잇는 관애關隘이다. 파연악불라巴延鄂佛羅는 몽골어로 부귀를 뜻하는 바얀Bayan과 만주어로 산부리(山嘴)를 뜻하는 에르훌로Erfulo의 결합어이다. 이 변문은 오늘날 길림성 서란현舒蘭縣에 위치하는데, 보트하Butha(布特哈)[14] 지역으로 통하는 입구이기 때문에 만주어로 화르터하Farteha(法特哈)[15] 변문이라 불리기도 한다.

13) 『연행기』「1790년 6월 23일」조 : 邊門凡二十一, 鳳凰城邊門, 在鳳凰城南三十里, 通我界龍灣, 靉河邊門, 在鳳凰城北一百二十里, 通我界玉江鎭辛後水洞, 汪淸邊門, 卽興京邊門, 在興京東南三十里, 通我界昌城雲頭里, 鹻廠邊門, 在興京南一百四十里, 通我界楚山婆瀦江, 英額邊門, 在開原東二百里, 通我界江界滿浦鎭, 威遠堡邊門, 在開元東北三十里, 通我界江界廢四郡, 發庫邊門, 在開原東北三十里, 彰武臺邊門, 在廣寧東北一百七十里, 淸河邊門, 在義州東北五十五里, 白土廠邊門, 在義州東北一百三十里, 九關臺邊門, 在義州西北三十里, 長嶺山邊門, 在錦州西北九十里, 新臺邊門, 在錦州西一百三十里, 松嶺邊門, 在錦州西北九十里, 梨樹溝邊門, 在錦州東西一百四十里, 白石嘴邊門, 在錦州西南二百一十里, 鳴水塘邊門, 在錦州西南二百九十里, 開元以西邊門外, 皆爲蒙古科爾沁等諸部駐牧地, 右十七邊門, 卽盛京將軍所統轄, 每門, 設章京筆帖式各一, 官兵或五十, 或四十, 稽察出入, 布爾德庫蘇巴爾漢, 在吉林烏喇西北五百六十八里, 赫爾蘇, 在吉林烏喇西北四百六十里, 餘衣屯, 在吉林烏喇西北一百九十里, 巴延鄂佛羅, 在吉林烏喇北二百一十里, 右四邊門, 卽寧古塔將軍所統轄, 每門, 設章京筆帖式各一, 官兵二十.

14) butha(布特哈)는 野性, 野味를 뜻하는 만주어이다. 또 索倫(Solon), 達斡爾(Dagur), 鄂倫春(Orunchun), 赫哲(Goldi) 등 嫩江 유역 및 대흥안령 동서 일대에 사는 민족의 통칭이기도 하다. 布特哈에 대해서는 學銚, 「布特哈部與呼尹貝爾部簡誌」『中國邊政』25, 1969을 참조.

15) Farteha(法特哈)는 法特哈江의 서쪽에 있는 산명으로 그 형세가 말굽과 같다고 해서 붙여진 이름이다. 즉 짐승의 발굽과 같은 산을 뜻한다. 일찍이 강희제가 이곳을 순방한 적이 있는데, 그때 바얀-에르훌로Bayan-Erfulo산으로 개명했다. 삼림이 무성한 이곳은 북으로 치치하얼(卜

서호수가 기록한 영고탑장군은 당시 1757년부터 길림장군[16]이라 불려졌다. 아마 서호수가 참고한 변문 조항문건은 21개 변문이 있을 때의 문건이라고 보인다. 서호수가 기록한 21개의 변문을 도표로 제시하면 다음과 같다.

청나라 때 동북 지역 21개의 변문邊門		
성경장군盛京將軍 관할 유조노변柳條老邊 17변문		
번호	명칭	위치
1	봉황성변문	봉황성의 남쪽 30리에 있는데, 우리나라의 용만龍灣과 통한다.
2	애하변문靉河邊門	봉황성의 북쪽 120리에 있는데, 우리나라의 옥강진玉江鎮 신후수동辛後水洞과 통한다.
3	왕청변문汪淸邊門(일명 흥경변문興京邊門)	흥경興京의 동남쪽 30리에 있는데, 우리나라의 창성昌城 운두리雲頭里와 통한다.
4	감창변문鹻廠邊門	흥경의 남쪽 140리에 있는데, 우리나라의 초산楚山 파저강婆豬江과 통한다.
5	영액변문英額邊門	개원開原의 동쪽 200리에 있는데, 우리나라의 강계江界 만포진滿浦鎮과 통한다.
6	위원보변문威遠堡邊門	개원의 동북쪽 30리에 있는데, 우리나라의 강계 폐사군廢四郡과 통한다.
7	발고변문發庫邊門	개원의 동북쪽 30리에 있다.
8	창무대변문彰武臺邊門	광녕廣寧의 동북쪽 170리에 있다.
9	청하변문淸河邊門	의주의 동북쪽 55리에 있다.
10	백토창변문白土廠邊門	의주의 동북쪽 130리에 있다.
11	구관대변문九關臺邊門	의주의 서북쪽 30리에 있다.
12	장령산변문長嶺山邊門	금주錦州의 서북쪽 90리에 있다.
13	신대변문新臺邊門	금주의 서쪽 130리에 있다.
14	송령변문松嶺邊門	금주의 서북쪽 90리에 있다.

奎), 남으로 심양으로 통하는 요지이다.

16) 吉林將軍은 鎭守吉林等處將軍의 간칭으로 길림 지구를 駐防하는 최고 군사 統帥의 專稱이다. 초기에는 寧古塔에 주둔했다. 順治 10년(1653)에는 寧古塔 昂邦章京(amban-i janggin)으로 부르다가, 康熙 원년(1662)에 昂邦章京을 寧古塔將軍(鎭守寧古塔等處將軍)으로 개칭했다. 1676년에 주둔지를 吉林烏拉(지금의 吉林市)로 옮겼다. 건륭 22년(1757년)에 비로소 길림장군이라는 칭호가 등장했다. 길림장군은 길림성 八旗軍政 및 庶務를 관장한다. 장군의 아래에는 副都統, 協領, 佐領, 防禦, 驍騎校 등의 관을 두고 만주·몽골·漢軍·錫伯(Sibe)·巴爾虎(Barkhu) 등의 旗戶, 人丁 및 打牲部落(황실을 위해 수렵에 복무하는 사람)의 采捕 사무를 관장했다. 光緒 33년(1907)에 폐지했다. 寧古塔은 新舊 2城이 있다. 옛 성은 오늘날 흑룡강 海林縣 海林河 남안의 옛 鎭인데, 이곳에서 청 왕조의 遠祖인 형제 6인이 살았다고 전한다. 1653년 이곳에 昂邦章京, 副都統을 두었는데, 강희 5년(1666)에 지금의 寧安縣(海林縣의 남쪽)에 新城을 쌓아 將軍과 副都統을 이곳으로 옮겼다. 1671년에 副都統을 吉林烏拉으로 옮겼다. 1676년에 寧古塔將軍을 吉林烏拉으로 옮겼고 副都統은 다시 寧安縣으로 옮겼다.

15	이수구변문梨樹溝邊門	금주의 동서쪽 140리에 있다.
16	백석취변문白石嘴邊門	금주의 서남쪽 210리에 있다.
17	명수당변문鳴水塘邊門	금주의 서남쪽 290리에 있다.
길림장군吉林將軍 관할 유조신변柳條新邊 4변문		
18	포이덕고소파이한布爾德庫蘇巴爾漢	길림오라吉林烏喇(烏拉)의 서북쪽 568리에 있다.
19	혁이소赫爾蘇	길림오라의 서북쪽 460리에 있다.
20	여의둔餘衣屯	길림오라의 서북쪽 190리에 있다.
21	파연악불라巴延鄂佛羅	길림오라의 북쪽 210리에 있다

2. 몽골의 지명 및 강명

몽골의 지명 및 강명에 대한 기록은 박지원과 서호수의 기록에만 나오는데, 그것을 순서대로 소개하면 다음과 같다.

(1) 박지원의 열하일기에 등장하는 몽골의 지명 및 강명

박지원의 『열하일기』에는 몽골의 지명 및 강명에 관한 기록이 3건 등장하지만, 몽골인이 거주하는 지역이라는 것만 나타냈을 뿐 구체적인 강명이나 지명을 거론하지 않고 있다.

【무열하武列河와 난하灤河】

역도원酈道元의 『수경주水經注』에 "유수濡水는 동남으로 흘러 무열수武列水와 합류한다"고 기록되어 있다. 유수는 오늘의 난하요, 무열수는 오늘의 열하이다. 열하의 이름은 『수경水經』에는 기록되어 있지 않지만, 아마 무열의 변음인 듯하다. 그 발원지는 세 군데이다. 하나는 무욱리하武郁利河에서 나오고, 또 하나는 석파이대石巴伊臺에서 나오고, 또 하나는 탕천湯泉에서 나온다. 이들이

한곳에 모여서 열하가 되어, (피서)산장을 끼고 남쪽으로 흘러 난하로 들어간다고 한다.[17)]

【열하에서 북진묘까지 몽골 지역을 통과해 가는 길】

우리 사행이 길을 재촉하여 황급히 열하에 들어왔을 때, 더러는 이곳에서 길을 바로 질러 고국으로 돌아가자는 의논이 있었다. 이에 사신은 담당 역관으로 하여금 미리 동쪽으로 돌아갈 노정을 연구하도록 하였다. 역관은 통관通官에게 이를 알아보았다. 통관들은 깜짝 놀라면서 "산 뒤는 모두 몽골인들이 살고 있는 지방이다. 의무려산을 끼고 동북으로 돌아가는 길 도중에 반드시 몽골인들을 만나 겁탈당할 것이다. 우리 중국 사람들도 이 길을 아는 자가 없다. 이곳을 질러 돌아가는 것이 비록 황제의 뜻이라 하더라도, 사신은 예부禮部에 글을 올려 이 길을 변경하도록 간청하는 것이 좋을 것이다"라고 했다.[18)]

위의 두 기록은 박지원 일행의 조선 사신단이 열하에 도착한 후 북경을 들리지 않고 곧장 몽골 지역을 통과해 귀국길을 논의하는 과정에서 나온 대목들이다. 무열하武列河와 난하灤河의 동북쪽은 카라친기(Kharachin Jasag-un Khoshigu)와 투메드기(Tümed Jasag-un Khoshigu)의 몽골인들이 사는 지방이다. 이들은 이전에 언급한 대로 우여곡절 끝에 늙은 만주의 장경에게 열하에서 북진묘로 가는 길을 알아냈지만, 실행에 옮기지는 못하고 다시 북경으로 돌아갔다. 위의 기록에 등장하는 『수경水經』은 삼국시대의 저작으로, 127개의 강이 수록되어 있다. 『수경주水經注』는 북위北魏의 지리학자인 역도원酈道元이 『수

17) 『열하일기』「口外異聞」武列河條：酈道元水經註, 濡水東南流, 武列水入焉, 濡水, 今灤河, 武列水, 今熱河, 熱河之號, 不著於水經, 則似是武列之轉聲, 其源有三, 一出武郁利河, 一出石巴伊臺, 一出湯泉同, 會爲熱河, 抱山莊南行入灤河云.

18) 『열하일기』「口外異聞」武列河條：我使趲程行, 旣入熱河, 或有自此徑還之議, 使臣使任譯, 預講東還路程, 任譯探於通官, 通官輩大驚曰, 山後皆㺚子地方, 抱醫巫閭而北東繞轉, 道途間, 必遭㺚子所刦略, 俺等中土人, 無有識此路者, 雖蒙皇旨, 自此徑還, 使臣呈文禮部, 懇免此路可也.

경』을 대폭 보완하여 편찬한 책으로, 1,252개의 강이 수록되어 있다.[19]

【몽골인과 고북구古北口의 통로】

연경에서 열하로 가는 길은 창평昌平에서 서북쪽으로 거용관으로 나오는 길과 밀운密雲에서 동북쪽으로 고북구로 나오는 길이 있다. 고북구에서 장성을 따라가면 동으로 산해관에 이르는데, 거리는 700리이다. 서쪽으로 가면 거용관에 이르는데 거리는 280리이다. 거용관과 산해관 사이에 있는 고북구는 장성 가운데 이와 비견될 곳이 없을 정도로 가장 험준한 요새이다. 몽골이 늘 출입하는 목구멍 같은 곳이기 때문에, 겹으로 된 관문을 설치하여 그 좁은 입구를 통제한다. 나벽羅壁의 『지유識遺』에 "연경 북쪽 800리 밖에 거용관이 있다. 관의 동쪽 200리 밖에 호북구虎北口가 있는데, 호북구는 즉 고북구이다"라고 기록되어 있다. 당나라 초기부터 고북구라는 이름으로 부르기 시작하였는데, 중원 사람들은 장성 밖을 모두 구외口外라고 말한다. 구외는 당나라 때 모두 해왕奚王의 근거지(牙帳)였다. 『금사』에 "나라말로 유알령劉斡嶺이라 부르는 곳이 고북구이다"라고 기록되어 있다. 대개 장성을 쌓은 뒤 관구라고 일컫는 데가 100여 곳일 정도로 많다. 산을 따라 성을 쌓았는데, 끊어진 계곡과 깊은 시내에는 (성을 쌓더라도) 물이 부딪치면 입속으로 빨려 들어가듯 뚫렸다. 그래서 성을 쌓을 수가 없어 정장亭鄣을 설치했다. 명나라 홍무 때에 수어천호守禦千戶를 두고 다섯 겹으로 관구關口를 만들었다. 나는 무령산霧靈山을 돌아 배로 광형하廣硎河를 건너 한밤에 고북구를 나왔다. … 옛적에 몽장군蒙將軍은 스스로 말하기를, "내가 임조臨洮부터 요동에 이르기까지 성을 만여 리나 쌓았는데, 그 중에는 지맥을 끊지 않을 수 없는 곳도 있었다"라고 하였다.[20]

---

19) 『水經注』에는 1,252개의 강들이 경과하는 산, 郡縣, 成市, 關津, 명승, 祠廟, 古墳 등의 지리정황은 물론 建置沿革과 유관 역사사건, 인물, 고사, 가요 및 신화, 전설 등이 수록되어 있다. 이 책은 인용 서적이 437종에 달할 정도로 고증에 심혈을 기울였으며, 漢 및 魏 때의 碑刻까지도 수록해 사료가치가 높은 책이다.

20) 『열하일기』「山莊雜記」夜出古北口記條 : 自燕京至熱河也, 道昌平則西北出居庸關, 道密雲則東北出古北口, 自古北口循長城, 東至山海關七百里, 西至居庸關二百八十里, 中居庸山海而爲長城險要之地, 莫如古北口, 蒙古之出入常爲其咽喉, 則設重關以制其阨塞焉, 羅壁識遺

위의 기록은 박지원 일행이 열하에서 북경으로 돌아올 때 고북구를 넘었던 일을 기록한 것이다. 위의 기록에서 해왕奚王의 근거지(牙帳)란 칸Khan의 이동식 천막인 오르도Ordo가 존재하는 곳이며, 몽장군蒙將軍은 몽염蒙恬을 말한다.

(2) 서호수의 연행기에 등장하는 몽골의 지명 및 강명

서호수의 『연행기』에는 몽골의 지명 및 강명에 관한 14건의 기록이 등장하는데, 몽골어 원명을 표기하는 등 비교적 상세한 기술을 남기고 있다.

> **【투메드의 의마도하衣馬圖河】**
>
> 의마도하는 중국명으로 고양하羖羊河이며, (투메드) 좌익의 서북쪽 60리에 있다. 미륵산彌勒山에서 발원하여 서남으로 청산青山을 거쳐 흐르다가, 다시 남으로 흘러가 마안하馬鞍河와 합류한다. (합류한 강은) 변내邊內에 들어와서 의주義州의 동북을 지나면서 세하細河가 된다.[21] … 세하는 장성 밖의 토묵특土默特 매달리령邁達里嶺에서 발원하는데, (몽골) 이름이 의마도하衣馬圖河이다. 서남으로 흐르다 청하변문淸河邊門 동쪽에서 경내로 들어와 세하가 된다. 그리고 또 동남으로 흘러 대릉하大凌河로 들어간다.[22]

위의 기록에 등장하는 토묵특土默特은 투메드Tümed의 음역이며, 매달리령邁達里嶺은 미륵불의 고개라는 뜻을 지닌 마이다룬 다와maidar-un dabaga(Майдрын

曰, 燕北百里外, 有居庸關, 關東二百里外, 有虎北口, 虎北口, 卽古北口也, 自唐始名古北口, 中原人語長城外, 皆稱口外, 口外皆唐時奚王牙帳, 按金史, 國言稱留斡嶺, 乃古北口也, 蓋環長城稱口者, 以百計, 緣山爲城而其絕壑深磵, 呿呀陷, 水所衝穿則不能城而設亭鄣, 皇明洪武時, 立守禦千戸所, 關五重, 余循霧靈山, 舟渡廣硎河, 夜出古北口, …昔蒙將軍自言吾起臨洮, 屬之遼東, 城塹萬餘里, 此其中不能無絕地脈.

21) 『연행기』「1790년 7월 7일」조 : 衣馬圖河, 華名羖羊河, 在左翼西北六十里, 源出彌勒山, 西南流經青山, 又南流會馬鞍河, 入邊經義州東北, 爲細河.

22) 『연행기』「1790년 7월 5일」조 : 細河源出邊外土默特邁達里嶺, 名衣馬圖河, 西南流, 由淸河邊門東入境, 爲細河, 又東南流, 入大凌河.

даваа)의 음역이다.[23] 또 의마도하衣馬圖河는 염소의 강을 뜻하는 야마트-골 Yamagat-goul(Ямаатьн гол)의 음역이다. 장목張穆(1805~1849)의 『몽골유목기』에는 마안하馬鞍河의 몽골명은 석라탑랍하錫喇塔拉河이며, 마해파라산摩該波羅山에서 발원하여 서남으로 흐르다 이마도하伊瑪圖河와 합류한다고 기록되어 있다.[24] 석라탑랍하錫喇塔拉河는 몽골어로 "누런 들판의 강"을 뜻하는 시라-탈라-골Shira-Tala goul(Шар Тальн гол)의 음역이다.[25] 마해파라산摩該波羅山은 "푸른 뱀의 산(靑蛇山)"이란 뜻으로 미루어, "갈색 뱀의 산"을 의미하는 모가이-보로-아골라Mogai-Boru agula(Могой Бор уул)의 음역이다. 이마도하伊瑪圖河나 의마도하衣馬圖河의 이마(伊瑪, 衣馬)는 모두 몽골어로 염소를 뜻하는 야마 Yamaga(Ямаа)의 음역이다.

【투메드의 매달리령邁達里嶺】

매달리령은 중국명으로 미륵령彌勒嶺이다. (투메드) 좌익의 서북쪽 60리에 있는데, 세하細河가 여기에서 발원한다.[26]

【카라친의 오목륜하敖木倫河】

오목륜하는 중국명으로 대릉하大凌河이며, (카라친) 우익의 서쪽 200리에 있다. 동으로 옛날의 흥중성興中城을 거쳐 흐르다가 남으로 방향을 틀어 동남쪽으로 흘러간다. 구관대 변장에 들어오면서부터는 대릉하가 된다.[27] … 대릉하는

---

23) 미륵불의 몽골어 명칭은 마이다르 보르항(майдар бурхан)이나 이레두이 차긴 보르항(ирээдүй цагийн бурхан)이다.

24) 張穆, 『蒙古游牧記』 卷2 「內蒙古, 卓索圖盟, 游牧所在, 喀喇沁·土默特」: 靑蛇山, 蒙古名摩該波羅…馬鞍河, 蒙古名錫喇塔拉, 源出摩該波羅山, 西南流會伊瑪圖河.

25) 몽골인들은 馬鞍河는 물론 細河도 시라-탈라골이라 부른다(文精 主編, 『蒙古族大辭典』, 呼和浩特, 2004, p.1133).

26) 『연행기』 「1790년 7월 7일」 조 : 邁達里嶺, 華名彌勒嶺, 在左翼西北六十里, 細河發源於此.

27) 『연행기』 「1790년 7월 7일」 조 : 敖木倫河, 華名大凌河, 在右翼西二百里, 東流經古興中城, 南折而東南流, 入九關臺邊墻, 爲大凌河.

주州의 치소治所 동북쪽에 있다. 발원지는 장성 밖의 객라심喀喇沁 미소도산尾蘇圖山이다. (몽골 이름으로) 오목륜하敖木倫河라고 불린다. 동쪽으로 흐르다 의주 서쪽의 구관대 변문 동쪽에서 변내에 들어와 대릉하가 된다.[28]

위의 기록에 등장하는 객라심喀喇沁은 카라친Kharachin의 음역이며, 미소도산尾蘇圖山은 몽골어로 자작나무가 있는 산이란 뜻의 코스타인-아골라khustai-n agula(хустайн уул)의 음역이다. 오목륜하敖木倫河는 몽골어로 큰 강을 뜻하는 예케-무렌Yeke Müren의 음역이다. 즉 대릉하의 원명은 몽골어로 큰 강을 뜻하는 예케-무렌에서 유래했음을 보여주고 있다.

【카라친의 위소도산韋蘇圖山】

위소도산(미소도산尾蘇圖山이라고도 부른다)은 중국명으로 화산樺山이며, (카라친) 좌익의 서남쪽 40리에 있다. 대릉하가 여기에서 발원한다.[29]

위의 기록에 등장하는 위소도산韋蘇圖山이나 미소도산尾蘇圖山은 모두 몽골어 코스타인-아골라khustai-n agula의 음역으로, 자작나무가 있는 산이란 뜻이다. 『몽골유목기』에는 위손도산威遜圖山으로 음역되어 있다.

【투메드의 곤제칠로하崑齊七老河】

곤제칠로하는 중국명으로 유하천하柳河川河이며, 우익의 남쪽 30리에 있다. 소파이갈도산에서 발원하여 동남으로 흐르다 의주의 경계 안에 들어와 유하천하가 된다.[30] … 유하천하는 주州의 서쪽 29리에 있는데, 발원지는 장성 밖의

28) 『연행기』 「1790년 7월 6일」 조 : 大凌河, 在州治東北, 源出邊外喀喇沁尾蘇圖山, 名敖木倫河, 東流, 自義州西九官臺門東, 入邊爲大凌河.

29) 『연행기』 「1790년 7월 7일」 조 : 韋蘇圖山, 或稱尾蘇圖山, 華名樺山,在左翼西南四十里,大凌河發源於此.

30) 『연행기』 「1790년 7월 7일」 조 : 崑齊七老河,華名柳河川河,在右翼南三十里,源出蘇巴爾噶圖

토묵특土默特 신응산神應山이다. (몽골) 이름은 곤제칠로하이다. 구관대의 변문 서남쪽 2리에서 경내에 들어와 유하천하가 되고, 동쪽으로 흘러서 대릉하로 들어간다.[31]

위의 기록에 등장하는 곤제칠로하崑齊七老河는 『몽골유목기』에는 곤제노(도)하袞齊老(圖)河로 표기되어 있다.[32] 곤제칠로하는 몽골어로 "수심이 깊고 돌이 많은 강"이란 뜻의 군-칠라고타이-골Gün Chilagutai goul의 음역이다.[33] 군-칠라고타이-골은 발원 후 동남으로 흘러 의주義州 경내에 들어와 유하천하로 불리고 있다. 유하천하는 말 그대로 "버드나무 하천의 강"이란 뜻인데, 이 명칭은 조어법造語法으로 미루어 몽골어 "Burgasutai gorukha-yin goul"이나 "Burgasutai goul-yin müren"의 직역일 가능성이 높다.

【투메드의 소파이갈도산蘇巴爾喝圖山】

소파이갈도산은 중국명으로 신응산神應山이며, 우익右翼의 남쪽 30리에 있다. 유하천하柳河川河가 여기에서 발원한다.[34]

위의 기록에 등장하는 소파이갈도산蘇巴爾喝圖山은 "탑(suburga>субраrа)이

山,東南流入義州境,爲柳河川河.

31) 『연행기』「1790년 7월 6일」조 : 柳河川河,在州西二十九里,源出邊外土默特神應山,名崑齊七老河,由九官臺邊門西南二里,入境爲柳河川河,東流入大凌河.

32) 張穆, 『蒙古游牧記』 卷2 「內蒙古, 卓索圖盟, 游牧所在, 喀喇沁·土默特」 : "袞齊老(圖)河, 源出石塔山, 東南流入義州境, 爲柳河川河." 石塔山은 소파이갈도산의 한문 직역이며, 神應山은 그 의역이다. 몽골에는 같은 뜻을 지닌 지명이나 산명, 강명이 빈번히 나타나는데 이는 그 형상이나 주변의 특징을 붙여 이름을 짓기 때문이다. 일례로 同書에 "白石山, 蒙古名察罕齊老圖"라는 산명이 나오는데, 白石山은 바로 백색의 돌(Chagan chilagun-u agula, 察罕齊老圖)이란 뜻이다.

33) 몽골어 Gün에는 수심이 깊다는 뜻 이외에 "гүн улаан(진홍색의), гүн ногоон(진녹색의)"처럼 "색이 선명한"이란 뜻도 지니고 있다. 만약 그 강 주변의 돌이 다른 지역에 비해 특징적일 정도로 색깔이 선명한 관계로 강명을 지었다면 "선명한 색깔을 지닌 돌들이 많은 강"이란 뜻이 된다.

34) 『연행기』「1790년 7월 7일」조 : 蘇巴爾噶圖山, 華名神應山, 在右翼南三十里, 柳河川河發源於此.

있는 산'이란 뜻의 소보르가타이-아골라Suburgatai agula의 음역이다. 소보르가는 소그드Sogdian어에서 유래된 말이다.

【투메드의 명안하明安河】

명안하는 중국명으로 소릉하小凌河이며, 우익의 서쪽 210리에 있다. 발원지는 명안객라산明安喀喇山이며, 동북으로 흘러 목루하木壘河와 합류한 뒤 변내邊內로 들어와 소릉하가 된다.[35] … 소릉하는 금주부성錦州府城의 동쪽 15리에 있는데, 토묵특土默特의 명안객라산明安喀喇山에서 발원한다.[36]

위의 기록에 등장하는 명안하明安河는 몽골어로 "1천 개를 지닌 강"을 뜻하는 밍간-골Minggan goul의 음역이며, 명안객라산明安喀喇山은 "1천 개의 검은 산"을 뜻하는 밍간-카라-아골라Minggan Khara agula의 음역이다. 『몽골유목기』에는 밍간카라산의 유래에 대해 "산색이 깊고 검푸르며, 1천 개의 봉우리가 서로 아름다움을 다툰다"처럼 산의 형상에서 비롯되었다고 기록하고 있다. 또 산의 정상에 바위 동굴이 있으며, 동굴 곁에 3개의 샘이 있어 서로 교차해 흐르면서 소릉하의 근원이 된다고 부기하고 있다. 아울러 목루하穆壘河가 최초의 발원하發源河이며, 뒤에 밍간하가 되었다고 밝히고 있다.[37] 목루하木壘河(穆壘河)는 몽골어로 강을 뜻하는 무렌Müren(мөрөн)의 음역이라고 보인다.

【투메드 좌익패륵左翼貝勒의 주둔지 해타합산海他哈山】

해타합산은 중국명으로 한용담산旱龍潭山이며, 좌익패륵左翼貝勒의 주목지

35) 『연행기』「1790년 7월 7일」조 : 明安河華名小凌河, 在右翼西二百十里, 源出明安喀喇山, 東北流會木壘河, 入邊爲小凌河.

36) 『연행기』「1790년 9월 16일」조 : 小凌河, 在錦州府城東十五里, 源出土默特明安喀喇山.

37) 張穆, 『蒙古游牧記』 卷2 「內蒙古, 卓索圖盟, 游牧所在, 喀喇沁·土默特」 : 明安喀喇山, 山色深黝, 千峰競秀. 故名. 頂有石洞, 洞旁有三泉交流, 爲小凌河之源…明安河源出明安喀喇山, 有三泉匯爲一河, 初名穆壘河, 東北流爲明安河.

이다. 대제하大堤河가 이곳에서 발원한다.[38]

위의 기록에 등장하는 좌익패륵左翼貝勒은 좌익-자사크Jasag(札薩克)-패륵貝勒의 약칭이다. 패륵은 청조가 카라친 좌익기 자사크에게 내린 세습봉호封號이다. 패륵은 만주어로 고관이나 대관을 뜻하는 버일러Beile의 음역이다. 이 명칭은 원래 명나라 때 여진 각 부의 부장 칭호이다. 누르하치 시대에는 이 명칭을 사용하여 품급이 가장 높은 자를 호쇼이-버일러Hosho-i Beile(和碩貝勒), 그 다음을 도로이-버일러Doro-i Beile(多羅貝勒)라고 불렀다. 1636년에 제정된 9등 관작제에 따라 패륵은 친왕과 군왕 다음의 등급에 해당한다.

홍-타이지(청 태종)는 1636년 16부 49명의 왕공이 자신을 몽골의 대칸으로 옹립하러 왔을 때, 그들을 등급에 따라 친왕親王, 군왕郡王, 다르칸(達爾漢), 버일러(貝勒) 등의 작위를 내려 주었다. 그리고 몽골 고유의 칸Khan이나 지농Jinnong, 노얀Noyan 등의 명칭은 없애 버렸다. 이것이 청조가 몽골에 시행한 첫 번째 정치적 조치였다. 그리고 그해부터 몽골 각 기의 통치자인 버일러라는 명칭을 뜻이 같은 몽골어 자사크로 통일시켰다.[39] 그러나 버일러란 말을 대신하여 자사크란 용어가 모든 한문 문서에 등장한 때는 1642년 이후부터이다. 1636년부터 1642년 사이 한문 문서에는 몽골의 자사크를 집정패륵執政貝勒이나 찰살극패륵札薩克貝勒으로 표기하는 경우가 많았는데,[40] 이는 한인 관리들이 만주어로부터 몽골 용어를 번역했기 때문이다.

서호수의 "左翼貝勒所駐…"의 기록은 장목의 『몽골유목기』에는 "(左翼)札薩克駐…"라고 버일러(貝勒)를 자사크(札薩克)란 몽골어로 바꾸어 명기하고

38) 『연행기』「1790년 7월 7일」조 : 海他哈山, 華名旱龍潭山, 卽左翼貝勒所駐, 大堤河發源於此.
39) 각 기의 통치자를 만주어로 고사이-버일러Gusa-i Beile(固山貝勒)라고 한다. 이를 몽골어로 표기하면 Khoshigun-u Jasag이다.
40) 執政은 Jasag(札薩克)의 번역어이다.

있는데, 그 이유는 위에서 말한 바와 같다. 그러나 이런 것을 모를 리 없는 서호수가 위처럼 표기한 것은, 청대의 문서 사료에서도 잘 나타나듯이 해당 시기 자사크의 세습봉호와 이름을 붙여 표현하는 방식을 취했기 때문이다. 예컨대 ① Jasag-un+세습봉호+이름+-un(yin) khoshigu 또는 ② 이름+세습봉호+-un(yin) khoshigu 식의 표현이 바로 그것이다. 즉 서호수는 ① 의 자사크+봉호+이름+기의 형식에서 이름만 생략한 형태를 취했음이 나타난다.[41)]

투메드(土默特) 좌익기左翼旗는 몽골어로 Tümed Jegün gar-un khosigu(Түмэд Зүүн гарын хошуу)로 표기된다. 투메드 좌익기의 자사크는 카라친 타븐냥과 동족으로 대몽골제국의 공신인 젤메Jelme[42)]의 후예이다. 당시 좌익기의 자사크는 소놈-발조르Sonom-Baljur(索諾木巴勒珠爾)[43)]로서, 세습봉호는 자사크-도로이-다르칸-버일러Jasag Doro-i Darkhan Beile(扎薩克多羅達爾漢貝勒)이다.

좌익 자사크의 유목지인 해타합산海他哈山은 『몽골유목기』에 합특합산哈特哈山이라고 표기되어 있으며, 산머리에 풀이 자라지 않아 거오란타라해산居烏蘭陀羅海山으로도 부른다는 명칭의 유래까지 수록되어 있다.[44)] 해타합산은 몽골어로 "사각 주머니의 산"을 뜻하는 캅타가-아골라Khabtag-a agula(хавтгa уул)의 음역이라고 보이는데,[45)] 이러한 지명은 몽골국 헙스걸에서도 나타난다.[46)]

41) 호칭 형태의 표기에 대해서는 岡洋樹, 「モンゴルにおける地方社會の傳統的構成單位オトグ·バグについて—モンゴル國ヘンテイ·アイマグ, ガルシャル·ソム調査報告」『モンゴル研究論集』, 仙台, 東北大學東北アジアセンター, 2002, pp.216~217을 참조.

42) 젤메Jelme의 사적에 대해서는 졸저, 『몽골고대사연구』, p.516을 참조.

43) 투메드 좌익기의 계보와 열전에 대해서는 包文漢, 奇·朝克圖 整理, 『蒙古回部西藏王公表傳』, 呼和浩特, 1998 pp.16, 199~201을 참조.

44) 張穆, 『蒙古游牧記』 卷2 「內蒙古, 卓索圖盟, 游牧所在, 喀喇沁·土默特」 : 姤山, 蒙古名哈特哈山, 姤山在冷口北九十五里, 山頂不生草木, 故名…札薩克駐哈特哈山, 舊作海他哈山, 亦名旱龍潭山, 會典作居烏蘭陀羅海山, 在喜峰口東北八百二十里, 大堤河發源於此.

45) 참고로 이 지명은 야생 낙타(khabtagai>хавтгай)라는 뜻을 지닐 가능성도 배제할 수 없다.

46) 이곳은 다르하드 13오보로 유명한 얼린다와Өлийн даваа를 넘자마자 나타나는 지역이다. 즉 다르하딘 호트고르Дархадын Хотгор의 입구에 해당한다. 필자는 2000년 7월 이곳에서 하루를 머문 적이 있었는데, 유목민에게 지명의 유래를 물었더니 초원이 평평한 네모 주머니처럼 생겼기 때문에 붙여진 이름이라고 답했다. 또 지형적으로 주변보다 조금 높고 서늘해 가축들이 파리와 모기의 피해를 적게 입는다고 말해주었다.

거오란타라해산居烏蘭陀羅海山은 "정수리의 산머리"를 뜻하는 졸라인-톨로가이-아골라Julai-n Tolugai agula(зулайн толгойуул)의 음역이라고 보인다.[47]

【투메드의 파연화산巴煙花山】

파연화산은 중국명으로 대화산大華山이며, 우익패자右翼貝子의 주목지이다.[48]

위의 기록에 등장하는 파연화산巴煙花山은 몽골어로 부귀를 뜻하는 바얀Bayan과 완만한 언덕을 뜻하는 몽골어 호와khuwa(xya)가 결합된 단어로 "부유한 언덕"이란 뜻을 지니고 있다. 『몽골유목기』에는 이 산이 파안화석巴顔和碩으로 표기되어 있는데, 이 단어는 몽골어로 "부유한 산부리"를 뜻하는 바얀-코시곤Bayan-Khoshigun의 음역이다. 『몽골유목기』에는 이 산의 명칭이 "홀로 우뚝 서 비탈이 완만하게 흐르는 것이 마치 꽃과 같은 산"이란 형태를 지니고 있는 데서 유래되었다고 기록하고 있다.[49]

투메드(土默特) 우익기右翼旗는 몽골어로 Tümed Baragun gar-un khosigu(Түмэд Баруун гарын хошуу)로 표기된다. 투메드 우익기의 자사크는 알탄칸Altan Khan의 후예이다.[50] 당시 우익기의 자사크는 세브텐라시Sebtenrasi(色布騰喇什)이며, 세습봉호는 자사크-코시곤노-버이서Jasag Khoshigun-u Beyise(扎薩克固山

47) 몽골에서는 산명에 사람의 머리를 뜻하는 톨고이tolugai(толгой)라는 단어를 붙여 만든 지역 명칭이 많이 나타난다. 머리를 뜻하는 몽골어는 타리키tariki(тархи[н])도 있지만, 지명의 경우 일반적으로 사용하는 것은 톨고이이다. 투메트와 카라친 지방에서도 이러한 명칭이 많이 나타나는데, "哈喇陀羅海山(Khara-Tolugai agula), 華名黑頂山"처럼 한문으로 陀羅海를 붙여 사용하고 있다.

48) 『연행기』「1790년 7월 7일」조 : 巴烟花山,華名大華山,卽右翼貝子所駐.

49) 張穆, 『蒙古游牧記』 卷2 「內蒙古, 卓索圖盟, 游牧所在, 喀喇沁·土默特」: 扎薩克駐巴顔和碩, 亦名大華山, 在喜峰口東北五百九十里, 會典作黑城子, 巴圖察罕河發源於此. …形勢孤聳, 宛若華嶽, 故名. 金啓琮은 巴煙花(白顔花)를 "풍요로운 초원"으로 해석하고 있다(金啓琮, 『淸代蒙古史札記』, p.73).

50) 투메드 우익기의 계보와 열전에 대해서는 包文漢, 奇·朝克圖 整理, 『蒙古回部西藏王公表傳』, pp.17, 202~204를 참조.

貝子)이다.[51]

【카라친의 파안주이극산巴顔朱爾克山】

파안주이극산은 중국명으로 우심산牛心山이며, 좌익패자左翼貝子의 주목지이다.[52]

위의 기록에 등장하는 파안주이극산巴顔朱爾克山은 몽골어로 "부유한 심장의 산"을 뜻하는 바얀-주르키-아골라Bayan-Jürki-agula(Баян Зүрх уул)의 음역이다. 한어 번역어인 우심산牛心山은 직역이 아닌 의역이다. 우심산의 몽골어 원명은 우케르-주르키-아골라Üker-Jürki agula(소의 심장의 산)이다.『몽골유목기』에는 이 산이 "부유한 흰 산"이라는 뜻을 지닌 바얀-차강-아골라Bayan-Chagan agula(巴顔察罕山)이라고도 불리며, 영벽산影壁山이란 또 다른 한어 명칭도 병기하고 있다.[53] 바얀-차강이라는 것은 대부분 성소에 붙이는 산명이다. 영벽산이란 몽골어로 "그림자의 벽(Següder-Khana>Сүүдэр Хана[н])"의 산이라고 환원되지만, 원명인 "부유한 심장의 산"과는 차이를 가진다.

투메드 좌익기에 몽골어로 "소의 돌"을 뜻하는 우케르-칠라고Üker-Chilagu(Үхэр Чулуу, 烏克爾齊老)라는 지명이 나오는데, 한어로는 와우석천臥牛石泉이라 직역하고 있다. 따라서 이 산을 한어로 우심산牛心山이나 영벽산影壁山으로 이름을 붙인 데는 어떤 연유가 있는 듯하다. 몽골 울란바아타르 동쪽에도 바얀-주르흐산이 있는데, 수도 울란바아타르를 지켜 주는 4대 성산의 하나이자 톨강의 여신女神에게 희생을 바치는 산으로 알려져 있다.[54] 따라서 이 산을

51) 貝子(beyise)는 固山貝子의 약칭으로, 貝勒의 다음에 위치한 제4등 작위이다. 固山貝子는 만주어로 Gusa-i Beyise, 몽골어로 Khoshigun-u Beyise로 표기된다.

52)『연행기』「1790년 7월 7일」조：巴顔朱爾克山, 華名牛心山, 卽左翼貝子所駐.

53) 張穆,『蒙古游牧記』卷2「內蒙古, 卓索圖盟, 游牧所在, 喀喇沁·土默特」：札薩克駐巴顔朱爾克, 一統志, 牛心山, 左翼貝勒所駐, 會典作巴顔察罕山, 塔子溝紀略, 巴顔朱爾克山在塔子溝東南一百一十里, 漢名影壁山, 在喀喇沁貝子府前.

우심산牛心山으로 의역한 것은 이곳에도 그러한 연유가 숨어 있을 가능성이 높다.

카라친(喀喇沁) 좌익기左翼旗는 몽골어로 Kharachin Jegün gar-un khosigu(Харчин Зүүн гарын хошуу)로 표기된다. 당시 좌익기의 자사크는 담바도르지 Damba-Dorji(丹巴多爾濟)로 젤메의 후예인 카라친 타븐낭이다. 세습봉호는 자사크-코시군노-버이서Jasag Khoshigun-u Beyise(扎薩克固山貝子)이다.

【카라친의 묘금삽한타라해산卯金揷漢拖羅海山】

서백하西白河는 우익군왕右翼郡王의 주목지로서 묘금삽한타라해산卯金揷漢拖羅海山에서 발원한다. 동북으로 흘러 옹우특翁牛特의 우익 경계로 들어간다.55)

위의 기록에 등장하는 묘금삽한타라해산卯金揷漢拖羅海山은 『몽골유목기』에 묵심찰한타라해산黙沁察罕陀羅海山으로 표기되어 있는데,56) 몽골어로 "40개의 하얀 머리를 가진 산"을 뜻하는 더친-차강-톨로가이-아골라Döchin-Chagan-Tolugai agula의 음역이다. 서백하西白河는 『몽골유목기』에 석백하錫伯河라고 표기되어 있어, 몽골어로 "개암나무의 강"을 뜻하는 시베르-골siber(sibür) goul의 음역이라 보이지만 분명치는 않다. 옹우특翁牛特는 옹니고드Ongnigud부의 음역이다.

---

54) 울란바아타르의 4대 성산 및 각 성산마다의 제사의례에 대해서는 С. Дулам, 『Хүрээ дөрвөн уулын тахилга, бэлгэдэл』 УБ, 2004를 참조.

55) 『연행기』 「1790년 7월 7일」 조 : 西白河, 卽右翼郡王所駐, 源出卯金揷漢拖羅海山, 東北流入翁牛特右翼界.

56) 張穆, 『蒙古游牧記』 卷2 「內蒙古, 卓索圖盟, 游牧所在, 喀喇沁·土默特」 : 黙沁察罕陀羅海山, 形勢高大, 北接圍場諸山, 南與黙沁達巴罕(Döchin-Dabagan)山脈連亙, 故亦稱黙沁察罕陀羅海山, 其東則錫伯河出焉.

카라친(喀喇沁) 우익기右翼旗는 몽골어로 Kharachin Baragun gar-un khosigu(Xa рчин Баруун гарын хошуу)로 표기된다. 당시 카라친 우익기의 자사크는 만조바트사르Manjubatsar(滿珠巴咱爾)로, 젤메의 후예인 카라친 타븐냥이다. 세습봉호는 자사크-도로이-두렝-균왕Jasag Doro-i Düreng Giyun Wang(扎薩克多羅杜棱郡王)인데, 1788년 건륭제에게 친왕親王(Hosho-i Chin Wang)의 품급을 하사받았다.[57]

【카라친의 노합하老哈河】

노합하는 중국명으로 노하老河이며, 우익의 남쪽 190리에 있다. 명안산明安山에서 발원하여 동북으로 흐른다. 오한敖漢의 북쪽과 옹우특 좌익(기)의 남쪽 지역을 거쳐 내만奈曼, 객이객喀爾喀 2부部의 북쪽으로 흐르다 황하潢河와 합류한 뒤, 대령성大寧城을 감싸면서 남쪽에서 요동의 삼분하三坌河로 흘러 들어간다.[58]

위의 기록에 등장하는 노합하老哈河는 몽골어로 "개의 강"을 뜻하는 노카이-골Nokhai goul의 음역이며, 황하는 "누런 강"을 뜻하는 시라-무렌Shira Müren의 음역이다. 요동의 삼분하三坌河는 요하遼河이고, 명안산明安山은 밍간-카라-아골라Minggan Khara agula이다. 오한敖漢은 아오칸Aukhan부, 내만奈曼은 나이만Naiman부, 객이객喀爾喀은 칼카Khalkha부의 음역이다.[59]

【카라친의 새인아라선온천賽因阿喇善溫泉과 고심하顧沁河】

새인아라선온천은 우익의 서남쪽 180리에 있으며, 바로 열하의 발원지이다. 고심하는 중국 이름으로 청룡하青龍河이며, 좌익의 서북쪽 120리에 있다. 장길

57) 카라친 3기(右翼旗, 左翼旗, 中旗)의 계보와 열전에 대해서는 包文漢, 奇·朝克圖 整理, 『蒙古回部西藏王公表傳』, pp.13~16, 183~197을 참조.
58) 『연행기』 「1790년 7월 7일」 조 : 老哈河, 華名老河, 在右翼南一百九十里, 源出明安山, 東北流, 經敖漢北翁牛特左翼南, 又經奈曼喀爾喀二部之北, 與潢河合, 繞大寧城, 南入遼東三坌河.
59) 明代 史書에는 喀爾喀이 哈喇哈으로 표기되어 있다.

이대산長吉爾垈山에서 발원하여 서남으로 흐르다가, 변내邊內에 들어와 영평부永平府를 거쳐 북쪽에서 난하灤河로 흘러 들어간다.[60] … 청룡하는 부성府城의 서북쪽 1리 남짓한 곳에 있는데, 도림구桃林口의 북쪽 250리에 위치한 객라심喀喇沁 경계의 장길이대산에서 발원한다. 몽골 이름은 고심하인데, 청룡하의 상류이다. 서남으로 흘러 변경邊境에 들어온 뒤 천안현遷安縣의 동북 경계 지역을 거쳐 다시 남쪽으로 흐른다. 노룡현성盧龍縣城의 서북을 지나면서 칠하漆河로 이름이 바뀌고, 남쪽의 난하와 합류한다. (칠하는) 옛날의 노수盧水이다.[61]

위의 기록에 등장하는 새인아라선온천賽因阿喇善溫泉은 몽골어로 "좋은 샘물의 온천"을 뜻하는 사인-아라샹-할라곤-오스Sayin-Rasiyan-khalagun-usu(Сайн аршаан халуун ус)의 음역이며,[62] 고심하顧沁河는 『몽골유목기』에 고심하固沁河로 표기되어 있는데 "30개의 강"을 뜻하는 고친-골Guchin goul(Гучин гол)의 음역이다. 장길이대산長吉爾岱山은 『몽골유목기』에 창길이대산昌吉爾垈山으로 표기되어 있는데,[63] "기쁨이 있는 산"이란 뜻의 쳉겔테이-아골라Chenggeltei agula(Цэнгэлтэй уул)의 음역이다.

【카라친의 수제하遂濟河】

육주하六州河는 주성의 서남 80리에 있다. 속명俗名은 육고하六股河이며 장성

60) 『연행기』「1790년 7월 7일」조 : 賽因阿喇善溫泉, 在右翼西南一百八十里, 卽熱河之源, 顧沁河, 華名靑龍河, 在左翼西北一百二十里, 源出長吉爾垈山, 西南流入邊, 經永平府, 北入灤河.

61) 『연행기』「1790년 9월 10일」조 : 靑龍河, 在府城西北一里餘, 源出桃林口北二百五十里, 喀喇沁界, 長吉爾垈山, 蒙古名顧沁河, 卽靑龍上流也, 西南流, 入邊經遷安縣東北界, 又南經盧龍縣城西北, 爲漆河, 南合灤河, 卽古盧水也.

62) 참고로 洪大容의 『湛軒燕記』에는 몽골인들도 온천을 즐겼다는 기록이 "(영원위의 온천) 이곳에서 구외까지의 거리가 그다지 멀지 않으므로, 몽골에서 목욕하러 오는 남녀가 수십 명이 된다고 했다. … 영원위에는 온천이 있어 몽골 여인들이 많이 목욕을 오는데, 머리를 묶어 뒤로 땋아 내린 것은 우리나라 계집아이들의 차림과 흡사했다(此距口外不遠, 蒙古男女來沐者數十人…寧遠衛溫泉, 多蒙古女來浴者, 束髮北髻, 宛是我國童女裝也)."처럼 수록되어 있다. 같은 기록이 김경선의 『燕轅直指』에도 "聞此距口外不遠, 蒙古人亦多來浴云…寧遠衛溫泉, 多蒙古女來浴者, 束髮北髻, 如我國童女粧"처럼 수록되어 있으나, 이는 홍대용의 기록을 전사한 것이다.

63) 張穆, 『蒙古游牧記』 卷2 「內蒙古, 卓索圖盟, 游牧所在, 喀喇沁·土默特」 : 靑龍河, 蒙古名固沁河, 源出昌吉爾垈山.

밖에서 발원하는데, 몽골 이름은 수제하이다. 고대보高臺堡의 동쪽으로부터 경내에 들어와 육주하가 되었다. 남쪽으로 중후소성中後所城을 휘감아 돈 뒤 동남으로 흘러 바다로 들어간다.[64]

위의 기록에 등장하는 수제하遂濟河는 『몽골유목기』에 수제하蒐濟河로 표기되어 있으며, 매랍소태객라산邁拉蘇台喀喇山의 모두박毛頭泊에서 발원한다고 기록되어 있다.[65] 수제하는 육고하六股河라는 명칭에서도 알 수 있듯이, 몽골어로 "넓적다리의 강"을 뜻하는 세구치-골Següchi goul(Сүүж гол)의 음역이다. 매랍소태객라산邁拉蘇台喀喇山은 "측백나무의 검은 산"을 뜻하는 마일라스타이-카라-아골라Mayilastai Khara agula(Майлстай Хар уул), 모두박毛頭泊은 "나무의 호수"를 뜻하는 모돈-나고르Modun nagur(модон нуур)의 음역이다.

64) 『연행기』 「1790년 9월 16일」 조 : 六州河, 在州城西南八十里, 俗呼六股河, 源出邊外, 蒙古名遂濟河, 自高臺堡東入境, 爲六州河, 南繞中後所城東南流入海.
65) 張穆, 『蒙古游牧記』 卷2 「內蒙古, 卓索圖盟, 游牧所在, 喀喇沁·土默特」 : 柏樹山, 蒙古名邁拉蘇台喀喇(mayilastai Khara), 寧遠州西南六州河發源於此, 蒙古所謂蒐濟河也. …蒐濟河, 源出柏樹山之毛頭泊.

제3장 몽골 부족

1. 몽골 부족의 숫자

(1) 최덕중의 연행록에 등장하는 몽골 부족의 숫자

최덕중의『연행록』에는 몽골 부족의 숫자에 관한 기록이 2건이 등장하는데, 그것을 소개하면 다음과 같다.

【몽골 부족 몽군蒙軍 48부】

(의무려산醫巫閭山) 너머가 곧 몽골지방이며, 몽군은 곧 48부이나 한 부의 소속이 얼마쯤인지는 알지 못한다.[1]

1)『연행록』「1712년 12월 11일」조 : (醫巫閭山)山之外乃蒙古地方, 而蒙軍乃四十八部, 一部之屬, 亦未知幾許矣.

위의 기록에서 몽군蒙軍은 몽골 자사크기를 말하는 것 같다. 몽골 부족의 수에 대한 자세한 설명은 서호수의 기록에서 자세히 언급하기 때문에 여기서는 생략한다.

【몽골 부족 28부】

일찍이 들으니 몽골이 28부라고 하였는데, 이는 헛말인 듯하다.[2]

(2) 박지원의 열하일기에 등장하는 몽골 부족의 숫자

박지원의 『열하일기』에는 몽골 부족의 숫자에 관한 기록이 2건이 등장하는데, 그것을 소개하면 다음과 같다.

【몽골 48부와 티베트】

몽골은 48부가 강성한데, 그 가운데 토번吐番이 가장 사납다. 토번은 서북의 호족으로 몽골의 별부이며, 황제가 가장 두려워하는 자들이다.[3]

【몽골 48부와 티베트의 활불活佛】

지금 몽골 48부가 아주 강성한데, (청나라는) 서번西番을 가장 두려워한다. 서번의 여러 나라들은 활불을 가장 경외한다.[4]

박지원은 그의 여행에서 제6세 판첸라마 에르데니Erdeni와 건륭제의 만남을 직접 보았다. 따라서 마음속에 티베트의 존재가 깊이 새겨졌고, 또 그로

---

2) 『연행록』 「1713년 1월 4일」조 : 曾聞蒙古二十八部云者, 似是虛言.

3) 『열하일기』 「太學留館錄」 1780년 8월 10일조 : 蒙古四十八部方强, 其中吐番尤强悍, 吐番西北胡蒙古之別部, 皇帝之所尤畏者也.

4) 『열하일기』 「黃敎問答」條 : (志亭曰)卽今蒙古四十八部方强而最畏西番, 西番諸國, 最畏活佛.

말미암아 티베트를 주목하고 강조하는 황교문답과 같은 기록을 남기고 있다. 위의 기록에 등장하는 토번吐番은 티베트에서 발흥했던 토번吐蕃(stod Bod) 왕조를 말하는 것이며,[5] 서번西番은 티베트를 말한다.

위의 기록에서 박지원이 말한 몽골의 별부 토번은 구시칸의 청해 코소트부를 말하는 것처럼 보인다. 티베트와 밀접한 관계를 맺고 있던 청해 코소트부는 1723년 청조에 병합되고, 준가르제국은 1755년 청조에 멸망되었다. 티베트와 건륭제의 관계도 이러한 정치적 변동과 밀접한 관계를 맺고 있는데, 이곳에서 잠시 준가르제국의 멸망에 대해 언급하고자 한다.

체왕-아랍탄의 독살 후 갈단-체링Galdan tsering(噶爾丹策零, 재위 1727~1745)이 동생인 롭상-소노Lobdzang Shunu(羅卜藏索諾)와의 권력 투쟁에서 승리하여 홍-타이지Khong Tayiji를 계승했다.[6] 갈단-체링도 아버지에 못지않은 유능한 군주였다. 그는 등극 후 청조에 빼앗겼던 외몽골을 수복하고자 하였다.

갈단-체링은 1731년 외몽골의 변경으로 진군하여 그곳에 주둔하고 있는 청군을 호톤 호수에서 격파하였다. 외몽골의 서부인 홉드를 장악한 준가르군은 계속 중부지방으로 진군하였다. 호톤 호수 전투의 패배로 청군이 일시 수세로 몰리는 기미가 보이자, 옹정제雍正帝는 대규모 증원군을 급파하였다. 전열을 정비한 청군은 1733~1734년부터 공세로 전환하여 항가이 산중의 올리아스태를 공격·함락하였다. 그리고 계속 진군하여 홉드도 탈환하고, 일부는 카라-이르티쉬하 선까지 진출했다.

5) 吐蕃에 대해서는 山口瑞鳳,『吐蕃王國成立史硏究』, 東京, 1983 ; 安應民,『吐藩史』, 銀川, 1989 ; 薛宗正,『吐蕃王國的興亡』, 北京, 1997 ; 楊銘,『唐代吐蕃與西域諸族關係硏究』, 哈爾濱, 2005 ; 王小甫,『唐·吐蕃·大食政治關係史』, 北京, 1992 ; 王堯,『吐蕃文化』, 長春, 1989 ; 張廣達,『西域史地叢稿初編』, 上海, 1995 ; 張云,『唐代吐蕃史與西北民族史硏究』, 北京, 2004 ; 佐藤長,『古代チベット史硏究』 2vols, 京都, 1958-1959 및『チベット歷史地理硏究』, 東京, 1978 및『中世チベット史硏究』, 京都, 1986 ; 陳慶英, 高淑芬 主編,『西藏通史』, 鄭州, 2000 등의 논저를 참조.

6) 당시의 권력 계승에 대해서는 若松寬,「ジュンガル汗位繼承の一經緯 ―ツェワン·ドルジ·ナムジャルからダワチまで」『田村博士頌壽記念東洋史論叢』, 京都, 1968를 참조.

양측의 공방이 장기화되자 옹정제는 1735년 갈단-체링에게 항가이산맥 이동(칼카몽골)은 청조, 이서 및 서남방(준가리아 및 카슈가르)은 준가르의 영토로 인정하자는 협상안을 제출하여 휴전협정을 맺자고 제의했다. 이 제안을 받은 준가르 측이 묵인하는 태도를 보이자 은연중에 휴전이 성립되었다. 옹정제의 사후(1735년) 양측은 분계선에 대한 최종 협의가 이루어져, 1740년 건륭제의 정식 재가를 받아 분쟁이 종결되었다. 이후 양국은 갈단-체링이 죽을 때까지 평화를 유지했다.

청조와 준가르제국 간의 분계선 협정이 성립되자 갈단-체링은 서방으로 눈을 돌려 카자흐 정복전을 감행했다. 1710~1720년대에 감행되었던 준가르의 침입으로 정치적·경제적으로 큰 타격을 입었던 카자흐의 지배계급은 1730년대부터 러시아 측에 보호를 요청하기 시작했다. 러시아에 대한 자발적인 신속정책臣屬政策이라고도 볼 수 있는 이러한 카자흐의 태도는 준가르의 계속되는 침입에서 살아남기 위한 최후의 수단이었다. 준가르는 1741~1742년 카자흐의 중·소오르도를 공격하여 시르하 중류 유역을 점령했다. 시르하 중류 유역을 잃어버린 중·소오르도의 카자흐 정권은 생존을 위해 러시아에게 자신들을 속령으로 받아 달라고 건의하여 승낙을 받았다. 이후 카자흐는 러시아의 속령이 되어 자치권을 상실했다.

갈단-체링은 동시에 아부드 알-케림칸Abd al-Kerīm Khan 치하의 코칸트성을 포위하여 칸에게 인질과 공납을 바칠 것을 요구했다. 코칸트칸국의 아부드 알-케림칸은 그들의 요구를 받아들여 준가르의 예속국이 되었다. 또 파미르 산중의 바다후샨 왕국도 준가르에 신복했다고 전해진다.

갈단-체링의 치세기에 칸(Khong Tayiji)의 직할령은 24개의 오토크otog(鄂托克)로 구성되어 있다. 각 오토크에는 1인 내지 몇 명의 자이상Jayisang(宰桑)이 있으며, 이들이 오토크를 통치했다. 오토크는 칸의 오르도가 소재하는 일리를 중심으로 둥글게 배치되어 있었다. 오토크의 외곽에는 번령藩領이라고도 말할 수 있는 21개의 앙기Anggi(昻吉)가 분포되어 있으며, 타이지Tayiji(台吉)들이 이를 통치했다. 준가르칸국의 모든 공부供賦 및 중대한 일들은 오토크가 담당하고, 사소한 일들은 앙기가 담당했다. 그러나 앙기를 나누어 다스리는 타이지들도 전쟁과 군역軍役에서는 칸의 명령에 따랐다. 이밖에 지사Jisa(集賽 : 官倉이란 뜻)라 불리는 9개의 사령寺領도 있다.

칸의 오르도, 곧 중앙 정부에는 칸을 보좌하는 4인의 투시멜Tüshimel(圖什黑爾)과 투시멜을 보좌하면서 사법을 관장하고 있는 6인의 자르고치Jarguchi(扎爾扈齊)가 있다. 이들은 오르도 휘하의 오토크와 앙기를 관장했다. 24개의 오토크에는 88,300호, 21앙기에는 10만 호, 지사에는 10,600호가 소속되어 있다. 당시 준가르의 총인구는 20여 만 호, 60여만 명이라고 알려져 있다.[7] 칸은 이들에게서 걷는 조세 외에 오리앙카이 및 야르칸트, 카슈가르, 아크수, 코탄의 회교도들에게도 조세를 징수하고 있다.

갈단-체링 시대에는 농업이 크게 발전했다. 이전에는 주로 복속된 부하라인들이 곡물을 재배했지만, 그의 시대에는 많은 오이라트인도 경작에 종사하고 있다. 당시 재배하던 농작물은 보리, 기장, 밀, 쌀, 오이, 수박, 살구, 포도, 오얏, 사과, 배, 석류 등이다.

준가르칸국에서 주목되는 것이 부하라인의 역할이다. 준가르 지배하의 부하라인들은 농노 외에 푸친Pūchin이라 불리는 포수 집단, 베데르게Bederge라 불리는 상인 집단과 같은 특별한 조직체(otog)로 분류·편성되어 각각 홍-타이지 정권에 봉사하고 있다. 원래 부하라의 상인들은 일찍부터 준가르제국·러시아·카자흐·청조 사이에 개재하여 장거리 무역에 적극적으로 종사하고 있

7) 준가르제국의 통치 구조에 대해서는 田山茂, 「17·8世紀におけるオイラ-ト族の統治機構」『史學研究』 50, 1953을 참조.

었다. 이 상인 집단은 갈단이 타림분지를 정복한 이후 준가르의 세력을 배경으로 러시아령 시베리아·중국·티베트는 물론 인도나 대부하라(서투르케스탄) 등으로 그들의 통상 범위를 넓혀갔다.

또 그의 시대에는 준가르의 군사력도 매우 강화되었다. 이는 1,000호의 푸친으로 1오토크를 편성했다는 기록에서도 잘 입증되고 있다. 그밖에 화기나 무구 등도 더욱 강하게 개량되었다. 러시아 사료에는 당시 준가르의 공업 수준을 보여주는 기록들이 심심찮게 발견되고 있다. 일례로 1716년부터 14년 동안 준가르칸국에 포로로 잡혀 있었던 러시아의 귀족 소로킨И. Сорокин은 귀환 후 "이식쿨호 근방에 있는 철광에서 나온 철로 총, 칼, 갑옷을 제조하고 있다. 이 일에 종사하는 기술자는 현재 천 명에 가깝다"라 기술하고 있다. 또 1748년 러시아로 귀환했던 하사관 코토브쉬코프М. Котовщиков는 준가르의 광석 채굴과 정련에 대해 "타르바가타이에 은과 동의 정련소가 있다. … 상기의 광석들은 화약을 사용하여 채굴한다. 정련소에는 3,000명의 인부가 파견되어 있다"라 보고하고 있다.

이러한 기술적인 발전은 부하라인만이 아니라 포로로 잡혔던 러시아인 또는 스웨덴인(그들은 원래 북구전쟁에서 러시아의 포로가 된 자들이다)도 적지 않은 기여를 했다. 그 가운데 유명한 사람이 1716년부터 17년 동안 체왕-아랍탄과 갈단-체링 부자 2대에 걸쳐 중용되었던 스웨덴 장교 레나트J. G. Renat로, 그는 4폰드포 15문, 소구경포 5문, 10폰드포 20문을 주조했다고 전해진다. 이들 러시아인이나 스웨덴인 포로들은 준가르에 비단·면포·제혁·제지·인쇄 공장 등도 만들어 토착 산업의 발전에 크게 기여했다고 전한다. 이는 18세기 전반기 준가르의 지배자들이 자국의 발전을 위해 러시아나 서구의 문화도 수용했음을 보여주고 있다.

갈단-체링의 타계 후 준가르제국은 혼란기를 맞았다. 홍-타이지를 계승했던 그의 아들 체왕-도르지-남잘Tsewang dorji namjal(策妄多爾濟那木札勒, 재위 1745~1750)은 음란하고 잔혹한 청소년이었다. 그는 결국 아크수Aksu(阿克蘇)에서 피살되었다. 새로 홍-타이지에 오른 인물은 그의 서형庶兄인 람-다르자Lama darja(喇嘛達爾札, 재위 1750~1752)였지만, 인심을 얻는 데는 실패했다. 이 같은 상황이 지속되자 약 1세기 동안 초로스부의 홍-타이지 정권에 굴복하고 있었던 더르베드, 코소트, 코이트 등의 제부는 다시 이탈의 조짐을 나타내 준가르제국은 와해의 위기에 직면했다. 이때 체링-돈도브Tsering dondub의 손자인 다와치Dawachi(達爾札)가 코이트부의 영주인 아모르사나Amursana(阿睦爾撒納 : 체왕-아랍탄의 외손자)[8]와 결탁하여 람-다르자를 습격·살해했다.

아모르사나의 지원으로 홍-타이지에 오른 다와치(재위 1752~1755)는 즉위 후 권력 기반을 다지는 과정에서 아모르사나를 배척하기 시작했다. 이에 불만을 품은 아모르사나는 자신을 지지하는 더르베드와 코소트부의 귀족들과 함께 다와치 정권에 대한 무력 공격을 감행했다. 그러나 사태가 불리하게 돌아가자, 1754년 지지자들과 함께 청조의 건륭제에게 귀부 의사를 표하면서 일리Ili(伊犁) 공략의 비책을 올렸다.

아모르사나의 준가르 공략 비법을 접수한 고종 건륭제는, 지금이 준가르를 멸망시킬 수 있는 호기로 간주하여 1755년 대군을 준가르로 보냈다. 청군은 아모르사나의 비법대로 일리를 공략하여 다와치를 사로잡고 준가르제국을 멸망시켰다. 준가르의 멸망은 외형적으로 청조의 군사력에 의한 것이지만, 내부적으로 살펴보면 준가르제국 내부에서 발생한 제후 간의 대립으로 인한 자멸이라고 하는 편이 더 적절한 표현이다.

준가르의 멸망 직후 아모르사나가 일리로 돌아와 청조의 지배에 대해 궐기

8) 아마르사나에 대해서는 Б.Буянчуулган, 『Өөлдийн Амарсанаа хааны бүлэг』, бичмэл. УНС를 참조.

했지만, 그것은 멸망 후의 한 거품에 불과하였다. 그는 청군에 패해 러시아령 시베리아로 도주하다 도중 병사(1757년)하였다. 준가르제국은 17~18세기 북방 아시아의 동서 교섭에 큰 역할을 연출했지만, 결국 청조와 러시아에게 새로운 역사의 무대를 제공하면서 사라져 갔다.[9]

(3) 서호수의 연행기에 등장하는 몽골 부족의 숫자

서호수의 『연행기』에는 몽골 부족의 숫자에 관한 기록이 1건이 등장하는데, 그것을 소개하면 다음과 같다.

> **【청나라 때의 몽골 25부족】**
> 모두 25부이며, 이것은 51기旗로 나누어진다.[10]

몽골의 자사크기는 몽골족의 계속적인 투항에 따라 청 태종 이래 매년 증가하였다. 청대의 내몽골 자사크기는 청 태종 이후 정치적 사정에 따라 가감을 거치다가, 건륭 원년(1736)에 이르러 49개의 자사크기로 고정되었다. 또 49개의 자사크기는 6개의 맹盟(Chigulgan)으로 나뉘어 소속되었다. 내몽골에는 이 49개의 자사크기 이외에 강희 36년(1697)에 세워진 아라샨-오이라트-호쇼Arashan-Oyirad khoshigu(阿拉善額魯特旗)와 건륭 18년(1753)에 세워진 에지네이-토르코트-호쇼Ejinei-Turkhud khoshigu(額濟納土爾扈特旗) 등 토샤Tushiya(套西)라 불리는 2개의 기가 따로 존재하고 있다. 또한 1636년부터 라마교 정교일치의 성격을 지닌 시레트-쿠리엔-자사크-람-호쇼Shirege-tei Küriyen Jasag-un

9) 준가르제국의 전반적인 역사에 대해서는 宮脇淳子, 『最後の遊牧帝國ジューンガル部の興亡』, 東京, 1995를 참조.
10) 『연행기』 「1790년 7월 16일」조 : 凡二十五部, 分爲五十一旗.

Lama khoshigu(錫埒圖庫倫札薩克喇嘛旗)가 독립적인 위치로 존재하고 있었다.[11]

내몽골의 49기는 강희 7년(1668) 2월 『청성조실록清成祖實錄』 무술조戊戌條에 49기의 회맹에 대한 기사가 처음으로 보인다. 즉 이때 이미 49기 편제가 완성되었음을 알 수 있다. 그리고 강희 45년(1706) 3월 『청성조실록』 임술조壬戌條에 잠시 51기로 증가한 것이 나타나고 있다. 그러나 건륭제의 즉위 후 다시 49기로 고정되었다. 장목의 『몽골유목기』에도 49개의 자사크기가 수록되어 있는데, 가경제嘉慶帝나 도광제道光帝 때의 숫자로, 이 숫자는 청나라 말기까지 유지되었다.

청나라 때 내몽골 자사크기는 내속몽골內屬蒙古과 외번몽골外藩蒙古의 구분 및 6맹 참가의 자사크기로 미루어 볼 때, 24부 49기가 가장 정확한 표현이다. 그런데 고증에 매우 엄밀한 서호수가 내몽골 자사크기의 숫자를 25부 51기로 계산한 것은 무엇 때문일까. 그것을 여기서 집중적으로 분석해 그의 견해가 무엇인지 알아볼 필요가 있다.

먼저 청조는 초기에 투항하여 몽골팔기蒙古八旗로 편성된 몽골족을 제외하고, 이후 귀순한 모든 몽골족을 외번몽골外藩蒙古과 내속몽골內屬蒙古의 2부분으로 나누고 있다. 이를 구체적으로 설명하면 다음과 같다.

몽골팔기는 청대 팔기조직의 하나이다. 천명天命 9년(1624)에 누르하치는 귀부해온 몽골 부중을 5개 니루Niru(牛錄)로 편성했다. 천총天聰 3년(1629)에 홍-타이지(皇太極)는 만주팔기 조직에 합편되어 있는 몽골 니루를 가려내, 계속적으로 귀부해온 몽골 병사들과 합쳐 단독으로 2개의 몽골기蒙古旗를 만들었다. 그리고 1634년 도로곤의 차하르 출병 이후 차하르의 몽골 각 부가 귀부

---

11) 이 기는 1636년 설치 이후 1646년 Shirege-Turan Jasag Da-Lama(達喇嘛)의 印을 수여받아 정교일치의 정책을 시행했으며 1729년부터 Da-Lama(達喇嘛)의 세습이 인정되었다. 유목지는 오늘날 彰武縣의 養息牧河 상류인 庫倫旗 일대이다. 보다 자세한 것은 周清澍 主編, 『內蒙古歷史地理』, 呼和浩特, 1993, pp.176~177을 참조.

하자, 내외 카라친의 몽골장정 중 18세 이상 60세 이하의 모든 장정을 기적旗籍에 편입시켰다. 그리고 만주팔기의 편제에 의거해 모두 8기(Jakun gusa, Mo. Naiman khoshigun)를 만들고, 몽골팔기蒙古八旗나 팔기몽골八旗蒙古로 불렀다.

기색旗色은 정황正黃(gulu suwayan, Mo.silugun sira>шулуун шар), 양황鑲黃(kubuhe suwayan, Mo.kübegetü sira>гүвээт шар), 정남正藍(gulu lamun, Mo.silugun köke>шулуун хөх), 양남鑲藍(kubuhe lamun, Mo.kübegetü köke>гүвээт хөх), 정백正白(gulu shanyan, Mo.shiugun chagan>шулуун цагаан), 양백鑲白(kubuhe shanyan, Mo.kübegetü chagan>гүвээт цагаан), 정홍正紅(gulu fulgiyan, Mo.shiugun ulagan>шулуун улаан), 양홍鑲紅(kubuhe fulgiyan, Mo.kübegetü ulagan>гүвээт улаан)이다.

청나라의 팔기조직은 만주팔기(Manju Jakun gusa),[12] 몽골팔기(Monggo Jakun gusa), 한군팔기漢軍八旗(Ujen coohai Jakun gusa)로 나누어지는데, 몽골팔기의 기색旗色과 조직 형식은 만주팔기와 동일하다. 지위는 만주팔기보다 좀 낮지만 한군팔기보다는 높다. 청군은 입관 후 몽골팔기를 경사京師를 수호하는 "주경팔기몽골駐京八旗蒙古"과 각지를 주방駐防하는 "주방팔기몽골駐防八旗蒙古"로 나누었다. 맹기제도 성립 이전에 만들어진 몽골팔기는 청나라 조정에 직속되며, 이번원理藩院의 관할에 속하지 않는다.

외번몽골은 청대 각 자사크기의 총칭이다. 외번몽골은 또 외자사크(Aru

12) 만주팔기에는 청초에 투항해 온 조선인들로 편성된 Niru(牛錄)가 존재하는데, 이를 Solho niru(Mo.Solonggot sumu)라고 부른다. 李押 의 여행기인『燕行記事』「1777년 11월 27일」조에도 "저 사람들은 외방의 작은 오랑캐로서 하루아침에 천하를 통합한 뒤에, 주객의 형세가 다르고 많고 적은 것이 상대가 되지 않는 것을 잘 알았다. 그리하여 몽골과 포로로 잡혀간 우리나라 사람을 만주인이라고 통칭하여 청나라 병사와 함께 편제하여 팔기를 만들었다. 한인 병사는 모두 녹기로 칭하여 보졸만 두어 각 기에 편입하였다. 각 성의 모든 병제도 매우 잘 정돈하였다. 장백산 밑에서 일어난 작은 무리에게 이런 역량과 재질이 있으리라고 누가 생각하였겠는가(渠以蕞尒外夷, 一朝統合天下, 深知主客勢殊, 衆寡不侔, 乃以蒙古及我人被擄者, 通稱滿人, 與淸兵共編爲八旗, 漢兵則皆稱以綠旗, 只作步卒, 分編於各旗各省, 凡百兵制, 極其纖悉, 誰謂長白山下崛起之一小醜, 乃有此等力量才具耶)"처럼 조선인을 만주팔기로 편제한 기록이 수록되어 있다.

Jasag)와 내자사크(Emünedu Jasag) 몽골의 구분이 있다. 내자사크 몽골은 내몽골 49기이다. 외자사크 몽골은 칼카몽골, 즉 외몽골 86기, 홉드Khobdu(科布多) 19기, 청해몽골 29기, 아라샨-오이라트 몽골 1기, 올란오스-오이라트Ulagan-Usu Oyirad(烏蘭烏蘇衛拉特) 몽골 2기, 에지네이-토르코트 몽골 1기, 더르베드Dörbed(杜爾伯特) 몽골 16기 및 동귀東歸 토르코트Turkhud(土爾扈特) 각 기旗이다.

내외 자사크 몽골의 주요 구분은, 내자사크 맹盟(Chigulgan)의 경우 병권兵權이 있고 이번원에 직속된다는 점이다. 외자사크 맹은 병권이 없고 당지의 장군 혹은 판사대신辦事大臣 및 참찬대신參贊大臣의 절제를 받는다. 내외 자사크기의 자사크는 세습하며, 청나라의 규정과 법령에 의하여 기내旗內의 토지와 속민들의 통치 및 기무旗務를 처리한다. 그러나 중요한 사항이 발생하면 청조의 감독을 받는다. 각 자사크기는 서로 간에 월경금지의 규정이 있어, 왕래는 물론 무역이나 결혼도 금지된다. 청조가 몽골 각 부의 영지를 소규모로 나누어 고정하고 고립시킨 것은 몽골 각 부 간의 연합을 사전에 방지하기 위한 분리·분열 정책에서 나온 것이다.

내속몽골은 청조의 직할통치 몽골지구이다. 내속몽골은 차하르 8기, 귀화성歸化城 투메드 2기, 오리앙카이(烏梁海) 5기, 티베트(西藏)의 담Dam(達木) 몽골 8기, 바르가Barga(巴爾虎)[13] 1기이다. 이들은 총관기제總管旗制에 속한다. 일반적으로 자사크를 설치하지 않으며, 왕공의 세습 봉작도 없다. 현지의 장군, 대신과 도통都統이 나누어 관할하며, 또 이번원의 통제를 받는다. 총관總管, 부총관副總管을 설치하며, 회맹은 실시하지 않는다. 내속몽골을 대표하는 것이 총관기總管旗와 도통기都統旗이다.

총관기는 중앙관할의 몽골기이다. 총관기의 일부는 청조가 몽골 왕공의 반란을 평정한 후 그 부중을 원래의 유목지에서 다른 유목지로 옮겨 만든

13) 바르가의 역사에 대해서는 Ж.Өлзий, 『Барга Монголын түүх』, УБ, 1999를 참조.

기로 이루어져 있다. 반란 평정 후 난을 일으켰던 왕공의 봉작은 취소되었으며, 다시 영지와 부중을 거느릴 자격도 주지 않았다. 새로 건립된 기들은 청조에서 파견된 총관總管들이 관리했으며, 청조의 직할 영지가 되었다. 또 다른 총관기의 경우는 청조에 공이 없는 기존의 자사크, 혹은 영지가 없이 투항해온 작은 부족, 약간씩 귀부해온 자들을 합쳐 새로운 목지를 지정해서 만든 예에 속한다. 총관기에는 총관, 부총관이 설치되어 있으며, 장군, 도통都統, 대신들이 관할한다. 회맹은 실시하지 않으며 이번원의 통치를 받는다.

도통기는 소속 지구의 도통都統에 직속된 몽골기이다. 이 몽골 부락들은 일찍이 청조에 반항했거나 중앙 정부를 멸시한 관계로, 자사크도 수여하지 않고 회맹도 실시하지 않는다. 세습 봉작도 없으며, 소속 지구의 도통과 이번원에 통속統屬되어 있다. 몽골의 강대세력이자 대칸을 배출한 부였던 내몽골의 투메드와 차하르부에서 처음 시작되었으며, 소속기의 수는 많지 않다.

다음은 내몽골 49기의 회맹인 6맹에 대해서 살펴볼 필요가 있다. 내몽골 49기의 회맹은 청조가 몽골 지구를 통치하기 위한 행정제도인 맹기제도盟旗制度에서 유래한다. 따라서 맹기제도를 먼저 살펴보고 6맹에 대하여 기술해 보고자한다.

순치제 1649년, 청조는 막남 몽골부를 효율적으로 통치하기 위하여 맹기제도를 실시하기 시작해, 이후 모든 몽골지역으로 확대했다. 청조는 부락의 인원이 소수일 경우 1기, 다수일 경우 몇 기에서 10기까지 나누어 편성했다. 기는 두 종류로 나누어진다. 하나는 이번원에 속해 중앙으로부터 감독을 받는 외자사크인데, 내몽골지구 및 칼카, 오이라트 등지의 외번몽골기가 이에 속한다. 다른 하나는 중앙에서 파견된 대신, 도통, 혹 장군 직할의 총관기인데, 내몽골 차하르 팔기와 귀화성 투메드 양익기兩翼旗가 이에 속한다.

기의 조직에는 정치와 군사의 이중성격이 있다. 1기마다 몽골 봉건영주

중에 자사크로 임명된 자나, 혹은 총관 1인이 기정旗政을 관장한다. 평시 자사크는 행정, 사법, 징세 등의 사무를 집정하지만, 전정 때에는 본기의 군대를 동원하여 참전한다. 모든 기의 남자들은 18세 이상 60세 이하에 이르기까지 모두 병역의 의무를 진다. 기(Khoshigu) 밑에는 솜Sumu(蘇木, 漢譯은 佐)을 두고, 소몬-장깅Sumu-n Jangging(蘇木章京, 佐領)을 둔다. 기민旗民은 좌령佐領에 편입되는데, 각 솜마다 150명의 기정旗丁이 있다. 4~6솜마다 다시 잘란니-장깅 Jalan-i janggin(札蘭章京, 參領) 1인을 두어 통솔한다. 솜의 밑에는 10호마다 아르반니-다르가Arban-i Daruga(阿爾本達木勒, 什長)를 두어 최저 행정단위의 책임을 맡는다.

이외 부분적으로 승려 영주도 단독 정권 체계를 지닌다. 청조는 칼카의 젭춘담바코톡토Jebstun-Damba Khutugtu 등 모두 7개의 라마기를 두어 자사크기와 병행시켰다.[14] 그들은 영지 내의 종교, 행정, 사법 및 징세 사무를 관장한다.

기의 위에는 맹을 두어 몇 기들이 정기적으로 지정된 장소에 모여 집회를 갖고 중대사를 상의했다. 회맹은 이번원이 지정하는 장소에서 행하며, 임의로 변동할 수 없다. 맹에는 맹장 1인, 부맹장 약간을 두는데, 모두 자사크 중에서 선임하며 이번원을 통해 황제의 결재를 받는다. 맹장과 부맹장의 직책은 3년

14) 라마기는 청조의 겔룩빠 진흥정책의 일환으로 설립되었다. 종교와 행정권력을 지닌 지방행정 기구로 游牧喇嘛旗라고도 부른다. 『理藩院則例』에는 "喇嘛之轄衆者, 令治其事如札薩克"라고 규정되어 있다. 라마기는 외몽골의 哲布尊丹巴呼圖克圖旗(투시에투칸부 내), 額爾得尼班第達呼圖克圖旗(사인노얀부칸 경내), 咱雅班第達呼圖克圖旗(사인노얀칸부 우익전기 서남), 青蘇株克圖諾們罕旗(사인노얀칸부 우익말기 서남), 那魯班禪呼圖克圖旗(자삭토칸부 중후기의 남), 내몽골의 青海察罕諾們罕旗, 내몽골의 錫埒圖庫倫札薩克喇嘛旗(현재 내몽골 庫倫旗 경내) 등 모두 7기가 있다. 건륭 24년(1759) 또 喀爾喀諾廷呼圖克圖羅卜藏扎木揚丹津 속하의 부중들을 기로 편성하여 喇嘛總管箕를 만들었다. 지위는 자사크기와 같다. 군사를 다루지 않는다는 것 이외에 종교사무 및 영지의 행정, 사법, 稅收는 모두 청조에서 임명한 활불의 주지하에 처리된다. 라마기 속하의 徒衆과 평민은 모두 사비나르sabinar(沙畢納爾)라 칭해진다. 사비나르는 본기의 상층 라마에게 노역 및 賦稅 등의 의무를 지지만, 조정에 대한 병역이나 徭役 및 부세의 의무는 지지 않는다.

1차의 회맹 사무를 관장하는 것이며, 회맹 때 소집인이 된다. 그러나 각 기의 사무 및 정령政令을 처리하거나 반포할 수 있는 권한은 없다. 단지 각 기의 군정軍政이나 사령권司令權을 감시하는 선에서 그친다. 이들은 자사크 왕공들의 불법이나 반역 조짐이 발견되면 청조에 보고할 책임을 진다. 만약 기旗 자사크가 민사 및 형사 안건을 단독으로 해결하기 불가능할 경우 함께 모여서 그것을 심의할 권한을 갖는다.

회맹 때에는 청조에서 파견된 흠차대신欽差大臣이나 지정된 당지의 장군, 대신 및 이번원의 관리가 출석한다. 맹내 각 기의 자사크는 반드시 본기의 관원들을 데리고 참석해야 한다. 흠차대신과 이번원 관리들은 각 기의 군대를 점검하고, 변방을 순시하며 경계를 조사한다. 동시에 흠차대신 등은 맹장과 협동하여 각 기의 솜과 병정兵丁들을 심사하고, 전정箭丁의 회갑盔甲, 무기, 마필의 정황들을 조사한다. 맹내의 모든 중대사는 반드시 상주를 올려 이번원의 결재를 받아야 한다. 동시에 당지에 주방駐防하고 있는 장군, 도통, 대신들에게도 보고하여 함께 모여 처리한다. 건륭 16년(1751)부터 청조는 흠차대신을 파견하지 않고 각 맹이 스스로 알아서 거행하도록 했다. 단 협의가 필요할 때는 이번원에 보고하도록 했다.

이러한 방침에 따라 내몽골 49개 자사크기도 3년에 한 번씩 회맹을 갖게 되었다. 49개 자사크기는 크게 6개로 나뉘어 각자의 회맹지를 지정받았다. 이후 동일 회맹에 참가하는 각 기를 합쳐 맹盟(Chigulgan, Aimag)[15]이라 부르고, 각 맹은 고정된 회맹지의 명칭을 따라 이름이 붙여졌다. 이에 따라 젤메초올강Jelme Chigulgan(哲里木盟), 조소트초올강Joctai Chigulgan(卓索圖盟), 조오드초올강Jagun-Uda Chigulgan(昭烏達盟), 실링골초올강Shilingol Chigulgan(錫林郭勒盟), 올

15) Chigulgan(чуулган)은 회의를 뜻하며, Aimag(аймаг)은 경계를 의미한다. 오늘날 내몽골에서 사용하는 지역 행정단위인 맹은 Chigulgan에서 유래된 것이며, 몽골국의 지역 행정단위인 아이마크(道)는 Aimag에서 유래된 말이다. Aimag은 지역을 구분하는 몽골 고유의 언어이다.

란자브초올강Ulagan-Jaba Chigulgan(烏蘭察布盟), 이흐조초올강Yeke Juu Chigulgan(伊克昭盟) 등 6개의 초올강이 탄생했다.

젤메초올강Jelme Chigulgan은 숭덕崇德 원년(1636)부터 순치順治 연간에 이르기까지 계속적으로 투항해온 몽골 코르친Khorchin(科爾沁)부, 코롤라스Khorulas(郭爾羅斯)부, 더르베드Dörbed(杜爾伯特)부 및 잘라이드Jalayid(扎賚特)부의 10개 자사크기로 이루어져 있다. 이들의 회맹지는 오늘날 흥안령 코르친 우익중기右翼中旗의 젤메솜Jelme Sumu(哲里木蘇木)이며,[16] 이로 인해 젤메초올강이라고 불려졌다. 젤메초올강은 동쪽으로 내몽골 동부, 동남 일대로는 성경盛京(오늘날 요녕성)과 길림吉林의 경계지대, 북으로 헐런-보이르Kölen-Buyur(Хөлөн-Буйр, 呼倫貝爾)와 접한다. 서쪽으로는 조오드초올강(오늘날 赤峰市) 및 실링골초올강과 접한다. 서남의 일부분은 조스트초올강 동북단의 시레트-쿠리엔-자사크-람-호쇼Shirege-tei Küriyen Jasag-un Lama khoshigu(오늘날 庫倫旗)와 접한다. 젤메초올강의 지역은 대체로 오늘날 내몽골 흥안맹興安盟과 젤메맹(哲里木盟) 통요시通遼市, 코르친 좌익중후左翼中后 2기旗 및 흑룡강성의 일부 지구에 해당한다. 젤메초올강은 코르친 6기, 잘라이드 1기, 더르베드 1기, 코롤라스 2기 등 모두 10기로 이루어져 있다.

조스트초올강Joctai Chigulgan은 후금 천총天聰 9년(1635)에서 강희 연간에 이르기까지 계속 투항해온 몽골 카라친Kharachin(喀喇沁)부와 투메드Tümed(土默特)부의 5개 자사크기로 이루어져 있다. 5기의 회맹지는 투메드 우기右旗 경내의 조스트(卓索圖)이며,[17] 이로 인해 조스트초올강이라 불려졌다. 조스트초올강은 내몽골 동남부에 위치하는데, 대체로 오늘날의 내몽골 적봉시赤峰市 객

16) 젤메Jelme(зэлэм)는 버드나무 신목에 묶는 끈, 즉 고대의 잘라마Jalama에서 유래된 말이다. 잘라마에 대해서는 졸저, 『유라시아 초원제국의 역사와 민속』, pp.252~257을 참조.

17) 조스트는 "붉은 진흙이 있는(Josutai>зост)"이란 뜻으로, "붉은 진흙의 강"이라는 조스트-골Josutai goul(зост гол)의 약칭이다. 조스트는 오늘날 요녕성 北票縣 경내에 위치한다.

라심기喀喇沁旗, 영성현寧城縣과 요녕성 조양朝陽 지구, 부신몽골족자치현阜新蒙古族自治縣 및 하북성 평천현平泉縣 북부, 승덕承德, 위장圍場의 일부분에 해당한다. 조소트초올강은 카라친 3기, 투메드 2기로 이루어져 있다. 조소트초올강에는 한때 시레트-쿠리엔-자사크-람-호쇼도 참가했지만, 곧 철회되었다.

조오드초올강Jagun-Uda Chigulgan은 후금 천총부터 강희 연간까지 계속적으로 투항해온 몽골 자로드Jarud(扎魯特)부, 아로-코르친Aru-Khorchin(阿祿科爾沁, 阿嚕科爾沁)부, 바아린Ba'arin(巴林)부, 케식텐Keshigten(克西克騰, 克什克騰)부, 옹니고드Ongnigud(翁牛特)부, 아오칸Aukhan(敖漢)부, 나이만Naiman(奈曼)부와 칼카Khalkha(喀爾喀) 좌익(Jegün gar, 左翼)부의 11개 자사크기로 이루어져 있다. 회맹지는 옹니고드 좌기左旗 경내의 조오드Jagun-Uda(昭烏達)이며,[18] 이로 인해 조오드초올강이라 불려졌다. 조오드초올강은 동쪽으로 코르친 좌익과 경계를 이루며, 서쪽으로 차하르 정남기正藍旗와 위장圍場, 북쪽으로 실링골초올강과 접한다. 남쪽으로는 조소트초올강과 접한다. 조오드초올강은 대체로 오늘날의 적봉시 케식텐기(克什克騰旗), 임서현林西縣, 바아린(巴林) 좌우 2기, 아로-코르친기(阿魯科爾沁旗), 옹니고드기(翁牛特旗), 아오칸기(敖漢旗), 적봉시 교외와 젤메맹(哲里木盟)의 개로현開魯縣,[19] 나이만기(奈曼旗), 자로드기(扎魯特旗) 등에 해당한다. 조오드초올강은 자로드 2기, 아로-코르친 1기, 바아린 2기, 케식텐 1기, 옹니고드 2기, 아오칸 1기, 나이만 1기, 칼카 좌익 1기 등 모두 11기로 이루어져 있다.

실링골초올강Shilingol Chigulgan은 숭덕 때부터 강희 연간에 이르기까지 계

---

18) 조오드는 "1백 그루의 버드나무"를 뜻하는 말로, 회맹지에 버드나무가 많기 때문에 붙여진 말이다. 1696년 강희제와 갈단칸이 대회전을 벌였던 존모드(몽골국 울란바아타르 테렐지)도 "1백 그루의 나무(Jagun-Modu)"를 뜻하는데, 이는 그곳에 나무가 울창하기 때문에 붙여진 말이다. 조오드는 버드나무 도시(Udan khota)라고도 불려 지는데, 현재는 개간으로 말미암아 원상을 잃어버렸으며 버드나무들도 존재하지 않는다.

19) 開魯縣의 유래에 대해서는 王曜華, 「開魯縣名稱的由來」『東北亞歷史與文化』, 瀋陽, 1991을 참조.

속적으로 투항해온 몽골 우주무친Üjümüchin(烏朱穆秦, 烏珠穆沁)부, 카오치드 Kha'uchid(蒿齊忒, 浩齊特)부, 수니드Sünid(蘇尼特)부, 아바가Abaga(阿霸垓)부, 아바가나르Abaganar(阿霸哈納爾, 阿巴哈納爾)부의 10개 자사크기로 이루어져 있다. 회맹지는 아바가 좌기左旗와 아바가나르 좌기 경내의 실링골Shilingol(錫林郭勒)이며,[20] 이로 인해 실링골초올강이라 불려졌다. 실링골초올강은 흥안령의 서북부에 위치한다. 동쪽으로 솔론Solon(索倫)[21] 및 젤메초올강의 서북과 경계를 이루며, 서쪽으로 올란자브초올강의 경계에 이른다. 북쪽으로 칼카몽골의 체첸칸부(Chechen Khan aimag, 車臣汗部)와 접하며, 남쪽으로 차하르 8기旗 및 조오드초올강 서북의 바아린, 케식텐 등의 기와 맞닿아 있다. 실링골초올강은 대체로 오늘날의 실링골맹(錫林郭勒盟)의 동쪽 지역, 서우젬친(西烏珠穆沁, Баруун Үзэмчин)기, 실링호트Shilin khota(Шилийн хот, 錫林浩特)시, 아바기기(阿巴嘎旗), 수니드 좌우 2기 및 에렌호트(二連浩特)시[22]에 해당한다. 실링골초올강은 우주무친 2기, 카오치드 2기, 수니드 2기, 아바가 2기, 아바가나르 2기 등 모두 10기로 이루어져 있다.

올란자브초올강Ulagan-Jaba Chigulgan은 숭덕 원년부터 강희 초년에 이르기까지 계속적으로 투항해온 몽골 더르벤-케우게드Dörben ke'üged(四子部落), 마오-밍간Mau Minggan(毛明安, 茂明安)부, 오라드Urad(吳喇忒, 烏喇特)부 및 막북에서 내려온 본타르Bontar(本塔爾) 소속의 부중으로 편성된 칼가(喀爾喀) 우익(Baragun gar, 右翼)부의 6개 자사크기로 이루어져 있다. 회맹지는 귀화성歸化城-

---

20) 실링골은 산 능선 위의 평평한 곳이나 산봉우리 안쪽의 경사진 곳을 말하는 실리sili(шил)와 강을 뜻하는 골goul(гол)이 결합되어 나온 말로 "구릉 지대의 강"을 의미한다. 실링골은 현재의 실링호트Shilin Khota(錫林浩特)시 경내에 있다.

21) 솔론Solon(索倫)은 오늘날의 헐런-보이르(呼倫貝爾)盟이다.

22) 에렌호트eriyen khota(эрээн хот)는 "얼룩의 도시나 잡색의 도시" 혹은 "다채로운 도시"라는 뜻으로 오늘날 몽골국 자민우드(Замын Үүд)와 접해 있다. 이곳은 모스크바와 북경을 잇는 오리엔트 특급열차가 통과하는 지점으로 현재 자민우드에렝(Замын Үүд Эрээн)이라는 국경 통관소가 설치되어 있다.

투메드(土默特)[23] 소속의 올란자브Ulagan-Jabu(烏蘭察布)[24] 지방이다. 올란자브초올강은 내몽골 6초올강의 서북부에 위치하며, 동쪽으로 실링골초올강, 남쪽으로 이흐조초올강 및 귀화성-투메드와 맞닿는다. 서쪽으로 아라샨-오이라트기[25]와 서로 경계를 이루며, 북쪽으로 칼카몽골Khalkha Monggol의 투시에투칸부(Tüshiyetü Khan aimag, 土謝圖汗部)[26] 및 사인노얀칸부(Sayin-Noyan Khan aimag, 賽因諾顔汗部)[27]와 경계를 이룬다. 동남 일부는 차하르 정홍正紅 및 양홍鑲紅 2기[28]와 서로 일체를 이룬다. 올란자브초올강은 대체로 오늘날의 올란자브맹(烏蘭察布盟) 사자왕기四子王旗, 다르칸-마오밍간연합기(達爾罕茂明安聯合旗)와 바얀노르Bayan nagur(巴彦淖爾)맹 오라드 중후中后 2기 및 항긴Hanggin(杭錦)후기后旗, 오원현五原縣, 오라드 전기前旗와 복트Bugutu(包頭)시 고양현固陽縣, 올란자브맹 무천현武川縣의 대부분에 해당한다. 올란자브초올강은 더르벤-케우게드 1기, 칼가 우익 1기, 오라드 3기, 마오-밍간 1기 등 모두 6기로 이루어져 있다. 올란자브초올강에는 1756년부터 1760년까지 일시 귀화성-투메드-자사크기가 참가하기도 했다.

---

23) 歸化城-투메드는 오늘날 허흐호트Köke Khota(呼和浩特)시와 복트Bugutu(包頭)시, 톡토togto(托克托)현과 烏蘭察布盟 淸水河縣 일대에 해당한다. 허흐호트는 푸른 도시라는 뜻이며, 복트는 사슴이란 뜻인 보그Bugu(буга)에 소유격 형태소인 tu가 결합된 단어로 "사슴이 있는"이란 뜻을 지니고 있다.

24) 올란자브는 붉은색을 뜻하는 올란Ulagan과 협곡을 뜻하는 자바Jaba(зав)가 결합된 단어로 "붉은 계곡"이란 뜻이다. 몽골어에는 계곡이나 협곡을 뜻하는 말에 Jaba 말고도 Juraga(зураа)가 있고, 關門을 뜻하는 Khabchal(хавцал)이 있다.

25) 오늘날의 阿拉善盟 阿拉善左旗에 해당한다.

26) 투시에투칸부의 역사에 대해서는 С. Ичинноров, Н. Банзрагч, 『Эрдэнэзуу хийд ба Түшээт ханы хошуу』, УБ, 1999를 참조.

27) 사인노얀칸부의 명칭은 게레-산자Gere-Sanja의 손자인 투멘켕Tümenkeng이 달라이라마에게 사인노얀Sayin Noyan의 호를 받은 것에서 유래한다. 청조는 투시에투칸부의 세력을 견제하기 위하여 1696년 그의 손자인 삼바Samba를 親王으로 봉한 뒤 사인노얀칸을 투시에투칸부에 속하지 않는 별도의 세력으로 승인하려는 태도를 보였다. 사인노얀칸부는 건륭 31년(1766) 청나라 황족 출신인 총곤잡Chonggonjab 장군의 상주로 삼바의 증손인 노르보잡Norbujab이 사인노얀칸부의 부장으로 공인됨으로써 투시에투칸부와 정식으로 구분되었다. 사인노얀칸부에 대해서는 Д. Дашням, 『Халхын сайн ноён хан Намнансүрэн』, УБ, 1990을 참조.

28) 이 2기는 오늘날 烏蘭察布盟 卓資縣에 해당한다.

이호조초올강Yeke Juu Chigulgan은 순치 6년(1649)부터 7년(1650)에 오르도스 Ordos(鄂爾多斯) 지역에 있는 오르도스부를 6개의 자사크기로 만든 것이 시초이다. 건륭 원년(1736)에 다시 1기를 증설하여 모두 7기로 이루어져 있다. 회맹지는 오르도스 좌익중기에 위치한 이호조Yeke Juu(伊克昭)[29]이다. 이호조초올강은 내몽골의 서남에 위치하며 동·서·북 삼면이 황하로 둘러싸여 있다. 동북은 귀화성-투메드, 동쪽은 산서성山西省 편관偏關, 하곡河曲 두 현과 접경을 이룬다. 서쪽으로 아라샨-오이라트와 감숙성甘肅省 영하부寧夏府,[30] 남쪽으로는 장성을 사이로 섬서陝西와 경계를 이룬다. 북쪽으로 황하와 오라드를 경계로 한다. 이호조초올강은 대체로 오늘날의 이호조맹(伊克昭盟)의 전부와 바얀노르맹(巴彥淖爾盟)의 임하臨河, 오원五原, 등구磴口 및 항긴 후기, 오라드 전기의 일부분, 섬서성 유림楡林, 신목神木, 횡산橫山현 등의 장성 이북 지방도 이호조맹 소유에 해당한다. 이호조초올강은 오르도스Ordos(鄂爾多斯) 좌익중기, 좌익전기, 좌익후기, 우익전기, 우익후기, 우익중기, 우익전말기, 좌익중기 등 모두 7기로 이루어졌다.

이 6개의 초올강 외에 내몽골에는 아라샨-오이라트기(阿拉善額魯特旗)와 에지네이-토르코트기(額濟納土爾扈特旗), 차하르 총관 8기(察哈爾總管八旗), 귀화성-투메드 2기 도통기(歸化城土默二旗特都統旗), 보트하Butha(布特哈) 팔기와 헐런-보이르 솔론(呼倫貝爾索倫) 팔기, 신-바르가(新巴爾虎) 팔기 등이 존재한다. 이들은

29) 이호조는 지금의 달란트Dalant(達拉特)기에 위치한 王愛召이다. 王愛召는 伊克召라고도 불린다. 이호조는 큰 사원(Yeke Juu>Их Зуу)이란 뜻으로, 1607년에 세우기 시작해 1613년에 준공되었다. 王愛召에는 칭기스칸의 나이만-차강-겔이 안치되어 있었는데, 1649년에 郡王旗 境內의 강지르오보ganjir obuga(ганжир овоо, 甘德爾敖包)로 옮겨졌다. 이 사원은 나이만-차강-겔이 楡中縣의 興隆山으로 이동한 것에 불만을 품은 일본군에 의하여 1949년 1월 철저히 파괴되었다. 이 사원에 대한 자세한 것은 文精 主編,『蒙古族大辭典』, p.986을 참조. 아울러 王愛召와 나이만-차강-겔과의 관계 및 파괴에 이르는 과정에 대해서는 졸고,「오르도스의 역사」『몽골학』 2, 1994를 참조. 일반적으로 몽골에서는 사원을 숨-히드süm-e keyid(сүм-хийд)라 말로 표현하고 있다. 예컨대 고대 대몽골제국의 수도인 카라코름에 위치한 에르든조(Эрдэнэ Зуу) 사원도 에르든-조긴 히드(Эрдэнэ Зуугийн хийд)란 말로 표현하고 있다.

30) 寧夏府는 오늘날의 宁夏回族自治區이다.

초올강을 형성하지 않는 기들이다. 이 가운데 귀화성-투메드 2기 도통기에 대해서는 뒤에 언급되기 때문에 생략하고, 여타의 기를 간략히 살펴보면 다음과 같다.

아라샨-오이라트기와 에지네이-토르코트기는 설립 후 유목지를 오르도스 이서로 정했기 때문에, 통상적으로 오르도스 서쪽의 2기(套西二旗)라고 부른다.

아라샨-오이라트기는 하란산賀蘭山 서쪽, 용수산龍首山 북쪽에 위치해 있다. 기지旗地의 동북은 올란자브초올강의 오라드와 경계를 이루며, 동쪽은 이흐조초올강의 오르도스 우익후기 및 우익중기와 황하를 사이에 두고 경계로 삼는다. 동남은 하란산과 영하부寧夏府를 경계로 삼는다. 남쪽은 양주涼州, 감주甘州 2부府[31]와 접하며, 서쪽은 에지네이-토르코트기[32]와 경계를 이룬다. 북쪽은 고비를 넘어 칼카몽골의 자삭토칸부(Jasagtu Khan aimag, 札薩克圖汗部)와 경계를 이룬다. 아라샨-오이라트기는 대체로 오늘날의 아라샨맹(阿拉善盟) 아라샨 좌기左旗의 전부와 아라샨 우기右旗의 대부분 및 바얀노르맹(巴彦淖爾盟) 등구현磴口縣과 오해시烏海市의 일부분에 해당한다.

에지네이-토르코트기의 유목지는 동쪽으로 아라샨-오이라트기,[33] 남쪽으로 숙주(肅州) 변외[34]에 이른다. 서쪽으로는 고비가 이어지며, 북쪽으로는 한해瀚海를 넘어 칼카 자삭토칸부와 경계를 이룬다. 에지네이-토르코트기는 대체로 오늘날의 아라샨맹 에지네이기(額濟納旗) 전체와 아라샨 우기 서남의 일부분에 해당한다.

차하르 총관팔기察哈爾總管八旗는 1675년 3월 차하르의 보르니Burni(布爾尼) 친왕의 반란 진압 후 차하르인들을 새로 안치한 곳에 설립된 기이다. 총관

31) 涼州와 甘州 2府는 오늘날의 甘肅省 武威, 張掖 지구이다.
32) 오늘날의 額濟納旗이다.
33) 오늘날의 阿拉善右旗이다.
34) 오늘날의 甘肅省 酒泉 지구이다.

팔기는 대동大同과 선화宣化의 변외에 해당하는데, 관할 지역은 매우 크다. 총관 팔기는 대체로 오늘날의 올란자브맹 집녕시集寧市, 차하르 우익전기·우익중기·우익후기 등 3기, 탁자현卓資縣, 상도현商都縣, 화덕현化德縣, 풍진현豊鎭縣, 양성현涼城縣, 흥화현興和縣 및 실링골맹 정란기正蘭旗, 정양백기正鑲白旗, 양황기鑲黃旗, 태부사기太仆寺旗, 다륜현多倫縣 전체와 하북성 장북張北, 강보康保, 상의尙義, 고원현沽源縣 등의 일부분에 해당한다. 차하르 총관팔기는 정람기正藍旗, 양백기鑲白旗, 정백기正白旗, 양황기鑲黃旗, 정황기正黃旗, 정홍기正紅旗, 양홍기鑲紅旗, 양람기鑲藍旗 등 모두 8기로 구성되어 있다.

정람기-차하르의 유목지는 동쪽으로 케식텐(克什克騰), 서쪽으로는 양백기-차하르(오늘날 실링골맹 正鑲白旗 동부)에 접한다. 남쪽으로는 어마창御馬廠(오늘날 실링골맹 正蘭旗 남부와 多倫縣 서부)부터 북쪽으로 아바가-좌익기에 이른다. 정람기-차하르는 대체로 오늘날의 실링골맹 정란기正蘭旗 북부에 해당한다.

양백기-차하르의 유목지는 동쪽으로 태부사목창太仆寺牧廠 및 정람기의 경계에 이른다. 서쪽으로는 정백기-차하르(오늘날 실링골맹 正鑲白旗 서남부)에 이르며, 남쪽으로는 태부사목창(오늘날 正蘭旗 서남부)에 이른다. 북쪽으로는 수니드-좌기 및 정람기-차하르에 이른다. 양백기-차하르는 현재의 실링골맹 정양백기正鑲白旗 동부에 해당한다.

정백기-차하르의 유목지는 동쪽으로 양백기-차하르와 접하고, 남쪽으로는 양황기-차하르 동남부(오늘날 太仆寺旗 서남부)에 이른다. 서쪽으로는 양황기-차하르에 이르고, 북쪽으로는 양백기-차하르와 접한다. 정백기-차하르는 대체로 오늘날의 실링골맹 정양백기正鑲白旗 서남부, 태부사기太仆寺旗 북부 및 하북성 강보현康保縣의 일부분에 해당한다.

양황기-차하르의 유목지는 동쪽으로 정백기-차하르의 경계로부터 서쪽으로 정황기-차하르(오늘날 차하르-우익후기)의 경계에 이른다. 남쪽으로 양황기목창鑲黃旗牧廠(오늘날 하북성 張北縣 북부)와 접하며, 북쪽으로는 수니드-우기와 경계를 이룬다. 양황기-차하르는 대체로 오늘날 실링골맹 양황기 전부, 울란자브맹 화덕현化德縣 동부 및 북부, 상도현商都縣 북부의 일부와 하북성 강보康保, 상의尙義 2현의 일부에 해당한다.

정황기-차하르의 유목지는 동쪽으로 양황기-차하르에 이르며, 서쪽으로는 정홍기-차하르(오늘날 차하르-우익후기 서부)에 이른다. 남쪽은 태부사우익목창太仆寺右翼牧廠(오늘날 豊鎮縣 남부)에 접하며, 북쪽은 수니드-우기와 접한다. 정황기-차하르는 대체로 오늘날의 울란자브맹 흥화현興和縣, 차하르-우익전기와 풍진현豊鎮縣의 대부분 및 차하르-우익후기의 동부와 상도현商都縣 일부분에 해당한다.

정홍기-차하르의 유목지는 동쪽으로 정황기-차하르(오늘날 차하르-우익전기 및 후기 동부), 서쪽으로는 양홍기-차하르(오늘날 차하르-우익중기 동남과 卓資縣 동부)에 접한다. 남쪽으로는 태부사우익목창太仆寺右翼牧廠에 이르고, 북쪽은 사자부락과 접한다. 정홍기-차하르는 대체로 오늘날의 울란자브맹 집녕시集寧市, 차하르-우익전기 및 후기의 서부, 탁자현卓資縣 동북부와 풍진현豊鎮縣 서부의 일부분에 해당한다.

양홍기-차하르의 유목지는 동쪽으로 정홍기-차하르(오늘날 차하르-우익전기 및 후기와 豊鎮縣 서부)와 접한다. 서쪽은 양람기-차하르(오늘날 차하르-우익중기 서부 및 북부, 卓資縣 서부와 涼城縣 서북부)에 이른다. 북쪽은 사자부락의 경계로부터 남쪽으로 산서성 대동부大同府 변외에 이른다. 양홍기-차하르는 대체로 오늘날의 차하르-우익중기 동남부와 탁자현卓資縣 동부, 양성현涼城縣 대부분과 풍진현豊鎮縣 서부의 작은 지역에 해당한다.

양람기-차하르의 유목지는 동쪽으로 양홍기-차하르와 접하며, 서쪽으로는 귀화성-투메드(오늘날 허흐호트시)에 접한다. 남쪽으로는 산서 대동부大同府 변계에 이르며, 북쪽으로 사자부락의 경계에 닿는다. 양람기-차하르는 대체로 오늘날의 올란자브맹 차하르-우익중기 서부 및 북부, 탁자현卓資縣의 대부분 및 양성현涼城縣 서부에 해당한다.

청조는 18세기 초엽부터 러시아의 동방 진출이 격화되자, 그에 대비하기 위하여 헐런-보이르 일대의 솔론Solon(索倫), 다고르Dagur(達呼爾), 바르가Barga(巴爾虎), 오륜춘Orunchun(鄂倫春)인들을 중심으로 팔기를 만들었다. 그것이 옹정擁正 10년(1732)에 솔론과 다고르인을 중심으로 만들어진 보트하Butha(布特哈) 팔기[35]와 헐런-보이르 솔론(呼倫貝爾索倫) 팔기, 옹정 14년(1734)에 건립된 신-바르가(新巴爾虎) 팔기이다.[36]

이상 내몽골에 있는 내속몽골이나 외번몽골 등의 기에 대해 살펴보았다. 여기서도 잘 나타나듯이 청대의 내몽골 자사크기는 회맹(초올강)을 기준으로 할 경우 24부 49기가 정확하다. 그런데 서호수의 경우 아래에서도 나타나듯이 24부의 이름 아래 귀화성-투메드 도통기 2개를 첨가하여 25부 51기로 계산하고 있다. 필자는 서호수의 이러한 계산법이 어떤 근거 하에 나왔다고 보는데, 이는 그가 차하르몽골을 계산에 넣지 않았다는 것에서도 입증된다.

필자는 서호수가 귀화성-투메드를 서투메드(西土默特)라고 기록한 사실에 주목하고 있다. 이는 그가 투메드기를 동서로 나누어 고찰하고 있다는 것을 보여주고 있으며, 또 귀화성-투메드에 대한 상세한 기록으로 미루어 나름대로 어떠한 판단 기준을 가지고 있음이 분명하다. 그의 귀화성-투메드에 대한 정보는 그들과 동족이자 그가 거쳐 간 투메드 우익기의 인물에게서 들었을 가능성이 매우 높다.

사실 귀화성-투메드에는 일시 독립적인 귀화성-투메드-자사크기(歸化城土默

35) 보트하 팔기는 打牲八旗라고도 불린다.
36) 헐런-보이르 솔론 팔기는 솔론, 다고르, 바르가, 오륜춘인들이 주 구성원이다. 헐런-보이르 일대의 팔기에 대해서는 周清澍 主編, 『內蒙古歷史地理』, 呼和浩特, 1993, pp.299~313을 참조.

特札薩克旗)가 성립되어 올란자브초올강에 소속된 때가 있었다. 귀화성-투메드-자사크기는 원래 귀화성-투메드 좌익도통기左翼都統旗에 예속되어 있던, 1등 타이지Tayiji(台吉)이며 보속트칸의 후예인 라마잡Lamajab(喇嘛扎布)이, 준가르 제국 출신의 영주로 1756년에 반란을 일으켰던 칭군잡Chinggünjab(靑袞雜布)[37]의 토벌에 공이 있었기 때문에 자사크-보국공(札薩克輔國公)으로 봉해지고, 그에 따라 건륭 1756년에 세워진 자사크기이다. 유목지는 대청산 뒤의 투메드 4좌령(佐領)이 위치한 땅이다. 기의 건립 후 귀화성-투메드-자사크기로 불려졌으며, 올란자브초올강에 예속되었다. 그러나 건륭제는 1760년 라마잡이 위열망행違例妄行을 했다는 이유로 자사크직을 취소함과 동시에 자사크기도 철폐하였다. 라마잡은 품급이 자사크-보국공에서 한산보국공閑散輔國公으로 격하되었고, 다시 귀화성 부도통에 예속되어 그의 절제를 받았다.

이 사건은 서호수가 1790년 열하의 피서산장으로 가기 30년 전에 발생한 것이다. 또 귀화성-투메드 도통기 2기가 모두 자사크기로 전환된 것도 아니다. 따라서 서호수의 정보는 정확하지 않았다고 보인다. 아마 그가 귀화성-투메드를 몽골 부족의 맨 뒤에 배치한 것도 이와 무관치 않은 듯하다. 그러나 당시의 정세 상 서호수가 귀화성-투메드의 일시적인 변화를 감지하고 그것을 몽골 부족의 수에 계산했다는 것은 놀라운 일이 아닐 수 없다. 이러한 점에서 서호수의 몽골 정보는 당시 조선의 사대부로서는 상상할 수 없는 정확성을 지니고 있으며, 또 그의 몽골 인식이 얼마나 뛰어난가를 입증해 주는 것이라고 보아도 좋다.

37) 칭군잡은 준가르제국의 북부지방인 토바지역을 통치하고 있었던 카라-코이트Khara-Khoyid부의 영주로 청조로부터 郡王칭호를 받은 인물이다. 그에 대해서는 Н. Ишжамц, 『Монгольын ард түмний 1755~1758 оны тусгаар тогтнолын зэвсэгт тэмцэл(Амарсанаа, Чингүнжав нарын бослого)』, УБ, 1962 ; Ө. Чимид, 『Чингүнжаваар удирдуулсан Ар Монгол дахь тусгаар тогтнолын тэмцэл』, УБ, 1963을 참조.

2. 몽골 부족 세부 기록

서호수의 『연행기』에는 몽골 부족에 대한 세부 기록이 자신이 지나간 카라친과 투메드를 중심으로 매우 상세하게 나타나고 있다.

> **【투메드부와 카라친부 개설】**
>
> 구관대문에서 서쪽으로 열하에 이르는 곳은 몽골의 토묵특土默特 2기旗, 객라심喀喇沁 2기旗의 땅이다. 청나라 초기에 칠청七廳을 설치하여 열하에 예속케 하였다. 건륭乾隆 병신년(1776)에 삼좌탑청三座塔廳은 조양현朝陽縣으로 고치고, 탑자구청塔子溝廳은 건창현建昌縣으로 고치고, 팔구청八溝廳은 평천주平泉州로 고쳐 모두 승덕부承德府에 예속시켰다.[38]

위의 기록에 등장하는 투메드나 카라친부의 역사는 이미 앞에서 언급한 바 있으며, 유목지에 대해서는 아래 25부의 유목지 부분에 자세하게 언급되어 있다. 그런데 위의 기록에서는 카라친 2기, 즉 좌익기와 우익기만을 언급하고 중기中旗를 언급하지 않고 있다. 카라친은 좌우기 및 중기의 3기로 편성되어 있다. 카라친 중기는 강희 44년(1705) 우익기에서 분리되어 나왔다.

> **【투메드의 역사와 유목지 및 통치자】**
>
> 토묵특土默特의 영토 경계는 동쪽은 양정목목창楊樫木牧廠, 서쪽은 객라심喀喇沁 우익기右翼旗, 남쪽은 구관대 변장, 북쪽은 객이객喀爾喀과 오한敖漢의 경계에 이른다. 명나라 초기에 내부했고 부장部長을 삼위지휘사三衛指揮使로 삼았다. 금의錦義부터 광녕廣寧을 거쳐 요하에 이르는 지역이 태령위泰寧衛이다. 뒤

38) 『연행기』 「1790년 7월 7일」 조 : 自九關臺門西至熱河, 卽蒙古土默特二旗喀喇沁二旗地, 淸初, 設七廳, 隸熱河, 乾隆丙申, 以三座塔廳, 爲朝陽縣治, 以塔子溝廳, 爲建昌縣治, 以八溝廳, 爲平泉州治, 并隸承德府.

에 토묵특이 점거했다. 청나라 천총天聰 연간에 토묵특이 와서 항복하였다. 강희 연간에 좌익左翼의 추장酋長을 다라달이한패륵多羅達爾漢貝勒으로 봉하고, 우익의 추장을 고산패자固山貝子로 봉하여 모두 세습케 하였다. 파연화산巴煙花山은 중국 이름으로 대화산大華山인데, 우익패자右翼貝子의 주목지이다.[39]

위의 기록에 등장하는 투메드부의 역사에 대해서는 앞에서 이미 언급한 바 있으며, 유목지에 대해서는 아래 25부의 유목지 부분에 자세하게 언급되어 있다.

【카라친의 역사와 유목지 및 통치자】

객라심喀喇沁의 영토 경계는 동으로 토묵특과 오한의 경계, 서로 정람기왕둔正藍旗王屯의 경계, 남으로 변장邊墻, 북으로 옹우특翁牛特의 경계에 이른다. 명나라 홍무洪武 연간에 대령도지휘사사大寧都指揮使司를 설치하고, 황자皇子 권權을 영왕寧王으로 봉해 진수케 하였다. 영락永樂 초년에 영왕을 강서江西로 옮겨 봉한 뒤 대녕의 땅을 삼위추장三衛酋長에게 하사했다. 타안朶顔이 가장 강력하였는데, 뒤에 찰합이察哈爾에게 멸망되었다. (청 태종은) 그 땅을 탑포낭塔布囊에게 주었다. 이것이 객라심喀喇沁이다. 천총天聰 연간에 투항하였다. 강희康熙 연간에 우익의 추장을 다라두릉군多羅杜稜君으로 봉했으며, 옹정雍正 연간에는 좌익의 추장을 패자貝子로 봉하고 모두 세습케 하였다. 파안주이극산巴顔朱爾克山은 중국명으로 우심산牛心山인데, 좌익패자左翼貝子의 주목지이다. 서백하西白河는 우익군왕右翼郡王의 주목지로 묘금삽한타라해산卯金揷漢拖羅海山에서 발원하며, 동북으로 흘러 옹우특翁牛特의 우익 경계로 들어간다.[40]

---

39) 『연행기』「1790년 7월 7일」조 : 土默特地界, 東至楊檉木牧廠界, 西至喀喇沁右翼界, 南至九關臺邊墻界, 北至喀爾喀及敖漢界, 明初以內附, 部長爲三衛指揮使, 自錦義歷廣寧, 至遼河, 日泰寧衛, 後爲土默特所據, 淸天聰間來降, 康熙間, 封左翼酋爲多羅達爾漢貝勒, 右翼酋爲固山貝子, 並世襲, 巴烟花山, 華名大華山, 卽右翼貝子所駐.

40) 『연행기』「1790년 7월 7일」조 : 喀喇沁地界, 東至土默特及敖漢界, 西至正藍旗王屯界, 南至邊墻界, 北至翁牛特界, 明洪武間, 置大寧都指揮使司, 封皇子權爲寧王以鎭之, 永樂初, 徙封寧

위의 기록에 등장하는 카라친부의 역사에 대해서는 앞에서 이미 언급한 바 있으며, 유목지에 대해서는 아래 25부의 유목지 부분에 자세하게 언급되어 있다.

【몽골 25부】

조공을 바치는 몽골은 아래와 같다.41)

서호수의 몽골 25부 배열순서는 한 초올강Chigulgan(盟)에 소속된 자사크기(Jasag-un khoshigu)들을 한데 모아 언급하는 수순으로 이루어져 있는데, 이를 도표로 제시하면 다음과 같다.

몽골 25부		
순서	초올강의 이름과 부족명	자사크기 숫자
젤메초올강Jelme Chigulgan(哲里木盟)		10
1	코르친Khorchin(科爾沁)	6
2	잘라이드Jalayid(札賴特)	1
3	더르베드Dörbed(杜爾伯特)	1
4	코롤라스Khorulas(郭爾羅斯)	2
조오드초올강Jagun-Uda Chigulgan(昭烏達盟)		11
5	아오칸Aukhan(敖漢)	1
6	나이만Naiman(奈曼)	1
7	옹니고드Ongnigud(翁牛特)	2
8	바아린Ba'arin(巴林)	2
9	자로드Jarud(扎魯特)	2
10	칼카 좌익(Khalkha Jegün gar, 喀爾喀左翼)	1

王於江西, 以大寧地, 賜三衛酋長, 朶顔最强, 後爲察哈爾所滅, 以地予其塇布囊, 是爲喀喇沁, 天聰間來降, 康熙間封右翼酋爲多羅杜稜君王, 雍正間封左翼酋爲貝子, 並世襲, 巴顔朱爾克山, 華名牛心山, 卽左翼貝子所駐, 西白河, 卽右翼郡王所駐, 源出卯金揷漢拖羅海山, 東北流入翁牛特右翼界.

41) 『연행기』 「1790년 7월 16일」 조 : 朝貢蒙古.

11	아로-코르친Aru-Khorchin(阿祿科爾沁)	1
12	케식텐Keshigten(克西克騰)	1
조소트초올강Joctai Chigulgan(卓索圖盟)		5
13	투메드Tümed(土默特)	2
14	카라친Kharachin(喀喇沁)	3
실링골초올강Shilingol Chigulgan(錫林郭勒盟)		10
15	우주무친Üjümüchin(烏朱穆秦)	2
16	아바가Abaga(阿霸垓)	2
17	카오치드Kha'uchid(蒿齊忒)	2
18	수니드Sünid(蘇尼特)	2
19	아바가나르Abaganar(阿霸哈納爾)	2
올란자브초올강Ulagan-Jaba Chigulgan(烏蘭察布盟)		6
20	더르벤-케우게드Dörben ke'üged(四子部落)	1
21	칼카 우익Khalkha Baragun gar(喀爾喀右翼)	1
22	오라드Urad(吳喇忒)	3
23	마오-밍간Mau Minggan(毛明安)	1
이흐조초올강Yeke Juu Chigulgan(伊克昭盟)		7
24	오르도스Ordos(鄂爾多斯)	7
초올강 소속 자사크기(Jasag-un khoshigu) 총계		49
내속몽골도통기內屬蒙古都統旗		
25	귀화성-투메드(Köke-Khota Tümed, 歸化城土默特)	2
25부 자사크기(Jasag-un khoshigu) 및 도통기 총계		51

【1. 코르친Khorchin(科爾沁)】

과이심科爾沁 : 명나라 초기 부여扶餘 외위外衛로 원나라의 후예인 올량합부장兀良哈部長에게 도지휘都指揮를 수여해 위衛의 일을 관장케 하였다.[42]

위의 기록에 등장하는 과이심科爾沁은 몽골어로 "활과 화살을 지닌 자"를 뜻하는 코르친Khorchin(Хорчин)의 음역이다. 코르친부의 노얀Noyan들은 칭

42) 『연행기』「1790년 7월 16일」조 : 日科爾沁, 明初, 爲扶餘外衛, 以元後兀良哈部長, 授都指揮掌衛事.

기스칸의 동생인 조치-카사르Jochi-Khasar의 후예들이다. 조치-카사르는 『몽골비사(Monggol-un Nigucha Tobchiyan)』에도 수차 명사수로서의 그의 재질을 언급하고 있을 정도로 활쏘기의 달인이다.[43] 그리하여 후대 몽골인들은 그의 이름을 아예 명사수-카사르라는 뜻인 합트khabutai(хавтай, 哈布圖, 哈巴圖)-카사르로 부르고 있다. 또 그의 후예들도 기사騎射에 뛰어났다. 이로 인해 그의 후예들은 명사수의 부족이란 뜻이 담긴 코르친으로 자신의 부족명칭을 삼았다.

코르친부는 다얀칸 때 에르군네Ergüne하 및 헐런-보이르Kölen-Buyur(呼倫貝爾) 일대에서 유목하고 있으며 좌우 양익으로 편성된 13개 오토크otog로 구성되어 있다. 다얀칸은 6만호를 창설할 때 코르친부와 삼위三衛(泰寧衛, 兀良哈衛, 福余衛)에 속한 몽골 제부는 속부로 설정했다. 코르친부는 카사르의 14대손인 쿠이-멍케-다스카라Küi-Möngke-Daskhara(奎蒙克塔斯哈喇)가 북원의 대칸인 보디-알라크칸을 보좌하기 위하여 1547년 헐런-보이르 유목지로부터 흥안령 동쪽의 송화강, 눈강 유역으로 이동해 왔다. 그리고 원주지에 남아 있는 아우인

43) 『몽골비사』에는 카사르의 활쏘기 능력이 여러 번 특기되어 있다. 카사르가 어릴 적 테무진과 함께 이복형제인 벡테르Begter를 화살로 쏘아 죽인 것(77절)과 테무진이 타이치오트Taichi'ud부에 잡혀갈 때 화살로 공방을 벌인 것(79절)을 시작으로, 195절과 244절에는 그의 명사수(Khabutai Kharbugachi(n)>хавтай харваач[ин]) 능력에 대한 찬미가 구체적으로 기록되어 있다. 이를 소개하면 다음과 같다. ① 195절 : 자모카가 말하기를, "허엘룬 어머니의 한 아들로 사람의 고기로 양육된 자이다. 3알다의 (큰) 키를 가지고 있으며 3살 된 큰 가축을 (한 끼에) 먹는다. (또) 3중으로 된 (소가죽) 갑옷을 입고, 3마리의 보카(황소)에 끌려왔던 것이다. 활과 화살로 무장한 사람을 (그 사람의) 전신을 삼켜도 목에 걸리지 않는다. 살아 있는 남자를 삼켜도 마음에 차지 않는다. 분노하여 앙고아anggu'a 화살을 당겨 쏘면, 산 너머에 있는 10명 20명의 사람들을 (일거에) 꿰뚫게 쏜다. 전투가 (벌어져) 황야를 질주해 달려오고 있는 적들을 (향해) 케이부르keyibür 화살을 당겨 쏘면 (굴비) 엮듯 (줄줄이) 관통하도록 쏜다. 크게 (힘을 주어) 쏘면 9백 알다의 곳까지 나가고, 작은 약간 (힘을 주어) 쏘면 5백 알다의 곳까지 나간다. (그는 보통) 사람들과는 (아주) 다르다. 구렐쿠(산의) 망고스처럼 태어났던 (괴물 같은 자라고) 불리는 조치-카사르가 바로 그이다."고 했다. ② 244절 : (재능이 뛰어난) 나의 카사르는 활 쏘는 힘에 재주를 가지고 있다. (그) 때문에 (카사르는 전투에서) 화살을 쏘며 돌진하는 (적인을 근거리용 화살로) 쏘아 (맞추어) 굴복시킬 수 있었던 것이다. 황망 중에 도망쳐 가는 (적인을 원거리용 화살로) 쏘아 항복시킬 수 있었던 것이다. 지금 '적인을 (모두) 섬멸시켰다'고 네가 카사르를 보기 싫다(고 하는 것이 도대체 말이 되는가)"고 했다. 인용문의 몽골어 원문은 졸저, 『몽골비사의 종합적 연구』, 서울, 2006를 참조.

바가나-노얀Bagana Noyan(巴袞諾顏)의 후예들과 구분하기 위하여 "눈강嫩江[44]의 코르친"이란 노곤-코르친Nugun-Khorchin(嫩科爾沁)이라 불렀다. 원주지의 코르친부는 "북쪽의 코르친"이란 아로-코르친Aru-Khorchin(Ар Хорчин, 阿魯科爾沁)이라 불려졌다. 아로-코르친의 유목지는 오늘날 러시아 치타주 일대까지 포함하고 있다.[45]

서호수의 기록에 등장하는 명나라 초기 포요르위(扶餘衛, 福余衛)와 코르친부의 관계는 유목지가 인접했다는 것 이외에 상호관계가 알려진 것이 없다. 또 세력구성 상 코르친부가 포요르위의 간접 통제를 받는다는 것도 상상하기 어렵다. 즉 서호수의 기록은 1389년에 세워진 포요르위가 눈강 유역에 거주하고 있었던 원나라 후예들을 안무按撫하는 역할을 담당했다는 것을 근거로 추정한 것에 불과하다.

노곤-코르친부는 쿠이-멍케-다스카라의 아들인 보디-다라Bodi-Dara(博第達喇) 때에 이르러 몇 개의 집단으로 확대되었다. 보디-다라는 9명의 아들이 있는데, 이들에게 노곤-코르친부를 나누어 통치하게 했다. 맏아들은 치치크Chichig(齊齊克), 둘째는 남사이Namsai(納穆賽)이다. 이들에게 코르친부를 계승하게 했다. 셋째는 오바시Ubashi(烏巴什)로 그가 이끄는 집단은 코롤라스라 부른다. 아나가Anaga(愛納噶)가 이끄는 집단은 더르베드라 부른다. 아민Amin(阿敏)이 이끄는 집단은 잘라이드라 부른다.

후금이 처음 발흥할 때 눈강 일대에서 유목하고 있었던 노곤-코르친부는 누차 누르하치와 충돌을 벌였다. 그러나 거듭되는 패배로 말미암아 결국 천명天命 9년(1624)에 치치크의 손자인 오오바Ooba(奧巴)와 아우인 보다치Bodachi(布

44) 嫩江은 몽골어로 "소년의 강"을 뜻하는 노곤-머런nugun müren(нуган мөрөн)이라 불리며, 한문으로는 努恩木仁이라 표기한다.

45) 코르친부의 기원과 목지의 변천에 대해서는 胡日査, 「關于科爾沁部的來源和它在北元歷史上的地位」『內蒙古社會科學』, 1989-4 및 胡日査, 「16世紀末17世紀初嫩科爾沁部牧地變遷考」『中國邊疆史地研究』, 2001-4를 참조.

達齊), 남사이(納穆賽)의 아들인 망고스Manggus(莽古斯), 밍간Minggan(明安), 콩고르Khonggor(洪果爾), 오바시의 손자인 봄바Bomba(布木巴), 아나가(愛納噶)의 아들인 아도치Aduguchi(阿都齊), 아민의 아들인 몽콘Mongkhon(蒙袞), 보디-다라의 아우 노몽-다라Nomon-Dara(諾捫達喇)의 손자인 토모Tomu(圖美) 등의 유목 집단이 후금에 투항했다. 청조는 숭덕 원년(1636)부터 순치 7년(1650)에 이르기까지 코르친부를 우익중기, 우익전기, 우익후기, 좌익중기, 좌익전기, 좌익후기 등 6기로 편성했다.

코르친-우익중기(Baragun gar-un dumdadu khosigu>Баруун гарын дундад хошуу)는 1636년에 편성되었다. 1624년 오오바가 투항하자 누르하치는 그를 투시에투칸Tüshiyetü Khan(土謝圖汗)으로 봉했다. 그리고 청 태종 숭덕 원년에 그 아들인 바다리Badari(巴達禮)를 자사크-호쇼이-투시에투 친왕Jasag Hosho-i Tüshiyetü Chin Wang(扎薩克和碩土謝圖親王)으로 봉하고 세습을 인정했다. 우익중기는 자사크의 세습봉호에 따라 투시에트왕기(土謝圖王旗)라고도 부른다.

우익중기의 유목지(旗地)는 젤메초올강의 서부 중간에 위치한다. 동쪽은 코르친 우익전기, 남쪽과 서쪽은 코르친 좌익중기, 즉 오늘날의 코르친-좌익중기와 자로드기(扎魯特旗) 동부에 접한다. 북쪽은 우주무친-좌기에 접한다. 우익중기는 대체로 오늘날 흥안맹興安盟 코르친-우익중기(科爾沁右翼中旗)와 돌천현突泉縣 및 길림성 통유현通榆縣의 북부에 해당한다.

코르친-우익전기(Baragun gar-un emünedu khosigu>Баруун гарын өмнөд хошуу)는 숭덕 원년인 1636년에 편성되었다. 청조는 보다치Bodachi를 자사크-도로이-자삭토-군왕Jasag Doro-i Jasagtu Giyun Wang(扎薩克多羅扎薩克圖郡王)으로 봉하고 세습을 인정했다. 우익전기는 자사크의 세습봉호에 따라 자삭토Jasagtu(扎薩克圖)기라고도 부른다.

우익전기의 유목지는 젤메초올강 중부에 위치한다. 동쪽은 코르친-우익후기, 즉 오늘날의 흥안맹 코르친-우익전기의 동부에 접한다. 남쪽은 코르친-좌익중기에 이르고, 서쪽은 코르친-우익중기와 접한다. 북쪽은 색악이제산索岳爾濟山과 실링골초올강 우주무친-좌기와 경계를 이룬다. 우익전기는 대체로 오늘날 흥안맹 코르친-우익전기 남부, 올란호트Ulagan Khota(烏蘭浩特)시와 길림성 조남시洮南市, 통유현通榆縣, 진뢰현鎮賚縣 및 백성시白城市의 일부분에 해당한다.

코르친-우익후기(Baragun gar-un khoyitu khosigu>Баруун гарын хойт хошуу)는 숭덕 원년인 1636년에 편성되었다. 청조는 토모Tomu의 아들인 라마신희Lamasinhi(Lamasiki, 喇嘛什希)를 자사크-진국공鎮國公으로 봉하고 세습을 인정했다. 우익후기는 자사크의 세습봉호에 따라 진국공기鎮國公旗나 소악공기蘇鄂公旗라고도 부른다.

코르친 우익후기의 유목지는 젤메초올강 북부의 서쪽에 위치한다. 동쪽은 잘라이드기, 남쪽은 코롤라스-전기 서북부, 즉 오늘날의 길림성 진뢰현鎮賚縣 동남 일대와 접한다. 서쪽은 코르친-우익전기, 북쪽은 솔론Solon(索倫), 즉 오늘날의 헐런-보이르맹(呼倫貝爾盟)과 경계를 맞닿았다. 우익후기는 대체로 오늘날의 흥안맹 코르친-우익전기 북부 및 동북부, 동남부 및 잘라이드기 일부에 해당한다.

코르친-좌익중기(Jegün gar-un dumdadu khosigu>Зүүн гарын дундад хошуу)는 숭덕 원년인 1636년에 편성되었다. 청조는 망고스Manggus의 손자인 만조시리Manjusiri(滿珠習禮)를 자사크-도로이-바토-군왕Jasag Doro-i Batu Giyun Wang(扎薩克多羅巴圖郡王)으로 봉하고 세습을 인정했다. 순치 9년(1652)에 다르칸Darkhan(達爾漢)이란 봉호가 추가로 하사되었으며, 순치 16년(1659)에 호쇼이-다르칸-바아토르-친왕Hosho-i Darkhan Bagatur Chin Wang(和碩達爾漢巴圖魯親王)으로 품급이 승격되었다. 그러나 강희 4년(1665) 아들인 코타Khota(和塔)가 계승

할 때 바아토르(巴圖魯)란 품급은 삭제되었다. 우익중기는 자사크의 세습봉호에 따라 다르칸Darkhan(達爾漢)기라고도 부른다. 좌익중기는 청조의 연혼정책聯婚政策과 밀접한 관련이 있다. 청나라 초기 3명의 황후皇后가 좌익중기에서 배출되었는데, 청 태종의 교단문황후敎端文皇后, 효장문황후孝莊文皇后와 세조의 교혜장황후敎惠章皇后가 바로 그들이다. 이밖에 6명의 황실 공주가 이 기로 시집왔다.

좌익중기의 유목지는 젤메초올강의 서부에 위치한다. 동쪽은 코룰라스-전기 서남, 즉 오늘날의 길림성 장령현長嶺縣과 장춘시長春市 일대에 접하며 남쪽으로는 코르친-좌익후기에 접한다. 서쪽은 조오드초올강의 나이만기와 자로드-좌기, 즉 오늘날의 개로현開魯縣과 자로드기(扎魯特旗) 일대에 접한다. 북쪽은 코르친-우익중기에 접한다. 좌익중기는 대체로 오늘날의 젤메맹(哲里木盟) 통요시通遼市 대부분과 코르친-좌익중기 및 길림성 공주령시公主嶺市, 이수현梨樹縣의 전부 및 쌍요현雙遼縣의 대부분, 요녕성 강평현康平縣의 일부분에 해당한다.

코르친 좌익전기(Jegün gar-un emünedu khosigu>Зүүн гарын өмнөд хошуу)는 숭덕 원년인 1636년에 편성되었다. 청조는 콩고르Khonggor를 자사크-도로이-빙토-군왕Jasag Doro-i Bingtu Giyun Wang(扎薩克多羅冰圖郡王)으로 봉하고 세습을 인정했다. 좌익전기는 자사크의 세습봉호에 따라 빙토왕Bingtu Wang(冰圖王)기라고도 부른다.

좌익전기의 유목지는 젤메초올강의 맨 남단에 위치한다. 동쪽은 코르친-좌익후기, 즉 오늘날의 젤메맹 코르친-좌익후기 동반부와 접한다. 서쪽은 양식목창養息牧廠(오늘날 요녕성 彰武縣)과 접한다. 남쪽은 유조변장柳條邊牆에 이르고, 북쪽은 코르친-좌익중기와 서로 접한다. 좌익전기는 대체로 오늘날의 요녕성 창무현彰武縣 동북, 강평현康平縣 서부, 법고현法庫縣 서북 및 젤메맹 코르친-좌익후기 서부와 서남부, 고륜기庫倫旗의 일부분에 해당한다.

코르친-좌익후기(Jegün gar-un khoyitu khosigu>Зүүн гарын хойт хошуу)는 코르친부에서 가장 늦게 편성된 기이다. 본기의 시조인 밍간Minggan(망고스의 동생)은 후금과 전쟁을 벌여 패배하자 천명 연간에 투항했다. 청조는 숭덕 원년에 밍간의 아들인 동코르Dungkhur(棟果爾)를 진국공鎭國公으로 봉했다. 그리고 순치 5년(1648)에 도로이-버일러Doro-i Beile(多羅貝勒)로 품급을 올려 동코르의 아들인 장길룬Janggilun(彰吉倫)에게 세습케 했다. 순치 7년(1650) 다시 도로이-군왕Doro-i Giyun Wang(多羅郡王)으로 품급을 올려 자사크로 봉하고 세습을 인정했다. 제10대 자사크인 셍게-린친Sengge-Rinchin(僧格林沁)은 태평천국太平天國의 농민반란을 진압한 공으로 "사려 깊고 신중한 친왕"이라는 뜻의 보돌가타이-친왕Bodulgatai Chin Wang(博多勒噶台親王)으로 봉해졌다. 때문에 좌익후기는 셍게-린첸의 세습봉호에 따라 박왕기博王旗라고도 부른다.

좌익후기의 유목지는 젤메초올강의 정남단과 법고변문法庫邊門(오늘날 요녕성 法庫縣)의 북에 위치한다. 서쪽은 코르친-좌익전기 서부(오늘날 코르친-좌익후기 서북부)와 접하며, 남쪽은 유조변장에 접한다. 동쪽과 북쪽의 경계선은 코르친-좌익중기와 서로 맞물린다. 좌익후기는 대체로 오늘날의 젤메맹 코르친-좌익후기의 대부분과 통요시通遼市의 일부분 및 요녕성 창도현昌圖縣의 전부, 강평현康平縣의 일부, 그리고 길림성 쌍요현雙遼縣의 일부분에 해당한다.

【2. 잘라이드Jalayid(札賴特)】

【3. 더르베드Dörbed(杜爾伯特)】

【4. 코롤라스Khorulas(郭爾羅斯)】

찰뢰특札賴特, 두이백특杜爾伯特, 곽이라사郭爾羅斯 : 원나라 때 모두 요왕遼王의 분봉지이다. 명나라 때 과이심科爾沁에게 병합되었다가, 후에 그 아우에게 나누어주어 드디어 과이심科爾沁 외의 3부락으로 나누어졌다.[46]

위의 기록에 등장하는 찰뢰특札賴特, 두이백특杜爾伯特, 곽이라사郭爾羅斯는 모두 노곤-코르친부 보디-다라Bodi-Dara의 후예들로 조치-카사르 계열의 부족들이다. 서호수가 원대 요왕의 땅이 명나라 때 코르친에게 점거되었다고 말하는 것은 조치-카사르의 14대손인 쿠이-멍케-다스카라Küi-Möngke-Daskhara가 1547년에 헐런-보이르 유목지로부터 이곳으로 내려온 것을 말하는 것이다. 또 아우에게 나누어주었다는 것은 앞에서도 언급한 바 있듯이 보디-다라의 아들들에 관한 것을 언급한 것이다.

위에 처음 등장하는 찰뢰특札賴特는 잘라이드Jalayid(Залайд)의 음역이다.47) 잘라이드부의 노얀인 아민Amin의 아들 몽콘Mongkhon은 천명 9년(1624)에 코르친 수령 오오바를 따라 후금에 귀부했다. 누르하치는 몽콘에게 다르칸-호쇼Darkhan-Hosho(達爾漢和碩)라는 봉호를 하사했다. 잘라이드기는 순치 5년(1648)에 편성되었다. 청조는 몽콘의 아들인 세렝Sereng(色棱)을 자사크-고사이-버이서Jasag Gusa-i Beyise(扎薩克固山貝子)로 봉했다. 옹정 10년(1732)에 세렝의 증손인 테구스Tegüs(特古斯)가 준가르 전투에서 공을 세우자 품급이 도로이-군왕Doro-i Giyun Wang(多羅郡王)으로 승격되었다. 그러나 건륭 38년(1773)에 품급을 삭감하여 도로이-버일러Doro-i Beile(多羅貝勒)로 봉하고, 49년(1784) 세습을 인정했다.

46) 『연행기』「1790년 7월 16일」조 : 日扎賴特, 日杜爾伯特, 日郭爾羅斯, 元時, 皆爲遼王分地, 明時, 爲科爾沁所并, 後分與其弟, 乃於科爾沁之外, 分三部落.

47) 몽골족 발흥 시기에 잘라이르Jalayir라는 씨족이 보이지만, 명대 카사르의 후예가 이룩한 잘라이드부와의 관계는 파악할 수 없다. 다얀칸은 잘라이르부 코톡-시구시Khutug-Shigüshi의 딸인 수메르-카톤Sümer-Khatun 사이에 게레-볼로드Gere-Bolod, 게레-산자Gere-Sanja를 낳았는데, 이는 16세기 초기까지 잘라이르부가 강력한 세력으로 존재했음을 보여주고 있다. 만약 이 부의 구성원에 고대 잘라이르 씨족의 후예가 대다수를 점한다면 잘라이드란 명칭의 유래가 설명될 수도 있다. Jalayid는 문법적으로 Jalayir의 복수형이지만 무슨 뜻인지는 판명되지 않고 있다. 참고로 金啓孮은 Jalayid가 농경을 뜻하는 몽골어라고 간주하고 있다(金啓孮, 「蒙古盟旗城鎮地名漢意」『淸代蒙古史札記』, p.71). 또 몽골의 민족학 조사보고서에는 고대의 잘라이르 씨족이 고비알타이와 동몽골의 할흐골솜에 남아 있다고 기록되어 있다(БНМАУ-ын ШУА-ын Түүхийн хүрээлэн, 『БНМАУ-ын угсаатны зүй』, УБ, 1987, 1 боть, p.33). 고대의 잘라이르 씨족에 대해서는 졸저, 『몽골고대사연구』, pp.29~33을 참조.

잘라이드기의 유목지는 젤메초올강 정북부와 치치하얼성(齊齊哈爾城) 서남에 위치한다. 동쪽은 아이하雅爾河(雅魯河)에 접하며, 솔론(오늘날 흑룡강성 龍江縣 일대)과 경계를 이룬다. 서쪽은 코르친-우기후기 동부(오늘날 코르친-우익전기 동부)와 맞닿고, 남쪽은 코롤라스-전기 서북부(오늘날 길림성 乾安縣 일대)와 경계를 이룬다. 북쪽으로는 솔론(索倫)과 접한다. 잘라이드기는 대체로 오늘날의 내몽골 흥안맹 잘라이드기(扎賚特旗)와 길림성 대안현大安縣, 진뢰현鎭賚縣 및 흑룡강성 태래현泰來縣의 대부분에 해당한다.

두 번째로 등장하는 두이백특杜爾伯特은 몽골어로 4의 복수형을 뜻하는 더르베드Dörbed(Дөрвөд)의 음역이다. 더르베드의 노얀인 아도치Aduguchi는 천명 9년(1624)에 코르친부의 노얀인 오오바와 함께 후금에 귀부했다. 숭덕 원년(1636)에 아도치의 아들인 세렝Sereng(色棱)이 보국공補國公으로 봉해졌고, 후에 후금을 따라 흑룡강 제부를 정토하여 다르칸Darkhan(達爾漢)에 봉해졌다. 더르베드기는 순치 5년(1648)에 편성되었다. 청조는 세렝을 자사크-코시곤노-버이서Jasag Khoshigun-u Beyise(扎薩克固山貝子)로 봉하고 세습을 인정했다. 더르베드기의 유목지는 젤메초올강의 동북부, 즉 눈강嫩江 동안東岸에 위치한다. 더르베드기는 대체로 오늘날의 흑룡강성 더르베드-몽골족 자치현, 대경시大慶市, 안달현安達縣, 임전현林甸縣과 태래현泰來縣의 일부분에 해당한다.

세 번째로 등장하는 곽이라사郭爾羅斯는 코롤라스Khorulas(Горлос)의 음역이다.[48] 송화강 서안에서 유목하고 있었던 코롤라스의 노얀인 봄바Bomba(布木巴)와 구무Gümü(固穆) 형제는 후금의 천명과 천총 연간에 부중을 이끌고

48) 몽골족 발흥 시기에 옹기라트Onggirad의 分族에 코롤라스Khorulas라는 씨족이 보이지만, 명대 카사르의 후예가 이룩한 코롤라스부와의 관계는 파악할 수 없다. 칭기스칸이 발흥할 때 코롤라스 씨족은 동몽골의 발지-볼라크Balji-Bulag(Baljuna湖) 일대에서 유목하고 있었다. 대원올로스 때 이 씨족의 유목지는 흥안령 동부에 이르고 있는데, 만약 이 부의 구성원에 고대 코롤라스 씨족의 후예가 대다수를 점한다면 코롤라스란 명칭의 유래가 설명될 수도 있다. 고대의 코롤라스 씨족에 대해서는 졸저, 『몽골고대사연구』, pp.45~52를 참조.

선후로 후금에 투항했다.

코롤라스-전기前旗(emünedu khosigu>өмнөд хошуу)는 숭덕 원년(1636)에 편성되었다. 청조는 구무를 자사크-보국공補國公으로 봉하고 세습을 인정했다. 코롤라스-후기後旗(khoyitu khosigu>хойт хошуу)는 순치 5년(1648)에 편성되었다. 청조는 봄바를 자사크-진국공鎭國公으로 봉하고 세습을 인정했다.

코롤라스-전기의 유목지는 젤메초올강의 동단, 송화강의 서안인 송눈평원松嫩平原의 일부분에 위치한다. 코롤라스-전기는 대체로 오늘날의 길림성 전코롤라스(前郭爾羅斯)-몽골족-자치현, 장령현長嶺縣, 덕혜현德惠縣, 농안현農安縣, 건안현乾安縣의 전부와 장춘시長春市의 일부분에 해당한다. 코롤라스-후기의 유목지는 눈강 동안과 송화강 북안에 위치한다. 코롤라스-후기는 대체로 오늘날의 흑룡강성 조동肇東, 조주肇州, 조원肇源 3현에 해당한다.

【5.아오칸Aukhan(敖漢)】

> 오한敖漢 : 원나라 때 요왕遼王의 분봉지이다. 명나라 때 객이객喀爾喀에게 점거되었고, 뒤에 그 아우에게 나누어주어 오한敖漢이라 불렀다.[49]

위의 기록에 등장하는 오한敖漢은 "위대한, 힘, 권력, 연장자"를 뜻하는 아오칸Aukhan(агуухан)의 음역이다.[50] 아오칸부는 명나라 말기 몽골 부족의 하나로서, 다얀칸의 큰아들인 터러-볼르드Törö-Bolod의 증손인 다이칭-두렝Dayiching-Düreng(岱青杜棱) 때에 이르러 소속 집단을 아오칸Aukhan(敖漢)이라 불렀다. 이 집단은 차하르Chakhar-몽골에 속한다.

서호수가 말하는 객이객, 곧 칼카Khalkha는 다얀칸의 황금씨족을 말하는

49) 『연행기』 「1790년 7월 16일」 조 : 日敖漢, 元時, 爲遼王分地, 明爲喀爾喀所據, 後分與其弟, 號曰敖漢.

50) 金啓孮, 「蒙古盟旗城鎭地名漢意」 『淸代蒙古史札記』, p.72.

것으로 판단된다. 그러나 정확히 표현하면 칼카는 다얀칸의 후예인 게레-산자 Gere-Sanja와 알초-볼로드Alchu-Bolod 계열이 이룬 부족의 하나이다.[51]

다이칭-두렝의 큰아들인 소놈-두렝Sonom-Düreng(索諾木杜稜)과 그 아우인 세첸-조릭토Sechen-Jorigtu(塞臣卓哩克圖)는 천총 원년(1627)에 후금에 귀부했다. 후금은 이들이 귀부하자 개원開元[52]을 소놈-두렝에게 유목지로 하사했다. 그리고 원래의 유목지는 세첸-조릭토에게 관리시켰다. 그러나 그 후 얼마 안 되어 소놈-두렝이 성경위장盛京圍場에서 멋대로 사냥을 한 관계로 개원의 땅은 다시 후금에게 몰수되었다. 그리고 소놈-두렝은 원래의 유목지로 돌아갈 것을 명령받았다.

천총 3년(1629)에 세첸-조릭토의 아들인 반디Bandi(班第)가 구룬니-궁주 Gurun-i gungju(固倫公主)[53]에게 장가들어 구룬니-어후Gurun-i efu(固倫額駙)의 칭호를 하사받았다. 아오칸기는 숭덕 원년(1636)에 편성되었다. 청조는 반디를 자사크-도로이-군왕Jasag Doro-i Giyun Wang(扎薩克多羅郡王)으로 봉하고 세습을 인정했다. 아오칸기는 자사크의 세습봉호에 따라 자사크왕기(扎薩克王旗)라

51) 게레-산자와 알초-볼르드는 다얀칸의 6만호 책봉 때 칼카만호로 편성되었으며, 유목지는 오늘날 동몽골의 할흐Khalkha(Халх)하 유역에 배정되었다. 당시 할흐하 유역은 잘라이르부의 유목지이기도 했다. 게레-산자가 그곳으로 배치된 것은 그 어머니인 수메르-카톤Sümer-Khatun이 잘라이르 부족 출신이었기 때문이었다. 이후 게레-산자의 후예는 서북 방면으로 발전하여 투시에투칸부, 자삭토칸부, 체첸칸부의 외칼카(Aru Khalkha) 3부로 정립되었다. 알초-볼르드의 후예는 동방으로 발전하여 내몽골 동부의 대부분을 장악하였다. 알초-볼로드의 아들인 코라가치 Khurakhachi(虎喇哈赤)는 다섯 아들이 있는데, 이들이 내칼카(Öbür Khalkha) 5부를 형성했다. 큰아들인 오바시Ubashi가 이끄는 집단은 자로드Jarud, 둘째인 소보카이Subukhai가 이끄는 집단은 바아린Ba'arin, 셋째인 兀班이 이끄는 집단은 옹길라Onggila(甕吉剌), 넷째인 索寧岱青이 이끄는 집단은 바야오드Baya'ud(伯岳吾), 다섯째인 炒花가 이끄는 집단은 올코노오드 Olkhun'ud(烏齊葉特)라 불려졌다. 5부의 유목지는 포요르위(福余衛)의 유목지에 해당하는 開元, 鐵嶺, 瀋陽, 遼陽에서 廣寧 변외까지 이어졌다. 이로 인해 포요르위는 내칼카의 강대집단인 올코노오드란 이름으로 불려지기도 했다. 그러나 명말 차하르부와 후금의 공격에 의해 주력이 소멸되고 단지 자로드와 바아린 2부만이 살아남았다. 후금 초에 내칼카와 외칼가의 제부를 칼카몽골Khalkha Monggol(喀爾喀蒙古)이라 칭하며, 바아린이나 자로드는 칼카-바아린(喀爾喀巴林), 칼카-자로드(喀爾喀扎魯特)라고 불려졌다.

52) 지금의 요녕성 開元縣이다.

53) 固倫公主(古倫公主, Gurun-i gungju)는 황후 소생의 딸을 말한다. 비빈소생은 和碩公主(Hosho-i gungju)라 부른다.

고도 부른다.

순치 5년(1648)에 청조는 소놈-두렝을 한산-도로이-군왕(閑散多羅郡王)으로 추봉追封하고 세습을 인정했다. 이들은 아오칸기에 부속하여 유목하도록 명을 받았다. 선통宣統 3년(1911)에 청조는 아오칸기에 1기를 증설하여 소놈-두렝의 후예인 체렝-단룹Cherng-Dangrub(色凌端魯布)을 자사크-도로이-군왕으로 봉하고 세습을 인정했다. 이로 인해 원래의 아오칸기는 아오칸-좌기(egün gar-un khosigu>Зүүн гарын хошуу), 신설된 기는 아오칸-우기(Baragun gar-un khosigu>Баруун гарын хошуу)라고 불렸다. 이 2기는 노카이-무렌Nokhai Müren(老哈河)을 경계로 한다. 그러나 아오칸-우기는 청조의 멸망을 앞두고 신설되었기 때문에 청대의 자사크기 숫자에는 포함되지 않는다.

아오칸 좌우 2기는 모두 한곳에서 공동 유목을 하여 서로 명확한 경계선이 없다. 아오칸 2기의 유목지는 노카이-무렌(老哈河)에 걸쳐 있다. 아오칸기의 동쪽은 나이만기, 남쪽은 투메드-우기(오늘날 요녕성 朝陽縣), 서쪽은 카라친-우기의 동부(오늘날 요녕성 建平縣 북부) 및 옹니고드-우기와 경계를 이룬다. 북쪽은 옹니고드-좌기와 서로 접해 있다. 아오칸기는 대체로 오늘날의 아오칸기(敖漢旗) 전부, 요녕성 건평현建平縣의 대부분과 옹니고드기의 동남, 적봉시赤峰市의 동북 일부분에 해당한다.

【6. 나이만Naiman(奈曼)】

내만奈曼 : 요나라와 금나라 때 흥중부興中府의 북쪽 지역이다. 명나라 때 객이객喀爾喀에게 점거되었고, 뒤에 그 아우에게 나누어주어 내만이라고 불렀다.[54)]

54) 『연행기』 「1790년 7월 16일」 조 : 日奈曼, 遼金爲興中府北境, 明爲喀爾喀所據, 後分與其弟, 號日奈曼.

위 기록에 등장하는 내만奈曼은 몽골어로 8을 뜻하는 나이만Naiman(найман)의 음역이다.[55] 나이만부는 명말 몽골 부족의 하나로, 다얀칸의 큰아들인 터러-볼르드Törö-Bolod의 후예들이며 차하르몽골 계열에 속한다. 아오칸부의 다이칭-두렝의 아우인 에센-오이종-노얀Esen-Oijong Noyan(額森偉徵諾顏)이 명나라를 정벌할 때 비로소 나이만부라 불려졌다. 그의 아들인 바아타르-타이지Bagatar-Tayiji(巴圖魯台吉), 즉 군초크Günchog(袞楚克)는 차하르의 릭단칸에 복속하고 있었다. 그러나 군초크는 릭단칸과의 불화로 천총 원년(1627)에 집단을 이끌고 후금에 귀부했다. 후금은 그에게 호쇼치Hoshochi(和碩齊)라는 칭호를 하사했으며 원래의 유목지로 돌려보냈다. 군초크는 1628년 차하르 정토에 참가했으며 그 공으로 다르칸Darkhan(達爾漢)의 칭호를 하사받았다. 나이만기는 숭덕 원년(1636)에 편성되었다. 청조는 군초크를 자사크-도로이-군왕Jasag Doro-i Giyun Wang(扎薩克多羅郡王)으로 봉하고 세습을 인정했다. 강희 14년(1675)에 청조는 군초크의 아들인 잠산Jamsan(札木三)이 차하르의 보르니의 난에 가담하자 잠산의 품급을 박탈하고 군초크의 손자인 오치르Ochir(鄂齊爾)가 품급을 잇도록 명령했다.

청조는 나이만기의 편성 후 유목지를 시라무렌하와 노카이-무렌(老哈河) 합류지점의 남안으로 지정했다. 유목지의 동쪽은 코르친-좌익전기(오늘날 코르친-좌익후기 서부), 남쪽은 투메드-우기, 서쪽으로는 아오칸기와 경계를 이루며, 북쪽으로는 옹니고드-우기 및 아로-코르친기 남부(오늘날 개로현 서남)와 경계를 이룬다. 동북은 코르친-좌익중기와 경계를 이루며, 동남은 칼카-좌기(오늘날 젤메맹 고륜기 서부)와 서로 맞닿는다. 서북과 서남은 모두 아오칸기와 맞닿는다.

55) 나이만부는 칭기스칸 발흥 때 서부몽골의 유력한 부족이다. 대몽골제국 때나 대원올로스 때 나이만부 출신 인물이 많이 등장하고 있다. 이 나이만부와 명대 다얀칸의 후예들이 이룬 나이만부가 어떠한 관계를 맺고 있는지는 파악할 수 없다. 만약 이 부의 구성원에 고대 나이만부의 후예가 다수를 점한다면 나이만이란 명칭의 유래가 설명될 수도 있다. 고대의 나이만 부족에 대해서는 졸저, 『몽골고대사연구』, pp.192~206을 참조.

나이만기는 대체로 오늘날의 통요시通遼市 나이만기(奈曼旗) 전부와 고륜기庫倫旗 서북부에 해당한다.

【7. 옹니고드Ongnigud(翁牛特)】

옹우특翁牛特 : 명나라 초기 올량합兀良哈 부장部長으로 위衛를 설치하여 외번外藩을 삼았는데, 뒤에 옹우특이라고 자칭하였다.[56]

위의 기록에 등장하는 옹우특翁牛特은 옹니고드Ongnigud(Онниуд)의 음역이다. 그 뜻은 몽골어로 "제왕諸王이 있는 부"[57]나 "신성한 산"[58]을 뜻하는 옹고트Onggud에서 유래되었다고 추정되고 있다. 옹니고드부는 명대 몽골 부족의 하나로, 칭기스칸의 막내 동생인 테무게-오드치긴의 후예들이다. 옹니고드부란 명칭은 테무게-오드치긴의 12대손인 바얀타이-콩고르-노얀Bayantai Khonggor Noyan(巴彦岱洪果爾諾顔) 때 처음 나타났으며, 명대 사서에 망류罔流, 옹우翁牛, 옹류翁流, 황령黃苓, 옹리곽특翁里郭特, 옹우특翁牛特이라고 기록되어 있다. 명대의 유목지는 오늘날의 적봉 일대로, 오리양카이 3위인 태녕위에 속해 있었다. 이로 인해 태녕위는 명대의 몽골인들에게 옹니고드라는 이름으로 불려지기도 했다.

옹니고드부는 바얀타이-콩고르-노얀의 증손인 순두렝Sün-Düreng(遜杜棱)과 그의 숙부인 둥-다이칭Düng-Dayiching(棟岱青)이 천총 6년(1632)에 후금에 귀부하여 좌우 2기로 편성되었다.

옹니고드-우기는 숭덕 원년인 1636년에 편성되었다. 청조는 순두렝을 자사크-도로이-두렝-군왕Jasag Doro-i Düreng Giyun Wang(扎薩克多羅冰圖郡王)으로

56) 『연행기』 「1790년 7월 16일」 조 : 曰翁牛特, 明初, 以兀良哈部長, 置衛爲外藩, 後自稱翁牛特.
57) 文精 主編, 『蒙古族大辭典』, p.86.
58) 布赫 主編, 『內蒙古大辭典』, 呼和浩特, 1991, p.21.

봉하고 세습을 인정했다. 옹니고드-우기의 유목지는 열하위장熱河圍場 동북 및 노합하老哈河 남안에 위치한다. 유목지의 동쪽은 아오칸기, 남쪽은 카라친-우기(오늘날 카라친기)와 접하며, 서쪽은 열하위장과 경계를 이룬다. 북쪽은 옹니고드-좌기와 서로 접한다. 옹니고드-우기는 대체로 오늘날의 적봉시 근교에 해당한다.

옹니고드-좌기는 숭덕 원년인 1636년에 편성되었다. 청조는 둥-다이칭을 자사크-도로이-다르칸-다이칭Jasag Doro-i Darkhan Dayiching(扎薩克多羅達爾漢岱靑)으로 봉하고 세습을 인정했다. 순치 11년(1654)에 둥-다이칭의 아들인 세오사Seusa(素塞, 叟塞)가 코시곤노-버이서khoshigun-u beyise(固山貝子)로 봉해졌으며, 순치 18년(1661)에 둥-다이칭에게 도로이-버일러Doro-i Beile(多羅貝勒)라는 품급이 추서되었다. 옹니고드-좌기의 유목지는 시라무렌하와 노카이무렌하 사이에 위치한다. 유목지의 북쪽은 바아린(오늘날 바아린-우기)와 경계를 이루며, 남쪽은 옹니고드-우기 및 아오칸기와 접한다. 서쪽은 케식텐기와 서로 접하며, 동부는 아로-코르친기와 나이만기의 내지까지 골짜기처럼 파고 들어갔다. 옹니고드-좌기는 대체로 오늘날 옹니고드기(翁牛特旗)에 해당한다.

【8.바아린Ba'arin(巴林)】

파림巴林 : 명나라 초기 올량합兀良哈의 북쪽 지역이었는데, 뒤에 파림巴林에게 점거되었다. 파림태길巴林台吉은 순의왕順義王 엄답俺答의 다섯째 아들로 객이객喀爾喀과 형제 항렬이다.59)

위의 기록에 등장하는 파림巴林은 바아린Ba'arin(Баарин)의 음역이다. 바아린부는 칭기스칸 시기에 『몽골비사』의 "바아린 씨족은 장형長兄의 친족이다

59) 『연행기』 「1790년 7월 16일」조 : 曰巴林, 明初, 爲兀良哈北境, 後爲巴林所據, 巴林台吉者, 順義王俺答第五子, 與喀爾喀爲兄弟行.

(바아린 씨족은 우리 니룬계의 맏형에 해당한다는 뜻)"라는 기록처럼[60] 몽골족 니룬Nirun계 씨족의 장자長子로 나타나고 있는 유서 깊은 씨족이다. 그러나 다얀칸의 후예가 다스리는 나이만부와 어떤 연관을 맺고 있는지는 아직 명확히 밝혀지지 않고 있다.[61]

바아린부의 노얀들은 다얀칸의 다섯째 아들인 알초-볼로드Alchu-Bolod의 후예들이다. 알초-볼로드의 아들인 코라가치Khurakhachi(虎喇哈赤)는 다섯 아들이 있는데 이들이 내칼카(Öbür Khalkha) 5부를 형성했다. 내칼카 5부 가운데 코라가치의 둘째 아들인 소보카이-다르칸-노얀Subukhai-Darkhan-Noyan(蘇巴海達爾漢諾顏)이 이끄는 집단이 바아린이라고 자칭했다. 서호수는 바아린의 유목지가 오리양카이위의 북쪽에 위치한 이전의 포요르위 지역이라는 것을 정확하게 지적하고 있다. 그러나 서호수의 기록에 등장하는 알탄칸의 다섯째 아들인 바아린-타이지Ba'arin Tayiji(巴林台吉)는 투메드부 계열의 노얀으로서 바아린부와는 관련이 없는 인물이다. 즉 이름만 유사할 뿐이다.

바아린부는 천총 2년(1628)에 차하르 릭단칸의 공격을 받자 타이지Tayiji(台吉)들이 그 공격을 이기지 못하고 코르친부로 달아나 의부依附했다. 그리고 곧 수령인 세테르Seter(色特爾)가 아들인 세브텐Sebten(色布騰), 조카인 만조시리Manjusiri(滿珠習禮)를 거느리고 코르친부에서 돌아와 후금에 귀부했다. 후금 귀부 이후 바아린부는 후금의 전봉대가 되어 명나라를 공격할 때 여러 번 출병했다. 바아린부는 순치 5년(1648)에 좌우 2기로 편성되었다.

바아린-우기는 순치 5년(1648)에 편성되었다. 청조는 세브텐을 자사크-보국

60) 『몽골비사』 216절 : "Ba'arin akha-yin urug büle'ei."
61) 만약 이 부의 구성원에 고대 바아린 씨족의 후예가 대다수를 점한다면 바아린이란 명칭의 유래가 설명될 수도 있다. 고대 바아린 씨족에 대해서는 졸저, 『몽골고대사연구』, pp.73~77을 참조. Ba'arin의 뜻에 대해 金啓孮은 기쁨(喜歡)을 뜻하는 몽골어라고 간주하고 있지만(金啓孮, 「蒙古盟旗城鎮地名漢意」 『淸代蒙古史札記』, p.72), "軍寨"를 뜻한다는 의견도 있다(布赫 主編, 『內蒙古大辭典』, p.20).

공(扎薩克輔國公)으로 봉하고 세습을 인정했다. 순치 7년(1650)에 청조는 세브텐에게 고륜숙혜공주固倫淑慧公主를 하사하고 도로이-군왕Doro-i Giyun Wang(多羅郡王)으로 품급을 격상했다. 또 건륭 19년(1754)에 세브텐의 증손인 린친Rinchin(璘沁)에게 친왕親王의 품급이 하사되었다. 이로부터 바아린-우기는 자사크의 세습봉호에 따라 바아린왕기(巴林王旗) 혹은 예케-바아린Yeke-Ba'arin(大巴林)이라고도 부른다.

바아린-좌기는 순치 5년(1648)에 편성되었다. 청조는 만조시리를 자사크-고사이-버이서Jasag Gusa-i Beyise(扎薩克固山貝子)로 봉하고 세습을 인정했다. 바아린-좌기는 자사크의 세습봉호에 따라 바아린-버이서-호쇼Ba'arin Beyise-yin khoshigu(巴林貝子旗)나 바가-바아린Baga Ba'arin(小巴林)이라고도 부른다.

바아린-좌우 2기는 모두 한곳에서 공동 유목하며 서로 명확한 경계가 없다. 유목지는 흥안령 동쪽 기슭과 시라무렌하의 북안北岸에 위치한다. 유목지의 동쪽은 아로-코르친기, 서쪽은 케식텐기, 남쪽은 옹니고드-좌기와 경계를 이룬다. 북쪽은 흥안령 산맥을 경계로 우주무친-우기와 접한다. 바아린-좌우 2기는 대체로 오늘날의 적봉시 바아린-좌우 2기와 임서현林西縣에 해당한다.

【9. 자로드Jarud(扎魯特)】

찰로특扎魯特 : 원나라 때의 상도로上都路이다. 명나라 초기에 찰로특에게 점거되었다.[62]

위의 기록에 등장하는 찰로특扎魯特은 자로드Jarud(Зарууд)의 음역이다.[63] 자로드부의 노얀들은 다얀칸의 다섯째 아들인 알초-볼로드Alchu-Bolod의 후

62) 『연행기』 「1790년 7월 16일」 조 : 日扎魯特, 卽元之上都路, 明初, 爲扎魯特所據.

63) 金啓孮은 Jarud를 몽골어로 "勤務"라는 뜻을 지닌다고 해석하고 있지만(金啓孮, 「蒙古盟旗城鎭地名漢意」 『清代蒙古史札記』, p.72), 『蒙古族大辭典』에는 "청년(Jalagu>залуу)"을 뜻하는 말에서 유래되었다고 간주하고 있다(文精 主編, 『蒙古族大辭典』, p.1044).

예들이다. 알초-볼로드의 아들인 코라가치Khurakhachi는 다섯 아들이 있는데, 그 맏아들이 오바시-오이종-노얀Ubashi-Oijong Noyan(烏巴什偉徵諾顔)이며 휘하의 집단을 자로드라고 자칭했다.

자로드부는 차하르 릭단칸 때 오바시의 큰아들인 바얀다라-일뎅Bayandara-Ildeng(巴顏達爾伊勒登)의 손자인 네이치Neyichi(內齊)와 둘째 아들인 도랄-노얀Dural Noyan(都喇勒諾顔)의 아들인 세벤Seben(色本)이 릭단칸의 침략을 두려워하여 부중을 이끌고 코르친부에 의부했다. 그리고 천총 2년(1628)에 네이치와 세벤이 후금에 귀부했다. 자로드부는 순치 5년(1648)에 좌우 2기로 편성되었다.

자로드-좌기는 순치 5년(1648)에 편성되었다. 청조는 네이치의 아들인 상기잡Shanggijab(尙嘉布)을 자사크-도로이-버일러Jasag Doro-i Beile(扎薩克多羅貝勒)로 봉하고 세습을 인정했다. 자로드-좌기는 조오드초올강의 최북단에 위치한다. 유목지는 아르-컨델렝-무렌Aru-Köndelen müren(阿嚕坤都倫河, 오늘날 阿日混都楞郭勒)와 콜-무렌Khola müren(哈古勒河, 또는 水河라고도 하는데 오늘날의 霍林河이다)의 발원지에 위치한다. 자로드-좌기의 북쪽은 실링골초올강 우주무친-좌기와 접하며, 남쪽은 코르친-좌익중기, 동쪽은 북향하다가 동남으로 내려와 코르친-우익중기 및 좌익중기와 접경을 이룬다. 서쪽은 자로드-우기(오늘날 자로드기 서부)와 맞닿아 있다. 자로드-좌기는 대체로 오늘날의 통요시通遼市 실링골시(霍林郭勒市)와 자로드기(扎魯特旗) 동부 및 개로현開魯縣 동북부에 해당한다.

자로드-우기는 순치 5년(1648)에 편성되었다. 청조는 세벤의 아들인 상가르Sanggar(桑噶爾)를 자사크-진국공(扎薩克鎭國公)으로 봉하고 세습을 인정했다. 자로드-우기는 자로드-좌기의 서쪽에 위치한다. 자로드-우기의 동쪽은 자로드-좌기와 접하며, 남쪽은 나이만기와 경계를 이룬다. 서쪽은 아로-코르친기와 접한다. 북쪽은 흥안령을 경계로 우주무친-좌기와 서로 접한다. 자로드-우기는 대체로 오늘날의 통요시通遼市 자로드기(扎魯特旗) 서쪽 및 개로현開魯縣

서부의 대부분에 해당한다.

【10.칼카 좌익(Khalkha Jegün gar-un Khoshigu, 喀爾喀左翼)】

객이객좌익喀爾喀左翼 : 금나라 때 북경로北京路이다. 명나라 때 객이객에게 점거되었다.64)

위의 기록에 등장하는 객이객좌익喀爾喀左翼은 칼카-제군가룬-코시고Khalkha Jegün gar-un Khoshigu(Халх зүүн гарын хошуу)의 음역이다. 칼카-좌익은 다얀 칸의 아들인 게레-산자Gere-Sanja의 후예들이다. 강희 3년(1664)에 외칼카(막북 칼카) 자삭토칸부(Jasagtu Khan aimag, 札薩克圖汗部)의 타이지Tayiji인 곰보-일뎅 Gümbu-Ildeng(袞布伊勒登)이 내란을 피해 부중을 이끌고 고비(翰海)를 넘어 청조로 투항했다. 청조는 그를 희봉구喜峰口 밖의 나이만부와 코르친부 사이에 안치시켰다.

칼카-좌익기는 강희 3년(1664)에 편성되었다. 청조는 곰보-일뎅을 자사크-도로이-버일러Jasag Doro-i Beile(扎薩克多羅貝勒)로 봉하고 세습을 인정했다. 그리고 이전에 청조로 귀부하여 귀화성-투메드 북부에서 유목하고 있는 동명의 칼카기와 구별하기 위해 칼카-좌익기로 이름 붙였다.

칼카-좌익기의 유목지는 조오드초올강의 동남부에 위치하며 지역이 매우 광활하다. 칼카-좌익기의 동쪽은 코르친기의 경계에 이르며, 서쪽은 나이만기와 경계를 이룬다. 남쪽은 투메드-좌기(오늘날 요녕성 阜新蒙古族自治縣)로부터 북쪽은 자로드기의 경계에 이른다. 동북은 자로드기와 경계를 이루며, 서북은 옹니고드기와 맞닿는다. 동남과 서남은 각각 투메드기 및 나이만기와 경계를

64) 『연행기』 「1790년 7월 16일」조 : 日喀爾喀左翼, 卽金之北京路, 明爲喀爾喀所據.

이룬다. 칼카-좌익기는 대체로 오늘날의 통요시通遼市 고륜기庫倫旗 서부와 나이만기(奈曼旗) 동북부에 해당한다. 그러나 청나라 말기에 이르러서는 그 지역이 대폭 축소되었다. 축소된 지역은 대체로 오늘날의 고륜기 서부와 나이만기 동부의 작은 부분에 해당한다.

【11.아로-코르친Aru-Khorchin(阿祿科爾沁)】

아록과이심阿祿科爾沁 : 명나라 초기 올량합兀良哈 땅에 위衛를 설치하여 외번外藩을 삼았는데, 뒤에 아록과이심이라고 자칭하였다.65)

위의 기록에 등장하는 아록과이심阿祿科爾沁(阿嚕科爾沁)은 "북쪽의 코르친"을 뜻하는 아로-코르친Aru-Khorchin(Ар Хорчин)의 음역이다. 아로-코르친은 명대 사서에 아로호이진阿魯好爾趁으로 기록되어 있으며, 노얀들은 칭기스칸의 동생인 조치-카사르의 후예들이다. 조치-카사르의 후예들은 헐런-보이르부터 오늘날 러시아 치타주 일대까지를 유목지로 삼고 있었다. 그런데 조치-카사르의 14대손인 쿠이-멍케-다스카라Küi-Möngke-Daskhara가 북원의 대칸인 보디-알라크칸을 보좌하기 위하여 1547년에 흥안령 동쪽의 송화강과 눈강 유역으로 이동해 갔다.

쿠이-멍케-다스카라의 아우인 바가나-노얀Bagana Noyan(巴袞諾顔)은 원주지에 남아 유목생활을 영위했는데, 아들인 컨델렝-다이칭Köndelen-Dayiching(昆都倫岱青) 때부터 눈강의 코르친과 구별하기 위하여 아로-코르친이라 자칭했다. 아로-코르친부는 천총 4년(1630)에 영주인 달라이Dalai(達賴)와 그의 아들인 모장Mojang(穆彰)이 후금에 귀부했다.

아로-코르친기는 천총 8년인 1634년에 좌우 2기로 편성되었다. 즉 달라이와

---

65) 『연행기』「1790년 7월 16일」조 : 曰阿祿科爾沁, 明初,於兀良哈地置衛爲外藩,後自稱阿祿科爾沁.

모장에게 1기씩 관장케 하여 같은 곳에서 유목하게 하였다. 숭덕 원년인 1636년 좌우기를 합쳐 1기로 편성되었으며 모장이 통솔하였다. 모장은 조선朝鮮이나 솔론Solon, 칼카 및 명나라의 제남濟南, 금주錦州, 송산松山, 계주薊州 전투에 참가하였다. 숭덕 7년(1642)에 청조는 친왕의 딸인 군주郡主를 모장에게 하사하고 호쇼이-어후Hosho-i efu(和碩額駙)의 칭호를 주었다. 모장은 입관入關 때 종군하여 이자성李自成의 군대를 격파하는 데 큰 공을 세웠다. 이 공으로 말미암아 아로-코르친기는 순치 원년(1644)에 정식으로 편성되었다. 청조는 모장을 자사크-고사이-버이서Jasag Gusa-i Beyise(扎薩克固山貝子)로 봉했다.

순치 5년(1648) 모장이 사망하자 청조는 그의 아들인 졸자강Juljagan(珠勒察干)을 자사크-도로이-버일러Jasag Doro-i Beile(扎薩克多羅貝勒)로 봉하고 세습을 인정했다. 그해 졸자강은 군주郡主에게 장가들어 호쇼이-어후란 칭호를 하사받았다. 순치 8년(1651)에 청조는 선대의 공을 인정하여 졸자강의 품급을 도로이-군왕Doro-i Giyun Wang(多羅郡王)으로 승격시켰다. 그러나 강희 27년(1688) 졸자강의 아들인 추이Chüi(楚依)의 품급을 도로이-버일러Doro-i Beile(多羅貝勒)로 격하시켰다. 강희 29년(1690)에 추이가 청군을 따라 준가르 공격에 나섰다가 포로로 잡혔는데도 항복하지 않았기 때문에 다시 품급을 자사크-도로이-군왕으로 승격시켰다. 이때부터 아로-코르친기는 자사크의 세습봉호에 따라 아대왕기阿大王旗라고도 부른다. 아로-코르친기는 추이의 아들인 모닝Moning(穆寧)이 세습했을 때 품급이 다시 자사크-도로이-버일러로 격하되었다.

아로-코르친기의 유목지는 시라무렌하 북쪽 지대이다. 아로-코르친기의 동쪽은 자로드-우기와 접하며, 남쪽은 옹니고드-좌기(오늘날 옹니고드기), 서쪽은 바아린-좌우기, 북쪽은 우주무친-우기와 접한다. 아로-코르친기는 대체로 오늘날의 적봉시赤峰市 아로-코르친기와 통요시通遼市 개로현開魯縣의 서남부에 해당한다.[66]

【12. 케식텐Keshigten(克西克騰)】

극서극등克西克騰 : 원나라 때 상도上都와 응창應昌 이로二路에 속한 곳이다. 명나라 때 찰합이察哈爾에게 점거되었다.[67]

위의 기록에 등장하는 극서극등克西克騰(克什克騰)은 "친위 부대"[68]나 "행복 또는 은총"[69]을 뜻하는 케식텐Keshigten(Хишигтэн)의 음역이다.[70] 케식텐부는 명대 사서에 극십단克什旦으로 표기되어 있으며, 노얀들은 다얀칸의 여섯째 아들인 와치르-볼로드Wachir-Bolod의 후예들이다. 케식텐부는 사랄다Saralda(沙喇勒達) 때에 이르러 케식텐이라 자칭했으며 차하르몽골 계열에 속한다.

케식텐부는 1634년 릭단칸이 패망하자 영주인 소놈Sonom(索諾木)[71]이 부중을 이끌고 후금에 투항했다. 케식텐기는 순치 9년(1652)에 편성되었다. 청조는 소놈을 자사크-니게두게르-타이지Jasag Nigedüger Tayiji(扎薩克一等台吉)로 봉하고 세습을 인정했다.

케식텐기의 유목지는 위장圍場의 북쪽, 시라무렌하의 발원지에 위치한다. 케식텐기는 조오드초올강 소속기들 중에서 유일하게 흥안령 서쪽에 있는 기이다. 케식텐기의 동쪽은 옹니고드 좌우 2기(오늘날 옹니고드기와 적봉시 교외) 및 바아린-우기에 접하며, 남쪽은 옹니고드-우기와 위장圍場에 접한다. 서쪽은 차하르 정람기正藍旗에 이르며, 북쪽은 실링골초올강 카오치드-좌기와 우주무

66) 강희 34년(1695)에 칼카몽골 체첸칸부Chechen Khan aimag(車臣汗部)의 겐둔Gendün(罕篤)이 반란을 일으켰다. 그러나 同部의 체브텐Chebten(車布登)과 아난다Ananda(阿南達)는 뜻을 달리해 소속 부중을 이끌고 혼토-타스카이(琿圖塔什海, 몽골국 경내)에서 아로-코르친 경내로 이동해 올란-카마르Ulagan-Khamar(烏蘭庫博爾) 지방에서 유목했다. 올란-카마르는 오늘날 적봉시 바아린-좌기와 아로-코르친기 북부의 交界處에 있는 올란-다와Ulagan-Dabaa(烏蘭達坝) 지역이다.

67) 『연행기』 「1790년 7월 16일」조 : 曰克西克騰, 元屬上都及應昌二路, 明爲察哈爾所據.

68) 布赫 主編, 『內蒙古大辭典』, p.20.

69) 金啓孮, 「蒙古盟旗城鎭地名漢意」 『清代蒙古史札記』, p.72.

70) "친위 부대"나 "행복, 은총"을 뜻하는 케시크Keshig은 원래 고대의 제사 음식을 뜻하는 말에서 왔다. 제사 후 참가자들에게 음식을 나누어주는데, 이를 하늘이 내린 '福'이나 '賞賜'라는 뜻의 keshig라 부른다. 이에 대해서는 졸저, 『유라시아 초원제국의 역사와 민속』, p.232를 참조.

71) 소놈은 수메르-다이칭Sümer-Dayiching(蘇墨爾戴青)이라고도 부른다.

친-우기와 접한다. 케식텐기는 대체로 오늘날의 적봉시 케식텐기 전부 및 임서현林西縣 서부의 일부분에 해당한다.

【13. 투메드Tümed(土默特)】

토묵특土默特 : 명나라 초기의 태령위泰寧衛로 뒤에 토묵특에게 점거되었다.[72]

위의 기록에 등장하는 토묵특土默特은 "만萬의 복수형"을 뜻하는 투메드Tümed(Түмэд)의 음역이다. 투메드는 서로 지배층이 다른 2부가 존재한다. 먼저 투메드-좌기부터 살펴보도록 하겠다.

투메드-좌기의 지배층은 본래 카라친부와 동종同宗이며, 모두 칭기스칸 시대 몽골 오리양카이 귀족인 젤메Jelme(折里麥)의 후예들이다. 도얀위(朶顔衛) 도독都督인 엔케Engke(恩克, 影克)의 아우인 망고타이Manggutai(猛古岱, 莽古岱)는 알탄칸의 큰아들인 셍게-홍-타이지Sengge-Khong-Tayiji와 인척 관계를 맺고 있었다. 이로 인해 그는 카라친 지방에서 옮겨와 투메드 동부에 유목했다. 망고타이의 손자인 삼바Shamba(善巴)는 천총 3년(1629)에 부중을 이끌고 후금에 귀부했다. 투메드-좌기는 천총 9년(1635)에 편성되었으며, 삼바가 자사크로 봉해졌다.[73] 청조는 숭덕 원년(1636)에 삼바의 품급을 다르칸Darkhan-진국공鎭國公으로 높이고 세습을 인정했다. 강희 원년(1662)에 삼바의 아들인 조릭토Jorigtu(卓哩克圖)가 도로이-버일러Doro-i Beile(多羅貝勒)로 봉해졌다. 투메드-좌기는 자사크의 세습봉호에 따라 몽골진왕기蒙古鎭王旗라고도 부른다.

72) 『연행기』「1790년 7월 16일」조 : 曰土默特, 明初, 爲泰寧衛, 後爲土默特所據.

73) 和田淸은 카라친의 別部인 망고타이의 후예들이 카라친이란 명칭 대신 투메드라는 명칭을 冒稱하게 된 이유를 두 집단 사이에 형성된 친밀 관계 때문이라고 해석하고 있다(和田淸, 『東亞史硏究(蒙古篇)』, pp.604~605). 참고로 동부의 알탄칸 계열이나 그 연합 세력이 투메드라는 명칭을 공식으로 사용하게 된 때는 1635년 귀화성-투메드 本部의 멸망 이후이다.

투메드-좌기의 유목지는 조소트초올강의 동북부로, 조소트초올강의 다섯 기 가운데 유일하게 평원 지대에 위치한다. 투메드-좌기는 대체로 오늘날의 요녕성 부신몽골족자치현阜新蒙古族自治縣과 통요시通遼市 고륜기庫倫旗 동남부에 해당한다.

투메드-좌기에는 탕고트-칼가Tanggud-Khalkha(唐古忒喀爾喀)의 영주인 발보-빙투Balbu-Bingtü(巴勒布冰圖)의 집단이 공동유목을 하고 있다. 발보-빙투는 칼카 자삭토칸부 소속의 한산-버일러(閑散貝勒)이다. 탕고트-칼가는 서부 지역의 칼카라는 뜻이다. 1662년 자삭토칸부에서는 자삭토칸인 왕숙Wangshug(旺舒克)이 일족인 롭상-타이지 에린친Lobdzan-Tayiji Erinchin(羅卜藏臺吉額琳沁)에게 피살당하는 등 상호공방의 내란이 일어났다.[74] 이후 내전에서 패배한 에린친은 오이라트로 망명했다. 발보-빙투는 이 내란을 피해 항가이산을 거쳐 청조에 투항했다. 청조는 1662년 그를 투메드-좌기에서 유목하도록 하는 조칙을 내렸다. 강희 4년(1665) 그를 도로이-버일러Doro-i Beile(多羅貝勒)로 봉하고, 강희 9년(1670)에 그 부중에게 말과 소, 양을 대거 하사했다.

탕고트-칼가Tanggud-Khalkha(唐古忒喀爾喀)의 영주인 발보-빙투Balbu-Bingtü의 유목지는 기의 북쪽에 위치해 있으며, 동쪽은 시레트-쿠리엔-자사크-라마기Shirege-tei Küriyen Jasag-un Lama khoshigu, 서쪽은 칼카좌익기(지금은 내만기와 고륜기에 들어갔다)의 경계이다. 탕고트-칼가의 유목지는 오늘날 젤메맹 고륜기에 해당한다.

다음은 투메드-우기 부분이다. 투메드-우기의 노얀들은 귀화성-투메드와 같은 계열로 알탄칸의 후예들이다. 셍게-홍-타이지의 아들인 가르토Gartu(噶爾圖, 趕兎) 때에 귀화성에서 예케-무렌하(敖木倫河) 일대로 옮겨왔다. 가르토는

74) 자삭토칸부의 역사에 대해서는 А.Очир, Ж.Гэрэлбадрах, 『Халхын Засагт хан аймагийн түүх』, УБ, 2003를 참조.

3대 순의왕順義王 추루게Chürüge(撦力克)의 아우로 그의 어머니는 오리양카이 부로 추정되고 있다.[75] 가르토의 아들인 옴보-추쿠르Ombu-Chükür(鄂木布楚琥爾) 때에 카라친 등의 부와 연합하여 차하르 릭단칸을 공격하여 격파하기도 했다. 그러나 그 보복을 두려워하여 천총 2년(1628) 후금에 구원을 요청했고, 결국 1629년 후금에 귀부했다.

투메드-우기는 천총 9년인 1635년에 편성되었다. 청조는 옴보-추쿠르를 자사크로 임명했다. 순치 5년(1648) 그의 아들인 구무Gümü(固穆)가 자사크-진국공鎭國公으로 봉해졌다. 청조는 강희 2년(1663)에 코시곤노-버이서khoshigun-u beyise(固山貝子)로 품급을 격상시키고 세습을 인정했다.

투메드-우기의 북쪽은 나이만기와 접하며 서북은 아오칸기와 맞닿는다. 서쪽은 카라친-우기의 동남부(오늘날 建平縣 서부)와 접경을 이룬다. 동쪽은 투메드-좌기(오늘날 부신몽골족자치현)과 서로 맞닿는다. 남쪽은 유조변장柳條邊牆을 감싸고 있다. 투메드-우기는 대체로 오늘날의 요녕성 조양朝陽, 북표北票 2현에 해당한다.

【14. 카라친Kharachin(喀喇沁)】

객라심喀喇沁 : 명나라 영락永樂 초년에 대령大寧 땅을 삼위부장三衛部長에게 하사했다. (그 가운데) 타안朶顔이 가장 강성하였는데, 뒤에 차하르(察哈爾)에게 멸망당했다. (홍-타이지는) 그 땅을 탑포낭塔布囊에게 주었는데, 이것이 객라심이다.[76]

위의 기록에 등장하는 객라심喀喇沁은 "검은색"[77]이나 "수위자守衛者"[78]를

75) 和田清, 『東亞史硏究(蒙古篇)』, p.601.

76) 『연행기』「1790년 7월 16일」조 : 曰喀喇沁, 明永樂初, 以大寧地賜三衛部長, 朶顔最强, 後爲察哈爾所滅, 以其地, 予塔布囊, 是爲喀喇沁.

77) 金啓孮, 「蒙古盟旗城鎭地名漢意」『淸代蒙古史札記』, p.71.

뜻하는 카라친Kharachin(Харчин)의 음역이다. 카라친부의 지배층은 칭기스칸 시대 몽골 오리양카이 귀족인 젤메Jelme의 후예들이다. 이들은 도얀-오리양카이로 불리다가 1530년대 이후 알탄칸의 동생인 바야스칼-컨델렝-칸Bayaskhal-Köndelen Khan의 카라친부와 결합하여 카라친이라 불리게 되었다. 당시 도얀-오리양카이의 영주는 젤메의 7대손인 화통和通(花當)이다. 그의 아들이 게레-볼로드Gere-Bolod(格哷博囉特, 革列孛羅)이며, 게레-볼로드의 사후 아들인 게렐테Gereltei(格埒勒台, 革蘭台)와 터러-바아토르Törö-Bagatur(圖嚕巴圖爾) 형제가 카라친부의 오리양카이인들을 관장했다.

카라친부의 다얀칸 후예들은 1627년 릭단칸의 공격을 받아 붕멸되었다. 젤메의 후예들인 카라친-타븐냥들은 1628년 8월 3일 후금과 결맹하여 자신의 안위를 도모하기 시작했다. 그리고 천총 연간에 게렐테의 큰아들 엔케Engke(恩克)의 증손인 소보디Subudi(孫布地, 蘇布地) 및 아우 반단-오이징Baban-Oijing(萬丹偉徵), 둘째아들 망고타이(莽古岱)의 손자인 삼바Shamba(善巴) 및 터러-바아토르의 증손인 세렝Sereng(色棱) 등이 함께 후금에 귀부했다. 카라친부는 천총 9년(1635) 좌우 2기로 편성되었고, 강희 때에 이르러 중기가 증설되었다.

서호수의 기록에 등장하는 차하르의 공격에 의한 도얀위의 멸망은 1627년의 사건을 말하는 것이고, 탑포탁塔布槖은 타븐냥의 음역으로 젤메의 후예들인 카라친-타븐냥들을 말하는 것이다.

카라친-좌기는 천총 9년인 1635년에 편성되었다. 청조는 세렝을 자사크로 임명했다. 그리고 순치 5년(1648)에 그를 진국공鎭國公으로 봉하고 세습을 인정했다. 강희 6년(1667)에 그 손자인 오드발Udbal-a(烏特巴拉)이 세습했다. 카라친-좌기는 자사크의 세습봉호가 아닌 오드발의 이름을 따서 오공기烏公旗(吳公旗)라고도 부른다. 카라친-좌기의 유목지는 조스트초올강의 남부에 위치한다.

---

78) 布赫 主編, 『內蒙古大辭典』, p.20.

카라친-좌기는 대체로 오늘날의 요녕성 카라친-좌기의 몽골족자치현, 능원현凌源縣 및 건창현建昌縣에 해당한다.

카라친-우기는 천총 9년인 1635년에 편성되었다. 청조는 소보디의 아들인 구루스키브Gürüskib(固嚕思奇布, 固嚕思齊布)를 자사크로 임명했다. 그리고 숭덕 원년(1636)에 고사이-버이서Gusa-i Beyise(固山貝子)로 품급을 높이고 도로이-두렝Doro-i Düreng(多羅杜棱)의 칭호를 하사했다. 순치 7년(1650)에 버일러Beile(貝勒)로 품급을 격상시켰다. 청조는 강희 7년(1668)에 소보디의 공을 추서하고 구루스키브의 아들인 반다르샤Bandarsha(班達爾沙)를 군왕郡王으로 봉해 세습을 인정했다. 카라친-우기는 자사크의 세습봉호에 따라 카라친왕기라고도 부른다.

카라친-우기의 14대 자사크가 공상-노르보Gungsang-Norbu(貢桑諾爾布)이다. 그는 근대 초기 몽골지역에서 최초로 판수정무비학당辦守正武備學堂, 숭정소학당崇正小學堂, 육정여학당毓正女學堂 등의 교육기관을 설립하여 근대 문화의 수입에 주력했다. 당시 일본에서 하원조자河原操子(一宮操子)가 이곳으로 파견되어 일본어 교육과 체육을 담당했다.[79]

---

79) 河原操子(一宮操子)는 은행원 출신으로 일본 육군성에 자원하여 1903년 현지에 도착한 뒤 공상-노르브와 함께 毓正女學堂을 설립했다. 그는 육군성의 지시대로 러일전쟁을 대비하여 이곳에서 몽골인에게 일본말을 교육시켰다. 과업을 마친 그녀는 1년 반 후 귀국했고 그 후임으로 鳥居龍藏 부부가 부임해 1905년부터 교육을 담당했다. 鳥居龍藏는 일본 고고학의 아버지라 일컬어지는 학자이다. 그 부인인 鳥居君子도 당시의 체험을 『蒙古行』(東京, 1906)으로 남겼으며, 이후 『土俗學上より觀たる蒙古』(東京, 1927)이란 책도 저술했다. 당시 이들에게 일본어를 배운 몽골인들 중에 현재 내몽골대학의 에르덴-바아타르 교수의 할아버지도 있다. 필자가 처음 에르덴-바아타르 교수를 만났을 때 일본말을 곧 잘해 그 연유를 물었더니, 아버지에게 배워 일본말을 할 줄 안다고 하면서 鳥居龍藏의 이야기를 해주었다. 河原操子 및 鳥居龍藏 부부의 대륙행에 대해서는 山田信夫, 『天山のかなた ―ユ-ラシアと日本人』, pp.105~107, 카라친-우기에 세워졌던 이 학교에 대해서는 片山兵衛, 「清末內蒙古王府の教育について ―カラチン王府を中心として」『中村治兵衛先生古稀記念東洋史論叢』, 東京, 1986；奚先, 「三百年來喀喇沁右旗的變遷」『蒙古文化會訊』 1, 台北, 1986；錫伯河叟, 「名滿漠南的崇正學校」『蒙古文化會訊』 4, 台北, 1988；希諾特格勒, 「喀喇沁右旗崇正學校讀書追憶」『蒙古文化會訊』 2, 台北, 1987；松州老人, 「寫在貢桑諾爾布(Gungsang-Norbu)傳前」『蒙古文化會訊』 3, 台北, 1988；上同, 「最早創建的中國女學校之一 ―毓正女學堂」『蒙古文化會訊』 5, 台北, 1989를 참조.

카라친-우기의 유목지는 조스트초올강의 서북부와 노카이-무렌하에 걸쳐 있다. 강희 40년(1701) 이전 카라친-우기의 동쪽은 아오칸기 서부(오늘날 요녕성 建平縣 북부), 서쪽은 차하르 정람기正藍旗(오늘날 圍場縣 서부)와 경계를 이루고, 북쪽은 옹니고드-우기, 남쪽은 열하의 동북(오늘날 하북성 承德 동북)에 접한다. 카라친-우기는 대체로 오늘날의 적봉시 카라친기와 영성현寧城縣, 하북성 위장현圍場縣, 승덕시承德市, 평천현平泉縣 및 요녕성 건평현建平縣의 일부분에 해당한다. 강희 40년 이후 유목지의 변화가 있었으며 강희 44년 이후 유목지는 적봉시 카라친기와 하북성 평천, 위장 2현의 일부 및 요녕성 건평현의 작은 부분에 불과했다.

카라친-중기(Dumdadu khosigu>дундад хошуу)는 강희 44년(1705)에 편성되었다. 천총 연간에 반단-오이징Baban-Oijing이 형인 소보디Subudi를 따라 후금에 귀부했다. 청조는 숭덕 원년인 1636년에 반단-오이징를 니게두게르-타븐낭 Nigedüger Tabunnang(一等塔布囊)으로 봉하고, 우익기에 부속하여 유목하도록 명령했다. 그러나 부중이 날로 늘어나자 강희 44년에 카라친-우기의 남쪽 및 동남부 일대에 따로 1기를 증설하여 카라친-중기로 편성했다. 청조는 반단-오이징의 증손인 게렐Gerel(格哷勒)을 자사크-니게두게르-타븐낭Jasag Nigedüger Tabunnang(扎薩克一等塔布囊)으로 봉하고 초대 자사크로 임명했다. 건륭 19년(1754) 게렐의 질손姪孫인 치치크Chichig(齊齊克)가 공公의 품급을 받자, 청조는 건륭 49년(1784)에 치치크의 아들인 마카발Makhabal-a(瑪哈巴拉)을 세습 자사크로 임명하였다. 그리고 건륭 53년(1789)에 그의 품급을 자사크-보국공補國公으로 승격시켰다. 도광道光 9년(1829년)에 자사크의 품급을 베이서Beyise(貝子)로 승격시켰다. 이로 인해 카라친-중기는 마공기馬公旗나 자사크의 세습봉호에 따라 카라친-베이서기(貝子旗)라고도 부른다.

카라친-중기의 유목지는 카라친-좌기와 카라친-우기의 중간에 위치한다.

카라친-중기의 서쪽과 북쪽은 카라친-우기(오늘날 적봉시 카라친기와 하북성 平泉縣 북부)와 접하며, 동쪽과 동남은 카라친-좌기(오늘날 요녕성 凌源, 建昌 서부와 서북부)와 접한다. 정남방은 열하(오늘날 하북성 承德)과 맞닿는다. 카라친-중기는 대체로 오늘날의 적봉시 영성현寧城縣과 하북성 평천현平泉縣, 요녕성 건평현建平縣의 거의 전부에 해당한다.

【15. 우주무친Ujümüchin(烏朱穆秦)】

오주목진烏朱穆秦 : 원나라 때의 상도로上都路에 속한 곳이다. 명나라 때 찰합이察哈爾 족인族人에게 점거되었는데, 이것이 오주목진이다.[80]

위 기록에 나오는 오주목진烏朱穆秦(烏珠穆沁)은 우주무친Üjümüchin(Үзэмчин)의 음역이다.[81] 우주무친부의 노얀들은 다얀칸의 큰아들인 터러-볼로드의 후예들로 차하르몽골 계열에 속한다. 보디-알라크칸Bodi-Alag Khagan(1520~1547) 사후 몽골의 대칸으로 등극한 다라이순-쿠뎅칸Darayisun-Güdeng Khagan(1548~1557)은 알탄칸의 위세와 명나라에 대한 입장의 차이로 말미암아, 좌익을 이끌고 노카이무렌 이서 광녕 이북의 요하 일대로 동천하였다. 명대 말기 그 후예들은 카오치드, 수니드, 우주무친, 아오칸, 나이만, 케식텐부 등을 거느렸다.

보디-알라크칸은 아들이 3명인데, 대칸인 다라이순은 커우치드, 둘째 아들인 쿠쿠치-메르겐-타이지küküchi-Mergen-Tayiji(庫克齊圖墨爾根台吉, 可可出大台吉)는 수니드, 막내아들인 옹곤-토가르Onggun-Tugar(翁袞都喇爾)는 우주무친부를 거느렸다. 커우치드, 수니드, 우주무친란 명칭은 이때 모두 나타났다.

80) 『연행기』 「1790년 7월 16일」 조 : 日烏朱穆秦, 元屬上都路, 明爲察哈爾族人所據, 是爲烏朱穆秦.

81) 일부에서는 우주무친의 어원이 "葡萄山의 사람"을 뜻하는 우줌친üjümchin(Үзэмчин)에서 유래되었다고 간주하고 있다(布赫 主編, 『內蒙古大辭典』, p.30).

릭단칸의 발흥 때 옹곤-토가르의 어린 아들 도르지-체첸-지농Dorji-Chechen-Jinong(多爾濟車臣濟農)은 그에게 합병되는 것을 두려워하여 칼카로 가서 의부依附했다. 천총 9년(1635) 릭단칸이 패망하자 도르지-체첸-지농은 후금과 통호했다. 그리고 숭덕 2년(1637)에 도르지-체첸-지농은 형의 아들 세렝Sereng(色棱)을 데리고 청조에 귀부했다. 청조는 우주무친부를 좌우 자사크기로 편성했다.

우주무친-우기는 숭덕 6년인 1641년에 편성되었다. 청조는 도르지-체첸-지농을 자사크-호쇼이-체첸-친왕Jasag Hosho-i Chechen Chin Wang(扎薩克和碩車臣親王)으로 봉하고 세습을 인정했다. 우주무친-우기는 서쪽의 우주무친이라는 바론-우주무친Baragun Üjümüchin(西烏珠穆沁)이라고도 부른다.

우주무친-우기의 유목지는 대흥안령의 서북부에 위치한다. 우주무친-우기의 동쪽은 우주무친-좌기(오늘날 東烏珠穆沁 동부), 서쪽은 카오치드-좌기(오늘날 東西烏珠穆沁 서부), 남쪽은 바아린기(오늘날 바아린 좌우 2기 및 林西縣)와 경계를 이룬다. 북쪽은 칼카몽골 체첸칸부와 맞닿아 있다. 우주무친-우기는 대체로 오늘날의 동서東西 우주무친 중부와 서西 우주무친 동부의 대부분에 해당한다.

우주무친-좌기는 순치 3년인 1646에 편성되었다. 청조는 도르지-체첸-지농의 조카인 세렝(色棱)을 자사크-에르데니-도로이-버일러Jasag Erdeni Doro-i Beile(扎薩克額爾德尼多羅貝勒)로 봉하고 세습을 인정했다.82) 우주무친-우기는 동쪽의 우주무친이라는 도로나-우주무친Doruna Üjümüchin(東烏珠穆沁)이라 부른다.

82) 『欽定外藩蒙古回部王公表傳』에는 “多爾濟掌左翼, 色棱掌右翼”처럼 도르지를 좌기, 체릉을 우기로 표기하고 있는데, 『大清一統志』, 『大清會典事例』에서는 반대로 기록하고 있다. 필자는 『欽定外藩蒙古回部王公表傳』의 기록을 誤記로 간주하는(周清澍 主編, 『內蒙古歷史地理』, 呼和浩特, 1993, p.191 註 ①) 의견에 따랐다. 『欽定外藩蒙古回部王公表傳』은 건륭 29년(1764)에 편찬하기 시작하여 건륭 54년(1789)에 완성되었다. 『欽定外藩蒙古回部王公表傳』의 성서 연대에 대해서는 包文漢, 奇·朝克圖 整理, 『蒙古回部西藏王公表傳』, pp.1~17을 참조.

우주무친-좌기의 유목지는 실링골초올강의 동북부에 위치한다. 우주무친-좌기의 동쪽은 솔론Solon(索倫)에 접하며, 남쪽으로는 자로드 및 아로-코르친과 경계를 이룬다. 서쪽은 우주무친-우기(오늘날 동서 우주무친기 중부)와 맞닿아 있다. 북쪽으로는 칼카몽골의 체첸칸부와 맞닿아 있다. 우주무친-좌기는 대체로 오늘날의 실링골맹 東우주무친 동부와 西우주무친 동북 끝 지역에 해당한다.

【16.아바가Abaga(阿霸垓)】

아패해阿霸垓 : 원나라 때의 상도로에 속한 곳이다. 명나라 때 찰합이察哈爾에게 점거되었다. 이것이 아패해이다.[83]

위의 기록에 등장하는 아패해阿霸垓(阿巴噶)는 "백부나 숙부"를 뜻하는 아바가Abaga(Авга)의 음역이다. 아바가의 영주는 칭기스칸의 이복동생인 벨구테이Belgütei[84]의 후예이다. 벨구테이의 18대손인 타르니-쿠뎅Tarni-Güdeng(塔爾尼庫同) 때에 이르러 아바가라고 불려졌다. 타르니-쿠뎅의 증손인 얼제이투-노얀 도르지Öljeyitü-Noyan Dorji(額齊格諾顏多爾濟) 때 차하르 릭단칸의 습격에 대한 우려 때문에 헤를렌하로 유목지를 옮겨 칼카에 의부依附했다. 그 후 청나라로 귀부해 좌우 2기로 편성되었다.

순치 8년(1651)에 얼제이투-노얀 도르지의 질손姪孫인 두스케르Düsker(都思噶爾)가 부중을 이끌고 막북에서 돌아와 귀부했다. 아바가-좌기는 순치 8년인 1651년에 편성되었다. 청조는 두스케르를 자사크-도로이-군왕Jasag Doro-i Giyun Wang(扎薩克多羅郡王)으로 봉하고 세습을 인정했다. 아바가-좌기의 동쪽

83) 『연행기』 「1790년 7월 16일」 조 : 曰阿霸垓, 元屬上都路, 明爲察哈爾所據, 是爲阿霸垓.
84) 벨구테이는 버케Böke(бөх, 布格)-벨구테이로 불려 질만큼 유명한 씨름꾼이다. 벨구테이에 대해서는 졸저, 『몽골고대사연구』, pp.497을 참조.

은 카오치드, 서쪽은 아바가나르-우기와 접한다. 남쪽은 차하르 정람기正藍旗로부터 북쪽으로 아바가나르-좌기에 이른다. 아바가-좌기는 대체로 오늘날의 실링호트시(錫林浩特市)에 해당한다.

숭덕 4년(1639), 타르니-쿠뎅의 증손인 얼제이투-노얀 도르지가 부중을 데리고 막남으로 돌아와 청조에 귀부했다. 아바가-우기는 숭덕 6년인 1641년에 편성되었다. 청조는 얼제이투-노얀 도르지를 자사크-조릭토-군왕Jasag Jorigtu Giyun Wang(扎薩克卓哩克圖郡王)으로 봉하고 세습을 인정했다.[85] 순치 8년(1651)에 아바가-좌기가 편성된 후 아바가-우기라 불려졌다. 아바가-우기는 바가-아바가Baga Abaga(小阿巴噶)라고도 부른다.

아바가-우기의 유목지는 수니드의 동부에 위치한다. 아바가-우기의 동쪽은 아바가나르-우기, 남쪽은 차하르 정람기正藍旗, 서쪽은 수니드기와 서로 접한다. 북쪽은 다리강가Dariganga(達里岡愛) 목석牧石을 경계로 한다. 아바가-우기는 대체로 오늘날의 아바가기 서부에 해당한다.

【17. 카오치드Kha'uchid(蒿齊忒)】

호제특蒿齊忒 : 원나라 때의 상도로에 속한 곳이다. 명나라 때 찰합이 족인에게 점거되었는데, 이것이 호제특이다.[86]

위의 기록에 등장하는 호제특蒿齊忒(浩齊特)은 "옛날(舊)"을 뜻하는[87] 카오치드Kha'uchid(Хуучид)의 음역이다. 명대 사서에는 호제특好齊特이라 표기되어 있다. 카오치드부의 노얀들은 다얀칸의 큰아들인 터러-볼로드의 후예들로 차

85) 『欽定外藩蒙古回部王公表傳』및 『蒙古游牧記』에는 額齊格諾顔多爾濟를 左旗 자사크로 기록하고 있다. 그러나 『大清一統志』, 『大清會典事例』, 『東蒙古紀程』 및 阿巴嘎右旗車格勒廟扁額題記 등에는 반대로 기록하고 있다. 필자는 『欽定外藩蒙古回部王公表傳』의 기록을 誤記로 간주하는(周清澍 主編, 『內蒙古歷史地理』, 呼和浩特, 1993, p.194 註 ②) 의견에 따랐다.
86) 『연행기』 「1790년 7월 16일」조 : 日蒿齊忒, 元屬上都路, 明爲察哈爾族人所據, 是爲蒿齊忒.
87) 金啓孮, 「蒙古盟旗城鎭地名漢意」 『清代蒙古史札記』, p.72.

하르몽골 계열에 속한다. 카오치드는 다라이손칸이 거느리는 집단으로 명칭도 그때 처음 나타났다. 다라이손칸의 증손인 볼로드Bolod(博羅特)와 가르마-세왕Garm-a Sevang(噶爾瑪色旺) 때 차하르 릭단칸의 습격을 우려하여 부중을 이끌고 칼카 체첸칸부에 의부했다. 릭단칸의 패망 후 남하하여 청조에 귀부했다. 청조는 카오치드부를 좌우 2 자사크로 편성하였다. 유목지는 우주무친-우기의 서부로 정해졌다.

숭덕 2년(1637)에 볼로드가 부중을 이끌고 칼카에서 막남으로 돌아와 청조에 귀부했다. 카오치드-좌기는 순치 3년인 1646년에 편성되었다. 청조는 볼로드를 자사크-에르데니-군왕Jasag Erdeni Giyun Wang(扎薩克額爾德尼郡王)으로 봉하고 세습을 인정했다. 카오치드-좌기는 도로나-카오치드Doruna Kha'uchid(東浩齊特)라고도 부른다.

카오치드-좌기의 유목지는 소길리하小吉里河(오늘날 伊和吉林郭勒과 巴嘎吉日音高勒) 일대로 비교적 넓은 편에 속한다. 카오치드-좌기의 동쪽은 우주무친-우기(오늘날 동서 우주무친기 중부), 남쪽은 케식텐기, 서쪽은 카오치드-우기(오늘날 실링호트시 동북부와 동서 우주무친 서부의 일부), 북쪽은 칼카몽골의 체첸칸부와 맞닿아 있다.

순치 8년(1651) 가르마-세왕이 아우 메르겐-추쿠르Mergen-Chükür(墨爾根楚琥爾)와 함께 부중을 이끌고 칼카에서 막남으로 돌아와 청조에 귀부했다. 카오치드-우기는 순치 10년인 1653년에 편성되었다. 청조는 가르마-세왕을 자사크-도로이-군왕Jasag Doro-i Giyun Wang(扎薩克多羅郡王)으로 봉하고 세습을 인정했다. 카오치드-우기는 바론-카오치드Baragun Kha'uchid(西浩齊特)라고도 부른다. 카오치드-우기의 유목지는 실링골(錫林河)의 하류이다. 카오치드-우기의 동쪽은 카오치드-좌기, 남쪽은 케식텐기, 북쪽은 칼카몽골의 체첸칸부와 경계를 이룬다. 서쪽은 아바가나르-좌기와 서로 맞닿아 있다.

【18. 수니드Sünid(蘇尼特)】

소니특蘇尼特 : 원나라 때의 흥화로興和路에 속한 곳이다. 명나라 때 찰합이 족인에게 점거되었는데, 이것이 소니특이다.[88]

위의 기록에 등장하는 소니특蘇尼特은 수니드Sünid(Сөнөд)의 음역이다.[89] 수니드부의 노얀들은 다얀칸의 큰아들인 터러-볼로드의 후예들로 차하르몽골 계열에 속한다. 수니드는 보디알라크칸의 둘째 아들인 쿠쿠치-메르겐-타이지küküchi-Mergen-Tayiji 때 그 집단을 가리키는 말로 처음 나타났다.

수니드부는 릭단칸 때에 그 침략을 두려워해 쿠쿠치-메르겐-타이지의 증손인 수니드-동로-타이지(蘇尼特東路台吉) 타르바가이-다르칸Tarbagai-Darkhan(塔爾巴海達爾漢)과 그 숙부인 서로-타이지(西路台吉) 도르곤Dorgun(綽爾袞)이 서로 합쳐 북쪽의 칼카로 가서 의부했다. 그리고 숭덕 4년(1639)에 타르바가이-다르칸의 아들인 탕기스Tanggis(騰機思), 도르곤의 아들인 세오사Seusa(素塞)가 부중을 이끌고 칼카에서 막남으로 돌아와 청조에 귀부했다. 청조는 수니드부를 좌우 양기로 편성하였다.

수니드-좌기는 숭덕 6년인 1641년에 편성되었다. 청조는 탕기스를 자사크-메르겐-도로이-군왕Jasag Mergen Doro-i Giyun Wang(扎薩克墨爾根多羅郡王)으로 봉하고 세습을 인정했다. 청조는 탕기스에게 군주郡主를 하사하고 호쇼이-어후Hosho-i efu(和碩額駙)의 칭호를 부여했다. 수니드-좌기는 도로나-수니드Doruna Sünid(東蘇尼特)라고도 부른다.

88) 『연행기』「1790년 7월 16일」조 : 曰蘇尼特, 元屬興和路, 明爲察哈爾族人所據, 是爲蘇尼特.
89) 수니드는 고대 몽골 씨족 중의 하나이다. 이 수니드와 명대 다얀칸의 후예들이 이룬 수니드부가 어떠한 관계를 맺고 있는지는 파악할 수 없다. 만약 이 부의 구성원에 고대 수니드부의 후예가 다수를 점한다면 수니드 명칭의 유래가 설명될 수도 있다. 고대 수니드 씨족에 대해서는 졸저, 『몽골고대사연구』, pp.33~35를 참조. 『內蒙古大辭典』에서는 이 수니드부의 유래가 칭기스칸의 후예 인명에서 유래한다고 기록하고 있지만(布赫 主編, 『內蒙古大辭典』, p.31), 칭기스칸의 후예 중에 그러한 인명은 없다.

수니드-좌기의 유목지는 실링골초올강의 서부에 위치한다. 수니드-좌기의 동쪽은 아바가-우기(현재의 아바가기 서부), 남쪽은 차하르 정백기正白旗와 양백기鑲白旗, 서쪽은 수니드-우기(오늘날 수니드-우기 및 에렌호트시)와 접경을 이루며, 북쪽은 칼카몽골 투시에투칸부와 맞닿는다. 수니드-좌기는 대체로 오늘날의 수니드-좌기에 해당한다.

수니드-우기는 숭덕 7년인 1642년에 편성되었다. 청조는 세오사를 자사크-도로이-군왕Jasag Doro-i Giyun Wang(扎薩克多羅郡王)으로 봉하고 세습을 인정했다. 수니드-우기는 바론-수니드Baragun Sünid(西蘇尼特)라고도 부른다.

수니드-우기의 유목지는 실링골초올강의 서부에 위치한다. 수니드-우기의 동쪽은 수니드-좌기, 남쪽은 차하르 양황기鑲黃旗, 서쪽으로는 사자부락기와 접한다. 북쪽으로는 칼카몽골의 투시에투칸부와 접한다. 수니드-우기는 대체로 오늘날의 수니드-우기와 에렌호트시에 해당한다.

【19.아바가나르Abaganar(阿覇哈納爾)】

아패합납이阿覇哈納爾 : 원나라 때의 상도로에 속한 곳이다. 명나라 때 찰합이察哈爾에게 점거되었는데, 이것이 아패합납이이다.[90]

위의 기록에 등장하는 아패합납이阿覇哈納爾(阿巴哈納爾)는 "숙부나 백부들"을 뜻하는 아바가나르Abaganar(Авганар)의 음역이다. 아바가나르의 수령들은 칭기스칸의 이복동생인 벨구테이의 후예들이다. 아바가나르부가 처음 출현한 것은 타르니-쿠뎅Tarni-Güdeng의 아우인 노미드-먹투Nomid-Mögtü(諾密特默克圖) 때부터이다. 명말 아바가나르부는 칼카부에 의부하여 헤를렌하 유역에서 유목했다. 강희 4년(1665) 노미드-먹투의 증손인 둥-이스랍Düng-Israb(棟伊思

90) 『연행기』「1790년 7월 16일」조 : 曰阿霸哈納爾, 元屬上都路, 明爲察哈爾所據, 是爲阿霸合納爾.

喇布)이 부중을 이끌고 막남으로 돌아와 청조에 귀부했다. 또 강희 5년(1666) 둥-이스랍의 형인 세렝-메르겐Sereng-Mergen(色棱墨爾根)도 부중을 이끌고 남하해 아바가-우기 유목지에 이르러 청조에 귀부를 요청하여 허가를 받았다.

아바가나르-좌기는 강희 4년인 1665년에 편성되었다. 청조는 둥-이스랍을 자사크-고사이-버이서Jasag Gusa-i Beyise(扎薩克固山貝子)로 봉하고 세습을 인정했다.[91] 아바가나르-좌기는 도로나-아바가나르Doruna Abaganar(東阿巴哈納爾)라고도 부른다.

아바가나르-좌기의 유목지는 강희 4년(1665)에 아바가-좌기의 북쪽으로 정해졌다. 아바가나르-좌기는 대체로 오늘날의 실링호트시 북부에 해당한다. 청대 말기 아바가나르-좌기는 점차 아바가-좌기의 동쪽으로 옮겨졌다. 아바가나르-좌기의 동쪽은 카오치드기의 서쪽, 남쪽은 케식텐기에 접하며 북쪽은 칼카몽골에 접한다. 아바가나르-좌기는 대체로 오늘날의 실링호트시 동부와 동우주무친기 서부의 작은 부분에 해당한다.

아바가나르-우기는 강희 5년인 1666년에 편성되었다. 청조는 세렝-메르겐을 자사크-도로이-버일러Jasag Doro-i Beile(扎薩克多羅貝勒)로 봉하고 세습을 인정했다. 아바가나르-우기의 동쪽 및 동남은 아바가나르-좌기와 서로 접한다. 남쪽은 차하르 정람기正藍旗와 서로 경계를 이루며, 서쪽과 서북은 아바가-우기(오늘날 아바가기 서부)와 서로 접한다. 북쪽과 동북쪽은 다리강가 목장 지대와 접한다.

【20. 더르벤-케우게드Dörben ke'üged(四子部落)】

사자부락四子部落 : 원나라 때의 대동로大同路에 속한 곳으로, 명나라 때 아

91) 『欽定外藩蒙古回部王公表傳』에는 棟伊思喇布를 右旗 자사크, 色棱墨爾根을 左旗 자사크로 표기하고 있는데, 『大淸一統志』와 『大淸會典事例』 및 阿巴哈納爾貝子廟題記에서는 반대로 기록하고 있다. 필자는 『欽定外藩蒙古回部王公表傳』의 기록을 誤記로 간주하는(周淸澍 主編, 『內蒙古歷史地理』, 呼和浩特, 1993, p.195 註 ①) 의견에 따랐다.

록과이심阿祿科爾沁에게 점거되었다. 뒤에 여러 아들에게 나누어주고 덕이분화긍德爾奔和肯이라고 불렀다. 이것이 사자부락四子部落이다.[92]

위의 기록에 등장하는 사자부락四子部落은 "네 명의 아들들"을 뜻하는 더르벤-케우게드Dörben ke'üged(Дөрвөн хүүхэд)의 의역이다. 또 덕이분화긍德爾奔和肯은 "4명의 사람"을 뜻하는 더르벤-쿠문Dörben kümün(Дөрвөн хүн)의 음역이다. 더르벤-케우게드의 노얀들은 조치-카사르의 후예들이다. 조치-카사르의 15대손인 노얀타이Noyantai(諾延泰) 때에 헐런-보이르 및 그 이북 일대에서 유목을 하고 있었다. 그에게 4명의 아들이 태어났는데, 유목지를 4개로 나누어 유목케 하였기 때문에 더르벤-케우게드(四子部落)라고 불려졌다.[93]

천총 연간에 더르벤-케우게드의 노얀들이 계속하여 청조에 투항하였다. 더르벤-케우게드기는 숭덕 원년인 1636년에 편성되었다. 청조는 노얀타이의 셋째 아들인 옴보Ombu(鄂木布, 布庫台吉)를 자사크로 봉하고 다르칸-조릭토Darkhan-Jorigtu(達爾漢卓哩克圖)란 칭호를 하사했다. 순치 6년(1649)에 품급을 도로이-군왕Doro-i Giyun Wang(多羅郡王)으로 승격시키고 세습을 인정했다. 더르벤-케우게드는 자사크의 세습봉호에 따라 사자왕기四子王旗라고도 부른다.

더르벤-케우게드부는 기로 편성되는 과정 중 유목지가 계속 변경되다가 입관入關 후 최종적으로 귀화성-투메드의 동북으로 정해졌다. 더르벤-케우게드기의 동쪽은 수니드-우기, 남쪽은 차하르 양홍기鑲紅旗(오늘날 올란자브맹 차하르 우익중기 서부와 卓資縣 북부의 일부), 서쪽은 칼카-우익기(오늘날 다르칸-마오밍간 연합기達爾罕茂明安聯合旗 동부), 북쪽은 칼카몽골 투시에투칸부와 경계를 이룬

92) 『연행기』 「1790년 7월 16일」조 : 曰四子部落, 元屬大同路, 明爲阿祿科爾沁所據, 後分於諸子, 號曰德爾奔扣肯, 是爲四子部落.

93) 최근 四子部落의 수령과 아로-코르친부의 수령들은 모두 칭기스칸의 막내 동생인 테무게-오드치긴의 후예들이며, 四子는 칭기스칸의 네 번째 동생인 테무게-오드치긴을 말하는 것이라는 설이 제기되었다. 이에 대해서는 賈敬顔, 「阿祿蒙古考」 『蒙古史研究』 3, 1989를 참조.

다. 더르벤-케우게드기는 대체로 오늘날의 올란자브맹 사자왕기四子王旗 및 무천현武川縣의 일부분에 해당한다.

【21.칼카 우익(Khalkha Baragun gar-un Khoshigu, 喀爾喀右翼)】

객이객우익喀爾喀右翼 : 원나라 때의 대동로에 속한 곳으로, 명나라 때 객이객喀爾喀에게 점거되었다.94)

위의 기록에 등장하는 객이객우익喀爾喀右翼은 "서쪽의 칼카"를 뜻하는 칼카-바라곤가론-코시고Khalkha Baragun gar-un Khoshigu(Халх баруун гарын хушуу)의 음역이다. 칼카-우익은 다얀칸의 아들인 게레-산자Gere-Sanja의 후예들이다. 순치 10년(1653) 칼카-중로-타이지(喀爾喀中路台吉)인 본타르Bontar(本塔爾)가 본부本部인 투시에투칸과 불화하여 부중을 이끌고 막북에서 내려와 청조로 귀부했다.

칼카-우익기는 순치 10년인 1653년에 편성되었다. 청조는 본타르를 자사크-호쇼이-다르칸 친왕Jasag Hosho-i Darkhan Chin Wang(札薩克和碩達爾漢親王)으로 봉하고 세습을 인정했다. 그 손자인 잔다구미Jandagümi(詹達固密) 때에 품급이 다르칸-버일러Darkhan Beile(達爾漢貝勒)으로 격하되었고 다르칸Darkhan(達爾漢) 봉호만 남았다. 강희 3년(1664)에 칼카-서로-타이지(喀爾喀西路台吉)인 굼보-일뎅Gümbu-Ildeng이 청조에 귀부하여 희봉구喜峰口 밖에 안치되자, 서로 구별을 위하여 칼카-우익기로 이름 붙였다. 칼카-우익기는 자사크의 세습봉호에 따라 다르칸기(達爾漢旗)라고도 부른다.

칼카-우익기의 동쪽은 사자부락기, 남쪽은 귀화성-투메드기(오늘날 올란자브맹 武川縣 일대), 서쪽은 마오-밍간기와 접경을 이루며, 북쪽은 칼카몽골 투시에

94) 『연행기』 「1790년 7월 16일」 조 : 日喀爾喀右翼, 元屬大同路, 明爲喀爾喀所據.

투칸부와 맞닿는다. 칼카-우익기는 대체로 오늘날의 올란자브맹 다르칸-마오밍간기(達爾罕茂明安旗) 동부에 해당한다.

【22. 오라드Urad(吳喇忒)】

오라특吳喇忒 : 원나라 때의 대동로에 속한 곳으로, 명나라 초기에 와라瓦喇에게 점거되었다. 오라吳喇는 와라瓦喇의 오기이다.95)

위의 기록에 등장하는 오라특吳喇忒(烏喇特)은 "기예가 뛰어난 자들"을 뜻하는 오라드Urad(Урад)의 음역이다.96) 명말 몽골 부족의 하나인 오라드의 노얀들은 조치-카사르의 후예들이다. 오라드란 명칭은 조치-카사르의 15대손인 볼리가Buliga(布爾海) 때 처음 나타났다. 오라드부는 헐런-보이르 및 그 이북 일대에서 유목하다가 후에 3부로 나누어졌다.

천총 7년(1633)에 볼리가의 큰아들 라이가Layiga(賴噶)의 손자인 옴보Ombu(鄂木布)가 볼리가의 막내인 바르스Bars(巴爾塞)의 손자 토바Tuba(圖巴) 및 증손 세렝Sereng(色棱)을 데리고 후금에 귀부했다.

오라드부는 순치 5년인 1648년에 3기로 편성되었다. 청조는 토바를 자사크-진국공(扎薩克鎭國公)으로 봉하고 오라드-후기를 관장케 했으며 세습을 인정했다. 옴보의 아들인 우반Üban(鄂班)을 자사크-진국공(扎薩克鎭國公)으로 봉하고 오라드-전기를 관장케 했으며 세습을 인정했다. 세렝의 아들인 바그바카이Bagbakhai(巴克巴海)를 자사크-보국공(扎薩克補國公)으로 봉하고 오라드-중기를

95) 『연행기』「1790년 7월 16일」조 : 曰吳喇忒, 元屬大同路, 明初爲瓦喇所據, 吳喇卽瓦喇之訛.
96) 『內蒙古大辭典』에는 Urad를 손재주나 기예가 뛰어난 장인들(技藝高超者)로 해석하고 있다(布赫 主編, 『內蒙古大辭典』, p.39). 내몽골 조오드초올강 자로드-우익기(Jarud Baragun Gar-yin Khosigu) 출신인 故 하칸출로師가 1989년 제주도를 방문한 뒤 오라동의 뜻을 묻는 제주학자들에게, 만약 오라동이 몽골어로 간주될 수 있다면 장인들이 거주하는 곳이란 뜻이 높다는 의견을 제시한 바 있다. 몽골어로 기예가 오라ura[n](уран)인데, 능숙한 기예의 솜씨를 지닌 자를 "тарын уртай, гартаа уртай"라고 표현한다.

관장케 했으며 세습을 인정했다.

오라드부는 청조 귀부 이후 유목지가 남쪽으로 이동했는데, 청조의 입관入關 후 유목지가 다시 서쪽으로 옮겨졌다. 오라드 3기의 편성 후 최종 유목지는 오르도스(河套) 북안으로 정해졌다. 오라드 3기는 이곳에서 공동으로 유목을 하기 때문에 경계가 분명하지 않다. 오라드 3기의 동쪽은 마오-밍간기(오늘날 다르칸--마오밍간연합기達爾罕茂明安聯合旗 서부), 남쪽은 이흐조초올강과 경계를 이루며, 북쪽은 칼카몽골과 접한다. 오라드 3기는 대체로 오늘날의 오라드-중기, 오라드-전기, 오라드-후기와 오원五原, 고양固陽, 임하臨河 3현 및 항긴-후기(杭錦後旗)의 거의 전부에 해당한다.

서호수는 위의 기록에서 오라吳喇는 오이라트Oyirad(瓦喇)의 오기라고 간주했는데, 이는 오라드의 변천을 모르고 땅을 기준으로 판단한 결과 오라드를 오이라트와 혼동한 것으로 보인다. 또 서로 음이 비슷하여 더욱 혼동했을 가능성이 높다고 판단된다.

【23. 마오-밍간Mau Minggan(毛明安)】

모명안毛明安 : 원나라 때의 대동로에 속한 곳으로, 명나라 초기에 위衛를 설치하여 방비하였는데 뒤에 모명안에게 점거되었다.[97]

위의 기록에 등장하는 모명안毛明安(茂明安, 毛明鞍, 毛明安)은 마오-밍간Mau Minggan(Myy Мянган)의 음역이다. 마오-밍간은 명말 몽골 부족의 하나이며, 노얀들은 조치-카사르의 후예들이다. 카사르의 15대손인 도르지Dorji(多爾濟)는 보얀토칸Buyantu Khan(布顔圖汗)이라고도 자칭했다. 마오-밍간부란 명칭은 아들인 게겐Gegen(車根) 때 처음 나타났다. 유목지는 헐런-보이르 북쪽의 이르

97) 『연행기』 「1790년 7월 16일」 조 : 曰毛明安, 元屬大同路, 明初設衛戍守, 後爲毛明安所據.

차Yiercha(Иерча, 尼布楚)하 유역이다. 천총 7년(1633) 게겐이 부중을 이끌고 후금에 귀부했다.

마오-밍간기는 강희 3년인 1664년에 편성되었다. 청조는 게겐의 큰아들인 셍게Sengge(僧格)를 자사크-니게두게르-타이지Jasag Nigedüger Tayiji(扎薩克一等台吉)로 봉하고 세습을 인정했다. 기의 편성 후 유목지가 남으로 이동했으며, 입관入關 후에는 다시 서쪽으로 옮겨졌다. 마오-밍간기의 동쪽은 칼카-우익기, 남쪽은 귀화성-투메드기(오늘날 包頭市 및 투메드-우기), 서쪽은 오라드(오늘날 오라드-중기 및 전기)와 접경을 이룬다. 북쪽은 고비(瀚海)와 맞닿아 있다. 마오-밍간기는 대체로 오늘날의 다르칸-마오밍간 연합기(達爾罕茂明安聯合旗) 서부와 복트시(包頭市) 고양현固陽縣, 백운광구白雲礦區 및 올란자브맹 무천현의 일부분에 해당한다.

【24. 오르도스Ordos(鄂爾多斯)】

> 악이다사鄂爾多斯 : 명나라 홍치弘治 연간에 화절火篩에게 점거되었다. 가정嘉靖 무렵에 엄답俺答의 형 낭칭차신가한囊稱車臣可汗이 자기의 부락을 이끌고 태길台吉과 함께 화절을 격파한 뒤 이곳에 거주했는데, 이것이 악이다사이다.[98]

위의 기록에 등장하는 악이다사鄂爾多斯는 오르도스Ordos(Ордос)의 음역이다. 오르도스란 몽골어로 궁전을 뜻하는 오르도Ordo의 복수형으로, 칭기스칸의 나이만-차강-겔Naiman Chagan Ger이 존재하기 때문에 붙여진 이름이다.[99] 또 위에 등장하는 화절火篩은 몽골친Monggolchin부의 영주인 코사이khosai, 낭칭차신가한囊稱車臣可汗은 알탄(俺答)의 형인 군-빌리크-메르겐-지농Gün-Bilig-

98) 『연행기』 「1790년 7월 16일」 조 : 日鄂爾多斯, 明弘治間, 爲火篩所據, 嘉靖中, 俺答之兄囊稱車臣可汗, 率其部落, 與台吉擊破火篩居此, 是爲鄂爾多斯.

99) 나이만-차강-겔Naiman Chagan Ger에 대해서는 졸고, 「오르도스의 역사」 『유라시아 초원제국의 역사와 민속』, pp.13~83을 참조.

Mergen-Jinong(袞必里克墨爾根濟農)을 가리킨다. 태길台吉은 노얀Noyan을 의미하는 타이지Tayiji의 음역으로, 특정한 인명이 아닌 군사 지도자들이라고 보인다.

그러면 위의 기록에 나타난 오르도스부의 정황을 명확히 파악하기 위해 코사이khosai의 반란 진압 이후 오르도스 지역에서 일어난 정치적 변동을 살펴볼 필요가 있다.

먼저 서호수는 코사이의 반란군을 바르스-볼르드의 아들인 군-빌리크-메르겐-지농이 격파한 것으로 기록하고 있지만, 이 전투는 다얀칸이 직접 수행했다. 전투는 달란-테리군Dalan-Terigün(答蘭特里溫)에서 일어났으며, 코사이는 피살되었다. 반란의 참가자와 달란-테리군 전투에 대해서는 이미 앞에서도 언급한 바 있는데, 여기서는 그 이후의 상황에 대해서 기술하고자 한다.

코사이의 반란군이 섬멸되자 두려움을 느낀 이브라힘은 부중을 이끌고 오르도스로 진입하였다.[100] 코사이는 다얀칸에게 피살되기 이전 오르도스의 남부에 위치한 명나라의 변색邊塞을 누차 침공했으며, 이브라힘의 동진 이후에는 이브라힘과 연합하여 오르도스의 남부 지방을 침범하기도 하였다. 이에 연수延綏·영하寧夏·감숙甘肅 삼진三鎭의 군무軍務를 총괄하고 있었던 우도어사右都御史 양일청楊一淸은 오르도스 남단의 연수延綏부터 횡성橫城에 이르는 지역에 돈대墩台와 위소衛所를 설치하여, 몽골족의 침입을 방비하는 동시에 군대를 투입하여 오르도스를 회복하자는 안을 제시했지만 유근劉瑾의 반대에 부딪쳐 좌절되었다.

명조가 양일청의 안을 거부한 데에는 군사적인 이유 이외에도 당시 오르도

100) 이브라힘(亦不剌)의 오르도스 진입시기가 언제인가는 異論이 많다. 森川哲雄이나 『蒙古族通史』는 이브라힘의 오르도스 진입시기를 그의 東進과 함께 이루어진 듯이 기술하고 있지만(森川哲雄, 「オルドス·十二オトク考」 『東洋史硏究』 32-3, 1973, p.53 ; 內蒙古社會科學院 歷史硏究所, 『蒙古族通史』, 北京, 1991, p.501), 이브라힘의 오르도스 진입시기는 萩原淳平의 지적처럼 火篩의 被殺 이후일 가능성이 매우 높다(萩原淳平, 「ダヤン·カ-ンの生涯とその事業」, p.187).

스가 이미 몽골족의 한 중심지로 굳어져 회복하기 쉽지 않다는 일면 때문이었다. 당시의 하투河套 지역은 점차 "나이만 차강 겔"을 수호하는 오르도스부의 이름을 본따 오르도스라 불리기 시작했는데, 오르도스부의 오르도스 입거는 몰리카이나 만다콜 등이 입거한 성화成化 연간이라 추정되고 있다.

이브라힘은 오르도스 후 명나라의 변색을 공격·약탈하기 시작했지만, 1509년 12월 명나라의 수장守將인 마앙馬昂과 목과산木瓜山 전투에서의 패배를 계기로 남하의 기세가 일시 누그러졌다. 다얀칸은 이브라힘이 명군에 밀려 주춤하고 있는 사이 오르도스로 진군하여 1511년 6월 이브라힘 군대와 격전을 벌여 대파하였다. 그리고 퇴주하는 이브라힘을 본거지인 장랑莊浪(오늘날 감숙 장랑현 북쪽)까지 추격하여 그를 서해西海(靑海) 방면으로 내몰았다.

우익의 반란을 평정한 다얀칸은 바르스-볼로드를 오르도스에 진주시켜 오르도스부를 관장케 하고, 알탄Altan(俺答)에게는 투메드부(土默特部)를 관장케 했다. 서해로 도주한 이브라힘은 삼각성三角城(오늘날 靑海 海晏縣)을 근거지로 삼아 세력을 회복해 나가기 시작했다. 이브라힘의 세력은 1515년 도르카이Dorkhai(卜兒孩)[101]가 다얀칸을 배반하고 자기에게로 귀부해 온 후부터 우익의 서변을 위협할 정도로 강화되었다. 이에 바르스-볼로드는 1530년 이브라힘을 공격하여 항복시키고,[102] 이브라힘의 딸을 큰아들인 군-빌리크-메르겐-지농과 혼인시켰다.

바르스-볼로드와 군-빌리크-메르겐-지농이 통치시의 오르도스만호는 당시 영지가 오르도스 지역뿐만이 아니라 하란산賀蘭山 이서부터 감숙甘肅의 하서주랑河西走廊 이북 일대까지 포함하는 광대한 지역이었다. 바르스-볼로드의

101) 다얀칸과는 同母異父之弟의 관계이다.
102) 몽골고원을 통일한 다얀칸이 1517년에 죽자 몽골지구는 다시 봉건영주들의 할거국면으로 진입했다. 다얀칸의 세 번째 아들인 바르스-볼로드는 황태자(Jinong)의 자격으로 우익 3만호를 통솔했다.

사후 군-빌리크-메르겐은 황태자(Jinong)의 지위를 계승했으며 오르도스만호를 거느렸다. 오르도스만호는 후에 오르도스부[103]라고 불려졌다.

군-빌리크-메르겐-지농은 자신의 아홉 아들에게 오르도스부의 영지를 분할하여 오르도스부에 소속된 35개 오토크otog를 통치케 했다. 또 군-빌리크-메르겐-지농은 아우인 알탄칸과 연합하여 청해로 진격해 1533년 보카Bukha(布喀)하 유역에서 이브라힘과 도르카이의 항복을 받았다. 군-빌리크-메르겐-지농이 아홉 아들에게 분할한 영지는 다음의 도표와 같다.

순위	이름	영지
1	노얀-다라-지농Noyan-Dara-Jinong (諾延達喇濟農)	四營(Dörben Khoriya)
2	바이상고르-랑-타이지Baisanggur-Lang-Tayiji (拜桑固爾台吉)	우익의 Keüked-Shibaguchin(扣克特-錫包沁), Urad-Tanggud(烏喇特-圖伯特)
3	오이다르마-놈간-노얀Oidarma-Nomgan-Noyan (圍達爾瑪諾木歡諾延)	우익의 Dalad-Khanggin(達喇特-杭錦), Merged-Bakhan(墨爾格特-巴罕)
4	놈-타르니-고아-타이지Nom-Tarni-Gowa-Tayiji (諾木塔爾尼郭斡台吉)	우익의 Basud-Üishin(巴蘇特-衛新)
5	보양골라이-토고르-다이칭Buyanggulai-Togar-Daiching(布揚古賚都喇勒岱青)	우익의 Betekin-Khaliguchin(伯特金-哈里郭沁)
6	반자라-오이종-노얀Banjara-Oijong-Noyan (班札喇圍徵諾延)	좌익의 Khauchid Geriyes(浩齊特-克里野斯)
7	바드마-삼하와-세체네바아토르 Badma-Sambhawa- Sechen-Bagatur (巴特瑪繖巴斡徹辰巴圖爾)	좌익의 Chagad(察哈特), Minggad(明阿特), Khorchin-Khoin-Guchin(코르친의 34처)
8	아모다라-다르칸-노얀Amudara-Darkhan-Noyan (阿穆爾達喇達爾罕諾延)	우익의 4오토크 Uigurchin(衛郭爾沁)
9	우클레칸-엘뎅-노얀Üklekhan-Yeldeng-Noyan (鄂克拉罕伊勒登諾延)	우익의 3오토크 Amakhai(克阿瑪該)

103) 오르도스(鄂爾多斯)는 명대 사서에 袄兒都司라고 표기되어 있다. 오르도스부에 대해서는 森川哲雄, 「オルドス·十二オトク考」『東洋史研究』32-3, 1973 및 和田清, 「中三邊及び西三邊の王公について」『東亞史研究(蒙古篇)』 pp.716-738을 참조.

오르도스부는 군-빌리크-메르겐의 큰아들인 노얀-다라Noyan-Dara계가 오르도스 지농Jinong의 지위를 이어갔으며, 명말 차하르 릭단칸에 복속되어 있었다. 천총 8년(1634) 릭단칸의 패망 후 천총 9년(1635)에 오르도스부의 영주인 군-빌리크-메르겐-지농의 증손 복속트-지농Boshugtu-Jinong(卜石兎)의 아들 에린첸Erinchen(額璘臣)이 부중을 이끌고 후금에 투항했다. 이를 기점으로 여러 타이지Tayiji(台吉)들이 속속 후금에 투항하기 시작해 숭덕 초에는 거의 모두 청조의 판도에 들어갔다. 청조는 순치 6년(1649)부터 7년 사이에 오르도스 지역에 있는 오르도스부를 6개 자사크기로 편성하였다. 그리고 건륭 원년(1736)에 다시 1기를 증설하였다.

오르도스-좌익중기는 천총 9년인 1635년에 편성되었다. 청조는 에린첸을 자사크-도로이-군왕Jasag Doro-i Giyun Wang(扎薩克多羅郡王)으로 봉하고 세습을 인정했다. 오르도스-좌익중기는 자사크의 세습봉호에 따라 군왕기郡王旗라고도 부른다.

오르도스-좌익중기의 동쪽은 오르도스-좌익전기(오늘날 준가르기), 남쪽은 신목영神木營(오늘날 섬서성 神木縣)에 이른다. 서쪽은 오르도스-우익전기(오늘날 우이신기)와 서로 접해 있으며, 북쪽은 오르도스-좌익후기(오늘날 달라드기)와 경계를 이룬다. 오르도스-좌익중기는 대체로 오늘날의 에젠호르기(Ejen-Khoriy[a] Khoshigu, 伊金霍洛旗)와 오르도스시의 대부분 및 섬서성 신목현神木縣 장성 이북지방에 해당한다.

오로도스-좌익전기는 순치 6년인 1659년에 편성되었다. 청조는 군-빌리크-메르겐-지농의 여섯 번째 아들인 반자라-오이종-노얀Banjara-Oijong-Noyan의 현손 세렝Sereng(色棱)을 자사크-코시곤노-버이서Jasag Khoshigun-u Beyise(扎薩克固山貝子)로 봉하고 세습을 인정했다. 오로도스-좌익전기는 준가르-호쇼Jegüngar Khoshigu(准噶爾旗)라고도 부른다.

오로도스-좌익전기의 유목지는 오르도스-좌익 3기의 동부에 위치해 있다. 오로도스-좌익전기의 동북쪽은 귀화성-투메드 남부(오늘날 清水河縣과 托克托縣), 동쪽은 산서성 편관偏關, 하곡河曲 2현에 접해 있으며, 남쪽은 섬서성 곡현谷縣에 이른다. 서쪽은 오르도스-좌익중기(오늘날 에젠호르기)와 접해 있다. 북쪽은 오르도스-좌익후기와 서로 접해 있다. 오로도스-좌익전기는 대체로 오늘날의 준가르기 전부와 오르도스시의 작은 일부분, 섬서성 부곡현府谷縣 소관의 장성 이북지방에 해당한다.

오로도스-좌익후기는 순치 7년인 1650년에 편성되었다. 청조는 군-빌리크-메르겐-지농의 셋째아들인 오이다르마-놈간-노얀Oidarma-Nomgan-Noyan의 증손 사그자Shagja(沙克扎)를 자사크-코시곤노-버이서Jasag Khoshigun-u Beyise(扎薩克固山貝子)로 봉하고 세습을 인정했다. 오로도스-좌익후기는 달라드-호쇼Dalad Khoshigu(達拉特旗)라고도 부른다.

오로도스-좌익후기의 유목지는 오르도스-좌익 3기의 북쪽, 즉 오르도스의 동북 구석에 위치해 있다. 오로도스-좌익후기의 동쪽은 귀화성-투메드 서부(오늘날 包頭市와 투메드-우기), 남쪽과 서쪽은 모두 오르도스-좌익중기(오늘날 東勝市 및 달라드기 서남과 항긴기 동남 접경지방)과 접해 있다. 북쪽은 황하를 사이에 두고 오늘날의 오라드-전기 및 복트시(包頭市)와 경계를 이루고 있다. 오로도스-좌익후기는 대체로 오늘날의 다라트기의 전부와 오르도스시의 일부분 및 바얀노르Bayan-nagur(巴彥淖爾)맹 오원현五原縣과 오라드-전기의 일부분에 해당한다.

오로도스-우익전기는 순치 6년인 1649년에 편성되었다. 청조는 군-빌리크-메르겐-지농의 넷째아들인 놈-타르니-고아-타이지Nom-Tarni-Gowa-Tayiji의 현손 에린친Erinchen(額琳沁)을 자사크-코시곤노-버이서Jasag Khoshigun-u Beyise(扎薩克固山貝子)로 봉하고 세습을 인정했다. 오로도스-우익전기는 우이신-호쇼

Üishin Khoshigu(烏審旗)라고도 부른다.

오로도스-우익전기의 유목지는 이흐조초올강의 동남부에 위치해 있다. 오로도스-우익전기의 동쪽은 오르도스-좌익중기, 남쪽은 섬서성 유림위楡林衛(오늘날 섬서성 楡林縣)과 접한다. 서쪽은 오르도스-우익중기(오늘날 오토크기)와 서로 접해 있다. 북쪽은 오르도스-우익후기(오늘날 항긴기)와 경계를 이룬다. 그 지역은 대체로 오늘날의 우이신기 전부와 섬서성 유림楡林, 횡산橫山, 정변靖邊 3현 소관의 장성 이북지방, 에젠호로기의 일부분에 해당한다.

오로도스-우익후기는 순치 6년인 1649년에 편성되었다. 청조는 원래 에린첸 군왕 계열의 예케-잠소Yeke-Jamsu(大扎木素)[104]를 자사크로 임명했지만 그가 반청을 했다는 이유로 취소했다. 그리고 그의 반청 활동에 동조하지 않았던 샤그자Shagja의 형인 아진타이Ajintai(阿津泰)의 아들 바가-잠소Baga-Jamsu(小扎木素)를 자사크-진국공(扎薩克鎮國公)으로 봉하고 세습을 인정했다. 바가-잠소는 36명의 좌령佐領을 거느렸다. 오로도스-우익후기는 항긴-호쇼Khanggin Khoshigu(杭錦旗)라고도 부른다.

오로도스-우익후기의 유목지는 이흐조초올강의 서북부에 위치한다. 오로도스-우익후기의 동쪽은 오르도스-좌익후기(달라드기)에 접하고, 남쪽은 오르도스-좌익중기에 접한다. 서쪽은 오르도스-우익중기와 경계를 이루며, 북쪽은 오라드기 남부(오늘날 바얀노르맹 항긴-후기, 五原 및 오라드-전기 남부)와 서로 접해 있다. 그 지역은 대체로 오늘날의 항긴기와 임하현臨河縣의 대부분 및 오원현五原縣과 항긴-후기의 일부분에 해당한다.

오로도스-우익중기는 순치 7년인 1650년에 편성되었다. 청조는 군-빌리크-메르겐-지농의 둘째 아들인 바이상고르-랑-타이지Baisanggur-Lang-Tayiji의 현손 산단Shandan(善丹)을 자사크-도로이-버일러Jasag Doro-i Beile(扎薩克多羅貝勒)

104) 잠소Jamsu(扎木素, 札木蘇)는 티베트어로 바다를 뜻하는 Rgyamts'o의 몽골어 발음이다.

로 봉하고 세습을 인정했다. 산단은 84명의 좌령佐領을 거느렸다. 오로도스-우익중기는 오토크-호쇼Otog Khoshigu(鄂托克旗)라고도 부른다.

오로도스-우익중기의 동쪽은 오르도스-우익후기(오늘날 杭錦旗), 남쪽은 오르도스-우익전기의 서남 경계(오늘날 섬서 靖邊縣)에 접해 있다. 서쪽은 황하를 사이에 두고 영하寧夏 및 아라샨-오이라트기(오늘날 아라샨-좌기)와 접해 있다. 북쪽은 오르도스-우익후기와 서로 접해 있다. 오로도스-우익중기는 대체로 오늘날의 오토크기와 오토크-전기의 전부 및 오해시烏海市의 대부분, 섬서성 정변靖邊, 정변定邊 2현의 장성 이북 지구, 도악현陶樂縣 황하 이동 지방에 해당한다.

오로도스-우익전말기右翼前末旗는 순치 6년인 1649년에 편성되었다. 청조는 군-빌리크-메르겐-지농의 다섯째 아들인 보양골라이-토고르-다이칭Buyanggulai-Togar-Daiching의 증손 오바시Ubashi(烏把什)를 코야르도가르-타이지Khoyardugar Tayiji(二等台吉)로 봉하고 오르도스-우익전기에 부속해 유목하도록 명했다. 강희 14년(1675)에 품급을 니게두게르-타이지Nigedüger Tayiji(一等台吉)로 승격시켰다. 건륭 원년(1736) 오바시의 증손인 딩드자라시Dingdzarashi(定咱喇什)를 자사크-니게두게르-타이지Jasag Nigedüger Tayiji(扎薩克一等台吉)로 봉하고 세습을 인정했다. 청조는 오로도스-우익전기와 오로도스-좌익중기의 일부분을 잘라 오로도스-우익전말기의 유목지를 만들었다. 오로도스-우익전말기는 자사크-호쇼Jasag Khoshigu(扎薩克旗)라고도 부른다.

오로도스-우익전말기의 동쪽은 오르도스-좌익전기(오늘날 준가르기), 남쪽으로 섬서성 유림현楡林衛(오늘날 섬서성 楡林縣, 神木縣), 서쪽은 오르도스-우익후기와 접해 있다. 북쪽은 오르도스-좌익중기(오늘날 에젠호르기 북부와 오르도스시 일부)와 서로 접해 있다. 오로도스-우익전말기는 대체로 오늘날의 에젠호르기 서남부, 우이신기 동북부와 항긴기 동남의 작은 부분 및 섬서성 유림楡林, 신목神木

2현의 장성 이북의 부분지구에 해당한다.

【25. 귀화성-투메드(Köke-khota Tümed, 歸化城土默特)】

귀화성토묵특歸化城土默特 : 원나라 때의 대동로에 속한 곳이다. 명나라 가정嘉靖 연간에 엄답俺答이 풍주탄豊州灘에 성城을 쌓고, 나무를 베어 집을 지어 살았는데, 이것을 판승板升이라고 한다. 융경隆慶 연간에 엄답을 순의왕順義王으로 봉하고 그 성을 귀화성歸化城이라 이름 붙였는데, 이것이 바로 서토묵특西土默特이다.[105]

위 기록에 등장하는 귀화성토묵특歸化城土默特은 귀화성-투메드(Köke-khota Tümed)의 음역이다. 풍주탄豊州灘은 오늘날 "푸른 도시"를 뜻하는 허흐호트 Köke-Khota이며, 판승板升은 고정 가옥을 뜻하는 바이싱Bayishing의 음역이다.[106] 서토묵특西土默特은 바라곤-투메드Baragun-Tümed의 의역이다.

귀화성-투메드의 노얀들은 알탄칸의 직계들이다. 알탄칸은 12개 투메드부로 이루어진 거대 집단을 거느리고 허흐호트에 거주했다. 알탄은 명나라 대동大同 반란군들을 받아들여 12개의 대판승大板升, 32개의 소판승小板升을 구축할 정도로 세력을 과시했다. 이로 인해 명나라는 그가 구축한 성에 귀화歸化라는 명칭과 함께 순의왕順義王이란 칭호도 하사했다.

릭단칸 시기 내몽골의 몽골 부족 중 가장 강력한 세력은 카라친부와 귀화성-투메드였다. 이들은 모두 알탄칸의 직계들이다. 릭단칸은 1627년 여름 카라친부를 공격해 카라친부의 알탄칸 계열 노얀들을 전멸시켰다. 그리고 1627년 말부터 1628년 초 귀화성-투메드의 알탄칸 계열 노얀들을 공격해 주력을 전멸

105) 『연행기』「1790년 7월 16일」조 : 曰歸化城土默特, 元屬大同路, 明嘉靖間, 俺答築城於豊州灘, 採木架屋以居, 謂之板升, 隆慶間, 封俺答爲順義王, 名其城曰歸化, 是爲西土默特.
106) 귀화성의 바이싱에 대해서는 靑木富太郎, 『萬里の長城』, pp.65~122를 참조.

시켰다. 이 전투에서 4대 순의왕인 보속토칸Boshogtu Khan도 전사했다. 귀화성-투메드는 이 전투에서 살아남은 군사가 3,300명에 불과할 정도로 치명적인 타격을 받았다.

릭단칸이 귀화성을 점령하자 홍-타이지는 1632년 4월 군대를 발동시켜 그의 추격에 나섰다. 이 소식을 들은 릭단칸은 전투를 포기하고 청해 방면으로 떠났다. 릭단칸의 부중은 청해로 도주하는 도중 그간의 전투로 인한 피로로 60~70%가 사망하는 고난을 겪었다. 1632년 후금군이 귀화성에 도착하자 보속토칸의 아들인 옴보Ombu(俄木布)가 항복했다. 그러나 옴보는 칼카 및 명나라와 연합을 맺어 귀화성을 점령한 후금군을 격파하고자 했다. 1635년 옴보의 반란 계획이 실행에 옮겨지기 시작할 때, 옴보를 키운 유모의 남편인 마오칸Ma'u- Khan(毛罕)이 귀화성 주둔하는 후금의 버이서(貝勒) 악탁岳託에게 밀고했다. 이 때문에 계획은 실패하고, 지원에 나섰던 칼카의 군대는 중간에서 후금군의 영격을 받아 전멸되었다.

후금은 옴보를 체포하고 그의 세 아들인 구루게Gülüge(古祿格), 캉고Khanggu(杭高), 토보크Tobog(托博克)를 귀화성-투메드에 머물게 하였다. 그리고 귀화성-투메드인을 나누어 다스리도록 했다. 귀화성-투메드부는 숭덕 원년인 1636년에 좌우 도통기로 편성되었다. 청조는 구루게를 좌익도통, 캉고를 우익도통으로 봉하고 세습을 인정했다.[107] 이 2기를 귀화성-투메드 좌우 2기도통기(歸化城土默特左右二旗都統旗)라고 부른다. 보속토칸의 자손들은 모두 이 2기에 분속되었다. 귀화성-투메드 좌우 도통기에는 좌익 25좌령, 우익 22좌령이 배속되어 있다.

청조는 강희 22년(1683)에 부도통 2인을 증설하여 통제를 강화했다. 그리고 건륭 2년(1737)에 산서우위장군山西右衛將軍을 허흐호트 주변에 새로 신축한 수원성綏遠城으로 옮겨 건위장군建威將軍이라 개칭한 뒤 밑에 부도통 2인을

107) 杭高의 사후 그 아들이 죄를 지어 직을 박탈하고 토보크에게 계승시켰다.

두었다. 건륭 13년(1748)에 투메드-좌익도통의 세습을 정지시켰고, 1755년에는 투메드-우익도통의 세습도 정지시켰다. 또 1756년 건위장군을 수원장군綏遠將軍으로 개칭하여 수원성 주방駐防 사무를 통관統管하게 했다. 그리고 귀화성-투메드-도통기 및 올란자브초올강, 이흐조초올강의 절제 및 감독을 맡겼다.

제4장 몽골 습속

1. 몽골 습속(유목 생활)

몽골의 유목 습속 가운데 이동 및 거주, 수레 등 유목생활에 대해서는 박지원과 서호수의 기록에만 1건씩 나타나는데, 그것을 순서대로 소개하면 다음과 같다.

(1) 박지원의 열하일기에 등장하는 몽골 습속(유목 생활)

【몽골 수레와 소】

몽골수레 수천 대가 벽돌을 싣고 심양에 들어오는데, 수레마다 소 3마리가 끈다. 그 소는 흰 빛깔이 많으나 간혹 푸른 것도 있다. 찌는 듯한 무더위에 무거운 짐을 끌고 오느라 코에서 피를 뿜는다.[1)]

1) 『열하일기』「盛京雜識」1780년 7월 10일조 : 蒙古車數千乘, 載甎入瀋陽, 每車引三牛, 牛多白色, 間有靑牛, 暑天引重, 牛鼻流血.

몽골을 여행했던 조선 사신단들의 여행기에는 몽골의 달구지(terge-n>тэргэн)가 우리의 달구지와 아주 흡사하다는 기록이 많이 나온다. 그리고 소의 색깔이 우리의 누렁이 황소와 다른 흰색을 가지고 있다는 기록이 많이 등장한다. 사실 조선에서 병자호란 이후에 사육된 소들은 모두 누렁이 계통이 주류를 이루는 몽골 소들이다.[2)]

몽골 소에는 일반 소와 야크의 일종인 사를라크сарлаг, 사를라크와 일반 소의 1대 잡종으로 하이나크хайнаг라 불리는 세 종류의 소가 있다. 하이나크는 황량한 환경 속에서도 매우 잘 견디며 몸집이 아주 거대하지만, 매우 희귀하여 좀처럼 보기가 어렵다. 하이나크는 황소에 비하여 1.5~2배의 짐을 운반할 수 있다. 그러나 이 소의 2대는 1대처럼 품종이 우수하지 않다.[3)]

유목민족들은 흉노匈奴(Hun-na) 이래 거세한 황소를 주요한 운송 수단의 하나로 사용하고 있다. 북방 아시아에서 최초로 유목제국을 건립한 흉노는 지금의 몽골인과는 달리 주로 달구지 방(車廬)에서 생활하고 있으며, 황소는 낙타와 함께 수레를 끄는 주요한 가축이다. 달구지 방의 생활은 몽골제국시대에 들어와 지상에 거주하는 겔의 형식으로 바뀌었지만, 일부 귀족들은 과거의 흔적인 달구지 방[4)]을 유지하기도 하였다.

---

2) 조선에서는 1636~1637년 사이에 유래가 없을 정도의 牛疫이 돌아 농경을 할 수 없는 지경에 이르렀다. 이에 仁祖는 1638년 成釴을 내몽골로 파견해 담배와 소를 바꾸도록 지시했다. 成釴은 내몽골의 아오칸기(敖漢旗), 나이만기(乃蠻旗), 옹니고드기(翁牛特旗) 등 각지를 돌면서 담배가 추위와 정신집중에 좋다는 감언이설로 몽골 소와 교환했다. 현재 우리나라의 한우는 바로 이때 전래된 몽골 소의 후예이다. 따라서 한우는 몽골 소처럼 육질이 좋고 뼈를 끓일 경우 질 좋은 국물을 얻을 수 있다. 이 국물을 고대 몽골에서는 설렁탕(sülen)이라고 부르고 있으며 약간의 면을 첨가하여 아침이나 점심식사로 쓰였다. 『몽골비사』 229절에는 칭기스칸이 아침에 설렁탕을 먹는다는 기록이 수록되어 있다. 담배가 조선에서 몽골로 전파된 과정과 담배의 몽골명칭 등에 대해서는 졸저, 『몽골의 문화와 자연지리』, 서울, 1999(개정판), pp.127~128을 참조. 아울러 고대 몽골의 설렁탕에 대한 기록은 졸저, 『몽골비사의 종합적 연구』, 서울, 2006, pp,293~294를 참조.

3) 몽골의 소에 대해서는 졸저, 『몽골의 문화와 자연지리』, pp.46~48을 참조.

4) 고대 몽골인은 달구지 위에 고정된 가옥과 분해해서 운반할 수 있는 텐트식 가옥을 가지고 있다. 이 두 종류의 가옥은 『黑韃事略』에 "穹廬有二樣, 燕京之制, 用柳木爲骨, 止如南方罘罳, 可以卷舒, 面前開門, 上如傘骨, 頂開一竅, 謂之天窓, 皆以氈爲衣, 馬上可載, 草原之制, 以柳木

13세기 당시 몽골을 여행한 루브루크는 22마리의 황소가 1량의 달구지 방을 운반하고 있었다는 기록을 남기기도 하였다. 그러나 몽골인들은 몽골제국 시대부터 황소를 달구지 방의 운반보다는 화물을 운반하는 달구지용으로 사용하고 있으며, 그 관행은 지금도 지속되고 있다.[5] 몽골의 도로상에서 황소가 쌍륜雙輪의 달구지를 끄는 대열을 목격하는 것은 그다지 어려운 일이 아니다. 황소가 끄는 달구지는 160～190kg의 화물을 실을 수 있으며, 하루의 이동거리는 18～25㎞이다. 달구지의 바퀴는 한인漢人들의 바퀴 모양과는 차이가 있는데, 몽골 달구지의 바퀴살은 일본어의 키(キ)와 아주 흡사하다.[6]

(2) 서호수의 연행기에 등장하는 몽골 습속(유목 생활)

【몽골인의 유목 생활과 여행 습속】

조양으로부터 서쪽 지역은 열하를 왕래하는 몽골인 남녀들이 길을 이었다. 어떤 이는 수레나 말을 타고, 어떤 이는 낙타나 나귀를 탔다. 밤이 되면 여관에 들지 않고 수초水草가 풍요로운 길가에 멈추어 때로 수십 량, 또는 5~6량의 수레가 함께 모여서 음식을 만들어 먹는다. 사람은 수레 위에서 자고 말은 냇가에 풀어놓는다. 간혹 천막을 치고 음식을 지어 먹기도 한다. 대체로 다닐 때는 수레가 방이 되고, 머물 때는 펠트로 천막(몽골겔)을 만드는 것이 몽골의 본래 습속이다.[7]

織定硬圈, 逕用氈撻定, 不可卷舒, 車上載行."처럼 잘 묘사되어 있다. 분리할 수 없는 대형 겔의 일종인 달구지 방은 『몽골비사』에는 khoshilig, 『元史』에는 火失房子, 원대 문헌에는 火室房(元·熊夢祥, 『析津志』: "火室房者, 即累朝老皇后傳下宮分者") 등으로 표기되어 있다. 원대 시가에도 달구지 방에 대한 표현이 "先帝妃嬪火失房, 前期承旨達灤陽(楊允孚, 『灤京雜詠』)" "黃金幄殿載前車(柯九思, 『宮詞十首』)"처럼 등장하고 있다.

5) 몽골인은 일반적으로 운송 수단을 온나unug-a(унаа[н])라고 부른다. 이는 소나 낙타가 끄는 달구지의 경우에도 적용된다.

6) 몽골의 달구지에 대해서는 Х. Пэрлээ, 『Монгол тэрэг』, УБ, 1955 및 『Монгол тэрэгний тухай』, УБ, 1956을 참조.

7) 『연행기』「1790년 7월 9일」조: 自朝陽以西, 蒙古男女之往來熱河者織路, 或乘車馬, 或乘駝驢, 夜則不入店舍, 就途傍水草豐饒處, 或數十車, 或五六車, 聚屯炊飯, 人宿車上, 馬放川邊, 間或

서호수를 비롯한 조선 사신단들의 여행기에는 위의 기록처럼 몽골인들이 여행 때 모두 노숙을 원칙으로 삼고 있다는 것이 많이 나온다. 그 대표적인 사례가 김창업의 『연행일기』와 이갑의 『연행기사』, 홍대용의 『담헌연기』 및 서유문의 『무오연행록』에 묘사된 다음과 같은 대목이다.

> (중전소中前所) 성 밑에 소달구지 10여 량이 놓여 있고 호인들이 모여 불을 피우고 있는데 몽골인들이었다. 몽골인은 날씨가 아무리 추워도 노숙하는 것이 습속이라고 한다.[8]

> 아주 추운 때라도 단지 달구지 위에 장막을 치고 길에서 자며, 아침에 눈을 털고 일어난다.[9]

> 노상에서 자주 몽골 사람들을 만났는데 아무리 춥더라도 여관에 드는 법이 없다. 날이 저물면 달구지를 길가에 세워두고 물과 풀이 있는 곳으로 가서 밥을 지어 먹고 달구지 위에서 노숙했다. (우리가) 매번 새벽에 떠날 때 보면 서리와 눈이 온통 옷이나 모자에 가득 덮여 있어도 쿨쿨 자면서 아무렇지 않게 여겼다. 이 완고하고 우둔함이 금수와 다를 바 없었다. 그러나 그 강인함과 배고픔과 추위를 견뎌내는 힘은 정말 두려운 일이었지 웃을 일이 아니었다.[10]

> 풍속이 말을 달리고 활쏘기를 잘하나 궁실宮室을 베풀지 아니하여, 자기들의 본거지에 있을 적에는 장막을 치고 있으나 길을 가면 비록 몹시 추운 눈 위라도

設幕而炊飯, 蓋行則車爲室, 止則氈爲廬, 蒙古本俗也.

8) 金昌業, 『燕行日記』 「1712년 12월 18일」 조 : (中前所)城下有牛車十餘輛, 羣胡屯聚爇火, 乃蒙古也, 聞蒙古雖大雪極寒, 必露處, 其俗然也.

9) 李岬, 『燕行記事』 「聞見雜記」 : 雖極寒之時, 只設帳於車上而宿於道路, 朝乃拂雪而起.

10) 洪大容, 『湛軒燕記』 「沿路記略」 : 路上屢遇蒙古, 雖極寒不入店舍, 日暮則停車于路傍, 就水草炊飯, 露宿于車上, 每曉行見霜雪滿衣帽, 齁齁然自適也, 此雖頑蠢如禽獸, 其强忍耐飢寒, 可畏而不可笑也.

밖에서 밤을 지낸다.[11]

서호수는 한여름인 7월, 김창업은 한겨울인 12월에 여행도중인 몽골인들을 보았다. 사실 한여름의 노숙은 보는 그 자체가 매우 낭만적인 정도로 그림처럼 아름답지만, 눈보라가 몰아치는 한겨울의 노숙은 고통스러운 생존 그 자체이다. 일반적으로 몽골인들이 살고 있는 몽골의 겔Ger(гэр)은 한겨울철에도 그다지 춥지 않다. 사실 몽골겔은 역사적으로 우리에게도 매우 친숙한 이동가옥이다. 겨울철에 청나라로 떠나는 조선 사신들은 압록강을 건너 지정된 숙소에 가기 전까지 몽골겔을 치고 밤을 보냈다.[12] 물론 몽골겔은 정사正使나

11) 徐有聞, 『戊午燕行錄』「1799년 1월 16일」조.

12) 오늘날 우리나라에서도 몽골겔을 심심찮게 볼 수 있다. 특히 영화나 드라마를 촬영할 때 몽골겔을 사용하는 빈도가 높아지고 있다. 따라서 조선 사신과 몽골겔에 관한 몇 가지 기록을 소개하고자 한다. ① 金昌業, 『燕行日記』「1712년 11월 26일」조 : "구련성에 닿으니 날이 이미 저물었다. 만상엔 군관이 먼저 와서 천막을 쳐 놓았다. 천막은 전포로 만들었고, 모양은 종을 엎어 놓은 모양인데 일산처럼 말고 펼 수 있다. 그 곁엔 장막을 쳤고, 앞엔 판자문을 달았다. 이것은 바로 몽골의 장막으로 궁려식이다. 그 안엔 5~6인이 누울 수 있다. 그 바닥엔 잡풀을 깔고 그 위에 털자리와 요를 깐 뒤, 이불과 베개를 놓고 불을 켜고 앉으니 버젓한 하나의 방이 되었다. … 부사와 서장관은 다 구피장막에 들었다. 세 천막의 거리는 10여 보였으며, 사방에 망網을 쳐 놓아 호랑이에 대비하였다(至九連城, 日已曛黑, 灣上軍官, 先到設幕, 幕以氈爲之, 狀如覆鍾, 使可張卷如傘, 傍圍帳前設板門, 卽所謂蒙古帳幕, 蓋穹廬之制也, 其中可臥五六人, 底布亂草, 其上鋪毛席及褥, 乃設衾枕, 爇燭入座, 儼然一房屋也. … 副使書狀, 皆處狗皮帳幕, 三幕相去十餘步, 而四圍張網防虎)." ② 洪大容, 『湛軒燕記』「沿路記略」: "노숙할 때 상방은 몽골 행막을 사용하였다. 길게 에워싸 종을 엎어놓은 것 같은데, 안에 4~5인이 앉을 만하였다. 부방과 삼방은 개가죽 막을 쳤는데 겨우 두 사람이 들어갈 수 있었다. 어느 것이나 모두 땅을 파서 판자를 걸치고서 그 밑에 숯불을 피웠다(其露宿也, 上房有蒙古行幕, 長圍如覆鍾, 內可坐四五人, 副房三房, 爲狗皮幕, 僅容兩人, 皆掘地架板, 熾炭于其底)." ③ 李坤, 『燕行記事』「1777년 11월 27일」조 : "(구련성 30리에 이르러 잤다) 의주의 장교가 먼저 도착하여 산 밑에 땅을 파서 구덩이를 만들고, 그 구덩이 안에 숯불을 피우고 그 위에 막을 쳐 놓았다. 그리고 장막 겉은 개가죽 휘장을 두르고 덮었다. 겨우 한 사람이 누울 만한데 따뜻하기가 온돌과 같았다. 상사는 몽골 전장을 쳤다((到九連城三十里止宿)灣府將校先已來到山之下, 掘地作坎, 坎中燃炭, 設幕於其上, 又以狗皮, 帳揮且覆焉, 纔容一人臥, 其溫如堗, 上使設蒙古氈帳矣)." ④ 著者 未詳, 『赴燕日記』「1828년 7월 29일」조 : "그들의 풍속에는 궁실이 없고 전으로 집을 만드는데, 전의 두께는 1치 남짓하니 이른바 몽골전이란 아주 두꺼워 쓸 만하다. 주거가 일정하지 않고 가는 대로 집을 만든다(其俗無宮室, 以氈爲廬, 氈厚過一寸餘, 所謂蒙古氈完厚可用, 居無定處, 隨行隨廬)." ⑤ 金景善, 『燕轅直指』「1832년 11월 21일」조 : "온돌을 만들어 노숙할 자리를 만든다. 온돌의 구조는 땅을 한 길 남짓 파고 그 속에 숯을 피운 다음, 위에 긴 판자를 덮고 판자 위에 삿자리를 깐다. 세 사신이 있는 곳은 몽골 천막을 덮었는데, 그 크기가 두 사람이 무릎을 펴고 누울 만했다(設地炕於此, 以爲露宿之所, 地炕之制, 掘地丈餘,

삼사三使에 한해 세워진다. 또 북경에 도착해서 몽골겔에 머무르는 경우도 있었다.[13]

몽골인들은 여행할 때 겔보다는 임시 천막인 마이항mayikhan(майхан)을 치는 경우가 대부분이다.[14] 서호수의 기록에 등장하는 천막(幕)과 펠트제 천막(몽골겔)이 동일한 것을 묘사한 것인지는 알 수 없지만, 당시에도 이 두 종류가 함께 사용되었다는 것은 의심할 바 없다.

2. 몽골 습속(일반 습속)

몽골의 유목습속 가운데 의복, 음식, 놀이, 씨름, 풍습 등의 일반 습속에 대해서는 최덕중, 박지원, 서호수의 기록에서 모두 나타나는데, 그것을 순서대로 소개하면 다음과 같다.

(1) 최덕중의 연행록에 등장하는 몽골 습속(일반 습속)

최덕중의 『연행록』에는 몽골 습속(일반 습속)에 관한 기록이 4건이 등장하는데, 그것을 소개하면 다음과 같다.

熾炭其中, 上覆長板, 板上設簟席, 三使所處則覆以蒙古毳帳, 大可容二人, 舒膝而臥)."

13) 著者 未詳, 『薊山紀程』 「1804년 1월 13일」조 : "이리저리 돌아서 원명원의 문에 들어갔더니, 몽골의 취막을 쳐 놓았는데, 그 제도는 마치 모정과 같았으니, 아무리 사나운 비바람일지라도 피할 수 있었다. 병부에서 전례대로 장막 셋을 설치하고, 그 하나에 우리나라 사신을 들게 하였다(圓明園 : 而廻迂作作, 路介然而入園門, 而設蒙古毳幕, 其制如茅亭, 雖獰風惡雨, 可避也, 自兵部例設三幕, 一許我國使臣入處)."

14) 겔과 마이항 등 몽골의 가옥에 대해서는 Д. Майдар, Л. Дарьсүрэн, 『Гэр』, УБ, 1976 및 B. Myagmarbayar, 『History of Mongolian Ger』, Ulaanbaatar, 2006 ; 졸저, 『몽골의 문화와 자연지리』, pp.121~122를 참조.

【타락차駝酪茶】

통관들이 날마다 우리에게 차를 권하고는 뇌물을 요구하는 것이 점점 심했다. 구렁 같은 욕심을 채워 주기 어려우니 괴롭다. 통관은 온돌 위에 앉았고, 우리는 온돌 아래에서 읍하고 나서 온돌에 올라가지는 못하고 좌우 등상登床에 걸터앉아 차를 마셨다. 차는 낙타 젖에다 당미죽唐米粥을 섞은 것이다. 처음 마시니 구역질이 났다. 그래도 사양하지는 못했는데, 자주자주 삼키니 도리어 기氣를 내리는 효과가 있었다.[15]

몽골인들은 아주 오래전부터 소, 양, 염소, 낙타, 순록, 샤틀라크 등의 젖을 짜왔다. 젖은 동물의 종류에 따라 소젖(үнээний сүү), 양젖(хонины сүү), 염소젖(ямааны сүү), 낙타젖(ингэний сүү), 말젖(гүүний сүү), 순록젖(цаа бугын сүү)이라고 불린다. 젖은 영양 식품일 뿐만이 아니라, 질병을 치료하는 데도 큰 역할을 하고 있다.[16]

이 가운데 낙타젖은 양젖처럼 농도가 짙으며 영양가도 높다. 낙타젖에는 다른 동물의 젖에서 찾아볼 수 없는 독특한 성분이 있으며, 열량도 말젖과 소젖보다 높다. 열량의 경우 소젖이 62kcal인데 비해 낙타젖은 108.8kcal이다. 낙타젖은 모유와 가장 비슷한 젖으로, 고대나 현대의 몽골인들은 산모의 젖이 부족할 경우 낙타젖을 모유의 대체용으로 사용하고 있다.

일반적으로 낙타젖은 결핵을 비롯한 모든 종류의 만성병을 치료하고 소화기관과 호흡기관을 강하게 해주는 능력이 있다고 알려져 있다. 『몽골의학지』에는 낙타젖이 "기를 상승시켜 자궁의 종양과 부종, 치질을 치료한다. 또 혈전을 예방하며, 기생충도 구제한다"고 기록되어 있다. 이 때문에 몽골인은 낙타

15) 『연행록』「1713년 1월 7일」조 : 通官逐日要余等勸茶後, 乞求漸甚, 壑慾難充, 可苦可苦, 通官坐於炕上, 余等揖于炕下, 不得登炕, 踞坐于左右登床飮茶, 茶乃駝駱乳, 和唐米粥者, 初飮惡心旋作, 而不敢辭矣, 頻頻呑下, 則還有降氣之效矣.

16) 위에 언급된 젖의 특성이나 젖으로 만든 유제품, 음식물에 대해서는 졸저, 『몽골의 문화와 자연지리』, pp.63~95를 참조.

젖을 약으로 간주할 만큼 귀중하게 여기고 있다.

낙타의 젖은 주로 겨울과 봄에 짠다. 1회 채유량은 3~4kg 정도이다. 낙타젖은 농도가 짙어 조금만 차에 넣고 저으면 양젖을 넣을 때처럼 차의 색깔이 아주 좋아진다. 낙타젖으로는 아이라크ayirag(айраг)를 만들 수 있지만, 타라크tarag(тараг)는 만들 수 없다. 낙타는 새끼를 낳은 뒤 2년 동안 젖이 나온다. 따라서 전쟁이나 장거리 여행 때 암낙타와 새끼를 함께 데리고 가는 경우가 많다. 이 경우 새끼 낙타가 암낙타의 젖을 함부로 먹는 것을 방지하기 위해 새끼의 입에 서르거sirgü(sörge>шөрөг)라고 불리는 가시나무를 채운다.

낙타젖으로 만든 음식 가운데 가장 유명한 것이 도오르막dagurimag(дуурмаг) 혹은 도가르막dugurmag(дугармаг)이다. 몽골의 낙타는 출히르chulkir(цулхир)라는 풀을 즐겨 먹는다. 출히르는 사막에서 나는 선인장과 식물의 일종으로 잎은 평평하고 가시가 있는데 열매는 식용으로도 쓴다.

최덕중이 맛본 타락죽은 몽골 고유의 방식으로 만든 타락죽이다.[17] 타락죽은 조선에서도 매우 귀하게 취급되었다. 조선 왕실에서 가장 애용된 보양식의 하나가 쌀을 불려서 간 다음 우유를 넣어 끓인 타락죽駝酪粥이다.[18] 타락죽은

---

17) 최덕중과 동행한 김창업의 여행기에도 "(1713년 1월 1일) 통관의 무리는 사신과 멀지 않은 곳에 앉아 있었는데, 역관으로 하여금 세 사신에게 청차를 드리게 했다. 이어 타락차를 큰 병으로 하나 보내왔다. 사신들은 마시려 하지 않았다. 나는 일찍이 그 맛이 좋음을 알았기 때문에 연거푸 두 잔이나 마셨다(通官輩坐於使臣不遠處, 使譯官進清茶於三使臣, 繼送駝酪茶一大壺, 使臣不肯進, 余曾知其味佳, 連啜二鍾)"처럼 타락죽에 관한 기록이 실려 있다. 두 여행기의 날짜로 미루어 보면, 조선사신단이 玉河館에 머물 때 통관들이 종종 타락차를 보냈왔다고 보인다.

18) 필자는 처음에는 조선시대에 애용했던 타락죽駝酪粥이 발음상 타라크tarag(тараг)가 아닐까도 생각했다. 타라크는 요구르트의 일종이며 주로 소젖, 양젖, 염소젖으로 만든다. 소젖으로 발효시킨 것을 "우흐린 타라크(үхрийн тараг)," 양젖으로 발효시킨 것을 "호니니 타라크(хонины тараг)," 염소젖으로 발효시킨 것을 "야마니 타라크(ямааны тараг)"라고 부른다. 그러나 낙타젖으로는 타라크를 만들 수 없다. 또 조선시대의 타락죽은 만드는 방식이 타라크가 아닌 우유와 곡물을 섞는 죽의 방식이라는 점에서 타락駝酪이 그 뜻대로 낙타의 젖을 의미한다는 것을 확신하게 되었다. 물론 조선시대의 타락죽은 몽골 타락죽의 변형이다. 참고로 타라크는 혈전을 제거하고 피를 형성시키며, 설사를 멈추게 하는 효능이 있다. 또 간장이나 담즙의 병 및 피부병을 치유하는 효능도 있다. 몽골에서는 옛날부터 타라크를 일사병 치료제로 사용하고 있다. 또 상급 음료의 하나로 간주되어 축제나 회의 때에 많이 사용되었다. 고대 몽골인은 축제나

원기를 돕고 비위를 조화롭게 하는 데 없어서는 안 되는 음식으로 여겨졌다. 타락죽이란 그 명칭에서도 나타나듯이 이는 원래 낙타의 젖으로 만드는 음식이다. 그러나 조선의 경우 낙타의 젖을 구할 수 없어 암소의 젖으로 대체했다. 조선시대 임금 가운데 타락죽을 가장 애용했던 왕이 숙종肅宗이었다.[19)]

참고로 몽골인이 좋아하는 식사는 양고기를 넣고 끓인 칼국수(gulirtai silü-n, gulirtai sülen>гурилтай шөл)이다. 그러나 이러한 식사 습속이 언제부터 시작되었는지는 명확히 알려지지 않고 있다. 그런데 조선시대 여행기에 그 습속이 1820년대에 이미 존재했다는 기록이 실려 있다. 그것이 바로 저자 미상의 『부연일기赴燕日記』에 실려 있는 다음과 같은 기록이다.

> (옹화궁雍和宮) 뒷 당堂에서 승도 수백 명이 모여 식사하고 염불하는데, 그 소리가 유달랐다. 모두 몽골 승려였다. 먹는 것은 바로 양고기 국에다 넓고 납작하게 조각낸 밀가루 섞은 것을 각각 작은 나무바리로 하나씩 먹었다.[20)]

> 그 뒤로 큰 당이 있으니 바로 법륜전法輪殿이다. 이곳에서는 수백 명의 몽골 승려가 경을 읽고 회식을 하는데, 그 소리가 마치 개구리 우는 소리 같으면서 웅대하다. 먹는 것은 밀가루로 뭉친 큼직큼직한 조각을 양고기 국에 섞어 작은 목기에 담아 한 그릇씩 먹는다.[21)]

회의 때 먼저 타라크를 하늘에 바쳐 올리면서 "아름다운 가축들이 들판에 가득 차 타라크나 아이라크의 통을 부유하게 하소서"라고 읊었다. 타라크는 주로 겨울철에 만들기 때문에 일부 지역에서는 "타라크를 만든다"는 말이 "겨울을 난다"는 뜻으로 사용되기도 한다. 타라크에 대한 자세한 것은 졸저, 『몽골의 문화와 자연지리』, pp.89~90를 참조.

19) 李押 의 『燕行記事』 「聞見雜記」에는 조선, 일본, 중국인의 습성에 대한 기록이 "일찍이 왜인이 말하는 것을 들었는데, '자기들은 집에 사치하고, 한인들은 의복에 사치하며, 조선인들은 음식에 사치한다'고 했다. 그 말이 사실에 가까운 듯하다(聞倭人嘗曰, 渠輩則侈於第宅, 唐人則侈於衣服, 我人則侈於飮食, 其言似近理也)."처럼 실려 있다. 이는 우리나라의 음식 문화를 논할 때 좋은 참조가 될 것이다. 실제 한국의 음식 문화는 발효 식품에 기초를 둔 북방의 유산을 계승하여, 된장이나 김치 등 인류의 유산으로 등록될 만한 기념비적인 식품을 만들어 냈다.

20) 著者 未詳, 『赴燕日記』 「1828년 7월 9일」 조 : (雍和宮)後堂有僧徒數百, 聚食念誦, 其聲不類, 盡是蒙古僧, 所食卽羊羹, 雜以寬片粉, 各呑一小木鉢, 其服色極怪, 不可形狀.

【씨름】

(십리보十里堡 찰원) 호인胡人 아이가 많이 모였기에 씨름을 시켰더니, 역시 하나의 기관奇觀이었다.22)

몽골의 씨름(böke>бөх)은 역사적으로 매우 유명하다. 오늘날 세계적으로 유명한 몽골의 나담에서 가장 인기 있는 종목도 바로 씨름이다. 마르코 폴로의 『동방견문록』에는 1280년 카이도Khaidu의 오르도ordo에서 벌어진 카이도의 딸 아이-자루크Ai-Jaruc와 푸마르Pumar 왕국의 왕자가 행한 씨름 경기가 특필되어 있을 정도로 남녀 모두 즐겼지만, 오늘날에는 남자만의 경기로 바뀌었다. 여성으로서 뭇 남성을 한방에 쓰러뜨린 아이-자루크가 웅거했던 아프가니스탄의 쿤두즈Kunduz는 오늘날 여성해방 운동의 메카로 상징되고 있다. 북방의 전통적인 씨름에는 처음부터 맞잡고 시작하는 흉노형과 서로 떨어져 시작하는 거란형의 두 종류가 있다. 고대의 몽골 씨름은 흉노형이었지만, 오늘날의 몽골씨름은 거란형이다.23)

---

21) 著者 未詳, 『赴燕日記』 「歷覽諸處,雍和宮」 조 : 後大堂是法輪殿, 有蒙古僧數百, 誦經會食, 聲如蛙吹而雄大, 食物乃寬片粉, 雜以羊羹, 各呑一小木鉢.

22) 『연행록』 「1713년 3월 6일」 조 : (十里堡,察院)胡兒多聚, 使之脚戰, 亦一奇觀矣.

23) 청대에 행해진 몽골 씨름에 대한 기록은 金梁의 『滿文秘檔』이나 『嘯亨雜錄』 등 적지 않은 문헌에 수록되어 있다. 金梁·『滿文秘檔』 「太宗賞三力士」에는 "(天聰六年<1633>正月), 阿魯部之特木德黑力士與土爾班克庫克特之杜爾麻, 于會兵處角力, 杜爾麻勝, 特木德黑負, 們都與杜爾麻角力, 們都勝,杜爾麻負. 令們都, 杜爾麻, 特木德黑三力跪于上前, 听候命名, 賜們都'阿爾薩蘭·土射圖·布庫'名號, 并賞豹皮長襖一, 賜杜爾麻'扎·布庫'名號, 并賞虎皮長襖一, 賜特木德黑'巴爾·巴圖魯·布庫'名號, 并賞虎皮襖一, (此處似有脫字)刀一, 緞一, 毛青八, 并諭以後如有不呼所賜之名而仍呼原名者, 罪"라는 기록이 수록되어 있으며, 『嘯亨雜錄』 「善撲營」에는 "定制選八旗勇士之精練者爲角抵之戲, 名善撲營, 凡大燕亨皆呈其伎, 或與外藩部角抵者爭較優劣, 勝者賜茶繒以旌之, 純皇最喜其伎, 其中最著名者, 爲大五格·海秀, 皆上所能呼名氏, 有自士卒拔至大員者, 盖以其勇摯有素也, 和相當軸時, 令巡捕營將士亦選是伎"라는 기록이 실려 있다. 그 밖의 문헌 기록에 대해서는 天海謙三郎, 「清朝の文獻より見たる蒙古の相撲 －布庫に付て」 『蒙古研究』 2-5, 1941 및 「清朝の文獻より見たる蒙古の相撲 －布庫に付て(1～4)」 『滿蒙』 23-12(1942), 24-1, 3, 4(1943) ; 金啓孮, 「中國式摔跤源出契丹·蒙古考」 『中國蒙古史學會成立大會記念集刊』, 呼和浩特, 1979, pp.394~396을 참조. 이 가운데 주목되는 것은 『滿文秘檔』에 실린 우승자의 칭호, 즉 阿爾薩蘭·土射圖·布庫(arslang tüsiyetü böke : 사자와 같이 恩賜받은 씨름꾼), 扎·布庫(jagan böke : 코끼리와 같은 씨름꾼), 巴爾·巴圖魯·布庫(bars bagatur böke : 호랑이와 같은 용사 씨름꾼)이다. 이 칭호는 오늘날 몽골에서 씨름의 우승자들에

【강희제의 백두산 국경 분계 오보(obuga)】

잠시 후에 목극등이 문밖에 나와 서서 황제의 말을 전하므로, 사신 및 우리들이 앞에 나아가서 읍하고 꿇어앉았다. 통관을 시켜 전언하기를 "백두산에 경계를 확정한 뒤 돌을 쌓아서 한계를 만들게 한 것은 민폐에 관계가 있으니, 천천히 거행하여 민폐를 끼치지 말라"고 하였다. 사신이 답하기를 "일찍부터 쌓기 시작했으나 아직 일을 마치지 못했는데, 하교대로 천천히 쌓겠습니다"고 하였다. 목극등이 읍하면서 일어나기를 청하더니 곧 물러갔다. 그때 안에서 문틈으로 엿보는 자가 많이 있어 푸른 옷이 밖에까지 비쳤으나 어떤 사람들인지를 알 수 없었다.[24]

위의 기록은 몽골과 직접 관계는 없지만, 몽골 지역에서 흔하게 볼 수 있는 경계 오보나 국경 오보에 관계되는 부분이기 때문에 참고적으로 수록했다. 백두산 국경 오보와 표식은 1712년 5월에 만들어졌다. 당시 조선의 대표자는 박권朴權이었고 통역관은 김지남金指南(1654~1718)[25]인데, 실제 김지남과 목극동穆克登[26]이 모든 일을 협의해 처리했다. 이와 유사한 예가 청조의 대신인

게 수여하는 사자(арслан), 코끼리(заан), 매(начин)와 그 맥을 같이 하고 있다. 역대 북방 유목민족의 씨름과 그 변천에 대해서는 졸저, 『유라시아 초원제국의 역사와 민속』, pp.407~465를 참조.

24) 『연행록』 「1713년 2월 6일」 조 : 移時, 穆克登出來, 立于門外傳皇旨, 使臣及余等進前揖, 跪于前, 使通官傳言曰, 白頭山定界之後, 使之築石爲限矣, 有關民弊, 徐徐擧行, 毋貽民弊, 使臣答曰, 曾雖築而姑未畢役矣, 依教徐築也, 穆也揖而請起, 旋自退去, 其時門隙, 多有自內窺見者, 而靑衣映外, 未知何許人也.

25) 김지남은 중인 출신의 역관이다. 그는 일본 여행기인 『東槎日錄』, 백두산정계비에 관련된 『北征錄』, 화약 제조 전문서인 『新傳煮硝方』 등을 저술한 것을 비롯해, 외교사 자료집인 『通文館志』를 편찬하였다. 특히 『通文館志』는 조선시대의 대외관계를 이해하는 데 중요한 자료로, 사역원의 관제, 譯科, 旅路, 출장비부터 중국과 일본에 보내는 외교문서나 접대하는 음식에 이르기까지 역관들이 알아야 할 모든 항목이 설명되어 있다. 또 대표적인 선배 역관들의 간단한 전기도 실려 있다. 12권 6책으로 이루어진 이 책은 후배 역관들이 비용을 갹출하여 출판되었는데, 17번이나 재판을 찍을 정도로 활용도가 높았다.

26) 兀喇摠管인 穆克登에 대해서는 최덕중과 동행한 金昌業의 『燕行日記』 1713년 2월 6일조에도 "兀喇摠管睦克登出來請使臣, 使臣進而揖, 克登使通官傳言曰, 白頭山事, 今已了當, 不復往見, 毋慮, 地界立標, 亦須勿亟, 唯於農隙, 徐徐爲之, 毋傷百姓, 言訖卽立去, 已而又召首譯, 謂之曰, 我於北道往來, 聞會寧開市, 寧古塔人, 抑買朝鮮人之物, 歸奏皇帝, 皇帝曰, 朕亦嘗聞此, 當加警飭云, 而使臣相見時, 未及言及, 可以此言告之, 克登, 皇帝寵臣, 守兀喇之地, 年前,

융과다隆科多(?~1728)[27]가 1727년에 자삭토칸부의 북방한계선을 샤안Саян산맥을 경계로 한다는 캬흐타조약(布連斯奇界約)을 러시아와 체결하고 정상에 국경 오보(kilin obuga>шилийн овоо)를 세워 표식으로 삼은 일이다. 청대에는 몽골 지역에 오보를 세워 맹기盟旗의 구분과 경계를 표시하는 관례가 있다. 이러한 관습은 몽골에서 유래된 것으로, 백두산의 국경 분계 오보도 그 연장선상의 한 예라고 볼 수 있다.

> 【송골매와 진주】
>
> 또 팔에 매를 앉히고 서쪽으로 가는 호인 넷을 만났는데, 두 마리는 깃 빛깔이 기이하여 검고 흰 점이 서로 섞여 있었다. 괴이쩍어서 물었더니, "이것은 곧 송골松鶻이고, 심양에서 진상하러 간다"고 하였다. 그 값을 물으니 '은 열여덟 냥'이라 하는데, 비단으로 머리를 감싸서 그 눈은 자세히 보지 못했다. … 또 올라인兀剌人을 만났는데, 수레 안에 노루와 사슴 따위를 많이 실었고, 또 큰 진주 500개가 있었다. 이 진주는 대개 흑룡강에서 산출되며, 진상하는 것이라 한다.[28]

위의 기록에 등장하는 호인은 아마도 솔론Solon(索倫), 다고르Dagur(達呼爾), 바르가Barga(巴爾虎), 오룬춘Orunchun(鄂倫春), 골디Goldi(赫哲) 등 눈강 및 흑룡

皇帝命往視白頭山, 故有云云也, 克登爲人小, 而眼有英氣, 語時如笑, 甚慧黠, 亦非雄偉人, 曾於鴨綠江, 躬自刺舡, 跌而缺其齒"처럼 수록되어 있다.

27) 隆科多는 강희제 황후의 동생으로, 성은 佟佳氏이며 鑲黃旗 만주인이다. 귀척인 관계로 一等侍衛에 제수되었으며, 이후 理藩院尙書兼步軍統領으로 京城의 병권을 장악했다. 강희제가 세상을 떠난 뒤 강희제의 遺詔를 받들어 擁正帝를 옹립했다. 옹정제 때 總理事務大臣, 吏部尙書를 역임했으며, 『清聖祖實錄』과 『大清會典』 편수의 總裁官이 되었고 『明史』의 편수에도 감수를 맡았다. 또 1726년 알타이에 가서 준가르와 칼카몽골의 경계를 확정하는 동시에, 1727년 몽골과 러시아와의 국경분계회담에도 참여했다. 그러나 이후 옹정제의 견제를 받아 41개 죄목으로 종신형을 선고받고 감옥에서 죽었다.

28) 『연행록』 「1712년 12월 12일」조 : 且逢四胡臂鷹西去, 而二首則羽色奇異, 黑白點相間, 怪以問之, 則答曰, 此乃松鶻也, 自瀋陽進上而去, 問其價, 則銀十八兩云, 而以錦布裹頭, 故未詳其眼目矣, …又逢兀剌人, 車中多載獐鹿之物, 亦有大眞珠五百箇, 此珠槩出於黑龍江而進上云矣,

강 유역, 대흥안령 동서 일대에 사는 소수민족 출신을 가리키는 것이라고 보인다. 특히 수달피는 솔론족의 대표적인 공납품이다. 청조는 황실에 필요한 귀중품을 확보하기 위해 순치 8년(1651) 오늘날의 길림성 영길현永吉縣에 위치한 명대 해서여진海西女眞의 올라부(烏拉部) 고성古城에 타생올라성(打牲烏拉城)을 건립했다. 그리고 계속되는 홍수로 인해 강희 45년(1706)에 동쪽에 새로운 성을 쌓고 이주했다.

타생올라성은 만주어로 보트하-올라Butha-Ula(布特哈烏拉)성이라고도 부르는데, 보트하-올라란 강변에서 물고기를 잡는 곳이란 뜻이다. 청조는 이 성에 타생올라총관아문(打牲烏拉總管衙門)을 설치하여, 22곳의 산장山場, 64곳의 진주 채취 강, 5곳의 관장官庄을 관리했다.[29] 그리고 이곳에서 생산된 동주東珠, 꿀, 심황어鱘鰉魚, 잣, 인삼 및 수달피 등을 황실에 제공했다. 위의 소수민족 가운데 솔론, 다고르, 바르가는 몽골 민족으로 간주되고 있다.[30]

29) 李德懋의 『入燕記』 「1777년 5월 2일」 조에도 "성경·영고탑에서 매년 인삼 1만 근을 황제에게 바치면, 이를 반드시 강남 등지에 팔아서 그 이익을 취한다. 성경의 삼정은 한 사람마다 삼 5전을 바치고, 영고탑의 삼정은 한 사람마다 1냥을 바친다. 영고탑과 슬해 지방에는 주정과 초정이 있다. 예로부터 북주를 보화로 일컫는데, 바로 이것을 말한다(盛京靈京塔, 每年貢人蔘一萬斤於皇帝, 則必發賣江南等地, 收其利, 盛京蔘丁, 每丁納蔘五錢, 靈古塔納一兩, 靈古塔及瑟海地方, 亦有珠丁貂丁, 古來稱北珠之爲寶, 卽此是也)"처럼 북방 특산품을 채취하는 전문 관서가 있었음을 보여주는 기록이 실려 있다.

30) 이들이 사냥한 것을 조선 사신들에게 하사한 기록도 있다. "(1798년 12월 9일) 큰 수레 수백이 사냥한 짐승을 싣고 그 위에 모두 누런 기를 꽂고 줄지어 황성으로 향하여 가거늘, 마두에게 시켜 물으니 '달자(몽골)가 진공하는 것이라' 하더라. … (1798년 12월 22일) 통관이 함께 동화문 안의 한 마을에 이르니, 마을은 내무부內務府라 일컫고 관원이 있어 가지 수를 적어 주며 이를 보아 타가라 하니, 곧 사슴 다섯 마리와 곰 한 마리와 산돼지 세 마리와 노루 세 마리와 꿩 스무 마리와 큰 생선 세 마리와 작은 생선 스무 마리와 사슴의 혀 열과 사슴의 꼬리 열 낱이라. 여러 가지를 타올 때 이상과 같이 주는 곳이 많지 않고, 다만 왕공대신 여남은 집인가 싶은지라. 큰 수레에 실어 관으로 올 때 길에서 보는 자가 다 장하게 여기고, 관에 이르니 여러 통관이 이르되 '이러한 상은 이전에 듣지도 못한 바라' 하며, 관중에 출입하는 되(胡)들이 모여 볼 때 이르되, '황제가 조선 사신을 친왕에게 주는 상과 같이 하니 이상한 일이다' 쑥덕이더라 하더라. … 오늘 상으로 준 것이 곧 길에서 만난 달자의 진공이라 하던 물건이라. 짐승을 다 창으로 찔러 잡은 모양이더라. … 상 탄 것을 상방으로부터 세 방과 비장, 역관에게 각각 분배하고, 저녁밥에 노루 고기로 전철(고기 굽는 적쇠)을 차려 내오니, 약간 노린내가 나지만 매우 먹음직하더라."(徐有聞, 『戊午燕行錄』) 또 심황어에 대해서는 조선 사신들도 "황제가 하사한 심황어는 연의 땅에서 나는 것이 아니고 달자의 세공이라 한다(皇帝所賜鱘鰉魚, 非燕産, 卽係獺子歲貢云)"(著者 未詳, 『薊山紀程』)처럼 관심이 많았다.

(2) 박지원의 열하일기에 등장하는 몽골 습속(일반 습속)

박지원의 『열하일기』에는 몽골 습속에 관한 기록이 6건이 등장하는데, 그것을 소개하면 다음과 같다.

【버선】

> 게다가 옷과 벙거지가 남루하고, 얼굴에는 땟국이 흐른다. 그런데도 버선은 꼭 신고 있다. 우리 하인배들이 알정강이로 다니는 것을 보곤 이상스럽게 여기는 모양이다.[31)]

위의 기록에 등장하는 버선은 몽골어로 오임스oyimusu-(n)(оймс[он])라고 부른다. 긴 장화를 신고 오랜 시간 말을 타야 하는 유목의 특성 상 버선은 필수적이다.[32)] 위의 기록은 어찌 보면 우리의 슬픈 역사를 보는 것과 같다. 몽골인은 우리의 양반들에게 "그대들은 버선을 신으면서 왜 종은 맨발로 다니게 하는가"라고 묻는 것처럼 보인다.

청나라를 방문한 우리 사신단을 수행한 사람들에는 종들이 많다. 그런데 그 종들은 옷도 한 벌에 불과하고 맨발로 다녀 만주인들이나 몽골인들은 물론 주변의 한인들에게까지 동정심을 자아냈다. 심지어 조선 출신의 통관들까지도 조선양반들과 친해져 속을 터놓고 대화할 경우 예외 없을 정도로 모두 그 사연을 물을 정도였다. 그때 조선의 양반들은 역적의 자식이라는 한마디로 그 질문을 물리쳤다. 일례로 박지원 일행이 공작포孔雀圃를 방문했

---

31) 『열하일기』「盛京雜識」 1780년 7월 10일조 : 且其衣帽繿縷, 塵垢滿面, 而猶不脫襪, 見我隷之赤脚行走, 意似怪之,

32) 洪大容의 『湛軒燕記』에는 몽골 버선에 대한 형상이 "버선은 길게 장화 모양으로 되어있으며, 무릎 밑에서 매어져 있다. 따라서 이것을 신고 앉을 때는 반드시 의자에 걸터앉아야 한다. 아주 부득이한 경우가 아니고서는 앉거나 꿇어앉기가 불가능하다(襪長如靴子,繫于膝下,以此坐必踞于椅橙,非甚不得已,不能斯須蹲且跪也)."처럼 비교적 자세히 묘사되어 있다.

을 때 맨발로 다니는 조선의 종들이 발을 다칠까 봐 그 책임자가 "뱀 뼈가 살에 들어가면 살이 곧장 썩는다"[33]라고 하면서 막을 정도였다. 그러나 조선의 양반들은 "우리나라의 종들은 한인과 만인을 가리지 않고 통틀어 호인이라 일컬으며 개나 양으로 대우한다"[34]라는 기록처럼, 그들을 소중화라는 시대이념으로 철저하게 무장시켰다. 정말 시대이념의 무서움이란 이런 것을 두고 말하는 것이 아닐까.

조선시대 여행기에서 서북도 사람이나 종을 나쁘게 표현하는 기록이 많이 등장한다. 그러나 그들의 처지에 대해서 동정을 나타낸 기록은 좀처럼 찾아보기 힘들다.[35] 당시 종들의 형상에 대한 기록 하나를 소개해 보도록 하겠다. 홍대용을 수행했던 덕형이라 부르는 조선의 종이 있다. 강희 황제의 증손인 양혼兩渾이 홍대용에게 선물을 주려고 그를 집으로 불렀다. 덕형은 최대한 예의를 차려 의관을 정제하고 그 집을 방문했다. 홍대용은 덕형이 돌아와 한 말을 그대로 그의 여행기에 옮겼다. "그들은 덕형의 누추한 의복과 전립氈笠, 짚신 등 너무도 초라한 모습을 보고 서로 킬킬거렸다. 덕형은 부끄러워 움츠리고 수레 밑에 엉거주춤 앉은 채 감히 움직이지 못하였다. 얼마 있으니 환관이 나와 덕형을 안내하여 정당에 들어갔다."[36] 이것이 가장 잘 차려 입은 조선의 종이다.

【자다Jada】

나는 또 포주에게 "귀포貴舖 중엔 희귀한 약재가 갖추어져 있는가"하고 물었

33) 『열하일기』 「黃圖紀略」 孔雀圃條：圃人見我隷跣足行走, 戒勿踐日, 恐蛇鰓入膚卽爛也.
34) 朴思浩, 『心田稿』 「留館雜錄」：而我東下隷, 不分漢人滿人, 統稱胡人, 待之以犬羊.
35) 시대를 앞서갔다고 자부하는 박지원조차도 "종들이 모두 춥고 굶주려서 혼수상태에 빠졌다. 나는 그들을 채찍으로 갈겨 깨웠으나, 일어났다가 곧 쓰러지곤 한다(下隷饑寒, 莫不困睡, 余手鞭醒之, 乍起旋倒)."(『열하일기』 「漠北行程錄」)처럼 매정하게 종들을 대하고 있다.
36) 洪大容, 『湛軒燕記』 「兩渾」 條：時德亨衣弊布氈笠草屨, 服飾甚醜, 觀者相與笑之, 德亨慚愧瑟縮, 蹲坐車下不敢動, 有頃, 宦者出, 引德亨入.

다. 포주가 "초목과 금석金石을 논할 것 없이 이름을 지적하신다면 곧 올려 드리겠다"고 한다. 내가 "희귀한 진품이 별안간 떠오르지 않는다"고 하였더니, 포주가 동편 벽 밑에 붉게 칠한 궤짝을 가리키며 "이 속에 사답砟答 하나가 있는데, 참 희귀해서 얻기 어려운 재료이다"고 한다. 나는 "사답이 무슨 물건이냐"고 물었다. 포주는 웃음을 짓고 일어나면서 "구경하시는 것이야 관계없다"고 하면서 궤를 열더니, 둥근 돌 하나를 끄집어냈다. 크기는 두어 되들이 바가지와 같고, 모양은 흡사 거위 알처럼 생겼다. 나는 "이건 수마석水磨石이다. 무슨 희롱인가"라고 하였더니, 포주가 "어찌 감히 오만 무례하옵니까. 이건 타조의 알인데, 병명을 모르는 괴이한 병을 치료할 수 있다"고 한다.[37]

위의 기록에 등장하는 사답砟答은 자다Jada의 음역으로 가축의 몸에서 생성된 결석結石을 말한다. 자다석石은 비바람을 부르는 주술법에 사용된다.[38]

【몽골 모자】

몽골 사람들도 역시 여름철에 갓을 쓴다. 가죽 제품에 도금을 입혀 구름무늬를 그린 것이 많다.[39]

몽골은 추운 겨울의 나라이며, 또 모자와 허리띠를 권위의 상징으로 삼는 민족이다. 이로 인해 모자의 종류도 무척 다양하고, 모자에 대한 금기도 철저히 준수되고 있다. 조선이 갓의 나라라면, 몽골은 모자의 나라라고 해도 좋을 정도이다. 몽골의 모자는 일반적으로 말라가이malagai(малгай)라고 부르는데,

---

37) 『열하일기』「口外異聞」砟答條：余問, 舖中藥料希奇俱全否, 舖主曰, 無論艸木金石, 指名要看, 輒敢奉正, 余曰, 稀奇珍品, 偶未思名, 舖主指東壁下紅漆樻子曰, 這裡砟答一枚, 眞是稀奇難得之料, 余問砟答何物, 舖主笑而起曰, 第不妨觀看, 開櫃出一團石, 大如數升匏子, 形似鵞卵, 余曰, 此水磨石也, 何相戲耶, 舖主曰, 何敢故慢無禮, 這是駝卵, 能治難名奇疾.

38) 자다석의 실체와 자다의 주술에 대해서는 졸저, 『유라시아 초원제국의 역사와 민속』, pp.365~389를 참조.

39) 『열하일기』「銅蘭涉筆」條：蒙古人, 亦夏天戴笠, 多皮造鍍金, 上畫雲氣.

한국어의 마래기와 어원이 같은 단어이다. 몽골인들이 여름에 쓰는 삿자리는 왕골제의 치르슨-말라가이chigirsü-n malagai(чийрсэн малгай)와 갈대로 만든 데레슨-말라가이deresü-n malagai(дэрсэн малгай)가 있다. 이외에는 모두 비단이나 가죽, 털로 만든 모자이다.[40] 구름 문양은 몽골인들이 길상의 상징으로 삼는 문양이다.[41] 몽골의 모자에 대한 기록은 여타의 조선 여행기에도 종종 언급되어 있다.[42]

【조선 담배의 만주 전파】

나는 "만력 연간에 일본에서 들어왔다. 지금 토종이 중국 것과 다름없다. 황가皇家가 만주에 있을 때 우리나라에서 담배가 들어갔다. 그 씨가 본래 왜국에서 왔으므로 남초南草라 부른다"고 하였다.[43]

위의 기록은 박지원과 왕혹정王鵠汀 사이에 행해진 대화의 한 대목이다.

40) 몽골의 모자는 데. 바이에르(박원길 옮김), 『몽골석인상의 연구』, pp.68~75 및 Y. Ядамсүрэн, 『БНМАУ-ын ардын хувцас(альбом)』, УБ, 1967 ; Г.Батнасан, 『Монгол ардын хувцас』, УБ, 1989 ; Х.Нямбуу, 『Монгол хувцасны түүх』, УБ, 2002를 참조.

41) 몽골의 전통 문양에 대해서는 Х. Нямбуу, 『Халхын зарим нутгийн хээ угалзны зүйлээс (19-20 зууны эхэн)』, УБ, 1968 ; Л. Батчуулун·Л. Түдэв, 『Монгол эсгий ширмэлийн урлаг』, УБ, 1999 ; Л. Батчуулун·Д.Энхдаваа, 『Монгол хээ чимэг』, УБ, 2000 ; Б. Болд, 『Монгол ардын хээ угалз』, УБ, 2006 ; Нарт, 『Өлзий хээний гарал, хувьсгал』, УБ, 2009 ; 백승정·박원길, 「한국과 몽골의 전통문양디자인 비교」 『몽골학』 28, 2010을 참조.

42) 몽골의 모자에 대하여 비교적 자세한 기록을 남긴 예가 『燕行記事』의 "모자 갖옷의 꾸밈은 수달피로부터 여우·오소리·쥐·수달에 이르기까지 모두 등급이 있고 은서피와 흑호피는 금하여 쓰지 못한다. 평상시에 쓰는 모자는 홍진사로 얽고 조복의 모자는 홍륭사를 썼는데 대단히 두껍고 길어서 테를 꿰맨 털의 선과 서로 가지런하다. 양모는 선이 없기 때문에 비록 항상 쓰는 모자라도 붉은 실이 모자 옆으로 나온다. 몽골의 모자는 위가 펀펀하고 청인의 모자는 위가 둥글어서 이것으로도 구별할 수 있다. 귀천의 구별은 오직 정자와 방석에 있다(帽子及裘飾,上自貂皮下至狐貉鼠獺,皆有等級,而銀鼠皮及黑狐皮則禁不用,常時帽子,絡以紅眞絲,朝服之帽則用紅絨絲,而甚厚且長,與緝邊之毛緣相齊,而涼帽則無緣,故雖常着之帽,紅絲輒出帽邊,蒙古之帽其頂平,淸人之帽其頂圓,以此足可卞矣,其所以表賤者專在於頂子及坐褥)"라는 기록과 『湛軒燕記』의 "공물을 바치기 위해서 온 자들은 유독 누렇게 물들인 모피로써 모자를 썼는데 모습들이 흉악하고 사나웠다(其以貢獻至者,獨以染黃皮毛爲帽,狀貌類多獰悍)"라는 기록이다.

43) 『열하일기』 「太學留館錄」 1780년 8월 10일조 : 余曰, 自萬曆間, 從日本入國中, 今土種無異中國, 皇家在滿洲時, 此草入自敝邦, 而其種本出於倭, 故謂之南草.

황가皇家는 청나라를 말한다. 담배의 몽골 전래에 대해서는 이미 앞에서도 말한 바 있다. 조선시대의 여행기에는 몽골과 만주인이 담배를 애용한다는 기록이 많이 나오는데, 특히 코담배인 비연통鼻煙筒에 대한 기록이 많다.[44]

코담배는 명나라 말기 이탈리아의 선교사인 마테오리치가 최초 전파했다. 이후 코담배는 눈이 밝아지고 담을 제거하는 것은 물론 신경통까지 고친다는 만병통치약으로 간주되어, 청나라 초기 대신大臣부터 몽골의 고위 라마승에게까지 널리 전파되었다. 심지어 황제인 강희제도 그것을 애용할 정도였다. 이로 인해 비연통은 1798년 겨울에 청나라를 방문한 조선 사신 정사正使 이조원李祖源 등에게 가경제가 하사품의 하나로 내려줄 정도로 귀하게 취급되었다.

17세기 중엽 조선에서 몽골로 담배가 전파되자 몽골인은 조선의 발음을 따라 담배를 타미흐tamaki[n](тамхи)라고 불렀다. 또 긴 담뱃대(гаанс)를 사용하는 것 외에 라마승의 영향을 받아 하마린-타미흐Khamar-yin tamaki(хамрын тамхи)라 부르는 코담배 흡입법이 크게 유행하였다. 또 중원과는 다른 몽골의 독특한 코담배 흡연 예법까지 등장했다. 원래 승려들은 흡연이 허용되지 않았기 때문에 귀중한 돌로 만든 작은 통에다 담뱃가루와 향료를 섞어 코로 들이키는 코담배를 즐겼다. 승려들이 코담배를 즐기자 귀족들이나 일반 목민들도 그것을 따라 배우기 시작했다.

이후 몽골인들은 처음 만날 때 반드시 서로의 코담배통을 교환한 뒤 인사말을 꺼낼 정도가 되었다. 몽골인은 예의를 중시하기 때문에 코담배의 교환에도 지위나 나이에 따른 법도를 만들어 냈다. 먼저 일반적으로 코담배통을 교환할

44) 비연통의 모습이나 흡입 방법은 저자 미상의 『薊山紀程』에 "鼻煙은 飛煙이라고도 부른다. 담배를 곱게 가루로 빻아 병에 채운다. 손가락 끝으로 통을 잡아 콧구멍에 문지르면서 코에 힘을 주어 빨아들인다. 병은 호박, 밀화 등으로 만들어서 의대 사이에 차고 다니는데, 그것을 비연통이라 한다(鼻烟亦名飛烟, 用烟作細屑, 盛于壺, 以指尖抹于鼻孔, 而用氣吸之, 壺用琥珀蜜花等物, 佩于衣帶間, 謂之鼻烟筒)"처럼 가장 잘 묘사되어 있다.

때는 반드시 오른손으로 감싸 서로 악수하듯 동시에 교환해야 한다. 그러나 귀족이나 승려가 코담배통을 줄 경우에는 두 손으로 공손히 받아 자신의 눈썹 부근까지 올린 뒤 되돌려준다. 그리고 자신의 코담배통을 건네준다. 그것을 받은 귀족이나 승려는 코담배통을 열어 내용물을 엄지손톱에 조금 떨어뜨린 뒤 흡입하는 흉내를 낸다.

평민들도 동년배일 경우에는 코담배통을 교환한 뒤 서로 같이 코담배통의 내용물을 엄지손톱에 조금 떨어뜨린 뒤 흡입하는 흉내를 낸다. 연장자가 연소자에게 코담배통을 건넬 경우, 연소자는 귀족이 평민에게 줄 때와 같은 행동을 취한 뒤 되돌려준다. 연소자가 연장자에게 코담배통을 바칠 경우 연장자는 위의 귀족들처럼 내용물을 자신의 엄지손톱에 조금 떨어뜨린 뒤 흡입하는 흉내를 낸다. 이 인사 습속은 지금도 아주 중시되고 있다.

【북경 천주당天主堂의 몽골 음악】

그러나 그들의 천주당에 대한 기록들은 약간의 유감이 없지 않다. … 가재稼齋의 기록을 끄집어내어 나와 함께 보았다. "…종소리가 잠시 그치자 동쪽 변두리 홍예문虹霓門 속에서 갑자기 바람 소리가 쏴 하면서 여러 개의 바퀴를 돌리는 것 같았는데, 계속해서 관·현·사·죽 등의 별별 음악 소리가 들렸다. 어디로부터 이 소리가 나는지 알 수 없다. 통관이 말하기를 '이것은 중국 음악입니다' 한다. 얼마 아니 되어 소리는 그치고 또 다른 소리가 나는데, 조회 때 들은 음악 소리와 같이 들렸다. 이는 '만주 음악입니다' 한다. 조금 있다가 이 소리도 그치고 다시 다른 곡조가 들리는데, 음절이 촉급하였으니 '이는 몽골 음악입니다' 한다. 음악 소리가 뚝 그치고는 여섯 짝 문이 저절로 닫혔다. 이는 서양 사신 서일승敍日昇이 만든 것이라 한다." 가재의 기록이 여기에 이르러서 그쳤다.[45]

45) 『열하일기』「黃圖紀略」天主堂條 : (風琴)余友洪德保嘗論西洋人之巧曰, 我東先輩若金稼齋李一菴, 皆見識卓越, 後人之所不可及, 尤在於善觀中原, 然其記天主堂, 則猶有憾焉…因出稼齋所記共觀焉…鍾聲纔止, 東邊虹門內, 忽有一陣風聲, 如轉衆輪, 繼以樂作, 絲竹管絃之聲,

위의 기록에 등장하는 가재稼齋란 노가재老稼齋 김창업金昌業(1658~1721)을 말한다. 북경에 파견된 서양의 선교사들이 자명종에서 울리는 음악의 하나로 몽골 음악을 편성한 것은, 몽골이 만주와 연합 세력을 이룬 통치층이었기 때문일 것이다. 몽골 음악은 장가(Уртын дуу)와 단가(Богино дуу)로 크게 대변되는데, 위에 기록된 것으로 보아 단가 계통의 음악이라고 보인다.[46]

【이탁오李卓吾의 삭발】

이탁오는 머리가 가려워서 공공연하게 머리를 깎았더니 중국 사람들은 또한 그를 흉성凶性이라고 말했다. 이것은 대체로 중국 사람들이 머리를 깎을 징조라고 할 것이다. 지금 중국 사람의 머리 깎는 풍속은 금나라와 원나라 시절에는 없던 풍속이다. 만일 중국이 낳은 진정한 군주 명나라 태조와 같은 이가 있다면 건곤乾坤을 맑게 정리할 것이다. 어리석은 백성들이 이런 습속에 젖은 지도 이미 1백여 년이 되었다. 따라서 머리를 묶고 모자를 쓰면 도리어 가렵고 불편하다고 할 자도 없지 않았다.[47]

위의 기록은 이탁오李卓吾(1527~1602)의 삭발을 빗대 금나라와 원나라 시대에도 행하지 않았던 변발을 청나라가 시행한 것과 그것을 따른 한인을 비난한 것이다. 사실 주자학을 신봉하는 조선의 사대부들에게 양명학(양명 좌파)을 추종한 이탁오는 사문난적斯文亂賊의 대표적인 인물이었다. 주자학의 신봉자인

不識從何而來, 通官言此中華之樂, 良久而止, 又出他聲, 如朝賀時所聽, 曰, 此滿州之樂也, 良久而止, 又出他曲, 音節急促, 曰, 此蒙古之樂也, 樂聲旣止, 六扉自掩, 西洋使臣徐日昇所造云, 稼齋記止此.

46) 몽골의 전통음악에 대해서는 Ж. Дорждагва 編, 『Уртын дуу』 УБ, 1970 ; У. Загдсүрэн, 『Монгол дууны судлалын товч тойм』, УБ, 1975 ; Т. Линчинсамбуу, 『Монгол ардын дууны төрөл зүйл』, УБ, 1959 ; Ц. Өлзийхутаг, 『Монгол ардын дуу』, УБ, 1989 ; Д. Цэрэнсодном, 『Монгол ардын дуу』, УБ, 1982 등을 참조.

47) 『열하일기』 「銅蘭涉筆」條 : 李卓吾以其煩癢, 公然剃髮, 中國人亦謂其凶性, 蓋中國剃髮之徵也, 今中國人開剃, 金元之所無, 若中國生出眞主如皇明太祖, 掃廓乾坤, 而愚民之習熟成俗者已百餘年之久, 則亦或有以束髮加帽, 反爲煩癢而不便者.

박지원이 그의 삭발을 명나라의 멸망 징조라고까지 신랄하게 비판한 것도 그 때문이다.

이탁오는 주자학과 대비되는 양명학(양명 좌파)의 대표적 인물이다. 이탁오의 원명은 이지李贄이고, 자字는 굉보宏甫, 호號는 탁오, 별호別號는 온릉거사溫陵居士이다. 회교도의 집안에서 태어난 그는 가경嘉慶 연간에 거인擧人이 되었고, 이후 예부사무관禮部司務官, 운남요안지부雲南姚安知府 등을 역임했다. 그는 54세 때 "나이 오십 이전의 나는 한 마리 개에 불과했다. 앞에 있는 개가 자기 그림자를 보고 짖으면 나도 같이 따라 짖었던 것이다"라고 외치면서 관직을 사임했다. 그리고 역사 연구에 집중해 유불선을 통합한 독자적 사상체계를 세우면서 국가이념화 하고 있던 주자학의 폐단을 정면으로 공격하고 나섰다.

그러나 그의 시대는 그를 받아줄 수 없었다. 명나라 정부는 1602년 "감히 거짓 도를 부르짖으며 세상과 백성을 우롱한다(敢倡亂道, 惑世誣民)"는 죄명으로 그를 옥에 가두었다. 옥에 갇힌 그는 시대와의 불화를 탓하기보다 동심童心과 지행합일知行合一의 새로운 세계를 꿈꾸며 자결했다. 비록 그는 불우한 생을 살았지만 그의 학문은 후대에 각광을 받았다. 그가 남긴 저서는 『사강평요史剛評要』 『분서焚書』 『속분서續焚書』 『이온릉집李溫陵集』이 있다.

(3) 서호수의 연행기에 등장하는 몽골 습속(일반 습속)

서호수의 『연행기』에는 몽골 습속에 관한 기록이 19건이 등장한다. 그 가운데 15건은 몽골 풍속(蒙古土風)이라는 항목으로 편성되어 있는데, 그 내용이 근대초기 학자의 몽골풍속 보고서라 착각할 정도로 전문성을 지니고 있다.

【몽골 습속】

몽골의 풍속에 이런 것들이 있다.[48]

【유통乳筩】

유통 : 가죽으로 만든다. 바닥은 평평하며, 아래쪽은 넓고 위는 좁다. 젖을 가득히 담아 가지고 다니기에 매우 편리하다.[49]

몽골은 전형적인 유목사회이다. 따라서 각종 가축의 젖을 짜거나 보관하는 용기들도 이동에 편리하게 가죽으로 만든 것이 대부분이다. 고대 몽골인의 생활상을 담고 있는 『몽골비사』에는 가죽으로 만든 종류의 통이 투수르게 tüsürge(85절), 거구르gö'ür(87절), 남보가nambuga(87절, 90절), 사올로가sa'uluga(90절)로 나타나고 있다. 그러면 『몽골비사』의 기록과 현대의 용기를 근거로 서호수가 말한 유통乳筩이 정확히 어느 것을 가리키고 있는지 살펴보기로 하자.

『몽골비사』 85절에 등장하는 투수르게tüsürge(түсрэг)는 오늘날 물이나 젖 등 흐르는 액체를 넣어놓는 가죽 용기를 총칭하고 있다. 그러나 고대의 경우 명확한 용도가 규정되어 있는데, 그것을 소개하면 다음과 같다.

(소르칸시라가 살고 있는) 겔의 표식은 말젖을 가죽부대(tüsürge) 들에 집어넣고 말젖 술을 (만들기 위해) 날이 밝을 때까지 밤새워 (불레구르로 말젖을 방아 찧듯) 찧고 있다는 것에 있다. 그 표식(과도 같은) 소리를 들으려고 (테무진이 귀 기울이며) 나아가 불레구르의 소리가 들리는 (겔에) 이르렀다.[50]

48) 『연행기』 「1790년 7월 7일」 조 : 蒙古土風.
49) 『연행기』 「1790년 7월 7일」 조 : 有曰乳筩, 以皮爲之, 平底而豐下銳上, 將乳盛之, 甚便於行携.
50) ger-ün belge sün tüsürü'ed esüg-iyen söni-de üdür chayitala bülekü büle'e. tere belge sonoschu yabubasu büle'ür-ün da'u sonoschu kürchü ger-tür inu orobasu Sorkhan-Shira eke-ben de'ü-ner-iyen erin od ese'ü kelelü'e bi(『몽골비사』 85절).

위의 기록에 등장하는 불레구르büle'ür(бүлүүр)란 말젖술을 찧을 때 사용하는 나무막대기의 명칭이다. 오늘날 일반적으로 말젖을 찧을 때는 아이라크를 찧을 때와 같이 불루르(각봉), 합하스khabkhagas(хавхаас : 뚜껑), 허너크könüg(хөнөг : 통)가 사용된다. 허너크는 가죽이나 나무껍질로 만든 통, 플라스틱 통 등을 통칭하는 용어이다. 그러나 몽골의 전통적인 목민들은 가죽으로 만든 투수르게를 사용하여 말젖을 찧고 있다.[51] 크기는 매우 커서 개인이 휴대하기에는 불가능하다. 즉 투수르게는 휴대용이 아닌 말젖 발효용으로 쓰이는 가죽통이다.

『몽골비사』 87절에 등장하는 거구르gö'ür(kökügür>хөхүүр)는 말젖술이나 타라크 등의 액체음료를 담기 위해 무두질한 가죽으로 만든 작은 통을 말한다. 고대의 경우 그 용도가 명확히 규정되어 있는데, 그것을 소개하면 다음과 같다.

> 수색했던 자들이 가버린 후 소르칸시라가 말하기를, "(하마터면) 내가 재처럼 날아가 버릴 (만큼 아주) 위험했다. 지금 (당장) 너의 어머니(와) 동생들을 찾아가라"고 했다. (그리고) 입이 하얗고 아직 새끼를 나 본적이 없는 콜라그친 암말에 (테무진을) 태운 뒤 텔코리간 양(고기)을 삶아 (그 고기를 주고, 또 말젖술을) 거구르(작은 가죽통)(와) 남보가(큰 가죽통)에 담아주었다.[52]

오늘날에도 시골의 목민들은 거구르 가죽부대에 넣은 말젖술(хөхүүртэй айраг)을 지니고 여행하는 일이 잦다. 곧 거구르는 휴대하기가 편한 작은

51) 투수르게는 겔에 들어갈 경우 왼쪽 벽에 매달려 있다. 곧 남자가 앉는 쪽에 설치되어 있다. 겔을 방문하는 손님들은 투수르게를 볼 경우 불루르로 몇 번 찧어주는 것이 전통적인 예절이다.

52) nengji'ül-i odugsan-u khoyina Sorkhan-Shira ügülerün namayi hünesü'er keyisgen aldaba. edö'e eke-ben de'ü-ner-iyen erin od ke'ejü aman chaga'an eremüg khulagchin-i unu'ulju telkhurigan bolgaju gö'ür nambuga jasaju(『몽골비사』 87절). 인용문에 나오는 콜라그친 암말과 텔코리간 양(고기)에 대해서는 졸저, 『몽골비사역주(I)』, 서울, 1997, pp.201~202를 참조.

가죽 통이다.

『몽골비사』 90절에는 사올로가sa'uluga 및 87절에도 등장하는 남보가 nambuga에 관한 기록이 다음과 같이 수록되어 있다.

> 테무진은 짧은 꼬리를 가진 선명한 박황색 말에 탄 뒤 엷은 밤색의 거세마들을 (말들이 지나간) 풀의 흔적을 따라 추적해 갔다. (추적한 지) 3일이 지난 이른 아침에 (테무진은) 길가의 많은 말떼 속에서 암말의 젖을 짜고 있는 한 준수한 청년을 만났다. (테무진이) 엷은 밤색의 거세마를 (보았느냐고) 묻자, 그 청년이 말하기를 "오늘 아침 일찍 해가 떠오르기 전 엷은 밤색의 거세마 8필을 (누군가가) 이곳을 거쳐서 몰고 갔다. 그들이 간 길을 내가 가리켜주겠다"라고 했다. (그리고는) 짧은 꼬리를 가진 (테무진의) 박황색 말을 (들판에) 풀어 주고 테무진에게 등이 검은 백마를 타게 했다. 그 스스로는 (속도가) 빠른 담황색 말을 탔다. (그는) 겔에도 돌아가지 않고 (또) 남보가(큰 가죽 통)와 사올로가(작은 가죽 통)도 초원의 (적당한 장소에) 숨겨두었다. (그 청년은) "벗이여! 너는 아주 고생하고 있구나. 대장부들은 고통을 함께한다. 나는 너의 동지가 되어 주겠다. 나의 아버지는 나코-바얀이라 불린다. 나는 그의 외아들로서 나는 보오르초라는 이름을 가지고 있다"라고 말했다.[53)]

87절 및 위의 기록에 등장하는 남보가nambuga는 『몽골비사』의 방역(傍譯)에 큰 가죽 통(大皮桶)으로 표기되어 있는데, 현재 할흐어 중 이에 대응되는 말은 술주머니나 술통을 뜻하는 나마아namag-a(намаа) 이외에는 발견되지 않는다.

53) dargi khonggor-i Temüjin unuju shirkha agta-tan-i ebesün-ü alurkhai-bar möchigijü gurban khonoju managar erte mör-tür olon adu'un-dur niken gürümele kö'ün kü'ün ge'ü sa'an akhu-yi jolgaju shirga agta-tan-i surabasu tere kö'ün ügülerün ene managar naran urgukhu-yin urida shirga agta-tan naiman morid e'über hüldejü yorchiba, mör inü bi ja'aju ögsü ke'ed ogodur khonggor-i talbi'ulju Temüjin-ne orog shingkhula-yi unu'ulba. mün ö'esün khurdun khubi-yi unuba. ger-tür-iyen ba ülü odun nambuga sa'uluga-ban ke'ere bukhuju talbiba. nökör chi bürün mashi mungtaniju ayisu aju'u, ere-yin mung niken bui-je, bi chima-dur nököchesü, echige minu Nakhu-Bayan ke'egdeyü, bi gagcha kö'ün inu bi Bo'orchu neretü bui ke'e'ed(『몽골비사』 90절).

그러나 내몽골 학자인 엘뎅테이Eeldengtei(額爾登泰) 등은 지금도 내몽골의 아라샨Arashan(阿拉善) 지방에서 아리히arki(архи : 술)를 담는 큰 수통이나 가죽통을 남보가nambuga라 부른다고 보고하고 있다.[54] 오늘날 할흐 몽골어에 "술통 가득 술을 담아서 가는 동안(намаа дүүрэн архитай наргиж даргиж явтал)"이란 표현이 보인다. 따라서 남보가도 휴대가 가능한 가죽 통임을 알 수 있다. 즉 남보가는 거구르보다는 크지만 휴대가 가능한 비교적 큰 가죽 통임을 알 수 있다.

사올로가sa'uluga는 『몽골비사』의 방역傍譯에 가죽(皮頭)이라고 표기되어 있는데, 현재 할흐어 중 이에 대응되는 말은 통이나 바구니를 뜻하는 소올가sagulg-a(суулга)가 있다. 소올가는 흔히 사바saba(сав : 통)와 연어(saba sagulg-a> сав суулга)를 이루어 물통이나 식기, 그릇을 뜻하는 말로 쓰인다. 그러나 몽골국 학자인 가담바Ш. Гаадамба는 사올로가를 고대에 말젖을 짜는 데 쓰였던 작은 가죽 통이라고 해석하고 있다.[55] 즉 사올로가는 휴대용이 아닌 말젖을 짜는 데 사용된 작은 통임을 알 수 있다.

이상의 분석을 종합해 볼 때, 서호수가 기록한 유통乳筩은 남보가nambuga나 거구르gö'ür의 어느 하나일 가능성이 높다.

【동물의 젖과 말젖 술】

소, 말, 양의 젖을 다 음식의 재료로 쓴다. 그러나 마유주(桐酒)는 오직 말의 젖으로 빚은 것이 좋다.[56]

위의 기록에 등장하는 가축의 젖과 젖류 식품에 대해서는 이미 최덕중

54) 額爾登泰·烏云達賚·阿薩拉圖 共著, 『蒙古秘史詞匯選釋』, 呼和浩特, 1980, p.266
55) Ш. Гаадамба, 『Монголын нууц товчооны судлалын зарим асуудал』, УБ, 1990, p.279 주 303.
56) 『연행기』 「1790년 7월 7일」조 : 牛馬羊乳, 皆資飮食, 而桐酒, 惟馬乳爲佳.

편에서 언급한 바 있다. 서호수는 "말젖 술 좋은 맛이 긴긴 밤을 잊게 하나"라는 시구를 남기고 있다. 따라서 그가 여행길에서 말젖술을 맛보았다는 것은 의심할 바 없다. 실제 서호수가 이곳을 지나갈 때는 말젖술이 풍성하게 산출되는 계절이기도 하다. 그러나 서호수의 기록에 말젖술의 원명이 나오지 않고 동주桐酒라는 한자어가 나오는 것으로 보아 그가 직접 몽골인과 접촉했는지는 의문이다. 혹은 접촉했다 해도 역관들의 몽골어 능력 때문에 대화가 불가능했을지도 모른다.

말젖술은 차강이데Chagan idege(цагаан идээ)를 대표하는 식품 중의 하나이다. 말젖으로는 주로 말젖술을 만든다. 말젖술을 아이라크-체게ayirag chege(айраг цэгээ)라 부른다. 그러나 내몽골이나 서부몽골에서는 체게Chege(цэгээ), 몽골국에서는 아이라크ayirag(айраг)라는 줄임말을 많이 사용한다. 몽골의 8대 음식 중 "하얀 벽옥의 물(chagan qas-yin egedeng>цагаан хасын ээдэн)"이라 불리는 것이 바로 말젖술이다. 말젖술은 허약한 몸을 튼튼하게 해주는 보약과도 같다. 몽골인은 옛날부터 말젖술을 최상의 음식이자 지고의 정성과 존경을 나타내는 상징으로 간주해 왔다. 따라서 칸이나 귀족들의 접대, 연회나 축제, 대원정시 토크tug(туг, 戰旗)에 대한 제사, 주요한 강이나 옹곤onggun(онгон, 聖物)에 대한 제사, 활불(khutugtu>хутагт, 呼圖克圖) 지명의식이나 승려에 대한 공양 때에는 반드시 말젖술을 사용했다.

몽골인은 잔에 철철 넘치게 말젖술을 담아 남에게 바친다. 말젖술을 마실 때에는 여흥으로 노래나 풀피리를 불기도 한다. 암말에게서는 1년에 여름과 가을 두 계절 동안만 채유한다. 몽골인은 젖을 짜기 시작할 때와 끝맺을 때 "말젖의 연회(chegen-yi nayir>цэгээний найр)"와 "망아지의 축제(unagan-yi bayar>унаганы баяр)"라 불리는 두 번의 연회를 개최한다.[57]

57) 말젖의 영양가와 채유 방법, 말에 관계된 축제에 대해서는 졸저, 『몽골의 문화와 자연지리』,

칭기스칸이 발흥했던 시기의 몽골에서는 말젖술이 담긴 황금 술통(altan gürü)과 푸른 도자기에 담긴 말젖술(kökö chüng)에 관한 기록이 종종 나타난다. 그 대표적인 기록이 칭기스칸의 라이벌이었던 자모카가 옹칸Ongkhan을 꼬드겨 자신을 공격할 때 말젖술로 빗대 자모카를 비난한 연설이다. 말젖술이 몽골족에게 어떠한 비중과 상징을 가지고 있는지를 대변하는 그 연설을 소개하면 다음과 같다.

> 다시 칭기스칸은 자모카 안다에 말하기를, "너는 나의 칸부(와 나 사이의 관계를) 시기하여 (우리들을 서로) 헤어지게 만들었다. 옛날 (우리 3인이 한곳에 있었을 때) 우리 (둘 가운데 아침에) 먼저 일어난 자가 칸부의 푸른 색 (도자기) 술통에 (담긴 말젖술)을 마셨다. 내가 먼저 일어나 마시면 너는 (그때마다 나를) 질투했다. 지금 그대는 (편안하게) 칸부의 푸른 색 (도자기) 술통에 (담긴 말젖술)을 (다) 마시도록 하라. (말젖술이 모두) 없어지도록 몇 번이라도 (마음 놓고) 마셔라"고 하며 (사신을) 파견했다.[58]

대몽골제국이나 대원올로스에서 가장 영광스러운 자리가 연회에서 말젖술이 담긴 술잔을 들고 "자! 마시자"고 선창하는 것이다. 이 선창자는 황제나 그에 준하는 공신에게만 한정된다. 이를 어터크ötög(喝盞)라고 부른다. 칭기스칸은 1206년 대몽골제국을 선포하면서 자신이 절대 절명의 위기에 처했을 때 자신을 구원해준 바다이Badai와 키실리크Kishilig에게 다음과 같은 어터크 지위 향수의 특전을 내리고 있다.

pp.67~69를 참조.

58) basa Chinggis-Khagan Jamukha anda-da ügüle ke'en ügülerün khan echige-deche minu üjen yadaju khagacha'ulba chi, urida bosugsan bidan-u khan echige-yin kökö chung u'ukhu büle'e, nada urida boschu ugdarun nayidaba-je chi, edö'e khan echige-yin kökö chüng baradkhun kedüi-je khorodkhun ta ke'ejü ilebe(『몽골비사』 179절).

다시 칭기스카간이 성지를 내리기를 "바다이와 키실리크 두 사람의 훈공으로 인해 (위기에서 벗어날 수 있었다. 이 두 사람에게) 옹칸의 황금 장막(을) 있는 그대로 (하사하겠으며) 황금 술통(과) 잔을 관리했던 사람들에 이르기까지 (모두 그들에게 하사할 것이다). 옹칸의 (씨족인) 케레이트인들을 (뽑아) 그들의 케식텐으로 삼도록 해줄 것이다. (이 두 사람은 권위의 상징인) 활과 화살을 (항상) 찰 것이며, 두 사람은 (연회 때에도) 어터크의 (지위를) 누릴 것이다.[59]

【몽골의 황전荒田】

황전 : 농사는 몽골의 본업이 아니다. 이제 세상이 오랫동안 평안하자 그들도 이르는 곳마다 산을 이용해 밭을 많이 만들었다. 그러나 씨만 뿌리면 곧 사방으로 나가서 유목과 사냥을 한다. 가을철 수확할 때에 돌아온다. 김매고 가꾸는 법은 강구하지 않는다. 세속에서 그것을 고척전靠尺田이라고 한다.[60]

청나라가 1644년 입관入關한 이후 1669년까지 한인들의 내몽골 지구 이주가 철저하게 금지되고 있었다. 그러나 명말청초의 전쟁을 거치면서 파산한 한인 농부들은 인구가 희박하고 땅이 비교적 좋은 조스트초올강이나 조오드초올강의 카라친, 투메드, 아오칸, 나이만, 옹니고드기 등지로 잠입해 농사를 지었다. 1669년 한인출입의 금지가 풀릴 때 이미 투메드나 카라친 등 기에는 수만 명의 한인들이 잡거하고 있었다. 또 건륭 13년(1748)을 전후해서는 이 지역의 한인들이 10만 명을 초과하고 있었다. 서호수가 이 지방을 지나갈 때인 1790년의 카라친이나 투메드 지구는 이미 농업지구로 변해 있었다. 또 장목張穆(1805

59) basa Chinggis-Khagan jarlig bolurun Badai Kishilig khoyar-un tusa-yin anu tula Ongkhan-nu altan terme sa'ugsa'ar altan gürü'e ayaga saba asaragsad haran selte Ongkhojid-Kereyid-i keshigten anu boltugai, khorchi la'ulju ötögle'üljü urug-un urug-a kürtele darkhalan jirgadkhun, olon dayin-dur ha'ulu'asu olja olu'asu olugsa'ar abudkhun, ura'a görö'esün ala'asu alagsa'ar abudkhun ke'en jarlig bolba(『몽골비사』 187절).

60) 『연행기』 「1790년 7월 7일」조 : 日荒田, 農作非蒙古本業, 今承平日久, 所至多依山爲田, 旣播種則四出游牧射獵, 秋獲乃歸, 耘耨之術, 皆所不講, 俗云靠尺田.

~1849)이 『몽골유목기』를 집필할 때에는 이미 이 지역은 내지와 같았다.[61]

서호수의 기록에 등장하는 몽골인들의 농사법인 황전荒田은 그들이 농사를 배우는 초기단계에 해당한다. 이후 개간에 따른 방목지의 축소로 인해 이 지역의 몽골인들도 19세기 중반부터 한곳에 정착해 목축과 농사를 병행하는 정착농민들로 변해 갔다.

【악박鄂博】

악박 : 몽골의 옛 풍속은 사당이나 묘廟를 세우지 않는다. 산이나 강의 신이 영험한 징조를 보이면, 산신의 제단과 같이 돌을 쌓은 뒤 비단을 걸어 놓고 기도한다. 그리고 치성에 보답이 있으면 나무를 심어 표식을 하는데, 이것을 악박이라고 한다. 그곳을 지나는 자는 누구도 감히 그곳을 범하지 못한다.[62]

위의 기록에 등장하는 악박鄂博은 우리의 성황당과 같은 뜻을 지닌 오보가 obuga(OBOO)의 음역이다. 근대 초 조선을 방문했던 외국인들의 눈에 비친 조선의 풍물 중 가장 인상 깊었던 것 중의 하나가 바로 장승이었다. 마찬가지로 근대 초 몽골 지역을 방문한 외국인들의 눈에 가장 띄었던 것이 바로 오보이다. 몽골의 오보에 대해서는 이미 필자가 자세히 논한 것이 있기 때문에 그것을 참조하기 바란다.[63]

61) 카라친과 투메드기의 개간 현황에 대해서는 薛智平, 「試論淸代卓索圖盟, 昭烏達盟的放墾」(劉海源 主編) 『內蒙古墾務硏究』, 呼和浩特, 1987, pp.301~327 및 周淸澍 主編, 『內蒙古歷史地理』, pp.177~180 ; 安齊庫治, 『淸末における土黙特の土地整理』, 蒙古聯合自治政府地政總署調査資料 2號, 1939(『滿鐵調査月報』 219, 1939에도 재록) ; 上同, 「淸末における綏遠の開墾(1-3)」 『滿鐵調査月報』18-12(1938), 19-1(1939), 19-2(1939)를 참조.

62) 『연행기』 「1790년 7월 7일」조 : 日鄂博, 蒙古舊俗, 不建祠廟, 山川神示著靈應者, 纍石象山冢, 懸帛以致禱, 報賽則植木爲表, 謂之鄂博,過者無敢犯.

63) 몽골의 오보에 대해서는 졸저, 『유라시아 초원제국의 역사와 민속』, pp.251~294를 참조.

【혁낭革囊】

혁낭 : 가죽으로 만들어 광주리나 독, 항아리 대신으로 사용한다. 음식에 사용되는 것은 크든 작든 거기에 넣지 않는 것이 없다. 그것으로 물을 긷기도 하며, 물을 저장하기도 한다. 냇물을 건널 때에는 겨드랑이에 끼고 물살을 가로질러 건너간다. 그것을 피혼돈皮餛純이라 부르기도 한다.[64]

몽골에서는 유목의 특성 상 가죽(arisu-n=arasu-n>арьс[ан])으로 만든 용기로 식량을 저장하고, 또 다양한 용기를 만들어 사용한다. 가죽으로 만든 용기는 아주 많은데, 대표적인 것을 들면 홈보고khombuga(хомбого : 가축의 등에 싣는 가죽 주머니), 쇼다이sigudai(шуудай : 주머니, 자루, 포대), 다아링dagaling(даалин[г] : 의류를 넣는 큰 가죽가방) 등이다. 끈(uyaga-n>уяа[н])이나 줄(üdegesü-n>үдээс[эн])도 모두 가죽이나 말의 갈기 및 꼬리털로 만든 할가스kilgasu-n(хялгас[ан])를 사용해 만든다. 특히 말의 갈기나 꼬리털은 매우 질기고 튼튼해 끈은 물론 빗자루(kilgasu-n tuuǰuu>хялгасан туужуу)나 상 닦는 솔(kilgasu-n sigür>хялгасан шүүр), 포대(kilgasu-n sigudai>хялгасан шуудай)를 만드는 데 유용하게 쓰인다. 일반적으로 가죽으로 만든 끈은 아르감즈argamji(аргамж)나 아르감자argamjiy-a(аргамжаа)라고 부른다. 특히 겔의 격자 모양의 벽(Khana>хана)을 고정시키기 위해 만든 가는 가죽 끈은 우데르üderi(үдээр)라고 부른다. 목민들의 집에서는 이외에 청소용 도구로 털로 만든 앞이 짧은 비(tojigar sigür>тожгор шүүр)나 싸리비(ebesü-n sigür>өвсөн шүүр)를 사용하기도 한다.

사실 유목 사회에서 가축의 가죽이나 털은 농업 사회의 짚만큼 중요한 기능을 가지고 있다. 또 서호수의 지적처럼 물을 긷는 것도 가죽 두레박을 사용한다. 참고로 제주도의 확대판이라 할 수 있는 동몽골의 다리강가는 화산

64) 『연행기』 「1790년 7월 7일」 조 : 曰革囊, 以革爲之, 用代筐筥罌盎, 食用巨細, 無所不納, 行汲或以貯水, 涉川則挾之肘間, 亂流以濟, 或謂之皮餛飩.

지대인 관계로 곳곳에 샘물이 많다. 이 지방 사람들은 물을 퍼 나를 때 호복 khobugu(ХОВОО)이라 부르는 물동이를 사용하는데, 바로 이 물동이가 제주도로 건너가 허벅의 어원이 되었다.

서호수는 위의 기록에서 냇물이나 강을 건널 때 쓰는 피혼돈皮餛飩을 언급하고 있다. 아마 그는 여행길 중 몽골인들이 그것을 겨드랑이에 끼고 냇가를 건너는 모습을 목격했는지도 모른다. 피혼돈은 몽골어로 아리슨-홈보고arisun khombuga(арьс[ан] хомбого)이다. 피혼돈에 대한 기록은 청대 학자인 여경원余慶遠의 『유서견문기維西見聞記』에도 나오는데, 그는 그것이 본래 몽골의 도강법이며 원대의 혁낭革囊에서 유래된 것으로 보고 있다.[65)]

사실 몽골의 도강 기술은 고대 몽골군의 도강 기술을 기록한 카르피니의 여행기에 가장 잘 묘사되어 있다. 그것을 소개하면 다음과 같다.

> 그들은 행군 중 강을 만나면 그 강의 폭이 아주 넓더라도 개의치 않고 다음과 같은 방식으로 강을 건넌다. 귀족들은 둥글고 가벼운 가죽을 가지고 있는데, 둥근 가장자리를 따라 끈을 맬 수 있도록 수많은 고리가 달려 있다. 고리에 끈을 통과시켜 당기면 주머니가 만들어진다. 이 주머니 속에 옷이나 다른 물건을 가득 채운 뒤 단단히 매는데, 물건을 넣는 과정에서 안장과 딱딱한 물건들을 맨 위에 놓는다. 사람은 그 가운데에 걸터앉은 뒤 그것을 말꼬리에 매단다. 그리고 한 사람이 말과 함께 수영을 하면서 말을 앞으로 이끌고 나간다. 혹은 두 개의 노를 사용하여 강을 건너기도 한다. 강을 건널 때 말들도 모두 유영遊泳하게 되는데, 물속에 뛰어든 한 사람이 맨 앞에서 첫 번째 말을 이끌면 나머지 말들도 그를 따라간다. 그들은 이러한 방법으로 폭이 좁거나 넓은 강을 건넌다. 궁핍한 사람들은 단단히 꿰맨 가죽 백을 가지고 있는데 – 이것은 모든 사람들이

65) 余慶遠, 『維西見聞記』(藝海珠塵本) : 餛飩, 卽元史所載革囊, 不去毛而躉剝羖皮, 扎三足, 一足嘘氣其中, 令飽脹, 扎之, 騎以渡水, 本蒙古渡水之法, 日皮餛飩, 元世祖至其宗, 革囊渡江, 夷人仿而習之, 至今沿其制.

가지고 있다 - 옷이나 소유물들을 모두 이 속에 집어넣고 위까지 단단하게 묶는다. 그리고 그것을 말꼬리에 매달아 위에 기술한 방식으로 강을 건넌다.[66]

카르피니의 기록에 묘사된 가죽 주머니는 1462년 북원의 유력자인 몰리카이Molikhai가 오르도스 지역에 진입한 이후 황하를 건널 때 사용한 혼탈渾脫을 떠올리게 할 정도로 매우 유사함을 알 수 있다.[67] 혼탈은 『신당서新唐書』에 최초 그 명칭이 출현하는데, 당나라 때의 혼탈은 각종 동물의 뼈나 가죽으로 만들어진 주머니 모양의 기물들을 통칭하는 단어이다. 현재 혼탈의 원명이 무엇인지는 분명치 않지만,[68] 그 구조나 형태는 카르피니의 기록으로 미루어 보면 청나라 때의 그것과는 차이가 있음을 알 수 있다.[69]

【시거柴車】

시거 : 산에서 재목을 채취해 파거나 자르지 않고 수레바퀴와 멍에목만을 간단하게 만들어 소가 끌게 한다. 이것이 갈 때면 삐걱거리는 소리가 작은 배의 노 젓는 소리와도 같다.[70]

---

66) C. Dawson, 『The Mongol Mission』, London and New York, 1955, pp.35~36

67) 1462년 오르도스에 처음 진입한 몰리카이의 몽골 집단은 처음 1~2년 동안에는 겨울철에만 오르도스에서 유목한 뒤 봄철에는 철수하는 방법을 구사했다. 이는 황하가 해빙한 후 몽골고원에 무슨 일이 생기거나, 혹 명군의 반격을 받을 경우 황하를 건널 방법이 없다는 우려 때문이었다. 그러나 이들은 곧 "渾脫(양가죽으로 만든 뗏목)"로 황하를 건너는 방법을 개발하여 1년 내낸 오르도스에서 유목하는 것이 가능해졌다.

68) 葉子奇의 『草木子』「雜組篇」에 "北人殺小牛, 自脊上開一孔, 逐旋取去內頭骨肉, 外皮皆完, 柔軟用以盛乳酪酒湩, 謂之渾脫"라는 기록이 수록되어 있는데, 그 원명이 오늘날의 khombuga (хомбого)인지, 또는 현재 술잔을 뜻하는 의미로만 고정된 khundag[an](хундага)인지, 아니면 양의 털색을 뜻하는 khundan(хундан)인지 판단할 수 없다. 渾脫의 의미해석에 대해서는 羽田亨, 「舞樂の渾脱という名稱につきて」『市村博士古稀記念東洋史論叢』, 東京, 1933 ; 岩村忍, 「渾脫」『蒙古史雜考』, 東京, 1943 ; 光遠, 「釋"渾脫"」『內蒙古社會科學』, 1983-5를 참조.

69) 고대 몽골군의 도강 장비에 대해서는 졸저, 「13~14세기 몽골군의 무기와 보급체계의 연구」『배반의 땅, 서약의 호수 -21세기 한국에 몽골은 무엇인가』, pp.394~395를 참조.

70) 『연행기』「1790년 7월 7일」조 : 日柴車, 取材於山, 不加刻斲, 輪轅略具, 以牛駕之, 行則鴉軋有聲, 如小舟欸乃.

위의 기록에 등장하는 시거柴車는 박지원의 여행기에 나오는 【몽골 수레와 소】 조에서도 언급했듯이 짐을 나르는 달구지이다. 필자는 1995년 몽골의 서북부 답사 중 소와 사를라크의 교배종인 하이나크가 끄는 수레의 행렬을 직접 목격한 바가 있는데, 정말 그 소리가 서호수의 목격담처럼 매우 요란했다.[71]

【골점骨占】

골점 : 양羊의 어깨뼈를 불에 구워서 그 조짐을 보고 길흉을 점친다. 옛날의 거북점과 같은 것이다.[72]

양의 어깨뼈(dalu>дал)로 점치는 방식은 북방 유목민족의 전통적인 점복술로, 몽골에서는 이를 달-타비흐dalu talbikhu(дал тавих)라고 부른다. 또 점술가도 양의 어깨뼈를 태우는 사람이라는 뜻의 달치daluchi(далч)라고 부른다. 북방 유목민족의 점치는 방식은 중원과는 반대로 위에서 아래로 갈라질 경우 행운의 상징으로 간주한다. 동방의 유목제국이라고 간주할 수 있는 고구려에서도 몽골과 마찬가지로 전쟁이나 행군 등 매사에 동물의 뼈로 점을 치고 있다.[73]

【마간馬竿】

마간 : 망아지가 나서 아직 굴레를 씌우지 않았을 적에는 제멋대로 뛰어다니

71) 몽골에서는 이러한 간단한 달구지를 빗대어 사람의 경박함을 경계하는 "썩은 장작에는 연기가 많고, 낡고 덜거덕거리는 달구지는 삐걱거림이 심하다(өмх түлээ утаа ихтэй, өгөр тэрэг хахинаа ихтэй)"라는 속담이 존재하고 있다.

72) 『연행기』「1790년 7월 7일」조 : 日骨占, 炙羊肩骨, 視其兆, 以覘吉凶, 猶古龜卜.

73) 몽골을 포함한 역대 유목민족들의 점치는 방식이나 해독법 등에 대해서는 졸저, 『유라시아 초원제국의 샤마니즘』, 서울, 2001에 매우 상세히 기록되어 있다. 고구려의 점술에 대해서는 졸저, 「고구려와 유연, 돌궐의 문화교류」『배반의 땅, 서약의 호수 −21세기 한국에 몽골은 무엇인가』, pp.509~534를 참조.

는 것을 붙잡기가 어렵다. 이런 경우에 긴 막대에 줄을 매어 옭아 끌어온다. 몽골 사람들은 이 기술에 가장 능숙하다.[74]

위의 기록에 등장하는 마간馬竿은 몽골어로 오르가u'urga(уурга)라고 부른다. 오르가는 말을 잡을 때 사용하는 긴 막대를 말한다. 오르가는 길이 4.5m 정도의 가느다란 자작나무로 만들며, 끝에 가죽 끈을 매고 나무의 1/3쯤 되는 지점에 매듭을 엮어 가죽 끈을 매듭 처까지 동그랗게 늘어뜨려 사용한다. 몽골의 초원 지대에서 말을 타고 질주하는 말을 따라가며 오르가의 끈을 말의 목에 거는 목민들의 모습은 한 폭의 아름다운 그림과도 같다.

【아판兒版】

아판 : 아이가 태어나서 포대기에 있을 때에 판版 위에 눕히고 가죽으로 그 두 어깨를 묶어서 전려氈廬의 벽 사이에 매어 둔다. 울면 흔들어 주고 이동할 때에는 낙타의 짐 뒤에 달아 놓는다.[75]

위의 기록에 등장하는 아판兒版은 몽골어 얼기ölügei(өлгий)의 의역이며, 전려氈廬는 겔ger(гэр)을 말한다. 요람은 유목민족의 창작품으로 목제(modun ölegei)와 은제(mönggün ölegei) 두 가지가 있으며, 길이는 대략 70㎝이고 폭은 30㎝ 정도이다. 요람은 양쪽이 둥글게 되어 있으며, 위쪽은 넓고 아래쪽은 좁다. 또 요람의 밑 부분에는 반달 모양을 한 나무판 2개가 붙어 있어 아주 잘 흔들리도록 되어 있다. 나무판에는 끈으로 묶기 편하게 구멍을 많이 만들어 두었다. 아기를 포대기(barigubchi>бариувч)로 잘 싸서 요람에 넣고(keüked

74) 『연행기』「1790년 7월 7일」조 : 日馬竿, 生駒未就羈勒, 放逸不可致, 以長竿繫繩縻致之, 蒙古最熟其技.

75) 『연행기』「1790년 7월 7일」조 : 日兒版, 兒生在襁褓中, 令臥版上, 韋束其兩臂, 倚氈廬壁間, 啼則搖之, 徙居則懸之駝裝之後.

ölügeyidkhu>хүүхэд өлгийдөх), 아기가 움직이지 않게 요람을 끈으로 묶어서 흔들면 아기는 별로 울지도 않고 잠을 잘 잔다. 몽골인은 요람을 이용하여 아이를 키우면 허리가 단정하고 튼튼해질 뿐만이 아니라 다리도 곧게 자란다는 믿음을 가지고 있다. 아기의 포대기는 수달피로 만든 것을 최상품으로 친다.[76)]

몽골겔의 벽은 버드나무(burgasu>бургас)로 만들어 매우 튼튼하다. 따라서 요람을 매달아도 큰 문제가 없다. 이로 인해 요람은 흔들 요람이란 뜻인 두징-얼기degüǰing ölegei(дүүжин<г> өлгий)라 불리기도 한다. 몽골인은 자장가를 요람의 노래라는 뜻인 얼긴-도ölegei-yin dagu(өлгийн дуу)라고 부른다.

남송 시대에 몽골로 파견된 군사전문가들이 있는데, 팽대아彭大雅가 그 대표적인 인물의 하나이다. 그는 귀국 후 몽골리포트를 작성했는데, 그 중에 요람에 대한 부분이 "갓난아기 때 끈으로 판(요람)을 묶어 말 위에 달아맨 뒤 엄마를 따라 드나든다"[77)]처럼 기록되어 있다. 그러나 언제 어떤 일이 벌어질지 모르는 말 위에 요람을 매달고 간다는 기록은 유목 생활의 특성을 모르는 그의 상상력에서 나온 것이며, 실제 서호수의 관찰처럼 낙타에 매달거나 달구지 위에 놓는다.[78)] 몽골의 요람은 대원올로스 때 제국의 목장이었던 탐라

---

76) 몽골의 요람에 대해서는 졸저, 『몽골의 문화와 자연지리』, pp.141~143을 참조.

77) 彭大雅·徐霆, 『黑韃事略』: 孩時, 繩束以板, 絡之馬上, 隨母出入.

78) 조선시대의 여행기에도 몽골의 요람이 搖車라는 이름으로 많이 등장하며, 요람의 효능까지 기록한 것이 있다. 그 중 요람에 관한 대표적인 기록으로는 "요차는 그 모양이 둥글고 어린아이 하나가 앉을 수 있다. 붉은 칠을 하고 거기에 그림을 그렸다. 노끈으로 꿰어 들보 위의 갈고리에 달고 어린아이를 그 안에 넣어 두고서 흔들게 한다. 쉬지 않고 흔들면 울던 아이가 곧 그치므로 요차라 이름 한 것이다(搖車, 其形圓, 恰容一小兒之坐, 朱漆而畫之, 貫之以繩, 懸于樑上之鉤, 置小兒於其中, 使之搖搖不住, 則兒之啼哭者輒止, 其名曰搖車)"(著者 未詳, 『薊山紀程』); "요차는 어린아이를 기르는 기구다. 나무로 타원형 기구를 만들어 거기다가 종이를 바르고 검은 칠을 한 다음 화초를 그린다. 그리고 그 안에 포대기를 깔고 어린아이를 넣은 다음, 끈으로 들보에 달아서 울 때면 그네처럼 흔들어 울음을 그치게 하고, 잘 때에는 흔들지 않는다. 대개 그 냉온이 알맞아서 발육시켜 주기도 하니 참으로 묘한 방법이다. 관외의 풍속이 더욱 이것을 숭상한다. 가난한 사람은 버들로 만든 상자를 대용한다. 회자의 요람은 그 제도가 이와 다르다(搖車, 所以養兒之具也, 爲長圓木器, 糊紙黑漆, 畫以花草, 內儲襁褓, 置幼兒其內, 繩懸于樑, 哭則搖之如鞦韆狀以止哭, 眠則不搖, 蓋其冷溫適中, 兼作行氣, 儘妙法也, 關外俗尤尚焉, 貧

에 전파되었으며 애기구덕이란 이름으로 오늘날까지 탐라를 상징하는 풍속의 하나로 자리 잡고 있다.

【회간灰簡】

회간 : 나무의 양면을 깎아 가죽 끈으로 길게 엮는다. 그 속을 조금 파서 기름을 바르고 재를 뿌린 뒤 글자를 만든다. 끝나면 재를 닦아 버리고 다시 재를 뿌린다. 옛날 칠간漆簡의 유풍이다.[79]

위의 기록에 등장하는 회간灰簡은 몽골어로 "지방을 발라 재로 닦는 칠판"이란 뜻의 우네슨-삼바르ünesü-n sambar-a(ҮНСЭН самбар)라고 부른다. 이러한 칠판은 주로 학습용이다.

【죽필竹筆】

죽필 : 몽골에서 훌륭한 털이 생산되지만 붓 매는법을 알지 못하기 때문에 대나무를 깎아 먹물을 묻혀 글씨를 쓴다.[80]

者以柳笥代用, 回子搖車, 其制異此)."(金景善, 『燕轅直指』) ; "앉고 서지 못하는 어린이는 이른바 요차에 담는데, 모양은 체와 같으나 조금 길다. 포대기를 그 안에 깔고 줄로 들보에 맨 다음 밀어주기를 마치 그네 뛰는 모양처럼 한다. 좌우로 밀어주어 우는 것을 그치게 하고, 몹시 울면 그 앞에 나가 젖을 내어 놓고 먹인다. 그래서 자란 뒤에는 바람과 추위를 견디고 달리기를 잘한다. 그렇지 않으면 일찍 죽고, 또 병이 많다고 한다(幼兒之不能坐立者, 盛於所謂搖車, 如篩形而稍長, 鋪襁褓於其內, 以索懸於樑間, 推送如鞦韆狀, 左右擔颺, 以止其啼, 啼甚則就其前而出乳飼之, 以故及長, 耐風寒善馳騁, 不然則夭且多病云)."(李坤, 『燕行記事』) ; "아이가 처음 태어나면 수놓은 비단으로 둥우리를 만들어 아이를 그 안에 놓고 시렁 밑에 거는데, 모양이 닭둥우리 같다. 아이가 울면 손으로 그 둥우리를 왼쪽 또는 오른쪽으로 흔들어 흔들흔들 멈추지 않으면 아이의 울음소리는 곧 그치는데, 이름을 요차라 한다(兒始生, 以錦繡爲窠, 置兒其中, 懸諸架下, 狀如鷄窠, 兒啼則以手搖其窠, 或左或右, 搖搖不定, 則兒聲卽止, 名曰搖車)."(金正中, 『燕行錄』) 등이 있다.

79) 『연행기』「1790년 7월 7일」조 : 曰灰簡, 木削兩簡, 編韋聯之, 稍刳其中, 塗油而布以灰作字, 畢則拭去, 而更布之, 有古漆簡之風.

80) 『연행기』「1790년 7월 7일」조 : 曰竹筆, 蒙古產毫穎而未得縛筆之法, 削竹木, 漬墨作書.

고대 몽골인들은 위구르 문자를 차용하여 몽골어를 기록했다. 몽골제국 때부터 몽골인들이 사용하는 문방 도구는 주로 중원에서 수입된 붓과 종이이다. 그러나 몽골의 문자를 표현하기 위해서는 연약한 붓보다는 대나무와 같이 단단하고 뾰족한 것으로 써야 글씨가 청초하게 나타난다. 왜냐하면 몽골어는 문자를 표기할 때 엄지와 검지에 힘을 주고 중지는 받침대 역할을 하는 문자적 특성을 지니고 있다. 따라서 붓의 사용이 매우 불편하다. 이로 인해 몽골인들은 붓보다는 갈대, 대나무, 나무, 뼈 등으로 만든 필기도구를 선호하게 되었다.

고대의 몽골인들이 붓보다 날카롭고 단단한 필기도구를 선호했다는 것은 러시아의 알탄오르도에서 발견된 청동제 펜이나[81] 알탄오르드의 묘지에서 출토된 청동제로 만든 잉크병, 골제 펜, 자작나무 껍질로 만든 종이에서도 잘 입증되고 있다.[82] 서호수는 몽골인들이 붓 매는법을 알지 못해 대나무를 깎아 필기도구로 쓴다고 했지만, 실제 붓을 사용할 경우 자칫하면 몽골어의 자모가 매우 모호하게 표기되어 읽기에 불편할 수가 있기 때문에 기피한 면이 크다.

몽골어에서 펜은 우제크üjüg(ҮЗЭГ), 자모字母는 우세크üsüg(ҮСЭГ)로 표현한다. 몽골 문자는 왼쪽에서 오른쪽으로 표기한다. 붓은 비르bir(бийр)라고 표현하는데, 때에 따라 'bir, bigir, biir'라고도 표기된다. 이 단어는 모두 위구르어의 차용으로 중원의 필筆에서 기원한 문자이다. 서호수가 위에서 언급한 죽필竹筆은 몽골어로 홀슨-우제크khulusu-n üjüg(хулсан үзэг)라 부른다. 또 먹물통도 철로 된 것을 애용하는데, 이를 오올uula(уул), 먹물통을 넣는 주머니를 오올랍치uulabchi(уулавч)라고 부른다. 이에 반해 붓통은 비이린-소올가bir-yin

81) Kara Gyorgy 著, 范麗君 譯, 喬吉 審訂, 『蒙古人的文字與書籍』, 呼和浩特, 2004, p.105.
82) Kara Gyorgy 著, 范麗君 譯, 喬吉 審訂, 『蒙古人的文字與書籍』, p.107.

sagulg-a(бийрийн суулга)라고 부른다.

몽골도 목판술이 매우 발달한 나라에 속한다. 목판인쇄는 주로 자작나무 껍질로 만든 종이를 사용했다. 자작나무 껍질은 벌레가 먹지 않는 특징이 있다.[83]

> **【구금口琴】**
>
> 구금 : 쇠 집게 같은 것에 철사를 꿰어 만든다. 가운데를 이빨로 물고 손가락으로 줄을 튕기면 소리가 난다. 곱게 굽이치고 꺾어지는 것이 아쟁이나 비파 소리와 같다.[84]

위의 기록에 등장하는 구금口琴은 몽골어로 아망-호르aman khugur(аман хуур)라고 부른다.[85] 참고로 몽골을 대표하는 전통 악기는 마두금이라 불리는 모린-호르morin khugur(морин хуур)와 가야금인 야트가yatug-a(ятга)이다.[86] 고려의 대신인 이장용李藏用(1201~1272)은 몽골의 음악을 들을 때 입으로 음률을 잘 맞추어 코빌라이칸에게 아망-메르겐Aman-Mergen(阿蠻滅兒里干)이라는 칭호를 받았다.[87]

---

83) 몽골의 목판 인쇄술과 서적 만드는 법에 대해서는 Ц. Шүгэр, 『Монголуудын ном хэвлэдэг арга』, УБ, 1976 및 『Монгол модон барын ном』, УБ, 1980을 참조.

84) 『연행기』「1790년 7월 7일」조 : 日口琴, 製如鐵鉗貫鐵絲, 其中銜齒牙間, 以指撥絲成聲, 宛轉頓挫, 有箏琶韻.

85) 아망-호르는 흑룡강 일대의 소수민족, 몽골, 카자흐를 비롯한 중앙아시아 제국, 운남 등 중국의 남서 지방에 고루 분포하고 있다(樂聲 編著, 『中國少數民族樂器』, 北京, 1999, pp.81~83).

86) 몽골의 전통 악기에 대해서는 Д. Дашдор·С. Цоодол 共著, 『Ардын дуу, хөгжмийн суу билэгтнүүд』, УБ, 1971 및 Г. Бадрах, 『Монгольн хөгжмийн түүхээс』, УБ, 1960을 참조.

87) 『고려사』「李藏用傳」 : 月圓·春從天上來二曲, 藏用薇吟, 其詞中音節, 鶚起執手歎賞曰, 君不通華言, 而解此曲, 必深於音律者也, 益敬重, 帝聞藏用陳奏, 謂之阿蠻滅兒里干李宰相, 見者亦謂海東賢人, 至有寫眞以禮者.

【전경轉經】

전경 : 몽골에서는 불법을 경건하게 받들고 있어, 나무바퀴 가운데에 쇠 고동을 뚫어 회전할 수 있도록 만든다. 그리고 불경을 바퀴 사이에 모아 놓는다. 큰 것은 (밑에) 나무 시렁을 받쳐놓아 손으로 민다. 작은 것은 들고서 흔드는데 바람처럼 돌아간다. 한 번 돌리면 그 공덕이 한 차례 독경하는 것과 같다고 말한다.[88]

위 기록에 등장하는 전경轉經은 티베트 불교에서 불자들이 부처를 공양하는 예배의 한 양식이다. 전경은 진리를 상징하는 경전이란 뜻의 마니mani(маанъ)[89]와 수레바퀴라는 차車가 합쳐져 마니차라고도 부른다. 라마교 사원에는 모두 마니차가 비치되어 있다. 마니차는 둥그런 원통형 모양으로 그 안에 경전이 들어있으며, 시계 방향으로 한 번 돌릴 때마다 경전을 한 번 읽는 것과 같은 효력을 지닌다. 마니차를 돌릴 때는 몸통에 손을 대지 않고 밑에 붙은 바퀴로 돌린다. 티베트인들은 손으로 쥐고 돌릴 수 있는 작은 마니차를 각자 소지하여 시간 날 때마다 돌리고 있는데, 필자는 몽골의 오지에 있는 노인들에게서 이러한 광경을 목격한 바 있다.

【몽골 관복】

몽골의 관복 : 남녀가 모두 만주의 제도를 사용하고 있다. 그런데 오직 라마승[몽골에서는 라마喇嘛를 황교黃敎라고 부르며, (라마승을) 만나면 반드시 두 손을 들고 땅에 엎드려 절한다]만은 금칠한 원정립圓頂笠을 쓰고 누런 옷을 입는다.[90]

88) 『연행기』 「1790년 7월 7일」조 : 曰轉經, 蒙古奉佛惟謹, 木輪中貫鐵樞可轉動, 集梵經於輪間, 大者支木架, 以手推之, 小者持而搖之, 旋轉如風, 謂一轉功德, 與持頌一過等.
89) 경전을 뜻하는 몽골어는 마니mani(маанъ) 이외에도 놈nom(ном), 샤스타르shastir(шастар), 보티boti(ботъ) 등이 있다.
90) 『연행기』 「1790년 7월 7일」조 : 蒙古冠服, 男女並用滿洲制, 而惟喇嘛僧 蒙古謂喇嘛爲黃敎,

청조는 만주와 몽골의 연합정권이다. 따라서 서호수의 기록처럼 관복도 만주인과 동일하다. 서호수는 청나라의 8품 관복에 대해서도 매우 상세하게 기술하고 있다. 그런데 서호수를 비롯한 조선 사절단의 여행기에는 모두 몽골의 라마승이 황제와 동일한 황금색 옷을 입으며 황금색 관을 쓴다는 것을 특기하고 있다. 조선 사절단들의 입장에서는 그것이 매우 의아스럽겠지만, 종교의 교리 상 그러한 복장을 취하는 것에 불과하다.

라마교란 티베트 불교를 가리키는 말이다. 몽골에 전파된 티베트 불교는 겔룩빠Gelüg-pa와 까르마빠Karma-pa가 있지만, 상호 우열다툼 끝에 겔룩빠가 주류를 이루었다. 이로 인해 중원지구에서는 몽골의 불교를 티베트에서 전해진 겔룩빠라 하여 장전불교겔룩빠(藏傳佛教格魯派)라고 부르기도 한다. 또 겔룩빠의 복색이 노란색이기 때문에 흔히 황교黃教라고도 부른다.[91]

겔룩빠-라마교는 몽골인들에게 "노란색의 종교"라는 뜻의 샤르-샤진shira shajin(шар шажин)이나 샤린-샤신shira-yin shasin(шарын шашин)이라 불려진다. 또 라마의 종교라는 뜻의 람인-샤신lama-yin shasin(ламын шашин)이나 "노란색 모자를 쓴"이라는 뜻인 샤르-말라가이태sir-a malagaitai(шар малгайтай) 라고도 불려진다.[92]

티베트 불교는 1570년대 몽골로 진입한 이후 샤만 신앙을 밀어내고 몽골의 국교로 자리 잡았다. 일반적으로 몽골과 티베트의 불교를 라마교라는 고유명사로 분류하고 있지만, 정작 몽골인들은 불교(burkhan-i shasin>бурхны шашин)

見必膜拜 戴金漆圓頂笠, 着黃衣.

91) 몽골에서 불교의 일반적인 표현은 보르항니-샤신Burkhan-i shasin(Бурхны шашин)이다. 원래 보르칸Burkhan은 북방 민족들의 성산을 타나내는 말로, 한국의 불함(不咸=붉)과 같은 계열의 단어이다. 하늘의 뜻이 내리는 이 성스러운 산의 명칭이 불교전래 후 부처를 가리키는 말로 전변되었다.

92) 이에 반해 샤마니즘은 검은 종교라는 뜻의 카라-샤진khara shajin(хар шажин)이나 카라-샤신 khara shasin(хар шашин), 혹은 샤만들의 종교라는 뜻의 버긴-샤신(böge-yin shasin(бөөгийн шашин)이라고 부른다.

라는 단어만 알지 라마교라는 단어는 알지 못하고 있다. 라마lama(лам)란 "화상和尙, 윗사람, 스승"을 뜻하는 티베트어로서 스님의 존칭에 해당한다. 라마교는 불교의 여러 종파 가운데 색채가 가장 현란한 밀종密宗의 일파이다. 이 종파는 적막한 대초원에서 생활하는 유목민족들의 심리에 비교적 강하게 어필할 수 있는 특징을 지니고 있다.[93]

서호수는 일반 백성이 라마승을 만나면 막배膜拜, 즉 두 손을 들고 땅에 엎드려 절하며 경의를 표시한다고 기록하고 있다. 이는 라마승에 대한 몽골인들의 돈독한 신앙심을 나타내주는 말이기도 하지만, 실제 몽골의 라마승 중에는 자사크Jasag의 신분을 지닌 성속聖俗 봉건제후들을 비롯해 귀족 출신의 라마승들이 다수 존재하기 때문에 그러한 예절을 표현했을 가능성이 높다.[94]

라마승 가운데에는 의술이 뛰어난 자들이 많다. 이들의 치료술은 종래의 샤만들보다 월등히 뛰어났기 때문에, 약사여래불이란 뜻의 "차강 오토치chagan otochi"라 지칭될 정도로 존경을 받았다. 실제 라마승의 의술은 라마교를 몽골의 각지로 보급하는 데 매우 큰 영향력을 발휘했다. 겔룩빠 라마승들이 쓰는 모자나 귀족의 모자는 오보오도이obugadai(овоодой)라는 특별한 경칭

93) 몽골의 불교에 대해서는 Д. Цэдэв, 『Их шавь』, УБ, 1964 ; Ш. Чоймаа, 『Энэрэн нигүүлсэх бүрханы сургаал』, УБ, 1991 ; Д. Ганбаатар, 『Бурханы шашны монгол уншлага』, УБ, 2002 ; Д. Энхтөр, Д. Бүрнээ, 『Монгольын бурханы шашны түүхэн сурвалж —Төвд хэлт сурвалжийн орчуулгаа, тайлбар, түүхийн он цагийн хэлхээс』, УБ, 2004 ; Ш. Нацагдорж, 『Сум, хамжлага, шавь ард』, УБ, 1972를 참조.

94) 몽골격언에는 라마승의 행태를 비꼬는 "재해(jud>зуд)가 들 때는 개가 살찌고, 걱정될 때는 라마승이 살찐다(зуд болоход нохой таргална, зовлон болоход лам таргална)"라는 말이 존재하고 있다. 조드jud란 일반적으로 겨울에 눈이나 비가 내려 방목지의 풀이 얼어서 가축이 먹을 수 없는 상태를 말한다. 조드는 세부적으로 4가지로 구분된다. 첫째는 강-조드gang jud(ган зуд)이다. 강-조드는 여름철에 비가 내리지 않아 초원이 완전히 마른 상태를 말한다. 또는 계절에 걸맞지 않는 기후로 초원의 눈이 녹은 뒤 갑자기 다시 추워져 초원이 살얼음층으로 덮인 상태를 말하기도 한다. 둘째는 토오라이-조드tugurai jud(туурай зуд)이다. 이는 지나치게 좁은 목초지에 가축이 집중되어 풀이 완전히 짓밟혀져 방목할 수 없게 된 상태를 말한다. 즉 인위적인 재해의 성격이 강하다. 셋째는 하르-조드khara jud(хар зуд)이다. 이는 겨울 유목지에 눈이 내리지 않아 방목이 불가능할 정도로 물이 부족한 상태를 말한다. 넷째는 차강-조드chagan jud(цагаан зуд)이다. 이는 눈이 너무 많이 내려 가축이 풀을 뜯어먹을 수 없어 아사하는 상태를 말한다. 또 폭설로 인한 유목지의 부족 상태를 말하기도 한다.

을 사용한다.

【몽골의 주거】

> 몽골에서는 전려氈廬를 격재格再(ger)라고 부르고, 흙벽돌 기와집을 배신拜甡(bayising)이라고 부른다. 전려는 옛 풍속이고, 흙벽돌 기와집은 근래에 들어와 비로소 생긴 것이다. 전려는 가운데가 높고 둘레는 낮아서 형상이 가마솥을 엎어놓은 것 같다. 앞은 출입문이고, 좌우는 햇빛이 통하는 창이 된다. 흙벽돌 기와집은 순전히 중화의 제도를 따랐는데, 사원은 아주 웅장하고 화려하다.95)

위의 기록에 등장하는 격재格再는 겔ger(гэр)의 음역이고, 배신拜甡은 고정 가옥을 뜻하는 바이싱bayising의 음역이다. 서호수가 카라친이나 투메드기를 지나갔던 1790년은 한족 농민들의 유입으로 인한 농업화가 한창 진행되는 때였다. 바로 서호수의 기록은 이러한 상황을 입증해 주는 증거 사료이기도 하다.

필자는 몽골의 주거에 관한 서호수의 기록에서 격재格再와 배신拜甡이란 단어에 주목했다. 왜냐하면 이 두 단어는 서호수의 기록에서만 보이기 때문이다. 즉 그가 겔이나 고정 가옥에 대한 몽골의 원명을 직접 듣고 그것을 한음漢音으로 표기했다고 보이기 때문이다. 그것은 배신拜甡의 경우 서호수가 귀화성-투메드를 기술할 때 이미 공식 용어인 판승板升으로 기록한 바 있기 때문에 의심할 바 없다. 실제 서호수의 기록을 잘 살펴보면, 씨름의 경우 포고布褲(böke)나 각저角觝 등 원명 표기나 전통적 표기를 병용하는 예는 있어도 동일한 대상을 묘사할 때 서로 다른 표기로 사용하는 예를 발견할 수 없다.

95) 『연행기』「1790년 7월 7일」조 : 蒙古呼氈廬曰格再, 呼土瓦屋曰拜甡, 氈廬卽舊俗而土瓦屋, 近代始有之, 氈廬中穹窿而四圍低, 形如覆釜, 前爲出入門, 左右爲通明窓, 土瓦屋, 一依華制, 而寺廟尤壯麗.

격재格再는 당시의 북경 발음으로 게자이gezai인데, 몽골어 겔이나 게르와는 발음상 서로 일치되지 않는다. 배신拜甡(baishen)이나 판승板升(bansheng)은 발음상 큰 차이가 없다. 필자는 격재格再만을 놓고 볼 경우 두 가지 가능성이 있다고 본다. 하나는 격재가 편집상의 오류, 즉 원문인 격이格爾(ger)의 이爾를 재再로 잘못 표기했기 때문에 나타난 결과일 가능성이다. 둘째는 그를 수행했던 몽골어 담당 역관의 몽골어 솜씨가 형편없어 전달 과정에서 일어난 발음상의 오류일 가능성이다. 이 가운데 필자는 서호수의 성격으로 미루어 전자의 가능성에 더 무게를 두고 있다. 몽골인들은 고정 가옥을 "흙집"이란 뜻인 가자르-게르gajar ger(газар гэр)라고도 부른다.

【타락차(酪茶)】

(석인구石人溝의 지장사地藏寺) 절에는 라마승 주지가 있었다. 스스로 서장西藏 사람이라고 했는데, 우리를 잘 대접해 주었다. 또 낙차酪茶와 소병酥餠과 진조榛棗와 포도 등을 준비하여 삼사三使를 대접하였다. 차와 떡은 향기롭고 달며 담백하고, 포도 또한 맑고 시원하였다. 청심환 4개와 부채 6자루로 보답했다.[96)]

위의 기록에 등장하는 타락차는 이미 앞에서 언급한 바 있다. 대추는 북경의 동쪽에 위치한 계주薊州나 북쪽에 위치한 고북구古北口 일대에서 생산된다. 박지원은 그의 여행기에서 계주나 고북부 일대의 대추밭에 대해 느꼈던 것을 인상 깊게 기록하고 있다. 『계산기정』에는 이 일대의 별미로 대추밥(棗飣)을 거론하고 있는데, 만주나 몽골인들이 매우 좋아했다는 기록을 남기고 있다.[97)]

96) 『연행기』 「1790년 7월 7일」 조 : 寺有喇嘛僧住持, 自言西藏人, 接待款洽, 且備酪茶·酥餠·榛棗·葡萄等屬, 饗三使, 茶餠香甜淡泊, 葡萄亦清爽, 以清心元四丸, 扇六把酬之.
97) 저자 미상, 『薊山紀程』 「1804년 1월 15일」 조 : 주방장이 대추밥을 내왔다. 북방 사람들이 이 조반을 보면 반드시 별미로 여겼다(廚人進棗飣, 北人見此, 必以爲異味).

조선시대 청나라에서 가장 인기가 높았던 것이 청심환과 인삼이다. 그리고 부채와 한지도 수요가 컸다. 이 중에서 청심환은 폭발적인 인기를 누렸다. 따라서 청나라로 파견되는 사신들은 누구나 할 것 없이 모두 청심환을 다량으로 가지고 갔다. 이로 인해 조선의 외교는 청심환 외교라 불릴 정도였다. 위에 나오는 기록 역시 그 효력을 잘 보여주는 사례의 하나이다. 합죽선合竹扇 등 조선의 부채는 주로 선물용으로 사용되었다.

【피서산장의 씨름】

내가 열하에 여러 날 머물러 있었지만 단지 배우들에게 씨름을 시키는 것을 큰 일로 여기는 것만을 보았을 뿐이다. 유학자를 만난다는 말을 듣지 못했는데, 이는 무슨 까닭일까.[98]

몽골의 씨름에 대해서는 이미 앞에서 언급한 바 있는데 서호수도 피서산장에서 씨름을 목격하고 있다.[99] 서호수는 몽골을 잘 이해하는 편에 속하지만 황제가 씨름을 편애하는 이유에 대해서는 궁금함이 많았던 모양이다. 사실 북방의 씨름에는 겉에 나타난 것 이외에 숨겨진 군사·정치적인 이유가 많다. 고려 때 대원올로스로 파견된 고려의 사절단에는 수박 등 무술의 고단자가 많아 코빌라이칸 등 대칸의 앞에서 시연을 벌여 격찬을 받기도 했다. 이것이 외교이다. 청나라의 황제도 몽골의 황제와 크게 다를 바 없다.

98) 『연행기』「1790년 7월 15일」조 : 余留熱河屢日, 但見伶優角觝爲一大事, 未聞儒臣之晉接, 何也.

99) 피서산장에서 행해진 씨름을 가장 잘 묘사한 것은 청나라의 저명한 학자인 趙翼(1727~1874), 『甌北詩鈔』「行圍卽景·相撲」의 "黃幄高張傳布庫, 數十白衣白于鷺, 衣才及尻露兩襠, 天條線縫十層布, 不特寸鐵以手搏, 手如鐵鍛足鐵鑄, 班分左右以耦進, 桓桓勁敵猝相遇, 未敢輕身便陷堅, 各自回旋健踏步, 注目審勢睫不交, 握拳作力筋盡露, 伺隙忽爲疊陣衝, 持虛又遏夾寨固, 明修暗度詭道攻, 聲東擊西多方誤, 少焉肉薄緊交紐, 要決雄雌肯相顧, 翻身側入若擘鷂, 拗肩急避似脫兎, 垂勝或敗弱或强, 頃刻利鈍難逆睹, 忽然得間乘便利, 拉脅摧胸槊已僕, 勝者跪飮酒一巵, 不勝者愧不敢怒, 由來角抵古所傳, 百戲中獨近戎務, 技逾蹴鞠練脚力, 事異拔河供玩具, 國家重此有深意, 所以習勞裕平素, 君不見敎坊子弟也隨行, 經月不陳黙相妒"라는 시이다.

서호수에 앞서 1713년 청나라로 파견된 김창집金昌集의 사절단이 강희제를 알현할 때, 강희제가 "(조선 사절단에도) 씨름을 잘하는 사람이 있는가"라고 묻는 대목이 나온다. 그때 조선 사절단의 대답은 공자나 주자 관련 이외의 다른 질문일 경우 늘 "없다"고 답하는 것처럼 "역시 없다"였다.[100] 아마 주자학의 세계에 사는 조선의 선비들에게 황제 앞에서 국가의 대표적인 주제로 씨름을 논한다는 것 자체가 모욕이었는지도 모른다.

시대의 반란을 꿈꾸었던 서호수는 외면상 누구의 눈에도 정조 시대의 사상적 받침대이자 상징으로 간주되는 인물이었다. 비록 그가 곽수경을 통해 코빌라이칸의 사상이나 대몽골제국의 이념을 눈으로 확인했다 해도, 시대가 사람을 속박한다는 말처럼 그 역시 시대를 벗어날 수는 없었다. 사실 흉노나 돌궐, 몽골이나 청나라 등 북방왕조의 경우 그들을 대하는 상대방이 씨름에 숨겨진 뜻 하나만 제대로 이해하고 있어도 매끄럽고 순조로운 외교를 펼칠 수가 있다.

고구려나 고려는 그것을 이해했는데 그 후손들이 그 의미를 잊어버렸다는 것은 참으로 아이로니컬하다. 민족 고유의 역사나 사고체계를 끊어버린 채 주변의 사상만 맹목적으로 흡수하여 새로운 질서를 꿈꾼다는 것은 정말 두려운 일이다. 서호수처럼 뛰어난 역사지식과 개혁성향을 품은 학자까지 만주족의 건륭제가 중원의 유학을 무시하고 있다는 것을 의아해 했다는 것은, 그만큼 조선시대가 사상적인 외길로 흘러가고 있다는 반증일 것이다.

【원명원의 씨름】

놀이패가 서로 짝을 이루어 씨름(布褲)을 벌인 다음, 각국의 기예(伎藝)가 잇따

100) 金昌業, 『燕行日記』 「1713년 1월 25일」 조 : 又問有能摔挍者否, 亦以無答之.

라 펼쳐진다.[101]

위의 기록에 등장하는 씨름(布褲)은 몽골어로 씨름을 뜻하는 버케böke(бөх)의 음역이다. 서호수는 씨름이 끝난 뒤 벌어진 각국의 기예에 대해서는 언급하지 않고 있다. 참고로 서호수보다 1년 늦게 청나라를 방문한 김이소金履素의 사절단은 조선의 기예로 광대놀이를 선보이고 있다.[102] 일본을 방문한 조선 사절단의 경우 마상재馬上才가 크게 인기를 끌었다.

3. 몽골 습속(북경 몽골관)

북경 몽골관에 관한 기록은 최덕중의 여행기에만 나타난다. 그것을 소개하면 다음과 같다.

【북경 몽골관】

(옥하)관 서북쪽 담 밖에 몽골 사람이 와서 살고 있다. 담에 달라붙어 살펴보니, 모두 펠트로 만든 천막을 쳤고 사람과 말이 한곳에서 지내고 있다. 낙타와 소와 말이 사람의 천막 사이에 있다. (의복) 제도는 청나라 사람과 똑같으나, 단지 말소리가 같지 않았다.[103]

---

101) 『연행기』「1790년 8월 20일」조 : 戲幇呈閱布褲伎一對, 又一對, 呈閱接連各國伎藝.

102) 金正中, 『燕行錄』「1791년 12월 30일」조 : "이날 황제가 보화전 안에서 연종연을 베풀었다. 보화전은 대화·중화 두 전 뒤에 있다. 각국의 사신이 다 참여하였다. 황제가 황봉주를 따라 손수 권하여 여러 사신이 무릎 꿇고 받으니, 이는 세상에 아주 드문 특별한 예우다. 앞뜰에서 각국의 여러 놀이를 차례로 하는데, 조선의 놀이는 광대놀이였다(晴, 是日皇帝設年終宴于保和殿中, 在太和中和二殿之後, 列國之使皆與焉, 皇帝酌黃封酒, 親手勸之, 諸使臣跪受, 此則曠世之殊禮也, 前墀以列國雜戲, 次第爲之, 朝鮮之戲, 戲以倡優)."

103) 『연행록』「1712년 12월 29일」조 : 館之西北墻外, 蒙古人來住, 倚墻俯瞰, 則皆設氈幕, 人馬露處, 駱駝牛馬, 間於人幕, 制度一如淸人, 但語音不同云矣.

조선시대 여행기 가운데 북경 몽골관에 관한 기록은 김창업의 『연행일기燕行日記』(1712), 홍대용의 『담헌연기湛軒燕記』(1765), 이갑의 『연행기사燕行記事』(1777), 작자 미상의 『계산기정薊山紀程』(1803), 박사호의 『심전고心田稿』(1828), 김경선의 『연원직지燕轅直指』(1832), 서경순의 『몽경당일사夢經堂日史』(1855) 등에도 나타난다.

몽골관은 담 하나를 사이에 두고 조선관인 옥하관玉河館과 맞붙어 있기 때문에 종종 조선인들에게 관심의 대상이 되었다.[104] 조선관은 순치順治 초년

---

104) 김창업의 『연행일기』에도 다음과 같은 기록이 있다. "(1713년 1월 1일) 승문원 서원 강우문이 와서 '서쪽 담 밖에서 몽골 사람들이 지금 이를 잡아먹고 있다'고 말했다. 내가 담 밑으로 가서 안장을 쌓아 사다리를 만들어 의지해서 보니, 바깥은 곧 공지였다. 몽골 사람들이 수십 개의 천막을 함께 치고 있는데, 한 천막에 80여 명씩이었다. 그 사람들은 광대뼈가 넓어 청인들과 다르며, 옷이 낡고 더러워 사람 꼴이 아니었다. 호인 하나가 옷을 벗어 이를 잡는데 잡기만 하면 바로 삼키니 더욱 더러웠다. 그러나 이를 삼키는 것은 비단 몽골 사람들뿐만 아니라 한인들도 역시 그러하다. 낙타는 100여 마리에 또한 준마도 많다. 이번에 몽골인 48가가 모두 왔다고 하는데, 딴 곳에 사는 자들도 역시 많다고 한다. 계집들도 왔다고 하는데 마침 보이지는 않는다(承文院書員姜遇文來言, 西墻外蒙古方呑虱, 余往墻底, 累鞍爲梯, 據而視外, 卽空地也, 蒙古共有數十幕, 而一幕八十餘人, 其人皆廣顴, 異於淸人, 衣裘弊汚, 不似人形, 一胡方脫衣捫虱, 得輒呑之, 尤可醜也, 然呑虱, 非但蒙古, 漢人亦然也, 橐駝百餘頭, 又多駿馬, 今番蒙古四十八家盡來, 住於他處者亦多, 女人又有來者而適不見, 聞其衣制如胡女, 頭髻類我國, 但便旋, 不避人, 蓋去禽獸無遠矣)." "(1713년 1월 8일) 아침에 김창엽과 더불어 북쪽 담에 의지하여 몽골 사람들을 구경했다. 몽골 사람도 담 밑에 와서 쳐다보았다. 네 눈만 서로 대하고 있을 뿐 (서로) 말을 나눌 수가 없었다. 조금 있으려니 갑군이 와서 금하므로 드디어 내려왔다(朝, 與昌曄據北墻俯視蒙古, 蒙古亦來墻底仰見, 四目相對, 語莫能通, 少頃, 甲軍來禁, 遂下)." "(1713년 1월 13일) 서쪽 담에 기대어 바라보았으나 보이는 것이 없다. 몽골 사람들의 천막을 헤아려 보니 크고 작은 것이 각기 30여 개나 되고, 머물러 있는 호인은 모두 40여 명이나 된다. 또한 그 북변에 있는 자들도 역시 많다고 한다. 통관배들이 말하기를 '몽골인들은 3월이 되도록 머물다가 황제의 생일을 지나야 돌아가며, 하루에 바치는 양고기와 술과 양식과 목초를 이루 헤아릴 수 없다'고 하였다. 이와 같이 오랫동안 머무르는 진의를 알지 못하겠다. 어떤 사람은 '황제의 생일을 축하하고 이어서 황태자를 책립하기 때문에 묵고 있다' 하나, 반드시 그런 것은 아닌 듯하다(據西墻望之, 無所見, 仍數蒙古帳, 大小各三十餘, 所居胡合四百餘人, 又在其北邊者亦多云, 通官輩言, 蒙古當留至三月, 過皇帝生日而歸, 一日所供羊酒粮草, 不可勝計, 而久留如此, 其意有不可知, 或云, 爲壽皇帝生日, 仍議立皇太子, 故留之, 而恐未必然也)." "(1713년 1월 21일) 저녁을 먹은 뒤에 서쪽 정원으로 갔다. 비장들 및 김덕삼이 들어와 대화를 나누었다. (그때) 몽골 사람 몇이 담에 기대어 들여다본다(夕食已, 往西庭, 諸裨及金德三入來同話, 蒙古數人, 據墻而視)." "(1713년 1월 29일) 저녁을 먹은 뒤에 무료하여 다시 서쪽 담에 기대어 몽골 사람들을 구경했다. 김창엽에게 다시 그 장막을 세어 보게 하니, 크고 작은 것 모두 80여 개다(夕食後無聊, 又據西墻見蒙古, 使昌曄更數其帳, 大小幷八十餘)." "(1713년 1월 30일) 온성 역졸 이귀가 이달 초하룻날 쇄마부 김낙걸에게 두들겨 맞아 왼쪽 눈이 상해 실명하게 되었다 한다. 오늘 비로소 고하므로 문이 닫힌 뒤에 세 사신이 앞 섬돌에 나가 앉았다. 김낙걸을 잡아 들여와 한 차례 심문하였으며, 같이 싸운 쇄마부 최가인

에 옥하玉河 서쪽 언덕 위에 세워졌는데, 몽골관과 인접하게 된 이유는 "조선 사신은 몽골 다음에 위치한다"는 청나라의 외교 방침 때문이었다.[105] 옥하관은 정조 때부터 러시아와 공동 사용하다가 결국 러시아에게 빼앗기고, 남쪽에 있는 남소관南小館이 조선관이 되었다.[106]

북경 몽골관에 대한 최덕중의 기록이 너무 간략하기 때문에 비교적 상세하게 기록된 몇 개를 해설 없이 여기에 소개하고자 한다.

에게 곤장 10대를 쳤다. 때릴 때에 여러 역졸이 늘어서서 한꺼번에 '쳐라! 쳐라!' 고함을 치니, 몽골 사람들이 담에 기대어 들여다보고 놀라는 모습을 짓는다(穩城驛卒李貴, 今月初一日, 被毆於刷馬夫金洛乞者, 傷左眼廢明, 今日始告, 門閉後, 三使臣出坐前堦, 捉入洛乞, 刑訊一次, 同鬪刷馬夫崔可仁, 決棍十度, 杖時諸驛卒列立, 一時發聲叫打, 蒙古據墻而見之, 有驚駭之色)." 이처럼 몽골인과 조선인들이 서로 담 너머 바라보았다는 기록이 수록되어 있다. 청나라 시대에도 곤장이 존재했는데, 이를 몽골어로 칩치르가chibchirg-a(чавчирга)나 베리예 beriy-e(бэрээ[н])라 부른다.

105) 명나라 때에도 조선관은 "명나라 때 조선관을 몽골관 가까이에 두었다(皇明時, 朝鮮館近爲蒙古所館)"(徐慶淳, 『夢經堂日史』)처럼 몽골관 인근에 있었다. 이로 인해 조선 사신들은 몽골인들과 만날 기회가 종종 발생했는데, 그 대표적인 기록이 洪翼漢(1586~1637)의 『朝天航海錄』에 수록된 "(1625년 2월 4일) 순의왕 밑의 도얀(朶顔), 태령, 포요르(福餘) (등) 삼위(와) 이인(夷人) 망한(莽漢) 등 89명이 조공을 바친다고 북경에 당도하여 이날 회동북관에 들어왔다. 그 흉악하고 누추한 모습은 차마 바라볼 수 없었으며, 누린내가 코를 찔러 구역이 날 지경이었다(順義王下朶顔泰寧福餘三衛, 夷人莽漢等八十九員, 稱進貢到京, 當日入會同北館, 兇獷醜惡之狀, 不忍正視, 腥羶臭穢之氣, 聞可嘔廒矣)." 및 "(1625년 2월 13일) 상사와 부사 및 동지사와 함께 확연정에 올라 술을 나누는데, 달자獶子 네 명이 돌연히 들어왔다. 술을 주니 주량이 한이 없었다. 술을 더 달라 하며 둘러서서 물러가지 않았다. 이에 통사를 불러 달래어 데려가게 하였다. 일그러진 얼굴에 비린 냄새가 풍겨 사람들이 모두 코를 가리고 지나갔다(與上副使, 偕冬至使詣廓然亭, 酒之, 獶子四頭突入, 饋之酒, 則無厭, 請益酒, 環視不去, 於是, 招通事, 開喻捽去, 怒頰豕頓, 腥臊之氣, 人皆掩鼻而過)."라는 기록이다. 이 기록은 명대 말기 몽골과 명나라의 관계를 보여주는 귀중한 사료이다.

106) 옥하관을 러시아에게 빼앗기게 된 경위가 李押 의 『燕行記事』에 "(1777년 11월 27일) (옥하교) 다리 남쪽에 옥하관이 있는데, 청 세조 초년에 옥하 서쪽 언덕 위에 설치하여 우리나라 사신을 접대해 왔다. 근래에는 대비달자(러시아)가 연달아 와서 여기에 머무르고 다른 곳으로 가려 하지 않아, 청나라 사람도 감히 그 뜻을 어기지 못하여 우리 사신의 관소는 드디어 다리 남쪽으로 옮기게 되었다. 1리쯤 가서 성 밑을 따라 조금 가면 남소관이 있다(卽玉河橋也, 橋之南, 有玉河館, 順治初, 設於玉河西岸上, 以接我使, 近來大鼻㺚子, 連爲來留於此, 不肯往他所, 淸人亦不敢拂其意, 遂移我使館所於橋南行一里許, 遵城底而西行少許曰, 南小館)." 처럼 수록되어 있다.

(가) 홍대용洪大容의 『담헌연기湛軒燕記』에 수록된 몽골관 관련 기록

몽골 38부 중 복종하지 않는 부는 둘뿐이다. 36부에서 인재를 뽑아 대학에 입학시키고, 군사를 뽑아 호위에 집어넣는다. (만주족과) 관시關市와 혼인을 통한다. 호상胡商들의 무역 또한 제한된 구역이 없다. 낙타와 말이 관동 지방에 (자유롭게) 드나들어 한 나라와 다를 바 없다. 몽골을 달자達子라고도 부른다. 사적仕籍을 통해 대학에 들어와 공부하는 자들은 의복과 관모가 만주인과 차이가 없다. 공납을 바치기 위해서 (북경에) 온 자들은 유독 누렇게 물들인 모피로 만든 모자를 썼는데, 모습이 거의 흉악하고 사납다. 그들의 관은 옥하관玉河館 북쪽에 있으며, 거주하는 자가 항상 수백 명에 이른다. 그들은 낙타를 타고 시가를 돌아다녔다. 언젠가 몽골 통역인 이억성李億成을 데리고 그들의 관을 찾아갔다. 문에 들어가서 보니 사면은 흙 담장으로 둘려 있고, 지붕을 가진 집이라곤 없었다. 넓은 초원에 10여 개의 펠트제 천막이 늘어서 있을 뿐이었다. 몽골 사람들은 그곳에서 머문다. 낙타 수십 마리가 담장 밑에 누워서 숨을 허덕거린다. 오가는 몽골 사람들이 매우 많았다. 어떤 (몽골인은) 사향을 가져와 사라고 하였다. 억성이 천막 밖에 이르러 한 사람을 불렀다. (그리고) 추장이 있는 곳을 물은 뒤 한 번 만나 보자는 뜻을 전했다. 그 사람이 들어갔다가 얼마 뒤에 나와서 말하기를 "추장이 만나 보겠다한다"고 했다. 나는 억성과 함께 발을 걷고 들어갔다. 몽골 추장은 (이세리iseri 의자에) 걸터앉은 채 똑바로 바라볼 뿐 맞아들이는 기색이 없었다. 모습은 미련하고 추잡하게 생겼으며, 먼지와 때가 얼굴에 가득하여 보기만 해도 무서움이 들 정도였다. 이때 함께 들어온 몇 사람이 모두 물러나고 감히 다시 들어오지 못했다. 나 혼자 억성을 데리고 추장과 마주 앉았다. (안을 둘러) 보니 천막 가운데가 원형으로 되어 10여 명이 들어설 만하였다. 바닥은 양가죽과 잡털 갖옷으로 깔았다. 한복판엔 구리로 만든 3족 솥을 걸어 두었는데, 높이가 한 자 남짓하였다. 그 밑에는 석탄이 타오르고 있었다. 천막의 천창을 덮은 천을 걷어내 햇빛도 받고 연기도 나가게 하였다. 억성이 온순한 말로 두어 마디 물으니, 몽골 추장이 대답하기도 하고 안 하기도 하면서 끝내는

말을 안 했다. 억성이 청심환 두 알을 주자 몽골 추장이 비로소 빙긋이 웃으며 받으면서 대하는 태도가 금방 달라졌다. (그가 쓰고 있는) 모자 꼭대기는 홍보석으로 장식되어 있다. 스스로 말하기를 "나는 몽골왕의 종친으로 관직은 1품이다. 오직 말 타고 활 쏘는 것만을 알아 장군이 되었지만, 한문이나 한어는 알지 못하고 몽골문자도 알지 못한다"고 했다. 또 "우리나라는 경성에서 3천 리나 떨어져 있는데 숙위宿衛를 하기 위하여 왔다. 낙타를 타고 한 달이 걸려 경성에 도착했다"고 말했다. 담배를 말아 나와 억성에게 피우기를 권했다. 나는 다 피우고 다시 담배를 말아 (그에게) 주었다. 하직하고 나올 적에 그는 단지 머리만 끄덕거릴 뿐이었다. 그 무례하기가 금수에 못지않았다.[107]

(나) 이갑의 『연행기사燕行記事』에 수록된 몽골관 관련 기록

몽골은 원나라의 유종遺種으로 예전의 달단韃靼이다. 동쪽의 흑룡강에서 서쪽의 바다에 이르기까지, 북으로는 옛 장성 밖을 따라 영고탑 근처에 이르기까지 모두 그들이 사는 곳이다. 우리들의 역로로 말하면 산해관 이동이 몽골 지방에 가장 가까운데, 큰길에서 먼 곳이 50리에 불과하다. … 몽골인은 청인과는 저절로 구분된다. 광대뼈가 튀어나오고, 눈이 푸르며, 수염이 붉다. 모두 사납고 거칠며, 고정 가옥에서 살려고 하지 않는다. 아주 추운 때라도 단지 달구지 위에 장막을 치고 길에서 자며, 아침에 눈을 털고 일어난다. 배가 고프면 다만 낙타의

---

107) 洪大容, 『湛軒燕記』「藩夷殊俗」조 : 蒙古三十八部, 不服者二, 其三十六部, 選士入學, 選兵入衛, 通關市婚姻, 商胡貿遷無限域, 駞馬交於關東, 則與一統無甚異也, 蒙古或稱撻子, 其通仕籍者, 入學隷業者, 衣帽與滿洲無別, 其以貢獻至者, 獨以染黃皮毛爲帽, 狀貌類多獰悍, 其舘在玉河舘北, 居者常數百人, 騎槖駞遍行于街路中, 嘗與蒙譯李億成至其舘, 入門, 見四面圍以土墻, 無屋宇之制, 廣場莽蕩, 惟列十餘氈幕, 蒙人所寢處, 槖駞數十偃息於墻下而已, 蒙人來往者甚衆, 或持麝香求賣, 億成至幕外, 招一人與語, 問其酋長所居, 仍致願見之意, 其人去有頃, 來言酋長請見, 余與億成掀簾而入, 蒙酋蹲坐瞠然, 無延接之意, 狀貌頑醜, 塵垢滿面, 見之令人怕心, 時同來者數人皆退走, 不敢復入, 獨余與億成對坐, 見幕中正圓, 可容十餘人, 周鋪羊皮及雜毛裘, 當中置銅鍋三足, 高尺許, 下熾石炭, 幕頂撤盖, 以受日光, 兼通烟氣, 億成溫辭問數語, 蒙酋或對或否, 竟落落, 億成仍以淸心元兩丸與之, 蒙酋如微笑受之, 酬酢如響焉, 帽頂以紅寶石, 自云蒙王宗親, 官一品, 惟事弓馬爲將, 不識漢書漢語, 并不識蒙書云, 其國距京三千里, 爲宿衛而來, 乘槖駞行一月, 始到京云, 裝烟勸余及億成, 吸畢, 余又裝烟而酬之, 辭出, 只點頭而已, 其蠢蠢去禽獸不遠也.

고기를 씹을 뿐이다. 또 개와 한 그릇에 먹는다. 강하면서도 사납고 추악하기가 이와 같기 때문에, 청인들은 위아래 할 것 없이 모두 두려워하면서도 천하게 여긴다. (그래서) 꾸짖고 욕할 때 그를 몽골 사람에게 비교하면 반드시 불끈 성을 내고 큰 욕이라고 여기니, 몽골인을 사람으로 여기지 않음을 알 수 있다. … 앞으로 그들이 더욱 성하여 차츰 안으로 스며들어오면 그 칼날이 향하는 곳은 대적하기가 어려울 것이다. (따라서) 어찌 순망치한의 근심이 없음을 알겠는가. 그들의 관사가 옥하관玉河館 북쪽에 있다. (관사에) 거주하는 자들이 낙타를 타고 길 위를 이리저리 돌아다닌다. (그들의 관사에 대해) 들었다. 즉 관사의 사면을 흙담으로 두르고, 가옥과 같은 것은 없다. 넓은 마당은 텅 빈 채 오직 10여 개의 펠트제 천막이 늘어서 있을 뿐이다. (그들이) 자고 거처하는 곳에 승마용 낙타 수십 마리가 있는데, 흙벽 아래 누워 쉬고 있다. 천막 안은 아주 둥글며 10여 명을 수용할 만한데, (바닥에는) 양가죽과 잡털 갖옷을 두루 깔았다. (가운데에 걸려 있는 솥) 아래에 석탄이 타오른다. 천막의 꼭대기에 (덮은) 덮개를 걷어서 햇빛을 받고 연기를 통하게 한다. 그 나라는 북경에서 3,000리 떨어져 있는데, 낙타를 타면 한 달 만에 북경에 도달한다고 한다. 그 (나라의) 왕자가 말을 타고 거리에 나오면 별로 위의威儀가 없어 청인은 모두 말을 달려 스쳐 지나간다. (그러나) 몽골 사람들은 바라보고 모두 말에서 내리니, 그들 중에도 품급이 있는 것 같다.[108)]

108) 李坪, 『燕行記事』「聞見雜記」: 蒙古卽元之遺種, 而古韃靼也, 東自黑龍江, 西至于海北, 沿古長城外, 至寧古塔近處, 皆其巢穴, 而以我人歷路言之, 山海關以東則蒙古地方最近, 距大路遠者不過五十里…其爲人與淸人自別, 兩顴高, 眼碧髯紫, 皆悍惡麤健, 不思室居, 雖極寒之時, 只設帳於車上而宿於道路, 朝乃拂雪而起, 飢則只噉駱肉, 又與狗同器而食, 其性之勁悍醜惡如此, 故淸人上下, 皆畏而賤之, 罵辱之際, 比以蒙古則必勃然而怒, 以爲大辱, 其不以人類相待可知也. …他日種類益盛, 浸淫內入, 則其鋒所向, 定難抵敵, 齒寒之患, 安知其無也, 其館在玉河館北, 居者騎槖駝, 遍行于路上, 聞館之四面, 圍以土墻, 無屋宇之制, 廣場莽蕩, 惟列十餘氈幕, 其所寢處, 只有所騎槖駝數十匹, 偃息於墻下, 而幕中正圓, 可容十餘人, 周鋪羊皮及雜毛裘, 下熾石炭, 幕頂撤蓋, 以受日光, 兼通烟氣, 本國距京三千里, 乘槖駝行一月始到京云, 其王子乘馬出街, 別無威儀, 淸人則皆馳馬掠過, 蒙人則望見輒皆下馬, 渠中則似有等威矣.

(다) 작자 미상의 『계산기정薊山紀程』에 수록된 몽골관 관련 기록

몽골관 : 몽골인은 본래 견융犬戎이다. 부락이 매우 강성하여 황제가 그들과 혼인을 맺었다. (몽골의) 번왕番王으로 황성皇城에 거주하는 자들의 관사가 한 채뿐이 아니다. 그 중 한 채는 옥하관과 거리가 멀지 않다. 우리나라 사람과는 언어가 더욱 통하지 않았다. (그들이 입은) 갖옷은 거칠고 지저분하다. 얼굴에는 모두 사나운 기가 흐른다. 또 광대뼈가 넓어 청나라 사람과 달랐다. 바람과 추위를 겁내지 않는다. 옷을 벗어서 이를 잡는데, 잡으면 씹어 먹는다고 한다. (일행을) 따라와 관사에 거주하는 부녀들도 있는데, 소변을 볼 때 사람을 피하지 않는다. (그들에 관해) 들었는데 의복 제도는 호녀와 같고, 머리털을 묶는 법은 우리나라 풍속과 같다고 한다. 이날 경박景博 등 여러 사람을 따라서 그들이 사는 데를 찾아갔는데, 사나운 개에게 저지당하였다. 낙타는 몽골의 소산이므로 그것을 잘 부리는 자들 역시 몽골 사람이다. (낙타가) 날마다 석탄을 실어 나르느라 길에 줄지어 끊이지 않았다.[109]

(라) 박사호朴思浩의 『심전고心田稿』에 수록된 몽골관 관련 기록

몽골관은 옥하교의 곁에 있다. (몽골관은) 한 곳에 그치지 않는다. 관 안에 펠트로 만든 천막을 설치했는데, 그 모양이 우리나라의 우산을 펼쳐 놓은 것 같다. 바닥에도 역시 두꺼운 모직을 깔았다. 남쪽을 향해 출입문이 나 있으며, (천막) 위의 덮개 한가운데를 여닫아서 햇볕을 받는다. 남녀가 함께 거처한다.

---

109) 著者 未詳, 『薊山紀程』「1803년 12월 27일」蒙古館條 : 蒙人本犬戎, 部落甚強盛, 皇帝與結婚姻, 而其番王之居住皇城者, 不止一館, 其一館則與玉河關不相遠, 我國人相對, 語愈不可通, 衣裘麤汚, 面目皆獰悍, 且廣顴異於淸人, 不畏風寒,脫衣拔蝨, 得輒呑之云, 其婦女有隨來居館者, 便旋不避人, 而聞之, 則衣制如胡女, 頭髻類東俗, 是日從景博諸人臨其間, 爲狠犬所阻, 橐駝, 蒙古所產, 而善御者, 蒙人也, 日馱石炭, 絡續於途. 또 작자 미상의 필자는 말미에 몽골관에 있는 몽골인의 일상을 다음과 같은 "펠트제 천막이 서로 이어져 과실처럼 올망졸망하니(氈幕相連似結實)(몽골겔), 북방의 비린내가 눈앞에 가득하네(北方腥氣面前多)(몽골냄새, 특히 양 냄새), 누런 갖옷 차림으로 성남의 시장을 늦게 파하고(黃裘晚罷城南市)(장사), 대낮 다리 아래에서 낙타를 씻기네(白日河橋洗橐駝)(낙타목욕)."라는 시로 요약하고 있다.

그 사람들은 여러 오랑캐 가운데서도 가장 사납고 추하고 무례하며, 얼굴이 가증스럽다. 말을 잘 부려 돌진하기에 능하다. 거처하는 궁실은 없다. 떠나갈 때는 펠트제 천막을 걷어 낙타에 싣고 하루에 300~400리를 달린다. 음산陰山이나 큰 사막이라도 그들이 머무르는 곳에는 천막을 친다. 사냥을 하여 먹을거리로 삼는다. 명나라 때 달단韃靼이라 일컬었는데, 그 땅이 북쪽으로 사막까지 닿았다. (타타르는) 48부로 나뉘어져 있는데, 강성하여 제압하기가 어렵다. 다만 부처만을 정성껏 받들어 생사를 거기에 맡기고 있다. 때문에 청나라 사람은 그들의 습속을 이용해 그들을 회유한다. 승도는 각 절 및 원당願堂에 나누어 거처한다. 벼슬하는 자는 모두 남자이며, 황녀에게 장가든다. 여자는 친왕에게 시집간다. 총애를 받으며 높은 녹봉이 하사된다. 귀천을 막론하고 모두 노란 옷을 입는다. 노란색은 황제의 옷 빛깔이다. 건륭 때 황화요黃花謠가 성행하였으므로 황제가 더욱 몽골을 무마하였다.[110)]

(마) 김경선金景善의 『연원직지燕轅直指』에 수록된 몽골관 관련 기록

성신聖申이 여러 사람과 함께 몽골관에 가 보았다고 한다. 따로 몽골관기가 있다.

(몽골관기) : 몽골은 더러 달자韃子라고도 한다. 원나라 순제가 북쪽으로 달아난 뒤 48개 부락으로 나뉘었다. 만리장성 북쪽 의산醫山 바깥은 모두 그들의 땅이다. 그곳에는 오곡과 궁실이 없다. 그 사람들은 늘 낙타를 타고서 좋은 수초를 좇아 산다. 펠트제 천막(穹氈)으로 집을 삼고, 사냥으로 업을 삼아 고기를 먹고 피를 마신다. 대개 북번北藩의 습속은 옛날부터 그러하였다. 명나라 중엽부터 이미 여러 차례 변방의 근심거리가 되었다. 청나라가 처음 일어날 때 자못

110) 朴思浩, 『心田稿』「蒙古館記」: 蒙古館, 在玉河橋傍, 非止一處, 館中設毳幕穹廬, 其形如我國雨傘揮帳, 地底亦鋪厚氈, 南向行門上蓋, 正中開閉, 以受陽氣, 男女渾處, 其人諸夷中尤悍醜無禮, 面目可憎, 善馳突, 居無宮室, 行則撤毳幕, 載之槖駝, 日馳三四百里, 陰山大漠, 止宿處必設幕, 畋獵爲糗粮, 明時稱韃靼, 其地北盡沙漠, 分爲四十八部, 疆盛難制, 獨奉佛惟勤, 生死以之, 淸人因其俗而誘之, 僧徒分處于各寺願堂, 仕宦者皆男, 尙皇女, 女嫁親王, 寵錫高秩, 而無論貴賤, 皆衣黃衣, 黃者, 皇帝之服色, 乾隆時, 黃花謠盛行, 皇帝益撫摩蒙古.

그들의 병력을 빌렸다. 그 공을 믿고 교만하고 사납기가 당나라 때의 돌궐이나 회흘回紇과 같다. (그러나) 황제는 그들의 공을 생각하고, 또 그들의 강함을 장하게 여겨 여러 추장을 친왕과 같이 대우하고 반드시 황녀를 그들에게 시집보낸다. 일찍이 몽골왕 및 그의 부인이 정조正朝에 참여하려고 연경으로 향하는 것을 보았다. (그들에 관해) 들었는데, "그 나라에 있을 때 하인들과 더불어 같은 펠트제 천막에서 침식하며 대소변을 같이하는 등 서로 섞여 구별이 없었기 때문에 황녀가 그 고통을 견디지 못하고 얼마 안 되어 죽었다"고 한다. 숙위宿衛를 하기 위하여 (북경)에 와서 머무는 자들이 항상 수천 명이다. 그들의 관사는 옥하관 동쪽 수백 보 바깥에 있다. 벽돌을 쌓아 담을 만들었는데, 가옥은 없고 펠트제 천막만을 설치하여 그 안에서 잠자고 거처한다. 그들이 기르는 개는 매우 크고 사나워서 사람을 보면 반드시 문다. 연초가 되면 공납을 바치러 오는데, 그 수가 역시 많다. (그들은) 거리를 누비고 다니는데 모두 누런 물을 들인 가죽 모자를 썼고, 몸에는 가죽옷을 걸쳤는데 누렇거나 흰색이다. 이를 잡으면 그것을 삼킨다. 먼지와 때가 온몸에 끼어서 보기에 매우 추했다. 사적仕籍을 통해 태학太學에 입학하여 학업을 익히는 자는 옷과 모자가 만주의 제도와 같았다. 그러나 색깔은 누런색을 숭상하는 자들이 많았다. 몽골인으로 승려가 된 자를 라마승이라 한다. 승려는 녹봉이 가장 후하다. 이들 역시 모두 누런 옷을 입었다. 승려나 속인을 막론하고 누런 옷 입기를 좋아하는 것은 (이들) 스스로 황제와 고향이 같다고 여기기 때문으로, 황제 또한 그것을 금하지 않는다고 한다. 우리의 하인들이 그들의 추함을 보고 반드시 꾸짖고 욕을 하면, 그 사람들은 비록 말은 알아듣지 못하나 대강 그 능멸하는 것을 알아서 눈을 흘겨보고 심하면 때리려고 한다. 또 황제가 우리나라를 저들보다 더한 예절로 대우하므로 늘 분노를 품고 한 번 분풀이하려고 생각한다 하니 아주 두렵다.111)

111) 金景善,『燕轅直指』「1832년 12월 24일」조 : 聖申與諸人, 往見蒙古館云, 別有蒙古館記. (蒙古館記) 蒙古或稱㺚子, 元順帝北走, 其後分爲四十八部落, 長城北醫山以外, 皆其地方也, 無五穀宮室, 其人常騎槖駝, 逐善水草居之, 以穹氈爲屋, 以射獵爲業, 噉肉飮血, 蓋北藩習俗, 自古然也, 自明中葉, 已屢爲邊患, 而淸之始起, 頗藉其兵力, 故恃功驕悍, 如唐之突厥回紇, 皇帝念其功而長其强, 待諸酋視親王, 必以皇女嫁之, 曾見蒙王及其妻, 趁正朝向燕京者, 聞居其國, 與皁隸共氈幕, 寢食便尿, 混處無別, 皇女不堪其苦, 未幾輒死云, 其爲宿衛而來留

(바) 서경순徐慶淳의 『몽경당일사夢經堂日史』에 수록된 몽골관 관련 기록

몽골 사람이 낙타 등에 세간을 싣고, 아내에게는 아이를 안겨 그 위에 앉히고 느릿느릿 끌고 가는 것을 보았다. 내가 마두馬頭에게 "저들은 어느 곳을 향하여 가는가"라고 묻자, "몽골관이 옥하교 북쪽에 있다. 대개 낙타는 북쪽 지방에서 와서 오직 몽골 사람만 길들일 수 있기 때문에 낙타에 물건을 싣고 오가는 자들은 모두 몽골 사람들이다"고 대답했다. 내가 한주부韓主簿를 이끌어 몽골관에 이르니, (몽골)관은 3면에 담을 쌓고 1면에 문을 내놓았다. 그들은 애당초 집을 짓는 제도가 없다. 빈터에 펠트제 천막으로 (사람) 인자人字 형상의 장막을 치고 지낸다. 이와 같은 것이 10여 곳인데, 장막마다 털 담요 몇 겹씩을 바닥에 깔고 남녀가 섞여서 장막 속에서 함께 지낸다. 흙덩이를 뭉쳐 아궁이를 만들고, 그 위에 철제 노구솥을 건다. 말똥을 때서 양고기와 돼지고기를 삶아 털도 버리지 않고 남녀가 마주앉아 먹는다. 여자는 모두 젊고 예쁘나, 남자는 늙고 못 생긴 사람이 많아서 절대로 서로 같지 않았다. 또 모두 세수를 하지 않아서 얼굴에 때가 끼어 두 눈이 반짝거리는 것만 보였다. (그들에 관해) 들었다. 몽골의 풍속은 소나 양의 젖과 짐승 고기로 주식을 삼는다고 한다. 3일 동안 먹지 않고 3일 동안 자지 않아도 능히 견딘다고 한다. 오곡을 즐기지 않고 가옥을 싫어한다. 출행할 때면 가재 모두를 싣고 간다. 곳에 따라 장막을 치고 지낸다. 한겨울이나 한더위 또한 걱정하지 않는다. 그래서 한인들이 그들의 흉악하고 사나운 것을 무섭게 여긴다. 황제가 몽골왕과 혼인을 맺기에 이르러서야 그들을 제어할 수 있었다고 한다.[112]

者, 常數千人, 其館在玉河館東數百步外, 築甎爲墻, 無屋宇, 惟設氈幕, 寢處其中, 所畜犬甚大而獰, 見人必噬, 歲時則又有以貢獻至者, 其數亦夥, 遍行街路, 皆以染黃皮爲帽, 身着皮衣, 或黃或白, 捉虱呑之, 塵垢遍軆, 見甚醜惡, 其通仕籍及入學肄業者, 衣帽同滿制, 而但色尚黃者多, 蒙人之爲僧者, 謂之喇嘛僧, 僧廩最厚, 而亦皆着黃衣, 無論僧俗, 好着黃衣者, 自以爲與皇帝同故, 而皇帝亦不之禁云, 我隷見其麤鄙, 必詬辱之, 其人雖不解句語, 槩知其凌蔑, 反目疾視, 甚則欲毆之, 且以皇帝禮待我國, 有加於渠, 常含怒, 思一逞云, 殊可畏也.

112) 徐慶淳, 『夢經堂日史』「1855년 12월 11일」조 : 見蒙古人牽槖駝, 載家伙什物于背, 令其妻抱兒而據其上, 緩緩而去, 余問馬頭曰, 彼向何處去, 曰, 蒙古館在玉河橋北, 蓋槖駝來自北方, 惟蒙古人能馴, 故凡槖駝載運來往者皆蒙古人也, 余携韓主簿到蒙古館, 館不過三面築墻,

제5장 몽골인

1. 몽골인 마을

몽골인 마을에 대한 기록은 카라친기와 투메드기를 거쳐 간 서호수의 『연행기』에만 나타난다. 그것을 소개하면 다음과 같다.

【의주義州에서 망중영蟒中營에 이르는 사이의 몽골인 마을】

맑음. 수촌자水村子에서 밥을 지어 먹고 망중영의 복녕사福寧寺에서 잤다. 이날은 70리를 갔다. 의주에서부터 이곳에 이르는 100여 리 사이는 큰 구릉들이 이어져 있는데, 밝고 아름다웠다. 높은 바위나 중첩한 봉우리는 전혀 없다. 냇물과 들이 서로 교차되고 마을과 (몽골의) 천막(겔)들이 서로 마주보고 있는데,

---

一面作門限, 初無棟宇之制, 以毳帳如人字形, 張幕於空墟中, 如是者十餘處, 必鋪戎氈數疊於地上, 男女雜處幕中, 聚土作塊, 以支鐵鐺, 拾馬通爇之, 烹羊豕肉, 不去毛, 男女對坐而食, 女皆少艾, 男多老醜, 絕不相倫, 而並皆不頮, 積垢在面, 只見兩眼閃閃, 蓋聞蒙古之俗, 專以酪漿獸肉爲之茶飯, 能三日不食, 三日不眠, 不嗜五穀, 不喜宮室, 出行則盡室載去, 隨處張幕, 嚴冬盛暑, 亦所不憚, 所以華人畏其凶獰, 皇帝至爲結姻於蒙王以制之云.

많을 때는 수백 호이며 적을 때도 수십 호가 넘었다. 몽골인과 한인漢人이 섞여 사는데, (상점이 매우) 즐비하며 번화하다. 도처에 사원과 관묘關廟가 있는데, 웅장하고 아늑하며 깨끗했다. 어떤 것은 내지(중원)에 세워진 것보다도 더 나았다. 들판은 모두 개간되어 오곡을 심기에 적당하다. 그러나 논은 없다.[1]

【조양朝陽에서 야불수夜不收에 이르는 사이의 몽골인 마을】

조양부터 이곳에 이르기까지 산세가 약간 험하고 구릉이 구불구불 둘러 있는데 매우 아름다웠다. 곳곳이 시원하게 트이고 민호民戶는 점점 조밀해졌다. 농사에 더욱 부지런하여 두어 평坪(의 작은 땅까지도) 개간하지 않은 곳이 없었다. 마을은 몇 리까지 연기가 끊이지 않았다. 생각건대 열하가 점점 가까워 오기 때문에 그러한 것일 것이다. 제왕이 사는 곳에는 조화가 따르는 것이다. 누가 여기를 장성 밖의 황량한 땅이라고 하겠는가. 대체로 육대六臺 이후의 읍치邑治와 도회에는 상인이 많이 몰려들고, 시가엔 상점이 즐비하다. 수초水草가 풍요로운 곳에는 말, 소, 양, 낙타가 1,000마리, 100마리씩 무리를 지어 있다.[2]

【의주에서 조양 일대의 몽골 유목지 거주 풍경과 몽골인들】

한인, 만주인, 몽골인 등 3국의 백성이 100여 년 동안 전쟁을 겪지 않고 농사와 상업과 목축에 열중했다. 그러니 어찌 번성하고 부유하지 않겠는가. 몽골 사람이 가장 많고, 만주 사람이 그 다음이며, 한인이 또 그 다음이다.[3]

---

1) 『연행기』「1790년 7월 8일」조 : 晴, 炊飯于水邨子, 止宿于蟒牛營之福寧寺, 是日, 行七十里, 自義州至此百餘里間, 阜陵皆衍迤而明麗, 絕無巉巖疊巘, 而川野相錯, 邨廬相望, 多則爲數百戶, 小亦過數十戶, 蒙漢雜居, 櫛比繁華, 到處有佛宇, 關廟而宏邃潔淨, 或勝於內地所建, 阡陌俱墾, 五穀咸宜, 而獨無水田.

2) 『연행기』「1790년 7월 11일」조 : 自朝陽至此, 山勢稍峻而阜陵逶迤秀麗, 處處開豁, 民戶愈稠而耕農益勤, 地無數坪之不墾, 村無數里之斷烟, 想是熱河漸近而然, 帝王所居造化隨之, 孰謂口外之荒漠也, 大抵六臺以後, 邑治都會則商旅輻湊, 市廛櫛比, 水草豐饒則馬牛羊駝, 千百爲羣.

3) 『연행기』「1790년 7월 11일」조 : 以漢滿蒙三國之生聚百餘年, 不見兵革而農賈畜牧, 舉無遺利, 安得不殷富, 蒙人最多, 滿人次之, 漢人又次之.

위의 기록에 등장하는 몽골 마을의 묘사는 이미 앞에서도 언급한 바 있듯이 농업이 진행되고 있는 현상을 생생히 보고하는 기록이다. 원래 서호수가 지나간 길은 1980년대부터 중화인민공화국의 역사를 새로 쓰는 올랑-하드Ulagan Khada(Улаан хад, 홍산) 문화 유적이 발견된 곳들이다. 옥(хаш, хас)으로 대표되는 올랑-하드 문화(Ulagan Khadan-i soyul>Улаан хадын соёл)는 흉노, 고조선 등 북방민족들의 문화 원형을 이루고 있다.[4] 서호수의 시대는 아직 본격적인 개간이 이루어지지 않아 옥기에 대한 기록이 등장하지 않지만, 본격적인 개간이 진행된 1910년대부터 이 지역에 수많은 옥기가 출토되고 있다.

원래 샤마니즘적 인식이 강한 몽골인들은 돌무덤들을 파헤치지 않는다. 이는 오늘날의 몽골인들도 마찬가지이다. 따라서 개간을 진행해도 무덤 주변만을 경작하지 무덤 부근에는 얼씬도 하지 않는다. 그러나 한인들의 비중이 커진 1910년대 이후에는 무덤으로 간주되는 봉분까지 무차별적인 개간이 행해져 옥기가 다량으로 출토되고 있다. 서호수가 지나갈 당시 이 지역에서 옥기가 출토되지 않고 있던 이유는, 서호수의 지적처럼 당시까지 몽골인들의 인구 비중이 높았기 때문이라고 보인다. 현재 이 지역은 농업지대로 변화되어 말을 키울 수 없는 관계로 몽골인들의 전통축제인 나담 때에도 말경주를 열지 못하는 실정이다.

몽골어로 도시는 현대 발음으로 호트khota(хот)나 호트-토스곤khota toskhun (хот тосгон), 촌락이나 마을은 토스곤toskhun(тосгон)이나 호트-아일khota ayil

4) 현재 올랑-하드 문화는 중화인민공화국 학자를 중심으로 많은 연구가 진행되고 있다. 그러나 북방 문화와 중원 문화는 근본적인 사상체계가 반대로 구성된 경우가 대부분이라고 해도 좋을 정도로 서로 상반된 성격을 지니고 있다. 따라서 올랑-하드 문화는 중원적 시각이 아닌 북방적 시각, 즉 샤마니즘적인 시각을 통해 바라볼 필요가 있다. 이러한 시각을 통해 올랑-하드 문화에 접근하면 "역사(족보)가 눈에 보인다"라는 몽골 격언이 있듯이 그 문화의 주체와 성격에 대한 총체적인 이해가 가능할 것이다. 올랑-하드 문화는 지역적으로 헐런-보이르나 할흐골솜, 치타주 등 동몽골 지역과도 서로 연계되어 있다. 따라서 이 지역의 문화까지 포함한 연구가 진행될 경우, 우리의 고대문화 및 북방문화의 원류 고찰은 물론 올랑-하드 문화의 문화전파 지도까지 그려낼 수 있을 것이다.

(хот айл)이라 부른다. 이외 작은 촌락을 각차-토스곤gachaga-n toskhun(гацаа тосгон)이나 토스곤-아일toskhun ayil(тосгоны айл), 각차-후이gachaga-n küi (гацаа[н] хүй)라고 부르며, 성이 있을 경우 성 밖에 위치한 작은 마을을 각차 gachaga-n(гацаа[н])라고 표현한다. 또 겔ger(гэр)이 모여 한 무리를 이룰 때는 넥-후이-아일nigen küi ayil(нэг хүй айл)이라 표현한다.

2. 몽골인의 외형

몽골인의 외형에 대한 기록은 최덕중과 박지원의 기록에만 나타나는데, 그것을 순서대로 소개하면 다음과 같다.

(1) 최덕중의 연행록에 등장하는 몽골인의 외형에 대한 기록

【몽골인의 외형】

광녕廣寧부터 서쪽으로 호녀胡女는 없고 당녀唐女가 약간 있으나, 의복이 더럽고 헤어져서 한 사람도 편히 사는 모습이 없었다. 또 몽골 사람이 자주 왕래하는데, 위아래에 입은 것이 청인과 똑같았다. 또한 한어漢語를 알기도 했으나, 인물이 아주 추하고 더러웠다. 혹은 이르기를 "그들이 이곳에 섞여 살되 청인과 엇갈리거나 의심하는 일이 없다"고 하였다. 생각건대 그들의 탐욕을 겁내어 그 원하는 바를 곡진히 따르고, 그들이 하고 싶은 대로 맡겨 두는 듯하였다.[5]

위의 기록에 등장하는 당녀唐女는 한인 여자를 말한다.[6] 최덕중이 묘사한

5) 『연행록』「1712년 12월 17일」조 : 自廣寧以西,胡女絕無而堇有,唐女則衣服麤破,無一安居之態,且蒙古人常常往來,而上下所着,一如清人,亦解漢音,第人物尤極麤鄙,或云間居于此地,而與清人無歧貳猜避之事,意者恐其貪惡,曲從其願,任其自爲者歟.

몽골인의 외형은 직접 만난 인물에 대한 구체적인 묘사가 아닌, 여행길에 스쳐지나가면서 대충 본 것을 피상적으로 묘사한 것이다. 사실 최덕중이 피상적으로 묘사한 "인물이 추하고 더러웠다"라는 모습은 여행길에 나선 뒤 한인 아이들의 구경거리가 된 누추한 조선 사절단의 모습과 별반 차이가 없다. 따라서 이러한 묘사는 소중화를 자처했던 조선시대 사람들의 사상적 우월감에서 나온 피상적 관념에 불과하다.

(2) 박지원의 열하일기에 등장하는 몽골인의 외형에 대한 기록

> 【용모】
>
> 몽골 사람으로서 중화에서 태어나고 성장한 자들은 그 문장과 학문이 만주인이나 한인과 동등하다. 그러나 그 용모는 험상스럽고 강건해 (다른 자들과는) 아주 다르다. (이들도) 이럴진대, 그 48부 추장들(의 용모는) 말할 것도 없다. … 나는 몽골왕 두 사람을 찰십륜포札什倫布에서 보았고, 또 산장의 문 앞에서도 보았다. 그 중에 늙은 왕은 나이 81세로서 허리가 굽고 배가 말라붙었으며, 피골이 거무죽죽해 썩은 것 같았다. 얼굴은 나귀처럼 길고 키는 거의 한 장丈에 달했다. 젊은 자는 종규도鍾馗圖에 나오는 귀신처럼 생겼다.[7]

---

6) 명나라 때 북경을 방문한 조선시대 여행기에도 한인들이 자신들을 당나라 사람(唐人)이라고 지칭하는 예가 적잖게 보인다. 그 일례의 하나가 崔溥(1454~1504)의 『漂海錄』에 나오는 "(1488년 윤1월 12일) 이곳은 곧 대당국 절강성 영파부 지방이다. 또 말하기를 '본국에 가려면 대당에 도착하는 것이 좋을 것이다'고 하였다(此乃大唐國浙江寧波府地方, 又曰要到本國去, 須到大唐好) … (1488년 6월 4일) (조선의) 의주성은 바로 당인(漢人)과 야인(女眞族) 등이 왕래하는 요충지대에 있다(義州城, 城正當唐人野人等往來之衝)"라는 기록들이다. 일본에서도 당시 명나라를 당나라로 부르는 기록이 鄭希得(1575~1640)의 『海上錄』에 "(1599년 6월 3일) 주인이었던 왜인 언위문이란 자가 달려와 고하기를 '대당 사신의 배가 일본 경도로부터 방금 와 닿았다'라고 했다(主倭彥衛門者走報日, 大唐使船, 自日本京都, 卽今來泊云)"처럼 나타나고 있다.

7) 『열하일기』 「黃敎問答後識」條：蒙古之人之生長中華者, 其文章學問等夷滿漢, 然其容貌魁健, 殊爲不類, 況其四十八部之酋長乎…蒙王二人吾見之, 札什倫布, 又見二人於山莊門下, 其老王年方八十一歲, 腰背磬僂, 皮骨黧朽然, 面長如驢, 身幾一丈, 其少者如魁罡鍾馗圖也.

위의 기록에 등장하는 종규도鍾馗圖는 당나라 현종玄宗이 꿈에 본 귀신을 오도현吳道玄을 시켜 그린 그림이다.[8] 박지원은 몽골인들의 특징을 "험상스럽고 강건하다"로 묘사하고 있다. 사실 몽골인들의 체격은 아시아인 가운데 가장 건장하고 용모도 날카로운 편이다. 이러한 느낌은 오늘날 몽골을 방문한 모든 사람들도 공통적으로 느끼고 있다. 뒤에 기술하겠지만 박지원은 열하 주점에서 술 실력으로 위구르인과 몽골인들을 제압하고 그들의 존경을 받은 일화가 있다. 당시 그는 자신의 심정을 "만주족이고 한족이고 간에 중국 사람이라곤 한 사람도 누각 위에 없었다. 두 호인의 생김생김이 흉악하고 추해서 올라온 것이 후회가 되었다"라고 표현하고 있다.

위의 기록에 등장하는 몽골의 늙은 왕이 친왕親王(Chin Wang)인지 군왕郡王(Giyun Wang)인지는 구체적인 설명이 없어 판단할 수 없다. 박지원이 열하를 방문한 1780년 당시 몽골의 친왕은 모두 6명이다. 즉 코르친-우익중기의 자사크-호쇼이-투시에투-친왕Jasag Hosho-i Tüshiyetü Chin Wang(扎薩克和碩土謝圖親王)인 라시-남질Rasi-Namjal(喇什納木扎勒, 1768~1782), 코르친-좌익중기의 호쇼이-다르칸-바아토르-친왕Hosho-i Darkhan Bagatur Chin Wang(和碩達爾漢巴圖魯親王)인 왕자-도르지Wangja-Dorji(旺扎勒多爾濟, 1774~?), 코르친-좌익중기의 부속기인 호쇼이-조릭토-친왕Hosho-i Jorigtu Chin Wang(和碩卓哩克圖親王)인 궁게르-랍탄Güngger-Rabtan(恭格喇布坦, 1761~1795), 코르친-좌익중기의 부속기의 호쇼이-친왕Hosho-i Chin Wang(和碩親王)인 얼제이-테무르-에르케바바이Öljeyi-Temür-Erkebabai(鄂勒哲特穆爾額爾克巴拜, 1775~1973), 우주무친-우기의 자사크-호쇼이-체첸-친왕Jasag Hosho-i Chechen Chin Wang(扎薩克和碩車臣親王)인 마카-소카

8) 당나라 玄宗이 병이 들었을 때 어느 날 꿈에서 終南山의 進士 鍾馗라 자칭하는 神鬼를 만났다. 이 神鬼는 현종을 병들게 한 小鬼를 잡아먹어 병을 낫게 했다. 이후 그는 鍾馗道士라 불려졌으며, 그의 그림을 이용해 병을 치료하는 자들이 많았다. 鍾馗圖에 묘사된 그의 모습은 큰 눈에 수염이 많고, 검은 외관을 착용하고 있다.

Makha-Sukha(瑪哈索哈, 1779~1790), 칼카 우익기의 자사크-호쇼이-다르칸-친왕 Jasag Hosho-i Darkhan Chin Wang(札薩克和碩達爾漢親王)인 라왕-도르지Lavang-Dorji(拉旺多爾濟, 1729~1781)이다. 만약 박지원이 묘사한 몽골의 왕이 친왕일 경우, 재위 기간으로 보아 라왕-도르지일 가능성이 높다. 또 젊은 왕이 친왕일 경우 위에 기록된 인물의 하나이다.

【형상】

> 몽골인은 코가 우뚝하고 눈이 깊숙하다. 험상궂고 날래며 사나운 성품 때문에 사람처럼 보이지 않는다.[9)]

박지원이 묘사한 몽골인들의 코나 눈의 형상은 사실에 가깝다. 그러나 성품에 대한 기록은 그의 주관적인 판단에 불과하다. 원래 몽골인들의 성품은 『흑달사략』의 "몽골의 풍속은 순박하고 (또 몽골인들의) 마음이 한결같기 때문에 말과 (행동에) 차이가 없다. (더욱이) 몽골은 속이는 자를 사형에 처하는 법을 가지고 있기 때문에 감히 속이려들거나 거짓말하지 않는다. (이러한 법도로 인해 몽골인들은) 비록 글자가 없어도 스스로 나라를 세울 수 있었던 것이다"[10)]라는 기록처럼 매우 순박한 편이다. 또 성격도 "한 번 만난 인연은 천 년을 간다"는 몽골 격언처럼 솔직하고 담백한 편이다.

9) 『열하일기』「盛京雜識」 1780년 7월 10일조 : 蒙古皆鼻高目深, 猙獰鷙悍, 殊不類人.
10) 彭大雅·徐霆, 『黑韃事略』 : 其俗淳而心專, 故言語不差, 其法說謊者死, 故莫敢詐僞, 雖無字書, 自可立國.

3. 몽골인의 언어

몽골인의 언어나 언어능력에 관한 기록은 최덕중과 박지원, 서호수의 여행기에서 모두 나타나는데, 그것을 순서대로 소개하면 다음과 같다.

(1) 최덕중의 연행록에 등장하는 몽골의 언어

【몽골인의 언어능력】

(산해)관 밖에 왕래하는 사람들은 거의 몽골 사람이었다. 내가 다시 그들에게 왕래하는 연유를 물었더니 답하기를, "집은 이주伊州에 있으나 토목土木 및 장사일로 산해관에 왕래합니다"고 하였다. 생각건대 이주伊州는 바로 의주義州로 광녕廣寧과 금주錦州 북쪽에 있는 몽골 지방이다. (몽골인 중에서는) 간혹 한어漢語를 해득한 자도 있었다.[11]

최덕중은 무인武人인지라 구체적인 몽골 언어에 대한 기록은 나타나지 않고, 몽골인의 한어 회화 능력에 대해서만 기술하고 있다. 사실 몽골인들의 외국어 습득 능력은 멍케카간Möngke Khagan의 6개 국어 구사능력에서도 나타나듯이 역사적으로 정평이 있다. 오늘날의 몽골인들도 보편적으로 외국어 습득능력이 매우 뛰어난 편이다. 이러한 능력은 그들의 천부적인 자질도 있겠지만, 역사·지리적으로 동서교류의 중심지에 위치해 있기 때문에 본능적으로 외국어의 필요성을 어릴 적부터 느끼고 자랐기 때문일 가능성도 높다.

11) 『연행록』 「1713년 2월 25일」 조 : 關外往來之人, 多是蒙人, 余更問其去來之由, 答云家在伊州, 以土木及買賣事, 往來山海關云, 第念伊州乃義州, 在廣寧錦州之北, 乃蒙古地方, 而或有解漢音者矣.

(2) 박지원의 열하일기에 등장하는 몽골의 언어

박지원의 『열하일기』에는 몽골 언어에 관한 기록이 5건이 등장하는데, 세부적으로는 몽골어 4건, 카밀Khamil 왕의 몽골어 구사 능력 1건으로 이루어져 있다. 이것을 순서대로 소개하면 다음과 같다.

【호동衚衕】

순치順治 초년에 조선 사신이 머무는 사관을 옥하玉河 서쪽 기슭에 세워 옥하관玉河館이라 불렀는데, 이후 악라사鄂羅斯가 점거했다. 악라사는 이른바 큰 코의 몽골인(大鼻㺚子)인데, 너무 사나와 청나라 사람도 그들을 억누를 길이 없었다. (그래서) 할 수 없이 회동관會同館을 건어호동乾魚衚衕에다 세웠는데, 이곳은 도통都統 만비滿丕의 집이었다. 만비가 죽임을 당할 때 집안사람이 많이 자결하였음으로 그 집에 귀신이 많았다 한다.[12)]

위의 기록에 등장하는 건어호동乾魚衚衕의 호동衚衕은 몽골어로 "도시"나 "거리"를 뜻하는 코타khota(хот)의 음역이다.[13)] 또 악라사는 러시아(Россия)의 몽골어 발음이다. 몽골은 고대부터 러시아를 오로스orus(орос)라고 표기했는데, 이는 몽골어의 두음법칙에 따라 러시아를 뜻하는 Rus의 첫 번째 모음인

---

12) 『열하일기』 「關內程史」 1780년 8월 1일조 : 順治初, 設朝鮮使邸于玉河西畔, 稱玉河館, 後爲鄂羅斯所占, 鄂羅斯, 所謂大鼻㺚子, 最凶悍, 淸人不能制, 遂設會同館于乾魚衚衕, 都統滿丕之宅也, 丕之被戮也, 家人多自裁, 故館多鬼魅.

13) 衚衕에 대한 기록은 조선 사신의 여행기에도 적잖이 나타나는데 그 대표적인 기록으로 徐有聞, 『戊午燕行錄』 「1798년 12월 21일」 조의 "皇城의 골목을 衚衕이라 일컬으니, 이 호동에 대가가 많은지라. 이전에 勅使로 나왔던 阿肅의 집과 侯 벼슬과 伯 벼슬 하는 사람 집이 많으며, 玉河橋 앞으로 북편 호동에 큰 집이 있으니, 이는 和珅의 사위 郡王의 집이니, 王爺府라 일컫더라." ; 金景善, 『燕轅直指』 「北京沿革, 五城街坊位置」 조의 "큰길은 너비가 24보요, 작은 길은 12보이다. 호동은 총 29개요[속칭 대항을 호동이라 한다], 소항은 총 384개이다(大街闊二十四步, 小街十二步, 衚衕摠二十九, 俗呼大巷曰胡同, 小巷摠三百八十四)" ; 李押, 『燕行記事』 「聞見雜記」 조의 "무릇 성 안의 마을을 모두 호동이라고 하는데, 이것도 원나라 때부터 일컬어 온 것이다(凡城中里巷皆稱以衚衕, 此亦自元時所稱也)" 등을 들 수 있다.

u를 R 앞에 덧붙여 나타난 현상이다. 조선시대 사람들은 러시아인을 몽골의 한 갈래로 간주하여 "코가 큰 몽골인"이란 뜻의 "대비달자大鼻㺚子"로 표기했다.

박지원은 조선 사신들의 숙소인 옥하관을 러시아인들에게 빼앗긴 뒤 새로운 숙소로 도통都統 만비滿丕(?~1700)[14]의 집을 기술하고 있다. 만비는 1700년에 정람기正藍旗 몽골도통蒙古都統으로 임명되었지만 그해 세상을 떠났다. 만비의 죽음에 대해서는 일반적으로 병사病死로 알려져 있는데, 박지원의 기록을 보면 무언가 중죄를 지어 죽임을 당했고 집도 몰수되었다는 것을 보여주고 있다.

【몽골(蒙古)】

외국의 방언은 소리는 있으나 글자가 없는 것이 많다. 중국인들이 그 소리를 한자로 번역했다. 예를 들면 은을 몽고蒙古라 하고, 좋은 금을 애신각라愛新覺羅라 하며, 장사壯士를 예락하曳落河라고 부르는 따위가 곧 그것이다.[15]

14) 滿丕는 正藍旗 출신의 만주인으로 姓은 伊爾根覺羅氏이다. 또 佐領을 세습하는 가문 출신이다. 그의 초기 관직은 贊禮郎으로부터 御使에 이르렀으며 佐領을 겸직했다. 이후 都統 郎坦(?~1695)을 따라 네르친스크에 이르러 러시아와 변계 협상을 벌였으며, 돌아와 理藩院郎中이 되었다. 강희 29년(1690)에 내몽골로 진격해 들어온 갈단칸에게 강희제의 문서를 전달하는 역할을 맡았고, 이어 벌어진 올란보당Ulaganbudang 전투에서 공을 세워 理藩院侍郎으로 승진했다. 강희 33년(1694년)에 安北將軍 費楊古(1645~1701)가 오늘날 울란바아타르 동쪽에 웅거하고 있는 갈단칸의 서쪽을 차단하기 위해 토올강Tu'ula(圖拉河)으로 진군하여 주둔할 때, 그도 함께 참가하여 그 지역의 역참을 관리했다. 이어 강희 34년(1695년)에는 歸化城에서 軍務를 담당했다. 1696년 2월 강희제가 외몽골에 진을 치고 있는 갈단칸을 親征할 때 그도 수행했다. 그리고 1697년 강희제가 갈단칸의 티베트 도주를 차단하기 위해 寧夏로 親征할 때 그도 역시 수행했다. 갈단칸의 자살로 끝난 최후의 승리 후 그는 兩藍旗兵을 거느리고 귀화성으로 개선했다. 이곳에서 그는 官兵의 行粮을 감찰했으며 갈단칸 부장 소속의 300戶(ayil)와 갈단칸의 딸 등 투항해 온 마지막 패잔병들을 按撫했다. 이러한 공적을 인정받아 북경에 돌아온 뒤 議政大臣의 반열에 올랐으며, 拕沙喇哈番 직을 세습 받았다. 강희 39년(1700년)에는 四川 지역의 打箭爐를 공격하여 격파시켰고 그 공으로 正藍旗 蒙古都統에 임명되었다. 그러나 질병으로 직을 그만두었다.

15) 『열하일기』「避暑錄」條 : 外國方言, 類多有聲无字, 中國人譯其音而字之, 如呼銀爲蒙古, 以好金爲愛新覺羅, 呼壯士爲曳落河者是也.

위의 기록에 등장하는 애신각라愛新覺羅는 만주어 아이신-기오로Aisin Gioro의 음역이고, 예락하曳落河는 만주어 예브컨Yebken의 음역이다. "은銀=몽고蒙古"는 몽골어로 은을 뜻하는 멍군möngggü(n)(Mönggö[n])의 음역이다. 일반적으로 한국어를 포함한 북방 언어를 한자로 표기할 때 본래의 발음과 상당한 차이를 지닌다. 이로 인해 원음 복원이 무척 어려운 경우가 많다. 예컨대 한자로 표기된 인명이나 지명의 원명이 돌궐비문이나 『몽골비사』 등에 기록되어 있을 경우 그 차이를 비교해 보면 명료히 나타난다. 원래 북방 언어는 그 자체로 명료한 뜻을 담고 있다. 즉 인명이나 지명의 경우, 그 인물의 특성이나 지형 등을 짐작할 수 있을 정도이다.

고대 몽골어로 은이 멍군이나 멍구로 발음되기 때문에 예로부터 몽골의 뜻이 은이라고 간주하는 속설이 많이 등장했다.16) 그러나 몽골의 뜻은 아직도 명료하게 밝혀지지 않고 있다.17)

---

16) 이러한 속설은 조선시대의 여행기에도 나타나는데, 그 한 사례가 徐慶淳의 『夢經堂日史』에 수록된 "원나라의 선대에 나라 이름을 몽골이라 하였다. 몽골이란 우리말로 은이란 뜻이다. 여진이 나라 이름을 금이라 함을 인연해서 곧 은으로 그 나라 이름을 삼았는데, 세조가 통일하고 나서 이름을 고쳐 원이라 하였다(元之先, 國號蒙古, 蒙古者, 國言銀也, 因女眞國號曰金, 乃以銀號其國也, 世祖一統, 改號曰元)"라는 기록이다.

17) 몽골이라는 명칭이 지니고 있는 뜻은 과거에도 이미 여러 번 논의된 적이 있었다. 필자는 여러 학설 중 몽골이 "다수의 중심"을 의미한다는 하칸촐로(Hakan-Chuluu)師의 견해가 타당성이 있다고 본다. 몽골의 族源 및 함의에 대해서는 邵循正, 「蒙古的名稱和淵源」『邵循正歷史論文集』, 北京, 1985；韓儒林, 「蒙古的名稱」『穹廬集』, 上海, 1982；哈勘楚倫, 「簡述蒙古一詞的音和義」『邊政學報』 7, 1968 및 「論MONGGOL族稱之眞諦」『邊政研究所年報』 9, 1978；楚勒特木, 「蒙古一詞的由來」『內蒙古社會科學』, 1981-2；樊保良, 「蒙古族源諸說述評」『內蒙古社會科學』, 1983-3；蘇日巴達拉哈, 『蒙古族族源新考』, 北京, 1987；亦隣眞, 「中國北方民族與蒙古族族源」『內蒙古大學學報』, 1979-3·4(동 논문이 亦隣眞, 『亦隣眞蒙古學文集』, 呼和浩特, 2001 및 郝時遠·羅賢佑·烏蘭 共編, 『(成吉思汗與蒙古汗國研究紀念文集)天驕偉業』, 北京, 2006에도 轉載되어 있다)；王愼榮·葉幼泉 共論, 「蒙古名稱及其族源的若干問題」『中國蒙古史學會論文選集(1983)』, 呼和浩特, 1987；盧明輝, 「關于蒙古族族源問題綜合討論綜述」『社會科學戰線』, 1980-4；王頲, 「室韋的族源」『內蒙古社會科學』, 1984-3；鄭英德, 「東胡系諸部族與蒙古族族源」『中國蒙古史學會論文選集』, 呼和浩特, 1980；鄭英德, 劉光勝, 「試論室韋諸部都是蒙古族源」『中南民族學院學報』, 1983-2；曹永年, 「關于柔然人的民族成份一答『蒙古族源之新探』一」『內蒙古師大學報』, 1986-1；納古單夫, 「滿·藏·維·蒙族古代名稱」『實踐』, 1982-4；Намжилцэвээн, 『Монгол гэдэг нэрийн тухай』, УБ, 1959；Ч. Хасдорж, 『Монгол гэдэг нэрийн тухай』, УБ, 1969；Д. Жамбаа, 「Монгол гэдэг нэрийн тухай」『Их эзний домогт газрыг мөшгөсөн тэмдэглэл』, УБ, 1996；Цэцэнмөнхб 「Мо

【파극집巴克什】

파극집은 만주어로 큰 선비를 일컫는 것이다. 청나라 태종 때 파극집 달해達海란 자가 있었다. 만주 사람으로 나이 21세에 죽었는데, 제자로서 효복孝服을 입은 자가 3,000명이나 되어 신인神人이라 불렸다 한다.[18]

위의 기록에 등장하는 파극집巴克什은 몽골어로 선생이나 스승을 뜻하는 박시Bagshi(багш)의 음역이다. 마르코폴로의 『동방견문록』에는 샤만을 박시 bacsi로 기록하고 있는데,[19] 고대 몽골에서는 샤만을 베키Beki, 버böge(бөө), 오드강udugan(удган), 니도강nidugan(нядган), 자이랑jayirang(зайран)이라 표현하지 박시라는 명칭은 없다.

대원올로스 때에 티베트 출신의 불교 승려들을 박시bakhsi, 한인 출신의 불교 승려들을 화상和尙, 유학자들을 수재秀才, 도교 승려들을 선생先生이라고 불렀다. 이 때문에 박시를 인도어의 빅슈Bhikshu에서 온 것이라 간주하는 학설도 등장했지만, 현재 대다수의 학자들은 그 어원을 중국어의 박사博士로 간주하고 있다.[20] 박시는 오늘날 티베트어 및 몽골어에서 선생이나 학자를 뜻하는 말로 사용되고 있다.

【조라치(照羅赤)】

몽골어 번역어 가운데 필자치(必闍赤)는 서생書生이요, 팔합식八合識은 사부師傅이다. 우리나라에서 삼청三廳 하인을 조라치라 하니, 아마 고려 때의 옛말인

нгол гэдэг нэрийн "гол" хэмээх үгийн гарал үүсэн өгүүлэлийн агуулагийн товч」『Илтгэлүүдийн товчлол(Summaries of congress papers—the 8th international congress of mongolists)』, IMAS(International Association for Mongol Studies), УБ, 2002 등의 논저와 졸저 『몽골고대사연구』, pp. 20~21을 참조.

18) 『열하일기』「銅蘭涉筆」條：巴克什, 滿洲語大儒之稱, 淸太宗時, 有巴克什達海者, 滿洲人也, 二十一死, 弟子孝服者三千人, 號稱神人.

19) 김호동 역주, 『마르코 폴로의 동방견문록』, 서울, 2000, p.215

20) 박시의 어원에 대해서는 졸저, 『유라시아 초원제국의 역사와 민속』, p.287 주 110을 참조.

듯싶다. 고려 때는 외올畏兀의 말을 많이 배웠기 때문에 조라치도 반드시 몽골어 일 것이다.[21)]

위의 기록에 등장하는 필자치(必闍赤)는 몽골어로 서기書記를 뜻하는 비칙치bichigchi나 비치게치bichigechi(бичээч)의 음역이며, 팔합식八合識은 박시Bagshi(багш)의 또 다른 음역이다. 조라치照羅赤는 마부를 뜻하는 지로가치jiluga-n chi(жолооч)의 음역이고,[22)] 외올畏兀은 위구르Uigur의 음역이다.

【합밀왕哈密王의 몽골어 회화 능력】

동직문東直門을 나서서 열하를 향하여 몇 리를 못 가서, 북경의 교군 30여 명이 어깨에 가마채를 메고 발을 맞추며 간다. 그리고 회회국回回國 사람 십여 명이 뒤를 따르는데, 얼굴이 사납고 코가 크며 눈은 푸르고 머리털과 수염이 억세게 났다. 그 중 두 사람은 눈매가 맑고 고우며 복색이 가장 화려하였다. 붉은 전립을 썼는데, 좌우 가장자리 끝을 말아 붙이고 앞뒤 가장자리는 뾰족하여 마치 아직 피지 않은 연 잎사귀 같았다. 이리저리 돌아볼 때는 경망스러워 보기 우스웠다. 마두馬頭들은 그를 회회국 태자라고 추측해 불렀다. 앞서거니 뒤서거니 하면서 사나흘 동안 같이 갔다. 때로는 말 위에서 담배도 서로 나누어 피우곤 했는데, 그 행동이 꽤 공순하였다. 하루는 한낮이 되어 너무 덥기에 말에서 내려 도중 삿자리 가게 아래서 쉬고 있는데, 두 사람이 뒤따라와서 역시 말에서 내려 마주 대면하여 의자에 앉았다. 나에게 "만주 말을 하십니까, 몽골 말을 하십니까"고 물었다. 나는 농담으로 "양반이 어떻게 만주 말이고 몽골 말을 알겠는가" 라고 대답하고는 곧 글을 써서 회회국의 내력을 물었다. 한 사람은 머리를 흔들

21) 『열하일기』「口外異聞」照羅赤條：蒙古譯言必闍赤者, 書生也, 八合識者, 師傅也, 我國內三廳下隷, 號照羅赤, 此當因襲高麗之舊, 麗世多習畏兀語, 照羅赤者, 必蒙語也.

22) 하인을 뜻하는 몽골어로는 자로다손jarudasun(зардсан), 자로차jarucha(зарц), 소이본soyibun(сойвон), 바를로크barlug(барлаг), 자르치jarchi(зарч) 등이 있다. 이 가운데 소이본은 고승을 수행하는 하인을 말하며, 자르치는 보고를 담당하는 하인을 지칭한다.

면서 다른 편을 쳐다보는데 거의 글을 모르는 것 같았다. 한 사람은 흔연히 붓을 한참 매만지면서 오래 생각하다가 겨우 한 글자를 쓰는데, 젖 먹던 힘을 다 내듯이 몹시 어려워했다. 그는 스스로 합밀왕이라 하고, 같이 온 사람을 가리키면서 역시 12부部의 번왕蕃王이라 했다. 그리고 대답하는 말이 전연 문리文理에 닿지 않아서 알 수가 없었다. 그에게 "메고 온 물건들은 무엇인가" 하고 물었더니, "모두 황제께 진상하는 옥그릇이요. 그 중에 가장 큰 것은 자명종自鳴鍾이다"고 한다. 번왕이라 일컬은 사람이 주머니를 풀더니 차를 꺼내 하인을 시켜 끓여서 서로 나누어 마셨다. 나에게도 한 잔 권하는 폼이 아마 색다른 차라고 생각하는 모양이었으나, 그 향내와 빛깔을 보아 역시 북경 거리에서 보통 파는 차나 다름없었다. 화로라든가 찻잔들은 모두 붉게 칠한 가죽으로 주머니를 만들어, 허리띠에 달린 장식품같이 주렁주렁 허리에 차고 등에도 짊어졌는데 아주 간편해 보였다. 그는 차를 마신 뒤 먼저 일어나 채찍을 한 번 들어치면서 달려 나갔다. 이튿날 아침에 또 강가에서 만나서 중국말로 "합밀왕의 나이는 얼마십니까" 하고 물었더니, 그는 역시 중국말로 "서른여섯입니다"고 대답한다. 그리고 번왕은 더욱 중국말이 능하나 다시금 손바닥을 두 번 쥐었다 펴고 또 한 손을 펴서 스물다섯 살이란 것을 표시했다.[23]

위의 기록에 등장하는 회회국回回國은 위구르를 가리킨다. 합밀哈密은 몽골어로 카밀Khamil(ХАМИЛ)이라고 부른다. 카밀은 준가르칸국에 예속되어 있다

23) 『열하일기』「口外異聞」哈密王條 : 出東直門, 向熱河, 行不數里, 皇城脚夫三十餘人, 扁擔接武而行, 回子十餘人殿後, 面貌獰猙, 高鼻綠瞳, 髮鬚强磔, 其中兩人眉眼明秀, 服着最華, 戴猩猩氈笠, 卷其左右兩簷, 則前後簷尖銳, 如未敷荷葉, 顧眄之際, 輕佻可笑, 馬頭輩臆稱回回國太子, 與之後先作行者三四日, 時於馬上換烟相吸, 其動止頗爲恭順, 一日停午極暑, 下馬憩路中簞屋下, 兩人後至, 亦下馬對椅而坐, 問我滿洲話否, 蒙古話否,我戲答曰, 兩班安知蒙滿話, 卽書問回回來歷, 一人掉頭視他, 似全塞矣, 一人欣然操筆, 沉思良久, 纔下一字, 備盡人間艱難辛苦之狀, 自稱哈密王, 指其伴來者, 亦稱蕃王十二部云云, 所對全無文理, 不可解矣, 問擔來何物, 則皆進貢玉器, 而其中最大者, 自鳴鍾云, 所稱蕃王, 解囊出茶, 使其從人烹瀹相飮, 亦勸余一椀, 意其必異茶也, 視其香色, 乃皇城中尋常行賣之物也, 爇爐鎗椀, 皆以朱漆皮革爲外套, 纍纍如帶銙腰帶背負, 極其簡便矣, 茶後先起, 一鞭跑去, 明朝又相逢於河邊, 以漢話問哈密王年紀多少, 亦以漢話對三十六, 蕃王尤善漢話, 合掌二次, 張其一手, 稱二十五.

가 1693년 에베이둘라Ebeyidül-a(額貝都拉) 때 청조에 귀부하였다. 청조는 1697년 에베이둘라를 자사크-니게두게르-다르칸Jasag-Nigedüger-Darkhan(扎薩克一等達爾漢)으로 봉하고, 그 부족을 카밀회부哈密回部라 이름 붙였다. 그의 사후 큰아들인 카파-베크Kapa Bek(郭帕伯克, 1709~1711)가 그 직을 계승하였다. 그의 사후 카파-베크의 큰아들인 에민Emin(額敏, 1711~1740)이 직을 이어받았다.

에민은 1727년에 진진국공晋鎮國公, 1729년에 진-고사이-버이서Jin-Gusa-i Beyise(晋固山貝子)로 품급이 승격되었다. 그의 사후 에민의 큰아들인 요소브 Yosob(玉素卜, 1740~1766)가 직을 이어받았다. 요소브는 1758년에 버일러Beile(貝勒)로 품급이 승격되었고, 1759년에는 도로이-버일러Doro-i Beile(多羅貝勒)로 재차 품급의 승격을 받았다. 그리고 동시에 군왕품급郡王品級으로 대우받았다. 이로부터 카밀회부의 자사크는 군왕품급의 자사크-도로이-버일러Jasag Doro-i Beile(扎薩克多羅貝勒)로 불려졌다. 요소브의 사후 둘째 아들인 이사크Isag(伊薩克, 1766~1780)가 직을 물려받았으며, 이사크의 사후에는 이사크의 큰아들인 에르데시르Erdesir(額爾德錫爾, 1780~1783)가 직을 계승했다. 청조는 1783년에 조칙을 내려 에르데시르 때부터 세습을 인정했다.

위의 기록에 등장하는 카밀왕은 이사크나 에르데시르 중의 한 사람이라고 보인다. 이전 서호수의 【합밀哈密과 티베트】 항목에서 출현하고 있는 젊은 고사이-버이서Gusa-i Beyise(固山貝子)는 품급으로 미루어 아버지의 직을 세습하지 못한 에르데시르의 다른 아들일 가능성이 높다고 보인다. 카밀회부 지배계층들의 한어, 몽골어, 청나라어 등 외국어 구사 능력은 그 지역의 생존 역사와 일치한다는 것을 이미 언급한 바 있다.

(3) 서호수의 연행기에 등장하는 몽골의 언어

서호수의 『연행기』에는 몽골 언어에 관한 기록이 7건이 등장하는데, 세부적으로는 몽골어 3건, 명대 속어 1건, 오쉬와 조선 등 몽골어 구사 능력 3건으로 이루어져 있다. 이것을 순서대로 소개하면 다음과 같다.

> **【만자령蠻子嶺의 만자촌蠻子村 유래】**
>
> 수촌자水邨子에서 20리를 가서 만자령을 넘었다. 재 밑에는 길의 왼쪽에 민가 100여 호가 있는데, 이름을 만자촌이라고 하였다. 대체로 북방의 풍속은 한인을 만자蠻子라고 한다. 원나라가 남송을 취한 뒤 그 백성들을 포로로 잡아다가 만군蠻軍이라 하면서 능멸했다는 것이다. 옛날부터 이미 그러하였다.[24]

위의 기록에 등장하는 만자령蠻子嶺은 몽골어로 "양자강 이남의 중국인"을 뜻하는 낭기야드Nanggiyad와 고개를 뜻하는 다바가dabaga(даваа)가 결합된 말의 의역이다. 낭기야드는 오늘날에도 낭흐마드nankhumad(нанхмад)의 형태로 보존되어 중국인을 뜻하는 말로 남아 있다. 고대의 몽골 부족들은 씨족 명칭으로 이름을 삼는 경우가 있는데, 남중국인을 뜻하는 말로 이름을 삼은 대표적인 경우가 옹기라트Onggirad 부족 출신의 제녕왕濟寧王 만지타이Manjitai(蠻子台)와 나이만Naiman 부족 출신의 낭기야다이Nanggiyadai(囊加歹)이다.[25]

고대 몽골인은 중국을 키타트Kitad라고 부르고, 남송南宋을 "조씨趙氏의 송宋나라"라는 뜻의 제우공Jeügon(趙宋)이라고 부르고 있다. 위에 등장하는 낭기

24) 『연행기』 「1790년 7월 8일」 조 : 自水邨子行二十里, 踰蠻子嶺, 嶺底路左, 有百餘戶, 名日蠻子邨, 蓋北俗以漢人謂之蠻子, 元取南宋俘其民, 號日蠻軍以辱之, 自昔已然也.

25) 만지타이Manjitai(蠻子台)와 낭기야다이Nanggiyadai(囊加歹)에 대해서는 『元史』 「特薛禪傳」 및 「囊加歹傳」을 참조. 참고로 고대 몽골인들의 이름 짓는 습속에 대해서는 札奇斯欽, 『蒙古文化與社會』, 台北, 1987, pp.75~77을 참조.

야드란 말은 남송 및 그 아래의 지방민을 뜻하는 속칭이다.

키타트Kitad란 원래 거란족이 세운 거란契丹(Kitan)을 일컫는 말이다. 고대 몽골 사람들은 거란이 몽골의 동남쪽인 시라무렌Shira-Müren하와 장성 일대의 화북 지구에 위치해 있는 관계로 이 일대의 사람들과 국가를 키타트라고 불렀다. 그리고 이 키타트란 호칭은 점차 시라무렌하와 장성 일대의 국가나 주민들을 지칭하는 뜻으로 전변되어, 여진족이 세운 금나라도 키타트라 부르게 되었다. 이러한 습관은 원대 몽골인들이 화북 지구의 한인들을 키타트, 강남 지구의 사람들을 낭기야드라 지칭하고 있는 데에서도 잘 나타나고 있다. 현재도 몽골인들은 중국을 햐타드Kitad(Хятад)라고 부르고 있다. 유럽인들이 중국을 지칭하는 케세이Cathay란 말은 몽골인들의 호칭인 키타트에서 유래된 것이다.[26]

【야불수夜不收】

공영자公營子에서 밥을 지어 먹고 야불수에서 잤다. 이날은 90리를 갔다. 건륭 어제御製『계묘집癸卯集』을 살펴보니, 야불수는 명나라 말년 군영을 정탐하던 사람들의 속명이라고 한다. 그때 이곳에 사람을 보내어 적의 동태를 살폈는데, 밤으로 다니고 낮에는 잠복해 있었으므로 뒤에 드디어 야불수라고 마을 이름을 붙였다는 것이다.[27]

위의 기록에 등장하는 야불수夜不收는 명나라 때 정찰병의 속칭이다. 몽골에서는 이러한 정찰병을 타그놀tangnagul(тагнуул)이나 타그놀치tangnagulchi(тагнуулч[ин])라고 부른다. 북원 알탄칸 말기에 명나라를 방문했던 허봉許篈

26) 졸저『몽골비사역주(I)』, p.129, 주 8을 참조.
27)『연행기』「1790년 7월 11일」조 : 朝陰夕晴, 炊飯于公營子, 止宿于夜不收, 是日, 行九十里, 按乾隆御製癸卯集, 夜不收, 在明季,爲軍營偵探人之俗名, 其時或於此地, 遣人訪伺敵情, 夜行晝伏, 後遂以名村.

의 『조천기朝天記』에는 1574년 7월 11일부터 9월 24일까지 투멘칸Tümen-Khagan(1558~1592)[28]의 40만 몽골 대군[29]이 하루하루 명나라에 접근하는 것을 실감나게 묘사하고 있다. 허봉의 여행기에는 야불수의 활동에 관한 기록이 7차례 등장하고 있다.[30]

---

28) 투멘칸Tümen Khagan은 다라이손-쿠뎅칸Darayisun-Güdeng Khagan의 큰아들로 1539년 출생했으며 이름은 투멘Tümen(圖們, 土蠻)이다. 투멘칸은 한자로 土賣罕, 圖們汗 등으로 표기된다. 1558년에 즉위했으며 차하르 만호에 오르도ordo를 두고 몽골 좌익 제부를 통제했다. 몽골 6만호 가운데 5명의 執政을 임명할 정도로 세력이 강성하였으며, 동으로는 건주여진을 침략했다. 칸호는 자삭토칸Jasagtu Khagan(札薩克圖可汗)이다. 알탄칸의 뒤를 이어 라마교 겔룩빠(格魯派)를 믿을 것을 주창했으며, 강조르Gangjur(甘珠爾) 경전의 번역을 개시했다. 누차 遼東, 薊鎭諸邊을 침범하고, 명나라에 시장 개설과 賞賜를 강요하는 등 명나라의 큰 邊患을 이루었다.

29) 40만 몽골 대군이란 표현은 군대의 숫자를 가리키는 말이 아니라, 동부 몽골족을 자칭하는 말인 "40만 몽골(döchin tümen Monggol)"이란 뜻이다. 이에 반해 서부몽골족인 오이라트는 "4만 오이라트(dörben tümen Oyirad)"라 부른다. 이 둘을 합친 명칭이 바로 전체의 몽골이다. 당시의 몽골인들은 명나라를 "80만 키타드(nayan tümen Kitad)," 여진족을 "물가의 3만 주르치드(usun-u gurban tümen Jürchid)"라고 불렀다. 이에 대한 자세한 것은 吉田順一·賀希格陶克陶·柳澤明·石濱裕美子·井上治·永井匠·岡洋樹 共譯注, 『アルタン=ハン傳譯注』, 東京, 1998, pp.229~230을 참조.

30) 許篈의 『朝天記』에 등장하는 야불수에 대한 기록을 소개하면 다음과 같다. ① (1574년 7월 11일) 저녁에 야불수가 와서 "변상비보에 몽골이 쳐들어올 기미가 있다"고 하였다. 드디어 호각을 불어 호송군을 거두었으므로, 우리는 군관에게 명하여 병기를 점검케 하고 만일에 대비케 하였다(夕, 夜不收來言邊上飛報有達子聲息云, 遂吹角收護送軍, 余等命軍官點閱兵器, 以備不虞). ② (1574년 7월 12일) 본 역(連山驛)에서 차출하여 적을 정탐하는 야불수가 변새로부터 와서 "적들의 별다른 기미는 없다"고 하였다(本驛所差探賊夜不收來自塞上, 言別無聲息云). ③ (1574년 9월 14일) 아침에 백원개가 성에 들어가 병비아문에서 몽골의 소식을 탐문하였다. 야불수가 총독계요군무 양도어사의 패문을 가지고 들어왔다(朝, 白元凱入城, 探問達子聲息於兵備衙門, 有夜不收持摠督薊遼軍務楊都御史牌文以入). ④ (1574년 9월 20일) 아침에 수레가 동문 안에 이르렀으나 나아갈 수 없었다. 송대춘을 보내어 고서반에게 그 까닭을 물었더니, 그는 "앞길 10여 리 지점에 역가분 등의 곳이 있는데, 적과의 거리가 아주 가까우므로 변상이 무사하다는 보고를 기다린 다음에 바야흐로 출발한다고 한다"고 말했다. 얼마 뒤에 야불수가 와서 "별다른 소식이 없다"고 말하므로 수레가 나갔다(朝, 車輛到東門內, 不得出, 遣宋大春問其故於高序班, 答曰, 前途十餘里地有易家墳等處, 距賊路甚邇, 竢邊上報無事, 然後方令發去云, 已而, 夜不收來言別無聲息, 車輛出). ⑤ (1574년 9월 23일) 아침에 한 명의 야불수가 도어사 엄근의 패문을 가지고 와서 보였다. 그 글에 "도찰원은 긴급히 적군의 정세에 대비할 것. 절보에 의하면 '투멘Tümen(土蠻), 소보카이 다르칸 노얀Subukhai Darkhan Noyan(涑把亥, 蘇巴海達爾漢諾顔) 등 5~6개의 큰 두목이 군기에 제사하고(Tug Takhilga, 祭旗) 군사를 모아서 광녕의 동서 지방을 침탈한다'는 정황이 원에 이르렀다. … 몽골이 중후소 지방 등지에 침입하였으므로 오늘 아침에 야불수가 비보를 가지고 광녕으로 향했다"고 하였다(朝有一夜不收持都御史嚴謹牌來示, 其文曰, 都察院爲提備急緊虜情事, 據節報, 有土蠻速把亥等五六箇大頭兒祭旗聚兵, 要搶廣寧東西地方等情到院, … 以達子入中後所地方等處臨墻, 故今朝夜不收持飛報向廣寧云). ⑥ (1574년 9월 24일) (대릉하를 건너) 십삼산에 10여 리 못 미치는 곳에서 야불수가 도어사 엄근의 패문을 가지고 서쪽으로 향하여 가면서 말하기를, "영전 등지에 (몽골군에 대한) 소식이 있다고 한다"고 했다. 저녁에 십삼산역관에서 잤다(到大凌河, 使乘

【황토량자黃土梁子와 마권자馬圈子】

맑음. 황토령黃土嶺, 청석령靑石嶺을 넘어 양간방兩間房에서 밥을 지어 먹고, 조하潮河를 건너 북구北口의 조하천영성潮河川營城에서 잤다. 이날은 80리를 갔다. 상산욕常山峪에서 서남으로 5리를 가면 황토량자黃土梁子가 있고, 칠구七溝에도 황토량자가 있는데, "황토량자라는 것은 북쪽 지방에서 재의 등성마루를 통칭하는 것이 아닌가"하고 의심하는 이가 있다. 고개 아래에 연대煙臺와 발신撥汛이 있는데, 지명을 마권자馬圈子라 한다. 마권자라는 지명이 모두 세 번이나 보이는데, 발신의 통칭이 아닌가 의심된다. 황석량자黃石梁子에서 서남으로 7리를 가면 청석령이다. 돌을 뚫어서 길을 냈는데, 험준하기가 광인령廣仁嶺보다 더하다. 청석령에서 서남으로 18리를 가면 연대와 발신이 있는데, 지명을 삼간방三間房이라고 한다. 삼간방에서 서남으로 10리를 가면 행궁行宮과 사냥터가 있는데, 지명은 양간방兩間房이다. 양간방에서 서남으로 20리를 가면 연대와 발신이 있는데, 지명을 마권자馬圈子라고 한다.[31]

위의 기록에 등장하는 황토량자黃土梁子나 황석량자黃石梁子의 양자梁子는 장목張穆의 『몽골유목기』에 "지명+양梁"의 형식으로 나타나고 있다.[32] 이로 미루어 보면, 양자梁子는 양梁의 구어口語이며 무언가의 특징을 나타내는 명칭임을 알 수 있다. 필자는 위의 기록에서 재의 등성마루와 같다는 지명 묘사와

船渡, 余等由灘下以涉, 未至十三山十餘里, 有夜不收持都御史嚴謹牌向西去, 言寧前等處有聲息云, 夕宿于十三山驛館).

31) 『연행기』「1790년 7월 22일」조 : 晴, 踰黃土嶺靑石嶺, 炊飯于兩間房, 渡潮河, 止宿于北口之潮河川營城, 是日, 行八十餘里, 由常山峪西南行五里, 爲黃土梁子, 七溝有黃土梁子, 此人有黃土梁子, 疑北俗通稱嶺脊曰黃土梁子, 嶺下, 有烟臺撥汛, 地名馬圈子, 馬圈子凡三見, 亦疑撥汛之通稱, 由黃石梁子, 西南行七里, 爲靑石嶺, 鑿石開道, 峻險甚於廣仁, 由靑石嶺, 西南行十八里, 有烟臺撥汛, 地名三間房, 由三間房, 西南行十里, 有行宮獵圍, 地名兩間房, 由兩間房, 西南行二十里, 有烟臺撥汛, 地名馬圈子.

32) 예컨대 (카라친-우익기)東南至博勒多克出梁…(카라친-중기)西北至哈期爾梁…(카라친-좌익기)西至烏里蘇太梁…西南至什巴貢額古爾梁…東北至薩喇勒圖梁 등의 형식으로 나타나고 있다. 위 중 哈期爾梁은 독수리를 뜻하는 카치르qachir(хачир)와 梁이 결합된 형식이며, 또 梁은 몽골어에 대응하는 단어가 없는 것으로 보아 몽골어의 음역이라기보다는 北方 漢語로 어떤 뜻을 나타내는 속어적 표현이 분명하다고 보인다.

양梁(liang)이란 발음을 통해 그것과 대응하는 몽골 단어로 "낮고 작은 고개"를 뜻하는 얼리öli[n](өл), "평탄한 언덕"을 뜻하는 알라ala[n](ал), "능선"을 뜻하는 키라kira[n](хяр), "절벽"을 뜻하는 힝강kingg-a[n](хянган), "남쪽 가장자리"를 뜻하는 엥게르engger(энгэр), "산의 능선 위의 평평한 곳"을 뜻하는 실리sili(шил)의 어느 하나일 가능성이 높다고 보고 있다. 이 가운데 오늘날 내몽골 올란자브맹(烏蘭察布盟)에 위치한 역사명소 구십구천九十九泉이, 몽골어로 후이텐-실küyiten sili(хүйтэн шил), 한자로 회등양灰騰梁으로 표기된다는 점에서 실리sili(шил)의 의역이 아닐까 생각하고 있다.

마권자馬圈子는 위의 기록으로 미루어 역참의 의역이라고 보인다. 고대 몽골에서는 역참을 잠치Jamchi라고 표현했지만, 청대에는 어르터örtege-n(өртөө[н]) 란 용어를 사용하고 있다. 어르터 사이의 거리는 약 30~40㎞이며, 관리자를 어르터-다아말dagagamal(даамал)이라 부른다. 청대의 몽골인들은 거리를 나타낼 때 몇 어르터의 거리(хэдэн өртөө газар)라는 표현을 사용한다. 어르터는 말을 교체하고 제공하는 것(撥汛) 이외에 숙소와 망루(煙臺)도 갖추고 있다. 역참의 숙소를 어르터니-타이örtege-n-yi tai(өртөөний тай)라 부르고, 망루를 타이tai(тай)라고 부른다.[33]

【파극습영巴克什營】

마권자에서 서남으로 12리를 가면 파극습영인데, 여기에도 행궁이 있다.[34]

위의 기록에 등장하는 파극습영巴克什營의 파극습巴克什에 대해서는 앞에서 언급한 바 있다. 파극습영은 박시-호트-아일Bagshi khota ayil(багш хот айл)의

33) 역참관은 만주어로 Giyamun be kadalara hafan이라고 부르며, 역참의 사무를 맡은 관은 驛丞(Giyamusi)이라 부른다.

34) 『연행기』 「1790년 7월 22일」 조 : 由馬圈子, 西南行十二里, 爲巴克什營, 有行宮.

음역과 의역이다.

【오습왕烏什王의 몽골어 능력】

오습왕이 우리와 가장 친숙하였다. 왕은 총명함이 보통 사람과 달라 능히 한어, 만주어, 몽골어 등 3개국 말을 할 줄 안다. 매일 조방朝房에서 검서檢書 등을 만나는데, 왕이 회회어를 하면 검서가 우리나라 글자로 번역을 하고, 검서가 우리나라 말을 하면 왕은 회회어로 번역하되 한음漢音으로 바꾸어 암송한다.[35]

위의 기록에 등장하는 오습왕烏什王은 이미 【합밀哈密과 티베트】 항목에서 기술한 바 있다.

【조선 사절단의 만주어, 몽골어 실력 부족】

황지에 이르기를 "그대의 나라에 만주나 몽골의 말을 할 줄 아는 자가 있는가?"라고 했다. 이에 정사가 대답하기를 "배신陪臣 등의 일행에 데리고 온 자 가운데 있었는데, 모두 다 성경盛京에서 연경으로 곧바로 향해 갔습니다"라고 했다. 황지에 이르기를 "연희를 마친 뒤에 짐이 마땅히 환궁할 것이니, 그대들은 먼저 경도京都로 가서 기다리는 것이 좋겠다"고 하였다. 이어 연회에 참석하라고 명령하므로 철보鐵保가 우리를 인도하여 나갔다.[36]

【조선 통역관의 만주어, 몽골어 실력 배양 필요】

(복명復命하였다. 임금을 희정당熙政堂에서 알현했다.) 임금이 이르기를 "황

35) 『연행기』「1790년 7월 16일」조 : 烏什王, 與余等最親熟, 而王聰穎異常, 能爲漢·淸·蒙三國話, 每日朝房遇檢書等, 則王爲回回話, 檢書以東國字譯之, 檢書爲東國話, 王以回回字譯之, 質以漢音變幻成誦.

36) 『연행기』「1790년 7월 18일」조 : 皇旨曰, 爾國, 有滿洲蒙古話者乎, 正使對曰, 陪臣等行中, 亦有帶來者, 而皆自盛京, 直向燕京矣, 皇旨曰, 戲畢後, 朕當回鑾, 爾等可先往京都等待, 仍命就宴班, 鐵侍郞引余等出.

> 제가 경 등과 더불어 이야기를 주고받을 때에 누가 통역하였는가?" 하자, 서호수가 말하기를 "통관通官이 통역한 말을 예부상서가 전하여 아뢰었습니다. 그러나 황제가 재차 신 등을 불러 보고 긴 말을 하고자 하면서 만주어나 몽골어를 할 줄 아는 자가 있는지 물었습니다. 신 등이 '데리고 오지 않았다'고 대답하였더니 황제가 매우 답답해 했습니다. 대체 사대事大하는 일 중에 가장 긴급하고도 절실한 것이 바로 만주어입니다. 그런데 역원譯院의 청학淸學이 점점 예전만 못하여지고 있습니다. 신 등의 이번 사행에 수행한 이혜적李惠廸은 이름은 비록 청학을 했다고는 하나, 으레 쓰는 말도 알지 못하였습니다. 그래서 부득이 데리고 오지 않았다고 대답한 것입니다"라고 하였다. 임금이 이르기를 "이것은 역원譯院을 권장하고 감독할 책임이 있다. 경 등은 지금 상소한 것을 가지고 실행안을 만들어 해당 역원에 조처를 취하도록 하라"고 하였다.[37]

위의 두 기록은 전문 통역이 없는 조선 사절단의 문제점과 개선 방안을 제시한 부분이다. 모든 여행기에서 나오는 공통점이지만, 조선 사신이 청나라의 황제를 알현할 때 황제가 조선 사신에게 묻는 대표적인 질문이 "만주어나 몽골어를 할 줄 아는가"이다. 그리고 그 대답은 변함없이 "없다"이다. 사실 소중화의 세계에 사는 조선에서 만주어나 몽골어는 불필요한 언어임이 분명하다. 그러나 그 결과는 참혹했다. 전문 통역이 없는 조선 사절단은 청나라의 주도 세력에 대한 접근이 차단되고 변방에 맴도는 한인 선비들과의 접촉만이 이루어졌다. 이는 대외인식에 대한 차단과도 같다. 서호수가 정조에게 조선의 외국어 실력부족을 직언한 것도 어느 면에서 주자학적 세계관이 가져오는 대외인식의 문제점을 우회하여 말한 것일지도 모른다.

37) 『연행기』「1790년 10월 22일」조 : 復命, 上引見于熙政堂, …上曰皇帝與卿等酬酢時, 誰爲傳語, 浩修曰, 通官譯語, 禮部尙書傳奏, 而皇帝再次召見臣等, 欲與之長語, 問有淸蒙語者, 而臣等以未帶來仰對, 皇帝甚爲之沓沓, 大抵事大中最緊切, 卽淸語, 而譯院淸學, 漸不如古, 臣行所帶去之李惠迪, 名雖淸學, 未達例用話頭, 故不得已以未帶來爲對矣, 上曰, 此在譯院之勸奬董責, 卿等以今所奏, 啓下擧行條件, 另飭該院, 可也.

동시대에 북경을 방문한 이갑의 『연행기사』에도 이러한 문제점이 날카롭게 지적되어 있는데, 그것을 소개하면 다음과 같다.

> 청인과 몽골인은 모두 한어를 사용하는데, 한인은 청나라 말을 사용하지 않는다. 그러나 대궐 안과 아문衙門에서는 반드시 청나라 말을 쓰게 하므로, 한인도 관리가 되려면 청나라 말을 배우지 않을 수 없다고 한다. 한인은 정丁 자를 모르는 무식한 자라도 그 말 자체가 모두 문자이기 때문에 말이 간단하고 음이 느려 청탁淸濁이 분명하다. (그러나) 청나라 말과 몽골어는 쓸데없이 길고 의미가 없으며, 우리나라 말은 번쇄하고 곡절이 많다. 청인은 근본을 중하게 여기기 때문에, 청나라 문서의 모든 문자는 반드시 한자와 병기시키며 임금이 보는 문서도 모두 청나라 말로 번역하여 아뢴다. … 또 역원譯院에 사학四學을 설치하였으나 근래에 모두 버려졌다. 왜학은 거의 없고, 한학漢學은 훈상訓上 두어 사람에 불과하다. 인재의 재질은 고사하고 말도 통하기가 어렵다. 교린과 사대에는 말 잘하는 것이 중한데 이러한 인물, 이러한 언어를 가지고 장차 어떻게 누구의 손을 빌려 응대하겠는가. 청학淸學·몽학蒙學은 더욱 버려두었는데, 몽학이 가장 심하여 비록 배우고자 하나 우리나라에 실제 그 말을 자세히 아는 자가 없다. 청인은 이미 문자를 해득하고 또 한어를 할 줄 알므로 청학은 폐하더라도 오히려 말이 통할 길은 있지마는, 몽골은 우리나라와 가장 가까이 있는데 이미 문자도 통하지 못하며, 그 말도 화어華語와는 아주 다르다. 그런데 우리나라에서는 이렇게 몽학에는 전혀 신경 쓰지 않아 한 사람도 입을 열어 말 한마디 할 자가 없으니, 만일 혹시 몽골에 일이 있으면 어떻게 대처할 것인가. 참으로 한심하다. … 또 수도와 외방의 상주문 가운데 만주어로 된 것은 곧장 올리고, 한문과 몽골문은 모두 해당 부원部院에서 청나라 말로 번역하여 내각內閣으로 보낸다.[38]

38) 李岬, 『燕行記事』「聞見雜記」: 淸人蒙人則皆用漢語, 漢人則不用淸語, 而然闕中及衙門則必令用淸語, 故漢人之出於仕路者, 不得不學習淸語云, 漢人雖目不識丁者, 其語皆是文字, 故語簡而音緩, 必淸濁分明, 淸語蒙語則冗長無義, 我國之語則煩細多曲折, 淸人則以其根本

위의 기록을 통해 보면, 조선시대의 사대부들이 비록 소중화의 세계에 살고 있지만 청나라의 근본중시태도와 몽골의 지리적 인접성 및 중요성에 대해 심각한 인식을 가지고 있다는 것이 드러난다. 그러나 몽골어의 중요성에 비해 그것을 아는 자가 없는 것이 현실이었다. 오늘날까지 전해지는 『첩해몽어捷解蒙語』, 『몽어노걸대蒙語老乞大』, 『몽어유해蒙語類解』라는 몽학삼서蒙學三書의 존재에서도 입증되듯이, 조선시대에도 몽골어 교재는 존재했다. 그러나 그것을 배우는 사람들이 사회 주도층인 양반이 아닌 중인 출신의 역관으로 한정되었다는 것이 문제였다.

고려시대에는 지식인은 물론 모든 구성원들이 그야말로 몽골어를 죽자 살자 배웠다. 당시 잘 나가는 고려인치고 몽골 이름을 안 가진 자가 없었다. 고려가 대몽골제국에서 두각을 나타낼 수 있었던 원인은 이러한 피눈물 나는 노력이 있었기 때문에 가능했다. 예컨대 조인규趙仁規(1237~1308)는 탁월한 몽골어 구사력으로 코빌라이칸에게 신임을 받아, 대원올로스의 관직인 선무장군왕경단사관겸탈탈화손宣撫將軍王京斷事官兼脫脫禾孫에 임명될 정도였다. 그는 몽골어를 배울 때 스스로 동년배보다 뛰어나지 못하다고 생각해 문을 닫고 3년 동안 밤낮으로 문장을 외운 인물이다. 그 결과 고려에서 대원올로스로 주청할 일이 있을 때마다 반드시 그를 사신으로 보냈는데, 그 횟수가 모두 30번에 이르렀으며 교섭의 공적도 자못 컸다. 바로 이것이 고려와 조선의 차이이다. 참고로 대청제국의 통관들은 대부분 병자호란 때 포로로 잡힌 조선인들의 후손들이다.

爲重, 淸書凡百文字, 必與漢字參用, 御覽文書亦皆翻淸而奏…且譯院雖設四學, 而近皆專抛, 倭學則絕無堇有, 漢學則訓上數人之外, 人才長短, 姑置不論, 話亦難通, 則交隣事大, 辭令爲重, 而以此人物, 以此言語, 將何所藉手應接乎, 淸蒙兩學則尤爲棄置, 而蒙學最甚, 雖欲學之, 我國實無詳知其語者, 淸人則旣解文字, 亦能漢語, 淸學雖廢, 猶有通情之路, 至若蒙古則最隣於我國, 旣不通文字, 其言亦絕異於華語, 而我國之全不留意於蒙學乃如此, 無一人開口而措一辭者, 設或有事於蒙, 何以處之, 誠可寒心也…凡京外奏本, 滿文直爲進奏, 漢文及蒙古文, 皆自該部院翻以淸書, 送於內閣.

4. 몽골인의 성격

몽골인의 성격과 성품에 대한 묘사는 박지원과 서호수의 기록에만 나타나는데, 그것을 순서대로 소개하면 다음과 같다.

(1) 박지원의 열하일기에 등장하는 몽골인의 성격

【몽골인의 품성과 성격】

우리의 말몰이꾼들은 해마다 몽골 사람을 보아 그 성격을 잘 알므로 항상 희롱하면서 같이 길을 간다. 채찍 끝으로 그들의 벙거지를 퉁겨서 길 곁에 버리기도 하고, 혹은 공처럼 차기도 한다. 그래도 몽골 사람들은 웃고 성내지 않으며, 두 손을 펴서 부드러운 말씨로 돌려달라고 사정한다. 또 하인들이 뒤로 가서 그 벙거지를 벗겨 가지고, 밭 가운데로 뛰어 들어가면서 짐짓 그들에게 쫓기는 체하다가, 갑자기 몸을 돌이켜 그들의 허리를 안고 다리를 걸면, 영락없이 넘어지고 만다. 그러면 그 가슴을 가로 타고 앉아서 입에 티끌을 넣는데, 뭇 호인들이 수레를 멈추고 서서 모두들 웃는다. 밑에 깔렸던 자도 웃으며 일어나 입을 닦고 벙거지를 털어서 쓰고는 다시 덤벼들지 않는다.[39]

위의 기록은 박지원의 여타 묘사와는 달리 비교적 몽골인들의 성격과 성품을 솔직하게 기록한 부분이다. 몽골인들이 해마다 조선 사절단의 밥이 된다는 이 기록은 다른 여행기에서도 종종 나타난다. 그 대표적인 사례의 하나가 서유문의 『무오연행록』에 기록된 다음과 같은 대목이다.

39) 『열하일기』「盛京雜識」 1780년 7월 10일조 : 我國刷驅, 歲見蒙古, 習其性情, 常與之狎行, 以鞭末挑其帽, 棄擲道傍, 或毬踢爲戲, 蒙古笑而不怒, 但張其兩手, 巽語丐還, 刷驅或從後脫帽, 走入田中, 佯爲蒙古所逐, 急轉身抱蒙古腰, 以足打足, 蒙古無不顚翻者, 遂騎其胸, 以塵納口, 群胡停車齊笑, 被翻者亦笑而起, 拭觜着帽, 不復角勝.

(1799년 1월 21일) 동장안문東長安門을 나와 천천히 가더니, 앞에 누런 옷을 입은 라마승이 부사의 수레 옆에 가까이 가는지라, 부방副房 하인이 무슨 말을 묻다가 갑자기 깃 옷자락을 들치니, 중이 깜짝 놀라 물러서서 크게 웃고 제 옷을 다시 들어 보니, 대개 몽골 라마승은 바지를 입지 않고 다만 깃옷으로 내려 돌려 가리니, 하인이 이런 줄을 아는 고로 한번 속이고자 하니, 중이 그 행위를 짐작하고 성내지 않더라.

몽골인의 존경을 받는 라마승에게 희롱을 거는 조선 하인들의 태도는 보통 상식으로는 상상하기 어려운 일이다. 이는 몽골의 하인들이 조선 양반들의 상투를 건드리는 것과 진배가 없다. 양반은 외국어를 몰라 귀머거리이고, 하인은 천방지축 날뛰는 모습을 상상해 보라. 이것이 소중화의 실상이다.

서유문은 이러한 조선인의 태도에 대해 다음과 같은 현지인들의 품평을 소개하고 있다.

(1799년 1월 19일) 이곳 말에 이르되 "몽골은 추하고 비루하나 마음속에 도리어 갈고리 없고, 고려는 비록 부드러우나 마음속에 일찍이 갈고리가 있다" 하니, 이는 우리나라 스스로 지목指目을 얻음이라. 어이 애달프지 않으리오.

(2) 서호수의 연행기에 등장하는 몽골인의 성격

【몽골인의 손님 접대 풍속과 성품】

그런데 몽골의 풍속은 소박하며, 아직도 순수하고 착한 마음이 남아 있어 남을 대하거나 (음식 등) 물건을 바칠 때 진심과 성의가 있었다. 진실로 어진 이로 하여금 그들을 가르쳐 인도하게 한다면 보고 느끼고 변화하는 것이 남방의 제번諸蕃보다 뛰어날 것이다.[40]

몽골인들의 정성스러운 손님 접대 풍속은 오늘날 몽골을 여행한 각종 여행기에도 모두 소개되어 있을 만큼 변함이 없다. 실제 오늘날에도 나이든 몽골 사람들은 지방을 여행할 때 아무것도 지니지 않은 채 떠난다. 가는 곳이 내 집이고, 만나는 사람들이 모두 가족이다. 물론 이러한 습속은 칭기스칸이 이룩한 신질서에 기인한 것이다. 칭기스칸의 격언(Bilig) 제14조에는 손님 접대에 관련된 말이 있는데, 그것을 소개하면 다음과 같다.

> 사람은 태양으로 인해 모든 것을 볼 수 있다. 부인은 남편이 사냥 또는 전투에 나간 사이 집안을 잘 꾸미고 정돈해야 한다. 부인은 언제 어느 때 사신이나 손님이 집을 방문하더라도 모든 것이 잘 갖추어지고 정돈된 것을 보여주어야 한다. 부인이 손님 접대를 잘하면 손님들은 과분함을 느낀다. 이렇게 부인이 남편을 보좌하면, 남편의 이름을 산과 같이 높일 수 있다. 훌륭한 남편은 훌륭한 부인의 존재로부터 알려지는 것이다. 부인이 양순하지 않고 게으르며, 분별력도 없고 사물조차 정돈하지 않는다면 남편 역시 불량하게 된다. 옛말에 이르기를 "집 안의 모든 것은 그 주인을 닮는다"고 했다.[41]

서호수가 직접 체험하고 느꼈던 감정에 대한 기록은 앞서 【형상】 항목에서도 소개했듯이, 대몽골제국 시대에 몽골 초원을 방문한 서정徐霆 등의 남송 사신단의 체험기록과 차이가 없다. 서호수가 여타 조선 사신들처럼 몽골에 대해 피상적인 관찰 대신 세밀한 기록을 남기게 된 원인도 이러한 실제 체험 때문에 가능한 것이었다고 보인다.

참고로 서호수에 앞서 북경을 방문한 인평대군도 몽골인의 성품에 대한 기록을 다음과 같이 남기고 있다.

40) 『연행기』 「1790년 7월 11일」 조 : 而蒙俗質樸, 尙有混沌未鑿底意, 待人接物, 純是誠款, 苟使賢者敎導之, 觀感變化, 常勝於南方諸番.

41) 졸저, 『유라시아대륙에 피어났던 야망의 바람-칭기스칸의 꿈과 길』, p.273.

몽골왕 중에 내 낯을 아는 자가 있어서 말로 호의를 베풀어 주니, 북쪽 사람의 천성이 솔직하고 순박해서 교만하지 않음을 알겠다.[42]

【몽골 사신과 라오스 사신】

검서檢書 등의 말을 들으니, 어느 날 조방朝房에서 몽골왕이 온돌방에 걸터앉아 남장(라오스) 사신을 굽어보면서 미소 지으니 남장 사신이 사나운 눈초리로 쳐다보았다고 한다. 한 사람은 철마가 차고 밟는 듯한 기상이 있고, 한 사람은 깊은 대숲 속에서 독화살을 쏘아 대는 것 같은 인상이었다 한다. 역시 기이한 구경거리라 하겠다.[43]

위의 기록에 등장하는 몽골왕이 친왕인지 군왕인지는 판단할 수 없어 그 구체적인 인명을 고찰하기가 어렵다. 서호수가 전해들은 몽골왕의 기상은 청나라 지배 세력의 한 축으로 등장한 몽골 왕공들에 대한 당시 조선인들의 일반적인 느낌이라고 해도 좋을 것이다.

5. 몽골인 학자 및 관원

몽골인 학자 및 관원에 관한 기록은 세 여행기 가운데 박지원에서만 나타난다. 그것을 소개하면 다음과 같다.

42) 麟坪大君, 『燕途紀行』「1656년 10월 3일」조 : 蒙王中有識余面者, 以辭致款, 北人天性直朴不驕可見.

43) 『연행기』「1790년 7월 16일」조 : 余聞檢書等言, 一日朝房, 蒙古王踞炕上, 俯視南掌使而微笑, 南掌使以狠眼仰視, 一則有鐵馬蹴踏之氣, 一則有深篝中放毒箭之意云, 亦可謂奇觀也.

【경순미敬旬彌】

몽골 사람으로서 중화에서 태어나고 자란 자들은 그 문장과 학문이 만주인이나 한인과 동등하다.[44] … 경순미의 자는 앙루仰漏이고, 몽골 사람이다. 현재 강관講官으로 있으며 나이는 서른아홉이다. 키는 7척이 넘고, 얼굴은 희면서 반짝이는 눈과 짙은 눈썹을 지녔다. 손가락도 파뿌리와 같아 가히 미남자라 부를 수 있다. 나와 엿새 동안 같이 있었으나 한 번도 대화 자리에 온 적이 없었다. 만주인이나 한인을 막론하고 남에게 정성껏 대하지 않는 자가 없었는데, 유독 이 인물만이 자못 오만했다.[45]

박지원은 열하의 태학에서 6일 동안 머물면서 그곳에 온 학자들과 대화를 나누고 있다. 그 중에는 몽골인들도 있다. 박지원은 이 만남을 통해 몽골 사람들의 학문이 만주인이나 한인에게 뒤지지 않는다는 것을 체득한 것으로 보인다. 박지원의 라마교 인식은 이 학자들과의 만남을 통해 이루어지고 있다. 경순미는 박지원에게 라마교의 역사를 설명해 준 인물이지만, 그의 가계나 본명 등은 알 수 없다. 아마 경순미에 대한 문헌 기록은 박지원의 『열하일기』가 유일할 것이다.

【파로회회도破老回回圖】

파로회회도는 자가 부재孚齋, 호는 화정華亭이며, 몽골 사람이다. 현재 강관講官으로 있으며 나이는 마흔일곱이다. 그는 강희 황제의 외손이다. 8척 장신에 긴 구레나룻이 아주 그럴싸하다. 얼굴은 여위고 누런데, 광대뼈가 우뚝 솟았다. 학문은 깊고도 넓었다. 내가 그를 술집에서 처음 만났는데, 사람됨이 제법 점잖았다. 그를 모시는 어린 하인이 30여 명이고 옷과 모자, 말안장이 호화스러운

44) 『열하일기』「黃教問答後識」條 : 蒙古之人之生長中華者, 其文章學問等夷滿漢.
45) 『열하일기』「傾蓋錄」條 : 敬旬彌, 字仰漏, 蒙古人也, 見任講官, 年三十九, 身長七尺餘, 白皙脩眼濃眉, 手如葱根, 可謂美男子, 同寓六日, 未嘗一參談筵, 無論滿漢, 莫不與人款曲, 而獨其爲人, 頗似簡傲.

것을 보아 그가 병관兵官도 겸한 듯싶었다. 얼굴 역시 장군처럼 생겼다.[46)]

파로회회도破老回回圖는 경순미와 마찬가지로 박지원에게 라마교의 역사를 설명해 준 인물이다. 그가 강희의 외손이지만 친왕이나 군왕의 칭호를 띠고 있지 않는 점으로 미루어 공주의 맏아들은 아니라고 보인다. 강희제는 6명의 딸을 몽골 왕공에게 시집보냈는데, 3녀는 바아린부 보르지긴Borjigin(博爾濟錦), 5녀는 카라친부, 6녀는 외칼카 보르지긴씨, 10녀는 외칼카 투시에투칸부의 보르지긴씨 체링(Chering, 策凌), 13녀는 옹니고드 보르지긴씨, 15녀는 코르친 보르지긴씨에게 출가했다. 아마 그는 이 중의 어느 가문에 속한 인물일 것이다. 파로회회도는 발음으로 미루어 몽골어로 "잿빛의 난새"란 뜻을 지닌 보로-허흐데이Boru-kökedei(Бор-хөхдэй)일 가능성이 높다. 허흐데이는 신화 속에 나오는 봉황을 닮은 새이다.

【망곡립莽鵠立】

이른바 군기대신軍機大臣이란 모두 만주인이다. 일찍이 다음과 같은 것을 들었다. 나라에 기밀을 요하는 큰일이 있으면, 황제는 비밀리에 군기대신을 불러 함께 높은 누각에 올라간다. 그러면 밑에서 사다리를 치워 버렸다가 누상樓上에서 방울 소리가 난 연후에야 도로 그 사다리를 가져다 놓는다. 비록 며칠이라도 방울 소리가 들리지 않으면 좌우의 누구도 감히 가까이 가지 못한다. 옹정 때 군기대신이 망곡립莽鵠立인데 몽골 사람이다. 그는 그림을 잘 그려 일찍이 강희 황제와 옹정 황제의 초상을 그렸다. 악이태鄂爾泰·팽공아彭公治는 모두 문무를 겸비한 재사였으며, 김상명金常明은 우리나라 의주 사람으로 역시 군기대신의 칭호를 띠고 있었다.[47)]

46) 『열하일기』「傾蓋錄」條 : 破老回回圖, 蒙古人也, 字孚齋, 號華亭, 見任講官, 年四十七, 康熙皇帝外孫, 身長八尺, 長髯郁然, 面瘦黃骨立, 學問淵博, 余遇之酒樓中, 爲人頗長者, 所帶僮僕三十餘人, 衣帽鞍馬豪侈, 似是兼兵官也, 貌亦類將帥.

위의 기록에 등장하는 망곡립莽鵠立(1671~1736)은 정람기正藍旗 출신의 몽골인이다. 그는 강희 연간에 서기(Bichigechi, 筆帖式)에서 내각중서內閣中書로 발탁되었다. 그림에 재주가 있어 강희제의 초상을 그렸다. 그 공적으로 옹정제가 그의 본적을 양황기鑲黃旗 만주인으로 고치고, 이이근각라伊爾根覺羅라는 만주 성을 하사했다. 1723년 호서관감독滸墅關監督에서 장로염정長蘆鹽政으로 승진한 뒤, 염인鹽引을 증설하고 조정竈丁들의 부세賦稅를 경감시키는 데 힘썼다. 또 천진위天津圍를 직례주直隸州에 예속시켜 그 밑에 무청현武清縣, 정해현靜海縣, 청현青縣을 두었다. 만년에는 관직이 감숙순무甘肅巡撫, 정람기만주도통正藍旗滿洲都統에 이르렀다. 군기대신은 만주어로 초오하이-나손니-암반 Coohai nashun-i amban(Chirgun tuhai yen said)이라 부른다.

【박명博明】

아침에 행재소 문 밖부터 혼자 걸어서 여관으로 돌아오다가 보니, 부인 하나가 태평차太平車를 타고 가는데, 얼굴에는 분을 희게 바르고 수놓은 비단옷을 입었으며, 차 옆에는 한 사람이 맨발로 채찍질을 하면서 차를 모는데 몹시 빨리 갔다. 머리털은 짧아 어깨를 덮었고, 머리털 끝은 양털처럼 모두 말려있는데, 금고리로 이마를 둘렀다. 얼굴은 붉고 통통하며, 눈은 고양이처럼 둥글었다. 수레를 따르면서 구경하는 자들이 넘쳐났으며, 검은 먼지가 날려서 하늘을 덮었다. 처음에는 차를 모는 자의 모양이 이상하므로 미처 차 속에 있는 부인을 살피보지 못했는데, 다시 한 번 자세히 들여다보니 이는 부인이 아니라 사람 형상을 한 짐승이었다. 손의 털은 원숭이와 같았다. 손에 접는 부채 같은 물건을 쥐고 있었다. 잠깐 보건대 얼굴은 아주 예쁜 것 같았다. 그러나 자세히 살펴보니

47) 『열하일기』 「銅蘭涉筆」條 : 所謂軍機大臣, 皆滿人也, 嘗聞國中有機密大事, 則皇帝密詔軍機大臣, 同登高樓, 自下去梯, 聞樓上鈴聲, 然後還置其梯, 雖數日未聞鈴聲, 則左右無敢近樓, 雍正時, 軍機大臣莽鵠立, 蒙古人, 工畵, 曾寫康熙皇帝及雍正像, 鄂爾泰彭公冶, 皆文武全才, 金常明者, 我國義州人也, 亦帶是號.

요괴스러운 노파처럼 생겼으며, 키는 겨우 두 자 남짓이다. 수레의 휘장을 걷어 올려서 좌우를 돌아보는데, 그 눈이 잠자리 눈처럼 생겼다. 대체로 이것은 남방에서 나는 것으로 능히 사람의 뜻을 안다고 한다. 혹자는 "이것은 산도山都이다"라고 말한다.[48] … 내가 몽골 사람 박명博明에게 이것이 무슨 짐승이냐고 물었다. 박명은 말하기를 "옛날에 장군 풍공豊公 승액昇額을 따라 옥문관을 나가 돈황으로부터 4,000리를 떨어진 골짜기에 가서 잤다. 아침에 일어나 보니 장막 속에 두었던 나무상자와 가죽상자가 없어졌다. 당시 같이 간 동료들에게 물어보아도 잃어버린 것이 분명했다. 군중軍中에 '이것은 야파野婆가 훔쳐간 것'이라는 말이 돌았다. 그래서 군사를 내어 포위했다. 야파는 모두 나무를 타는데, 민첩하기가 나르는 원숭이 같았다. 야파는 형세가 궁해지자 슬피 울면서 잡히는 것을 참지 못했다. 그래서 모두 나뭇가지에 목을 매어 죽었다. 이리하여 잃었던 물건을 모두 찾았는데, 상자나 목갑은 잠가 놓은 그대로 있었다. 잠근 것을 열어 보니 속에 든 물건들을 버리거나 망가뜨린 것이 없었다. 상자 속에는 붉은 분이 가득 있었다. 또 목걸이와 머리꽂이 패물들도 많았다. 아름다운 거울을 비롯해 바늘과 실, 가위와 자까지 있었다. (야파는) 짐승이지만 여자를 본떠 치장하는 것으로 즐거움을 삼는다"고 했다.[49]

박지원의 견문 가운데 가장 실감나는 부분 중의 하나가 산도山都 혹은 야파野婆라 불리는 원숭이의 이야기이다. 위의 기록은 박지원이 열하에서 마차를

48) 『열하일기』「山莊雜記」萬國進貢記條：朝日自行在門外, 獨步歸館, 道見一婦人乘太平車而行, 面施粉白, 衣錦繡, 車旁一人跣足拂鞭, 驅車甚疾, 髮短覆肩, 而端皆卷曲如羊毛, 以金環箍額, 面赤而肥, 眼圓如貓, 隨車行, 觀者雜沓, 緇塵漲空, 初驅車者, 形殊不類, 故未及察, 車上婦人更熟視之, 非婦人, 乃人形而獸類也, 手毛如猿, 所持物若摺扇, 瞥視則貌似絕艷, 然視之審, 如老嫗而妖厲, 長纔數尺餘, 車褰幨帷, 左右顧眄, 目如蜻蜓, 大抵南方產, 能解人意云, 或曰, 此山都也.

49) 『열하일기』「山莊雜記」萬國進貢記後識條：余與蒙古人博明, 問此何獸, 博明言, 昔從將軍豊公昇額, 出玉門關, 距燉煌四千里, 宿山谷間, 朝起失帳裏木匣皮箱, 當時同游幕侶, 取次見失, 軍中有言, 此野婆盜之也, 發卒圍之, 野婆皆乘木, 捷如飛猱, 勢窮哀號, 不肯就執, 皆自經樹梢而死, 盡得所失箱匧, 封鎖如舊, 開視之器物, 亦卒無所遺毀, 而箱內悉藏朱粉, 多首飾奩裝, 得佳鏡, 亦有針線刀尺, 蓋獸而效婦人都冶自喜者也,

모는 마부 원숭이와 그 속에 타고 있는 귀부인 원숭이를 목격한 뒤, 이후 몽골인 박명을 만나 그 원숭이에 얽힌 사연, 즉 "여인이 되고 싶었던 동물의 구슬픈 이야기"를 수록한 것이다.[50)]

박명의 원명은 귀명貴明이며, 원나라 황실의 후예인 보르지긴Borjigin 몽골인이다. 자字는 희철希哲, 서재西齋, 석재晰齋이다. 건륭 17년(1752)에 진사가 되었고, 이후 한림원서길사翰林院庶吉士, 산관편수散館編修, 운남이서도雲南迤西道 등의 관직을 두루 거쳤다. 후에 주변의 시기를 받아 병부원외랑兵部員外郎으로 강등되었다.[51)] 그의 저서인 『서재삼종西齋三種』에 서문을 쓴 옹방강翁方綱의 기록에 의하면, 박명은 어릴 때부터 집안에 대대로 내려오는 옛이야기를 듣고 자랐다고 한다. 그는 경사시문經史時文, 서화예술書畵藝術, 국서원류國書源流 및 몽골, 서하 자모字母에 능통하고, 또 마보기사馬步騎射에도 재주가 있는 인물이었다. 즉 박학다식하고 기억력이 뛰어난 팔방미인적인 인물이었다.

이로 인해 박명은 조선 사신단에게도 잘 알려져, 사행 때 그를 만나 대화하는 것이 관행이 될 정도였다.[52)] 그는 요나라·금나라·원나라의 옛이야기, 지방

50) 후대에 북경을 여행한 朴思浩의 여행기인 『心田稿』에도 "또 이런 말을 들었다. 몽골 사람 박명이 종군하여 변방으로 나갔는데, (어느 날) 장막 안의 목갑과 가죽상자를 잃어버렸다. 야파가 훔쳐간 것이다. 야파는 모습이 여자와 비슷하고, 날래기가 나는 원숭이 같다. 군졸을 풀어 에워쌌더니 슬피 울부짖으며 잡히지 않으려고 스스로 나뭇가지 끝에 목을 매어 죽었다. 잃어버린 상자들은 다 찾았는데, 상자 속에는 붉은 가루분과 아름다운 거울, 바늘과 실, 칼과 자 따위가 많이 간직되어 있었다. 대개 여인을 본받아 얼굴을 단장하는 짐승이었다(又聞蒙古人博明, 從軍出塞, 失帳裏木匣皮箱, 有野婆盜之, 貌類婦人, 捷如飛猱, 發卒圍之, 哀號不肯就捕, 自掛樹梢而死, 盡得所失箱匣, 箱內多藏朱粉, 佳鏡,針線, 刀尺等物, 蓋效婦人而冶容之獸也)."라는 기록이 수록되어 있다. 아마 이 글은 박지원의 『열하일기』에서 채록한 것이라고 보인다.

51) 그의 재주에 대한 주변 인물들의 시기는 李押 의 『燕行記事』에서도 "지금은 각로 우민중과 이전 한림학사 박명이 또한 칭송을 받는데, 박명은 몽골 사람이기 때문에 저들이 꽤나 배척한다(今則閣老于敏中, 前翰林學士博明, 亦皆見稱, 而明則以其蒙人, 故渠輩頗斥之)."처럼 입증된다.

52) 이를 잘 보여주는 기록이 洪大容의 『湛軒燕記』에 수록된 "(조선의 무역상인 황씨에게) 사위한 사람이 있는데, 이름은 박명이며 몽골 사람이다. 글씨를 잘 쓰고 문장에도 능하다. 우리의 사행이 수재를 방문할 적마다 통역들은 반드시 박명이 응대하도록 했다. 그 뒤에 그는 과거에 합격하여 한림편수가 되었다 한다. 이번 사행에 물으니, 지금 남쪽 지방의 지부가 되었다 한다(黃商豪富, 本不及鄭商, 然子孫猶世守其業) 有婿曰博明, 蒙古人, 善書能文章, 每使行訪問秀才, 譯輩必以博明應之, 其後登科爲翰林編修, 是行亦問之, 方爲南方知府云)"라는 대목이다.

의 풍토와 인정, 변강 지역의 산수나 습속을 읊은 문장들을 남겼다. 박명의 시는 감정이 풍부하여 뭇사람의 사랑을 받았다.[53] 그의 주요 저서로는 『서재삼종西齋三種』, 『몽골세계보蒙古世系譜』, 『사전록요祀典錄要』 및 옹방강과 함께 편수한 『속문헌통고續文獻通考』 등이 있다.

김정중金正中의 『연행록』에는 그에 대한 간략한 소개와 함께 그가 사망한 해까지 수록한 기록이 다음과 같이 남아 있다.

> 박명은 몽골 사람으로, 문장을 잘하고 벼슬이 한림이었다. 경술년(1790) 가을에 연경에서 죽었다고 한다.[54]

> **【박명博明과 조선인 노이점盧以漸】**
>
> 노군은 어느 날 몽골 사람 박명에게 얻었다는 『장안객화長安客話』 중에서 초록한 것을 나에게 보였다. "조양문朝陽門을 나서서 남쪽으로 연못을 돌아가면 동남쪽 모롱이에 높다랗게 솟아 있는 흙 둔덕이 바로 황금대라고 한다. 해가 뉘엿뉘엿 서산으로 넘어갈 때 옛일을 슬퍼하는 선비로서 이 대 위에 올라간 자는 문득 천고의 고사를 회상하면서 고개를 숙이고 거닐게 된다." 노군은 이때부터 서글퍼하면서 구경을 파하고 다시는 황금대 이야기를 꺼내지 않았다.[55]

위의 기록에 등장하는 황금대黃金臺는 『태평어람太平御覽』에 기록된 것으로, 연燕나라 소왕昭王이 천금千金을 대 위에 놓고 천하의 현사를 초청했다 하여 붙여진 이름이다. 황금대는 현사대賢士臺나 초현대招賢臺라고 불리기도

53) 그의 시에 대한 기록이 李德懋의 『入燕記』에 "(1778년 4월 18일) 회령령은 마천령이라고도 한다. 고개 아래에 있는 찻집의 벽에 석재 박명의 만강홍사 한 곡조가 쓰여 있었다(會寧嶺, 一名磨天嶺, 嶺下茶店, 壁上有博晰齋明滿江紅詞一闋)."처럼 수록되어 있다.

54) 金正中, 『燕行錄』 「聞見雜錄」 : 博明, 蒙人, 善文章, 官翰林, 庚戌秋, 卒於燕京云.

55) 『열하일기』 「黃圖紀略」 黃金臺條 : 盧君一日得之於蒙古人博明, 其所錄示曰, 長安客話, 出朝陽門, 循壕而南, 至東南角, 巋然一土阜是也, 日迫崦嵫, 茫茫落落, 吊古之士登斯臺者, 輒低回瞻顧, 有千古之思云, 盧君由是憮然罷行, 不復言黃金臺.

한다. 그런데 위의 기록에서 흥미로운 점은 노이점盧以漸의 태도이다. 그는 주자학적 세계질서를 지닌 조선 선비 가운데에서도 가장 강고한 소중화 의식을 지닌 인물이다. 이는 다음과 같은 기록에서도 잘 입증된다.

> 노군盧君 이점以漸은 나라에서 경經의 실천으로 이름 높았다. 또 춘추春秋의 존왕양이의 뜻을 행하는 데 아주 엄격했다. 따라서 길을 가다가 사람을 만나면 만주인이나 한인을 막론하고 모두 "되놈"이라고 불렀다. 지나온 산천이나 누대들도 모두 비린내 나는 지방이라 하여 쳐다보지도 않았다.[56]

이런 인물인 노이점이 꿈속의 이상향인 황금대 가는 길을 몽골인 박명에게 물었다는 것은 어떻게 해석해야 할지 모를 정도로 파격이 아닐 수 없다. 이런 점에서 박명은 조선 선비들에게 가장 사랑받았던 몽골인이었다.

6. 몽골인의 교역

몽골인의 교역에 대해서는 최덕중과 박지원의 여행기에만 실려 있는데, 그것을 순서대로 소개하면 다음과 같다.

(1) 최덕중의 연행록에 등장하는 몽골인의 무역

최덕중의 『연행록』에는 몽골인의 무역에 관한 기록이 2건 등장하지만, 구체적인 물품이나 교역 상황은 거론하지 않고 있다.

56) 『열하일기』「黃圖紀略」黃金臺條 : 盧君以漸, 在國以經行稱, 素嚴於春秋尊攘之義, 在道逢人, 無論滿漢, 一例稱胡, 所過山川樓臺, 以其爲腥膻之鄕而不視也.

【산해관 일대에서 몽골인의 무역】

(산해)관 밖에 왕래하는 사람들은 거의 몽골 사람이었다. 내가 다시 그들에게 왕래하는 연유를 물었더니 답하기를, "집은 이주伊州에 있으나, 토목土木 및 장사일로 산해관에 왕래합니다"고 하였다. 생각건대 이주伊州는 바로 의주義州로 광녕廣寧과 금주錦州 북쪽에 있는 몽골 지방이다. (몽골인 중에서는) 간혹 한어를 해득한 자도 있었다.57)

【금주錦州 일대의 몽골인 교역 상황】

금주는 몽골 지방으로 왕래하는 길목인 까닭에 몽골 수레가 서로 연달아서 다녔다.58)

최덕중의 기록은 당시 동행한 김창업을 통해 보충이 되는데, 『연행일기』에 나타난 몽골인의 교역 상황을 소개하면 다음과 같다.

탑산점塔山店에 이르자 비를 만나 비옷을 입었다. 길에서 기장을 실은 몽골 수레를 만났다. 관내關內를 향해 가고 있는 것으로 전후 30~40량이나 된다.59) 금주 서문西門에 도착했다. 성 밖 시장에는 몽골 수레가 빽빽하게 길을 메우고 있었다. 김덕삼과 최수창, 신지순 두 역관이 녹용과 사향을 사기 위해 잠시 머물기를 청했다. 금주성 서북쪽으로 10리 정도에 대산帶山이 있고, 그 밖은 모두 몽골 지방으로 50~60리 정도의 가까운 거리다. 몽골에서 북경을 가려는 사람은 모두 이 길로 가야 하기 때문에, 도로에 오가는 사람은 거의 반 이상이 몽골 사람이었다. 녹용과 사향이 많은 것은 이 때문이었다.60)

57) 『연행록』「1713년 2월 25일」조 : 關外往來之人, 多是蒙人, 余更問其去來之由, 答云家在伊州, 以土木及買賣事, 往來山海關云, 第念伊州乃義州, 在廣寧錦州之北, 乃蒙古地方, 而或有解漢音者矣.

58) 『연행록』「1713년 2월 28일」조 : 第錦州乃蒙古地往來之隘口, 故蒙車相連.

59) 金昌業, 『燕行日記』「1713년 2월 27일」조 : 至塔山店遇雨, 被油衣, 路遇蒙古車, 載唐黍向關內, 去者前後三四十兩.

위의 기록은 몽골인들이 산해관 및 금주 일대의 지역에서 녹용과 사향을 비롯한 각종 물품을 교역하고 있음을 보여주고 있다. 또 녹용과 사향의 단골 손님이 조선인이라는 것도 나타난다.[61] 일반적으로 농업지대가 아닌 초원 지대에서는 주로 5월부터 9월까지는 가축이 수출되는 시기이다. 이 시기에는 주로 산서山西 상인들로 구성된 여몽상旅蒙商이 방문한다.[62] 또 가을이 되면 몽골인들이 주축이 된 원거리 무역이 행해진다. 원거리 무역에 나서는 대상隊商 조직은 주로 관아나 사원을 주축으로 형성되지만, 개인들이 연합해서 대상을 편성하는 경우도 적지 않다. 이러한 대상을 몽골어로는 아얀ayan(аян)이라고 부른다.

아얀은 원래 먼 곳에 가서 필요한 물자를 가지고 온다는 뜻을 지니고 있다. 고대의 몽골인들이 대규모 원정을 아얀이라고 부르는 것은, 전쟁이 일종의 무역 행위와 같다는 의미로도 해석할 수 있다. 대상의 편성은 낙타나 우마차 편대로 이루어진다.[63] 대상대는 어떠한 경우를 막론하고 모두 나이 많고 경험이 풍부한 사람을 대장(gal-un akha)으로 삼는다. 대상의 대장은 절대적인 권한을 가지고 있으며, 누구도 그의 명령을 거역할 수 없다. 이러한 습관은 아마 고대에 만들어진 원정 규율의 유풍이라고 보인다.

---

60) 金昌業, 『燕行日記』「1713년 2월 28일」조 : 至錦州西門, 城外, 市肆稠列, 蒙古車塞路, 金德三, 崔申兩譯爲賣鹿茸麝香, 請小住, 錦州城西北十里許有帶山, 其外則盡爲蒙古地方, 近或五六十里, 而蒙古往北京者, 皆取道于此, 故道路間往來者, 太半是蒙古, 鹿茸麝香之多, 以此也.

61) 洪大容의 『湛軒燕記』에도 사향 무역에 관한 기록이 "중후소는 거리가 번화하고 사람이 우글거렸는데, 시장 문에서 몇 리 사이는 매우 복잡하여 걸어 다닐 수가 없었다. 관제묘가 있는데, 매우 웅장하고 화려했다. 길가에서 사향을 파는 사람이 많았는데, 역관들의 말이 모두 가짜라고 한다(中後所, 閭井繁庶, 市門夾數里, 摩蕩不可行, 有關帝廟極壯麗, 路上多賣麝香, 諸譯言皆假品云)."처럼 등장한다.

62) 旅蒙商에 대해서는 (中國人民政治協商會議) 內蒙古自治區委員會 文史資料硏究委員會, 『旅蒙商大盛魁』, 呼和浩特, 1984 ; 盧明輝·劉衍坤 共著, 『旅蒙商 ―17世紀至20世紀中原與蒙古地區的貿易關係』, 北京, 1995 ; 陳東升, 「淸代旅蒙商初探」 『內蒙古社會科學』, 1990-3 등의 논저를 참조.

63) 낙타를 주요 수송수단으로 삼는 몽골 대상들의 낙타편제법과 여행방식에 대해서는 졸저, 『몽골의 문화와 자연지리』, pp.60~61을 참조.

(2) 박지원의 열하일기에 등장하는 몽골인의 무역

【몽골의 무역】

(전사가田仕可의 자는 대경代耕 또는 보정輔廷이고, 호는 포관抱關이며, 무종無終 사람이다. 자기 말로 전주田疇의 후손이며, 집은 산해관에 있는데 태원太原 사람 양등楊登과 함께 이곳에 점포를 냈다고 한다. 나이는 스물아홉이다). 전생田生은 "이곳은 도시라고 칭하나, 중국의 한 구석에 있는 것에 불과하다. 모든 거래는 다만 몽골이나 영고탑, 선창 등지에 의뢰한다"고 말했다.[64]

박지원의 기록에는 몽골의 무역 현황에 대한 구체적인 기록이 보이지 않지만, 몽골이나 영고탑寧古塔(船廠) 등지에서 대규모의 거래가 행해진다는 것을 간접적으로 보여주고 있다.

서경순의 『몽경당일사』에는 비록 후대에 속하는 경우지만 몽골 접경지대인 신민둔新民屯에서 대규모의 무역거래가 행해지고 있는 간접 정황을 보여주는 기록이 다음과 같이 수록되어 있다.

신민둔에서 점심을 먹었다. 이 둔은 심양 서편에 있는 큰 도회지로 인민과 시가들의 번성함이 한 고을과 같고, 요양 등지와 비교하면 그보다 훨씬 낫다. 강희 때에 백성을 모아서 읍을 이루었으며, 광녕에 예속되었다. 북쪽으로 몽골 지방과 40리이다. 양쪽 지방의 물화를 여기에서 교역하기 때문에 시가가 이렇게 실하고, 인민의 호수는 거의 70만에 가깝다. (아마) 적을 방어하는 의미도 역시 그 속에 있을 것이다.[65]

---

64) 『열하일기』「盛京雜識」粟齋筆談 1780년 7월 11일조 : (田仕可字代耕, 一字輔廷, 號抱關, 無終人也, 自言田疇之後, 家住山海關, 與太原人楊登, 開舖於此, 年二十九) 田生曰, 此中雖稱行都, 中國一隅, 賣買只仰蒙古寧古塔船廠等地.

65) 徐慶淳, 『夢經堂日史』「1855년 11월 9일」: 午飯于新民屯, 屯是瀋西大都會, 人民市肆之盛, 儼若邑治, 比遼陽等處, 不啻過焉, 康熙時聚民成邑, 隸廣寧, 北距蒙古地方四十里, 兩界物貨交易于此, 故市肆若是殷實, 而民戶殆近七十萬, 禦敵之意, 亦在其中矣.

조선시대의 여행기인 『부연일기』에는 몽골의 특산품으로 펠트제 모포인 삼승三升과 두꺼운 펠트제 담요(厚毯)을 들고 있다.[66] 삼승은 다른 여행기에서도 종종 언급되고 있는데, 김경선의 『연원직지』에는 삼승이 취포毳布의 속칭이라고 기록하고 있다.[67] 삼승은 몽골어로 좋은 모직을 뜻하는 사인상sayin shang(сайн шанг)의 음역이며, 두꺼운 펠트제 담요는 에스기-조람isegei jirum(эсгий журам)이나 에스기-쉬르데크isegei sirdeg(эсгий ширдэг)를 가리킨다고 보인다.

몽골에서 주요한 교역품은 역시 말이다. 인평대군의 『연도기행』에는 우리 사신단도 몽골 말을 구입했음을 보여주는 기록이 다음처럼 수록되어 있다.

> 아문에서 비로소 말과 예품例品의 구입을 허락했다. 무릇 말 값은 10금金에 지나지 않았다. 이처럼 싼 것은 근래에 없었던 일이다. 그 원인은 입조入朝하는 몽골 사람이 많아서 수만 필의 양마良馬가 거리를 메우고 있기 때문이다.[68]

위의 기록에 등장하는 예품例品이란 전례에 의해서 구입이 허락되는 물건을 말한다. 이외 몽골의 특산물 및 러시아와 조선의 간접 교역을 보여주는 다음과 같은 기록도 존재한다.

---

66) 著者 未詳, 『赴燕日記』 「主見諸事」에는 몽골 특산품으로 "이른바 석새베에는 모포와 면포의 구별이 있다. 몽골에서 나온 석새를 으뜸으로 쳐주는데, 이것은 무명과 비슷하다(所謂三升布有毛布緇布之別, 而以蒙古三升爲上, 此似綿布也)"처럼 삼승과 "통주의 강철 바늘, 계주 와불사의 영통안약, 중후소의 담, 사하소의 층뉴광은 모두 교역하는 것이고, 몽골에서 나는 후담, 광동에서 나는 백로지, 강남에서 나는 저포와 서양면포, 산서의 큰 나귀, 사외의 준마, 산동의 어염은 생활을 돕는 편리하게 쓰는 것들이다(土產 : 通州之鋼針, 薊州臥佛寺之翎箇眼藥, 中後所之毯, 沙河所之層杻筐, 皆交貿者, 而蒙古出厚毯, 廣東出鷺紙, 江南出苧布西洋綿布, 山西大驢, 沙外駿馬, 山東魚鹽, 爲厚生利用者耳)"처럼 몽골 양탄자(厚毯)를 언급하고 있다.

67) 金景善, 『燕轅直指』 「1832년 11월 22일」조 : 毳布, 俗稱三升.

68) 麟坪大君, 『燕途紀行』 「1656년 10월 6일」조 : 衙門始許買馬例品, 凡馬價不踰十金, 馬價之賤, 近古所無, 蓋緣深處蒙古入朝者多, 數萬良驥, 彌滿街市故耳.

> 몽골 지방의 생산물은 말과 가죽이다. 대비달자의 물산은 돌거울(石鏡)과 가죽인데, (품질이) 아주 좋다. 그러므로 달자가 연경에 들어온 뒤로 가죽이 천해지기 시작했다. 무릇 청인이 가벼운 비단은 반드시 우리나라 사람에게 팔고, 우리나라 사람이 취하지 않는 것은 반드시 달자에게 판다. 대개 몽골과 달자는 미련스럽고 흉측하여 금수와 같은데, 달자는 배나 더하다.[69]

> 대비달자는 곧 악라사鄂羅斯이니 몽골의 별종이다. 그 사람들은 모두 코가 크고, 흉악하고 사납기 때문에 우리나라에서 대비달자라고 부른다. 이 나라는 사막 밖의 먼 지역에 있다. 그 땅에서는 쥐가죽과 돌거울이 산출된다. 우리나라가 연경 시장에서 사오는 것이 모두 이런 것들이었다.[70]

위의 기록 가운데 홍대용의 『담헌연기』에 등장하는 쥐가죽은 몽골에서 주로 생산되는 타르박[71]으로, 이것을 러시아인들이 수집해 조선에 중계무역

---

69) 李坪, 『燕行記事』 「聞見雜記」 : 蒙之地產, 卽馬與皮物, 而大鼻㺚子物產之石鏡皮物尤佳, 故㺚子入燕而後, 皮物始賤, 而凡清人以疋緞品輕者, 必售於我人, 我人之所不取者, 必賣於㺚子, 蓋蒙及㺚子, 蠢頑凶醜, 全是禽獸, 而㺚子尤倍之.

70) 洪大容, 『湛軒燕記』 「藩夷殊俗」 : 大鼻㺚子者, 卽鄂羅斯, 蒙古之別種, 以其人皆鼻大凶猂, 我國號之以此, 國在沙漠外絕域, 地出鼠皮及石鏡, 我國所貿于燕市者是也.

71) 타르박tarbag-a-n(тарвага[н])은 몽골 산지의 대표적인 동물이다. 또 그 모피(tarbagan-yi arisu-n>тарваганы арьс)와 고기는 유목민들에게 교역품이나 별미로 유용하게 사용되었다. 이로 인해 몽골에서는 타르박 사냥꾼이란 타르바가친(тарвагачин)이란 단어와 "타르박의 사냥에 종사하다"라는 타르바가칠라흐(тарвагачлах)라는 동사까지도 존재한다. 1991년 민주화 개방 이전 모피는 몽골에서 수출품의 20%에 달할 정도로 매우 귀중한 자원이다. 모피 중 최고를 점하는 것은 타르박 모피로서, 매년 150~200만 장이 수출되었다. 타르박 중 3살 이상 된 수놈을 보르히burki(бурхи), 3살 된 암컷 타르박을 타르치tarchi(тарч)라고 부른다. 또 나이와 관계없이 암컷 타르박일 경우 보통 나가이nagai(нагай)라고 부른다. 산지초원에 널려 있는 타르박은 늑대의 주된 먹이 중의 하나이다. 타르박은 늑대만 만나면 꼼짝 못하는 특성이 있기 때문에 타르박 흉내를 내는 놀이, 즉 한 사람은 늑대로 다른 사람은 타르박이 되어 숨바꼭질 하는 타르바가차가tarbagachaga(тарвагацаа)라는 민속놀이까지 생겼다. 지방이 많은 타르박 고기는 유목민족들에게 가을철 별미이다. 이로 인해 타르박은 元代 漢文文獻에 塔兒巴合, 打剌不花, 塔剌不歡, 獺剌不花 등으로 표기되고 있다. 또 타르박은 어린 칭기스칸이 고난을 겪을 때 "(테무진 일가는) 타르박이나 쿠추구르küchügür를 잡아먹었다(『몽골비사』 89절)"처럼 그를 구원해 준 동물이기도 하다. 고대 몽골인들은 식량이 부족할 경우 타르박으로 보충하기도 하는데, 그 대표적인 기록이 『元史』 「伯顏傳」의 "二十二年秋, 宗王阿只吉失津, 詔伯顏代總其軍, 先是, 邊兵嘗乏食, 伯顏…又令軍士有捕塔剌不歡之獸而食者, 積其皮至萬"라는 대목이다. 또 元代의 사람들은 연회석상의 특별식으로 "打剌米渾托中放着打剌不花, 從頭兒吃罷, 從頭兒把(『雍熙樂府』

형식으로 수출했음을 알 수 있다. 또 조선시대 여행기에는 몽골인들이 조선 사절단에게 물고기를 파는 장면도 등장한다. 좀처럼 이해하기 어렵고, 또 어울리지 않는 장면이지만 사실이다. 그것을 소개하면 다음과 같다.

> (요동에서 서쪽으로 230리 떨어진 주류하周流河의 지류에 위치한 빈 성의) 서쪽에 있는 마을에는 몽골인들이 살고 있다. 원건元建이 "강물엔 고기가 매우 많으므로 몽골인들은 모두 고기를 잡아먹고 살아간다. 앞의 사행에서 고기를 많이 구입하였는데, 값이 매우 저렴하였다"고 말했다.[72] … (고교高橋를 떠나 금주위錦州衛에 이르러 아침을 먹었고, 소릉하小凌河에 도착하여 잤다) … 8~9리를 걸어가니, 길 오른쪽에 있는 대파수大陂水는 길이가 수백 보나 되는데, 여러 호인들이 그물을 던졌다가 강 언덕으로 막 끌어올리고 있었다. 50여 호의 마을 앞에는 큰 배나무가 몇 그루 있어, 마침내 말에서 내려 나무 밑에 앉아 그물을 끌어올리는 모습을 구경하였다. 마을 남녀들이 조금씩 모여드는데, 그 모습을 보았더니 몽골족이었다. 금주성 서북쪽으로 10리 정도에 대산帶山이 있다. 그 바깥은 모두 몽골 지방으로 50~60리 정도의 가까운 거리다. 몽골에서 북경을 가려는 사람은 모두 이 길로 가야 하기 때문에, 도로에 오가는 사람은 거의 절반 이상이 몽골인이었다. 녹용과 사향이 많은 것은 이 때문이었다. 이 마을 사람들은 몽골의 별도 종족인데, 황제의 명으로 이곳에 살게 되어 저절로

卷7)," "酥泛酒銀瓶鑼鍋里旋, 鹽燒肉鋼簽炭火上叉, 打剌酥·哈剌扑哈(哈剌扑哈는 答剌哈扑의 誤)·土思胡先把, 蒙赤免忙拿(『雍熙樂府』 卷8)"처럼 타르박 요리를 내놓기도 했다. 또 타르박은 『元史』 「祭祀, 三」의 "牲奩庶品…至元17年, 始用浣州麻陽縣包芽·天鵝·野馬·塔剌不花(原注 : 其狀如獾)·野鷄·鶬·黃羊·胡寨兒(原注 : 其狀如鳩)·湩乳·葡萄酒, 以國禮割奠, 皆列室用之…鯉·塔剌不花·黃羊, 冬季用之"라는 기록처럼 제사용품의 하나로 바쳐지기도 했다. 오늘날 타르박은 대량 남획으로 인해 수가 많이 줄어들었다. 이로 인해 사냥기간 내에서만 포획이 허락된다. 또 타르박은 인간의 고기를 좋아하기 때문에, 사람들은 타르박을 굽거나 삶아 먹을 때 타르박의 양 어깨 쪽에 있는 고기를 사람의 고기라 하여 먹지 않고 버린다. 그러나 실제 이유는 그 부분이 맛이 없기 때문이다. 타르박은 고대 무덤을 훼손하는 주범이기도 하다. 참고로 타르박의 분포지, 사냥법, 요리 등에 대해서는 졸저, 『몽골의 문화와 자연지리』, pp.373~375를 참조.

72) 金昌業, 『燕行日記』 「1712년 12월 9일」 조 : 其西一村, 皆蒙古居之, 元建言, 河中魚極多, 蒙古皆業捕魚, 在前使行多買之, 而價甚賤云.

> 한 촌락이 되었다고 한다. 한 몽골인이 붕어를 가지고 와서 팔므로 부시(火鐵) 하나를 주고 5마리와 바꾸었는데, 작은 놈은 손바닥만하고 큰 놈은 신짝만하다. 노끈으로 아가미를 꿰어 말안장에다 달고 몇 리를 지나가니, 소릉하의 촌락이 바라보였다.[73)]

1700년대 초기 물고기를 잡아 생활하는 몽골인 마을이 존재했다는 것은 아주 의아스럽지만,[74)] 사연이야 어쨌든 그들은 조선 사절단과 관계를 가졌다. 필자는 이 대목을 바라보면서 코빌라이칸과 고려 사신들의 인연을 떠올렸다. 코빌라이칸은 대도를 방문한 고려 사신들에게 고려인들이 생선국을 즐겨먹는다는 것을 알고 그들에게 종종 생선국을 선사했다. 역사의 우연치고는 참으로 아이러니컬하다. 붕어는 몽골어로 켈테게keltege(хэлтэг), 컬룬테이köluntei(хөөлөнтий), 조도이jodui(зоодой)라고 부른다.[75)]

---

73) 金昌業, 『燕行日記』「1713년 2월 28일」조 : (自高橋鋪行, 至錦州衛朝飰, 至小凌河宿)…凡行八九里, 有大陂水在路右, 長數百步, 羣胡方投網而引之, 岸上有五十餘家, 村前有大梨樹數株, 遂下馬, 坐樹下, 觀引網, 村中男女稍稍來集, 見其狀, 乃蒙古之種也, 此村人則乃是蒙古別種, 而因皇帝命, 來居此地, 自作一村云, 有一胡持鮒魚來賣, 以一火鐵換五頭, 小者如掌, 大者如鞋, 以繩貫腮, 縣鞍後, 過此數里, 望見小凌河村落.

74) 1832년 12월 2일, 이곳을 지나간 金景善도 그의 여행기인 『燕轅直指』에 "공성은 성가퀴가 모두 완전하다. 인가가 성 밑에 있는데, 뒤로 언덕을 지고 물에 임한 풍경이 꽤 아름다웠다. 그 서쪽의 한 마을은 모두 몽골인이 산다고 한다. 이른바 공성이란 것은 지금의 거류하보라고 일컫는 것인 듯하다. 그것은 작은 산 아래에 있었으며, 성 안에도 민가와 시사가 많았다(空城, 垛堞皆完, 人家在城下, 負邱臨河, 風水頗好, 其西一村, 皆蒙古居之云, 其所謂空城者, 似指今所稱巨流河堡, 而在於小邱之下, 城內亦多民居市肆)." 처럼 몽골인 마을에 대한 묘사가 있는데, 점차 한·몽 복합 거주구역으로 변해가는 것을 알 수 있다.

75) 참고로 우리민족의 이동설화가 있는 동몽골의 할흐골 여인들은 아기가 태어나면 양고기국을 먹지 않고 잉어국을 먹는다. 몽골에서 잉어는 머르구mörgü(мөрөг)나 살바라소salbarasu(салбарс)라고 부르며, 잉어 새끼를 머구체mögüche(мөгц, möküche>мөхөц)라고 부른다.

제6장 몽골 동물

1. 낙타

낙타는 조선시대 여행기에 거의 대부분 실려 있고, 또 일부 여행기에는 장편의 기록이 있을 만큼 조선 사신단의 집중적인 조명을 받은 동물이다. 그러나 이 부분에서도 역시 서호수는 침묵하고 있다.

(1) 최덕중의 연행록에 등장하는 낙타

【황녀의 낙타】

길에서 낙타 무리를 만났다. 무려 수천 마리가 길을 메우며 나갔다. 나는 길을 가지 못하고 잠시 동안 말을 멈추고 있었다. 누구의 것인가 물었더니, 황제의 넷째 딸로서 몽골에 시집간 여인의 것이라 한다.[1)]

1) 『연행록』「1713년 1월 15일」조 : 路上適逢駱駝之群無慮數千, 塞路而出, 余不得作行, 住馬移

위의 기록에 등장하는 강희제의 넷째 딸은 10번째 딸의 오문誤聞이라고 보인다. 왜냐하면 넷째 딸은 만주인에게 출가했기 때문이다. 중국어는 발음상 4(si, 성조 4성)와 10(shi, 성조 2성)이 혼동되기 쉽다. 강희제의 10녀는 외칼카 투시에투칸부의 보르지긴씨 체링Chering(策凌)에게 출가했다.

(2) 박지원의 열하일기에 등장하는 낙타

박지원의『열하일기』에는 낙타에 관한 기록이 낙타를 보기 전까지 1건, 열하성 달밤의 낙타 1건, 낙타의 형상묘사 1건, 낙타에 얽힌 전쟁고사 1건 등 모두 4건이 등장한다. 그것을 순서대로 소개하면 다음과 같다.

【낙타의 형상을 전해 듣다】

(심양에서 고가자孤家子까지) 장복이 "아까 몽골 사람이 낙타 두 마리를 끌고 지나갔다"고 했다. 나는 "왜 내게 알리지 않았는가" 하고 꾸짖었더니, 창대는 "그때 코 고는 소리가 천둥치듯 하였다. 불렀지만 깨지 않는 것을 어찌하는가. 소인들도 생전 처음 보는 것이라 무언지는 똑똑히 모르나 낙타인 듯싶다"고 했다. 나는 "그 모습이 어떻게 생겼는가" 하고 물었다. 창대는 "정말 형언하기 어렵다. 말인가 여기면, 굽이 두 쪽이고 꼬리가 소처럼 생겼다. 소인가 여기면, 머리에 뿔이 없을 뿐더러 얼굴이 양처럼 생겼다. 양인가 여기면, 털이 꼬불꼬불하지 않을 뿐더러 등엔 두 봉우리가 솟았다. 머리를 쳐들면 거위 같기도 하다. 눈을 뜨는 것이 청맹과니와 같다" 고 했다.[2] … 배로 소릉하를 건넜다. 수레에 몇 천 바리의 쌀을 싣고 지나가는데, 먼지가 하늘을 덮는다. 이는 해주海州에서

時, 而問其誰家物, 則答云皇帝第四女嫁蒙古者之物也.

2)『열하일기』「盛京雜識」1780년 7월 12일조 : 張福曰, 俄有蒙古牽兩匹槖駝而過, 余罵曰, 何不告余, 昌大曰, 是時鼾聲如雷, 呼之不應奈何, 小人等亦初見, 不知是何物, 意以爲槖駝也, 余問其形何如, 昌大曰, 實難形容, 以爲馬也, 則蹄是兩歧, 而尾如牛, 以爲牛也, 則頭無雙角而面似羊, 以爲羊也, 則毛不卷曲, 而背有二峯, 仰首如鵝, 開目如盲.

금주錦州로 운반하는 것이다. 큰 바람이 사납게 일었다. 내가 먼저 말을 달려 사관에 들어가 한숨 자고 나니, 정사가 뒤이어 도착해 말하기를 "낙타 수백 마리가 철을 싣고 금주로 갔다"고 했다. 나는 공교롭게도 두 번이나 낙타를 보지 못한 셈이다.[3)]

【열하성 달밤의 몽골 낙타】

홀로 뜰 가운데 서서 밝은 달빛을 쳐다보고 있노라니, 할할 하는 소리가 담 밖에서 들린다. 이는 낙타가 장군부將軍府에서 우는 소리였다.[4)]

몽골에서는 낙타 우는 소리를 "보일라흐buyila(буйлах)"라고 표현한다. 이때 주인은 "서억 서억sögeg(сөөг)"이라고 달래면서 눕히는데 진짜 낙타도 "서억 서억" 소리를 내면서 눕는다.

【낙타의 형상】

낙타가 짐을 싣고 나가는데, 수많은 무리를 이루고 있다. 대저 크고 작은 놈을 막론하고 색깔은 모두 엷은 흰 빛에 약간 누런빛을 띠었다. 머리는 말보다 작고, 눈은 양과 같으며, 꼬리는 소처럼 생겼다. 다닐 때는 반드시 목을 움츠리고 머리를 쳐드는데, 그 모습이 마치 나는 해오라기와 같다. 무릎에는 두 관절이 있으며, 발굽은 두 쪽으로 나누어졌다. 학처럼 걸으며, 거위와 같은 소리를 낸다.[5)]

3) 『열하일기』「駬汎隨筆」 1780년 7월 18일조 : 舟渡小凌河, 數千車載米而過, 塵土漲天, 自海州運入錦州, 大風暴起, 余先疾馳入舖中小睡, 正使追至, 爲言槖駝數百頭, 載鐵入錦州云, 余巧未之見者再矣.

4) 『열하일기』「太學留館錄」 1780년 8월 9일조 : 獨立庭中, 仰看明月, 有聲曷曷牆外, 此駝鳴將軍府也.

5) 『열하일기』「還燕道中錄」 1780년 8월 17일조 : 槖駝載物而出者, 千百爲群, 大抵一樣無大小, 色皆淡白微黃毛淺, 頭類馬而小, 目如羊, 尾如牛, 行必縮其頸而仰其首如飛鷺, 膝二節而蹄兩歧, 步如鶴而聲如鵝.

위의 기록에 등장하는 낙타의 형상에 대한 묘사는 박지원 이전이나 이후의 여행기에 장편으로 묘사되어 있는 것이 많다. 낙타의 형상에 대한 전문적인 기록을 남긴 대표적인 여행기는 김창업(1658~1721)의 『연행일기』,[6] 이의현(1669~1745)의 『경자연행잡지』,[7] 홍대용(1731~1783)의 『담헌연기』,[8] 김정중의

6) 金昌業, 『燕行日記』「1712년 12월 11일」조 : 신광녕에 도착하였다. 길에서 처음 낙타를 보았다. 키가 한 길에 몸뚱이는 수척하고, 머리는 작으며, 목은 가늘면서 아래 부분이 굽어 있고, 걸음은 폭이 일정하지 않았다. 머리는 양과 같은데 발은 소와 같으며, 작은 얇은 발굽이 털 속에 있다. 등에는 2개의 육봉이 두드러져 천연 안장을 이루었는데, 앞에 있는 봉우리는 털이 마치 말의 갈기처럼 드리워져 있다. 이 육봉은 살이 찌면 딱딱하게 솟아나고, 마르면 물렁물렁하게 줄어들기 때문에, 호인들은 항상 소금을 먹인다. 소금을 먹이면 살이 찌기 때문이다. 코를 뚫어서 끈을 꿰어 부리며, 못 쓰게 되면 다시 구멍을 뚫는다. 힘은 말 세 필에 싣는 짐을 감당하며, 걸음은 느린듯하면서도 빨라 말이 따르지 못한다. 이 짐승은 사막에서 생산되는데, 군대가 행진할 때에 무거운 짐을 싣기에는 이보다 편리한 것이 없기 때문에 몽골에서 소중하게 기른다. 값은 비싼 것이 은 170~180냥에 이른다고 한다. 또 낯선 사람이 가까이 가면 코로 누런 물을 뿜어내므로, 그 고약한 악취 때문에 접근할 수가 없다(至新廣寧, 路中, 始見橐駞, 其高僅一丈, 身瘦頭小, 項細而下曲, 行則隨步伸縮, 頭如羊足似牛, 而蹄薄小在毛底, 背有兩肉峯, 自成鞍, 而前峯有毛散垂, 如馬之有鬉, 其峯肥則硬起, 瘦則軟伏, 故胡人常飼鹽, 蓋以食鹽肥也, 以索穿鼻而制之, 缺則改其穴, 其力任三馬所載, 其行似遲而疾快, 馬不能及, 此物出沙漠, 軍行運輜重, 莫利於此, 故爲蒙古重畜, 其直多至一百七八十兩銀云, 生人近則鼻噴黃水, 臊臭不可近).

7) 李宜顯, 『庚子燕行雜識』「禽獸」 : 낙타는 본래 사막에서 난다. 이것은 능히 무거운 짐을 싣고 먼 길을 가기 때문에 기르는 자가 많다. 그 모양은 키가 한 길이나 되고, 몸은 파리하고, 머리는 작고, 목이 가늘고 아래로 굽었는데 걸을 때는 걸음에 따라 늘었다 줄었다 한다. 머리는 양과 같고, 발은 소와 같은데 발굽이 얇고 작아서 털 속에 있다. 등에 2개의 혹이 있어서 저절로 안장 모양을 이루는데, 앞의 혹에는 털이 있어 흩어져 드리운 것이 마치 말에 갈기가 있는 것과 같다. 그 혹은 낙타가 살찌면 딱딱하게 일어서고, 마르면 물렁물렁하게 쭈그러들기 때문에 항상 소금을 먹인다. 소금을 먹이면 살찐다는 것이다. 사람이 가까이 가면 코로 누런 물을 뿜는데, 노린내가 나서 가까이 갈 수가 없다. 그래서 새끼로 코를 꿰어 그렇게 못하게 한다. 그 힘은 말 세 필이 싣는 것을 감당할 수 있으며, 그 소리는 소와 비슷하게 운다. 성질이 바람을 좋아해서, 바람이 불면 반드시 소리를 내어 응한다. 그 빛깔은 대개 누르고 검으며, 또한 흰 것도 있다(橐駝本出沙漠, 以其能載重遠致, 多有畜養者, 其形高可一丈, 身瘦頭小, 項細而下曲, 行則隨步伸縮, 頭如羊足如牛, 而蹄薄小在毛底, 背有兩肉峰, 自成鞍形, 前峰有毛散垂, 如馬之有鬣, 其峰肥則硬起, 瘦則軟伏, 故常飼鹽, 蓋食鹽則肥也, 近人, 卽鼻噴黃水, 臊臭不可近, 以索穿鼻而制之, 其力可任三馬所載, 其聲似牛而嘶, 性喜風, 有風則必作聲以應之, 其色大抵黃黑, 而亦有白者).

8) 洪大容, 『湛軒燕記』「藩夷殊俗」 : 낙타는 몽골산이다. 키는 한 길 반이나 되고, 황갈색에 목은 길고 허리는 가늘며, 머리는 양 같고 발굽은 소 같다. 등살은 그대로 안장이 되어 있고, 귀는 드리워져 있다. 누울 때는 반드시 발을 구부려 배가 땅에 닿지 않도록 한다. 바람이 불 것도 미리 알고, 샘이 솟는 곳도 미리 안다. 몽골인들이 많이 타고 다니는데, 매양 말을 타고 그 밑을 지나면서 바라보면 마치 지붕 위에 사람이 앉은 것처럼 보인다. 다만 너무 흔들리고 출렁거려 익숙하지 않으면 견디지 못한다. 잘 가는 놈은 하루에 천 리를 달린다고 한다. 호인이나 한인들이 노새나 말을 길러서는 수레를 타고 다니는 데 쓰지만, 오직 낙타만은 우리나라 사람들이 소와 말의 등에 짐을 싣듯이 등에 짐을 싣고 다닌다. 물건을 실을 때는 재빨리 다리를 굽혀 이것을 받는다. 사람을 보면 누런 물을 내뿜는데, 냄새가 몹시 나서 가까이 갈 수가 없다(橐駞, 蒙古産也, 長一丈有半, 黃褐色, 長項細腰, 羊首牛蹄, 肉鞍垂耳, 臥必屈足, 腹不帖地, 知風信,

『연행록』,[9] 서유문(1762~1822)의 『무오연행록』,[10] 작자 미상의 『계산기정』,[11] 작자 미상의 『부연일기』,[12] 박사호의 『심전고』,[13] 김경선(1788~1853)의 『연원

識泉脉, 蒙人多騎行, 每騎馬過其下, 望之若屋上人, 但擺搖震盪, 不習則必不堪也, 其善走者, 日馳千里云, 胡漢畜騾馬, 駕車與騎走而已, 惟橐駞, 馱物于背, 如東俗用馬牛也, 方其載物, 輒屈足而受之, 見人噴黃水, 臭甚不可近也).

9) 金正中, 『燕行錄』「1791년 12월 24일」조 : 거마 가운데 낙타의 수가 열서넛쯤 되었는데, 낙타의 생김새는 머리가 작고 꼬리가 짧으며, 목은 높은데 늘어진 목 밑의 살이 한 자 남짓하고, 등 위에 살 봉우리가 마주 솟아 있어서 무거운 짐을 두 봉우리 사이에 두니, 매우 편의하고 안온하다. 그 크기는 소만하나 그 힘은 갑절이 되며, 가는 것이 둔하고 느려서 달리는 말만 못한 듯하나 능히 하루에 200리를 갈 수 있다니 괴이하다. 낙타는 몽골 땅에서 나는데, 지금 청인의 집에서 이것을 많이 기른다고 한다(車馬之中, 槖駝之數, 居十三四, 而駝之爲物, 頭小尾短, 項高而垂胡者尺餘, 背上有肉峰對聳, 以重卜置兩峰間, 則甚便宜安穩, 其大大如牛, 其力倍之, 行若鈍滯, 不及於走馬, 而能日行二百里, 可怪, 駝産於蒙古地, 而今淸人之家, 多畜此云).

10) 徐有聞, 『戊午燕行錄』「1799년 1월 10일」조 : 북경에 이르러서부터 여러 번 낙타를 만나되 자세히 본 일이 없더니, 오늘 관으로 돌아올 때에 낙타 여남은 마리가 지나니 낙타마다 몽골 놈이 긴 고삐로 끄는지라. 그 형상이 말의 머리며 소의 몸이요, 긴 목이 위로 뻗쳐 거위 목 같으며, 목 아래 멱이 드리웠고, 다리는 세 마디며, 발이 소와 같으나 굽이 없으며, 등의 앞뒤로 두 치 남짓 안장같이 혹이 생겼으니, 그 사이에 혹 방석을 놓고 탔으며 혹 짐을 실었으니, 짐은 석탄 외에는 다른 것을 보지 못하며, 키는 한 길 반이 될 듯하고, 몸 길이 또한 키와 비슷하나, 몸이 몹시 가늘어 매우 섬세해 보이는지라. 머리를 우러러 길을 살피는 모양이 아니요, 입에 항상 무엇을 먹는 것이 또한 소와 같은지라. 이 짐승은 본디 북방에서 나는 것이니, 힘이 능히 천근을 싣고, 하루 300리를 간다 하며, 부리지 않을 때는 짚만 먹이다가, 짐을 실으려 하면 소금을 짚에 넣어 섞어 먹이니, 5~6일이 지나면 등에 있는 두 혹이 더욱 길어진다 하며, 낙타를 세워 놓고 짐을 실을 길이 없기에 앉히고 짐을 실어간다 하며, 몽골 놈 외에는 타는 이 없는지라. 흉악한 얼굴에 괴이한 짐승을 타고 어깨를 으쓱여 바삐 몰아가는 모양이 무섭고 또한 우습더라.

11) 著者 未詳, 『薊山紀程』「畜物」 : 낙타는 북방에서 난다. 말의 머리에 소의 꼬리이며, 목에 호胡(턱 밑에 달린 군살)가 있고, 그 아래에 갈기가 났다. 다리는 관절이 셋이고, 발은 발톱이 다섯인데 발굽이 없다. 색깔은 황흑색이 섞였는데, 매우 거칠다. 그러나 『당사』에 '가서한이 일찍이 흰 낙타를 타고 다녔다' 하고, 또 두초당의 시에 '자색 낙타의 봉우리'라는 구절이 있으니, 그 색깔이 황흑색뿐만은 아닐 것이다. 다닐 때에는 머리 관절과 목이 활처럼 굽어 거위와 같고, 모두 두 봉우리가 있어 언치(韉)를 얹지 않아도 그 사이에 물건을 실을 수 있다. 힘은 천근의 무게를 감당할 수 있고, 다니는 것은 꿈지럭거리나 하루 300~400리는 달린다. 짚이나 풀에 소금을 섞어 먹이는데, 소금을 많이 먹으면 봉우리가 더욱 높아진다. 모는 자는 다 몽골 사람인데, 끈으로 코를 뚫어서 끌어당긴다. 황제의 노부 중에 낙타도 있으니, 금 안장에 비단 굴레를 씌우고 두 육봉 사이에 물건을 실은 다음 누런 보로 덮는다(橐駝出北方, 馬頭牛尾, 項有胡而鬣生其下, 股三節, 足五爪而無蹄, 色雜黃黑而麤甚, 然而唐史謂哥舒翰嘗騎白橐馳, 又杜草堂詩有云, 紫駝之峯則其色不獨黃黑而已, 行時頭節而頸彎曲如鵝, 皆有兩峯, 不加以韉而馱物於其間, 力任千斤之重, 其行蠢動, 却日走三四百里, 飼以藁艸和鹽食, 鹽多則峯益高, 御者皆蒙古人, 以絲穿鼻而牽之, 皇帝鹵簿中亦有駝, 包金鞍錦勒, 載物于兩峯間, 以黃帕覆之).

12) 著者 未詳, 『赴燕日記』「主見諸事·禽畜」 : 낙타는 머리는 말과 같은데 작고, 목을 쳐들었는데 구부정하며, 소의 꼬리, 개 다리에 육족肉足(발에 살이 있는 것)이 둘로 갈라졌고, 발가락 끝에 조그마한 발톱이 있어 발과 같으며, 등에는 앞뒤에 솟은 살덩이가 있어 안장과 같고, 몸뚱이는 몹시 가늘고 길어 소나 말도 그 키에 미치지 못한다. 눈은 작은데 거슴츠레하고, 털 빛깔은

직지』,[14] 서경순(1804~?)의 『몽경당일사』[15]이다.

누르스름하며, 여름철에는 털과 다리가 검고 껍질이 엷고 듬성듬성하여 마치 옴 오른 개와 같다. 가는 끈으로 입술을 꿰어 걸리는데, 걸음걸이가 더디고 둔한데다가 못생겨서 보기에 매우 형편없었다. 배꼽에서 오줌이 나오는데, 오줌 줄기가 뒤로 두 다리 사이에 쏟아지며, 소리는 염소와 같으면서 조금 웅대하다. 입이 뾰족하고 이가 송곳 같아 사람을 물까 염려스러우며, 풀을 말과 같이 먹고 소금을 한량없이 먹는다고 한다. 목축하는 사람들이 타고 다니는데 편안하기가 소를 탄 것 같고, 연경으로 왕래하는 것들은 석탄을 가득 실은 것만 볼 뿐이다. 육족이기 때문에 수레를 끌기가 마땅치 않고, 또한 자갈밭이나 험한 길을 다닐 수 없으나, 지는 힘은 짐승 중에 최고이다(槖駝, 馬頭而小, 仰頸而曲, 牛尾狗脚, 肉足兩岐, 指端有小蹄甲若豕足, 背有肉起前後如鞍子, 體極纖長, 牛馬不及其高, 眼小而昏黑, 毛色黃黑, 夏節毛脚黑皮薄闊, 正似瘰犬, 以細繩貫唇以行, 步法遲鈍, 闒茸款劣, 見甚不似, 臍腹出溺, 溺穗後射于兩脚之間, 聲如羔羊, 而稍爲雄大, 口尖齒穎, 齧人可慮, 吃草如馬, 食鹽無量云, 牧者騎之, 安若跨牛, 京中往來者, 只見滿馱石炭而已, 以其肉足之故, 不宜牽車, 亦不可行於石礫險路, 而負力爲獸畜之最也).

13) 朴思浩, 『心田稿』「留柵錄」 : 낙타는 몽골산이다. 크고 작은 것 없이 빛깔은 다 담백한데 누르스름하며, 털은 짧고 눈은 작으며, 머리는 말 비슷한데 작고, 꼬리는 소와 비슷하나 짧다. 걸어갈 때는 반드시 목을 움츠리고 고개를 쳐든다. 무릎은 두 마디이고, 발굽은 두 쪽으로 모양은 물새와 비슷하며, 소리는 까마귀 우는 소리 같다. 등에 두 육봉이 나있는데, 물건을 실을 때에는 한마디 소리치면 꿇어앉아 싣는 물건을 받는다. 동작이 심히 느리고 둔하다. 내가 『강목』을 보았더니 당나라의 가서한이 서하에 있을 때 흰 낙타를 타고 500리를 달려 일을 장안에 아뢰었다 한다. 또 후진의 부언경이 거란의 철요군을 깨뜨리니, 거란의 임금 덕광(遼太宗 耶律德光)이 낙타 한 마리를 얻어 타고 달아났다고 한다. 내가 몽골 사람에게 물었더니 대답하기를, "급한 일이 있으면 낙타 입에다 나무 재갈을 물리고 채찍질을 하면, 하루에 400~500리를 달린다"고 한다. 고려 태조 때 거란이 낙타 40마리를 보내 와서 다리 아래에 매어 두었는데, 10일 만에 굶어죽었다. 이것은 매일 소금 두어 말과 꼴 10단을 먹는데, 나라의 외양간이 빈약하여 실로 먹여 기르기가 어렵고, 비록 물건을 싣고 다니고 싶어도 집의 제도와 문이 좁아서 드나들기가 어려우니, 실제로는 쓸데가 없다. 먹여 기르기 힘든 물건이 소용되지 않는 나라에 들어왔으니, 굶어죽는 것이 마땅하다 하겠다. 지금도 송경에 탁타교가 있다(槖駝, 蒙古產也, 無大小, 色皆淡白微黃, 而毛淺目小, 頭類馬而小, 尾類牛而短, 行必縮其頸而仰其首, 膝二節而蹄兩跲, 形似水鳥而聲如鴉啼, 凡載物, 背生兩肉, 垛吒一聲, 跪受載物, 運動甚遲鈍, 余見綱目, 唐哥舒翰, 在西河, 乘白槖駝, 馳五百里, 奏事長安, 又晉符彥卿, 破契丹鐵鷂軍, 契丹主德光, 獲一槖駝, 乘之而走, 余問蒙古人, 答曰, 有急事則銜木於駝口, 策之則日馳四五百里云, 麗太祖時, 契丹送槖駝四十頭, 繫於橋下十日, 又餓死, 此日食鹽數斗也, 蒭十束, 國圉貧偷, 實難豢也, 雖欲載物而行, 屋制門戶狹窄, 難於出入, 實無用也, 以難豢之物, 入無用之國, 宜乎餓而死也, 至今松京有槖駝橋).

14) 金景善, 『燕轅直指』「禽獸」 : 낙타는 사막에서 생산되는데, 역시 기이한 짐승이다. 키는 한 길 반쯤 되는데 황갈색을 띠고, 몸은 말처럼 생겼으나 약간 파리하고, 머리는 양처럼 생겼으나 눈이 매우 작고, 발은 소처럼 생겼는데 발굽이 얇고 작아서 털 밑에 묻혀 있다. 목은 해오라기처럼 길고 새을자(乙) 모양으로 구부렁한데, 걸음에 따라서 펴졌다 오므라졌다 한다. 그리고 등 위에는 두 육봉이 있어 저절로 안장을 이루었으며, 앞 봉우리에는 털이 있어 마치 말갈기처럼 흩어져 드리웠다. 그 봉우리는 살이 찌면 탄탄하게 일어서고, 마른 경우에는 연약하게 낮아진다. 항시 소금을 먹이는데, 소금을 먹이면 살이 찌기 때문이다. 끈으로 코를 꿰어서 제어하는데, 찢어질 경우에는 그 구멍을 고쳐 뚫는다. 힘은 세 필의 말이 실을 짐을 감당할 수 있다. 걸음은 느린듯하면서도 빠르니, 잘 달리는 놈은 하루에 천 리를 달린다. 그 값이 많이 나갈 경우에는 은 200냥까지 나간다. 형체는 우둔하나 성품은 슬기로워서, 바람의 방향을 알고 샘물이 있는 곳을 알아낸다. 사람의 말에 따라 엎드려서 짐을 싣고, 다 싣고 나면 일어선다. 낯선 사람을

몽골인들에게 낙타는 하늘의 동물로 알려질 만큼 일상사와 밀접한 관계를 맺고 있다. 여자가 시집갈 때 흰 낙타를 타고 가며, 죽어 무덤으로 갈 때에도 흰 낙타를 타고 간다. 병사들이 전쟁터에서 사망하면 낙타가 그의 유체를 싣고 돌아간다.[16] 또 낙타들은 전쟁에도 참가하는데, 수많은 낙타를 일렬로 세운 뒤 낙타 등에 물을 뿌린 펠트를 얹어 장벽을 만든다. 이 장벽은 화살로도 뚫지 못한다. 갈단칸과 강희제가 올란보당Ulaganbudang에서 전투를 벌일 때 준가르군이 이 전술을 채용했지만, 죽은 낙타들이 오히려 갈단칸군의 대포 발사와 진격로를 막는 바람에 전투에서 패배하기도 했다.

보면 코로 누런 물을 뿜으므로 가까이할 수 없다. 황성 안팎에 이따금 몇 사람이 100여 필을 몰아서 짐을 실어 나르는 일이 있었는데, 그 형태는 마치 고기를 꿴 것처럼 조금도 어긋나지 않았다. 그때 길가에 떼를 지어 누워 있는 것을 보았는데, 역시 고기비늘처럼 차례로 잇닿아서 어긋나지 않아 마치 모래펄에 앉은 기러기 떼 같았으니, 아마 그들의 천성이 그러한 모양이다(橐駝產于沙漠, 而亦奇獸也, 高可丈半, 黃褐色, 身如馬而稍瘦, 頭如羊而目甚小, 足如牛而蹄薄小, 在毛底, 項如鷺長而乙, 步伸縮, 背上有兩肉峰, 自成鞍, 前峰有毛散垂如馬鬣, 其峰肥則硬起, 瘦則軟伏, 常飼以鹽, 食鹽則肥故也, 以索貫鼻而制之, 缺則改其穴, 其力能任三馬之載, 其行似遲而疾, 善走者, 日馳千里, 其直多至二百兩銀, 形鈍而性慧, 知風信, 識泉脉, 隨人念語, 伏而受載, 載畢而起, 若見生面人, 鼻噴黃水, 不可近也, 皇城內外, 往往有數人駈百餘匹, 駄物而過, 形如魚貫, 少不參差, 時見群臥道傍, 亦鱗次不錯, 如平沙雁隊, 蓋其性然也).

15) 徐慶淳, 『夢經堂日史』 「1855년 11월 25일」 조 : 길에서 낙타에 물건을 싣고 가고, 또 사람을 태우고 가는 것을 보았다. 낙타는 머리는 작으면서 위로 쳐들었고, 목은 길고 굽었으며, 등에는 두 봉우리가 마치 안장을 얹은 듯하며, 다리는 세 마디가 있다. 멀리서 바라보면 거북과 같고, 가까이서 보면 학과 같다. 700근을 실을 수 있고, 하루 300리를 간다고 하는데, 실은 것은 거의가 석탄이다. 북경에는 나무가 귀하므로 불은 모두 석탄을 쓰는데, 한 번 불을 붙여 놓으면 며칠을 유지할 수 있다. 그리고 석탄이 매우 무거우므로 꼭 낙타를 사용하며, 수 삼십 필씩 줄을 이어간다. 『노학암필기』에 "촉에는 죽탄이 많고, 남방에는 목탄이 많고, 북방에는 석탄이 많다" 하더니, 그 말이 과연 그렇다. 『이아익』에 "낙타는 외국의 기이한 짐승으로 두 봉우리가 안장과 같으며, 그 발은 세 마디고 그 빛은 청갈색이다. 물건은 천근을 얹을 수 있는데, 대개 물건을 실을 때에는 먼저 발을 굽혀서 짐을 받는다"고 하였다. 내가 전에 표암 강세황이 그린 「북연인물도」를 빌려서 낙타가 그 그림 가운데 있는 것을 보았는데, 지금 보는 바와 조금도 틀리지 않다. 참으로 이상한 짐승이다. 저녁에 조림장에 와서 잤다(路見橐駝載物而行, 又有載人而去者, 頭小而昂, 項長而曲, 背有兩峰如着鞍然, 脚有三節, 遠望如龜, 近看如鶴, 能載七百斤, 日行三百里, 所載偏多石炭, 蓋北京薪貴, 故凡用火皆以石炭燒之, 一爇可支數日, 而石炭甚重, 故載之必用橐駝, 至聯絡數三十匹, 老學庵筆記曰, 蜀多竹炭, 南方多木炭, 北方多石炭, 其言果然, 爾雅翼云, 駝, 外國之奇畜, 有兩峯如鞍, 其足三節, 其色蒼褐, 負物至千斤, 凡有負載, 輒先屈足受之, 余曾借豹菴所畫北燕人物圖, 嘗見橐駝於圖中, 以今所見, 一毫不爽, 眞異獸也, 夕抵棗林庄止宿).

16) 낙타와 관련된 사상이나 민속은 С. Жамбалдорж, 『Тэмээ тэнгэрийн амьтан』, УБ, 1997을 참조.

낙타를 제어하는 방법은 보일buyila(буйл)이라 부르는 나무막대기로 낙타의 콧구멍 아래에 위치한 인중을 뚫어 꿴 뒤 끈을 달아 다스리는 방식을 사용한다. 콧구멍 아랫부분은 낙타의 급소이다. 보일의 방향은 오른쪽에서 왼쪽으로 향한다.[17] 근대 초 내몽골 수니드기에서 연구조사 활동을 전개한 바 있는 매도충부梅棹忠夫는, 할흐Khalkha(Халх)족의 경우 막대기의 오른쪽에 나무로 만든 인공 구조물(동그란 구멍이 뚫린 나무)을 끼지 않고 자연적으로 가지가 휘어진 것을 이용하는 것을 많이 보았다고 보고하고 있다.[18] 또 낙타의 안장도 내몽골의 부족들이 간소한 펠트제 안장을 사용하고 있는데 반해, 할흐족의 안장은 형형색색의 복잡한 문양을 한 융단제 안장을 사용하고 있다고 보고하면서 할흐족의 유목 문화가 "낙타 문화"라 부를 수 있는 특징을 지니고 있다고 덧붙이고 있다.[19]

낙타의 걸음걸이는 왼쪽의 앞·뒷발을 동시에 드는 측대보행側對步行을 한다. 이것을 말에 적용시킨 것이 조로모리Jiruga mori(жороо морь) 주법이다. 낙타의 머리와 목에 자란 긴 털을 족도르jogdur(зогдор)라 부르는데, 고대 몽골의 평민 여자들이 그 털을 모자에 장식하기도 했다. 몽골인은 1960년 전까지는 말고기나 낙타고기를 거의 먹지 않았다.[20]

17) 낙타의 특성과 사육법에 대해서는 Б. Лувсан, 『БНМАУ-ын тэмээний аж ахуй』, УБ, 1975 ; Х. Чойжилжан, 『Шилдэг тэмээчдийн баялг туршлага』, УБ, 1976를 참조.

18) 梅棹忠夫, 『回想のモンゴル』, 東京, 1991, p.136. 근대 초 梅棹忠夫의 할흐몽골 조사보고는 모두 傳聞을 통해 이루어지고 있다. 일반적으로 할흐 몽골인들은 낙타의 코에 끼워 넣은 나무의 끝에 가죽을 붙이는데, 이것을 보일린-톱코buyila-yin tobkhu(буйлын товх)라고 부른다.

19) 梅棹忠夫, 『回想のモンゴル』, p.140.

20) 몽골인이 낙타고기를 즐기지 않는 이유는 고기가 질기기 때문이다. 또 낙타 내장은 먹을 수 있는 부분이 적다. 몽골과 동류인 토바인들은 낙타의 내장 등을 먹지 않는 이유에 대해 "낙타의 창자, 신장, 간, 피를 먹지 않는다. 낙타의 뜨거운 피나 간을 먹은 개들은 '눈이 희어진다' 즉 눈이 먼다고 한다. 낙타는 쑥과 아카시아 어린줄기, 엉겅퀴 등을 좋아하기 때문에 창자에서 쓴맛이 난다(국립민속박물관, 『중앙아시아의 유목민 뚜바인』, 서울, 2004, p.174)"라고 설명하고 있다.

【낙타에 얽힌 전쟁 고사】

옛날 가서한哥舒翰이 서하西河에 있을 때, 그 주사관奏事官이 장안長安에 이를 때까지 흰 낙타를 타고 하루에 500리를 달린 일이 있다. 석진石晉 개운開運 2년(945)에 부언경苻彦卿이 거란의 철요군鐵鷂軍을 대파했다. 거란 군주가 해차奚車를 타고 달아나는데, 적병들의 추격이 몹시 빨랐다. 이에 (야율耶律)덕광德光은 낙타 한 마리를 잡아타고 달아났다. 지금 낙타의 걸음걸이를 보건대 몹시 더디고도 둔하니, 뒤에 쫓아오는 기병에게 포로를 면하기 어려울 듯싶다. 혹시 그 중에서 석계륜石季倫의 소와 같이 잘 달리는 놈이 있었는지는 알 수 없는 일이다.[21]

위의 기록에 등장하는 가서한哥舒翰(704?~756)은 서돌궐 가서부哥舒部 출신으로 당나라 현종玄宗 때의 장군이며, 석진石晉은 석경당石敬瑭이 936년에 건립한 후진後晉을 말한다. 부언경符彦卿은 후진의 장군으로서 전투에 능해 부왕符王이라고까지 불렸던 인물이다. 그는 이수정李守貞, 약원복葯元福, 황보우皇甫遇 등과 함께 945년 3월, 양성陽城(오늘날 하북 保定 서남)의 남쪽에 위치한 백단위촌白團圍村에서 야율덕광이 이끄는 거란군과 전투를 벌여 야율덕광이 유주幽州로 패주하는 대승을 거두었다. 석계륜石季倫은 춘추시대 진晉나라의 부호인 석숭石崇이며, 계륜은 자字이다. 낙타를 타고 전투에 출전한 예는 대몽골제국 초기의 자파르-코자Jafar-Khoja(札八兒火者)의 경우에도 보인다.[22]

21) 『열하일기』「還燕道中錄」 1780년 8월 17일조 : 昔哥舒翰在西河, 其奏事官之至長安, 常乘白槖駝, 日馳五百里, 石晉開運二年, 苻彦卿大破契丹鐵鷂軍, 契丹主乘奚車走時, 追兵急, 德光獲一槖駝乘之而走, 今視其行遲鈍, 難免追騎, 抑其中亦有駿於乘, 如石季倫之駕牛耶.

22) 『元史』「札八兒火者傳」 : 札八兒每戰, 被重甲舞槊, 陷陣馳突如飛, 嘗乘槖駝以戰, 衆莫能當.

2. 말

말은 몽골의 상징이라고 해도 좋을 만큼 생활이나 군사력 방면의 핵심이다. 말에 대한 기록은 최덕중과 박지원의 기록에만 나오는데, 전문적인 관찰 기술은 실려 있지 않다.

(1) 최덕중의 연행록에 등장하는 몽골 말

【몽골의 강희제 진상마】

황제가 어제 지단地壇에서 제사를 행하고, 그곳에서 그대로 창춘원으로 향했다. 그리고 그저께는 몽골에서 바친 말을 보다가 만수산에서 호랑이를 쏘지 못했다고 한다.[23]

몽골의 왕공들은 청나라 황제에게 공납을 올릴 때 복종의 상징으로 여덟 마리의 백마와 한 마리의 흰 낙타를 올리는 의무가 있는데, 이를 예순-차강 yesü-n Chagan(есөн цагаан)이라 한다.

【조선 사절단의 몽골 말 구입】

맑음. 옥하관에 체류하였다. 호인 장사치가 다투어 말하기를, … 또 "여러 왕 및 몽골왕이 좋은 말을 모두 황제에게 헌납해서 환갑을 경하했다. 따라서 잘 달리는 말을 구하기 어렵다"고 했지만, 이는 모두 거짓말이다. 또 "말 나이가 13세 이후의 것이라야 마구간에 들어간다"고 하는데, 진실인지 알 수 없다. 아마 길 잘 들인 것을 취하기 때문인가 한다.[24]

---

23) 『연행록』 「1713년 1월 14일」 조 : 聞皇帝昨日行祭于地壇, 自其處仍向暢春園, 而再昨以看蒙古納馬, 不得射虎于萬壽山云矣.

24) 『연행록』 「1713년 1월 23일」 조 : 晴, 留玉河館, 買胡爭言皇帝周甲之年…且云諸王及蒙古王,

몽골 말은 안장을 얹은 뒤 6살이 될 때까지 고삐나 기수의 다리 동작 등에 응하는 감각을 체득하며, 이후 장거리 질주나 원정遠征에 동원된다. 6살 이후의 말들을 이흐-나스yeke nasu-n(их нас)라 부르는데, 오늘날 몽골의 나담에서 벌어지는 말경주 가운데 가장 인기 있는 것이 이흐-나스와 종마인 아자르가 Ajirga[n](азарга) 경주이다. 13살 전후의 말은 가장 원숙한 때이지 체력적으로 절정에 이른 말은 아니다. 조선의 사절단들은 북경을 방문할 때마다 청나라가 허락한 범위 내에서 몽골 말을 구입하고 있는데, 위의 "거짓말" 운운은 바로 말 값에 대한 조선 측과 상인들 간의 흥정에서 나온 것이다.

> 【몽골의 말】
>
> 달단韃靼의 말이 무리를 지어서 멋대로 오간다. 이른바 천리마라는 게 별로 기이한 점이 없으니, 말치기가 나를 속였던 것인가.[25]

몽골의 말은 중형마에 속한다. 최덕중은 몽골의 말이 대형마에 속하는 천리마 계열의 말이라고 여겼던 것 같다. 이러한 느낌은 이갑의 여행기에도 등장하고 있다.[26] 사실 몽골의 말은 고주몽의 설화에서도 입증되듯, 겉으로 보고는 준마인지 잘 판단하기 어렵다.[27] 1765년 북경을 방문한 홍대용은 그의

皆以好馬, 獻納皇帝, 慰其周甲之慶, 故健步之馬亦難得, 此亦詐言, 而馬禾十三, 以後當入御廏云, 未知眞的, 而第取其良馴故也.

25) 『연행록』「1713년 2월 9일」조 : 㺚馬成羣, 任自往來, 而所謂千里馬, 別無奇異, 無乃牧子欺余歟.

26) 李坤, 『燕行記事』「1777년 11월 27일」조 : 서번의 말을 달마라 하고, 몽골의 말을 몽마라고 하는데, 지금은 몽마·달마를 논할 것 없이 모두 여위고 또 드물다(西藩之馬, 謂之㺚馬, 蒙古之馬, 謂之蒙馬, 卽今毋論蒙㺚馬, 罷弊且稀).

27) 몽골 말의 특성이나 주법 등에 대해서는 필자의 졸저(『몽골의 문화와 자연지리』, pp.50~57 및 『유라시아 초원제국의 역사와 민속』, pp.405~496)에서 이미 자세히 언급한 바 있기 때문에 그것을 참조하기 바란다. 아울러 오늘날 몽골 말의 특징과 사육법에 대해서는 О. Намнандорж, 『Монгольын хурдан морины тухай』, УБ, 1956 ; М. Даш 監修, 『Монгол орны билчээрийн мал маллагааны арга туршлага』, УБ, 1966 및 『Морин аялал』, Зуунмод, 1993 ; Х. Лувсанбалдан, 『Морины шинж』, УБ, 1978 및 『Хүлгийн шинж』, УБ, 1989 ; М. Төмөржав, 『Бэлчээрийн монгол мал』, УБ, 1990 ; А. Очир 編, 『Монгол хурдан морины шинж, сойлго, засал』, УБ, 1991 ; С. Жамбалдорж, 『Морин эрдэнэ』, УБ,1996을 참조.

여행기에 비교적 자세히 말의 특성에 관하여 기술하고 있는데, 그것을 소개하면 다음과 같다.

주관周官에서부터 병관兵官을 사마司馬라 하였고, 『예기禮記』에도 '그 나라 임금의 부富를 물으면 말의 숫자를 들어 대답한다'고 하였으니, 말은 정말 나라의 보배이다. 연燕나라는 기주冀州 지방에 속한다. 한나라와 당나라 시대에 와서도 오히려 어양돌기漁陽突騎라고 일컬었으니, 북경은 본래 말의 산지로서 적당한 토성이다. 그래서 관인들을 수행하는 하인들까지도 모두 말을 타고 따르며, 8기旗에 속한 갑옷 입은 군사들 역시 걸어가는 병졸은 없다. 마을 거리와 들길에는 천·백 마리가 떼를 지어 다닌다. 농민들과 상인들 같은 영세민들도 길을 갈 때는 수레를 타거나 말을 탄다. 가난한 걸인이 아니면 걸어 다니는 일이 거의 없다. 말의 값을 물었더니 걸음이 빠르고 좋은 놈일지라도 30냥에 불과하다니, 말 생산량이 얼마나 많은가를 알 수 있다. 연변에서 가끔 공물을 바치러 가는 말 떼를 보게 되는데, 한 무리가 수천 마리씩 될 정도이다. 몇 사람이 안장도 없이 그냥 모는데, 떼를 지어 달려갈 뿐 한 놈도 감히 이탈하여 달아나는 놈이 없었다. 언젠가 성남城南의 기인旗人들이 말을 달리는 것을 보았다. 무예의 정숙精熟 여부를 막론하고 날쌔게 뛰어올라 비화飛火같이 달리는데, 마치 빠르기가 번개가 치듯 하니 사람으로 하여금 멍하니 넋을 잃게 하였다. 말을 탄 사람으로서 오직 제왕諸王들만이 금성禁城을 다닐 때 한 사람을 시켜 왼쪽에서 고삐를 잡게 할 뿐, 그 나머지 사람들은 비록 각로대신閣老大臣이라 하더라도 반드시 몸소 채찍을 잡는다. 들판에 놓아먹이는 말은 언식偃息(자유롭게 편안히 누워 쉼)을 제 천성대로 하기 때문에 쉽게 살찌고, 교미도 시기를 놓치지 아니하므로 새끼를 많이 낳게 된다. 말은 불알을 까버리면 기운이 몸으로 뻗쳐 힘이 세지고, 고삐를 매지 않으면 정기가 발굽으로 몰려 빠르게 된다. 오직 토성이 생산에 알맞을 뿐 아니라, 부리는 것도 또한 그 방법을 얻는 것이다. 언젠가 호마는 풀만 먹고 물만 마신다고 들었는데, 이것은 부리지 않을 때의 일이다. 수레를

> 메거나 사람이 타고 멀리 갈 때는 부리는 사람들이 쉬는 곳마다 기장이나 콩을 먹이는데, 우리나라에서 주는 것보다 배나 된다. 안장은 비록 화려하고 사치스럽기는 해도, 가볍고 튼튼하여 우리나라의 것처럼 둔하고 무겁지가 않다. 평지에서 뛰어올라 탈 때도 끈을 걸고 평상을 놓으며 등자를 잡아당기는 소동을 벌일 필요가 없다. 달리고 싶을 때는 약간 몸만 굽히면 되고, 채찍질을 하지 않아도 등자만 차면 말은 벌써 뛴다. 불알 깐 말이 아니더라도 길들이기가 쉽다. 역시 그 성질이 온순하다. 우리나라 말은 비록 작은 놈이라 하더라도 매양 그들과 마주치면 소리치고 뛰며 발칵 달려드는데, (이때 그 말들은) 반드시 피해 버리고 상대하여 다투지 않는다. 이것으로도 대지의 기풍을 짐작할 수 있다. 말발굽에 대갈을 박는 것은 언제 어느 곳에서 처음 시작되었는지는 알 수 없지만, 온 세상이 같이하고 있다. 그 여물고 두꺼운 것이 우리나라 것의 배가 된다.[28]

위의 기록은 비교적 몽골 말의 특성을 잘 기술하고 있다. 위의 기록에서 주목되는 것은 조선의 말은 성격도 더럽다는 것인데, 글쎄 그것은 너무 사대주의적인 판단이지 않나 생각된다. 조선 사절단 중에는 끌고 갔던 말을 몰래 팔아먹은 자가 있는데, 조선 사절단이 임무를 끝마치고 그곳을 거쳐 고국으로 떠날 때 그 말이 동료 말들을 보면서 구슬퍼했다는 기록도 있다.[29]

---

28) 洪大容,『湛軒燕記』「畜物」: 自周官兵官號司馬, 禮問國君富, 數馬以對, 馬固國之寶也, 幽燕屬冀方, 至漢唐猶稱漁陽突騎, 則北京固馬之土性也, 是以官人騶率厮隷, 皆騎隨之, 八旗披甲者, 亦無步卒, 里巷阡陌之間, 千百爲羣, 農賈細民, 行道具車騎, 非貧丐, 鮮徒行, 問馬價, 榮駿者, 無過三十兩銀, 其產馬之富, 可知也, 沿路時遇貢馬一羣, 可數千疋, 惟數人騸馬而驅之, 羣馳而無敢逸也, 嘗觀城南旗人輩走馬, 無論其武藝精熟, 卽駿乘善跑, 熛疾如飛電, 令人爽然自失也, 騎馬者, 惟諸王行禁城, 而使一人從左牽之, 其餘雖閣老大臣, 必親執鞭也, 放牧在野, 偃息順其性而易肥, 風字不失時而富產, 騸其勢而氣壯于體, 不牽轡而神專于蹄, 不惟土性之宜產, 亦其御之得其方也, 嘗聞胡馬齕草飮水而已, 此其不使時然也, 若其車騎遠道驅使者, 每站飼黍豆, 倍於東俗, 鞍裝雖華侈, 實尙輕緻, 不若東俗之鈍重, 平地超乘, 無繩床挽鐙之撓, 要跑則微屈身而已, 不待加鞭蹴鐙, 而馬已跳驀矣, 不惟騸馬易馴, 亦其性氣寬緩, 每遇東馬, 雖果下小乘, 嘶跳勃蹊, 必引避之, 不與較也,卽此, 可卜大地風氣也, 馬之蹄釘, 不知創自何方何時, 已天下同然, 其堅厚倍東俗.

29) 金正中,『燕行日記』「1792년 2월 11일」조 : 맑음. 평명을 떠나 30리를 가서 사하소에 이르러 아침밥을 먹었다. 막 떠나려 할 적에 말 하나가 객줏집 안에서 뛰어나와 일행의 말들과 솟구쳐 일어서 서로 부비는 것이 마치 헤어지기 싫어하는 것처럼 보였다. 내가 이상하게 여겨서 물으려

(2) 박지원의 열하일기에 등장하는 몽골 말

【열하성熱河城 담장의 말들】

모든 전각에는 단청을 꾸미지 않았으며, 문 위에 피서산장이란 편액이 붙었다. … 대궐 밖에는 수레와 말이 빽빽이 들어섰다. 말은 모두 담을 향하여 즐비하게 늘어섰는데, 고삐나 끈을 매지 않았다. 그 모습이 마치 나무를 심은 것 같았다.[30]

박지원이 묘사한 위의 광경은 오늘날 몽골의 각지에서 열리는 나담을 본 사람이라면 쉽게 이해할 수 있다. 말이 모여 담이나 거리에 일렬로 정렬하면, 그 자체가 하나의 벽이나 가로수를 연상케 할 정도로 매우 인상적이다.

【코빌라이칸과 탐라의 몽골 말】

우리나라가 이토록 가난한 것은 대체로 목축의 방법을 알지 못하기 때문이다. 우리나라에서 목장으로 가장 큰 곳이 오직 탐라뿐이다. 그곳의 말들은 모두 원나라 세조가 방목한 종자들이다. 400~500년을 두고 내려오면서 종자를 한

고 할 즈음에, 객줏집 아이가 나와서 끌고 들어갔다. 마부가 나에게 "저것은 조선의 말이다. 의주의 어느 말몰이가 처음 올 때에 그 말을 이 객줏집에 팔았다. 객주 주인도 따라서 함께 온 행차에게 거짓말로 '말이 병으로 죽었다'고 하므로, 행차가 다 믿어 의심하지 않았다"라고 했다. 이 말이 나귀, 노새와 구유를 같이하고 살면서도 고향을 생각하여 밤낮으로 바람을 향해 울고, 여우가 죽을 때에 머리를 자기가 태어났던 곳으로 향하는 생각을 가졌을 줄 누가 알았으랴. 이제 사행이 돌아감에 말들이 문 앞을 지남을 보고는 이 말이 곧 머리를 쳐들고 발굽을 솟쳐 길가에서 반겨 맞으니, 이는 꼭 함께 돌아가고 싶은 생각 때문이리라. 나는 "어찌 이런 짓을 할 수 있느냐. 말몰이여! 이런 짓을 하니 무슨 짓인들 못하랴. 옛말에 '사람이나 말이나 역시 같다'고 한 것이 참으로 헛말이 아닌가. 말은 능히 그 주인을 그리워하는데, 그 주인은 모르고 못 본 체하며 지나니, 어찌 같다고 말할 수 있겠는가. 아! 슬프다"고 말했다(晴, 平明發, 行三十里, 到沙河所朝炊, 將臨發見一馬自店中踴躍出來, 與一行諸馬, 聳起相磨, 似有不捨之意, 余怪而問之際, 店豎出門牽而入, 僕夫告余, 此是朝鮮之馬也, 義州某駈人初來時, 賣此馬於此店, 主人因誣告行中曰, 馬病死, 行中皆信不疑, 孰知是馬之生, 在驢驢同槽, 日夜嘶風, 有丘狐東首之思乎, 今當使行之歸, 是馬見諸馬之過門, 卽昂首驕蹄, 歡迎路左右, 其必欲同歸也, 余曰, 不忍哉駈人, 是可忍也, 孰不可忍也, 古語云, 人馬亦同, 眞不虛語也, 馬能戀其主, 而其主佯若不知, 不見而過, 安在亦同也, 嗟夫).

30) 『열하일기』「太學留館錄」 1780년 8월 10일조 : 殿閣不施丹雘, 門上扁以避暑山莊…闕外, 車馬簇立, 馬皆面墻櫛比, 不縶不繫, 有若木造.

번도 갈지 않은 까닭에, 애초에는 용매龍媒·악와渥洼와 같이 우수한 종자라도 결국 과하果下·관단款段과 같은 꼬마 말이 된다는 것은 너무나 자명한 이치이다.[31]

위의 기록에 등장하는 용매龍媒와 악와渥洼는 각기 준마駿馬와 신마神馬를 뜻한다.[32] 또 과하果下와 관단款段은 키가 작은 말을 뜻한다. 제주도가 몽골 말과 최초로 인연을 맺은 시기가 충렬왕 2년인 1276년이다. 코빌라이칸은 타라치Tarachi(塔剌赤)[33]를 탐라 다로가치Darugachi(達魯花赤)로 임명하여, 1276년 8월 말 160마리를 제주도로 가져와 수산평(오늘날 성산읍 수산리)에 방목했다.[34] 160마리의 구성은 아즈라가Ajirgan(азрага[н], 種馬)와 암말로 이루어진 몇 개의 집단이라고 보이며, 전투마인 거세마(Agtan mori>агт[ан] морь)[35] 집단은 포함되지 않았다고 판단된다.

제주도의 목마장에서 태어나 사육된 말 역시 조로모리 주법을 훈련받았다는 것을 의심할 바 없다. 제주도의 조랑말은 바로 몽골 말의 한 주법인 "조로모르"란 명칭에서 유래한 것이라고 보아도 좋다.[36] 목마장에서 말을 관리하

31) 『열하일기』「太學留館錄」 1780년 8월 14일조 : 國俗所以貧者, 蓋由畜牧未得其道耳, 我東牧場, 惟耽羅最大, 而馬皆元世祖所放之種也, 四五百年之間, 不易其種, 則龍媒渥洼之產, 末乃爲果下款段, 理所必然.

32) 龍媒는 준마의 이칭으로 그 이름은 漢武帝 天馬歌의 "天馬徠兮龍之媒"에서 유래한다. 당나라에도 飛黃, 吉良, 龍媒, 騊駼, 駃騠, 天苑 등 六閑의 명칭이 있는데, 모두 천자의 말을 기르는 곳을 가리킨다. 渥洼는 渥洼水에서 얻은 신마라는 뜻이다. 이 이름은 한 무제 元狩 3년(B.C. 120)에 죄를 지어 敦煌에 유배된 暴利長이라는 사람이 屯田을 하던 중 악와수 강가에서 물을 마시고 있는 한 무리의 야생마 중 기이한 모습의 한 말을 발견하고, 그 말을 길들인 뒤 "물속에서 튀어 나온 신마"라 하며 조정에 바친 데서 유래한다.

33) 타라치는 1283년 9월 코톨록-카이미시 공주(Khutulug Khayimish Beki, 1259~1297)의 주선으로 鄭孚의 딸과 결혼하였다.

34) 『高麗史』「忠烈王 1276년 8월」조 : 元遣塔剌赤爲耽羅達魯花赤, 以馬百六十匹來牧.

35) 거세마인 악탄-모리는 전투에 동원되기 때문에 軍馬란 뜻의 체르긴-모리(cherig-yin mori>цэрг ийн морь)라고도 불린다.

36) 한국 마사회에서도 현재 조랑말을 "조로모르"란 명칭에서 유래한 것이라고 공식 표명하고 있다. 오늘날에도 제주 조랑말 가운데 조로모리를 구사하는 말들이 몇 마리가 있다. 제주에서는 이러한 주법을 구사하는 말들을 齊馬라고 부르는데, 안장에 달걀을 얹어놓아도 깨뜨리지 않을

는 자들은 모린치Morinchi(莫倫赤)나 아도치Aduchi(阿闍赤), 군마 관리자는 악타치Agtachi(Kötölchi, 阿黑塔赤), 사육하는 자들은 올라치Ula'achin(兀剌赤)나 카라치Kharachi(哈剌赤)[37]라고 부른다. 제주도에서는 목마 종사자들을 테우리라고 부르는데, 이 말은 "모으다"라는 뜻을 지닌 중세 몽골어 테우리te'üri에서 유래된 것이다.

몽골 말이 들어오면 그것을 사육하는 전문 집단이 들어오게 마련이다. 이들은 목마사육법을 비롯한 여러 가지 목축 기술, 낙인찍는 법 등만이 아니라 자신들의 전통 습속까지 가져오게 된다. 현재 말에 관련된 제주 방언은 중세 몽골어 치도르chidör(чөдөр : 앞의 두 발과 뒤의 한 발을 묶는 끈)의 흔적인 지달 등 많은 어휘가 몽골어에서 유래되었다. 말에 관련된 몽골의 영향은 오늘날 제주도 사람들이 말의 코를 약간 자르는 습속에서도 잘 나타나는데, 이는 질주 때 숨을 편하게 쉬도록 해주는 몽골의 습속에서 유래된 것이다.[38]

【조선의 말과 마부의 관계】

사람과 말 사이는 언제나 뜻이 통하지 못하여, 사람은 툭하면 욕질이 일쑤요, 말은 자나 깨나 사람을 상대로 살기가 등등하니, 이것은 모두 말을 다루는 솜씨가 틀렸기 때문이다.[39]

정도로 진동 없이 달린다는 뜻에서 붙여준 이름이다. 조로모리를 구사하는 말은 부모 가운데 한쪽이 조로모리 주법을 구사하는 경우가 많은데, 齊馬는 700년 전 이곳에서 행해졌던 조련법의 흔적이 면면히 전해온 것이라 할 수 있다. 참고로 제주대학에서 몽골 말과 조랑말의 혈청을 조사한 바 있는데, 그 결과 조랑말이 몽골 말과 같은 혈통임이 밝혀졌다.

37) 카라치는 원래 암말의 사육을 관리하는 자를 말한다. 이의 해석에 대해서는 韓儒林, 「元代闊端赤考」『穹廬集』, 上海, 1982, p.115를 참조. 그러나 元代에는 이 말이 말이나 낙타를 치는 사람이나 그곳에 예속된 사람이란 뜻으로 바뀌어졌다. 바로 『고려사』에 牧胡라 번역되어 나오는 哈赤이 哈剌赤이다.

38) 말을 비롯한 제주와 몽골과의 관계에 대해서는 졸고, 「제주 습속 중의 몽골적 요소-조랑말의 뜻과 제주방언 등의 사례를 중심으로」『제주도연구』 28, 2005(동 논문은 졸저, 『배반의 땅, 서약의 호수-21세기 한국에 몽골은 무엇인가』, 서울, 2008에도 수록되어 있다)를 참조.

39) 『열하일기』「太學留館錄」 1780년 8월 14일조 : 人與馬不相通志, 人輕呵叱, 馬常怨怒, 此其牧御乖方者也.

위의 기록은 조선의 말 부리는 솜씨가 동방의 유목제국인 고구려의 후예답지 않게 문제가 있어 말과 마부가 서로를 증오한다는 것을 나타내 주고 있다.[40] 사실 말은 무척 예민하고 영리하여 감정이 상할 경우 인간처럼 마음의 병을 앓는다. 박지원은 『열하일기』에서 스스로 "연암燕巖에 살 곳을 마련한 것은 일찍부터 목축에 뜻을 두었던 때문이다"[41] 말하고 있듯이, 조선의 마정馬政에 대한 문제점을 누구보다도 잘 알고 있는 인물이다. 앞서 홍대용은 몽골말의 사육법을 기술했는데, 그가 말에 대한 예리한 관찰력을 가지게 된 데에는 친구인 박지원의 힘이 크다.

박지원은 제발 말의 등에 짐을 싣지 말라고 하면서, 조선의 말과 마부가 다투게 된 일곱 가지 원인을 아래와 같이 분석하고 있다. 즉 조선의 마정에 대한 신랄한 비판이기도 한 이 글을 홍대용의 기록과 함께 읽으면 무엇이 보일까? 아마 효종 때 북방정벌을 외쳤던 조선 사대부들의 무모함이 눈앞에 어른거릴지도 모른다.

> ① 이 과하와 관단을 대궐 지키는 장사들에게까지 내주니, 고금 천하에 이런 느림뱅이와 꼬마 말을 타고 적진을 향하여 달리는 꼴이 어디 있을 일인가. 이것이 첫째로 한심한 일이다.
>
> ② 대궐 안에서 먹이는 말로부터 장수들이 타는 말에 이르기까지 토산 말이란 하나도 볼 수 없다. 모두가 요동·심양 등지로부터 사들인 말들이다. 한 해에 새로 생기는 말이라고는 네댓 필에 지나지 않는 형편이니, 만일 요동·심양의

---

40) 『三國志』「魏志 東夷傳」高句麗條에는 고구려인들이 춤을 좋아하고 밤에 연애를 즐겼다는 "其民喜歌舞, 國中邑落, 暮夜, 男女相聚, 相就歌戲"라는 기록이 수록되어 있다. 이 기록을 보충해 주는 기록이 李白(701~762)의 『李太白集』 권6에 수록된 "高句麗詩五絕"이다. 이 시에는 "새(닭털) 깃을 단 고깔모자에 황금빛 꽃송이를 꽂고, 백마처럼 천천히 도네. 넓은 옷소매 너울너울 휘저으며 춤을 추니, 마치 해동에서 새가 날아온 듯(金花折風帽, 白馬小遲回, 翩翩舞廣袖, 以鳥海東來)"처럼 고구려인들이 백마처럼 춤추는 장면이 묘사되어 있다. 이 고구려의 음악과 춤은 당나라 궁중음악 七部樂 중 高麗技이다.

41) 『열하일기』「太學留館錄」1780년 8월 14일조 : 盖余之所取乎燕巖者, 嘗有意于牧畜也.

길이 끊어지는 날이면 어디에서 또 말을 얻을 것인가. 이것이 둘째로 한심한 일이다.

③ 임금이 거둥할 때 배종하는 반열에는 백관들이 말을 많이 빌려 타기도 하고, 혹은 나귀를 타고 임금의 뒤를 따르게 되어 이 꼴로는 위의도 갖추지 못한다. 이것이 셋째로 한심한 일이다.

④ 문신들로서 초헌貂軒을 탈 수 있는 자 이상은 말을 탈일도 없다. 또 말을 집에서 먹이기도 어려워 탈 것을 없애 버린다. 자제들이 걷지 않으려고 겨우 작은 나귀나 한 마리쯤 먹이게 된다. 옛날에는 백 리의 강토에 불과한 나라라도 대부大夫쯤 되면 타는 수레 열 대쯤은 가지는 법이다. 그래도 우리나라로 말한다면 둘레가 몇 천리나 되는 나라로서, 경卿·상相쯤 된다면 타는 수레 백 대씩은 갖추어야만 할 것이다. 그런데 지금 우리나라 대부의 집안에서 수레 열 대는 그만두고라도 단 2대인들 어디에서 나올 것인가. 이것이 넷째로 한심한 일이다.

⑤ 삼영三營의 초관哨官들은 다들 백 명 졸개의 장이 되는 터에 말 한 필을 가질 형세가 못 되고 보니, 한 달에도 세 번씩 치르는 훈련에 임시로 삯말을 내어 타게 된다. 삯말을 타고 전쟁에 나간다는 소리는 아예 이웃나라에 들릴 수 없는 창피이다. 이것이 다섯째 한심한 일이다.

⑥ 서울 영문에 있는 장수들이 이러할 바에야 팔도에 나누어 둔 기병들이란 이름만 남고 실상이 없을 것은 이로써도 뻔한 일일 것이다. 이것이 여섯째 한심한 일이다.

⑦ 국내에 있는 역말들이란 모두가 토산 말들로서, 그 중에서 좀 낫다는 놈이라도 한 번 사신이라도 치르고 나면 죽거나 병이 들고 만다. 왜냐하면 그런 사신 손님들이 타는 쌍가마가 잔뜩 무거운데다가, 네 명의 가마꾼은 으레 말에다가 몸을 싣듯이 양 옆에 붙어서 탄 사람이 까불려 흔들리지 않도록 가마채를 붙잡고 간다. 말 등에 실린 짐이 이토록 무거우니, 말은 짐을 피하듯이 빨리 안 달릴 수 없게 된다. 말이 달릴수록 짐은 더욱 눌려지기 때문에, 말이 죽지 않으면 병이 든다는 것이다. 죽은 말이 날로 불어나니, 따라서 말 값은 뛰어오른다. 이것이 일곱째 한심한 일이다.[42]

박지원은 이 비판 뒤에 "말을 다루는 솜씨가 틀렸고, 말을 먹이는 방법이 옳지 못했으며, 좋은 종자를 받을 줄 모르고, 일을 맡은 관원이 목마에 무식하기 때문이다. 그러고도 채찍을 잡고 나앉은 자마다 국내엔 좋은 말이 없다고 떠든다"[43]라고 한숨짓듯 이야기를 끝맺고 있다. 말의 중요성에 대한 박지원의 열변은 당시 "옛적에는 양고기 잘 굽는 도위都尉가 있다더니, 지금 세상에는 말 잘 다루는 학사가 있다"[44]라는 그의 자조처럼 주변에 조금도 먹혀들지 않았다.

3. 개

개에 대해서는 박지원의 기록에만 실려 있는데, 그 개가 몽골 개인지 아닌지는 분명치 않다. 그러나 당시 몽골이 사냥개의 산지로 이름 높았다는 것을 감안하면, 그가 본 개도 다수 몽골산이라고 추정되기 때문에 다음과 같이 소개해 보았다.

42) 『열하일기』「太學留館錄」 1780년 8월 14일조 : 以果下款段, 給宿衛壯士, 古今天下, 寧有壯士騎果下款段上陣赴敵者乎, 此寒心者一也, 自內廏所養, 至武將所騎, 無土産, 皆遼瀋間所購, 一歲中所出者, 不過四五匹, 若遼瀋路斷, 馬何由來, 此寒心者二也, 陪扈之班, 百官多相借騎, 又乘驢從駕, 不成儀典, 此寒心者三也, 文臣乘軺以上, 無所事騎, 又難喂養, 已去其騎, 子弟代步, 僅養小驢, 古百里之國, 其大夫已備十乘, 則環東土數千里之國, 其卿相可備百乘, 今吾東大夫之家, 雖數乘安從出乎, 此寒心者四也, 三營哨官, 此百夫之長也, 貧不能備騎, 月三操習, 或有臨時貰騎者, 貰馬赴陣, 不可使聞於隣國, 此寒心者五也, 京營將官如是, 則八道所置騎士, 其名存實無, 從可知也, 此寒心者六也, 國中所在驛置, 皆土産之所優者, 一經使客, 馬不死則病, 何也, 使客所坐雙轎已重, 而必四隷護杠, 左右載身, 以防簸搖, 馬之所載旣重, 則其勢不得不快走, 逾壓逾馳, 所以不死則病也, 馬死日多, 而馬價日增, 此寒心者七也.

43) 『열하일기』「太學留館錄」 1780년 8월 14일조 : 此無他職由牧御乖方, 喂養失宜, 産非佳種, 官昧攻駒, 然而執策而臨之日, 國中無良馬.

44) 『열하일기』「太學留館錄」 1780년 8월 14일조 : 古有爛羊都尉, 今有理馬學士.

【구방狗房의 사냥개】

사냥개 몇 백 마리를 두었는데, 크고 작은 것이 같지 않고 생긴 모양도 저마다 달랐다. 모두가 매우 여위었다. 더러는 눕기도 하고, 또는 웅크리기도 하여 움직임이 한가해 보인다. 졸음을 못 이기는 놈이 있는가 하면, 좋아라고 꼬리를 치는 놈도 있다. 또 입을 벌려 하품하는 놈도 있는데, 아래위 턱 사이가 거의 한 자나 되었다. 우리나라 사람들 수십 명이 시끄럽게 떠들며 갑자기 이르렀다. 옷이나 소리가 아마도 생소하게 보였을 텐데도 한 놈도 놀라거나 짖지를 않았다. 따라온 하인이 개를 다루는 사람에게 육포를 주면서 개에게 재주를 한 번 시켜보라 했다. 개를 다루는 사람이 육포를 두어 발 되는 장대 끝에 미끼처럼 매달고 개 한 마리를 불렀다. 그 중에서 누런 개 한 마리가 냉큼 뛰어나오는데, 나머지 개들은 꼬리만 치켜들 뿐 경쟁하려 하지 않는다. 육포를 단 장대를 들었다 내렸다 하니, 개는 좌우로 껑충껑충 뛰다가 한 발로 끌어 잡아채려고 했다. 개를 다루는 사람이 물고기를 낚듯 장대를 공중으로 서너 길 올리니, 개도 역시 높이 뛰어 도리어 그 긴 장대를 뛰어넘는데 날래기가 질풍과 같았다. 개를 다루는 자가 고함쳐 그 개를 돌려보내고, 이번에는 또 다른 개를 불러 순서대로 시험하곤 한다. 개를 사육하는 방식은 모두 물건을 공중에 던지면 개가 고개를 들고 뛰어올라 잡아채 먹게 한다. 땅에 떨어진 것은 먹지 않는다. 따로 똥·오줌 누는 데가 있어서 울안이 정결하고 더럽지 않았다.[45]

위의 기록에 등장하는 청나라의 구방狗房은 원대의 사냥개 군단과 일맥상통하고 있다. 마르코폴로의 『동방견문록』에는 케식텐Keshigten 내에 구유치Güyüchi(貴由赤)라 불리는 맹견 관리자들이 5,000마리 이상에 이르는 사냥개들

45) 『열하일기』「黃圖紀略」狗房條：獵狗數百餘頭, 大小不一, 形貌各殊, 皆甚羸瘠, 或臥或蹲, 動止閒逸, 有不勝懶眠者, 有喜而搖尾者, 有起迎嗅衣者, 有張口長欠而上下斷齶之間, 幾一尺有咫, 我人數十, 突至鬧攘, 而服着聲音, 想應眼生, 然無一驚恠狺吠者, 從隸出脯, 與狗人使逞伎, 狗人繫脯數丈長竿若垂餌, 招一狗, 就中一黃狗, 颯然跳出, 衆狗翹立不競也, 點竿高下, 則狗左右跳躑, 以一蹄仰挐, 狗人拂竿若挑魚, 飛空三四丈, 狗亦竟高超騰, 反踰長竿, 捷若疾風, 狗人叱令退去, 更招他狗, 次第試之, 其飼狗之法, 皆擲物空中, 狗仰首騰挐而取之, 落地則不食也, 別有矢溺之所, 所居皆潔淨不穢.

을 사육했다는 기록이 다음과 같이 수록되어 있다.

> 숙위의 여러 무사 중에 바얀Bayan과 밍간Minggan이라는 형제가 있다. 이 두 형제는 구유치, 즉 맹견사육이라는 직무를 지니고 있다. 양인은 각각 1만 명의 부하를 갖고 있다. 이 두 부대는 저마다 한쪽은 주홍색, 다른 쪽은 황색 의상을 갖추어 입는다. 그가 칸을 따라 사냥하러 갈 때에는 늘 이 한 벌의 제복을 착용한다. 이 1만 명의 부대 안에서 각각 2,000명이 1인당 한 마리나 두 마리, 또는 그 이상의 맹견을 맡아 돌보고 있으므로 맹견의 총수는 막대한 수에 이르는 것이다. 칸이 사냥에 나갈 때에는 이 두 형제는 각자 1만 명의 부하와 5,000마리의 사냥개를 이끌고 칸 양쪽에서 수행한다.[46]

몽골이 일찍부터 개를 군사용으로 사용하고 있다는 것은 『흑달사략』의 "그들은 개를 포진시켜 (군영 주변을 경계하는 경우가) 많다"라는 기록[47]에서도 입증되고 있다. 이 기록은 서정徐霆의 목격기로 개가 군영에 포진되어 파수 역할을 하고 있다는 것을 보여주는 흥미로운 기록이다. 몽골의 맹견들이 전투 때 파수에 투입되었다는 기록은 명나라 때의 문헌인 『민아산인역어岷峨山人譯語』에서도 찾아볼 수 있다.[48] 몽골의 개들은 대체로 황색이나 흑색을 띠고 있으며, 4개의 눈을 지녔다고 불릴 만큼 눈썹이 아주 특징적이다. 잔인성과 충성심으로 유명한 몽골의 개들은 조치-카사르Jochi-Khasar[49]나 "(칭기스칸의)

46) 愛宕松男 譯註, 『東方見聞錄(I)』, 東京, 1970, p.234.

47) 膨大雅, 徐霆, 『黑韃事略』: 其營…(霆見), 其多用狗鋪.

48) 『岷峨山人譯語』: 虜謂犬日那害, 善追殺狐兎, 亦善伺夜, 掩襲哨探者, 常病之. 참고로 진도의 진돗개도 그 형상과 특성으로 미루어 삼별초의 진압 때 투입되었던 몽골 전투견의 후예일 가능성이 높다.

49) 칭기스칸의 동생인 조치-카사르Jochi-Khasar의 이름은 종래부터 많은 학자들의 관심을 끌어왔다. 카사르Khasar는 『몽골비사』 78절의 傍譯에 "狗名(개 이름)"이라고 표기되어 있는데, 엘뎅테이(額爾登泰)는 이 명칭이 내몽골의 "봉황 아래에 두 개의 쇠 계란이 있었는데, 하사르hasar와 바사르basar란 개 두 마리가 부화해 나왔다(鳳凰下了兩個鐵蛋, 孵出哈薩爾和巴薩爾兩只狗)"라는 民間神話故事에 등장하는 哈薩爾(hasar)犬과 관계가 있을 것이라고 추정하고 있다(額爾登泰·烏云達賚·阿薩拉圖 共著, 『蒙古秘史詞匯選釋』, p.173). 또 III. 가담바는 Khasar는 "개의

네 마리의 맹견(Dörben Nokhas)"이라는 예에서도 나타나듯이, 인명이나 용감한 장군들의 별칭으로도 사용되고 있다.

박지원은 몽골의 개들에 대해 특별한 언급을 하고 있지 않지만, 여타 여행기에서는 몽골 개에 대해 언급한 기록이 나타나고 있다. 이 중 몇 개의 기록만 골라 소개하면 다음과 같다.

> 개는 큰 놈은 망아지만 하여 사슴이나 노루를 잡을 수 있고, 작은 놈은 고양이와 같은데 더욱 몸이 가볍고 재빠르다. 호인은 개를 가장 소중히 여겨서 사람과 개가 한 방에서 자고, 심지어는 함께 이불을 덮고 눕기도 한다. 도중의 일인데, 한 호인의 집이 대단히 화려하고 사치스러워 벽에는 채색 그림을 바르고 방에는 붉은 융을 깔았는데, 개가 그 위로 걸어 다니면서 놀아 보기에 추하였다. 또 우리가 상을 받던 날 개와 호인이 서로 반열 속에 섞여 있었으니, 더욱 해괴하다.[50]

이곳에 등장하는 조선 사신과 같이 입조入朝한 개의 주인공은 몽골 사람일 가능성이 높다. 왜냐하면 강희제 때 상을 받는 주인공들은 당시의 정치정세 상 대부분이 몽골인이기 때문이다.[51] 개가 주인과 같이 한 방에 잔다는 것은 가옥의 형태 상 몽골이 아닌 만주인을 말한다.[52] 몽골에서 말과 개는 전통적

형상을 지닌 사자"라고 해석하고 있다(Ш. Гаадамба, 『Монгольн нууц товчоо』, УБ, 1990, p.252 註 175). 그러나 村上正二는 P. Pelliot의 설을 인용하여 Khasar라는 猛犬의 명칭은 원래 그 개가 처음 나왔던 지방의 이름에서 유래되었다고 보고 있다. 그는 즉 Khasar犬이란 오늘날의 espagnol犬이며, 이 개의 원산지가 『唐書』에 보이는 可薩國이었기 때문에 Khasar犬이라 불리게 되었다고 간주하고 있다(村上正二, 『モンゴル秘史(I)』, 東京, 1970, p.82 註 7).

50) 李宜顯, 『庚子燕行雜識』 : 狗大者如駒, 能獲獐鹿, 小者如貓, 尤爲輕趫, 胡人最重狗, 人與狗同宿一炕, 甚至共被而臥, 路中有一胡人家甚華侈, 壁張彩畫, 炕鋪紅氈, 而狗乃遊行其上, 見之可醜, 又於領賞日, 見狗與胡人相錯於班中, 尤可駭也.

51) 이러한 빈번한 賞賜는 金昌業의 『燕行日記』에서도 "(1713년 1월 26일) 몽골인들이 낙타를 타고 서안문으로부터 들어오는 자가 길을 메웠는데, 이들은 창춘원으로 가서 상을 받고 온다고 한다(蒙古騎槖駝, 自西安門入來者塡路, 是往暢春苑, 受賞而來也)"처럼 입증된다.

52) 이러한 예는 金昌業의 『燕行日記』 「1713년 3월 3일」 조의 "주인 되는 호인의 성이 주씨요,

으로 주인과 동일시되고 있다. 현재도 몽골인들은 남의 집을 방문하면 먼저 반드시 주인을 불러 개를 간수하도록 시킨다. 만약 개가 달려들어도 단지 말위로만 피할 뿐 개를 때릴 수는 없다. 몽골에서 개를 때리는 행위는 주인을 때리는 것과 같은 극단적인 행동으로 간주된다.

> 이날 경박景博 등 여러 사람을 따라서 그들이 사는 데(몽골관)를 찾아갔는데, 사나운 개에게 저지당하였다.[53]

> 백기보白旗堡에서 잤다. 이곳은 예부터 사냥개의 명산지라고 한다. … (몽골관)에서 기르는 개는 매우 크고 사나워서 사람을 보면 반드시 문다.[54]

> 문 앞에 두 마리의 개가 쇠 굴레에 묶여 있는데, 사람을 보고서 짖어대고 으르렁거리는 것이 마치 범과 같았다. 몽골산인 듯하였다. … 막幕 남쪽은 다 몽골인들이 주둔하고 있는데, 빙 돌아가며 갈자리로 장막을 둘렀다. 더러 둥근 집이 있는 것은 추장이 거처하는 곳이다. 각 부락의 번을 나눠 숙위하는 사람들이다. 개 한 마리가 있는데, 굉장히 크고 사나워 보였다. 쇠줄로 매두었는데, 사납기가 범과 같아서 사람이 가까이하지 못한다고 한다. … 개는 그 종류가 많다. 아라사鄂羅斯에서 기른 놈은 뛰어나게 크고 사람을 무는 것이 마치 범과 같다. 아마 이것은 여오旅獒라고 하는 종류의 개인 모양이다. 몽골에서 나오는 개도 역시 억세고 사나워서 길들이기가 어렵다. 기르는 사람들은 쇠사슬로 목을 걸어 매어두고 대문을 지키게 한다. 그 생긴 모양은 보통 개와 같은데 몸집이

나이는 여든으로 달자였다. … 온돌방은 굽어진 데다가 길었다. 주인 호인은 자고 있었는데, 개 한 마리 또한 윗목에 누워 있었다. 종자가 그 개를 쫓아내자 주인 호인은 자못 불쾌한 눈치였다(主胡姓周, 年八十, 獺子也…炕曲而長, 主胡宿, 一頭狗亦上炕臥, 從者驅出, 主胡頗不悅)"라는 기록에도 보인다.

53) 徐長輔, 『薊山紀程』「1803년 12월 27일」조 : 是日從景博諸人臨其間, 爲狠犬所阻, 槖駝, 蒙古所産, 而善御者, 蒙人也, 日馱石炭, 絡續於途.

54) 金景善, 『燕轅直指』 : (1832년 12월 2일) 至白旗堡止宿, 此地自古産獵狗云… (1832년 12월 24일) (蒙古館)所畜犬甚大而獰, 見人必噬.

크다. 우리나라 사람들이 호백胡伯이라고 부르는 것은 바로 이것의 별종이다. 오직 백탑보白塔堡에서만 난다는데, 영리하고 날래어 사냥을 잘하는 놈은 값이 은으로 10여 냥이라고 한다. 그리고 발발勃勃이라고 하는 놈은 비록 작기가 고양이만 하나, 교활하고 영리해서 사람의 뜻을 잘 안다. 그러므로 일반 민가에서는 고양이처럼 가까이하여 기른다. 낯선 사람을 보면 수염을 치켜세우고 꼬리를 흔들며 으르렁거리면서 짖는데, 사납기가 몽골 개보다 무섭다.[55]

위에 등장하는 여오旅獒는 중국 서려西旅 지방의 소산인 개의 일종이다. 위의 기록은 몽골 개의 사나움을 말한다. 몽골에서 개는 현대 발음으로 노호이nokhai(нохой)라고 부른다. 몽골의 개는 가축우리를 잘 지키는 호도치-노호이-호트khotachi nokhai khota(хоточ нохойхот)와 사냥에 능숙한 앙치-노호이anchi nokhai(анч нохой)로 대별된다. 늑대[56]로부터 가축우리를 지키는 개는 또 하나의 늑대 지킴이인 만노하이Manuukhai(Мануухай)[57]와 함께 목민의 재산을 지키는 수호신들이다.

55) 洪大容,『湛軒燕記』: "當門有兩狗且鐵鎖, 見人狺吠如虎, 韃靼之產也."(兩渾) "幙之南, 皆蒙古所屯, 皆環簟爲帳, 往往有穹廬, 其酋長所處, 盖諸部落之分番宿衛者也, 有一狗絕大而獰, 鐵鎖以拘之, 其悍如虎, 人不敢近云."(東華觀射) "狗有多種, 其鄂羅斯所蓄絕大, 而噬人如虎, 疑是旅獒之類也, 其出蒙古者, 亦鷙悍難禦, 畜之者鐵鎖繫其頸, 使之守門而已, 其體㨾則只常狗而體大, 東人所稱胡伯, 是別種也, 惟產於白塔堡, 其矯捷善獵者, 價銀爲十數兩云, 其稱勃勃者, 雖小如猫, 狡黠解人意, 故小民家近畜之如猫, 見外人則磔鬚振尾咆吼, 猛於蒙狗也." (畜物). 참고로『조선왕조실록』「태종 1417년 7월 16일」조에는 태종이 명나라 사신에게 몸집이 큰 몽골 개를 하사했다는 기록이 "상품으로 몸체가 큰 몽골의 개를 사신에게 주고자 하니, 이 뜻을 각도 도관찰사, 도절제사에게 행이하여 널리 구하여 바치게 하라(欲以上品體大, 達達狗子贈使臣, 將此意行移於各道都觀察使·都節制使, 廣求以進)."처럼 수록되어 있다.

56) 몽골어로 늑대를 치노chino 혹은 촌chino-a(чоно)이라 부른다. 그러나 대다수의 목민들은 늑대를 촌이라 부르지 않고 단순히 개란 뜻의 노호이나 심한 경우에는 "옴에 걸린 개"란 뜻의 하모타이-노호이khamagutai nokhai(хамуутай нохой)라고 부른다. 단순히 개라 부르는 것은 그들의 위험을 줄여보자는 심정에서 나온 것이다. 이는 늑대가 목민들에게 얼마만한 피해를 입히는 동물인가를 적나라하게 상징해 주고 있다. 몽골의 목민들은 평시 늑대를 발견하면 모두 쏘아 죽인다. 그러나 여행 중에 늑대를 만나면 행운의 상징으로 간주하여 쏘아 죽이지 않는다. 몽골의 늑대에 대해서는 졸저,『몽골의 문화와 자연지리』, pp.102~103 및『유라시아 초원제국의 역사와 민속』, pp.501~505를 참조.

57) 만노하이는 허수아비를 말한다. 몽골의 만노하이에 대해서는 졸저,『유라시아 초원제국의 역사와 민속』, pp.501~505를 참조.

4. 양과 염소, 소 및 기타

몽골의 대표적인 가축은 말·소·양·염소·낙타 등 5축이며, 삼림지대인 서북부 지방에서는 순록을 키우고 있다.[58] 위에 언급한 낙타, 말, 개를 제외하고 3대 여행기 모두 양이나 염소, 소에 대해서는 별다른 언급이 없다. 박지원의 여행기에는 사절단에게 제공된 몽골 양과 아르갈argali(аргаль)이라 불리는 야생 암양에 대한 기록이 수록되어 있는데, 그것을 소개하면 다음과 같다.

【몽골 양】

정사에게는 날마다 관館의 찬饌으로 거위 한 마리, 닭 세 마리, 돼지고기 다섯 근, 생선 세 마리, 우유 한 병, 두부 세 근, 백면白麪 두 근, 황주黃酒 여섯 항아리, 절인 채소 세 근, 다엽茶葉 넉 냥, 오이지 넉 냥, 소금 두 냥, 청장淸醬 여섯 냥, 감장甘醬 여덟 냥, 초醋 열 냥, 향유香油 한 냥, 산초 한 돈, 등유燈油 세 병, 납초 세 자루, 내수유奶酥油 석 냥, 세분細粉 근 반, 생강 닷 냥, 마늘 열 뿌리, 능금 열다섯 개, 배 열다섯 개, 감 열다섯 개, 말린 대추 한 근, 포도 한 근, 사과 열다섯 개, 소주 한 병, 쌀 두 되, 나무 서른 근, 또 사흘마다 몽골 양 한 마리씩을 준다.[59]

58) 몽골의 5대 가축은 최초의 유목제국인 흉노 이래 현재까지 유목민들의 귀중한 재산이자 정신적인 반려자이기도 하다. 일부 학자들은 『史記正義』에 인용된 『西河故事』의 "우리가 기련산을 잃은 뒤, 우리의 여섯 가축이 번식할 곳이 없네. 우리가 연지산을 잃은 뒤, 우리의 부인들도 아름다움을 잃었네(亡我祁連山, 使我六畜不蕃殖, 失我焉支山, 使我婦女無顏色)"라는 표현을 빌려, 흉노가 6축으로 유목 생활을 영위했다는 주장을 제기하고 있지만 이는 유목 생활을 이해하지 못했던 한나라 사람들이 흉노의 恨歌를 옮기는 과정에서 5축을 농업지구의 가축인 "말, 소, 양, 닭, 개, 돼지"의 6축으로 잘못 기록한 것에 불과하다. 몽골의 일부 지방에서는 5대 가축 이외에 약간 특이한 가축을 기르기도 하는데, 홉드 지방의 당나귀, 헙스걸 지방의 순록이 그 예에 속한다.

59) 『열하일기』「關內程史」1780년 8월 2일조：正使每日館饌, 鵝一雙雞三首, 猪肉五斤, 魚三尾牛乳一鏇, 豆腐三觔, 白麪二斤, 黃酒六壺, 醃菜三觔, 茶葉四兩, 醬瓜四兩, 鹽二兩淸醬六兩, 甘醬八兩, 醋十兩, 香油一兩, 花椒一錢, 燈油三鏇, 蠟燭三枝, 奶酥油三兩, 細粉一觔半, 生薑五兩蒜十頭, 蘋果十五箇, 黃梨十五箇, 柹子十五箇, 曬棗一觔, 葡萄一觔, 沙果十五箇, 燒酒一瓶, 米二升, 柴三十觔, 每三日, 給蒙古羊一隻.

청나라가 북경을 방문한 조선 사절단의 정사에게 3일 혹은 2일마다 몽골 양 한 마리씩을 하사했다는 기록은 거의 모든 여행기에 수록되어 있다. 몽골 양에 대한 묘사는 김창업의 여행기에 다음과 같이 묘사되어 있다.

> 양의 등에다 붉은 점을 찍거나 검은 점을 찍어서 떼를 구분하였다. 양떼마다 남양南羊(우리나라에서는 염소[羔]라고 불린다) 한 마리가 앞에서 인도하였으며, 목에 방울이 달려 있었다. 양은 떼를 지어 가지런히 그 뒤를 따르는데, 그 방울 소리에 따라서 가고 멈추고 하였다.[60]

또 작자 미상의 『부연일기』에도 양을 비롯한 가축들의 유목형태가 다음과 같이 소개되어 있다.

> 목축이 번성하기로는 염소와 양만한 것이 없다. 풀밭에 놓아먹이는데, 한 떼가 수백 마리씩이나 된다. 몽골의 습속은 양이 골짜기를 메울 정도로 키우며, 말과 소도 산에 그들먹하다고 한다.[61]

몽골 양의 특징은 지방이 풍부한 둥근 꼬리에 있다. 또 김창업의 묘사처럼 몽골에서는 양과 염소를 함께 방목하는 방법을 쓰고 있는데, 그 이유는 늘 움직이기 좋아하는 염소가 한곳에 머물러 있기 좋아하는 양을 이리저리 이끌고 다님으로써 초지를 보호할 수 있기 때문이다.[62] 보통 한 무리의 염소와

---

60) 金昌業, 『燕行日記』「1712년 12월 8일」: 市人始集西門, 賣羊豕極多, 繫于路傍者, 百十爲群, 整立不亂, 自城外驅來者亦多, 羊背或打朱點, 或打黑點, 別其羣也, 每羣必有一南羊 我國所謂羔 前引, 其頂懸鐸, 羣羊齊首隨後, 以鐸聲爲行止之節.

61) 著者 未詳, 『赴燕日記』「主見諸事」: 牧畜之盛, 莫如羔羊, 放于草野, 一隊至數百羣, 蒙古之俗, 牧羊谷量, 馬牛之畜亦彌山云.

62) 몽골의 양 및 염소의 특성과 유목 방식에 대해서는 졸저, 『몽골의 문화와 자연지리』, pp.48~50을 참조.

양떼가 혼재해 있을 경우, 양 10마리 당 염소 1마리의 비율로 배치한다. 이 무리에는 한 마리의 대장 염소가 존재해 전체를 리드한다.

【반양盤羊】

반양盤羊은 사슴과 같은 몸체에 가는 꼬리를 가졌다. 두 뿔은 구부러졌으며, 등에는 겹친 무늬가 있다. 밤이면 뿔을 나뭇가지에 걸고 자서 위험을 방비한다. 모양은 노새와 같고, 무리를 지어 다닌다. 더운 날에는 티끌과 이슬이 서로 엉겨 뿔 위에 풀이 나곤 한다. 이들을 영양麢羊 또는 원양羱洋이라 부른다. 『설문說文』에 "영양은 커다란 양으로 가는 뿔을 가졌다"라 하였고, 육전陸佃의 『비아埤雅』에는 "원양은 마치 오吳나라의 양과 유사하지만 몸집이 크다"고 하였다. 지금 만수절萬壽節을 맞아 몽골에서 (황제께) 바친 것을 황제가 (다시) 반선班禪에게 공양했다.[63]

박지원이나 한나라의 허신許愼, 송나라의 학자인 육전이 묘사한 동물은 몽골 지역의 해발 3000~6000m의 고산 암석지대에 사는 뿔이 아래로 둥글게 휘어진 아르갈argali(аргаль)과 양기르yanggir(янгир)를 말한다. 이들의 학명은 Ovis ammon이며, 길이는 150~180㎝, 높이는 50~70㎝, 무게는 110㎏ 안팎이다. 아르갈은 암놈의 칭호이며, 양기르는 수놈의 칭호이다. 수컷의 뿔은 46㎝부터 133㎝에 이른다. 암컷은 대략 50㎝ 이하이다. 늦가을과 초겨울에 발정하여 6개월의 잉태 기간을 가지며 1~2마리의 새끼를 낳는다. 해당 시기에 몽골 서부의 홉드 지방을 여행하는 사람들은 암석 산에서 울리는 이들의 뿔 부딪치는 소리를 명료하게 들을 수 있다.

63) 『열하일기』「口外異聞」盤羊條：盤羊, 鹿身細尾, 兩角盤, 背上有蹙文, 夜則懸角木上以防患, 狀若騾, 群行, 暑天塵露相團, 角上生草, 或曰麢羊, 或曰羱羊, 說文麢大羊而細角, 陸佃埤雅, 羱羊, 似吳羊而大, 今萬壽節, 蒙古來獻, 皇帝以供班禪.

제7장 청조와 몽골의 정치적 관계

대청제국은 만주인과 몽골인의 연합 체제로 성립한 나라이다.[1] 1911년 청조가 붕괴하자 몽골이 한족 국가인 중화민국으로의 편입을 거부하고 독립을 선언한 것도 이 때문이다. 만몽 연합정권으로서의 청나라의 성격을 가장 잘 상징하는 것이 몽골 왕공들의 지위와 만몽연혼제도 등이다. 최덕중, 박지원, 서호수의 여행기에는 만주와 몽골의 정치적 관계가 어떻게 묘사되어 있을까? 혹시 그들은 그것을 통해 고려와 대원제국의 관계를 떠올리지는 않았을까.

1) 최근 林士鉉은 「清朝前期的滿洲政治文化與蒙古」(2006년 國立政治大學 박사학위논문)에서 대청제국의 성격이 滿蒙一體 혹은 滿蒙一家의 정권이라는 것을 滿蒙聯姻·薩滿信仰·藏傳佛教·八旗蒙古 등의 분석을 통해 밝히고 있다. 그러나 아쉬운 것은 그 사실을 가장 객관적으로 입증해주는 조선의 여행기들을 거의 인용하지 않았다는 점이다.

1. 국가연합 지배체제의 구축(청나라의 성격)

만몽 국가연합 체제의 구축에 대해서는 최덕중과 서호수의 여행기에 만몽 연혼제도나 관작 등과 맞물려 간접적으로 기술되어 있다.

(1) 최덕중의 연행록에 등장하는 만몽 국가연합 지배체제(청나라의 성격)

> 【만몽 연혼정책】
>
> 또 북쪽으로 몽골과 혼인을 맺어 화친하고, 남쪽에는 심복을 두어 중요한 권한을 청나라 사람이 관장한다.[2] … 들으니 청국 종실의 딸 및 황제의 딸이 몽골에 많이 시집갔고, 몽골 사람도 또한 청국에서 벼슬한다 하는데, 이는 기미羈縻하는 계책임을 알 수 있다.[3]

위의 기록에 등장하는 청실清室과 몽골의 연혼제도는 청조의 성격을 나타내주는 구체적인 예에 속한다. 만몽연혼제도는 몽골의 힘이 강성했던 청대 초기에 집중적으로 시행되었으며 1770년까지 강력히 지속되었다. 청나라의 공동 지배세력임을 상징하는 만몽연혼제도의 효과는, 몽골이 청조가 멸망할 때까지 위협세력이 아닌 우호세력으로 남았다는 점에서도 잘 나타난다.[4]

청초의 만몽연혼은 몽골 왕공들과 청조 황제 간의 교차 혼인이 가장 상징적이다. 정권을 공동으로 장악한다는 이 혼인동맹은 일반 몽골 왕공 및 팔기몽골八旗蒙古 귀족과 만주 종실 및 만주 귀족들 사이에도 매우 빈번히 행해졌다.

---

2) 『연행록』「1713년 1월 9일」조 : 且北結蒙古, 緣婚爲和, 南置腹心, 淸人專管重權.

3) 『연행록』「1712년 12월 26일」조 : 第聞淸國宗室女及皇帝女, 多嫁蒙古, 蒙古之人, 亦仕宦于淸國云, 可知其羈縻之計矣.

4) 청나라 초기의 만몽연혼정책에 대해서는 楠木賢道, 「淸初, 入關前的汗·皇帝和科爾沁部上層之間的婚姻關係」『明淸檔案與蒙古史硏究』 1, 2000을 참조.

그러면 먼저 청나라 황제에게 시집온 몽골 황비 및 황제의 딸로 몽골 왕공에게 시집간 공주를 중심으로 만몽연혼정책의 실체를 간략히 소개하고자 한다.

몽골에서 황제에게 출가한 빈嬪 이상의 몽골족 황비들은 모두 25명인데,[5] 그것을 도표로 제시하면 다음과 같다.

황제	몽골 황비	출신부	수
태조太祖 누르하치	1. 측비側妃 보르지긴씨	코르친부 밍간Minggan의 딸로 1612년 출가	2
	2. 수강태비壽康太妃 보르지긴씨	코르친부 콩고르Khonggor의 딸로 1615년 출가	
태종太宗 홍-타이지	등극이전		7
	1. 효단문황후孝端文皇后 보르지긴씨(正妃)	코르친부 망고스Manggus의 딸로 1614년 출가	
	2. 효장문황후孝莊文皇后 보르지긴씨	코르친부 망고스의 큰아들 자이상 Jayisang(宰桑)의 딸로 1625년 출가. 순치제의 어머니	
	등극 이후		
	3. 민혜공화원비敏惠恭和元妃 보르지긴씨	코르친부	
	4. 의정대귀비懿靖大貴妃 보르지긴씨	아바가부	
	5. 강혜숙비康惠淑妃 보르지긴씨	아바가부	
	6. 측비側妃 보르지긴씨	자로드부	
	7. 서비庶妃 키야트-보르지긴씨	차하르부	
세조世祖 순치제順治帝	1. 폐후廢后 정비靜妃 보르지긴씨	코르친부 자이상의 큰아들인 옥산 Ugsan(烏克善)의 딸로 1651년 출가. 1653년 폐비	9
	2. 효혜장황후孝惠章皇后 보르지긴씨	코르친부 옥산의 동생 차강Chagan (察罕)의 손녀딸로 1654년 출가	
	3. 불명 보르지긴씨	코르친부 차강의 손녀딸로 1654년 출가	

5) 金啓孮은 청대 몽골족 皇妃를 16명(太祖 2인, 太宗 5인, 世祖 4인, 聖祖 2인, 高宗 1인, 穆宗 1인, 末帝 1인)으로 추산하고 있는데(金啓孮, 「淸代蒙古族妃」『淸代蒙古史札記』, p.104), 趙雲田은 25명으로 추산하고 있다(趙雲田, 『淸代蒙古政敎制度』, 北京, 1989, p.233).

	4. 숙혜비淑惠妃 보르지긴씨	코르친부	
	5. 증도비贈悼妃 보르지긴씨	코르친부 자이상의 넷째아들인 다르칸친왕 만조시리Manjusiri의 딸	
	6. 불명 보르지긴씨	코르친부	
	7. 불명 보르지긴씨	코르친부	
	8. 공정비恭靖妃 보르지긴씨	카오치드부	
	9. 단순비端順妃 보르지긴씨	아바가부	
성조聖祖 강희제康熙帝	1. 선비宣妃 보르지긴씨	코르친부 만조시리의 큰아들인 다르칸친왕 코타Khota(和塔)의 딸	2
	2. 증혜비贈慧妃 보르지긴씨	코르친부 삼등三等-타이지Tayiji인 아요시Ayushi(阿郁錫)의 딸	
고종高宗 건륭제乾隆帝	예비豫妃 보르지긴씨	코르친부	1
선종宣宗 도광제道光帝	효정황후孝靜皇后 보르지긴씨	팔기몽골 출신	1
목종穆宗 동치제同治帝	1. 효철의황후孝哲毅皇后 아로드씨	팔기몽골 출신 아로드Arud(阿魯特)씨	2
	2. 장화황귀비莊和皇貴妃 아로드씨	팔기몽골 출신 아로드씨	
선통제宣統帝	숙비淑妃 에르데드씨	팔기몽골 출신 에르데드Erded(額爾德特)씨	1
총계			25

위 도표에서 주목되는 것은 코르친부가 압도적으로 많은 황비를 배출하고 있다는 점이다. 사실 청조는 코르친부와의 연합정권이라고 할 만큼 누르하치 때부터 긴밀한 군사 동맹을 이루고 있다. 특히 옹고타이Onggotai(翁果岱)→오오바Ooba(奧巴)→투시에투칸 바다리Badari(巴達禮)로 이어지는 자사크-호쇼이-투시에투-친왕Jasag Hosho-i Tüshiyetü Chin Wang(扎薩克和碩土謝圖親王) 계열(코르친-우익중기)은 그 핵심이었다. 누르하치는 발흥 당시 이들과의 연혼을 통해 국가연합 통치제도를 구축했는데, 서로 간의 지위는 몽골어로 의형제를 뜻하는 안다Anda라는 평등 관계였다. 누르하치 당시 청조에 귀부한 몽골부는 4부에 불과했다. 코르친부의 오오바는 자신과 누르하치의 관계를, 지위가 평등한 맹우이지만, 맹우의 맹주는 누루하치라고 인정했을 뿐이다.

그리고 코르친-투시에투-친왕가와 필적하는 것이 남사이Namsai(納穆賽)→망고스Manggus(莽古斯)→자이상Jayisang(宰桑)으로 이어지는 자사크-호쇼이-다르칸-친왕Jasag Hosho-i Darkhan Chin Wang(札薩克和碩達爾漢親王) 및 자사크-조릭토-친왕Jasag Jorigtu Chin Wang(扎薩克卓哩克圖親王) 계열(코르친-좌익중기)이었다. 이들은 이후 청 태종으로 등장하는 홍-타이지와 연혼 관계를 맺으며 오오바 밑에 포진하고 있었다.

청 태종은 코르친부의 다르칸-친왕가 및 조릭토-친왕가와 연합하여 오오바 계열의 코르친부를 견제하면서, 1627년부터 1639년 사이에 몽골 22부를 귀순시켰다. 그리고 릭단칸이 서진한 1629년 이후 몽골 제부에 지배권을 지닌 맹주로서 등장하기 시작했다. 그는 1636년 대칸으로 즉위하자마자 휘하의 모든 세력들에게 작위 수여를 진행했는데, 이는 오오바와 바다리 계열의 권력을 견제하기 위한 목적이 숨어 있었다.

청 태종의 작위 수여 때 종실의 버일러Beile(貝勒)들과 휘하의 몽골 수령들도 일제히 호쇼이-친왕Hosho-i Chin Wang(和碩親王), 도로이-군왕Doro-i Giyun Wang(多羅郡王), 도로이-버일러Doro-i Beile(多羅貝勒) 등의 작위를 받았다. 단 몽골 수령들 중 최고 작위인 호쇼이-친왕은 당시 몽골 제부에서 세력이 가장 강대한 코르친부 수령 바다리Badari(巴達禮), 자신의 3명 후비后妃의 배출집안으로 아주 친밀한 관계를 유지하고 있는 코르친 망고스-자이상 계열인 옥산Ugsan, 원조 황실의 직계인 차하르 릭단칸의 아들 에제이Ejei(額哲) 3인뿐이다.

이후 청 태종은 코르친부 망고스-자이상 계열과 연합하여 코르친부 오오바와 바다리 계열을 견제하면서 본격적으로 연혼정책을 펴나가기 시작하였다. 연혼정책이 본격적으로 시행되기 시작한 때는 1639년으로, 몽골 왕공과 청실의 많은 여인들이 서로 상대방에 출가를 시작했다. 연혼정책의 중심에 서 있었던 망고스-자이상 계열의 코르친부는 이후 순치제, 강희제의 후원 세력으

로 강희제 전반기까지 막강한 권력을 유지하였다.[6]

청조의 공주들이 몽골 왕공에게 집중적으로 출가한 때는 1639년부터 1770년까지이다. 사실 이때까지가 청조와 몽골 세력들 간의 전쟁 기간이다. 청조의 영토는 사실 몽골족의 정벌로 획득한 영토와 일치한다. 바로 준가르제국이 멸망했을 때 청조가 차지한 영토가 최대 판도였다. 청대 황제의 딸로 몽골 왕공에게 시집간 공주는 모두 23명인데, 그것을 도표로 제시하면 다음과 같다.

황제	공주	출가지出嫁地	수
누르하치	3녀 합달공주哈達公主	아오칸부 보르지긴씨에 재가.	2
	8녀 화석공주和碩公主	칼카 보르지긴씨에 출가	
태종 홍-타이지	양녀(皇長女) 악탁岳托	1628년 코르친의 옥산Ugsan(효장문황후의 형)의 넷째아들인 만조시리Manjusiri(滿珠習禮)에게 출가	10[7]
	장녀 고륜공주固倫公主	1633년 아오칸부 소놈-두렝Sonom Düreng(索諾木杜棱)의 아들 반디Bandi(班第)에게 출가	
	차녀 마객탑瑪喀塔	1636년 차하르 릭단칸의 아들 에제이Ejei(額哲)에게 출가. 에제이의 사후 그의 동생인 아보나이Abunai(阿布奈)에게 1645년 재가	
	3녀	1639년 1월 코르친부 효장문황후 오빠의 손자인 키타트Kitad(奇塔特)에게 출가	
	4녀 아탁雅托	1641년 1월 코르친부 옥산의 셋째 아들인 조릭토-친왕 빌타가르Biltagar(弼勒塔噶爾)에게 출가	
	5녀 고륜장공주固倫長公主	1648년 2월 바아린부 도로이-군왕 세브텐Sebten(色布騰)에게 출가	
	7녀 숙철공주淑哲公主	1645년 1월 자로드부 오치르상Ochirsang(鄂齊爾桑)의 아들 라마엔Iamayen(喇瑪恩)에게 출가	
	8녀 고륜공주固倫公主	1645년 4월 코르친부 투시에투-친왕 바다리Badari의 아들 바야스콜랑Bayaskhulang(巴雅斯呼朗)에게 출가	
	9녀	1648년 9월 소속부 불명의 보르지긴씨 카상Khasang(哈尙)에게 출가	
	11녀 고륜공주固倫公主	1647년 12월 아바가부 가르마-소놈Garma-Sonom(噶爾瑪索諾木)에게 출가	

6) 이러한 것을 보여주는 사례가 조선시대 여행기인 金昌業의『燕行日記』「1713년 1월 27일」조에도 "혹자는 말하기를 '(강희) 황제가 존호를 받지 않은 것을 또한 황태후의 뜻이 이와 같기 때문이다'고 한다(或言皇帝不受尊號, 亦以皇太后意旨如此故也)."처럼 수록되어 있다. 이 기록 속의 황태후는 강희제의 할머니이자 순치제의 어머니인 孝莊文皇后이다.

	12녀	1651년 8월 소속부 불명의 보르지긴씨 반디Bandi(班迪)에게 출가	
강희제	3녀 화석영헌공주和碩榮憲公主[8]	1691년 6월 바아린부 도로이-군왕 우르군Ürgün(烏爾滾)에게 출가	6
	5녀 화석단정공주和碩端靜公主	1692년 10월 카라친부 오리양카이씨 도로이-두렝-군왕 칼상Kalsang(噶勒臧)에게 출가	
	6녀 화석공주和碩公主[9]	1697년 11월 칼카 투시에투칸부 군왕 돈도브-도르지Dondob-dorji(敦多布多爾濟)[10]에게 출가	
	10녀 화석순각공주和碩純慤公主[11]	1706년 5월 칼카 사인노얀칸부 친왕 체링Tsering(策凌)에게 출가	
	13녀 화석온각공주和碩溫恪公主	1706년 10월 옹니고드 두렝-군왕 창진Tsangjin(倉津, 초명은 반디Bandi班第)에게 출가	
	15녀 화석돈각공주和碩敦恪公主	1708년 12월 코르친부 타이지 도르지Dorji(多爾濟)에게 출가	
건륭제	3녀 고륜화경공주固倫和敬公主	1747년 3월 코르친부 진국공鎭國公[12] 세브텐-발조르Sebten-Baljur(色布騰巴勒珠爾)에게 출가	2
	7녀 고륜화정공주固倫和靜公主	1770년 7월 칼카 체링Tsering의 손자인 라왕도르지Lavandorji(拉旺多爾濟)에게 출가 (칼카우익)	
가경제嘉慶帝	3녀	코르친부 보르지긴씨에게 출가	2
	4녀	투메드부 보르지긴씨에게 출가	
도광제	4녀	나이만부 보르지긴씨에게 출가	1
총계			23

누르하치에서 건륭제에 이르는 기간 동안 종실이나 일반 만주 귀족들의 몽골 사위, 즉 어후efu(額駙)들은 코르친부의 도로이-버일러 샤진Shajin(沙津), 에르케-오치르Erke-Ochir(額爾克鄂齊爾), 세왕-도르지Sevan-Dorji(色旺多爾濟), 롭상-곰보Lobdzang-Gümbü(羅布藏袞布)를 비롯해 열거할 수 없을 정도로 매우 많다.[13]

7) 皇長女인 岳托은 친딸이 아니므로 숫자계산에서 제외했다.
8) 후에 固倫榮憲公主로 품급을 높임.
9) 후에 和碩恪靖公主로 봉했고, 다시 固倫恪靖公主로 품급을 높임.
10) 후에 친왕으로 품급을 높임.
11) 후에 固倫純慤公主로 품급을 높임.
12) 후에 호쇼이-친왕으로 품급을 높임.
13) 건륭제는 일찍이 코르친부를 방문한 뒤 "塞牧雖稱遠, 姻盟向最親(『蒙古游牧記』 권1)"처럼 결혼 동맹은 거리를 좁혀주는 최선의 방책이라고 언급한 바 있다.

청조의 공주들은 몽골의 복속이 완료된 1770년 이후 멀고먼 막북 몽골로 시집가는 일이 사라졌다. 또 공주나 귀족의 딸들도 막북 등 북경과 멀리 떨어진 곳으로 시집가는 것을 기피하는 경향이 노골화되었다. 준가르제국의 멸망 이후 사실상 적이 사라진 청조는 내외 문제에 대한 정치적 대응이 두드러지게 느려지기 시작했다. 또한 청조의 몽골 각 부에 대한 정책의 변화로 인해 만몽 관계는 점차 소원해져 갔다. 그러나 일반적인 만주 귀족들은 종전보다는 덜하지만 몽골 왕공들과 지속적인 인척 관계만큼은 유지해 나갔다.

몽골이라는 강력한 세력이 완전히 사라지자, 그동안 잠재되어 있던 내부 모순이 서서히 분출되기 시작했다. 그 첫 번째 서막을 연 것이 1774년 산동에서 발생한 왕륜王倫의 반란이다. 그리고 가경嘉慶 원년인 1796년에 백련교도의 난이 발생했다. 위기에 노출된 청조는 다시 몽골과의 연합을 통해 이것을 극복하고자 했다. 이에 북경의 주변에 위치한 코르친, 바아린, 카라친, 나이만, 옹니고드, 투메드, 아오칸 등 7부에 왕공 자제들 중 15세 이상 20세 이하의 청년들을 등록시켜 예비 부마로 삼는 정책을 추진했다. 이를 비지액부備指額駙라고 부른다. 사실 이 7부의 연혼 정도는 이전부터 다른 부에 비해서 매우 높았다.[14] 이러한 정책은 청조가 마지막까지 연합파트너로서 몽골을 놓지 않으려는 한 입증이기도 하다.

다음은 청조의 몽골 사위들에 대한 대접에 대하여 살펴보기로 하자. 청조의 정치적 파트너인 코르친부는 만몽연혼의 핵심이다. 따라서 코르친부를 비롯한 제부의 몽골 사위들에 대한 접대 규정도 매우 세심하게 신경 쓰지 않으면 안 되었다. 순치 5년(1648)에 청조는 몽골 사위들이 북경에 올 때 수행하는 인원수를 최초로 규정했다. 공주의 사위인 구룬니-어후Gurun-i efu(固倫額駙)의

14) 『理藩院則例』에 의하면, 코르친부 旗下의 공주자손인 타이지, 인척 타이지는 모두 2,000명에 달한다. 바아린부 旗下의 공주자손인 타이지는 모두 170여 명, 아오칸 旗下의 공주자손 타이지는 600여 명에 달한다. 이것이 바로 역사상 계속되어 온 "世篤姻盟"이다.

경우 40명, 친왕의 사위인 호쇼이-어후Hosho-i efu(和碩額駙)의 경우 30명, 군왕의 사위인 도로니-어후Doro-i efu(多羅額駙)의 경우는 20명으로 정했다.[15] 그리고 순치 11년(1654)에는 비록 사위가 유고有故했다 하더라도 수행 인원수는 같다고 규정했다.

순치 10년(1653)에는 사위와 함께 조례에 참가하는 말의 숫자 및 인원수를 규정했다. 구룬니-어후는 6기, 호쇼이-어후와 군주君主나 현주縣主의 사위는 4기이다. 순치 18년(1661)에는 규정을 보충하여 사위가 단독으로 올 경우 수행원을 구룬니-어후는 40명, 호쇼이-어후는 30명, 도로니-어후는 20명, 고사이-어후Gusa-i efu(固山額駙)는 15명으로 정했다. 그리고 이번원빈객청이사理藩院賓客淸吏司에서 음식과 초료草料를 지급하도록 했다.

강희 원년인 1662년에 청조는 사위 및 품급을 재규정하였다. 즉 구룬니-어후, 호쇼이-어후와 공주 소생의 자식은 일품-타이지(一品台吉), 군주-어후(君主額駙)와 군주君主의 자식은 이품-타이지(二品台吉), 군주-어후(郡主額駙)와 군군郡君, 현군-어후(縣君額駙)와 현군縣君의 자식은 삼품-타이지(三品台吉)로 정하며 모두 18세 이상 때 수여한다고 규정했다. 이외 일등-타이지(一等台吉), 이등-타이지(二等台吉)는 한 자식에게만 세습을 인정한다고 규정했다. 이러한 규정들은 연혼의 제도화가 정착되고 있음을 보여주는 것이라 할 수 있다.

---

15) 누르하치 시대에는 딸들을 모두 거거gege(格格)라고 불렀지만, 이후 中宮 출신은 固倫公主(古倫公主, Gurun-i gungju), 비빈 출신 및 諸王女로서 궁중에서 양육된 자는 和碩公主(Hosho-i gungju)라 불렀다. 1660년부터 친왕의 딸들은 和碩格格(Hosho-i gege)라 칭하고, 사위는 和碩額駙(Hosho-i efu)라 칭했다. 한문으로는 친왕의 딸을 郡主, 사위를 郡主儀賓이라 표기한다. 군왕의 딸은 多羅格格(Doro-i gege)라 칭하고, 사위는 多羅額駙(Doro-i efu)라 칭한다. 청대 공주를 비롯한 만주 귀족들의 딸에 대한 호칭은 李押 의『燕行記事』「宗人府」에 "중궁의 딸은 고륜공주이고, 서비의 소생은 화석공주이다. 친왕의 딸은 화석격격인데, 뒤에 군주라 칭하였다. 군왕의 딸은 다라격격으로, 뒤에 현주라 칭하였다. 패자의 딸은 고산격격인데, 뒤에 현군이라 칭하였다. 공의 딸은 공격격인데, 뒤에 향군이라 칭하였다. 그 뒤 패륵의 딸 다라격격은 다시 군군으로 칭하였다(中宮女爲固倫公主, 庶妃所生爲和碩公主, 親王女爲和碩格格, 後稱郡主, 郡主女爲多羅格格, 後稱縣主, 貝子女爲固山格格, 後稱縣君, 公之女爲公格格, 後稱鄕君, 其後貝勒女多羅格格則更稱以郡君)"처럼 자세히 묘사되어 있다.

강희 61년(1722) 이후 청조는 기종騎從과 급봉에 대해 규정을 반포했는데, 그것을 소개하면 다음과 같다.

품급	從騎	給俸
固倫公主의 固倫額駙	호위 6인, 수종隨從 9인, 복종僕從 10인, 양마養馬 35필, 좌마坐馬 6필	은 300냥, 비단 9필
和碩公主의 和碩額駙	호위 6인, 수종 9인, 복종 10인, 양마 35필, 좌마 6필	은 200냥, 비단 9필
君主의 和碩額駙	수종 13인, 복종 12인, 양마 35필, 좌마 6필	은 100냥, 비단 8필
縣主의 多羅額駙	수종 10인, 복종 10인, 양마 25필, 좌마 4필	은 50냥, 비단 5필
郡君의 多羅額駙	수종 8인, 복종 7인, 양마 25필, 좌마 4필	은 40냥, 비단 4필
縣君의 固山額駙	수종 3인, 복종 7인, 양마 15필, 좌마 3필	은 30냥, 비단 3필
鄕君額駙	복종 6인, 양마 8필, 좌마 1필	

건륭 17년(1752)에 청조는 친왕 품급의 사위나 큰아들은 공품급公品級, 군왕郡王 및 버일러Beile(貝勒) 품급의 사위나 큰아들은 1등-타이지(一等台吉), 버이서beyise(貝子) 및 공작公爵급의 사위나 큰아들은 2등-타이지(二等台吉) 급으로 상사賞賜하며, 계승하는 자도 아버지의 관작을 따른다는 규정을 세웠다. 또 건륭 40년(1775)에 청조는 사위의 서자는 만 18세 때 부친의 본래 관작에 따라 응분의 직책을 수여한다는 규정을 만들었다. 건륭 44년(1779)에 청조는 구룬니-궁주Gurun-i gungju(固倫公主), 호쇼이-궁주Hosho-i gungju(和碩公主), 군주君主, 현주縣主 소생의 자식은 구례舊例에 따라 직책을 주며, 군군郡君과 현군縣君 소생의 자식은 3등-타이지(三等台吉), 향군鄕君 이하 소생의 자식은 모두 4등-타이지(四等台吉)를 수여한다는 규정을 만들었다.

청조와 몽골의 연혼정책에 대해 최덕중은 그것을 청조의 몽골에 대한 기미정책의 하나로 판단하고 있는데, 이러한 관점은 다른 여행기에서도 많이 나타

난다.[16]

(2) 서호수의 연행기에 등장하는 만몽 국가연합 지배체제(청나라의 성격)

> **【만주와 몽골의 연합 지배체제】**
>
> 청나라가 천하를 차지하여 몽골과 회회回回 등의 여러 부족들을 등용하니, 조정의 태반이 색목인이다. 중화의 화합을 외이外夷와 더불어 하는 까닭에 변방의 소요를 경계하지 않은 지가 이미 100여 년이 되었다. 지금은 밭과 들이 서로 이어진 것을 볼 수 있고, 닭 울음소리와 개 짖는 소리가 서로 들린다. 따라서 낮에 길을 가고 밤에 숙박하는데 조금도 경계하거나 두려워할 필요가 없다. 삼위三衛의 백전지지百戰之地가 모두 낙토樂土로 변했으니, 이것은 역대의 제왕이 하지 못했던 일이다.[17]

위의 기록은 건륭제 때의 통치체제의 상황을 간접적으로 묘사한 것이다. 서호수가 열하를 방문한 1790년은 몽골의 복속이 마무리되고 일시적인 평화

16) 이러한 관점을 보여주는 대표적인 기록으로는 徐慶淳, 『夢經堂日史』「1855년 12월 11일」조의 "사람들이 그들의 흉악하고 사나운 것을 무섭게 여기는데, 황제가 몽골왕과 혼인을 맺기에 이르러서야 그들을 제어할 수 있었다고 한다(人畏其凶獰, 皇帝至爲結姻於蒙王以制之云)." ; 金景善, 『燕轅直指』「1832년 12월 24일」조의 "명나라 중엽부터 이미 여러 차례 변방의 근심거리가 되었는데, 청나라가 처음 일어날 때 자못 그들의 병력을 빌렸다. 그러므로 지금은 공을 믿어 교만하고 사납기가 당나라 때의 돌궐, 위구르와 같았다. 그러나 황제가 그들의 공을 생각하고, 또 그들이 강함을 기특하게 여겨 여러 추장을 친왕처럼 대우하여 반드시 황녀를 시집보낸다(自明中葉, 已屢爲邊患, 而淸之始起, 頗藉其兵力, 故恃功驕悍, 如唐之突厥回紇, 皇帝念其功而長其强, 待諸酋視親王, 必以皇女嫁之)" ; 李坤, 『燕行記事』의 "강희 때부터 점점 친근한 뜻을 보여, 딸을 낳으면 반드시 시집보낸다. 또 종왕, 친왕의 딸도 양공주라 이름 붙여 시집보내는데 은과 비단, 소와 말을 많이 보내주었다. … 존귀한 황제로서 그들과 친호함이 이와 같고, 또 고관대작으로 그들을 묶어 놓고 있으니, 속으로는 두려워하며 밖으로는 은의를 보이는 것이 아닌가(自康熙時, 漸示親近之意, 凡生女, 必嫁與之, 又以宗親王女嫁之, 名曰養公主, 銀緞牛馬資送甚多…以皇帝之尊, 結好於醜種如此, 又縻以高官大爵, 豈非內實畏懼, 而外示恩意耶)" 등을 들 수 있다.

17) 『연행기』「1790년 7월 4일」조 : 淸有天下, 參用蒙回諸部, 朝廷太半是色目人, 以中華之利, 與外夷共之故, 邊塵之不警, 已百餘年, 見今田疇相連, 鷄犬相聞, 晝行夜宿, 毫無戒懼, 三衛百戰之地, 悉變爲樂土, 此歷代所不能得也.

를 누리던 시기이다. 몽골인들이 관직에 많이 등용되고 있다는 기록은 조선시대의 다른 여행기에서도 많이 보인다.[18]

> **【몽골 왕공들의 관작과 대우】**
>
> 봉작封爵은 친왕親王과 군왕郡王, 패륵貝勒, 패자貝子, 진국공鎭國公, 보국공輔國公 등 5등의 품질이 있는데, 종번宗藩과 같은 대우를 받는다.[19]

위의 기록은 몽골의 지배층과 청조의 지배층이 동등한 대우를 받고 있다는 것을 나타내주고 있다. 사실 청나라는 만주어와 몽골어를 지배자의 언어로 간주하여, 만주 귀족의 몽골어 학습은 물론 주요 비문에도 병기했을 정도이다.[20] 이러한 정치 파트너로서 몽골을 우대하고 있다는 기록은 조선시대 다른 여행기에서도 많이 보인다.[21] 몽골 왕공들의 대우와 관련하여 조선 사신들에

18) 그 대표적인 기록으로는 金正中,『燕行日記』「聞見雜錄」의 “몽골 사람은 거칠고 사나우나, 문학이 있으면 내지로 들어가서 연경에서 벼슬한다. 궁관이나 사찰에 있는 자는 몽골 사람이 반이니, 건륭에게는 심복의 환이 이보다 큰 것이 없을 것이다(貧僧窮丐或跨驢, 富豪則必乘騎車馬, 蒙人强悍而有文學, 入內服仕宦於燕京, 在宮觀寺刹者, 蒙人半之, 乾隆心腹之患, 莫大於此)”; 著者 未詳,『薊山紀程』「胡藩」의 “조정에 벼슬하는 자(몽골인)는 흔히 높은 품질로 총애 받는다(仕宦于朝者,多寵以高秩).”; 徐慶淳의『夢經堂日史』「1855년 12월 11일」조의 “지금 몽골 사람들은 내복에 소속되어 있으므로, 만주 사람들과 함께 뽑아 등용하는 데 차등이 없다(今蒙古人屬於內服, 與滿人無間於進用)”; 徐有聞,『戊午燕行錄』의 “황자로 장가들이며 황녀로 혼인하여 구생국(舅甥國)을 이루고, 또한 벼슬을 주어 왕위에 이른 자가 무수하다”; 朴思浩,『心田稿』「蒙古館記」의 “벼슬하는 남자는 모두 황녀에게 장가들고, 여자는 친왕에게 시집간다. 총애하여 높은 지위를 준다(仕宦者皆男, 尙皇女, 女嫁親王, 寵錫高秩)” 등을 들 수 있다.

19)『연행기』「1790년 7월 16일」조 : 封爵有親王郡王貝勒貝子鎭國輔國公五等秩視宗藩.

20) 그 한 예가 洪大容,『湛軒燕記』의 “(대궐) 문 밖에 하마비가 있는데, 복판에 정자로 쓰고 좌우로는 몽골·만주 글자가 쓰여 있었다. 황제가 직접 관여하는 것은 모두가 다 그런 모양이다. 태학의 옹화궁 같은 곳도 마찬가지이다(門外有下馬碑, 中書楷字, 左右書蒙滿字, 盖凡皇帝所親管皆如是, 如太學雍和宮之類也) … 양혼이란 종친 유군왕의 작은아들이요, 강희 황제의 증손이다. … 내가 ‘공께서는 독서를 얼마나 하였는가’ 물으니, 양혼이 ‘일찍이 사서와 시경을 읽었습니다만, 황제께서 활 쏘고 말달리기 및 몽골말과 중국말을 전심하여 익히게 하시어 독서할 여가가 없었다’고 대답했다(兩渾者, 宗親愉郡王之少子, 康熙主之曾孫也, …余曰, 公讀書幾何, 兩渾曰, 曾讀四書及詩經, 但皇上令專習弓馬及蒙漢語, 無暇讀書)”라는 기록이다.

21) 그 대표적인 기록으로는 李坤,『燕行記事』「聞見雜記」의 “귀순 복종한 몽골은 그 인구가 본래 적은데, 대접하기는 만주와 같이 한다(蓋歸服之蒙古,其種本少,而待之與滿州無別).”; 洪

게 흥미를 끌었던 것 중의 하나가 그들이 황제와 똑같은 노란 옷을 입고 있다는 점이다. 따라서 이에 관한 기록이 무척 많이 등장하고 있다.[22]

大容, 『湛軒燕記』「藩夷殊俗」의 "몽골은 38부 중 복종하지 않는 부는 2부뿐이다. 36부는 인재를 뽑아 대학에 입학시키고, 군사를 뽑아 경성에 들어와 호위하기도 하며, 관시와 혼인을 서로 통한다. 호상들의 무역 또한 제한된 구역이 없으므로 낙타와 말이 관동 지방에 교통하니, 한나라와 그저 다를 것이 없다(蒙古三十八部, 不服者二, 其三十六部, 選士入學, 選兵入衛, 通關市婚姻, 商胡貿遷無限域, 駞馬交於關東, 則與一統無甚異也)." ; 朴思浩, 『心田稿』「留館雜錄」의 "저 몽골은 천하에 막강한 무리들이라 태종이 먼저 토벌했다. 그들의 굳센 기병을 데리고 가면 향하는 곳에 적이 없었다. 이 뒤로부터 황제가 대대로 몽골인과 혼인하여 원구, 국구, 부마, 각로, 각부의 상서 및 제왕·패륵들은 몽골인이 많았다(夫蒙古, 天下莫强之衆也, 太宗先討之, 部勒其勁騎, 所向無敵, 自是以後, 皇帝世世結婚, 元舅國舅駙馬閣老各部尙書諸王貝勒, 多是蒙古人也)." ; 金昌業, 『燕行日記』의 "(1713년 1월 25일) 조금 이따가 여러 호인이 한 떼를 지어 나왔다. 그 가운데 호인은 유독 황제 앞에서도 말을 타고 있었다. 우리가 '어찌 저와 같이 무례할 수 있는가'라고 물어보았다. 통관은 '그들은 황자이다. 그 나머지 여러 사람들은 몽골왕, 혹은 부마, 혹은 하 등으로 모두 만주 사람들이다'라고 대답했다(俄而羣胡一擁而出, 其中四胡, 獨於帝前騎馬, 俺等問何無禮如此, 通官日, 此是皇子, 其餘諸人, 或蒙古王, 或駙馬, 或蝦等, 皆是淸人云)." 등을 들 수 있다.

22) 그 대표적인 기록을 몇 개 소개하면 다음과 같다. ① 洪大容, 『湛軒燕記』「巾服」: "몽골 사람들은 모자털을 라마승처럼 황색으로 물을 들이는데, 옷만은 만주 사람들과 구별이 없다(蒙古帽, 毛亦皆染黃, 如喇嘛衣服, 與滿洲無別也)." ② 李押, 『燕行記事』「1777년 12월 18일」: "길에서 몽골의 한 관인이 수레를 몰고 지나는 것을 만났다. 두 사람은 앞에서 인도하고, 두 사람은 뒤따르는데, 모두 누런 옷을 입었다(路逢蒙古一官人驅車以過者, 二人前導, 二人隨後, 皆着黃衣)." ③ 金正中, 『燕行日記』: "(1792년 1월 1일) 회회와 몽골은 내복에 들어 연경에서 벼슬하므로 모든 것이 청인과 거의 같은데, 몽골만큼은 노란 옷을 입었다(回子, 蒙古, 入於內服, 仕於燕京, 故凡節與淸人畧同, 而蒙古則衣黃衣耳). … (1792년 1월 3일) 노란 옷은 천자의 옷인데, 몽골의 오랑캐가 함부로 입는다(黃衣, 天子之服, 而蒙胡僭之)." ④ 徐有聞, 『戊午燕行錄』「1798년 12월 16일」: "대국법에 황제 홀로 누런 옷을 입는지라, 왕공 이하로 한 조각의 누런빛도 감히 쓰지 못하나, 오직 몽골에 귀천 없이 노란 옷을 허락하니, 이는 천자와 함께 같음이라. 그 달래며 누르는 뜻을 가히 짐작할지라." ⑤ 著者 未詳, 『薊山紀程』「胡藩」: "또 황제가 황색 옷을 입는데, 몽골 사람은 귀천을 막론하고 다 황색 옷 입는 것을 허락한다. 비록 그들의 숭상하는 풍속이 그렇다고는 하나, 황제와 대등하게 되는 것이다(且皇帝衣黃, 而蒙人無論貴賤, 皆許衣黃, 雖其俗尙如此, 而蓋與皇帝等也)." ⑥ 朴思浩, 『心田稿』「蒙古館記」: "귀천을 막론하고 다 누런 옷을 입으니, 누런 옷이란 것은 황제의 옷 빛깔이다(無論貴賤, 皆衣黃衣,黃者, 皇帝之服色)." ⑦ 金景善, 『燕轅直指』「1832년 12월 24일」: "승려나 속인을 막론하고 누런 옷 입기를 좋아하는 것은, 스스로 황제와 같은 고향이라고 여기기 때문으로 황제 또한 그것을 금하지 않는다고 한다(無論僧俗, 好着黃衣者, 自以爲與皇帝同故, 而皇帝亦不之禁云)." ⑧ 徐慶淳, 『夢經堂日史』「1855년 12월 11일」: "(몽골인의) 관복은 모두 황색을 쓰며, 수레의 장식도 또한 황색을 취했다. 대저 중국의 제도는 황제의 어복이 황색을 숭상하기 때문에 조정 신하들과 다른 여러 나라들이 제 마음대로 누런색의 옷과 누런 장식의 수레를 쓰지 못하는데, 오직 몽골만은 그렇지 않다. 이는 그들의 흉악하고 사나운 것이 무서워서 너그럽게 해주었든지, 아니면 혹시 몽골의 옛 제도가 누런색을 사용하였는지 모르겠다(朝衣皆用黃色, 輿飾亦取黃色, 大抵中國之制, 皇帝服御尙黃, 故朝臣及他諸國, 僭不敢用黃衣黃輿, 惟蒙古則不然, 卽亦畏其凶獰而優假之歟, 抑或蒙古舊制用黃歟)."

2. 몽골 사절 및 지위

북경이나 피서산장에 온 몽골 사절이나 그들의 지위에 대해서는 최덕중과 박지원, 서호수의 여행기에 모두 실려 있는데, 그것을 순서대로 소개하면 다음과 같다.

(1) 최덕중의 연행록에 등장하는 몽골 사절 및 지위

> **【강희제 때의 몽골 사절】**
>
> 잠시 후에 또 채찍을 세 번 울리니 황제가 들어가고, 여러 반열도 조회를 마치고 나갔다. 우리 일행도 잇따라 나왔는데, 훌륭한 인재는 끝내 보지 못했다. 많은 관원이 몽골인·만주인·한인 등 세 종류의 사람들이다. 간혹 어린 소년도 있었다.[23]

위의 기록에 등장하는 어린 소년은 청나라의 습속으로 미루어 방금 작위를 계승한 만 18세 이상의 청소년을 묘사한 것이다.

> **【강희제 때의 몽골 사절단 규모】**
>
> 지금 몽골의 48부의 왕, 기타 3왕이 황제의 명을 받고 회의에 왔는데, 가축이 50~60만이고 사람이 5만여 명이라 한다. 그래서 예부에서 우리 사행 및 몽골 사람에게 공궤하는 식량과 찬품饌品을 줄이도록 청했더니, 황제가 몽골에게 주는 것만 줄이고 우리에게는 예전대로 하도록 하였다고 한다. 통관은 이 하나의 일을 가지고 뽐내며 자랑함이 심하였다. 내가 "무슨 일로 많은 인마가 와서 모였습니까. 대국의 비용이 적지 않겠지요"라고 물으니, "황제의 생일이 멀지

23) 『연행록』「1713년 1월 1일」조 : 移時又鳴鞭三聲, 皇帝入去, 諸班罷朝而出, 我一行隨之繼出, 終未見奇偉之人, 千官中蒙古淸漢三色人, 而或有白面少年.

않아 잔치에 참여한 뒤에 돌아갈 것입니다"라고 대답하였다. 혹은 태자를 세우는 일을 의논하기 위해 소집한 것이라고도 한다. 어느 쪽이 옳은지 모르겠으나, 몽골 사람과 말의 수효만은 떠벌린 것이 분명하다.[24]

【몽골 사절단의 유숙 모습】

몽골 48왕이 북성北城 밖 빈터에 와서 거처하고 있는데, 왕마다 은 1만 냥을 하사했다고 한다. 지난 그믐에 응당 돌아갔어야 되는데, 황제의 회갑인 까닭에 하사하여 위무한 것이라고 한다. 내가 묻기를 "옥하관 서쪽 담 밖에도 노천에 있는 몽골 사람들이 많은데, 이 사람들은 어떤 사람들인가" 하니, 답하기를 "몽골이다"라고 했다. 몽골의 군신이 매우 많았다.[25]

【몽골의 여인 사절】

밤 4경에 세 사신 및 일행 중 몇 사람이 또 창춘원에 갔다. 나도 청범사淸梵寺에 따라 들어갔다. … 사신이 절로 돌아왔다. 절의 문 밖에 여인 두 명이 있는데, 땋은 머리가 귀를 덮었다. 하나는 털방석에 앉았고, 다른 하나는 옆에 서 있었다. 내가 괴이쩍어 물으니 몽골 여자라고 대답했다.[26]

위에 등장하는 기록은 김창업의 『연행일기』에 자세히 묘사되어 있는데, 그것을 소개하면 다음과 같다.

---

24) 『燕行錄』「1713년 1월 14일」조 : 今蒙古之四十八部王及其他三王, 以皇帝命來會, 而畜類五六十萬, 人物五萬餘, 故禮部請減我行及蒙古等供饋粮饌, 而皇帝只減蒙古之供, 余行則依古云, 通官以此一節, 誇矜甚矣, 余問以何事許多人馬來集, 而大國之費不些耶, 答云皇帝生日不遠, 參宴後可以罷歸云, 或議立太子, 故招集云, 未知孰是, 而第蒙古人馬之數, 必是誇張矣.

25) 『연행록』「1713년 2월 3일」조 : 蒙古四十八王, 來在北城外空地露處, 而每王各給一萬兩銀, 今晦當罷歸, 而以皇帝周甲之故, 賞賜慰悅云, 余問玉河館西墻外, 亦多蒙古人露處, 此人何許者也, 答云㺚子也, 蒙古之名甚多.

26) 『연행록』「1713년 2월 5일」조 : 夜四更, 三使臣及一行某某人, 又往暢春園, 余亦隨陪, 入處淸梵寺…使臣退還寺所, 寺中門外有二女, 編髮垂耳下, 一則坐毛方席, 一則侍立, 余怪而問之, 則答云蒙古之女云矣.

외문 안 월랑의 계단 위에 몽골 여자 셋이 앉아 있었는데, 모두 얼굴의 광대뼈가 넓다. 하나는 몽골왕의 처이고, 둘은 시녀였다. 세 여자는 모두 담비털 옷을 입고, 담비털 모자를 쓰고, 장화를 신었다. 편발을 두 갈래로 만들어 앞으로 늘어뜨렸는데, 그 주인은 검은 비단으로 묶었다. 시녀는 서기도 하고 앉기도 했는데, 주인은 붉은 담요를 깔고 앉아 시종 움직이지를 않았다. 내가 그들이 온 까닭을 물으니, 몽골왕이 죽고 그 아들이 어려 조공을 올 수 없음으로 그의 처가 스스로 왔다고 한다.[27]

위의 기록에 등장하는 털방석은 귀인의 상징이다.[28] 또 여기에 등장하는 몽골왕의 어머니는 만주 출신의 여인이 아닌 몽골 여인으로 보이는데, 몽골왕의 품급은 파악할 수 없다. 위의 기록은 몽골의 조근朝覲이 여자도 이루어지고 있다는 것을 보여주는 귀중한 사례이다.[29]

27) 金昌業,『燕行日記』「1713년 2월 5일」: 外門內月廊堦上, 蒙古女三人坐焉, 面皆廣顴, 一蒙古王妻, 二其侍女也, 三女皆穿貂衣戴貂帽而着靴, 編髮作兩條, 前垂之, 其主以黑繒裹焉, 侍女或立或坐, 而主則坐於紅氈, 終不動, 余問其所以來, 蒙古王死, 而其子幼, 不能朝, 故其妻自來云.

28) 李押,『燕行記事』「聞見雜記」에도 청대 만주나 몽골 귀족들의 귀천 구별이 모자 위의 구슬과 방석에 있다는 것을 "몽골의 모자는 위가 편편하고, 청인의 모자는 위가 둥글어서 이것으로도 구별할 수 있다. 귀천의 구별은 오직 정자와 방석에 있다(蒙古之帽其頂平, 淸人之帽其頂圓, 以此足可卞矣, 其所以表賤者專在於頂子及坐褥)."처럼 기록하고 있다.

29) 청조는 몽골 왕공들에게 朝覲 규정을 두었다. 朝覲제도는 청조가 몽골 왕공들을 통제하는 일종의 통치책으로 순치 5년(1648)에 시작되었다. 몽골 왕공들은 年節로 分班하여 북경이나 열하에서 朝覲해야 하는데, 1년 1반으로 번갈아 입경하기 때문에 年班이라 칭한다. 반을 이루어 들어오는 자는 황제로부터 각종 귀중물품을 하사받는다. 朝覲이 불가능한 자는 반드시 먼저 양해를 구하여야 하며, 그렇지 않을 경우 처벌을 받는다. 李宜顯의『庚子燕行雜識』에도 1720년 正朝賀禮에 어린 아들 대신에 온 몽골왕의 어머니에 대한 기록이 "길가에 붉은 수레를 타고 지나가는 한 여인이 있는데, 머리에는 붉은 전립을 쓰고, 검은 옷을 입었다. 좌우로 말을 타고 따르는 자들과 여인들을 합해서 7~8쌍이나 된다. 역졸을 시켜서 물어보니, '이 사람은 몽골왕의 어머니인데, 그 아들이 나이가 어려서 정조에 들어와 하례할 수 없기 때문에 대신 왔다가 이제 돌아가는 것입니다'라고 한다(路傍有女人乘朱輪過去者, 頭戴紅氈笠, 着黑衣, 左右騎從及女隊合七八雙, 使驛卒問之, 云是蒙古王母, 以其子年幼, 不得入賀於正朝, 故替來, 今始還歸云)."처럼 실려 있다.

(2) 박지원의 열하일기에 등장하는 몽골 사절 및 지위

【건륭제 만수절 경하례慶賀禮의 몽골 사절 조회반열 위치】

이날 난의위鑾儀衛는 미리 황제의 법가로부法駕鹵簿를 담박경성전淡泊敬誠殿 뜰에 차려놓는다. (또) 중화소악中和韶樂을 담박경성전 처마 밑 양쪽에 설치하고, 단폐대악丹陛大樂을 이궁二宮 문 안 양쪽의 정자 속에 북향하여 차려놓는다. 호종하는 화석친왕和碩親王 이하 8명과 공작公爵 이상 및 몽골 왕공, 토이호특土爾扈特 등은 모두 망포보복蟒袍補服을 입고 담박경성전 앞에 와서 늘어선다. 문무 대신과 조선국 정사 및 토사土司들은 이궁 문 밖에서 각각 등급에 따라 늘어선다. 3품 이하 각 관원과 조선의 부사, 번자番子·두인頭人들은 피서산장避暑山莊 문 밖에서 각각 품급에 따라 늘어선다.[30]

1780년 8월 13일은 건륭제의 칠순 만수성절이었다. 위의 경하례慶賀禮에 등장하는 난의위鑾儀衛는 황제의 의례를 주관하는 관청이며, 법가로부法駕鹵簿는 황제가 타는 수레를 말한다. 망포보복蟒袍補服은 용이 들어간 의례복이다.[31] 토이호특土爾扈特은 서부몽골 토르코트Turkhud부의 음역으로, 이곳에 기록된 부족은 동귀東歸 토르코트 부족을 말한다.

이들은 1630년 무렵 준가르의 내분을 피해 볼가강 하류로 이동하여 그곳에서 1백 수십 년 동안 유목하였다. 그러나 이후 러시아의 팽창에 따른 압력과

30) 『열하일기』「行在雜錄」銅佛事後識條：是日鑾儀衛, 預陳皇上法駕鹵簿於淡泊敬誠殿庭, 設中和韶樂於淡泊敬誠殿簷下兩旁, 設丹陛大樂於二宮門內兩旁亭內, 俱北向, 扈從之和碩親王以下八人, 分公以上及蒙古王公, 土爾扈特等, 俱蟒袍補服, 至淡泊敬誠殿前, 按翼排立, 文武大臣暨朝鮮國正使土司等在二宮門外, 各照品級, 按翼排立, 三品以下各官暨朝鮮副使番子頭人等, 在避暑山莊門外, 各照品級, 按翼排立.

31) 서호수의 『연행기』에 이 옷에 대한 묘사가 "친왕은 둥근 용의 무늬 넷이 있는 것을 착용하는데, 앞뒤는 정룡 무늬, 좌우는 방룡 무늬를 한다. 세자와 군왕은 방룡의 둥근 무늬 넷을 쓰고, 장자패륵과 패자는 정망원문 둘을 수놓았으며, 진국공과 보국공은 정망방문 둘을 수놓는다(補服, 親王用圓龍文四, 前後正龍, 左右旁龍, 世子郡王, 旁龍圓文四, 長子, 貝勒, 貝子, 正蟒圓文二, 鎭國公, 輔國公, 正蟒方文二)."처럼 자세히 기록되어 있다.

충돌 때문에 오바시칸Ubashi Khan(渥巴錫汗)은 회의를 열고 동족이 사는 서부 몽골의 원래의 유목지로 돌아갈 것을 결정했다. 이 결정에 따라 1771년 3월, 모든 부족의 이동이 시작되었다. 그러나 뒤에 도착한 부족들은 볼가강의 얼음이 녹기 시작하여 떠나가는 동포들만 애타게 바라볼 뿐 이동에 동참하지 못하였다. 오바시칸을 따라나선 토르코트족은 처음에는 17만 명이었으나, 중간에 카자흐족의 공격을 받아 1771년 6월 도착할 때는 7만 명에 불과했다. 서부몽골에 도착한 그들은 건륭제의 열렬한 환영을 받았다.[32] 현지에 남은 자들은 오늘날 볼가강이 카스피해로 흘러들어가는 지역에서 칼무크 자치공화국(Республика Калмыкия)을 이루고 있다. 칼무크는 겁쟁이란 뜻으로도 통한다.

【몽골 사절과 조선 마두 득룡得龍】

가산嘉山 사람 득룡은 마두로서 연경에 드나든 지 40년이 되어 중국어에 능숙하였다. 이날 많은 사람 중에서 멀리 나를 부르기에 사람들을 밀치고 가보니, (그가) 마침 한 늙은 몽골왕과 서로 손잡고 이야기가 한창이었다. 몽골왕은 모자에 홍보석을 달고 공작의 깃을 꽂았다. 나이는 여든하나이며, 키가 거의 180cm(1丈)나 되는 장신인데 허리가 구부러졌다. 얼굴 길이는 한 자 남짓하며 검은 편에

32) 토르코트족 및 그들의 귀환에 대해서는 羅麗達, 「土爾扈特爲什麽西遷」『清史研究通訊』, 1985-2；諾爾博, 「試論土爾扈特的起源-兼論克列特」『中國蒙古史學會論文選集(1981)』, 呼和浩特, 1986；馬大正, 「土爾扈特蒙古東返入戶數考析」『歷史檔案』, 1983-1 및 「土爾扈特蒙古東返始于問題」『新疆社會科學』, 1985-1；馬大正, 馬汝珩, 『漂落異域的民族 -17至18世紀的土爾扈特蒙古』, 北京, 1991；馬大正, 馬汝珩, 「土爾扈特蒙古系譜考述」『民族研究』, 1982-1 및 「土爾扈特蒙古史研究簡述」『內蒙古師院學報』, 1982-3 및 「伏爾加河畔土爾扈特汗國的建立及其與俄國的關係」『衛拉特史論文集(新疆師範大學學報專號)』, 1987；洪永祥, 「土爾扈特汗與中國西北科學考察團」(馬大正 主編)『西域考察與研究』, 烏魯木齊, 1994；福島安正, 「土爾扈特 -附準噶爾滅亡顚末」『世界』24, 1906；谷浩一, 「康熙年間清向土爾扈特的遣使 -以所謂秘密使命說的再研討為主」『中國邊疆史地研究』, 1997-4；蔣其祥, 「新發現的舊土爾扈特北右旗札薩克之印」『考古與文物』, 1983-1；周偉洲, 「略論清代承德普陀宗乘之廟土爾扈特全部歸順記碑」『西北民族史研究』, 鄭州, 1995；陳維新, 「乾隆時期中俄外交爭議中的土爾扈特部問題」『中國邊疆史地研究』, 2003-4；蔡家藝, 「土爾扈特東返經由何路進入沙喇伯勒」『西北史地』, 1983-3 등의 논저를 참조.

회백색 (반점들이) 있다. 몸을 부들부들 떨며 머리를 흔드는 모습이 경황없어 보였다. 마치 썩은 고목이 넘어질듯이 보이는데, 온몸의 원기가 모두 입으로 나오는 듯하다. 그 늙음이 이러하니 그가 설사 묵돌(冒頓)일지라도 두려울 바가 못 되었다. 따르는 자가 수십 명이건만 누구도 부축하지 않는다. 또 한 몽골왕이 있는데 건장하고 기운이 세어 보였다. 득룡과 함께 가서 말을 붙이니, 그는 내 갓을 가리키며 무엇인지 묻고는 말도 채 알아듣지 못한 사이에 가마를 타고 빠르게 가버렸다. 득룡이 그들 귀인마다 찾아가서 읍하고 말을 붙이니, 모두 읍으로 답례하며 회답해 준다. 득룡이 나더러도 저와 같이 해보라 하나, 내 처음 배워서 어색할 뿐더러 관화官話도 서툴러서 어찌할 수 없었다.[33)]

위의 기록에 등장하는 늙은 몽골왕에 대해서는 이미 앞에서도 언급한 바 있다. 묵돌冒頓(B.C. 209~B.C. 174)은 흉노제국의 창건자이다. 묵돌은 몽골어로 용사를 뜻하는 바가토르Bagatur나 신성함을 뜻하는 복드Bogda의 음역으로 비정되기도 한다. 위의 기록은 몽골의 늙은 왕을 비롯한 대부분의 몽골 귀족들이 중국어에도 일부 소통함을 보여주고 있다.

(3) 서호수의 연행기에 등장하는 몽골 사절 및 지위

서호수의 『연행기』에는 1790년 열하에 온 몽골 왕공들의 직위뿐만이 아니라 조회나 연회, 호종에서의 몽골 사절 반열위치가 매우 꼼꼼하게 묘사되어 있다. 그가 이렇게 꼼꼼한 기록을 남긴 것은 평소 그의 치밀한 관찰력에 기인

33) 『열하일기』「太學留館錄」 1780년 8월 10일조 : 嘉山人得龍者, 以馬頭爲燕行四十餘年, 善漢語, 是日在人叢中, 遙呼余, 余排辟衆人往觀, 則方與一老蒙古王, 兩相執手, 言語區區, 帽頂紅寶石, 懸孔雀羽, 蒙王年八十一, 身長幾一丈而磬曲, 面長尺餘, 黑質而灰白, 身顫頭傱, 似無景況, 如朽木之將顚, 一身元氣, 都從口出, 其老如此, 雖冒頓無足畏也, 從者數十, 而猶不扶擁, 又有一蒙王魁健, 與得龍往與之語, 則指余鬉帽而問, 語未可解, 翩然乘轎而去, 得龍遍向貴人一揖而語, 則無不答揖而回話者, 得龍勸我效渠之爲, 而非但吾初學生澀, 且不會官話, 無可奈何.

하는 것이지만, 일면에서는 그의 몽골에 대한 관심을 나타내 주는 것일지도 모른다.

【1790년 피서산장에 온 13인의 몽골 왕공】

(승덕부承德府 열하熱河에 이르러 곧바로 우관寓館에 들어갔다.) 몽골 제부 및 회부왕回部王과 패륵貝勒, 면전緬甸과 남장南掌의 사신, 대만부臺灣府 생번生番은 이달 초순 전에 여기에 도착하였고, 안남왕安南王과 그 종신從臣들은 이달 11일에 여기에 도착하였다고 한다.[34] … 이달에 와서 조회 및 연회에 참석한 자는 과이심科爾沁 우익기의 화석토사도친왕和碩土謝圖親王과 좌익기의 화석달이한친왕和碩達爾漢親王, 토묵특土默特 좌익기의 다라달이한패륵多羅達爾漢貝勒과 우익기의 고산패자固山貝子, 객라심喀喇沁 우익기의 다라두릉군왕多羅杜稜郡王과 좌익기의 패자貝子, 옹우특翁牛特 우익기의 다라두릉군왕과 좌익기의 다라달이한대청패륵多羅達爾漢戴青貝勒, 파림巴林 우익기의 다라군왕多羅郡王과 좌익기의 고산패자, 소니특蘇尼特 우익기의 다라두릉군왕과 좌익기의 다라군왕, 사자부락四子部落의 다라달이한군왕多羅達爾漢郡王이다. 친왕, 군왕, 패륵, 패자가 모두 13인이다.[35]

위의 기록에 등장하는 몽골 왕공 13인은 직위와 소속기가 분명하기 때문에 문헌 고증이 가능하다. 13인의 왕공을 알기 쉽게 도표로 나타내면 다음과 같다.

34) 『연행기』 「1790년 7월 15일」조 : (到熱河直人寓館,) 蒙古諸部及回部王貝勒, 緬甸及南掌使臣, 臺灣府生番, 是月旬前到此, 安南國王及從臣, 是月十一日到此云.

35) 『연행기』 「1790년 7월 16일」조 : 是月來朝與宴者, 科爾沁右翼, 和碩土謝圖親王, 左翼, 和碩達爾漢親王, 土默特左翼, 多羅達爾漢貝勒, 右翼, 固山貝子, 喀喇沁右翼, 多羅杜稜郡王, 左翼, 貝子, 翁牛特右翼, 多羅杜稜郡王, 左翼, 多羅達爾漢戴青貝勒, 巴林右翼, 多羅郡王, 左翼, 固山貝子, 蘇尼特右翼, 多羅杜稜郡王, 左翼, 多羅郡王, 四子部落, 多羅達爾漢郡王, 親王郡王, 貝勒貝子凡十三.

No	소속기	품급	이름
1	코르친-우익중기	자사크-호쇼이-투시에투-친왕 Jasag Hosho-i Tüshiyetü Chin Wang (扎薩克和碩土謝圖親王)	노르브-린친Norbu-Rinchin (諾爾布璘沁)
2	코르친-좌익중기	자사크-호쇼이-다르칸-바아토르-친왕 Jasag Hosho-i Darkhan Bagatur Chin Wang (和碩達爾漢巴圖魯親王)	왕자-도르지Wangja-Dorji (旺扎勒多爾濟)
3	투메드-좌익기	자사크-도로이-다르칸-버일러 Jasag Doro-i Darkhan Beile (扎薩克多羅達爾漢貝勒)	소놈-발조르Sonom-Baljur (索諾木巴勒珠爾)
4	투메드-우익기	자사크-코시곤노-버이서 Jasag Khoshigun-u Beyise (扎薩克固山貝子)	세브텐라시Sebtenrasi (色布騰喇什)
5	카라친-우익기	자사크-도로이-두렝-군왕 Jasag Doro-i Düreng Giyun Wang (扎薩克多羅杜棱郡王)	만조바트사르Manjubatsar (滿珠巴咱爾)
6	카라친-좌익기	자사크-코시곤노-버이서	담바-도르지Damba-Dorji (丹巴多爾濟)
7	옹니고드-우익기	자사크-도로이-두렝-군왕	왕쇼르Wangshur(旺舒克)
8	옹니고드-좌익기	자사크-도로이-다르칸-다이칭-버일러 Jasag Doro-i Darkhan Dayiching Beile (扎薩克多羅達爾漢戴青貝勒)	직지자브Jigjijab(濟克濟扎布)
9	바아린-우익기	자사크-도로이-군왕 Jasag Doro-i Giyun Wang (扎薩克多羅郡王)	바토Batu(巴圖)[36]
10	바아린-좌익기	자사크-코시곤노-버이서	도르지-팔람Dorji-Palam (多爾濟帕拉木)
11	수니드-우익기	자사크-도로이-두렝-군왕	체링-곰보Chering-Gumbu (車凌袞布)
12	수니드-좌익기	자사크-도로이-군왕	발조르-랍자이Baljur-Rabjai (巴勒珠爾雅喇木丕勒)
13	사자부락	자사크-도로이-다르칸-군왕 Jasag Doro-i Darkhan Giyun Wang (扎薩克多羅達爾漢郡王)	풍초크상로브 Püngchugsangrob (朋楚克桑魯布)

위의 몽골 왕공들의 소속기는 모두 북경 일대에서 가까운 곳에 위치하고 있다. 이는 위의 만몽연혼 조항에서도 언급했듯이, 이들이 청조와 긴밀한 관

36) 린친Rinchin(璘沁)의 둘째아들인 바토는 1756년 아버지의 작위를 계승했으며, 1783년 청조로부터 親王品級을 하사받았다.

계를 맺고 있기 때문이다. 아마 1911년 청조의 붕괴 후 외몽골의 칼카를 중심으로 이루어진 몽골 독립에 이들이 소극적인 이유를 띤 것은, 이들과 만주 귀족들 간의 긴밀한 관계 때문일지도 모른다.

【피서산장의 몽골 사절과 건륭제의 공동 사냥】

> 연회의 반열에서 물러나와 여정문麗正門을 지나가는데, 안을 보니 사냥꾼 수십 명이 매를 팔뚝에 앉히고 사냥개를 잡고 늘어섰다. 통관에게 들으니, 황상이 종실宗室, 친왕, 패륵貝勒 및 몽골·회부의 제왕諸王, 패륵과 함께 궁내宮內의 동산에서 사냥할 예정이라고 한다.[37]

역사적으로 수렵은 유목민들에게 식량과 모피를 제공하는 일종의 생활수단이자, 전쟁에 대비한 군사훈련적인 성격을 지니고 있다. 또한 부족 혹은 국가 간의 단결 혹 복속을 상징하는 역할과 함께 오락의 기능도 가지고 있다. 몽골에서는 칸이 참가하는 대규모 사냥을 아바aba(aв)라고 부르며, 몇몇의 목민들이 무리를 지어 행하는 소규모의 사냥을 앙ang(aн)이라고 부른다. 대몽골제국이나 대원올로스 때에 대규모로 행해졌던 사냥은 몽골의 청조 복속 후 금지월계禁止越界의 규정에 의하여 사실상 사라졌으며, 그 대신 소규모 수렵이 일반적으로 행해졌다.

북방 유목민족에게 사냥은 크게 3가지의 의미를 지니고 있다. 첫째, 수렵은 유목민들에게 식량과 모피를 제공해 주는 일종의 생활수단, 즉 경제활동의 하나라는 것이다. 둘째, 수렵은 대규모 군사훈련의 일환이라는 성격도 지니고 있다. 특히 흉노나 대몽골제국 등 중앙집권이 이루어져 있는 유목제국일 경우, 대규모로 행해지는 사냥은 대부분 모의전투와 같은 성격을 띠는 경우가 많다.

37) 『연행기』「1790년 7월 16일」조 : 退自宴班, 過麗正門內, 見有獵夫數十, 臂蒼牽黃而僉立, 聞之通官, 則皇上將與宗室親王貝勒蒙回諸王貝勒, 獮于宮囿云.

이로 인해 고대의 유목민들은 모두 뛰어난 기병이자 명사수이기도 하다. 칸이 거행하는 대규모의 사냥은 이러한 유목민들의 기술을 총체적으로 정립하여 전술화시키는 의미를 지니고 있다.

셋째, 수렵은 부족 혹은 국가 간의 결맹 혹 복속을 상징하는 역할, 즉 정치적인 의미도 내포하고 있다. 원래 대규모의 수렵은 대규모의 인원을 필요로 한다. 인구가 희박한 유목사회에서 대규모의 수렵을 행할 경우에는 몇 개의 씨족 이상이 연합해야만 가능하다. 씨족연합을 이루어 대규모의 수렵에 나설 경우 수렵을 총괄하는 영도자의 선출이 필요하며, 또 모든 사람은 그의 명령에 따르지 않으면 안 된다. 따라서 고대 몽골인들은 어떠한 중요한 맹약이나 서약을 할 때 반드시 공동 수렵에 관한 조항을 삽입하여 단결과 협력의 상징으로 간주하고 있다. 칸권이 확립된 유목제국의 경우 신하들은 칸이 주도하는 대규모 수렵에 반드시 참석하지 않으면 안 된다. 특별한 이유 없이 참가하지 않는 족장들은 모두 칸권을 무시하는 행위로 간주되어 엄한 처벌을 받는다. 이는 수렵이 칸의 권위를 확인하는 기능을 가지고 있다는 것도 보여주고 있다.

주군이 참가하는 수렵에 신하가 호종하는 전통은 몽골이 청에 복속된 후 청조 황제와 몽골 왕공 간에도 행해지고 있다. 강희제는 북경에서 가장 가깝고 장성의 이북에 위치한 산림이 무성한 지구를 황제의 사냥터, 즉 모란muran(木蘭)으로 지정했다. 이곳이 바로 열하피서산장熱河避署山莊이다. 청조의 황제들은 대원울로스의 코빌라이칸을 본 따 이곳을 여름수도 겸 수렵장으로 삼았다. 청조의 초·중기 황제들은 매년 이곳에 와 사냥을 행했는데, 이때 몽골의 왕공들도 참가하여 신복의 의사를 나타냈다. 청조 황제들의 수렵행차는 몽골의 복속을 확인하는 정치적인 의미가 매우 강했다. 이들의 수렵은 역사상 최후의 대수렵으로 간주되고 있다.[38]

【피서산장 몽골 사절의 조회반열 위치】

반열의 위치는 친왕, 패륵, 패자, 각부대신들은 동쪽 편에 앉았는데, 두 줄로 서쪽을 향해 앉았으며, 북쪽이 상석이다. 친왕, 패륵, 패자는 앞줄에 있고, 대신들은 뒷줄에 있었다. 몽골, 회부回部, 안남의 제왕諸王과 패륵, 패자 및 각국 사신은 서쪽에 앉았다. 두 줄로 동쪽을 향하여 앉았는데, 북쪽이 상석이다. 제왕, 패륵, 패자는 앞에 있고, 사신들은 뒤에 있었다.[39)]

북방 민족들은 자리의 배치에 유난히 신경을 쓴다. 이는 자리가 권위를 상징하기 것이기 때문이다. 북면남좌北面南坐로 대표되는 북방의 자리는 대원 올로스 시기에 해당하는 『고려사』의 기록에도 적잖게 나온다. 또 몽골이 오랫동안 지배한 러시아에서도 자리와 위치의 중요성이 강조되고 있다. 그 유풍의 하나가 소비에트 시절에 크레믈린 광장의 군대사열시 지도층의 자리배열이다. 서방에서는 자리와 위치의 배열을 통해 특정 인사의 서열을 짐작할 정도였다.

조선시대의 다른 여행기에서도 종종 언급되듯이 조선은 몽골 다음에 위치하며, 그에 따라 모든 조회반열이나 연회의 배치 반열이 이루어진다.[40)] 아래

38) 수렵의 역사적인 의미에 대해서는 졸저, 『몽골의 문화와 자연지리』, pp.97~106을 참조.

39) 『연행기』「1790년 7월 16일」조 : (皇旨曰, 使臣等就宴班, 鐵侍郎引余等, 坐於各國使臣班, 而首爲朝鮮使, 次爲安南使, 次爲南掌使, 次爲緬甸使, 次爲生番班位) 親王·貝勒·貝子·閣部大臣, 坐於東序重行, 西向北上, 而親王·貝勒·貝子在前大臣在後, 蒙古·回部·安南·諸王·貝勒·貝子·各國使臣, 坐於西序重行, 東向北上, 而諸王·貝勒·貝子在前, 使臣在後.

40) 조선과 몽골의 자리배열과 순서에 대한 대표적인 기록으로는 "우리나라 사신은 원래 몽골의 아랫자리에 앉는 것이 예로 되어 있다(我國使臣例坐蒙古之下)."(李宜顯, 『庚子燕行雜識』) ; "우리나라가 상 타기 전에 또한 상 타는 자가 있으니, 이는 몽골 사람이라 하며, 상 주는 물건이 우리나라와 다름이 없는지라"(徐有聞, 『戊午燕行錄』「1799년 2월 4일」) ; "명나라 이래로 우리 사신을 접대하는 것이 여러 나라와는 아주 달랐다. 청나라 사람도 역시 그 예를 인습하여 사신의 왕래가 끊이지 않고 우리나라 사람이 언제나 왕래하기 때문에, 도로에 있는 부인이나 유아라도 이목에 익어서 저 사람들은 우리 보기를 한 나라 사람과 같이 한다. 멀고 가까운 여러 번국 중에 오직 우리나라만이 매년 진공하여 지성으로 섬기고 또 저희들의 사는 곳과 인접해 있으니, 대접하는 도가 친후해야 하기 때문에 그러할 것이다. 그러나 우리를 약한 나라로 생각하여, 두려워하고 꺼리는 것이 도리어 몽골달자만도 못하다(明朝以來, 接待我使, 迴異諸國, 清人亦襲其例, 冠蓋織路, 我人尋常往來, 故雖道路婦孺, 耳目稔熟, 彼之視我, 便同一國

줄지어 소개되는 서호수의 반열에 관한 기록도 그를 입증하는 예의 하나이다.

【유람과 연회에서의 몽골 사절 반열 위치(8월 1일)】

(원명원圓明園에 머물렀다.) 어하御河의 좌우 연안은 모두 태호석太湖石으로 쌓았다. 산은 험준하고 중첩되었으며, 돌들이 많고 울퉁불퉁한 모습이 자연 그대로다. 시내 옆으로 배 두 척이 강기슭에 대기하고 있었다. 몽골·회부 제왕諸王과 패륵, 안남왕과 군기제대신軍機諸大臣이 함께 한 배에 오르고, 조선·남장·면전의 사신과 회자回子, 안남의 종신從臣들이 또 함께 한 배에 올랐다. … (관희전각觀戲殿閣) 종실 제왕과 패륵 및 각부대신들은 동편에 두 줄로 앉아서 서쪽을 향하니, 북쪽이 상석이다. 몽골·회부의 제왕과 패륵 및 안남왕, 조선·안남·남장·면전의 사신, 대만의 생번生番은 서편에 두 줄로 앉아서 동향하니, 북쪽이 상석이다.[41]

【몽골 사절의 조회 반열 위치(8월 2일)】

(근정전) 종실의 친왕과 패륵, 몽골·회부의 제왕과 패륵, 안남왕은 전내의 어좌 동쪽에 서서 서향하였는데, 북쪽이 상석이다. 군기제대신軍機諸大臣과 6부의 상서尙書, 시랑侍郞은 전내의 어좌 서쪽에 서서 동향하였는데, 북쪽이 상석이

之人, 遠近諸藩中, 惟我國連年進貢, 至誠事大, 且隣於渠之巢穴, 則見待之道, 宜其親厚, 而然然畜之以弱國, 其所畏憚, 反不如蒙古㺚子).”(李押, 『燕行記事』「聞見雜記」); “황제가 전상에 앉아 설날 아침 하례를 받는데 … 친왕 예닐곱 사람만이 전각 층계 위에 기거하며, 품석 밖의 반열로서는 몽골 48왕, 다음으로 조선 사신, 그 다음으로 유구 사신이 머리를 조아려 절하는 예를 앞의 반열에서 한 그대로 하였다(皇帝坐殿上, 受元朝賀禮…親王六七人, 獨起居於殿陛上, 而品石外班, 蒙古四十八王, 次朝鮮使臣, 次琉球使臣, 拜叩之禮, 一依前班).”(朴思浩, 『心田稿』「太和殿記」) 등이 있다.

41) 『연행기』「1790년 8월 1일」조 : (圓明園) 曉通官徐啓文, 引三使, 至拒馬木內宮門外朝房少憩, 黎明由正南圓明園門之東旁門入宮內, 北行踰御河石橋, 入正南, 出入賢良門之東旁門, 折而東入一門, 過勤政殿南門, 轉而東北入一門踰小岡, 又折而北入一門, 卽御河東南岸, 沿河左右岸悉築以太湖石, 崚嶒磈礧天然, 溪澗之側, 有二船, 艤待于河岸, 蒙回諸王·貝勒·安南王·軍機諸大臣, 同上一船, 朝鮮·南掌·緬甸使·回子·安南從臣, 同上一船, 溯流向東北行…有觀戲殿閣而制度與熱河一段, 正殿二層, 東西五間, 下層正中一間, 爲御座, 左右各二間, 皆嵌琉璃窓, 妃嬪觀光於窓內, 太監供給於窓外, 東西序各數十間, 宗室·諸王·貝勒·閣部大臣, 坐於東序重行, 西向北上, 蒙古回部·諸王·貝勒·安南王·朝鮮·安南·南掌·緬甸使臺灣生番, 坐於西序重行, 東向北上.

다. 각성各省의 독무督撫와 사도司道, 몽골·회부의 태길台吉은 전폐殿陛의 아래에 서서 서향하였는데, 북쪽이 상석이다. 조선·안남·남장·면전의 사신은 전폐의 아래에 서서 동향하였는데, 북쪽이 상석이다.[42]

【유람과 연회에서의 몽골 사절 반열 위치(8월 2일)】

연희가 끝나자 황상이 군기대신 아계阿桂·화신和珅·복강안福康安·복장안福長安에게 명령하여, 몽골·회부의 제왕諸王, 패륵과 안남왕, 조선·남장·면전의 정사와 부사, 안남의 종신從臣 2인에게 모두 복해福海를 유람할 수 있게 하였다. 이에 천향재天香齋 앞에서 여러 대신이 한 배에 오르고, 각국의 왕과 패륵, 사신, 종신이 한 배에 올랐다.[43]

위의 기록에 등장하는 화신和珅(1750~1799)은 건륭제 때의 권신으로, 가경제嘉慶帝가 즉위한 뒤 권력 남용과 부패 혐의로 처형되었다.[44] 복강안福康安(1754

42) 『연행기』「1790년 8월 2일」조 : (勤政殿庭) 宗室·親王·貝勒·蒙回諸王·貝勒·安南王, 立於殿內御座東, 西向北上, 軍機諸大臣·六部尙書·侍郎, 立於殿內御座西, 東向北上, 各省督撫司道, 蒙回台吉, 立於殿陛下, 西向北上, 朝鮮·安南·南掌·緬甸使臣, 立於殿陛下, 東向北上.

43) 『연행기』「1790년 8월 5일」조 : (到天香齋前下船, 入戱殿西序, 卯時始戱, 未時止戱) 宴退, 皇上命軍機大臣阿桂·和珅·福康安·福長安·蒙回諸王·貝勒·安南王·朝鮮·南掌·緬甸正副使·安南從臣二人, 並賜遊福海, 乃於天香齋前, 諸大臣上一船, 各國王·貝勒·使臣·從臣, 上一船.

44) 和珅은 만주 正紅旗 사람으로, 姓은 鈕祜祿氏이며 字는 致齋이다. 건륭 34년(1769) 世職을 계승해 3등 輕車都尉와 3등 侍衛가 된 뒤부터 두각을 나타내 건륭제의 총애를 받았다. 1776년에 군기대신이 되었는데 내무부대신도 겸했다. 이때부터 20여 년 동안 정권을 잡았다. 兵部 및 戶部尙書, 理藩院尙書를 거쳐 議政大臣에 임명되었으며, 華殿大學士 및 一等公에 봉해졌다. 그는 건륭제의 총애를 등에 업고 崇文門稅務監督 등의 지위를 이용해 거액의 뇌물을 받아 챙기면서, 자기 당파를 요직에 배치했다. 건륭제의 생전에는 阿桂와 같은 중신들도 그의 전횡을 견제하지 못할 정도로 그의 파워가 강력했다. 그러나 嘉慶帝의 즉위 후 태상황제(건륭제)의 사망과 맞추어 그에게 大罪 20조를 들어 스스로 목숨을 끊게 하였다. 그의 재산은 몰수되었는데, 청나라 조정 20년 예산에 해당하는 거액이었다. 청나라는 역사상 가장 근검한 조정예산을 지닌 국가이다. 화신의 처형사건은『朝鮮王朝實錄』「正祖 23년 3월 30일」에 수록된 徐有聞이 제출한 聞見別單에도 잘 나타나 있을 정도로 유명하다. 徐有聞의『戊午燕行錄』「1799년 1월 16일」조에도 그의 죄상이 소상히 소개되어 있는데, 그 중 몽골과 관련된 것도 "황고가 승하하시매 짐이 몽골왕을 알아듣게 타일러 역질을 지내지 않은 이는 경성에 들지 말라 하였거늘, 화신이 짐의 타이름을 준행치 않고 제 뜻을 이르되, '역질을 지낸 자는 다 반드시 오지 말라' 하여 전혀 나라 밖 오랑캐를 다독거리는 뜻을 돌아보지 아니하니, 그 마음 둠을 측량하지 못할지라. 그 큰 죄 열 가지요"처럼 소개되어 있다.

~1796)과 복장안福長安(?~1817)[45]은 청대의 명문 귀족인 부항傅恒(?~1770)의 아들이다.

【몽골 사절의 조회반열 위치 및 호종(8월 9일)】

(원명원) 새벽에 예부에서 말을 전하기를, "오늘 진시辰時에 황상이 만수산萬壽山에 행차하니, 안남왕과 각국의 사신, 종신들은 마땅히 거가車駕를 영접해야 한다"고 했다. 나는 정사, 서장관과 함께 서원西苑 궁문 밖 조방朝房에 가서 기다렸다. 진시 초에 이르러 엄수화표罨秀華表 안에 있는 돌다리 서쪽에 반열班列을 지었다. 내각학사內閣學士와 육부의 상서, 시랑과 각성의 독무督撫, 사도司道와 몽골·회부의 태길台吉은 황도皇道의 남쪽에 늘어서서 북향하였는데, 동쪽이 상석이다. 안남왕과 조선·안남·남장·면전의 사신은 황도의 북쪽에 늘어서서 남향하였는데, 남쪽이 상석이다. 황상은 평상복을 입고 예여禮輿를 탔다. 앞에서 곡병황화개曲柄黃華蓋를 들고 인도하였다. 그러나 일산은 펴지 않고, 거둥할 때의 의장儀仗도 벌이지 않았다. 패도시위佩刀侍衛 두 쌍이 앞에서 인도하고, 표미창豹尾槍 다섯 쌍이 뒤에서 호위하였다. 그리고 군기대신 아계·화신·복강안·복장안과 몽골왕 2인, 회부왕回部王 1인이 수행 호종하였다.[46]

【유람과 연회에서의 몽골 사절 반열위치(8월 9일)】

우리는 행궁의 동문을 거쳐 근정전의 뜰에 도착하였다. … 황상이 먼저 상층

45) 福長安은 鑲黃旗 만주인으로, 姓은 富察氏이며 傅恒의 막내아들이다. 1786년 戶部尙書가 되었으며, 1787년 대만의 林爽文 반란진압 및 1791년에 西藏을 침입한 네팔의 구르카족(廓爾喀)을 격퇴한 공로로 欽定 15공신의 하나가 되었다. 그러나 嘉慶帝 즉위 후 和珅의 죄를 고하지 않았다는 이유로 삭탈관직되었다. 이후 圍場總管 등 한직을 맡다가 1817년 세상을 떠났다.

46) 『연행기』「1790년 8월 9일」조 : 晴, 留圓明園, 以齋戒不設戲, 曉, 禮部送言, 今日辰時, 皇上幸萬壽山, 安南王, 各國使臣, 從臣, 當接駕, 余與正使, 書狀, 往待于西苑宮門外朝房, 至辰初, 排班于罨秀華表內石橋西, 內閣學士六部尙書, 侍郎, 各省督撫司道, 蒙回台吉, 班于皇道南而北向東上, 安南王, 朝鮮, 安南, 南掌, 緬甸使臣, 班于皇道北而南向東上, 皇上御常服, 乘禮輿, 前引曲柄黃華蓋而不張, 鹵簿不列, 佩刀侍衛二雙前引, 豹尾槍五雙後護, 軍機大臣阿桂, 和珅, 福康安, 福長安, 蒙古王二人, 回部王一人, 隨扈輿到班頭, 駐蹕, 召安南王于輿傍, 下旨數轉, 次顧使臣等曰, 爾等並隨入宮內.

누의 한가운데에 오르자, 뱃머리에 금룡황기金龍黃旗 한 쌍을 세웠다. 군기대신 아계·화신·복강안, 복장안과 몽골·회부의 왕 3인, 안남왕과 각국의 사신과 종신들은 하층 누에 올랐다. 창밖의 헌함 안에는 배를 젓는 사공이 좌우편에 각각 5인씩 있다. 모두 아름다운 얼굴에 깨끗한 옷차림을 하고, 붉게 칠한 노를 잡고 뱃노래를 부른다. … 배가 연수사延壽寺 앞에 이르자 황상이 몽골·회부의 여러 왕과 안남왕 및 각국의 사신, 종신들에게 '언덕에 내려 두루 구경하라'고 명했다.[47]

【유람과 연회에서의 몽골 사절 반열위치(8월 10일)】

(원명원) 새벽에 통관이 와서 말하기를, "예부의 지휘공문指揮公文에 오늘 구구대경연九九大慶宴을 개최하니, 각국의 왕, 패륵, 사신, 종신들은 모두 참석해야 한다"고 하였다. 나는 정사, 서장관과 함께 거마목拒馬木 안의 궁문 밖에 있는 조방朝房에 이르러 조금 쉬었다. 그리고 동틀 무렵에 오문五門을 지나 배가 기다리고 있는 강기슭에 도착했다. 군기대신과 몽골·회부의 제왕, 패륵과 안남왕, 남장南掌·면전緬甸의 사신들과 안남의 종신, 대만의 생번生番이 세 척의 배에 나눠 탔다. 조류를 거슬러 올라가다가 천향재天香齋 앞에 이르러 배에서 내렸다. 희전戱殿의 동쪽과 서쪽으로 들어가니, 황상이 이미 희전에 와 있었다. 묘시卯時에 연희를 시작해 미시未時에 끝났다.[48]

【몽골 사절의 조회반열 위치 및 호종(8월 12일)】

경사京師의 남관南館에 들어갔다. 동틀 무렵에 예부에서 말을 전하기를, "오

47) 『연행기』「1790년 8월 9일」조 : 由行宮東門, 到勤政殿庭, …皇上先御上層樓正中, 船頭建金龍黃旗一雙, 軍機大臣阿桂, 和珅, 福康安, 福長安, 蒙回王三人, 安南王, 各國使臣, 從臣, 登下層樓, 牕外檻內, 乃行船, 左右梢工各五人, 皆美貌鮮服, 執朱漆棹, 齊唱棹歌…舟到延壽寺前, 皇上命蒙回諸王, 安南王, 各國使臣, 從臣, 下岸遍覽.

48) 『연행기』「1790년 8월 10일」조 : 留圓明園, 曉, 通官來言, 卽見禮部指揮公文, 今日設九九大慶宴, 各國王, 貝勒, 使臣, 從臣, 當進參, 余與正使, 書狀, 至拒馬木內宮門外朝房少憩, 黎明, 逾五門, 到艤船河岸, 與軍機大臣, 蒙回諸王, 貝勒, 與安南王, 南掌, 緬甸, 使臣, 安南從臣, 臺灣生番, 分上三船, 溯流到天香齋前下船, 入戲殿東西序, 皇上已御殿, 卯時始戲, 未時止戲.

늘 진시辰時에 황상이 환궁하니, 각국의 왕, 패륵, 사신, 종신들은 어가를 환송한 뒤 이어 경사京師로 가도록 하라"고 하였다. 나는 정사, 서장관과 함께 동쪽 큰 시가를 돌아가 행궁 밖에서 기다리다가 황도 좌우편에 늘어섰다. 군기대신과 몽골·회부의 제왕, 패륵이 다 어가를 호종하였다. 내각의 학사와 육부六部의 상서, 시랑과 각성各省의 독무督撫, 사도司道는 길 북쪽에 반열을 맞추어 남향하였는데, 서쪽이 상석이다. 안남왕과 조선·안남·남장·면전의 사신들은 길 남쪽에 늘어서서 북향하였는데, 서쪽이 상석이다.[49]

【몽골 사절의 조회반열 위치 및 호종(8월 13일)】

대악大樂은 태화문太和門 좌우에 있다. 종실宗室, 각라覺羅와 몽골·회부의 여러 왕공(현조顯祖 선황제宣皇帝의 본손과 지손을 종실이라 하고, 백숙형제伯叔兄弟의 지손을 각라覺羅라 한다. 건륭어제乾隆御製『무술집戊戌集』을 살펴보면, '장백산 동쪽에 못이 있는데 포륵호리布勒瑚里라고 한다. 전설에 천녀天女 불고륜佛庫倫이 못에서 목욕하는데 신학神鶴이 붉은 과일을 물고 와서 천녀의 옷 가운데 놓아두었다. 천녀가 그것을 먹었더니 임신이 되어 한 사내아이를 낳았다. 아이는 나면서부터 능히 말을 할 줄 알며, 모습이 기이하였다. 장성한 뒤에 천녀가 그에게 애친각라愛親覺羅라는 성姓을 주었는데, 이 사람이 만주의 시조이다'라고 한다)과 문무백관이 다 조복 차림으로 반열에 나아갔다. … 시간이 되니, 중화소악中和韶樂이 연주되고 금룡황개金龍黃蓋가 태화전太和殿의 동남쪽 처마를 따라 전문 밖 가운데에 이르렀다. 황상이 예복을 입고 보좌에 오르니 주악이 그쳤다. 계단 아래에서 정편靜鞭이 세 번 소리를 내었다. … 대악大樂이 울리자, 종실, 각라와 몽골·회부의 제왕공諸王公과 문무백관이 배위拜位에 나아간다. 친왕이 한 반班이고, 세자世子와 군왕郡王이 한 반이다. 장자長子·패륵·패자·안남왕이 한 반이고, 진국공鎭國公·보국공輔國公이 한 반이다. 왼쪽은

49) 『연행기』「1790년 8월 12일」조 : 入京師南館, 黎明, 禮部送言, 今日辰時, 皇上還宮, 各國王, 貝勒, 使臣, 從臣, 當送駕, 仍向京師, 余與正使, 書狀, 往待于行宮外, 遶東大市街閭舍, 少頃, 排班于皇途左右, 軍機大臣, 蒙回諸王, 貝勒, 皆扈駕, 內閣學士, 六部尙書, 侍郎, 各省督撫司道, 班于途北而南向西上, 安南王, 朝鮮, 安南, 南掌, 緬甸, 使臣, 班于道南而北向西上.

서쪽이 상석이고, 오른쪽은 동쪽이 상석인데, 다 북면하였다. 문무 정종품관正從品官들은 각기 품급에 따라 의장 안의 동서에 서니, 각각 18반씩이다. 동반東班은 서쪽이 상석이고, 서반은 동쪽이 상석인데, 다 북면하였다. 명찬관鳴贊官이 '나감(進)'이라 하면 여러 사람이 나아가고, '꿇음(跪)'이라 하면 여러 사람이 꿇어앉는다. 명찬관이 '선표宣表'라고 하면 선표관宣表官이 전殿의 왼쪽 문으로 들어와서 표문을 둔 책상 앞에 나아가 표문을 받들고 나온다. 이때 태학사太學士 2인이 함께 전첨殿檐 아래에 이른다. 선표관이 한가운데에서 북향하여 꿇어앉고, 태학사 2인이 좌우에 꿇어앉아서 표문表文을 펴면 주악이 그친다. 선표관이 선표를 마친 뒤 표문을 받들어 책상에 도로 갖다 두고 본 위치로 돌아가면 주악이 시작된다. 명찬관이 '흥興'이라 하면 종실, 각라 및 몽골·회부의 제왕공과 문무백관이 삼궤구고두三跪九叩頭의 예를 행한다. 예를 마치면 주악이 그치고, 본 위치에 돌아와 선다. 종실, 각라와 몽골·회부의 여러 왕공과 안남왕 및 태학사는 전殿의 좌우문을 거쳐 들어가서 북향하여 꿇어앉아 일고두一叩頭의 예를 행하고 앉는다. 문무 동서반과 조선·안남·남장·면전의 사신과 대만의 생번도 모두 본 위치에서 일고두의 예를 행하고 앉는다. 황상이 차를 내주면 전내殿內의 왕공, 태학사와 전정殿庭의 문무백관이 각각 그 앉은 자리에서 일고두의 예를 행한다.50)

50) 『연행기』「1790년 8월 13일」조 : 大樂在太和門, 左右宗室覺羅, 蒙回諸王公(顯祖宣皇帝, 本支爲宗室, 伯叔兄弟之支, 爲覺羅, 按乾隆御製戊戌集, 長白山東, 有池日布勒瑚里, 相傳天女佛庫倫, 浴於池, 神鵲銜朱果, 置天女衣中, 遂呑之, 有身, 尋產一男, 生而能言, 體貌奇異, 及長, 天女錫姓日愛新覺羅, 是爲滿州始祖.) 文武百官咸朝服, 就班…時至中和韶樂作, 金龍黃蓋, 自循太和殿東南檐, 至殿門外正中, 皇上御禮服, 陞寶座, 樂止, 階下靜鞭三聲…丹陛大樂作, 宗室覺羅, 蒙回諸王公, 文武百官, 乃就拜位, 親王一班, 世子, 郡王一班, 長子, 貝勒, 貝子, 安南國王一班, 鎭國公, 輔國公一班, 左翼西上, 右翼東上, 皆北面, 文武正從各依品級山序立于儀仗內, 東西各十有八班, 東班西上, 西班東上, 皆北面, 鳴贊官, 贊進衆進, 贊跪衆跪, 贊宣表, 宣表官入殿左門, 詣表案前, 奉表出, 太學士二人, 同至殿檐下, 宣表官正中北面跪, 太學士二人, 左右跪, 展表, 樂止, 宣表官, 乃宣訖, 奉表還於案, 復位立, 樂作, 鳴贊官贊叩興, 宗室覺羅蒙回諸王公, 文武百官, 行三跪九叩禮, 畢樂止, 復位立, 宗室覺羅, 蒙回諸王公, 安南國王, 太學士, 由殿左右門入, 北向跪, 行一叩禮, 坐文武東西班, 朝鮮, 安南, 南掌, 緬甸, 使臣臺灣生番, 皆於本位跪行一叩禮坐, 皇上進茶, 殿內王公, 太學士, 殿庭文武百官, 各於坐次, 行一叩禮.

서호수는 위의 기록에서 청조의 시조 설화를 수록하고 있다. 조선의 사신들은 청조의 최초 명칭이 후금後金이라는 것을 들어, 청조가 후금을 계승한 국가라고 인식하면서 그것을 청조의 고위대신들에게 자주 질문하곤 했다. 여진과 이웃한 조선인들로서는 당연한 질문이었겠지만, 금나라와 다른 시조설화를 지니고 있고, 또 다른 역사과정을 통해 중원을 접수한 만주인들로서는 듣기 거북한 말이었을 것이다. 이로 인해 건륭제는 아예 자신들의 뿌리를 책으로 반포해 그 부당성을 알리고자 할 정도였다.[51] 아마 서호수의 시조설화 수록은 이러한 청조의 입장을 반영한 것인지도 모른다.[52]

청조의 지배층인 아이신-기오로Aisin Gioro(愛新覺羅)는 건주여진의 한 성씨이다. 이 성씨에서도 누르하치의 아버지인 타크시Tagsi(塔克世, 他失)의 직계 자손만 종실이다. 이들은 황금 허리띠(altan büse-n, 金黃帶)를 차기 때문에 속칭 황대자黃帶子라고도 불린다. 아버지의 형제나 친척들의 후예는 기오르Gioro(覺羅)라고 한다. 이들은 붉은 허리띠(ulagan büse-n, 紅帶)를 차기 때문에 속칭

51) 이 같은 건륭제의 입장을 잘 반영해주는 기록이 李坤, 『燕行記事』「1778년 3월 29일」조에 실린 "황제가 말하기를 '나는 요나라, 금나라의 후손이 아닌데, 명나라 때에 세계를 잘못 전하였다. 또 내가 중원의 주인이 된 것은 한나라와 당나라처럼 서로 침벌한 것과 다르다. 오삼계가 문을 열고 맞아들였기 때문에 천명을 이어받은 것이다. 이 일을 불가불 책으로 엮어 내어 천하에 배포해 보여주어야 하겠다'(皇帝以爲吾非遼金之後, 明時誤傳世契, 且吾之入主中原, 自與漢唐之相侵伐有異, 吳三桂開門以迎, 故順承天命, 此事不可不撰出一册, 頒示天下)."라는 대목이다.

52) 金正中, 『燕行日記』「1791년 12월 3일」조에도 청조의 시조 설화가 "백두산은 일명 불함산이며, 산 위에 탑문호라는 큰 못이 있다. 하루는 선녀 세 사람이 하늘에서 내려와 못가에서 노는데, 신명스런 까치가 밤·대추 같은 물건 하나를 물고 와서 소녀의 품안에 버리고 갔다. 소녀가 이것을 먹고 임신하여 매우 잘생긴 아들을 낳았다. 아이를 낳은 지 5~6년에 그 어머니가 갑자기 하늘로 올라가니, 아이가 의지해 살 곳이 없었다. 그래서 떼를 타고 못에서 내려와 흑룡강 북쪽에 이르렀다. 그때 네 성의 부락이 해마다 자주 서로 다투었다. 한 부락이 이 아이를 얻자 신으로 여겨서 추장을 삼았더니, 세 부락을 아울러 통치하고 드디어 만주를 제패하였다. 만주는 곧 영고탑이다. 그 후세에 건주위를 얻고, 또 심양을 얻었다. 건주를 흥경이라 하고 심양을 성경이라 하니, 여기에서 흥하고 여기에서 성하였다는 뜻이다(<抵瀋陽古奉天府, 按其誌云> 白頭山, 一名不咸山, 山上有大澤, 號塔門湖, 一日, 仙女三人, 自天而下, 逍遙澤畔, 忽靈鵲含一物如栗棗者, 置小女懷中而去, 女吞之有娠, 生男子, 甚奇偉, 兒生五六年, 其母忽升天, 兒無所依泊, 乘槎自澤中而下, 至黑龍江北, 是時, 四姓部落, 頻年相爭, 一部落得此兒, 以爲神, 仍爲酋長, 並吞三部落, 遂霸滿州, 滿州, 卽寧古塔也, 其後世得建州衛, 又得瀋陽, 名建州曰興京, 名瀋陽曰盛京, 謂興於此, 盛於斯也)"처럼 수록되어 있다.

홍대자紅帶子라고도 불린다. 이들의 족보는 종인부宗人府[53]에서 관장하며, 족인들은 옥첩玉牒에 기입되어 정치나 경제 등의 방면에서 일정한 특권을 지닌다.[54]

【유람과 연회에서의 몽골 사절 반열 위치(8월 13일)】

태화전太和殿의 행례行禮가 끝난 뒤에, 통관이 세 사신을 인도하여 좌익문左翼門을 거쳐 동쪽으로 나갔다. 그리고 북쪽으로 가서 양성전養性殿의 동쪽에 있는 희각戱閣에 들어가니 바로 영수궁寧壽宮이다. … 종실, 친왕, 패륵, 각부대신들은 두 줄로 서향하여 동편에 앉았는데, 북쪽이 상석이다. 몽골·회부의 제왕과 패륵, 안남왕과 조선·안남·남장·면전의 사신들, 대만의 생번은 두 줄로 동향하여 서편에 앉았는데, 북쪽이 상석이다. 진시에 연희를 시작하여 오시에 그치었다.[55]

53) 종인부에 대해서는 李坤, 『燕行記事』「聞見雜記」에 "종인부는 곧 우리나라의 종친부이다. 순치 초년에 설치하여 화석친왕 또는 다라군왕이 부의 일을 총령케 하고, 다라패륵으로 좌종정을 삼았으며, 고산패자로 우종정을 삼았다. 그리고 진국공으로 좌우종인을 삼아 황족의 속적을 관장케 한다. 1등은 화석친왕, 2등은 다라군왕, 3등은 다라패륵, 4등은 고산패자, 5등은 진국공, 6등은 보국공이다. 7등은 진국장군인데, 이는 황제의 서비 소생이다. 8등은 보국장군인데 친왕의 측실 소생이고, 9등은 봉국장군인데 군왕의 측실 소생이다. 그 나머지는 모두 종실인데, 큰아들은 다 작위를 계승하고, 다른 자식들은 처음 봉할 때 모두 강등하였다가 뒤에 가봉을 만나면 차차로 승봉하여 1등에 이른다. 제종은 매월 세 차례 조회하고, 봄가을 두 계월에 말 타고 활 쏘는 것을 익힌다. 옹정 초년에는 따로 종학을 세워 제종을 교훈하였다. 중궁의 딸은 고륜공주이고, 서비의 소생은 화석공주이다. 친왕의 딸은 화석격격인데, 뒤에 군주라 칭하였다. 군왕의 딸은 다라격격으로, 뒤에 현주라 칭하였다. 패자의 딸은 고산격격인데, 뒤에 현군이라 칭하였다. 공의 딸은 공격격인데, 뒤에 향군이라 칭하였다. 그 뒤 패륵의 딸 다라격격은 다시 군군으로 칭하였다(宗人府, 卽我國宗親府, 順治初設置, 以和碩親王或多羅郡王, 總領府事, 多羅貝勒爲左宗正, 固山貝子爲右宗正, 鎭國公爲左右宗人掌皇族之屬籍, 一等爲和碩親王, 二等爲多羅郡王, 三等爲多羅貝勒, 四等爲固山貝子, 五等爲鎭國公, 六等爲輔國公, 七等爲鎭國將軍, 卽皇帝庶妃所生, 八等爲輔國將軍, 卽親王側室所生, 九等爲奉國將軍, 卽郡王側室所生, 其餘俱爲宗室, 長子皆襲爵, 諸子初封皆降等, 後遇加封則次次陞封至一等, 諸宗每月三次上朝, 春秋二季, 習騎射, 雍正初, 命別立宗學, 敎訓諸宗, 中宮女爲固倫公主, 庶妃所生爲和碩公主, 親王女爲和碩格格, 後稱郡主, 郡主女爲多羅格格, 後稱縣主, 貝子女爲固山格格, 後稱縣君, 公之女爲公格格, 後稱鄕君, 其後貝勒女多羅格格則更稱以郡君)."처럼 상세하게 기록되어 있다.

54) 아이신-기오로Aisin Gioro(愛新覺羅)의 만주인들은 후에 한자성명을 金, 趙, 肇, 羅, 艾 등으로 표기했다.

55) 『연행기』「1790년 8월 13일」조 : 禮成, 通官引三使, 由左翼門出, 東北行, 到養性殿東戲閣,

【몽골 사절의 조회반열 위치 및 호종(8월 15일)】

(원명원圓明園으로 갔다.) 예부禮部에서 전하기를 "오늘은 추분이라 신시申時에 황상이 석월단夕月壇에서 친히 제사지내니, 각국의 왕과 사신, 종신들은 어가를 영접하고 환송한 뒤에 원명원으로 향해야 한다"고 하였다. 나는 정사, 서장관과 함께 아침을 먹은 뒤 공복公服을 갖춰 입고, 부성문阜城門 밖으로 나가서 광항가光恒街의 화표華表 북쪽에 있는 여사閭舍에 도착해 조금 쉬었다. 얼마 뒤에 통관이 와서 시간이 되었다고 알리므로 드디어 화표의 남쪽으로 들어가 석월단의 북문 밖에 반열을 갖추었다. 몽골·회부의 제왕과 패륵, 안남왕과 군기제대신이 모두 어가를 호종하면서 반열로 갔다. 몽골·회부의 태길台吉과 조선·안남·남장·면전의 사신, 종신들은 황도皇道의 서쪽에 한 줄로 늘어서서 동향하였는데, 북쪽이 상석이다. 법가노부法駕鹵簿를 황도의 좌우에 벌여 놓았는데, 단壇의 북문 밖에서 시작되어 광항가의 화표 안까지 뻗쳤다. 황상은 예복을 입고 예여禮輿를 탔는데, 의도儀刀 20, 고건櫜鞬 20, 표미창豹尾槍 20이 경호했다. 기旗 각 1, 장마仗馬 10, 도개導蓋 1이 앞에서 인도하며, 표미창 10, 고건 20, 황룡대둑黃龍大纛 2, 의도 10이 뒤에서 호위하였다. 왕공 대신들은 모두 재계향齋戒香을 걸고 앞뒤로 나누어 배호陪扈하였다. 신시申時 초에 궁을 나와서 정각에 친히 제사를 거행하고, 이어 곧 환궁하였다. 몽골·회부의 태길과 조선·안남·남장·면전의 사신, 종신들은 황도의 동쪽으로 가 한 줄로 서향하여 늘어섰는데, 남쪽이 상석이다. 노부鹵簿는 전과 같이 벌였는데, 요가대악鐃歌大樂이 울린다. 출궁할 때는 악기를 벌여 놓았을 뿐 연주하지는 않았다.[56]

卽寧壽宮也, …皇上內殿禮成, 卽詣戲殿, 參宴諸臣, 由右序夾門入, 宗室親王, 貝勒, 閣部大臣, 坐於東序重行, 西向北上, 蒙回諸王, 貝勒, 安南王, 朝鮮, 安南, 南掌, 緬甸使臣, 臺灣生番, 坐於西序重行, 東向北上, 辰時始戲, 午時止戲.

56) 『연행기』「1790년 8월 15일」조 : 朝陰夕晴, 西風甚猛, 涼意頗緊, 出圓明園, 禮部送言, 今日卽秋分, 申時, 皇上親祭夕月壇, 各國王使臣從臣, 接駕送駕後, 當向圓明園, 余與正使, 書狀, 朝飯後, 具公服, 出阜城門外, 光恒街華表北閭舍少憩, 俄而通官來告時至, 遂入華表南夕月壇北門外排班, 蒙回諸王, 貝勒, 安南王, 軍機諸大臣, 並扈駕赴享班, 蒙回台吉, 朝鮮, 安南, 南掌, 緬甸使臣, 從臣, 班于皇道西一行, 東向北上, 陳法駕鹵簿于皇道左右, 首起壇北門外, 尾達光恒街華表內, 皇上御禮服, 乘禮輿, 儀刀二十, 櫜鞬二十, 豹尾槍二十, 出警入蹕, 旗各一, 仗馬十, 導蓋一, 前引豹尾槍十, 櫜鞬二十, 黃龍大纛二, 儀刀十, 後護, 王公大臣, 俱掛齋戒香, 分前後陪扈, 申初出宮, 申正親祭, 仍卽還宮, 蒙回台吉, 朝鮮, 安南, 南掌, 緬甸使臣, 從臣, 移班于

【몽골 사절의 조회반열 위치 및 호종(8월 16일)】

(원명원에 머물렀다.) 새벽에 예부에서 전하기를, "오늘 진시에 황상이 원명원에 거둥하니, 각국의 왕과 사신, 종신들은 어가를 영접해야 한다"고 하였다. 동틀 무렵 나는 정사, 서장관과 함께 원명원 문 밖의 동으로 뻗친 큰 시가의 여사閭舍에 가서 기다렸다. … 황제의 수레가 조선반朝鮮班 앞에 이르렀을 때 나는 정사, 서장관과 함께 일고두一叩頭의 예를 행하였다. 황제가 몸을 휘장 밖으로 기울여 웃으며 손을 들어 뜻을 표하니, 오습왕烏什王이 말에서 내려 황제의 수레 옆에 섰다. 몽골·회부의 제왕과 군기대신이 모두 어가를 호종하고 있었다. 황제가 성지를 내리기를, "머리를 조아리지 말고 일어나라"고 하였다. 예부의 상서, 시랑 등이 모두 말하기를, "내각대신 이외에는 일찍이 이와 같은 특별한 예우가 없었다"고 한다.57)

【유람과 연회에서의 몽골 사절 반열 위치(8월 19일)】

(원명원에 머물렀다.) 새벽에 통관이 와서 말하기를, "예부의 지휘공문에 오늘 구구대경연九九大慶宴을 개최하니, 각국의 왕, 패륵, 사신, 종신들은 모두 참석해야 한다"고 하였다. 나는 정사, 서장관과 함께 거마목拒馬木 안의 궁문 밖에 있는 조방朝房에 이르러 조금 쉬었다. 그리고 동틀 무렵에 오문五門을 지나 배가 기다리고 있는 강기슭에 도착했다. 군기대신과 몽골·회부의 제왕, 패륵과 안남왕, 남장南掌·면전緬甸의 사신들과 안남의 종신, 대만의 생번이 세 척의 배에 나눠 탔다. 조류를 거슬러 올라가다가 천향재天香齋 앞에 이르러 배에서 내렸다. 희전戲殿의 동쪽과 서쪽으로 들어가니, 황상이 이미 희전에 와 있었다. 묘시卯時에 연희를 시작해 미시未時에 끝났다. … 우관寓館에 돌아온 뒤에 통관이 와서 말하기를, "예부의 지휘공문에 내일 정대광명전正大光明殿에서 재경在京한 왕

皇道東一行, 西向南上, 鹵簿依前陳列, 而鐃歌大樂振作, 出宮時, 陳而不作.

57) 『연행기』「1790년 8월 16일」조 : 晴, 留圓明園, 曉, 禮部送言, 今日辰時, 皇上幸圓明園, 各國王使臣, 從臣, 當接駕, 黎明, 余與正使, 書狀, 往待于圓明園門外, 迤東大市街閭舍…輿到, 朝鮮班, 余與正使, 書狀, 亦一叩, 皇上側身幃外, 笑而擧手下旨, 烏什王下馬立輿旁, 蒙回諸王, 軍機大臣, 皆扈駕, 傳旨日, 勿叩起禮, 部尙書侍郞等, 皆日, 內閣大臣外, 曾無此異數云.

공, 대신과 몽골·회부의 제왕, 패륵과 안남왕, 조선·안남·남장·면전의 사신들에게 연회를 베푸는데, 연회가 시작되는 시간은 묘시 초이다"고 하였다.[58]

【유람과 연회에서의 몽골 사절 반열 위치(8월 20일)】

동틀 무렵 원명원 문의 동쪽 곁문으로 나가, 현량문賢良門의 왼쪽 쪽문으로 들어가 정대광명전正大光明殿 뜰에 이르렀다. … 한 탁자에 30품品씩 올려놓았는데, 종실과 몽골·회부의 제왕, 패륵, 안남왕은 전내의 보좌 동쪽에 늘어서고, 연성공衍聖公과 문무 만주·한족의 대신은 보좌의 서쪽에 늘어섰다. 각성各省의 독무督撫, 도륵圖勒, 포특布特, 토사土司는 전정의 동쪽에 늘어서고, 조선·안남·남장·면전의 사신, 종신과 대만의 생번은 전정의 서쪽에 늘어섰다. 내무부內務府의 만주어로 쓴 의주儀注에 아래와 같은 내용이 있다. "삼가 연회를 위한 의주를 아룁니다. '이번 정대광명전에서 연경에 거주하는 왕공과 안남왕, 조선 등 각 나라의 사신에게 연회의 은상을 내릴 때, 대궐의 처마 밑 양쪽 변에 중화소악中和韶樂을 설치한다. 현량문의 양쪽 곁에도 평장지악平章之樂을 설치한다. 총리는 내무부 대신이 황상의 음식 탁자를 가져다가 보좌 앞에 설치하고, 중탁장重卓張은 단지丹墀의 양쪽 곁에 설치한다. 육선肉膳도 미리 갖다 두고, 상물賞物은 광명전 앞의 양쪽 변 황정黃亭 안에 갖다 두고, 금잔과 옥기玉器는 현량문 안에 갖다 둔다. 전문殿門과 각비閣扉를 열면 친왕과 몽골왕, 패륵, 패자, 공公과 회자回子의 왕공, 안남왕 및 조선·안남·남장·면전의 사신과 도륵, 포특, 토사, 번자番子와 경성京城의 1품 문무 만주·한족 대신, 연성공과 외성外省의 총독, 순무巡撫가 각각 반열을 지어서 건청문乾淸門에 차례로 앉는다.'"[59]

58) 『연행기』「1790년 8월 19일」조 : 晴, 留圓明園, 曉, 通官來言, 卽見禮部指揮公文, 今日設九九大慶宴, 各國王, 貝勒, 使臣, 從臣, 當進參, 余與正使, 書狀, 至拒馬木內宮門外朝房少憩, 黎明, 逾五門, 到艤船河岸, 與軍機大臣, 蒙回諸王, 貝勒, 與安南王, 南掌, 緬甸, 使臣, 安南從臣, 臺灣生番, 分上三船, 溯流到天香齋前下船, 入戲殿東西序, 皇上已御殿, 卯時始戲, 未時止戲…歸寓館後, 通官來言, 卽見禮部指揮公文, 明日正大光明殿, 賜宴在京王公, 大臣, 蒙回諸王, 貝勒, 安南王, 朝鮮, 安南, 南掌, 緬甸使臣, 開宴在卯初矣.

59) 『연행기』「1790년 8월 20일」조 : 黎明, 由圓明園門之東旁門踰出, 入賢良門之左夾, 至正大光明殿庭…一卓排三十品, 宗室, 蒙回諸王, 貝勒, 安南王, 班于殿內寶座東, 衍聖公, 文武滿漢大臣, 班于寶座西, 各省督撫圖勒布特土司, 班于殿庭東, 朝鮮, 安南, 南掌, 緬甸使臣, 從臣, 臺灣

3. 만몽연혼 사례

만몽연혼의 사례에 관한 기록은 최덕중과 박지원의 여행기에만 나타나는데, 그것을 순서대로 소개하면 다음과 같다.

(1) 최덕중의 연행록에 등장하는 만몽연혼의 사례

【몽골로 출가한 만주 여인】

가는 길에 또 여행女行 하나를 만났는데, 검은 장막을 드리우고 검은 덮개로 된 교거轎車였다. 부다지覆多只를 입어 모양이 호인 같은 세 여인이 따라가고, 앞에는 낙타 두어 마리가 있었다. 괴이쩍어서 물었더니, "청주靑州 관리 집안의 딸이 몽골 총신의 집에 출가했는데, 친가에 왔다가 남편의 집으로 돌아가는 것이다"라고 답했다. 이른바 비녀婢女 가운데 한 사람은 호인이었다.[60]

위의 기록은 일반 만주 귀족들과 몽골 귀족들 간의 혼인사를 보여주는 일례이다.[61] 당시는 강희제의 예에서도 나타나듯이 몽골과 만주족 간에 혼인

生番, 班于殿庭西, 內務府滿洲字儀注曰, 謹奏爲宴筵事, 此次正大光明殿, 恩賞在京王公, 安南國王, 朝鮮等國使臣, 宴筵時, 殿檐下兩邊, 設中和韶樂, 賢良門內兩旁, 亦安設平章之樂, 摠理內務府大臣, 將皇上膳卓, 安設寶座前, 重卓張安設丹墀兩旁, 肉膳亦預先安設, 賞物安設殿前兩邊黃亭內, 金罇玉器, 安設賢良門內, 開殿門閣扉親王, 蒙古王, 貝勒, 貝子, 公, 回子王公, 安南國王及朝鮮, 安南, 南掌, 緬甸使臣, 圖勒布特土司番子, 京城一品文武, 滿漢大臣, 衍聖公, 外省摠督, 巡撫, 各排班坐次乾淸門.

60) 『연행록』「1712년 12월 26일」조 : 行路又逢一女行, 垂黑帳黑蓋轎車, 三女人着覆多只, 狀如胡人而隨之, 前有駱駝數馱, 怪而問之, 則答云淸國仕宦家之女, 出嫁于蒙古寵臣之家矣, 來親家而還歸夫家云, 所謂從婢一女胡人矣.

61) 1803년의 여행기로 작자 미상인 『薊山紀程』「胡藩」조에도 "남자는 황녀에게 장가들고, 여자는 친왕에게 시집가서, 금옥인장을 찬 자가 앞뒤로 잇달았다(男尙皇女, 女嫁親王, 佩金玉印章者, 前後相望)"처럼 이전 시대의 전문과 당시의 견문을 섞은 기록이 실려 있다. 1828년 북경을 방문한 朴思浩의 『心田稿』「蒙古館記」조에도 "벼슬하는 남자는 모두 황녀에게 장가들고, 여자는 친왕에게 시집간다. 총애하여 높은 지위를 준다(仕宦者皆男,尙皇女,女嫁親王,寵錫高秩)"라는 거의 동일한 내용의 기록이 실려 있다.

사가 가장 활발한 때이기도 하다.

【몽골로 출가한 강희제의 딸】

또 들으니 황제의 딸로 몽골에 시집간 자가 3인이고, 왕녀로서 시집간 자가 5인이라 한다.[62]

강희제의 공주로 몽골로 시집간 사례에 대해서는 이미 앞에서 자세히 언급한 바 있다. 위의 기록에 등장하는 "왕녀로서 시집간 자"란 청 태종의 황장녀皇長女 악탁岳托의 예처럼, 종실이나 친왕의 딸로 황실에서 양녀로 양육되어 몽골로 시집간 경우를 말한다. 이갑의 여행기에도 양공주養公主란 이름으로 종왕이나 친왕의 딸이 몽골 왕공에게 시집간 기록이 보인다.[63]

【몽골로 출가한 만주 공주들】

황녀로서 몽골에 시집간 자가 오면 궁실을 별도로 만들어 거처하다가 가고 나면 잠가 둔다. 왕녀도 시집가는 것은 임의로 못하고 황지皇旨를 기다려야 하므로, 작년에는 왕녀 한 사람이 25살이 되어서 비로소 몽골로 시집갔다 한다. 또 시집갈 때 싫어서 피하던 상황과 울부짖던 형상을 말했는데, 매우 가소로웠다.[64]

조선시대 북경을 방문한 여행기들 중 몽골로 출가한 공주들의 상황을 기록

62) 『燕行錄』「1713년 1월 14일」조 : 且聞皇帝之女嫁蒙古者三人, 王女之嫁者五人.

63) 李岬, 『燕行記事』: "강희 때로부터 점점 친근한 뜻을 보여 딸을 낳으면 반드시 시집보낸다. 또 종왕, 친왕의 딸도 양공주라 이름 붙여 시집보내는데, 은과 비단, 소와 말을 많이 보내 주었다(自康熙時, 漸示親近之意, 凡生女, 必嫁與之, 又以宗親王女嫁之, 名曰養公主, 銀緞牛馬資送甚多)."

64) 『燕行錄』「1713년 1월 14일」조 : 皇女嫁蒙古者來, 則別作宮室而處之, 去則鎖之, 而王女之許嫁, 不得任意, 以待皇旨, 故昨年王女一人, 年至二十五, 始嫁于蒙古, 而亦言嫁時避厭之狀, 號泣之形, 極可笑也.

한 것이 있는데, 공주의 성격에 따라 그 적응도에 차이가 있음이 나타난다.[65] 또 최덕중과 함께 북경을 방문했던 김창업의 여행기에는 황제의 사위를 목격한 대목도 다음과 같이 수록되어 있다.

> 누런 옷을 입은 관인이 들어왔는데, 몸집은 크기가 거의 열 뼘은 되고, 거동이 남다르다. 물으니 몽골왕으로 황제의 사위가 되는 자라 한다.[66]

(2) 박지원의 열하일기에 등장하는 만몽연혼의 사례

> **【몽골로 출가한 청 태종의 딸들】**
>
> 순치順治 병신년(1656) 10월 16일, 네 공주가 각각 막북으로 돌아갔는데, 그들은 모두 몽골왕의 처이다. 옥하관 앞의 길을 거쳐 갔는데, 몽골왕은 부하들을 데리고 빠르게 달려 나갔다. 낙타와 말이 매우 많았다. 공주도 역시 말을 타고 갔다. 번한蕃漢들이 그 뒤를 따라갔는데, 모두 멀리 배웅하기 위함이다. (이것은) 인평대군麟坪大君이 본 일이다.[67]

위의 기록은 인평대군(1622~1658)[68]의 목격담을 박지원이 전재한 것이다.

---

65) 이 사례를 보여주는 기록이 李押 의 『燕行記事』에 수록된 “그런데 거처와 음식이 중국과 판이하다. 그래서 처음 시집가면 청인들이 모두 가서 펠트제 천막을 지어 주는데, 눈물이 멈추지 않는다. 그러나 오래되면 그 생활에 익숙해져서 오라고 청해도 자주 오지 않는다고 한다(蓋居處飮食, 與中國絕異, 其始到也, 淸人皆爲之往營其室廬以居之, 猶涕泣不已, 久則安之如素, 雖請之, 亦不頻頻往來云).”라는 대목과 金景善의 『燕轅直指』「蒙古館記」에 수록된 “일찍이 몽골왕 및 그의 처가 정조에 참여하려고 연경으로 향하는 것을 보았다. 들으니 ‘그 나라에 있을 때 하인들과 더불어 같은 펠트제 천막에서 침식하며 대소변을 같이하여 구별이 없으므로, 황녀가 그 고통을 견디지 못하고 얼마 안 되어 죽었다’ 하였다(曾見蒙王及其妻, 趁正朝向燕京者, 聞居其國, 與皁隸共氈幕, 寢食便尿, 混處無別, 皇女不堪其苦, 未幾輒死云)”라는 대목이다.

66) 金昌業, 『燕行日記』「1713년 2월 6일」조 : 又有黃衣官入來, 體大幾十圍, 擧止異常, 問之, 乃蒙古王爲皇帝壻者也.

67) 『열하일기』「銅蘭涉筆」條 : 順治丙申十月十六日, 四公主各歸漠北, 皆蒙古王妻也, 路由玉河館前, 蒙王率其下馳去, 駝馬甚盛, 公主亦乘馬行, 蕃漢隨後而行, 皆遠餞也, 麟坪大君見之.

68) 인평대군의 본명은 李㴭로 仁祖의 셋째 아들이다. 孝宗의 동생인 그는, 인조 8년인 1630년에 인평대군으로 봉해졌다. 그는 1636년 丙子胡亂 때 남한산성까지 인조를 扈從했으며, 1640년

인평대군의 여행기인 『연도기행』은 1656년의 목격담을 중심으로 집필된 것으로, 명나라 측에 가담했던 몽골군의 기록 및 황제의 사위인 몽골왕과 공주에 대한 기록이 매우 사실적으로 묘사되어 있다. 따라서 박지원의 기록에 실린 것을 좀 더 구체적으로 살펴보기 위해 연혼 사례 및 네 공주와 관련된 기록들을 여기에 인용해 보기로 하겠다.

> 의주義州란, 즉 옛날에 청나라 사람이 금주錦州와 대진하고 있던 곳이다. 의주 북쪽 백 리 밖에는 몽골의 수만 장막이 있는데, 그 추장은 곧 청나라 군주의 매부라 한다.[69]

위의 기록에 등장하는 청 태종의 매부는 코르친부의 옥산Ugsan(烏克善)이다.

> 청나라 황제(순치제)가 새로 형제의 상을 당하여 여덟 몽골왕이 네 공주와 함께 위문하러 왔기 때문에 오늘 연회를 베풀어서 대접하는 것인데, 우리나라 사신도 들어와 참예케 했다. 공주는 바로 홍타시弘陀始의 딸인데, 모두 몽골왕에게 시집갔다. 네 몽골왕은 부마이고, 또 네 몽골왕은 부마의 아버지들이라고 했다.[70] … 김여휘金汝輝가 와서 인사를 올렸다. 연경 사정을 자세히 물었더니 다음과 같이 대답했다. "… 몽골왕 등이 9월 초순에 입경하여 이미 3순旬이 지났다. 전례대로 한다면 마땅히 돌아갔어야 할 것이다. 그러나 네 공주 가운데 한 사람이 금슬이 좋지 않을 뿐만 아니라 그 남편에게 소박을 맞았다. 그런데도

심양에 인질로 갔다가 이듬해에 돌아왔다. 1650년부터 네 차례에 걸쳐 謝恩使로 청나라에 다녀왔다. 그는 평생 압록강을 열두 번이나 건넜다고 말할 정도로 견문이 넓었던 조선 왕자이기도 했다.

69) 麟坪大君, 『燕途紀行』 「1656년 9월 6일」 조 : 義州, 卽昔年淸人與錦州對壘處, 義州北百里外, 有蒙古數萬帳, 其酋卽淸主妹夫云.

70) 麟坪大君, 『燕途紀行』 「1656년 10월 3일」 조 : 淸主新遭同氣之喪, 八蒙王偕四公主來慰, 故今日設宴以待, 而吾東使臣, 亦令入參, 公主乃弘陀始女, 俱嫁蒙王, 四蒙王, 駙馬也, 四蒙王, 駙馬之父云矣.

공주가 데리고 간 유부乳夫와 관가管家가 사실을 조정에 고하지 않자, 공주가 원망해서 이 일을 황제에게 호소했다. 황제는 크게 노하여 유부와 관가에게 사형死刑을 적용하매, 부마의 부자는 동화문 밖에서 석고대죄를 하고 있다. 공주는 도리어 두려워해서 황제에게 노여움을 풀도록 청했다. 이 때문에 지체된 것이지만 이달 보름을 전후해서 떠나기로 되어 있다. 상사賞賜는 예진例進의 말과 낙타를 되돌려주는 외에 은 수백 냥과 비단 수십 필을 주었을 뿐이니, 전에 비해서 오히려 적은 편이다. 세공歲貢은 무겁고 상사는 적어, 몽골 사람이 원심을 품게 되었다. 이른바 예진마例進馬 50필과 낙타 수십 필은 모두 세공歲貢 외의 것이다."[71] … 오늘의 조참례에 조선과 몽골이 동시에 참석하라고 허락한 것은 청나라 임금이 가까운 시일 안에 원유園囿에 행차하게 되고, 몽골 왕이 내일 출발하며, 나도 머지않아 떠날 것이기 때문에 한꺼번에 인사를 받으려는 것이었다.[72] … 눈이 내렸다. … 네 공주가 오늘 연경을 떠나서 각각 몽골 땅으로 돌아갔다. 길이 관문 앞을 지나게 되었다. 몽골왕이 신하들을 거느리고 지나가는데, 행장과 말이 매우 성대했다. 공주는 평복으로 말을 타서 상하를 분별하기 어렵다. 옥거屋車를 꾸며 빈 채로 뒤에 따르게 하니, 그 모양이 매우 화려했다. 온 조정의 번한蕃漢들이 그 뒤를 따라가고 있는데, 부마를 멀리 전송하는 법도인 것 같았다.[73]

위의 기록에 등장하는 네 공주는 몽골로 출가한 청 태종의 10명의 공주 가운데 4명일 것이다. 문맥으로 미루어 코르친부에 출가한 공주들로 보이지

71) 麟坪大君, 『燕途紀行』 「1656년 10월 10일」 조 : 金汝輝來謁, 細問燕京事情…蒙王等, 季秋旬前入京, 已過三旬, 例當回征, 而四公主中一人, 不唯琴瑟不調, 見薄於其夫, 帶去乳夫暨管家, 不告朝廷, 公主怨訴是事, 帝盛怒, 乳夫暨管家, 擬抵死罪, 駙馬父子, 東華門外席藁待罪, 公主還懼請解, 以故遲留, 將於望間發程, 賞賜則例進馬駝回贈外, 銀數百段數十, 比前猶少, 歲貢則重, 賞賜則鮮, 蒙人含怨, 所謂例進馬卽半百, 駝乃數十, 俱是歲貢外云.

72) 麟坪大君, 『燕途紀行』 「1656년 10월 15일」 조 : 蓋今日朝參禮, 鮮蒙並許入參者, 淸主之幸園囿在邇, 而蒙王明日發行, 余亦不久當發, 將一時辭退, 且頃日宴時欲謝恩.

73) 麟坪大君, 『燕途紀行』 「1656년 10월 16일」 조 : 下雪…四公主, 今日離京, 各歸蒙地, 路由館門前, 蒙王率羣下馳過, 橐馬甚盛, 公主以常服乘馬, 難卞上下, 盛飾屋車, 空而在後, 其制甚麗, 滿朝蕃漢, 隨其尾以行, 似是遠餞駙馬之規矣.

만 확신할 수는 없다. 위의 기록에서 홍타시弘陀始는 홍-타이지Khong-Tayiji의 조선어 발음이고, 관가管家는 노비로서 집안일을 맡아 관리하는 자이다. 예진例進은 전례에 따라 바치는 것을 말하며, 세공歲貢은 연공年貢(alban shulehen, Mo.alba gubchigur>алба гувчуур)을 말한다.[74] 옥거屋車란 몽골 고대에 흔히 등장하는 이동식 수레가옥으로, 수레 위에 펠트제 천막을 만들어 고정시킨 형태를 말한다. 김여휘金汝輝는 용만龍灣의 명문가 자제이다. 그와 그의 집안 식구는 1627년 정묘호란丁卯胡亂 때 모두 포로가 되어 심양으로 끌려갔다. 이후 그는 청나라 임금의 친병초관親兵哨官이 되었는데, 청나라의 기밀을 조선 사행들에게 은밀하게 전해주는 일이 많았다. 인평대군도 그의 도움을 많이 받아 여행기에 그에 대한 인물평을 쓸 정도로 애정을 보이기도 했다.

4. 피서산장의 의미

피서산장에 관한 기록은 피서산장을 방문했던 박지원과 서호수의 여행기에만 나타나는데, 그것을 순서대로 소개하면 다음과 같다.

(1) 박지원의 열하일기에 등장하는 피서산장과 그 의미

【1711년 6월 강희제가 피서산장을 세우고 친히 기록 남기다】

열하에는 36곳의 이름난 경치가 있다. 강희가 그 경치 좋은 곳마다 전각 하나

74) 참고로 李宜顯의 여행기인 『庚子燕行雜識』에는 1720년 몽골의 세공 사절단에 대한 기록이 “길가로 몽골인 40~50명이 낙타 30~40마리를 몰고 간다. 이것이 그 나라의 세공을 바치러 온 자라고 한다. … 금년에는 우리나라의 사신 외에 다른 나라에서는 공물을 바치러 온 자가 없고, 오직 몽골에서만 수십 명이 왔다(路傍, 有蒙古四五十羣, 驅三四十槖駝而行, 此是其國歲貢人入來者云…今年則我國使臣之外, 他國無入貢者, 獨蒙古累十人來參).”처럼 수록되어 있다.

씩을 두었다. … 그리고 그 전체를 합해 피서산장이라 이름 붙이고, 친히 기記를 지었다. "금산金山은 줄기를 일으키고, 따뜻한 샘은 솟구쳐 흐른다. 구름에 잠긴 골짜기엔 깊은 물이 넘치고, 돌 쌓인 못엔 푸른 아지랑이가 인다. 땅은 넓고 풀은 비옥하니, 농사나 집터로 피해를 받은 적이 없는 곳이다. 바람이 맑아 여름에도 시원하니, 사람이 수양하는 곳으로 아주 적당하다. 짐은 수차 양자강 일대를 순행하여 남방의 수려함도 깊이 알고, 두 번이나 섬서와 감숙에 거둥하여 서토의 사정도 명확하게 알았다. 북으로는 용사龍沙를 넘었고, 동으로는 장백산을 유람했다. 산천과 인물들을 모두 다 말할 수 없을 정도이다. (그러나) 모두 내가 있을 곳으로 취할 수는 없다. 오직 이 열하는 길이 신경(북경)과 가깝고, 땅도 황야가 아니다. 높고 평탄함과 멀고 가까움이 차이를 헤아릴 수 있고, 봉우리들의 자연스러운 형세가 열리도록 소나무에 의지하여 서재를 만들고, 물을 끌어 정자에 둘렀다. 이는 모두 사람의 힘으로 할 수 있는 것이 아니다. 아름다운 경기 지방의 도움만 받았을 뿐, 서까래의 새김이나 기둥의 단청에 돈을 들이지 않았다. 아늑한 임천林泉이 나의 정서에 맞음을 기뻐하노라. 날개가 찬란한 새들은 푸른 물 위에 노닐되 사람을 피하지 않고, 사슴들은 석양 속에 떼를 이루었다. 솔개는 공중에 날고 고기는 물에 뛰노니, 천성의 높고 낮음을 좇는구나. 멀리 빛나는 자줏빛 기운은 아름다운 햇빛이 밑에서부터 우러나와 펼쳐진 것이다. 이것이 곧 피서산장에 거주하는 뜻이다." 강희 50년(1711) 6월 하순에 쓴 것이니, 강희가 만년에 주로 열하에 있었음을 알 수 있다.[75]

위의 기록은 강희제가 1711년 6월 피서산장을 건립하면서 쓴 글이다. 기록에 등장하는 용사龍沙는 고비를 말하는 것으로, 강희제는 1696년 2월 외몽골에

75) 『열하일기』「避暑錄序」條：熱河有三十六景, 康熙逐景置殿閣, … 統名所居, 曰避暑山莊, 康熙自爲記曰, 金山發脉, 暖溜分泉, 雲壑渟泓, 石潭青靄, 境廣草肥, 無傷田廬之害, 風淸夏爽, 宜人調養之方, 朕數巡江干, 深知南方之秀麗, 兩幸秦隴, 益明西土之殫陳, 北過龍沙, 東游長白, 山川人物, 亦不能盡述, 皆吾之所不取, 惟玆熱河, 道近神京, 地闢荒野, 度高平遠近之差, 開自然峯嵐之勢, 依松爲齋, 引水在亭, 皆非人力之所能, 借芳甸而爲助, 无刻桷丹楹之費, 喜林泉抱素之懷, 文禽戲綠水而不避, 麋鹿映夕陽而成群, 鳶飛魚躍, 從天性之高下, 遠色紫氛, 開韶景之低仰, 此居避暑山莊之槩也, 康熙五十年六月下旬所書, 則康熙晩節, 多在熱河也,

진을 치고 있는 갈단칸을 친정하러 떠날 때 이곳을 거쳐 갔다.

【열하성熱河城의 안팎 전경】

며칠 동안 산길로 다니다가 열하에 들어섰다. 궁궐이 장려하고, 좌우로 시전이 10리나 이어져 있다. 실로 변방 북쪽의 큰 도시이다. 서쪽에 봉추산捧捶山의 한 봉우리가 우뚝 솟아 있다. 모습은 다듬이 방망이 같으며, 높이는 백여 장이다. 하늘을 향해 우뚝 솟은 (봉우리는) 석양빛을 받아 찬란한 금빛을 내뿜고 있다. 강희 황제가 이름을 경추산磬捶山으로 바꾸었다 한다. 열하성은 높이가 세 장이 넘으며, 둘레가 30리이다. 강희 52년(1713)에 돌을 섞어서 얼음무늬로 쌓아올렸는데, 이른바 가요문哥窰紋이라 한다. 인가의 담도 모두 이러한 방식으로 쌓았다. 성 위에 비록 방첩防堞을 쌓긴 하였으나, 여느 담과 다름이 없다. 지나온 고을들의 성곽에도 미치지 못했다. 이곳에 36곳의 절경이 있다.[76]

위의 기록은 피서산장과 그 주변의 모습을 묘사한 것이다.

【피서산장避暑山莊의 의미】

이제 청나라가 천하를 통일하고 이곳에 열하라는 이름을 처음 붙였는데, 실로 장성 밖의 요해의 땅이다. 강희 황제 때부터 늘 여름이면 이곳에 거둥하여 더위를 피하는 곳이 되었다. 머무르는 궁전들엔 채색이나 조각도 하지 않았다. 단지 피서산장이라고 부른다. 황제들은 이곳에 머물면서 책을 읽고 숲과 샘가를 거닐며 스스로 즐긴다. (잠시) 천하를 잊고 일상을 소박하게 지내려는 뜻을 가진 듯하다. 그러나 실제 이곳은 험한 요새이자, 몽골의 목구멍을 틀어쥘 수 있는 장성 북쪽의 요충지이다. 비록 피서라는 이름을 붙였으나, 실상은 천자 스스로

76) 『열하일기』 「漠北行程錄」 1780년 8월 9일조 : 累日行山谷間, 旣入熱河, 宮闕壯麗, 左右市廛, 連亘十里, 塞北一大都會也, 直西有捧捶山, 一峯矗立, 狀如砧杵, 高百餘丈, 直聳倚天, 夕陽斜映, 作爛金色, 康熙帝改名磬捶山, 高三丈餘, 周三十里, 康熙五十二年, 雜石氷紋甃築, 所謂哥窰紋, 人家墻垣, 盡爲此法, 城上雖施堞, 無異墻垣, 不及所經郡縣城郭, 有三十六景.

> 몽골을 방비함에 있다. 이는 마치 원나라 때 해마다 풀이 푸르러지면 대도를 떠났다가, 풀이 마르면 남으로 돌아오는 것과 같다. 대체로 천자가 북쪽 가까이 머무르며 몇 차례 사냥을 나가 주변을 순행하는 것은, 북방의 호적들이 함부로 남하하여 방목하지 못하게 하려는 것이다. 그러므로 천자의 오고 감은 항상 풀의 푸름과 마름으로 그 시기를 정하였다. 따라서 피서라는 이름도 그와 같은 것이다. 올봄에 황제가 남방을 순행하였다가 곧바로 북쪽의 열하로 돌아갔다.[77] … 내가 열하에 이르러 조용히 천하의 형세를 살핀 결과 다섯 가지로 집약되었다. 황제는 해마다 열하에 머무는데, 열하란 장성 밖의 궁벽한 땅이다. 천자가 무엇이 부족해서 이런 변두리의 거친 벽지에 와서 거처하는 것일까. 명분은 피서라 하지만 실상은 천자가 몸소 변방을 방비하는 것이니, 몽골이 강한 것을 가히 알 수 있었다.[78]

박지원은 피서산장에서 스스로 천하의 형세를 돌아보면서 역사 수상록과도 같은 글을 남겼다. 그는 북경 방문 이래 자신과 만난 모든 사람들이 만주인이나 한인을 불문하고 필담 후 종이를 남김없이 불살라 증거를 없애는 것을 보았다. 이를 통해 그는 청나라의 사상기반과 통치체제가 무엇인지를 깨달았다고 보인다. 그는 청조의 야망이 깃든 피서산장에서 평소 자신이 느꼈던 것과 그동안의 관찰을 바탕으로 천하의 형세 다섯 가지를 피력했다. 그것이 바로 청조의 몽골 방비, 청조의 티베트 회유, 한인의 사상 탄압, 만주인의 통제, 가진 자와 못 가진 자 즉 빈부의 격차였다. 특히 그는 피서산장에 숨겨진

77) 『열하일기』「漠北行程錄」漠北行程錄序條：今淸一統, 則始名熱河, 爲長城外要害之地, 自康熙皇帝時, 常於夏月, 駐蹕于此, 爲淸暑之所, 所居宮殿, 不爲采斲, 謂之避暑山莊, 帝居此, 書籍自娛, 逍遙林泉, 遺外天下, 常有布素之意, 而其實地據險要, 扼蒙古之咽喉, 爲塞北奧區, 名雖避暑, 而實天子身自防胡, 如元世草青出逾都, 草枯南還, 大抵天子近北居住, 數出巡獵, 則諸胡虜, 不敢南下放牧, 故天子往還, 常以艸之靑枯爲期, 所以名避暑者此也, 今年春皇帝, 自南巡直北還熱河.

78) 『열하일기』「黃敎問答序」：余至熱河, 有以默審天下之勢者五, 皇帝年年駐蹕熱河, 熱河乃長城外荒僻之地也, 天子何苦而居此塞裔荒僻之地乎, 名爲避暑, 而其實天子身自備邊, 然則蒙古之强可知也.

뜻이 몽골방비와 통제에 있다는 것을 정확히 지적했다.

총명한 조선 선비들이 사절단을 따라 북경에 오고 싶어 하는 가장 큰 이유는 견문과 시각의 확대에 있다. 정말 박지원은 이번 여행을 통해 그 숨겨진 능력을 유감없이 발휘하고 있다. 그리고 시각의 확대에 따라 몽골도 새롭게 발견하고 있다. 피서산장은 그에게 몽골을 새롭게 인식케 한 계기가 되었음이 분명하다. 이러한 박지원의 시각은[79] 그 후 북경을 방문한 조선 선비들의 몽골 인식에도 영향을 미쳤다.[80]

---

79) 박지원 이전에 북경을 방문했던 金昌業은 그의 여행기인 『燕行日記』에서 "(1713년 2월 3일) 이원영이 대답하기를, '황상께서 5월에 피서하시기 때문에 양식을 운반하기 위함이다'고 한다. 일찍이 들으니 황제가 열하에 이궁을 짓고 매년 그곳에 가서 피서를 한다고 하는데, 이번에 양식을 옮기는 곳도 열하인 듯하다. … (1713년 2월 7일) 또한 창춘원에는 관부를 설치하지 않고 백관들을 승려에 들게 하며, 또 날마다 25리나 되는 곳을 왕래하게 하니, 더러는 이것을 괴이히 여기나 역시 의의가 없는 것은 아니다. 대개 호인들은 말 등을 집으로 삼으며 춥고 배고픔을 능히 이길 수 있는 것이 그들의 장기이다. 그런데 중국에 들어온 지 70년이 되어 거처와 음식이 점차 사치해져서 본색을 잃게 되었다. 이렇기 때문에 조석으로 왕래하게 하여 말달리기를 익히고, 거처할 곳을 마련하지 않음으로써 그 안일함을 경계하게 하였으니, 의도가 깊다고 하겠다. 열하로 피서를 가고 패주로 관어를 가는 것도 돌아다니며 노는 것에 그친다고 할 수 없다(元英曰, 爲皇上五月避暑運糧也, 曾聞胡皇築離宮于熱河, 每年往彼避暑, 今此運糧處, 似是熱河也. … 且暢春苑不設官府, 百官入於僧廬, 又使日日往來於二十五里之地, 或以此爲怪, 而亦不無意思, 蓋胡人以馬上爲家, 能耐飢寒, 其長技也, 入中國七十年, 居處飮食漸奢侈, 失其本色, 以故使之朝夕往來, 以習其驅馳, 不設其所居, 以警其安逸, 其意可謂深遠, 其避暑于熱河, 觀魚于霸州者, 亦非徒爲巡遊也)."처럼 피서산장의 숨겨진 의미를 언급하고 있다. 박지원은 김창업의 여행기를 누차 언급하고 있는데, 아마 박지원의 시각은 김창업의 시각을 확대하고 확인한 것으로도 볼 수 있다.

80) 이를 보여주는 대표적인 예가 徐有聞, 『戊午燕行錄』의 "(1798년 10월 10일) 의주에 머물다. … 대국의 책력을 새로 반포하매 궐내에서 건륭 연호를 쓰고, 밖에서는 가경 연호를 쓴다 한다. 5월 21일에 태상황이 황제와 더불어 열하에 거둥하여 만만수성절을 지내고 백로절이 든 후에 돌아왔다 한다. 열하는 북경서 또 북으로 700리를 들어가 있는 지방이니, 몽골 나라에서 지척이라. 궁궐 배치가 극히 사치스럽고 화려하니, 이름을 피서산장이라 한다. 황제는 해마다 여름이면 이리 거둥하여 3~4개월을 지낸 후에 돌아오니, 이름은 비록 피서라 하나 실은 몽골의 침입으로부터 지켜내기 위함일러라. … (1798년 12월 16일) 해마다 열하에 거둥하여 더위를 피한다 일컬으나, 대체는 천자가 스스로 몽골을 방비함이요"라는 기록과 朴思浩, 『心田稿』 「留館雜錄」의 "강희 때부터 황제가 열하에 거둥하면서 그 명목을 산장에서 피서하는 것이라고 하였으나, 사실인즉 몽골의 목을 잡아 누르자는 것이었다(自康熙時, 皇帝幸熱河, 名曰避暑山莊, 其實扼蒙古咽喉而壓之也)"라는 기록이다.

【열하 피서산장避暑山莊의 의미】

열하에 와서 산동도사山東都司 학성郝成과 함께 거리의 멀고 가까움을 논했는데, 그 역시 열하에 처음 온 모양이다. 그는 "구외口外(열하)에서 북경까지는 대략 700여 리이다. 성조(강희제) 이래 해마다 구외에서 피서하는데 석왕碩王, 액부額駙와 각부대신閣部大臣들이 닷새마다 한 번씩 와서 뵈어야 한다. 길에는 빠른 여울, 세차게 흐르는 강, 높은 고개, 험준한 비탈이 많다. 모두들 그 험하고도 먼 곳으로의 여행을 꺼리므로, 성조가 특별히 참站을 줄여 400여 리를 만든 것이지 실은 700리이다. 모든 신하가 늘 말을 타고 달려와서 일을 아뢰어야 하므로, 막북을 문 앞처럼 여기고 몸이 안장 위에서 떠날 겨를이 없다. 이는 성군이 평안할 때도 위태로움을 잊지 않으려는 뜻이라 한다"고 말했다. 학성의 말이 진실에 가까운 것 같다.[81] … 대체로 이곳은 북경으로부터 700리 떨어져 있으며, 어진 임금이 항상 이곳에 머물러 있다. 그러나 화석친왕和碩親王을 비롯한 각부대신들은 모두 (그 길의 험난함으로 인해) 한탄이 많았다. 그리하여 각 참의 이수里數를 줄여 400리로 만들었다. (모든 신하가) 늘 말을 타고 달려와서 일을 아뢰게 하였으니, 이는 성군이 편안할 때도 위태로움을 잊지 않으려는 뜻이라고 했다.[82]

위의 기록에 등장하는 석왕碩王은 화석친왕和碩親王(Hosho-i Chin Wang)[83]의 준말로 황제의 아들을 말하며, 액부額駙는 사위를 뜻하는 어후efu의 음역이다. 산동도사山東都司인 학성郝成은 박지원의 여행기에 자주 등장하는 인물로, 자는 지정志亭이고 호는 장성長城이다.[84] 강희제가 북방의 근원을 잊지 말라고

81) 『열하일기』「漠北行程錄」漠北行程錄序條：及入熱河, 與山東都司郝成, 論程里遠近, 成亦初至熱河者, 成言大約口外去京師七百餘里, 自聖朝年年清暑口外, 碩王額駙閣部大臣, 五日一朝, 道多惡湍悍河崇嶺峻坂, 皆憚險遠跋涉之勞, 聖朝特爲剪站, 爲四百餘里, 其實七百里, 諸臣常得馳馬奏事, 視漠北如門庭, 身不離鞍, 此聖人安不忘危之意云, 成之言似爲近之.

82) 『열하일기』「黃教問答」：大約口外去京七百里, 仁祖常常駐蹕口外, 和碩親王閣部大臣, 皆憚跋涉, 仁祖時特爲剪站, 爲四百餘里, 常得馳馬奏事, 此聖人安不忘危之意也.

83) Hosho(和碩)는 四方의 方, 角, 楞을 뜻하는 만주어이다.

84) 박지원은 『열하일기』「傾蓋錄」조에서 이 인물에 대한 "학성은 흡(歙：安徽省의 지명) 사람이

피서산장을 세웠다는 것은 사실 청 태종의 유시비諭示碑[85]와 성격을 같이한다.[86]

【승덕부 육청六廳】

열하 태학太學의 대성문大成門 밖 동쪽 벽에 건륭乾隆 43년(1778)의 상유上諭를 걸어두었다. 내용은 다음과 같다. "이곳은 우공禹貢 때 기주冀州의 변방 끝자락이고, 우虞와 은殷, 주周 때는 유주幽州의 땅이다. 진나라와 한나라 이래로 판도에 들어오지 않았다가, 원위元魏(북위) 때 안安, 영營 2주를 두었다. 당나라 때는 영주도독부營州都督府가 있었다. 그러나 이것은 내지에서 교치僑治하는 것에 지나지 않았다. 요나라와 금나라 및 원나라 때 비로소 그 이름이 시작되었

다. 그의 자는 지정이요, 호는 장성이다. 현재 산동도사로 근무 중이다. 그는 비록 무인이지만 학문이 넓고 아는 바가 많다. 키는 8척이며 붉은 수염과 번쩍이는 눈동자에 골상이 비범하였다. 나와 함께 밤낮 이야기를 잇달았으나 조금도 피로한 빛을 띠지 않았다. 그의 저서는 대개 시화로 되어 있다(郝成, 歙人也, 字志亭, 號長城, 見任山東都司, 雖武人乎, 博學多聞, 身長八尺, 紫髯炯眸, 骨相精緊, 與余語, 晝夜不倦, 所著書皆詩話)."라는 기록을 남기고 있다.

85) 서호수의 여행기에는 奉天(瀋陽)의 府治 동남쪽 文廟 앞에 쓰러져 있는 청 태종 諭示碑의 내용이 "숭덕 원년(1636)에 태종이 제왕과 패륵, 대신들에게 유시하기를, '옛날 금나라 세종이 조상을 본받을 것을 힘써 도모한 것은 자손들이 한나라의 습속을 본받을까 두려워하였기 때문이다. 그래서 미리 금약을 만들어 조상을 잊지 말 것을 훈계토록 했다. 의복과 언어는 모두 옛 제도를 따르며, 때때로 말 타고 활 쏘는 일을 연습하여 무공에 대비토록 했다. 앞서 유학자 신하인 기극·습달해·고이선루가 짐에게 만주의 의관을 고쳐 한인의 복식제도를 본받으라고 권하였다. 그러나 짐은 이를 좇지 않았다. 그것은 실로 자손 만세를 위한 계책인데, 짐이 어찌 변경할 수 있겠는가. 훗날 자손들이 옛 제도를 잊고 기사를 폐하며 한인의 풍속을 본받을까 두렵다. 때문에 항상 이것을 염려하고 있다. 그대들은 짐이 말한 뜻을 삼가 명심토록 하라'고 하였다. 건륭 17년(1752) 봄에 삼가 실록을 읽고 공순히 이 유시를 기술하니, 화살 쏘는 정자에 비문을 새긴 뒤 쓰러뜨려 이것을 자손이나 뭇 신하들에게 보이도록 하라. 그 뜻을 삼가 듣고 잊지 말 것이며, 만년 불변의 법으로 지키도록 하라(崇德元年, 太宗諭諸王, 貝勒, 大臣曰, 昔金世宗奮圖法祖, 惟恐子孫效漢俗, 預爲禁約, 以無忘祖宗爲訓, 衣服語言, 悉遵舊制, 時時練習騎射, 以備武功, 先時儒臣己克, 什達海, 庫爾禪屢, 勸朕改滿洲衣冠, 效漢人服飾制度, 朕不從, 實爲子孫萬世之計, 在朕身, 豈有變更之理, 恐日後子孫, 忘舊制廢騎射, 以效漢俗, 故常切此慮耳, 爾等其謹識朕言, 乾隆十七年春, 恭讀實錄, 敬述此諭, 鐫立臥碑於箭亭, 以示子孫臣庶, 遵聽無忘, 爲萬年法守)."처럼 수록되어 있다.

86) 徐慶淳, 『夢經堂日史』「1855년 12월 14일」조에도 "(太和殿)) 원나라 세조가 창업하는 일의 어려움을 생각해 사막의 풀을 옮겨다가 단지 아래에 심어 자손들에게 초원을 항시 잊지 말도록 보여주었다. 이를 서검초라고 부른다(元世祖思創業艱難, 移大漠莎草, 植于丹墀下, 示子孫無忘草地, 謂之誓儉草)."처럼 북방의 근원을 잊지 말라는 기록이 수록되어 있다. 丹墀는 붉게 칠한 궁전의 址臺를 말한다.

다. 그러나 옛터는 곧 황폐해졌다. 명나라에서는 대령大寧을 버려 딴 지역처럼 간주했다. 전번에 승덕주承德州를 설치하였는데, 이제 부府로 승격시키려 한다. 그래서 동지同知를 개설했다. 그 나머지 6청廳, 즉 객라둔청喀喇屯廳은 난평현灤平縣 등으로 고쳤다. 사기청四旗廳은 풍녕현豐寧縣으로 고쳤다. 팔구청八溝廳은 그 땅이 비교적 넓어 평천주平泉州로 고쳤다. 오란합달청烏蘭哈達廳은 적봉현赤峯縣으로 고쳤다. 탑자구청塔子溝廳은 건창현建昌縣으로 고쳤다. 삼좌탑청三座塔廳은 조양현朝陽縣으로 고쳤다. 모두 승덕부의 관할로 예속시켰다."[87]

위의 기록에 등장하는 교치僑治란 남의 경내에 위치해 있는 치소治所를 말하며, 동지同知(Uhei saraci)는 부府의 관명官名이다. 위의 지명 중 객라둔喀喇屯은 검은 숲을 의미하는 카라툰Khara-Tün, 사기四旗는 더르벤-코시곤Dörben Khosigun, 오란합달烏蘭哈達는 붉은 바위를 의미하는 올랑-카다Ulagan Khada, 삼좌탑三座塔은 3개의 탑을 의미하는 고르반-소브라가gürban suburga가 원명이라고 보인다.

(2) 서호수의 연행기에 등장하는 피서산장과 그 의미

【강희제 피서산장의 유래와 코빌라이칸의 상도上都】

청나라 성조聖祖가 처음 산장을 짓고 민가 1만 호를 모집하여 살게 했다. 성조의 열하시熱河詩에 '모인 백성이 만가에 이르렀다'라는 글귀가 있다. 매년 4, 5월에 여기에 거둥하였다가 8, 9월에 돌아가곤 하였다. 고북구 안팎 400여 리 사이에 행궁과 사냥터가 뒤섞여 서로 바라보인다. 옛날 원나라 세조는 연경燕

87) 『열하일기』「口外異聞」六廳條：熱河太學大成門外東壁坎, 置乾隆四十三年上諭曰, 京畿東北四百里熱河地方, 在古北口以北, 卽禹貢冀州邊末, 而虞及殷周, 幽州之境也, 秦漢以來, 未入版圖, 元魏時, 建安營二州, 唐有營州都督府, 然不過僑置治所於內地, 遼金及元, 始鄕其名, 而古地旋荒, 明棄大寧, 視爲別域, 向者曾設承德州, 今宜陞爲府, 卽以同知改設, 而其餘六廳, 如喀喇河屯廳, 改爲灤平縣, 四旗廳, 改爲豐寧縣, 八溝廳, 其地較廣, 改爲平泉州, 烏蘭哈達廳, 改爲赤峯縣, 塔子溝廳, 改爲建昌縣, 三座塔廳, 改爲朝陽縣, 並屬承德府統轄云云.

京을 대도大都로 하고 개평부開平府를 상도上都로 하여 4월에 북쪽 풀이 푸르러지면 상도로 거둥하여 피서하고, 8월에 풀이 마르기 시작하면 대도로 돌아오는 것을 해마다 상례常例로 하였다. 상도는 피서하는 곳이었으므로 양涼 자를 넣은 이름의 정자가 많다. 동량정東涼亭, 서량정西涼亭, 북량정北涼亭 등이 있다. 산장山莊의 편액을 '피서'라고 한 것은 여기에 근본을 둔 것이다.[88]

서호수는 강희제가 건립한 열하 피서산장의 유래를 원나라 코빌라이칸의 여름 수도인 상도上都를 모방한 것이라고 단정하듯 말하고 있다. 그러나 박지원과는 달리 그 설립 목적에 대해서는 구체적인 언급이 없고, 단지 지형적으로 "북으로 몽골을 제압할 수 있는 요지"라고만 지적하고 있다. 그가 이러한 태도를 지니게 된 것은 무슨 원인 때문일까.

실제 위의 문맥을 잘 살펴보면, 그가 코빌라이칸과 강희제를 창조와 모방이라는 간접화법으로 비교하고 있음을 알 수 있다. 사실 서호수의 기록을 유심히 살펴보면 청나라의 철학이나 통치방식에 그다지 호감을 가지고 있지 않다는 느낌이 강하다. 아마 서호수가 간접 비교법으로 두 시대를 언급한 것은 그 시대이념 자체가 서로 어울리지 않는다는 속내를 드러낸 것은 아닐까.

피서산장의 전형을 이루었던 상도에 대해서는 이전 【전녕全寧 전투】 항목에서 일부 언급한 적이 있다. 그러면 여기에서 좀 더 구체적으로 상도에 대해 언급해 보기로 하겠다.

상도는 코빌라이가 1260년 3월 대칸에 즉위한 야망의 땅이다. 1263년 코빌라이는 개평開平을 상도로 하고, 1264년 연경燕京을 중도中都라 하였다가 1272년에 다시 대도大都로 바꾸었다. 대원올로스의 여름 수도인 상도는 대도와

88) 『연행기』「1790년 7월 15일」조 : 淸聖祖始刱山莊, 募民萬家以實之, 聖祖熱河詩, 有聚民至萬家之句, 每四五月駕幸, 八九月駕還, 燕都古北口內外, 四百餘里間, 行宮獵囿, 錯落相望, 昔元世祖以燕爲大都, 開平府,爲上都, 四月迤北草青, 駕幸上都避暑, 八月草枯, 駕還大都, 歲以爲常, 上都以避暑, 故多涼亭, 有東涼亭, 西涼亭, 北涼亭, 山莊之扁曰, 避暑, 本於此也.

남북으로 바라보면서 대원올로스의 정치·군사·경제·문화의 한 중심을 이루었다. 상도는 초원이 매우 풍요롭고, 성의 남쪽에는 난하灤河의 상류인 상도하上都河가 흐른다. 성의 북쪽은 수많은 산들이 둥글게 둘러싸고 있다. 상도는 "산에는 나무가 있고, 물에는 고기와 소금이 있다. 물자가 풍부하며, 가축이 번성하다(山有木, 水有魚鹽, 百貨狼藉, 畜牧繁息)"고 불릴 정도로 풍요로웠다.

상도는 궁성宮城과 황성皇城, 외성外城으로 조성되었다. 궁성은 외성의 동쪽 부분에 위치하는데, 동서의 폭은 570m, 남북의 길이는 620m로, 길고 네모나게 조성된 성이다. 성 안에 궁전이 30여 곳이 있으며, 가장 중요한 것이 1266년에 완공된 대안각大安閣이다. 궁성의 중앙에 위치한 이곳에서 대원올로스의 대칸들은 조회나 사신접견, 국가의 중요한 제사를 거행했다.

궁성 안에는 서호수가 언급한 정자 외에도 목청각穆清閣, 만안각萬安閣, 통천각統天閣, 녹정전鹿頂殿, 헐산전歇山殿, 홍희전洪禧殿, 수정전水晶殿, 향전香殿, 선문각宣文閣, 예사전睿思殿, 인춘각仁春閣, 융덕전隆德殿, 청영전清寧殿, 남목정楠木亭 등의 건물들이 있다. 황성은 외성의 동남 구석에 있으며, 네모 형태로 각 변의 길이는 1.4㎞이다. 외성은 네모 형태이며, 각 변의 길이는 2.2㎞이다. 외성의 북부는 대칸의 사냥터인 어원御苑이며, 남부는 관서와 사원들이 위치한 지구이다. 대원올로스의 통치 계층들은 대칸을 뽑는 코릴타를 북원北苑에서 거행했다. 성 밖의 동쪽, 남쪽, 서쪽은 시가지이다.[89)]

---

89) 상도에 대해서는 賈洲杰, 「元上都的經濟與居民生活」『蒙古史研究』2, 1986 ; 內蒙古社會科學院, 「元上都遺址」『內蒙古社會科學』, 1993-3 ; 島田貞彦, 「マルコ·ポ-ロの見た忽必烈皇帝の上都」『觀光東亞(奉天)』5-12, 1938 ; 石田幹之助, 「元の上都について」『日本大學創立70周年記念論文集(1)』, 東京, 1960 ; 石田茂作, 「東亞考古學會編『上都』」『考古學雜誌』32-5, 1942 ; 葉新民, 『元上都研究』, 呼和浩特, 1999 ; 守屋美都雄, 「上都一蒙古ドロンノ-ルに於ける元代都址の調査」『史學雜誌』53-5, 1942 ; 野上俊靜, 「元の上都の佛教」『佛教史學』1-2, 1950 ; 溫嶺, 「元朝上都的糧食來源」『中國史研究』, 1987-1 ; 袁國藩, 「元代歲幸上都紀要」『從元代蒙人習俗軍事論元代蒙古文化』, 台北, 1973 ; 原田淑人, 「元上都の遺蹟について」『史學雜誌』49-2, 1938 ; 陳高華, 史衛民, 『元上都』, 長春, 1988 등의 논저를 참조. 참고로 영국의 시인 S.T.Coleridge(1772~1834)는 그의 시 코빌라이칸에서 "In Xanadu did Kubla Khan, A stately pleasure-dome decree"처럼 상도를 자나두(Xanadu)라고 읊었다.

코빌라이칸이 확정한 양도순행제兩都巡幸制는 원말까지 이어졌다. 대칸은 매년 음력 4~5월 무렵에 대도를 떠나 상도에 도착하고, 9월 무렵에 상도를 떠나 대도로 돌아간다. 코빌라이칸이 상도에서 즉위한 이래 성종成宗 테무르 Temür, 무종武宗 카이산Khaisan, 문종文宗 톡테무르Tug-Temür, 천순제天順帝 아라지박Arajibag, 순제順帝(惠宗) 토곤-테무르Togun-Temür 등 5명의 대칸이 상도에서 즉위했다. 그리고 2명의 대칸이 상도에서 죽었다.[90)]

코빌라이칸이 건립한 제국의 여름 수도인 상도는 고려의 왕들과 사신들도 자주 방문한 곳이다. 또 마르코폴로의 『동방견문록』에도 특기되어 있을 정도로 세계 문화와 정치의 중심지였다. 그러나 이 역사적인 도시는 1358년 12월에 이곳에 침입한 홍건적紅巾賊에 의해 철저히 파괴되고 불태워졌다.

대원올로스의 붕괴 이후에도 상도는 그 지리적 위치, 즉 전략적 중요성으로 말미암아 북원 초기부터 명나라와 북원군 간에 쟁탈의 요지였다. 명나라는 1369년 상우춘常遇春이 이끄는 군대가 일시 상도를 점령한 바 있으며, 1370년 5월에도 이문충李文忠이 이끄는 군대가 거용관을 통해 상도에 진입한 바 있다. 명나라는 홍무 29년(1396) 양측의 쌍방쟁탈 요지인 상도에 개평위지휘사사開平衛指揮使司를 설치했다. 그리고 영락 원년(1403)에 개평위의 치소를 경사京師로 일시 옮겼다가, 영락 4년(1406) 2월에 다시 개평위를 중수하여 북원군 남하를 저지하는 군사요충과 북정北征의 기지로 삼았다. 영락제의 5차례 막북친정 중 4차례의 막북친정이 이곳에서 시작되었을 정도였다. 영락제 이후 북원과 명나라의 공수관계가 뒤바뀌자 개평위는 1430년 장성 안의 독석구보獨石口堡로 옮겨져 만전도지휘사사萬全都指揮使司에 예속되었으며, 개평성開平城도 정

90) 상도에서는 1323년 8월 南坡之變이라 불리는 쿠데타가 발생했다. 당시의 대칸은 英宗 소디팔라 Suddhipala(1320~1323)인데, 그는 상도 근방의 南坡에서 에센-테무르Esen-Temür 등 몽골의 보수 귀족들에게 피살되었다. 쿠데타의 실질적 주모자였던 泰定帝 예순-테무르Yesün-Temür도 피의 잔치를 벌였던 상도에서 1328년 눈을 감았다.

식으로 폐기되었다.[91]

서호수는 이전 【피서산장의 씨름】 항목에서 황제가 씨름만 구경하고 유학자를 만나지 않는다고 의아해 한 적이 있다. 이번원칙례理藩院則例에는 가을 8월 목란위장木蘭圍場에서 황제가 몽골의 왕공들에게 헌주獻酒를 받으면서 색연사사塞宴四事라 하여 몽골의 가무, 씨름, 마장마술, 말경주 등을 친견한다는 기록이 실려 있다.[92] 이러한 기예들은 중원에 정권의 기반을 둔 대원울로스의 대칸들이 상도를 순행巡幸하면서 벌였던 조마-코림Juma khurim(詐馬宴)과 아주 유사하다.

조마-코림은 루브루크William of Rubruck의 『루브루크 여행기(The Journey of William of Rubruck)』나 마르코 폴로의 『동방견문록』에도 특기되어 있을 만큼 연원이 깊고 매우 성대한 축제로,[93] 전투훈련적인 성격이 강하다.[94] 청조의 황제들이 씨름 등 각종 기예들을 직접 관람했던 이유도 바로 이러한 연유에서 비롯된 것이다. 즉 서호수는 조선시대의 누구보다도 원나라를 잘 이해하고 있지만, 실제 세부적으로는 북방제국의 내부구조를 정확히 파악하지 못하고 있음을 알 수 있다.

---

91) 상도는 오늘날 내몽골 차하르 正藍旗 동북 閃電河(灤河) 북안에 위치해 있다. 이곳에서는 원나라 때의 건물터뿐만이 아니라 명나라 초기에 건립된 건축 유적의 흔적도 볼 수 있다. 오늘날에도 현지의 몽골인들은 상도를 "108개의 사원을 가진"이란 뜻의 조-나이만-숨메드 jagu-n naiman sümed(зуу найман сүмэт, 兆奈曼蘇默忒)라고 부르는데, 이는 성 안에 건축물이 많이 있다는 데에서 유래한 訛傳이다.

92) 塞宴四事에 대해서는 졸저, 『유라시아 초원제국의 역사와 민속』, pp.444~446을 참조.

93) C. Dawson ed. tr, 『The Mongol Mission : Narratives and Letters of the Franciscan Missionaries in Mongolia and China in the Thirteenth and Fourteenth Centuries』, London and New York, 1955, p.201 ; 愛宕松男 譯註, 『東方見聞錄(I)』, 東京, 1970, pp.224~231. 詐馬宴은 연회 때 복장이 하나의 색깔로 통일된다는 점에서 只孫(jisün>зүсэн)宴이라 불리기도 하는데, 이 연회에 대해서는 箭內亘, 「蒙古の詐馬宴と只孫宴」『蒙古史研究』, 東京, 1930 ; 韓儒林, 「元代詐馬宴新探」『穹廬集』, 上海, 1982 ; 納古單夫, 「蒙古詐馬宴之新釋」『內蒙古社會科學』, 1989-4 ; 沙日勒岱·寶斯爾 共論, 「蒙古族詐馬宴」『鄂爾多斯風俗禮儀』, 東勝, 1991을 참조.

94) 조마-코림이 지닌 성격에 대해서는 졸저, 『유라시아 초원제국의 역사와 민속』, pp.436~439를 참조.

【열하熱河의 지리적 위치】

열하는 지세와 경치가 뛰어난 금성탕지의 요지이다. 경추산磬棰山, 미륵산彌勒山 등의 산봉우리들이 서로 손을 맞잡고 인사하는 것처럼 주위를 감싸고 있다. 이 산속에 수십 리에 이르는 평평한 계곡이 펼쳐져 있으며, 난수灤水와 열하가 좌우에서 감싸고 있다. 북으로 몽골을 제압하고, 남으로는 선화宣化 및 대동大同에 임한다. 서로 회부回部와 연결되고, 동으로 요양 및 심양과 통한다. 실로 변방 밖의 중심이며, 천하의 요지이다.[95)]

서호수는 열하의 지리적 위치가 상도 못지않은 요충지라고 간주하고 있다. 사실 상도와 열하를 당시의 시대이념이나 정치 상황에 맞추어 비교하면 도무지 어울리지 않는다. 대원올로스는 무제한 경쟁 체제의 자유무역을 지향하는 중상주의적 성격을 지닌 세계제국이다. 대원올로스의 상도와 대도는 처음부터 무역거점도시로 기획된 도시들이다. 상도는 유라시아대륙의 동쪽 초원세계와 중원을 잇는 물류 기지의 중심이고, 대도는 바닷길을 통해 이루어지는 물류 기지의 중심이었다.

무늬가 같다고 본질이 같을 수는 없다. 이것이 대원올로스의 상도와 대청제국 열하의 차이이다. 코빌라이는 상도를 여름 수도, 북경인 대도를 겨울 수도로 삼았다. 그리고 상도와 북경 사이 350km에 이르는 광대한 지역을 물류기지로 만들었다. 아울러 이 일대의 곳곳에 관영공장이나 군사기지, 곡물 비축시설, 궁전 등 군사·정치·경제의 모든 기능을 집중시켰다. 소위 오늘날의 말로 하면 대형 수도권의 개념과 같다.

유라시아의 초원 세계와 중앙아시아 및 이란에서 오는 물자는 이 수도권 일대에 포진된 창고에 차곡차곡 보관되었다. 중원과 티베트 및 동남아시아

95) 『연행기』「1790년 7월 15일」조 : 熱河形勝金湯, 諸山, 磬棰, 彌勒, 諸峯廻抱拱揖, 中開數十里平峪, 而灤水熱河, 左右環繞, 北壓蒙古, 南臨宣大, 西連回部, 東通遼瀋, 實塞外之奧土, 而天下之上游也.

일대에서 올라온 물자들도 역시 이곳에 보관되었다. 이런 물자들은 상도와 대도에 위치한 무역사무소의 문서로 결제·교환되었고, 그대로 세계 각지로 실려 나갔다. 수도권이 보존되고 무역이 활성화되는 한 코빌라이의 꿈은 그대로 이루어 질 가능성이 높았다. 상도와 대도를 세운 코빌라이칸의 꿈이 세계를 보는 것이었다면, 열하의 피서산장을 세운 강희제의 꿈은 몽골의 철저한 복속, 즉 그들의 분열 획책과 통치에 있었다. 이것이 바로 열하가 대원올로스 때처럼 유라시아대륙을 관통해 문화와 경제의 중심지가 되지 못하고 주변을 억압하는 상징으로 남게 된 이유이다.[96]

【열하熱河의 지리 연혁과 몽골 지명의 개칭】

대성문大成門 밖 동쪽 벽에 건륭 43년(1778)의 상유上諭가 있는데, 내용은 다음과 같다. "경기京畿의 동북 400리에 열하가 있다. 방위는 고북구의 북쪽이다. 이곳은 우공禹貢 때 기주冀州의 변방 끝자락이고, 우虞와 은殷, 주周 때는 유주幽州의 땅이다. 진나라와 한나라 이래로 판도에 들어오지 않았다가, 원위元魏(북위) 때 안安, 영營 2주를 두었다. 당나라 때는 영주도독부營州都督府가 있었다. 그러나 이것은 내지에서 교치僑治하는 것에 지나지 않았다. 요나라, 금나라 및 원나라 때 비로소 그 이름이 시작되었다. 그러나 옛터는 곧 황폐해졌다. 명나라에서는 대령大寧을 버려 딴 지역처럼 간주했다. 전번에 승덕주承德州를 설치했는데, 이제 부府로 승격시키려 한다. 그래서 동지同知를 개설했다. 그 나머지 6청廳, 즉 객라둔청喀喇屯廳은 난평현灤平縣 등으로 고쳤다. 사기청四旗廳은 풍녕현豐寧縣으로 고쳤다. 팔구청八溝廳은 그 땅이 비교적 넓어 평천주平泉州로 고쳤다. 오란합달청烏蘭哈達廳은 적봉현赤峯縣으로 고쳤다. 탑자구청塔子溝廳은 건창현建昌縣으로 고쳤다. 삼좌탑청三座塔廳은 조양현朝陽縣으로 고쳤다. 모두 승덕부承德府의 관할에 예속시켰다." 동쪽 벽 위에 있는 상유上諭가 비록

96) 대도와 상도가 지닌 무역도시의 성격에 대해서는 졸저, 『유라시아대륙에 피어났던 야망의 바람 −칭기스칸의 꿈과 길』, pp.308~312를 참조.

건륭 무술년(1778)으로 되어 있으나, 황상어제皇上御製『계묘집癸卯集』주註에는 '건륭 42년(1777)에 열하청熱河廳을 승덕부로 승격하고, 6개의 소속청所屬廳을 평천平泉, 풍녕豐寧, 난평灤平, 조양朝陽, 건창建昌, 적봉赤峯의 여섯 읍으로 이름을 고쳤다. 그리고 동지통판同知通判 원함原銜을 승덕부에 예속시켰다'고 기록되어 있다. 이것에 의거하면 6청을 승격시켜 주현州縣으로 만든 때는 실제 건륭 병신년(1776)의 일이다.[97]

위의 기록은 앞서 언급한 바 있듯이 피서산장의 직할체제 강화를 나타내 주고 있는 부분이다. 또 그의 예리한 관찰력과 박학다식한 지식을 보여주듯, 6청의 승격이 1778년이 아니라 1776년이라는 것을 고증을 통해 밝히고 있다.

5. 몽골과 관련된 동요

몽골과 관련된 동요에 대해서는 박지원의 여행기에서만 나타나는데, 그것을 소개하면 다음과 같다.

【황화요黃花謠】

혹은 이르기를 "(판첸-에르데니) 그의 무리들이 몹시 많아 (청나라에) 들어온 뒤에 (각지에) 조금씩 떨어져 남았다. 그래도 그를 따라온 자가 수천 명이 넘는다.

97) 『연행기』「1790년 7월 20일」조 : 大成門外東壁, 有乾隆四十三年, 上諭日, 京畿東北四百里, 熱河方在於古北口以北, 卽禹貢冀州邊末, 而虞及殷周幽州之境也, 秦漢以來, 未入版圖, 元魏建安營二州, 唐有營州都督府, 然不過僑治於內地, 遼金及元始薌其名, 而故址旋荒, 明棄大寧視爲別域, 向曾設承德州, 今宜陞爲府, 卽以同知改設, 其餘六廳, 如喀喇屯廳, 改爲灤平縣等, 四旗廳, 改爲豐寧縣, 八溝廳其地較廣, 改爲平泉州, 烏蘭哈達廳, 改爲赤峯縣, 塙子溝廳, 改爲建昌縣, 三座塙廳, 改爲朝陽縣, 並屬承德府統割, 按東壁上諭雖在乾隆戊戌, 而皇上御製癸卯集註, 乾隆四十二年, 陞熱河廳爲承德府, 並改六屬廳, 爲平泉, 豐寧, 灤平, 朝陽, 建昌, 赤峯六邑, 仍兼同知通判原銜隸承德府云, 據此六廳之陞爲州縣, 實在乾隆丙申也.

> 그들은 모두 몰래 무기를 감추고 있는데, 황제만 이를 깨닫지 못 한다'고 한다. 이는 공연히 인심을 소란하게 하고자 하는 말인 듯싶다. 또 거리의 아이들이 부르는 황화요黃花謠는 이를 증명하는 것이라고 한다. 그 시는 욱리자郁離子가 지은 것이다. "붉은 꽃 다 지고, 누런 꽃 피는구나." 붉은 꽃이란 붉은 모자를 가리키는데, 몽골과 티베트는 모두 누런 모자를 쓰고 있다. 또 한 동요에 "원은 옛 물건인데, 누가 정말 주인일까"라 하였다. 이 두 동요를 살펴보면 모두 몽골과 관계가 있다.[98]

박지원은 청나라 다음은 몽골의 시대라는 뜻이 담긴 건륭제 때 불려진 "멸망의 동요"를 소개하면서 미래의 주역으로 몽골을 주목하고 있다. 황화요黃花謠는 1791년과 1828년에 북경을 방문했던 김정중과 박사호의 여행기에도 다음과 같이 소개되어 있다.

> 동요에 '붉은 꽃 다 지면 누런 꽃이 핀다'라는 구절이 있다. 붉은 것은 투구를 가리키며, 누런 것은 몽골 사람이 누런 옷을 입는 것을 가리키므로 그렇게 말하는 것이다. 러시아 사람은 비록 크고 힘세더라도 짐승과 다름없어 염려할 것이 못 된다는 것이다.[99]

> (건륭제 때) 황화요黃花謠가 성행하여 황제가 더욱 몽골을 무마하였다. … 건륭이 황화요를 듣고부터는 더욱 (몽골을) 견제하고 있다 한다.[100]

---

98) 『열하일기』「太學留館錄」 1780년 8월 10일조 : 或言其傔徒衆, 入微後, 稍稍落留, 而隨至者, 猶不下數千人, 皆暗藏器械, 獨皇帝不覺云, 此言近繹騷, 又街兒市童所唱黃花謠, 此其驗云, 其詩郁離子所製也, 紅花落盡黃花發, 紅花指紅帽, 而蒙古西蕃, 皆著黃帽, 又謠云, 元是古物誰是主, 觀此二謠, 俱應蒙古.

99) 金正中, 『燕行日記』「雜錄」 : 童謠云, 有紅花落盡黃花開之句, 紅者, 指紅兜也, 黃者, 指蒙人, 衣黃故云, 鄂羅斯, 雖長大有力, 無異禽獸, 不足慮也.

100) 朴思浩, 『心田稿』 : 黃花謠盛行, 皇帝益撫摩蒙古(「蒙古館記」)…乾隆聞黃花謠, 愈加羈縻之(「諸國」).

사실 조선시대의 여행기에는 이러한 멸망의 동요가 적잖이 실려 있다. 조선 사대부들의 샤마니즘적인 의식과 대외정세의 파악에 대한 관심을 보여주는 대표적인 기록을 소개하면 다음과 같다.

첫 번째는 1624년 명나라를 방문한 홍익한洪翼漢(1586~1637)의 여행기에 실린 명나라 멸망의 동요이다.

> 임구현任丘縣 길가의 민가에서 유숙하였다. 아이들이 무리를 지어 동요를 부르므로 노인에게 물으니, 이 동요가 근자에 성행한다 하며 곧 글로 써서 보여 주었다. 그 글에 "구구대정법九九大定法이 청명절후개화淸明節後開花라. 당초지설옹생아當初只說甕生牙러니, 사재서강월하死在西江月下라. 불아시방거佛兒十方去하고, 호인대대환가胡人對對還家라" 하였다. 그 뜻은 알 도리가 없었으니, 참으로 괴상한 일이었다.[101]

명이 망하고 만주가 선다는 이 동요는 "동지 후 81일의 정한 법수法數가 청명절에 꽃이 피었네. 당초엔 다만 독에서 어금니가 난다 하더니, 서강西江의 달 아래에서 죽었단 말인가. 동자부처는 시방十方으로 가고, 호인은 쌍쌍이 집으로 돌아오네"라는 뜻을 담고 있다. 물론 이 동요의 전파자는 만주인들일 것이다.

두 번째는 1777년 북경을 방문한 이갑의 여행기에 실린 명나라 멸망의 동요이다.

> 명나라 말년에 동요가 있었는데, '소매 위에서 말이 달리고, 입속에서 연기가 나는 자가 천자가 된다'고 하였다. 청인의 의복은 소매가에 모두 말발굽 형상을

101) 洪翼漢, 『朝天航海錄』 「1625년 2월 29일」 조 : 宿任丘縣路傍, 有數群兒, 相聚興謠, 問諸老翁, 則翁言謠於近日盛行, 仍書示, 云, 九九大定法, 淸明節後開花, 當初只說甕生牙, 死在西江月下, 佛兒十方去, 胡人對對還家, 未曉其意, 可怪也已.

만들고, 담배를 피우기 좋아하기 때문에 입에서 과연 연기를 낸다. 그래서 비결이 맞았다고 한다. 지금 노구교蘆溝橋의 삼문三門이 명나라와 청나라에서 모두 맞았기 때문에 태극문太極門을 장래의 비결로 삼는다 하는데, 혹 그러할는지 모르겠다.[102]

위의 기록에 등장하는 말발굽 형상의 소매는 몽골어로는 노드라카nidurg-a (нударга, нудрага)라고 부른다. 청나라 의복의 특징인 이 노드라카는 이후 몽골인들에게 강요되어 청대 몽골복식의 한 특징을 이루었다. 이것이 꺾어진 소매를 가진 옷이라는 노트라카타이-델(нудрагатай дээл)이다.

세 번째는 1828년 북경을 방문한 박사호가 그의 여행기에 남긴 명나라 멸망의 동요로, 청나라의 팔기제도를 상징한 동요이다.

명나라의 성의백誠意伯 유기劉基가 추수推數(앞으로 닥쳐올 운수를 미리 추측함)의 이치를 깊이 알고 있었다. 태조(주원장)가 혁대革代(나라가 바뀜)의 일을 물으므로, 8기旗를 그려서 바쳤더니 태조가 고개를 끄덕이고, 또 그 다음을 물으므로 한 사람이 양을 타고 있는 것을 그려 바쳤다. 태조가 그 뜻을 이해하지 못하였으며, 후인도 역시 해석하는 이가 없었다. 8기란 것은 청인이 나라를 세워 8기를 세우는 것이었는데, 그 그림이 그것을 암시하는 것이었다.[103]

네 번째는 박사호의 여행기에 기록된 청나라 멸망에 관한 동요이다.

102) 李坪, 『燕行記事』「聞見雜記」: 明季有童謠曰, 袖上走馬, 口中生烟者爲天子, 淸人衣服袖口, 皆作馬蹄形, 喜吸南草, 故口中果能生烟, 其讖乃驗云, 今以蘆溝橋三門, 大明大淸皆符, 故以大極門爲將來之讖云, 豈或然耶.

103) 朴思浩, 『心田稿』「車燈漫錄」: 明誠意伯劉基, 深解推數之理, 太祖問以革代之事, 畫八旗以進, 太祖點頭, 又問其次, 畫一人騎羊以進, 太祖未解其義, 後人亦無以解, 蓋八旗者, 淸人立國設八旗, 驗其畫.

확여정廓如亭은 십칠교十七橋 동남쪽에 있다. 이 정자는 팔각형인데 매우 화려하게 만들었다. 호숫가에 석탑石榻을 설치하고 쇠를 녹여 푸른 소를 만들었는데, 고개를 들고 호수를 바라보는 모습이 마치 정신이 살아 움직이는 듯하다. 세상에서 말하기를 '소가 호수에 들어가면 청국 운수가 비로소 끝난다'고 하는데, 진흙 말이 강을 건너고 철우가 호수로 들어가는 것도 또한 운수에 관계되는 것인가.[104)]

명나라나 청나라의 멸망에 관한 동요를 가장 많이 수록한 것이 박사호의 여행기인데, 그는 당시 강원 감영의 비장裨將이었다. 그가 3편에 이르는 멸망의 동요를 수록한 것은 군사전문가로서 여론의 흐름에 대한 관심이 컸기 때문일 것이다.

104) 朴思浩, 『心田稿』「西山記」: 廓如亭, 在十七橋東南, 亭凡八稜, 制甚華麗, 設石榻于湖邊, 範鐵爲靑牛, 擧頭望湖, 精神活動, 俗稱牛入湖, 則淸運始訖云, 泥馬渡江, 鐵牛入湖, 亦係運數耶.

제8장 청조의 몽골 통치관련 군사 및 관료제도

청조의 몽골 통치관련 군사 및 관료제도, 맹기제도에 대해서는 이미 앞에서 언급한 바 있다. 이곳에서는 그 사례를 보여주는 기록이나 앞에서 언급하지 않은 이번원 관련 부분을 소개하고자 한다.

1. 몽골팔기와 맹기제도

몽골팔기와 맹기제도에 대해서는 이미 앞에서 자세히 언급한 바 있다. 이곳에서는 그 사례를 보여주는 기록들을 소개하고자 한다.

(1) 최덕중의 연행록에 등장하는 몽골팔기와 맹기제도

【만주팔기와 몽골팔기】

또 문통관文通官의 말을 들었는데, "지난해 황제가 팔고산八高山 기하군旗下

軍에게 은을 지급했다. 그러나 한 기旗의 군사가 거의 3만 명을 넘으니 확실하게는 알 수 없다"고 한다. 이것은 곧 황제의 휘하 군사로, 모두 만주 사람으로 충원했다. 또 한인漢人 도통독都統督 한 사람과 그 아래 부도통副都統 두 사람이 있는데, 모두 한인을 거느리고 있다. 또 만주인 도통·부통이 있어 만주인을 거느린다. 또 몽골인 도통·부통 3인이 있어 몽골인을 거느린다. 그러나 13성의 병권兵權은 모두 만주인으로 주장을 삼는다.[1)]

위의 기록에 등장하는 것은 청나라의 군정제도인 팔기제도이다. 청대 팔기 조직은 만주팔기, 몽골팔기, 한군팔기漢軍八旗 등 모두 24기로 이루어져 있다.[2)] 각 기에는 도통都統(Gusa be kadalara amban) 1인, 부도통副都統(Meiren-i janggin) 2인을 두어 정령政令을 관장한다. 입관入關 전에는 각 기의 통솔자를 고사이-에젠Gusa-i ejen(固山額眞), 부장副將을 머이런니-에젠Meiren-i ejen(梅勒額眞)이라 칭했는데, 입관 후 순치 17년(1660)에 각각 도통, 부도통이란 한문으로 개칭했다.[3)] 그 밑의 관직으로는 협령協領,[4)] 참령參領,[5)] 부참령副參領,[6)] 좌령佐領,[7)] 방

1) 『연행록』「1713년 1월 3일」조 : 且聞文通官之言, 向年皇帝給銀八高山旗下軍, 而一旗之下, 殆過三萬人, 未得的知云, 而此乃皇帝麾下軍也, 皆滿州充定, 而又有漢都統督一人, 管下副都統二人, 而皆率漢人, 又有滿州都副統而率滿州, 又有蒙古三都副統率蒙古, 而十三省兵權, 則皆以滿州人主張.

2) 만주어로 八旗의 旗를 固山(Gusa, Mo.Khoshigun)이라 한다. 기의 구성은 300명을 1단위로 한 牛錄(Niru)이 바탕을 이루며, 5牛錄을 1甲喇(jalan), 5甲喇를 1固山(Gusa)이라 한다. 즉 1기의 구성은 7,500명이다. 牛錄(Niru)은 만주어로 화살이라는 뜻이다.

3) 固山額眞(Gusa-i ejen)은 固山章京(Gusa-i janggin)이라고도 표기된다. 梅勒額眞(Meiren-i ejen) 역시 梅勒章京(Meiren-i janggin)으로도 표기된다. 章京(janggin)은 한어로 장군이라는 뜻이며, 額眞(ejen)은 몽골어로 군주를 뜻한다. 청나라 초기에는 집정자들을 章京이나 額眞으로 칭했는데, 대장군을 昂邦章京(amban-i janggin)이나 昂邦額眞(amban-i ejen), 參領을 甲喇章京(jalan-i janggin)이나 甲喇額眞(jalan-i ejen), 佐領을 牛錄章京(Niru-i janggin)이나 牛錄額眞(Niru-i ejen)으로 불렀다. 昂邦(amban)은 한어로 번역하면 대신이나 대관의 칭호인데, 입관 이전에는 비교적 고위직의 관칭으로 사용되었다. 입관 후에는 문 3품, 무 2품 이상에 사용했으며, 六部尙書는 모두 阿里哈昂邦, 各部侍郞은 阿思哈尼昂邦(阿思罕尼昂邦), 議政大臣이나 參贊大臣은 赫伯昂邦(黑白昂邦)이라고 불렀다.

4) 協領(Gusai da)의 직급은 正三品이며, 직위는 副都統의 아래 佐領의 위이다. 駐防旗의 軍政諸務를 담당한다. 동북지구에는 協領 혼자 一城의 駐防을 책임지는 경우도 있는데, 吉林琿春, 三姓, 拉林 등지가 그러했다.

5) 參領(Jalan-i janggin)은 甲喇章京이나 甲喇額眞의 한어이며 직급은 正三品이다.

수위防守尉,[8] 방어防禦,[9] 효기교驍騎校,[10] 영최領催[11])가 있다. 팔기는 팔기도통아문八旗都統衙門에서 관할하는데,[12] 주경팔기駐京八旗의 경우 경사정백기몽골도통아문京師正白旗蒙古都統衙門처럼 독립된 24개의 도통아문都統衙門이 존재한다.

최덕중의 기록에는 13성의 병권에 대한 기록이 등장하는데, 당시의 행정구획에 대한 간략한 개관이 박사호의 여행기에 요령 있게 실려 있다.[13]

6) 副參領(Ilhi Jalan-i janggin)의 직급은 正四品이다. 京旗는 每旗에 5參領을 두며, 參領 아래에 佐領이 배치된다.

7) 佐領(Niru-i janggin)은 牛錄章京이나 牛錄額眞의 한어이며, 직급은 正四品이다. 駐京師에 있는 자는 직위가 參領의 밑에 해당하며, 駐防에 있는 자는 직위가 協領의 아래에 해당한다. 戰時에는 兵官이지만, 평시에는 행정관으로 戶口, 田宅, 兵籍, 訴訟 등을 관장한다. 佐領은 거의 세습이다.

8) 防守尉는 八旗駐防長官名으로 직급은 正四品이다. 중요 縣이나 鎭, 關隘의 방위 책임자이다. 전국에 防守尉衙門이 18곳이 있는데, 直隷의 寶抵, 良鄕 등 7곳은 獨立駐防, 盛京의 牛莊, 熊岳 2곳은 將軍 兼轄, 喜峰口, 三河, 玉田 등 9곳은 都統 혹은 副都統이 관할한다. 防守尉가 거느리는 관병은 적을 경우 50명, 많을 경우 900명에 이른다. 그러나 일반적으로 100에서 200명 안팎이다.

9) 防禦(Tuwashara hafan-i jergi janggin)는 駐防八旗의 하급 병관으로, 직급은 正五品이다. 직위는 佐領 아래에 해당하며 佐領을 도와 업무를 처리한다. 또 陵寢의 방어에도 관여하는데, 청조 황족의 능침을 보호하는 旗兵長官은 만주인으로 충임한다.

10) 驍騎校(Funde boshoku)는 八旗의 하급 병관으로 직급은 正六品이다. 만주 초기에 代子라고 칭했으며, 만주어로 分得撥什庫(Funde boshoku)는 대행자라는 뜻이다. 직위는 佐領의 밑에 해당한다.

11) 領催(boshoku)는 만주어 撥什庫의 한어 역명으로 팔기의 하급관이다. 만주·몽골·한군팔기의 각 佐領 밑에 모두 설치되어 있으며, 馬甲과 閑散 내에서 우수한 자를 뽑아 선임한다. 각 佐領 마다 5명이 배치되어 檔案登記 및 俸餉의 지급 등을 담당한다. 만주의 領催는 본 佐領 밑에 글자를 아는 護軍에서 선발해 겸직시킨다.

12) 八旗都統衙門 내에는 俸餉房과 馬册房이 설치되어 있다. 俸餉房의 職官에는 參領(旗마다 1인), 章京(旗마다 2인), 驍騎校(만주와 한군은 旗마다 5인, 몽골은 旗마다 2인)를 두고, 本旗와 관계된 俸餉 사무를 관장한다. 馬册房은 오직 만주와 몽골의 旗에만 설치되어 있으며, 각자 本旗의 交馬, 收馬 및 목축을 관장한다. 문서나 檔案 등의 사무는 印務參領, 印務章京, 印務筆帖式, 外郎, 繕寫人 등이 관리한다. 또 都統衙門 내에 左司와 右司 및 司務廳이 설치되어 있어, 각각 本旗官, 驍騎校, 副驍騎校 및 領催, 寫檔案兵, 傳事兵 등을 두고 문서의 전달을 책임진다.

13) 朴思浩,『心田稿』: "천하에는 4경·3관·8기·13성이 있다. 4경은 북경·남경·성경·흥경이요, 3관은 산해관·거용관·송평관이며, 13성은 강남·강서·복건·절강·호광·하남·산동·산시·섬서·광동·광서·귀주·운남이다. 8기란 만주인의 8기 친위 군단이 수도의 각 지역에 나뉘어 주둔한 것이다. 정동은 정백·양백, 동북은 양황, 동남은 정람, 정서는 정홍·양홍, 서북은 정황, 서남은 양람인데, 각각 도통을 설치하였다(天下有四京·三關·八旗·十三省, 四京者北京·南京·盛京·興京也, 三關者山海關·居庸關·松平關也, 十三省者江南·江西·福建·浙江·湖廣·河南·山東·山西·陝西·廣東·廣西·貴州·雲南也, 八旗者, 滿人八旗禁旅, 分駐京城, 各旗分地, 正東則正白驤白, 東北則驤黃, 東南則正藍, 正西則正紅驤紅, 西北正黃, 西南則驤藍, 各設都統)."

(2) 박지원의 열하일기에 등장하는 몽골팔기와 맹기제도

【맹기제도로 인한 분리, 분열정책의 효과】

추장들은 저마다 좌현左賢이니 곡리谷蠡와 같은 왕호를 갖는다. 그러나 서로 예속되지 않고 세력이 비슷하게 나뉘어 있어, 누구든지 감히 먼저 움직이지 못한다. 이것이 바로 중국이 평안하고 무사할 수 있는 이유이다.[14)]

위의 기록에 등장하는 좌현左賢이나 곡리谷蠡는 모두 흉노의 관칭이다. 박지원은 비록 청조가 1649년부터 막남의 몽골 영주들을 효율적으로 통치하기 위하여 시행한 맹기제도[15)] 및 충성도에 따른 작위爵位(Ma.Hergen, Mo.kergem>хэргэм)[16)]와 품급品級(Ma.Jergi, Mo.jerge>зэрэг) 제도에 대해서는 구체적인 언급이 없지만, 그로 인해 야기된 결과에 대해서는 정확한 평가를 내리고 있다. 사실 맹기제도의 목적은 몽골족이 정치적 통합을 이룰 수 없도록 분리·분열 정책을 추구하는 것에 불과하다. 청조는 외형적으로 몽골의 각 세력이 서로 대등한 땅과 권력을 지닌 채 독자적인 세력으로 생존케 하는 맹기제도를 유지하면서, 내부적으로는 라마교를 앞세워 몽골의 군사력을 파괴해 갔다.

(3) 서호수의 연행기에 등장하는 몽골팔기와 맹기제도

【몽골족의 다리를 묶은 맹기제도의 효과】

토민土民에게 들으니, 근래 책문 밖에서 거주하는 몽골 사람들이 많으며, 가옥

---

14) 『열하일기』「黃教問答後識」條 : 酋長各擁王號,如左賢,谷蠡,莫相臣屬,勢分力敵,未敢先動,此固中國所以晏然而無事者也.

15) 清代 몽골의 盟旗制에 대해서는 納古單夫, 「內蒙古各盟名稱述略」(續 1, 2) 『地名知識』, 1981-3, 1981-4·5 ; 張興唐, 『蒙古盟旗制的意義和沿革』, 台北(蒙藏委員會), 1954 및 「蒙古盟部旗地方行政制度的介紹」『中國內政』 10-6, 1955 ; 札奇斯欽, 「滿洲統治下蒙古神權封建制度的建立」 및 「近代蒙古之地方政治制度」『蒙古史論叢(下)』, 台北, 1980 ; 陳國干, 「清代蒙古盟旗制度的來源和性質」『內蒙古社會科學』, 1981-1 등의 논저를 참조.

16) 清代 몽골의 爵位制에 대해서는 佟家江, 「清代蒙古爵職瑣議」『民族研究』, 1987-1을 참조.

> 과 겔을 갖고 경작과 목축을 행한다고 한다. 모두 땅에 정착한 관계로 이동이 어려워 옛 습속이 사라지는 변화가 생겼다고 한다. 옛날에 금나라 사람들이 중원에 들어와 의절儀節을 바꾸고, 복식과 기용器用에서 점차 중화의 제도를 배우더니 결국 쇠미해져 기세를 떨치지 못하게 되었다. 몽골 사람들을 토지에 정착케 하여 이동하기 어렵게 만든 것은 실로 청나라의 큰 이익이다.[17]

서호수 역시 맹기제도에 대한 구체적인 기록이나 언급이 없지만, 앞서 언급한 몽골 25부의 배열로 미루어 볼 때 맹기제도에 대한 인식이 있음이 분명하다. 청조의 몽골통치는 중앙에 이번원理藩院을 설치하여 각 맹의 행정을 통괄하는 한편, 맹기 위에 장군將軍·도통都統·대신大臣의 상급기관을 설치하여 맹기를 감시하는 방식을 취했다. 또 청조는 맹기제의 실시와 함께 각 기旗 간에 "금지월계禁止越界"라는 엄격한 규정을 마련하여 몽골족 간의 상호왕래를 철저히 통제했다. 또한 몽골 각 부 간의 무역과 통혼의 금지, 한문화를 배우거나 한인과의 통혼금지, 한인의 몽골지구 출입금지, 장남 이외의 아들들의 출가권유 등의 법을 제정하여 몽골의 발흥을 원천적으로 봉쇄하고 나섰다.

서호수가 방문한 시기는 금지월계의 규정이 어느 정도 정착되어 몽골족들의 정착화가 시작하는 한편, 한인들의 이주가 대량으로 이루어지고 있는 단계에 속한다. 서호수가 본 것은 다리를 묶인 몽골인들의 정착화와 농업으로의 생산활동 변경이다. 사실 유목민족들에게 이동의 자유를 억압하는 것은 그 민족의 생명을 뺏는 거나 마찬가지이다. 위의 기록은 이동의 자유를 빼앗기고 서서히 붕괴되어 가는 몽골족의 운명을 역사에 빗대 묘사한 것이다.

---

17) 『연행기』「1790년 7월 5일」조 : 聞之土民, 蒙古近多居住於柵外, 而有室廬事耕牧, 擧皆安土重遷, 頓變舊俗云, 昔金人入據中原, 文移儀節, 服飾器用, 漸學華制, 以致委靡不振, 使蒙古安土重遷, 實淸之大利也.

【몽골팔기】

청나라 태조 신축년(1613)에 만주 사람들로 정황기, 정백기, 정홍기, 정람기의 4기를 편성하고, 갑인년(1614)에 만주, 몽골, 한군漢軍의 여러 사람들로 양황기, 양백기, 양홍기, 양람기 4기를 증설하여 모두 8기가 되었다. 도통都統 (청국 글자로) 고산액정固山額貞, 부도통副都統 (청국 글자로) 매륵장경梅勒章京, 참령參領 (청국 글자로) 갑라장경甲喇章京, 좌령佐領 (청국 글자로) 우록장경牛彔章京 등의 군관軍官이 있어 8기의 기병을 통솔한다.[18]

위의 기록은 몽골팔기에 대한 내용으로 만주어 명칭까지 동원하여 매우 소상하게 기술하고 있다. 관명에 대해서는 이미 앞에서도 언급한 바 있는데, 서호수에 앞서 1777년 북경을 방문한 이갑의 여행기에도 이 부분이 비교적 상세하게 실려 있다. 따라서 그것을 참고로 소개하고자 한다.

청인에게 복속한 부가 무릇 46부인데, 청인이 처음 발흥할 때 부락을 거느리고 와서 귀부하였다. (청나라에서는) 특별히 이번원理藩院을 설치하여 이들을 다스린다. 상서尙書 및 좌우시랑左右侍郎을 두었는데, 육부六部의 제도와 같다. (관리는) 모두 청인이나 몽골인으로 임명하며, 출척黜陟·상벌賞罰·조회朝會·왕래에 관한 일을 담당한다. (이번원은 몽골 부족들에게) 각각 그 (지정된) 땅(유목지)을 준수하도록 한다. 연초에는 직무를 받들어 말을 공납한다. 청리사淸吏司에 속한 것은 4개로 훈구勳舊·빈객賓客·유원柔遠·이형理刑이며, 각 부의 해당 낭중郎中·원외員外·주사主事가 일을 나누어 처리한다. 대개 공을 세운 자 및 근친 혹은 나라를 들어 복종한 자는 모두 친왕親王·군왕郡王·패륵貝勒·패자貝子·진국鎭國·보국공輔國公에 봉한다. 그 녹봉은 모두 내왕內王(의 규정) 등에 따르며, 소속 백성은 모두 팔기에 나누어 예속시킨다. 각항各項의 방석 같은 물자는

18) 『연행기』「1790년 7월 25일」조 : 淸太祖辛丑, 以滿洲人衆, 編爲正黃, 正白, 正紅, 正藍四旗, 甲寅, 以滿洲蒙古漢軍諸衆, 增設鑲黃, 鑲白, 鑲紅, 鑲藍四旗, 合爲八旗, 有都統, 淸字固山額貞 副都統, 淸字梅勒章京 參領, 淸字甲喇章京 佐領, 淸字牛彔章京 等官, 統率八旗騎兵.

모두 내관內官(의 규정)에 따른다. 직책의 명칭은 모두 몽골어를 사용했기 때문에 (한문)글자만으로는 (그 뜻을) 추측할 수가 없다. 제왕諸王 가운데 지위가 높은 자가 화석친왕和碩親王이다. 각라覺羅란 종실宗室의 칭호이다. 복금福金은 종실 부인의 칭호이다. 탑포낭塔布囊은 지위가 원외랑員外郎의 밑인데, 봉물捧物을 (관장하는) 관원이다. 장경章京은 초관哨官의 칭호이다. 매륵장경梅勒章京은 부도통副都統이다. 패륵貝勒은 몽골말로 큰 것을 패貝라고 칭하는 것으로 보아, 매륵梅勒은 부도통이고 패륵은 대도통大都統인 것 같다. 고산항로固山項魯는 도통都統의 칭호이고, 우록장경牛彔章京은 참령장관參領將官의 칭호이다. 발십고撥什庫는 이른바 보고甫古라는 것으로 10인의 장이다. 이밖에 백길白吉·발륜孛倫·구살九薩·액진額眞 등의 명칭이 대단히 많으나 모두 기록하기가 불가능하다. 대개 귀부한 몽골은 그 인구가 본래 적지만, 대접은 만주와 차별이 없다. (청조는 만주인에게) 중국사람 및 외번 색목인과의 혼인은 엄금한다. (그러나) 이들(몽골)과는 서로 혼인한다.[19]

이갑이 기록한 고산항로固山項魯는 고산액진固山額眞이며, 우록장경牛彔章京은 참령장관參領將官의 칭호가 아닌 좌령佐領의 칭호이다. 발십고撥什庫나 보고甫古는 대행자를 뜻하는 만주어 보소코boshoku의 음역으로, 팔기의 하급관인 영최領催이며 10호장은 아니다. 이갑은 몽골말로 큰 것을 패貝라고 부른다고 했는데, 몽골어에서 크다는 뜻을 지닌 단어는 예케Yeke(их)나 한어에서 유래

19) 李坤, 『燕行記事』「聞見雜記」: 其服屬於淸人者凡四十六部, 淸人初興, 率其部落而歸附, 特設理藩院以領之, 置尙書及左右侍郎, 一如六部之制, 皆以淸人或蒙人爲之, 以掌其黜陟賞罰朝會往來之事, 使各守其地, 歲時奉職貢馬, 其屬淸吏司有四, 曰勳舊, 曰賓客, 曰柔遠, 曰理刑, 各該郎中員外主事分理, 凡以功以親及或擧國輸服者, 皆封親王郡王貝勒貝子鎭國輔國公, 其秩俱照內王等, 其屬皆分屬八旗, 其各項坐褥等物, 俱照內官, 而其職號皆因其話而稱之, 俱不可以文理推解, 諸王之位高者, 爲和碩親王, 曰覺羅者, 卽宗室之稱也, 曰福金者, 宗室夫人之稱也, 曰塔布囊者, 官在員外郎之下, 卽捧物之官也, 曰章京者, 哨官之稱也, 曰梅勒章京者, 卽副都統也, 曰貝勒者, 蒙語稱貝爲大云, 然則梅勒爲副都統, 貝勒似是大都統也, 曰固山項魯者, 都統之稱也, 曰牛彔章京者, 參領將官之稱也, 曰撥什庫者, 卽所謂甫古十人之長也, 曰白吉曰孛倫曰九薩曰額眞等, 名目甚多, 不能盡錄, 蓋歸服之蒙古, 其種本少, 而待之與滿州無別, 中國之人, 與外番色目人爲婚者雖嚴禁, 而此則昏媾相通.

한 다da(даа, 大)가 표준어이다. 한어 패貝(bei)에 해당하는 발음 중 크다는 뜻을 지닌 유사한 말은 "매우 크다"란 뜻의 바임바가이bayimbagai(баймбагай), "키가 크고 체격이 좋다"란 뜻의 비에르헤크beyerkeg(биерхэг)나 비아드biyad(бяд), "힘"이란 뜻의 빌다bilda(бялд)나 "더욱 또는 훨씬"이란 뜻을 지닌 부르bür(бүр) 밖에는 없다. 이갑이 몽골어로 크다는 말을 누구에게 들었는지는 몰라도, 아마 잘못 이해했거나 잘못 들었을 가능성이 높다.

【봉황성鳳凰城의 몽골 주둔군】

주둔군에는 수위守尉가 1인, 파이호좌령巴爾呼佐領이 1인, 방어防禦가 8인, 효기교驍騎校가 8인, 몽골효기교蒙古驍騎校가 1인, 필첩식筆帖式이 1인, 영송관迎送官이 3인, 주객관主客官이 1인, 조선통사朝鮮通事가 2인이 있다. 영송관 이하는 우리나라의 입공入貢 일을 관장한다. 수위가 거느린 만주군, 한군, 몽골병을 합하여 705명이다.[20]

위의 기록에 등장하는 파이호巴爾呼는 바르가Barga(巴爾虎)의 음역이다. 바르가족에 대해서는 앞에 언급되어 있다. 수위守尉는 방수위防守尉를 말한다.

【동경성東京城의 몽골 주둔군】

동경성은 태자하太子河의 동쪽에 있으며, 요양주성遼陽州城과의 거리는 8리이다. 청 태조 천명天命 6년(1621)에 세웠는데, 둘레가 6리 10보에, 높이가 3장 5척, 성문이 8개이다. 성을 지키는 주둔군에는 수위守尉 1인, 방어防禦 8인, 파리호좌령巴里呼佐領 1인, 효기교驍騎校 9인, 필첩식筆帖式 1인, 창관倉官 1인, 외랑外郎 2인이 있다. 휘하의 만주, 몽골의 군병은 모두 656명이다.[21]

20) 『연행기』 「1790년 6월 24일」 조 : 駐防守尉一, 巴爾呼佐領一, 防禦八, 驍騎校八, 蒙古驍騎校一, 筆帖式一, 迎送官三, 主客官一, 朝鮮通事二, 自迎送官以下, 掌我國入貢之事, 守尉所領滿洲漢軍蒙古兵共七百五名.

위의 기록에 등장하는 파리호巴里呼는 바르가Barga(巴爾虎)의 음역이다.

【의주성義州城의 몽골 주둔군】

(의주)성을 지키는 주둔군에는 수위守尉 1인, 좌령佐領 19인, 효기교驍騎校 19인, 필첩식筆帖式 1인이 있다. 휘하의 군사는 만주군, 한군, 몽골병을 합하여 1,491명이다.[22]

【고북구古北口의 몽골 주둔군】

고북구를 방어하는 수위守尉의 소속은 사기四旗인데, 휘하에 만주영최滿洲領催 12인, 효기驍騎 188명이 있다. 산해관 부도통副都統 소속의 8기로는 만주·몽골·한군영최漢軍領催 40인, 전봉前鋒 40인, 조창효기鳥鎗驍騎 200명, 효기驍騎 440명, 포수礮手 80명이 있다. 열하 부도통 소속의 팔기八旗로는 만주·몽골의 위전봉교委前鋒校 8인, 전봉 92인, 영최 100인, 조창효기 500명, 효기 1200명, 포수 40명이 있다.[23]

【광녕성廣寧城의 몽골 주둔군】

(광녕)성 안의 주둔군에는 협령協領 1인, 좌령佐領 3인, 만주, 몽골, 한군의 방어防禦 각각 1인, 효기교驍騎校 6인, 필첩식筆帖式 1인이 있다. 휘하의 만주, 몽골, 한군 병사는 500명이다.[24]

---

21) 『연행기』「1790년 6월 27일」조 : 東京城, 在太子河東邊, 離遼陽州城八里, 淸太祖天命六年建, 週六里十步, 高三丈五尺, 門八, 駐防城守尉一, 防禦八, 巴里呼佐領一, 驍騎校九, 筆帖式一, 倉官一, 外郎二, 所領滿州蒙古兵共六百五十六名.

22) 『연행기』「1790년 7월 6일」조 : 城內駐防守尉一, 佐領十九, 驍騎校十九, 筆帖式一, 所領滿洲漢軍蒙古兵一千四百九十一名.

23) 『연행기』「1790년 7월 25일」조 : 古北口防守尉所屬四旗, 滿洲領催十二, 驍騎百八十八名, 山海關副都統所屬八旗, 滿洲, 蒙古, 漢軍領催四十, 前鋒四十, 鳥槍驍騎二百名, 驍騎四百四十名, 礮手八十名, 熱河副都統所屬八旗, 滿洲, 蒙古委前鋒校八, 前鋒九十二, 領催百, 鳥槍驍騎五百名, 驍騎千二百名, 礮手四十名.

24) 『연행기』「1790년 9월 20일」조 : (廣寧)城內駐防, 協領一, 佐領三, 滿洲, 蒙古, 漢軍防禦各一, 驍騎校六, 筆帖式一, 所領滿洲蒙古漢軍兵五百名.

2. 몽골 관료와 이번원

몽골 관료와 이번원에 대한 기록은 최덕중과 박지원의 여행기에만 나타나고 있는데, 그것을 순서대로 소개하면 다음과 같다.

(1) 최덕중의 연행록에 등장하는 몽골 관료와 이번원

【봉성鳳城의 몽골보경蒙古甫京】

봉성의 … 청인장경淸人章京 8인, 몽골보경蒙古甫京 2인, 아역衙譯 2인, 영송관迎送官 3인, 종인從人 8인, 박씨博氏 2인, 외랑外郎 3인에게 각각 장지 3속, 백지 5속, 소갑초·향봉초 각 15봉, 각색 연죽 5개, 주석 장도 1개, 칼 3개, 청피 2장, 부채 3자루, 대구어 2마리를 주었다.[25]

【몽골 관료】

외관外官이 4,517자리이고, 내직內職이 2,466자리이다. 여섯 각로閣老 밑에 종인부宗人府가 있고, 그 다음이 육조六曹다. 조曹에는 상서尙書 2인, 시랑侍郎 4인이 있는데, 호조에는 시랑 한 자리가 더 있다. 각 조曹에 사무司務 2인이 있는데, 이는 3등직이며 만인滿人·한인漢人이 반씩이다. 또 낭중郎中·원외랑員外郎·주사主事·필첩식筆貼式이 있는데, 만·한·몽골 세 민족으로 나누어 임명한다.[26]

25) 『연행록』 「鳳城所管」조 : (鳳城) 淸章京八, 蒙古甫京二, 衙譯二, 迎送官三, 從人八, 博氏二, 外郎三, 各壯紙三束, 白紙五束, 小匣草, 鄕封草各十五封, 各色烟竹五介, 錫粧刀一介, 刀子三介, 靑皮二丈, 扇子三柄, 大口魚二尾.

26) 『연행록』 「1713년 1월 23일」조 : 外官四千五百十七窠, 內職二千四百六十六窠, 六閣老之下, 有宗人府, 次六曹, 曹有兩尙書四侍郎, 而戶部侍郎加一, 各曹有二司務, 此三等之職, 滿漢分半, 又有郎中, 員外郎, 主事, 筆貼式, 而滿漢蒙古三色分差.

【관안官案에 기록된 몽골 관료】

관안을 구하여 보니 태학사太學士가 6인인데, 이들이 바로 각로閣老이다. 내각內閣에는 만주인 학사가 6인, 한인 학사가 4인이다. 시독학사侍讀學士는 한인이 2인, 만주인이 4인, 몽골인이 2인이다. 시독관侍讀官은 한인이 2인, 만주인과 몽골인이 각 2인이다. 전적典籍은 만주인과 한인이 각 2인이다. 중서사인中書舍人은 한인이 49인, 만주인이 75인, 몽골인이 19인이다. 한인 중에는 또 한군漢軍과 한인漢人 2색色이 있다. 군자軍字부터는 팔기八旗 중에 있는 한인인지도 모르겠다.[27)]

위의 기록에 등장하는 태학사太學士는 대학사大學士(Aliha bithei da)의 오기誤記이다. 시독학사侍讀學士(Adaha hulara bithei da)는 대학사 다음 직위의 관으로, 한림원翰林院에도 존재한다. 시독관侍讀官(Adaha hulara hafan)은 시독학사 다음 직위의 관이며, 전적典籍(Dangse bargiyara hafan)은 시독관의 다음 직위에 해당하는 관이다. 중서사인中書舍人(Dorgi bithei)은 내각에서 상주문上奏文을 번역하고 책자로 만드는 관원이다.

【육조六曹의 몽골 관료】

(이부吏部) 필첩식은 한인 16인, 만주인 65인, 몽골인 2인이 있다. … (호부戶部) 낭중은 한인 2인, 만주인 22인, 몽골인 3인이 있으며, 원외랑은 한인 6인, 만주인 39인, 몽골인 5인이 있다. … (예부禮部) 낭중은 한인 1인, 만주인 6인, 몽골인 1인이 있고, 원외랑은 한인 5인, 만주인 10인, 몽골인 1인이 있다. … (병부兵部) 낭중은 한인 2인, 만주인 11인, 몽골인 4인이 있으며, 원외랑은 한인 6인, 만주인 13인, 몽골인 4인이 있다. … 필첩식은 한인 10인, 만주인 67인,

27) 『연행록』「1713년 1월 26일」조 : 得見官案, 則太學士六員, 而乃閣老也, 內閣滿學士六, 漢四, 漢侍讀學士二, 滿四, 蒙古二, 漢侍讀官二, 滿蒙古各二, 滿漢典籍各二, 漢中書舍人四十九, 滿七十五, 蒙古十九, 而漢人中, 亦有漢軍漢人二色, 自軍字乃八旗中漢人歟.

몽골인 8인이 있다. … (공부工部) 낭중은 한인 2인, 만주인 16인, 몽골인 1인이 있으며, 원외랑은 한인 6인, 만주인 17인, 몽골인 3인이 있다.[28]

【이번원理藩院】

이번원은 상서가 1인, 좌우시랑이 각 1인이 있다. 이상의 관직은 한인·만주인·몽골인을 분간하지 않고 임명한다. 만주인·몽골인 사무가 각 1인이다. 한인 원판院判 1인, 지사知事 1인, 부사副使 1인, 낭중 11인, 원외랑 29인, 당주사堂主事 4인이 있다. 녹훈錄勳·유원柔遠·빈객賓客·이별理別 등 4 청리사에는 주사가 각 1인인데 만주인·몽골인을 분간하지 않고 임명한다. 필첩식은 한인 2인, 만주인 11인, 몽골인 41인이 있다. 이상은 2품 아문이다.[29]

이번원은 청대에 몽골, 회부回部, 서장西藏의 사무를 관장하는 최고 권력 기구이다. 홍타이지(청 태종)는 코르친부 등 막남 동부 몽골 제부가 청조에 귀부해 오자 1631년 7월 중앙 6부(吏部, 戶部, 禮部, 兵部, 刑部, 工部)를 설치하고, 각 부에 몽골 승정承政 1명을 두어 몽골 관련 사무를 처리시켰다. 그리고 1636년에 막남 몽골 제부가 청조에 대거 귀부하자, 아예 몽골아문蒙古衙門[30]을 설치하고 몽골 제부의 편기編旗, 회맹, 상사賞賜, 통혼 등의 일을 전담시켰다. 그리고 1638년 6월에 몽골아문을 이번원으로 개칭했다.

순치 18년(1661)에는 이번원의 규모와 지위를 중앙 6부와 동등하게 승격시켰으며, 그 안에 녹훈錄勳, 빈객賓客, 유원柔遠, 이형理刑 4사司를 두었다. 강희

28) 『연행록』 「1713년 1월 26일」 조 : (吏部) 漢筆貼式十六, 滿六十五, 蒙古二…(戶部) 漢郎中二, 滿二十二, 蒙古三, 漢員外郎六, 滿三十九, 蒙古五…(禮部) 漢郎中一, 滿六, 蒙古一, 漢員外郎五, 滿十, 蒙古一…(兵部) 漢郎中二, 滿十一, 蒙古四, 漢員外郎六, 滿十三, 蒙四…漢筆貼式十, 滿六十七, 蒙八…(工部) 漢郎中二, 滿十六, 蒙一, 漢員外郎六, 滿十七, 蒙三.

29) 『연행록』 「1713년 1월 26일」 조 : 理藩院尙書一, 左右侍郎各一, 以上不分漢滿蒙分差, 滿蒙司務各一, 漢院判一, 知事一, 副使一, 郎中十一, 員外郎二十九, 堂主事四, 祿勳, 柔遠, 賓客, 理刑等四淸吏司, 每各主事一, 而不分滿蒙分差, 漢筆貼式二, 滿十一, 蒙四十一, 以上二品衙門.

30) 蒙古衙門은 蒙古承政이라고도 부른다.

38년(1699)에는 유원柔遠을 전사前司와 후사後司로 나누었으며, 건륭 26년(1761)에 내원徠遠 1사司를 증설했다. 이때에 이르러 이번원 및 그 휘하의 기적旗籍, 왕회王會, 전속典屬, 유원柔遠, 내원徠遠, 이형理刑 6사司와 만한당방滿漢檔房, 사무청司務廳, 당월처當月處, 몽골방蒙古房, 내외관內外館, 은고銀庫 등의 기구가 완비되었으며 역할도 구분되었다.

이번원은 청조의 몽골통치를 상징하는 기관이다. 내용적으로도 몽골의 기계旗界, 봉작封爵, 설관設官, 호구, 경목耕牧, 부세, 병형兵刑, 교통, 회맹會盟, 조공朝貢, 무역, 종교 등의 사무를 주관하며, 행정명령을 입법 및 반포하고 감독하는 권력을 지녔다. 청조는 강희 35년(1696)에 청 태종 이래 계속적으로 반포한 153조에 이르는 몽골 관계의 법령을 모아 이번원칙례理藩院則例를 만들었다.

이번원칙례는 몽골 사무의 처리와 조정, 몽골 봉건영주들의 청조 신속관계와 몽골사회 내부의 계급관계 규정 등 몽골의 사회질서를 유지하는 법률로 자리 잡았다. 이번원칙례는 이후 수차의 조문 수정과 개정을 거치다가, 건륭 54년(1789)에 새로운 이번원칙례 209조를 확정했다. 그리고 가경 20년(1815)에 재차 수정하여 항목이 526조에 이르렀다. 만주, 몽골, 한어로 반포된 이 항목 속에는 서장과 신강新疆에 관련된 조문도 포함되어 있다.

이번원의 관원 가운데 상서尙書(Aliha amban, Mo.Erkin sayid>эрх сайд) 1인과 좌우시랑左右侍郞(Ashan-i amban, Mo.Ded sayid>дэд сайд) 각 1인은 만주인, 액외시랑額外侍郞 1인은 몽골인으로 임명했다. 그 나머지 낭중郞中(Icihiyara hafan, Mo.Ilgagchi tushimel>ялгагч түшмэл), 원외랑員外郞(Aisilaku hafan, Mo.Tusalagchi tushimel>туслагч түшмэл), 당주사堂主事(Ejeku hafan, Mo.Temdeglegchi tushimel>тэмдэглэгч түшмэл), 주사主事, 필첩식筆帖式(Bithesi, Mo.Bichigechi) 등은 대부분 몽골인으로 임명했다.

이외 전국각지에 모두 이번원에서 파견한 기구와 사원司員이 존재하고 있다. 올랑-하드(烏蘭哈達), 삼좌탑三座塔, 신목神木, 영하寧夏 등지에는 사원司員 각 1인을 파견하여 주둔시키고, 탑자구塔子溝에는 필첩식筆帖式 1인을 파견하여 주둔시켜 몽골인의 소송을 주관했다. 차하르 유목기에는 원외랑 16인이 소송을 맡았다. 그리고 장가구張家口, 희봉구喜峰口, 독석구獨石口, 살호구殺虎口, 고북구古北口 등에는 주찰사관駐扎司官과 필첩식 각 1인이 몽골의 우역정령郵驛政令을 주관했다.[31)]

【국자감國子監, 흠천감欽天監의 몽골 관료】

(국자감) 교조敎助는 한인 6인, 만주인 16인, 몽골인 4인이 있다. … (흠천감) 필첩식은 (한인) 6인, 몽골인 2인, 만인 12인이 있다.[32)]

위의 기록에 등장하는 국자감國子監(Aliha tacibure yamun)의 장은 제주祭酒(Aliha tacibure hafan)이며, 교조敎助는 조교助教(Alsilame tacibure hafan)의 오기이다. 흠천감欽天監(Abka be ginggulere yamun)의 장은 흠천감감정欽天監監正(Abka be ginggulere yamun-i aliha hafan)이며, 필첩식(Bithesi)은 문서의 기록을 담당하는 관료이다.

(2) 박지원의 열하일기에 등장하는 몽골 관료와 이번원

【조선 사신단의 선물 품목 가운데 몽골 관료 선물】

봉성장군 2원員, 주객사主客司 1원, 세관稅官 1원, 어사御史 1원, 만주장경滿洲

31) 理藩院과 理藩院則例에 대한 구체적인 것은 趙雲田, 「淸代理藩院初探」 『中央民族學院學報』, 1982-1 및 「淸代理藩院的設置和沿革」 『內蒙古師大學報』, 1984-1 ; 島田正郎, 『淸朝蒙古例の研究』, 東京, 1982 ; 蔡志純, 「淸朝理藩院掌管蒙古事務初探」 『中國民族史研究(3)』, 北京, 1993 등을 참조.

32) 『연행록』 「1713년 1월 26일」 조 : (國子監) 漢敎助六, 滿十六, 蒙四…(欽天監) 筆貼式六, 蒙二, 滿十二.

章京 8인, 가출장경加出章京 2인, 몽골장경蒙古章京 2인 … 등 도합 102인에게는 장지壯紙 156권, 백지 469권, 청서피靑黍皮 120장, 소갑초小匣草 580갑, 봉초 800봉, 세연죽細煙竹 74개, 팔면은항연죽八面銀項煙竹 74개, 석장도錫粧刀 37자루, 초도鞘刀 284자루, 선자扇子 288자루, 대구어大口魚 74마리, 다래(月乃) 가죽장니障泥이다 7부, 환도 7자루, 은장도 7자루, 은연죽銀煙竹 7개, 석장연죽錫長煙竹 42개, 필筆 40지枝, 묵墨 40정丁, 화도 262개, 청청다래(靑靑月乃) 2부, 별연죽別煙竹 45개, 유둔油芚 2부씩이다.[33]

【학사學舍의 몽골 학생】

오늘 내가 여러 학사를 돌아보았는데, 10개 가운데 8～9개는 빈 방이었다. 또 며칠 전 석전釋奠을 지냈는데, 대성문大成門 왼쪽 극문戟門의 왼편 벽에 써 붙여 둔 참석 제생諸生의 명단을 보니, 겨우 400여 명에 지나지 않았다. 그것도 모두 만주인과 몽골인뿐이고 한인은 하나도 없는데, 이는 무슨 까닭일까. 한인은 비록 벼슬을 하여 공경에 이르렀다 하더라도 성 안에는 집을 얻을 수 없기 때문에, 이 수선首善의 아름다운 곳에 유학하는 선비도 감히 거처하지 못함이었던가. 그렇지 않으면 중화족이 스스로가 되놈의 종자와 한 책상에서 공부함을 치욕으로 여김이었던가.[34]

위의 기록에 등장하는 수선首善은 경사京師의 미칭이다. 청조는 일반 과거 이외에 팔기만주 등 기인 자제를 대상으로 한 팔기동시八旗童試나 팔기전시八

33) 『열하일기』「渡江錄」1780년 6월 27일조：(禮單物目) 鳳城將軍二員, 主客司一員, 稅官一員, 御史一員, 滿洲章京八人, 加出章京二人, 蒙古章京二人…合一百二人, 分給壯紙一百五十六卷, 白紙四百六十九卷, 靑黍皮一百四十張, 小匣草五百八十匣, 封草八百封, 細烟竹七十四箇, 八面銀項烟竹七十四箇, 錫粧刀三十七柄, 鞘刀二百八十四柄, 扇子二百八十八柄, 大口魚七十四尾, 月乃革障泥七部, 環刀七把, 銀粧刀七柄, 銀烟竹七箇, 錫長烟竹四十二箇, 筆四十枝, 墨四十丁, 火刀二百六十二箇, 靑靑月乃二部, 別烟竹三十五箇, 油芚二部.

34) 『열하일기』「謁聖退述」學舍條：今余歷視諸舍, 十空八九, 又況日前纔過釋奠, 大成門左戟門左壁, 列錄參享諸生纔四百餘人, 皆滿洲蒙古, 無一漢人者, 何也, 漢人雖仕宦至公卿, 不得家城內, 則首善之地, 遊學之士, 亦不敢居歟, 抑亦中華之族, 耻與胡虜種落, 齒學而然歟.

旗殿試 등 특별 과거제도를 시행했다. 팔기동시는 순치 8년(1651)에 시행되었는데, 응시자는 연령에 관계없이 모두 동생童生(Simnesi)이라고 칭했다. 합격자는 생원生員(Shusai)이라고 칭했다. 시행초기 만주와 한군漢軍의 합격 정원은 각 120명이고 몽골은 60명이었으나, 강희 23년(1684)에 만주와 몽골은 각 60명, 한군은 30명으로 인원이 한정되었다. 팔기동시는 1905년에 폐지되었다. 팔기전시는 순치 9년(1652)에 시행되었으며, 합격자는 진사進士(Dosikasi)라 칭했다.

교육과 과거제도와 관련해 국자감의 학생은 감생監生(Tacimsi), 향시鄕試의 급제자는 거인擧人(Tukiyesi), 전시殿試에 아직 응하지 않은 진사는 공사貢士(Sonjosi)라 부른다. 서길사庶吉士(Geren giltusi)는 새롭게 진사가 된 집단 중에서 특별시험을 거쳐 선발된 우수한 인재를 말하는데, 청조는 이들을 서상관庶常館에 들여보내 독서케 하였다. 시독학사侍讀學士 이하 서길사 이상을 한림翰林(Bithei shungsi)이라고 지칭한다.

박지원과 친밀한 유대를 가졌던 홍대용의 여행기에도 대학의 생도들과 학당을 묘사한 부분이 등장하는데, 그는 이곳에서 직접 몽골학생을 만나 대화도 나누고 있다. 그것을 소개하면 다음과 같다.

> (1766년 2월 24일) 대학 안에는 20여 당堂이 있어, 모두 담장을 둘러 문을 내었는데 네모반듯하게 만들었다. 수업하는 생도들은 모두 각 성에서 뽑혀 올라온 자들로, 만주 사람과 몽골 사람들도 같이 들어와 있다. 다 진실하고 고상했으며, 의복과 관모가 화려하고 깨끗함이 국자國子의 풍도가 있었다. … 어떤 몽골 소년 하나는 나이가 16세인데 얼굴이 매우 준수하게 생겼다. 허리에 운서韻書를 차고 있기에 평중이 종이를 청하여 시를 잘 짓느냐고 물었다. 소년이 "대강은 지을 줄 압니다"고 말하므로, 평중이 시를 짓기를 청하면서 붓을 잡아 초서를 휘갈겨서 보였다. 이에 소년은 매우 꺼리어서 "잘할 줄 모른다"고 굳이 사양하였다. … (이제묘夷齊廟) 길 남쪽으로 또 수백 칸의 서재가 있는데, 남학당南學堂이

라고 한다. 방과 문과 담들은 모두 먹줄을 친 듯 네모반듯하다. 18성에서 공생을 뽑아 감생으로 들어와 있는 사람이 수백 명인데, 만주 사람과 몽골 사람들이 반을 차지하고 있다 한다. 제주祭酒·사업司業·박사博士·조교助教 등의 벼슬이 있는데, 그것 역시 만주 사람과 중국 사람을 섞어 쓴다고 한다. … 사적仕籍에 있는 자들이나 대학에 입학하여 수업하는 자(몽골인)들은 의복과 관모가 만주 사람과 다를 것이 없다.[35]

【몽골부도통蒙古副都統 숭귀崇貴】

지난해 이무관李懋官이 이 절을 유람할 때 마침 장날이었다. 내각학사 숭귀崇貴를 만났는데, 그가 여우털 갖옷 한 벌을 골라서 깃을 헤쳐 보고, 입으로 털을 불어보고, 몸에 대어 짧고 긴 것을 재어 본 뒤, 손수 돈을 끄집어내어 사는 것을 보고 깜짝 놀랐다는 말을 들었다. 숭귀는 만주인으로 지난해에 칙명을 받들어 우리나라에 왔던 자이다. 그의 벼슬은 예부시랑禮部侍郎이요, 몽골부도통이다.[36]

위의 기록에 등장하는 이무관李懋官은 이덕무李德懋의 자字이다. 융복사隆福寺의 장날풍경과 청조 고관의 물품구입을 묘사한 위의 기록은, 조선 사대부들로서는 좀처럼 이해하기 어려운 대목이었을 것이다. 박지원은 숭귀崇貴를 만주인으로 알고 있지만, 실은 몽골 정황기正黃旗 출신으로 자字는 무당撫棠이고 호는 보산補山이다. 몽골의 유명한 시인인 그가 1779년 조선을 방문했음에도

35) 洪大容,『湛軒燕記』: 學中有二十餘堂, 各環墻爲門, 制作正方, 諸生隸業者, 皆從各省選上, 滿洲蒙古俱入焉, 皆恂恂雅飭, 衣帽華潔, 猶有國子之風焉…有一少年, 蒙古人, 年方十六, 貌甚秀雅, 腰佩韻書, 平仲請紙筆, 問其能詩, 少年始云略會, 見平仲請賦詩, 又見其操筆亂草, 少年頗憚之, 固辭以不能也…道南又有數百間齋舍曰南學, 堂室門墻, 正方中繩墨, 十八省, 拔貢入監者數百人, 滿洲蒙古居其半, 有祭酒司業博士助教等官, 亦參用滿漢云…其通仕籍者, 入學隸業者, 衣帽與滿洲無別.

36)『열하일기』「盎葉記」隆福寺條 : 前年李懋官遊此寺, 値市日, 逢內閣學士嵩貴, 自選一狐裘, 挈領披拂, 口向風吹毫, 較身長短, 手揣銀交易, 大駭之, 嵩貴者, 滿洲人, 往歲奉勅東出者也, 官禮部侍郎, 蒙古副都統.

불구하고 조선의 사대부들이 그를 만주인으로 인식하고 있다는 것이 의아스럽다. 그는 건륭 26년(1761)에 진사가 되었고 또 서길사庶吉士로 선발되었다. 이후 하남학정河南學政, 내각학사內閣學士 등의 관직을 거쳤다. 그는 경전과 사서史書에 박학하고 시와 문장에 능해 『사고전서四庫全書』의 중교重校에도 참여했다. 평소 유력遊歷을 좋아했으며, 그 과정에서 본 경치들을 풍부한 감성을 실어 읊은 시들이 많다. 대표작으로는 <유섬주취도협석유작由陝州取道硤石有作>, <광주도중차풍추선운光州道中次馮秋船韵>, <협석도중硤石道中> 등이 있는데, 그의 저작인 『우낭존략郵囊存略』에 수록되어 있다.

【역참제 : 비체법飛遞法】

(말이) 모두 몸시 날래고 건장해서 순식간에 70리를 달리니, 이것이 이른바 그들의 비체법이다. 길에서 역마가 질주하는 것을 보았다. 앞선 자가 소리를 내는데 노랫소리와 같다. 그러면 뒤의 자가 호령에 응하는데, 마치 범을 좇는 듯이 한다. 그 소리가 벼랑과 계곡에 진동한다. 그러면 말이 순식간에 발굽을 내치며 바위·시내·숲·덩굴을 가리지 않고 훌훌 넘어 달리는데, 그 소리가 마치 북치는 듯, 소낙비가 퍼붓는 듯하다.[37]

【역참제 : 숙박】

대국의 법이 비록 왕자나 공주의 행차라도 민가에 머무르거나 숙박할 수 없다. 따라서 머물 수 있는 곳은 점방이 아니면 사당이다.[38]

위의 두 기록은 청조의 역참제도를 묘사한 것으로, 민간수탈을 막기 위해

---

37) 『열하일기』 「漠北行程錄」 1780년 8월 6일조 : (馬)皆驍壯騰驤, 一時三刻, 行七十里, 此飛遞法也, 在道見遞騎之馳突, 前者唱聲若歌, 後者應號, 如警虎者, 響震崖谷, 馬乃一時散蹄, 不擇岩壑磎磵林木叢薄, 超躍騰踏, 如鼓聲雨點.

38) 『열하일기』 「漠北行程錄」 1780년 8월 6일조 : 大國之法, 雖和碩之行, 不得停宿民舍, 故其所下處, 非店房則必廟堂也.

민가에서 머무르지 못하게 한 방식은 대몽골제국이나 대원올로스의 제도를 따른 것이다. 비체법에 대한 묘사는 박지원의 뛰어난 문장력을 유감없이 보여주고 있다.

제9장 몽골인과 라마교

몽골인이 라마교의 세계에 진입하게 된 시기는 1578년 알탄칸Altan Khan과 쇠남-갸초의 앙화사仰華寺 회견 때부터이다. 이후 몽골족의 역사는 종전과는 다른 양상을 띠게 되었다. 몽골족은 라마교의 루트를 따라 청해는 물론 티베트까지 이주하여 각 곳의 종교 분쟁에 개입했다. 그러나 그들의 선조와는 달리 균형을 상실한 일방적인 몰입은 조선의 주자학처럼 그들의 발목을 잡는 족쇄가 되었다. 몽골이라는 거대한 세력에 벽처럼 둘러진 라마교, 조선인들의 입을 봉하며 모두가 주자가 되기를 원했던 주자학, 그 두 세계에 속했던 사람들이 만나면 서로 간에 무엇이 보일까.

1. 조선 사절단의 눈에 비친 라마교 사원

북경을 오가는 조선 사절단들은 누구든지 라마교 사원을 거쳐야 한다. 따라서 라마교 사원에 대한 기록이 거의 모든 여행기에 존재한다.[1] 본 3대 여행기 역시 예외가 아니다. 그러면 조선 사절의 눈에 비친 라마교 사원을 따라가 보기로 하자.

(1) 최덕중의 연행록에 등장하는 라마교 사원

【북경의 몽골 라마승】

길에서 누런 비단 모자에 누런 비단옷을 입은 자를 만났다. 괴이쩍어서 물었더니, 황제의 원찰에 있는 몽골 승려라 답하였다.[2]

【행단杏壇의 티베트 라마승】

조금 있으니 문 위에서 작은 종이 울리며 문이 열렸다. 일행이 청범사淸梵寺에 이르니 관리들도 아직 오지 않았고, 날은 겨우 새벽이었다. (곧) 여러 사람이 뒤쫓아 들어왔다. 다섯 각로와 육경六卿도 모두 도착하였다. 또 누런 비단옷에 바지를 입지 않은 한 무리의 중이 아침마다 와서 월랑月廊에 있었는데, 고관들이 왕래할 때에도 조금도 움직임이 없었다. 인물들이 모두 걸출하고 위엄이 있었다. 내가 여러 날 동안 물어도 끝내 응대하지 않았다. 그런데 오늘 내가 가서 또 묻자, 그자가 빙그레 웃으며 답하기를 "글로 적어서 보이라"고 한다. 내가 글을 써서 "노사老師는 어디 살고 있는가"라고 묻자, "서천국西天國이다"라 답했다. 내가 "서천국은 며칠 길인가"라고 묻자, "석 달 길이다"라고 답했다. 내가 또 글로 "어찌해서 이곳에 왔는가"라고 묻자, "20년 전에 이곳에 왔으며, 황제가 국사로 대우하고 있다. 천하의 중 2,000여 명을 모아 모두 누런 가사를 입히고,

1) 세계적으로 몽골의 라마교를 가장 먼저 접하고 기록을 남긴 나라가 조선이었다. 이는 내용이 어떠한 것을 떠나, 일본이 1912년부터 라마교를 접했다는 것과 비교할 때 시기적으로 얼마나 빨랐는가를 입증해 주고 있다. 특히 박지원의 라마교 교리관련 부분은 일본의 라마교에 관한 총체적 보고서인 橋本光寶의 『蒙古の喇嘛教』, 東京, 1942와 비교할 때 거의 160년이나 이른 시기에 나왔으며, 그 내용도 18세기의 수준으로서는 놀라울 정도이다.

2) 『연행록』 「1712년 12월 27일」 조 : 路逢着黃錦帽黃錦衣者, 怪而問之, 則答云皇帝願堂寺蒙古僧也.

또 쌀과 은을 하사하고 있다. 지금에는 다소 차등이 있는데, 나에게는 매월 10냥을 하사한다. 또 궁궐의 담 안에 행단杏壇이라는 이름의 큰 절을 세워 그곳에서 황제의 평안을 기원하도록 하고 있다. 그래서 우리가 아침마다 이곳에 오는 것이다"라고 답했다.[3]

위의 두 기록은 군관 최덕중이 만난 라마승들로, 하나는 몽골인이고 다른 하나는 티베트인이다. 최덕중과 동행한 김창업의 여행기에는 심양의 실승사實勝寺, 북경의 청범사淸梵寺와 광명전光明殿 등 여행 중에 만난 라마사원이나 승려들의 모습이 비교적 상세히 기록되어 있다.[4] 실제 조선시대의 여행기에

3) 『연행록』「1713년 2월 6일」조 : 少時門上鳴小鍾開門, 一行行至淸梵寺, 則諸仕宦者, 姑未盡到, 日才曉矣, 諸人追後入來, 五閣老六卿齊到, 又有着黃錦衣脫袴之僧一隊, 朝朝來在月廊, 而雖巨卿往來之時, 終不起居, 人物雄偉, 余連日問詰, 則終不應對矣, 今日又往問, 厥者微哂答云書示, 余書日老師居在那裏耶, 答云西天國, 余問西天國幾日程也, 答云三月程, 余又書何以來此, 答廿年前來此, 而皇帝以國師待之, 多聚天下僧二千餘, 衣服皆黃, 亦給米銀, 而多少有差, 渠則月給十兩, 且宮墻內大起一寺, 名日杏檀, 處之以請安皇帝, 故朝朝來此云.

4) 김창업의 여행기인 『燕行日記』에 등장하는 라마교 관련 기록을 소개하면 다음과 같다. ① (1712년 12월 8일) 이렇게 몇 리를 지나다 멀리 높다란 담장이 큰길의 북쪽에 있는데, 노란 기와로 이은 전각을 보니 원당이었다. 문 앞에 패루가 셋이 있는데 매우 웅장하고 화려하였다. 동쪽의 각문으로 들어가니 정전은 문이 잠겨 있는데, 섬돌 아래 좌우에 사면으로 2층 누각이 있고 사다리가 놓여 있어 올라갈 수 있었으나 역시 잠겨 있었다. 뜰을 중심으로 동쪽과 서쪽으로 아주 큰 비석이 둘이 있다. 동쪽 비석에 '연화정토실승사, 숭덕 3년 무인년(1638)에 세우다'라 쓰여 있고, 뒷면은 만주글로 되어 있었다. 서쪽 비석은 앞뒤가 모두 만주글로 적혀 있어 해독할 수가 없었다. 이때 한 승려가 밖에서 들어오더니 전을 따라 징을 치면서 세 번 돌고 간다. 절의 문을 여닫는 것은 서쪽 집에 있는 라마승이 주관한다는 것을 듣고 원건을 보내어 들어가기를 청했다. 드디어 들어가 보니 방은 낮고 깊숙했다. 북쪽 벽 밑에 한 승려가 선의를 입고 병풍에 기대어 앉아 있었다. 그 병풍은 4첩이며 비단으로 만들었는데, 높이가 수척으로 앉으면 등을 기댈 만하다. 내가 동쪽의 온돌방에 앉는데도 그 승려는 움직이지 않았다. 나를 보더니 시자를 시켜 나의 나이를 묻기에 내가 중국말로 대답하였다. 그는 즉시 시자를 시켜 차를 내왔다. 시자 5~6인은 모두 누런 옷을 입었는데, 반 이상이 동자들로 얼굴이 깨끗하였다. 내가 지필을 찾아서 '연세가 얼마인가'라고 써 보이니, '한자를 모른다'고 한다. 시자가 그 종이를 가지고 바깥으로 나갔다. 아마도 글을 아는 자에게 보이기 위해서인 듯하다. 조금 있다가 세 사신 일행이 모두 도착했다. 내가 작별 인사를 했더니, 승려가 '잘 가시오'라고 하였는데 시자가 한어로 전해 주었다. 나와서 백씨에게 말했더니 백씨 역시 들어가 그 승려를 보았는데, 역시 움직이지 않았고 나이를 물으니 66세라고 답하였다고 한다. 그들이 정전을 열어 주었다. 거기에는 3좌의 금불감옥과 안궤 및 탁자가 있었는데, 처음 보는 기교한 솜씨였다. 탁자 위엔 옥그릇 한 쌍이 놓여 있는데, 모양이 필통처럼 생겼다. 꽃을 꽂는 그릇인 것 같은데 높이는 반자쯤 되었다. 문을 열어 준 자에게 부채 하나를 주었더니 그것을 불상 앞에 놓는다. 다시 담배 한 봉을 더 주었다(遠望見一帶高墻在大路北, 中有黃瓦殿, 是所謂願堂也, 門前立三座牌樓, 極其壯麗, 從東偏角門入去, 正殿門鎖, 階下左右, 各有四面二層閣, 有胡梯可上, 而亦皆鎖, 庭東西有兩碑, 極高大, 東碑前面,

등장하는 라마교 관련 기록을 추출하면 적잖은 분량에 달하는데, 이는 조선

題曰蓮華淨土實勝寺, 崇德三年戊寅立云云, 後面淸書, 西碑前後皆淸書, 不可解也, 有一僧自外入來, 循殿打鉦三匝而去, 聞有喇嘛僧在西邊屋中, 殿門開閉, 此僧主之, 遂令元建言于其徒通之, 卽請入, 屋低而深, 北壁下一僧被禪衣, 倚屛而坐, 凡四疊, 以錦爲之, 其高數尺, 取可靠背, 余遂就坐東邊炕, 其僧不動, 擧眼視之, 使侍者問余年, 余以華語對之, 卽使侍者進茶, 侍者五六人, 衣皆黃而童子居半, 貌皆淸潔, 余索紙筆, 書高壽幾何, 答以爲不知漢字, 侍者持其紙出外, 似欲示識字者也, 俄而三行皆到, 余乃告辭, 僧言好往來, 侍者以華語傳之, 余出而告伯氏, 伯氏入見其僧亦不動, 問其年, 答以六十六, 伯氏出, 其徒開正殿, 殿內有三座金佛, 龕屋及几卓奇巧, 曾所未見, 卓上有玉器一雙, 狀如筆筒, 似是揷花者, 高可半尺許, 以一扇與開門者, 受而置佛前, 又與南草一封, 從西邊角門出). ② (1713년 1월 26일) 큰 절이 하나 있다. 문 앞에 3개의 패루가 있고, 전옥 위에 큰 금정이 덮였는데, 제도와 장려함이 궁궐과 다를 바 없다. 통관이 "이곳은 라마교 승려들이 있는 곳인데, 그 승려들을 황제 이하 모두가 공경합니다"라고 말한다. 이곳을 지나가면 태액지의 서쪽 둑이다(有一大剎, 門前立三牌樓, 殿屋上覆大金頂, 制度壯麗, 無異宮闕, 通官言此喇嘛僧所居, 其僧, 皇帝以下皆敬禮云, 過此爲太液池西岸). ③ (1713년 2월 5일) 라마승 3인이 와서 (청범사) 서쪽 월랑의 계단 위에 앉았다. 모두 누런 옷에 붉은 가사를 걸쳤다. 시종의 복색도 역시 누렇다. 옷은 종아리까지 이르고, 바지는 입지 않았다. 머리에 쓴 것도 모두 누런색인데, 모양은 호모와 같으나 조금 높았다. 승려 3인이 쓴 것은 위가 둥글고, 시종이 쓴 것은 뾰족했다. 이 승려들이 들어오니 사람들이 모두 길을 비키고 앉은 자리에도 역시 가까이 가지 않는다. 유독 한 곳에 앉아 반나절 동안 꼼짝 않는데, 바라보니 역시 도에 통한 자들 같았다. 한 호인이 글을 써서 "이 승려들은 바로 황제의 국사이다"고 보여주었다(喇嘛僧三人來坐西月廊堦上, 皆黃衣而加以紅袈裟, 從者服色亦黃, 衣至脛下無袴, 頭上所戴, 亦皆黃色, 形如胡帽而稍高, 三僧所戴, 上皆圓, 從者皆尖, 此僧入來, 人皆讓路, 坐處亦無近者, 獨坐一處, 半日無動, 望之, 亦似有道者, 一胡人書示曰, 此僧乃萬歲爺國師也). ④ (1713년 2월 6일, 청범사) 이날 라마승이 30여 명이나 들어왔다. 수승 2인이 월랑에 들어와 온돌방에 앉았다. 유봉산과 최덕중이 가서 보기에 나도 역시 따라갔다. 최덕중이 글을 써서 보이니, 승려 하나가 능히 문자로써 대답한다. 사는 곳이 어디냐고 물으니 서천국이라고 한다. 또다시 서천국이 어디 있으며 몇 달에 갈 수 있느냐고 물으니, '서역의 서쪽인데 일곱 달이면 닿을 수 있다'고 답한다. 라마란 무슨 뜻이냐고 물으니, 승려 이름이라고 대답한다. 무엇 때문에 여기 왔느냐고 물으니, 10년 전에 진향하려고 왔는데 황제가 국사로 대접하여 절을 궁중 담 안에 지어 주고 거처하게 하며 매월 은 10냥씩 준다고 하였다. 가만 보니 세상의 승려는 모두 누런 옷을 입어야 교도가 되는 듯하다. 한 승려는 체격이 컸고, 다른 승려는 말랐으며 턱 밑에 큰 혹을 달고 있다. 두 승려 모두 얼굴빛이 황금과 같다(是日喇嘛僧來者三十餘人, 首僧二人, 入月廊坐炕, 柳鳳山崔德中往見, 余亦隨往, 崔德中以書書示, 一僧能以文字對之, 問其所居何處, 對曰, 西天國也, 又問西天國何在, 而幾日程也, 對曰, 卽西域之西, 七朔可到, 問喇嘛何義, 對曰, 僧名也, 問因何來此, 十年前爲進香來矣, 皇帝待以國師, 作寺于宮墻內, 處之, 月給銀十兩, 度天下僧, 皆衣黃衣, 爲徒弟, 一僧貌大, 一僧瘦, 而頤下垂大癭, 二僧面色皆如黃金). ⑤ (1713년 2월 9일, 광명전) 또 라마승이 부채를 달라고 하기에 역시 허락하였으나 갖고 온 것이 없었다. 그래서 내일 문답을 적은 종이를 가지고 사관으로 와서 가져가도록 사람을 보내라고 하니, 사람들이 기뻐하며 고맙다고 하고 선흥의 성을 물었다(<光明殿>又有喇嘛僧求扇, 亦許之, 而以無持來者, 使於明日, 持問答所書紙, 來館中討去, 諸人喜而謝, 問善興姓). ⑥ (1713년 3월 5일) 라마 승려 한 사람도 들어왔다. 내가 바라보니 옷을 양쪽으로 걷어 올리고 뛰었는데, 아래는 아무것도 입지 않았기 때문에 보는 사람들이 모두 웃었다. 그도 웃으면서 걷어 올려 보였는데 무릎 밑에 감아 묶은 것이 있었으니, 우리나라에서 행전을 묶는 것과 같은 방법이었다. 그 위로는 벗은 맨몸이다(喇嘛僧一人亦入來, 余目過, 兩捲其衣, 輒走, 蓋下無所着故也, 觀者皆笑, 渠亦笑, 仍褰而示之, 膝以下則有所纏, 如我國行纏之制, 其上皆赤脫也).

시대의 사람들이 매우 이국적인 종교인 라마교에 대해 높은 관심을 표명하고 있다는 증거이기도 하다.

(2) 박지원의 열하일기에 등장하는 라마교 사원

박지원의 『열하일기』에는 다른 여행기보다 라마교 사원에 대한 기록이 빈번하게 등장한다. 이 같은 이유는 그가 라마교에 대한 관심이 그만큼 컸기 때문일 것이다. 그것을 순서대로 소개하면 다음과 같다.

【심양의 성자사聖慈寺】

성자사는 숭덕崇德 2년(1637) 무인戊寅에 세웠다. 전각은 깊숙하고도 장려하다. 법당은 돈대 높이가 1장이며 주변에 돌난간을 세웠다. 전각 위 처마 밑은 그물로 둘렀다. 세 그루의 늙은 소나무가 서로 가지를 엉켜 서 있어 푸른빛이 뜰에 가득하다. (절은) 숲 그림자에 묻혀 깊은 고요에 잠겨 있다. 비석이 둘이 있는데, 하나는 태학사太學士 강림剛林이 지은 글로 뒷면엔 만주글자가 적혀 있다. 또 하나는 앞뒷면이 모두 몽골과 티베트(西番)의 글자로 적혀 있다. 수직守直 라마승 몇 명이 있다. 전각 안엔 팔백 나한羅漢이 있는데, 키가 겨우 몇 치씩밖에 되지 않지만 하나하나가 모두 정교하다. 강희 황제가 손수 작은 탑 수백 개를 만들었는데, 크기가 주사위만하다. 그 아로새긴 솜씨의 기묘함은 가히 입신의 경지이다. 부도는 높이가 10여 장으로 위는 둥글고 아래는 네모졌는데, (탑에) 사자를 새겨 넣었다.[5]

5) 『열하일기』「盛京雜識」盛京伽藍記 1780년 7월 14일조：聖慈寺, 崇德二年戊寅建, 殿宇深嚴宏麗, 法堂臺高一丈, 周設石欄, 殿上籠罩罘罳, 有三株古松, 交柯互枝, 蒼翠滿庭, 窈冥陰森, 一碑太學士剛林撰, 後面滿洲書, 一碑前後皆蒙古西番字, 守僧有喇嘛數人, 殿中有八百羅漢, 長纔數寸, 個個精妙, 康熙皇帝手造小塔數百, 大如雙陸, 刻鏤之工, 奇巧入神, 浮圖高十餘丈, 上圓下方, 通刻獅子.

위의 기록에 등장하는 부시罘罳는 큰 건물에서 참새 등 새들이 들어와 보금자리 트는 것을 막기 위하여, 그물 같은 것으로 처마 밑을 둘러친 것을 말한다.

【심양의 만수사萬壽寺】

만수사는 강희 55년(1716) 병신丙申에 중수하였다. 절 앞에 큰 패루 하나가 있는데, 만세무강萬歲無彊이라는 현판이 붙어 있다. 전각의 웅장하고 화려함이 성자사를 능가하지만, 다만 뜰에 가득한 소나무 그늘이 없었다. 비석 둘이 있다. 정전正殿에는 강희 황제가 쓴 요해자운遼海慈雲이란 액자가 붙어 있는데, 향정香鼎, 보로寶爐를 비롯한 여타의 보배로운 것들을 이루 다 기록할 수 없다. 라마승 10여 명이 있는데 모두 누런 옷에 누런 모자를 썼으며, 사납고 장대해 보인다.[6]

조선 사대부들이 라마 사원을 방문한 후 남긴 후기에서 공통적으로 등장하는 것이 라마승의 복장이다. 즉 몽골은 왕공들이나 일반인, 라마승을 막론하고 황제와 똑같은 노란 옷을 입고 있다는 점이 매우 특이했던 모양이다. 이에 대한 조선 사대부들의 나름대로의 견해나 해석은 【몽골 왕공의 관작과 대우】 항목에서 언급한 바 있다. 아마 조선 사대부들이 라마교에 관심을 가지게 된 이유 중의 하나도 그들의 노란 옷에 있지 않나 생각된다. 조선 주자학의 세계에서는 그것을 좀처럼 이해하기 어려웠을 것이다.

【심양의 실승사實勝寺 : 청 태종의 원당願堂】

실승사는 연화정토蓮花淨土란 현판이 걸려 있다. 숭덕 3년(1638)에 세웠다. 전각의 지붕은 모두 푸르고, 누런 유리 기와로 덮여 있다. 청나라 태종의 원당이다.[7]

---

6) 『열하일기』「盛京雜識」盛京伽藍記 1780년 7월 14일조 : 萬壽寺, 康熙五十五年丙戌重修, 寺前有一座大牌樓, 扁曰萬歲無疆, 殿宇壯麗, 過於聖慈寺, 而但無滿庭松陰, 有二碑, 正殿康熙皇帝書額曰遼海慈雲, 香鼎寶爐及他寶翫, 不可殫記, 有喇麻十餘人, 皆黃衣黃帽, 鷙悍魁梧.

청 태종의 원당인 실승사에 대해서는 【전국새와 마하깔라 불상】 항목에서 이미 언급한 바 있다. 실승사는 원당사願堂寺나 황사皇寺라고도 부른다. 태종의 야망이 깃든 이곳은 강희제, 건륭제, 가경제, 도광제 등 청조의 황제들이 동순東巡할 때마다 반드시 들리는 곳이다. 건륭제의 경우 4번이나 방문할 정도였다. 청조 황실을 대표하는 라마 사원인 만큼 조선 사절단도 심양을 지날 때 반드시 이곳을 들리고 있다. 이곳을 방문했던 조선 사절단의 여행기 중에는 이곳의 몽골 라마승들과 만나 대화를 주고받았다는 기록도 보인다.[8)]

7) 『열하일기』「盛京雜識」盛京伽藍記 1780년 7월 14일조 : 實勝寺扁曰蓮花淨土, 崇德三年建, 殿屋皆覆以靑黃琉璃瓦, 淸太宗願堂也.

8) 그 대표적인 예가 徐慶淳, 『夢經堂日史』「1855년 11월 8일」조의 "정전에 불상을 봉안하였는데, 라마승의 불상인 듯하다. … 전의 서편에는 선당이 있는데, 즉 몽골 승려들이 모여서 불경을 강하는 곳으로 참선할 때에 앉는 의자만 나열되어 있다. 남쪽 담 밖에는 몽골 사람들이 수직하는 방이 있다. 수승은 늙어서 외인을 보지 않고, 나머지 승려들 200여 명이 혹은 누런 옷, 혹은 붉은 옷을 입었는데 모두 몽골 사람들이다. 그중에는 나이 열두서너 살에 지나지 않는 자도 네댓 명 된다. 수직승의 결원이 있어서 황제의 특명으로 몽골의 나이 어린 자로 대체했다 한다. 승려들에게는 각각 은 2냥씩을 월급으로 주는데, 수승에게 주는 은을 통계하면 1년에 받는 은자가 천여 냥이나 된다 한다. 승려들이 마두들과 말을 하는데, 마두들은 멍하니 귀머거리 같이 입만 벌리고 대답을 못한다. 내가 마두에게 '무엇이라 말하는가'고 물으니, 마두가 '저들이 몽골말로 우리들을 괴롭히는데 무슨 말인지 모르겠다'고 대답한다. … 너희들이 연경에 다닌 지 자칭 20여 차례나 된다고 하였다. 이는 몽골어를 익히 들었다고 할 수 있는데, 지금 몽골 사람의 말에 하나도 입을 열지 못하다니 어찌 둔하지 않은가(正殿安佛像, 似是喇嘛之像…殿西有禪堂, 卽蒙古僧羣聚講經處, 而擺列禪榻而已, 南墻外有蒙古守直之房, 首僧年老不見外人, 其餘僧徒二百餘, 或着黃衣, 或着赤衣, 皆蒙古也, 其中年不過十二三者四五也, 因守直僧有闕, 皇帝特命蒙古年幼者遞送塡代, 僧各月給銀二兩, 首僧統計一歲俸銀千餘兩云, 僧與馬頭輩語, 馬頭輩褎如充耳, 口呿不能對, 余問馬頭曰, 何也, 曰, 彼以蒙古語薰我, 不知爲何說…汝輩之赴燕, 自以爲二十餘行, 則聞蒙古之語, 可謂習熟, 而今與蒙古語, 一不能開口, 汝獨非鈍聰耶)."라는 기록과 金景善, 『燕轅直指』「1832년 12월 1일」조의 "뜰 좌우의 익실에는 모두 허다한 불상을 모시고 몽골어로 된 서책을 많이 쌓아 놓았는데, 글자는 해석할 수 없었다. … 많은 중들이 모두 가사를 입고 목에 염주를 걸고서 여러 악기를 한바탕 크게 불었다. 그 뒤에 범패를 한창 외는데, 소리는 소 울음과 같았다. 이날이 초하루이기 때문이었다. 또 그 서쪽에 집 한 채가 있다. 이곳은 주승 몽골라마가 사는 곳이며, 그의 연봉은 200냥이라고 한다. 주승은 부준을 뵙기 위하여 방금 성안에 가고 차승만 홀로 있었다. 그는 심양 사람으로 나이가 76세인데, 행동과 말하는 것이 꽤 도기가 있어 보였다. 그 나머지 중들도 합치면 100여 명인데, 동자가 절반이다. 역시 모두 라마복을 입고 있다. 이곳에 앉아 조금 쉬다가 더불어 필담을 했다. 그리고 약간의 환약을 주었더니 승려들은 떡과 엿으로 답례하였는데, 맛이 조금 달고 연하였다(<願堂寺>庭左右有翼室, 皆安許多佛像, 多積蒙古書册, 字不可解…衆僧皆着袈裟, 項念珠排列, 諸件樂器, 一場大吹後, 方作梵唄, 聲如牛鳴, 以是日爲月朔故也, 又其西有一屋, 主僧蒙古喇嘛居之, 而歲俸銀二百兩云, 主僧爲見富俊, 方入城中, 次僧獨在, 卽瀋陽人也, 年方七十六, 擧止言談, 頗有道氣, 其餘諸僧, 合有百餘人, 而童子居半, 亦皆喇嘛服, 遂坐此少憩, 與之筆談, 饋以若干藥丸, 僧謝以餠餌之屬, 味稍甘毳)."라는 기록이다. 위의 기록에 등장하는 富俊은 몽골 正黃旗 사람으

【북경 옹화궁雍和宮의 라마승】

옹화궁은 옹정 황제의 원당이다. … 이 절에는 3,000명의 라마승이 있는데, 몹시 완고하고 추하였다. 모두 금실로 짠 가사를 질질 끌고 있었다.9)

위의 기록에 등장하는 옹화궁은 북경에서 가장 화려한 라마 사원으로, 몽골 라마승이 대거 거주하고 있다. 이로 인해 조선시대 여행기에도 이곳의 몽골 라마승에 대한 기록이 적잖이 나타나고 있다.10)

로, 姓은 卓特氏이다. 繙譯進士로 벼슬길에 올라 嘉慶, 道光 연간에 네 번이나 吉林將軍을 지냈으며, 雙城堡와 伯都訥에서 屯田을 개간하여 많은 성과를 이루었다. 벼슬은 東閣大學士까지 지냈으며, 시호는 文誠이다.

9) 『열하일기』「黃圖紀略」雍和宮條 : 雍和宮, 雍正皇帝願堂也… 所居僧, 皆喇嘛三千人, 頑醜無比, 而俱曳織金禪衣.

10) 그 대표적인 예가 洪大容, 『湛軒燕記』의 "옹화궁은 옹정제의 사저이던 것을 지금 황제가 절로 희사한 것이라 한다. 사치와 화려를 힘써 천하의 기교를 다하였고, 라마승 수천 명을 모아 부처를 공양하고 경을 외며 명복을 빌고 있다 한다. … 옹화궁에 있는 라마승 중에는 새빨간 옷을 입는 자도 있는데, 이런 자는 직품이 있는 승려이다(雍和宮, 雍正帝之私邸, 今皇因捨施爲佛寺, 務其侈麗, 窮天下之技巧, 聚喇嘛僧數千人, 供佛誦經, 以資冥福云…其在雍和宮者, 或衣紅䒵然如猩血, 盖僧之有職品者)."; 李德懋, 『入燕記』「1778년 5월 22일」조의 "태학 서편에 옹화궁이 있으니, 곧 옹정 황제의 원당이다. 옹정 황제가 붕어하였을 때 이곳으로 옮겨 발인할 때까지 관을 안치하였다. 몽골 승려를 라마승이라 부르는데, 이곳에 거의 1천 명이 있으며, 모두 누른 옷을 입었고 한어도 잘한다. … 석양이 되자 라마승들은 모두 어깨를 드러낸 붉은 옷을 입고 저녁밥을 먹으려 하였다(太學之西, 有雍和宮, 雍正皇帝願堂也, 雍正之崩也, 移殯於此, 僧蒙古人, 號喇嘛僧, 殆近千人, 皆衣黃衣, 能漢語…日向夕, 喇嘛僧, 皆着赤衣, 袒其臂, 將夕食也)."; 徐慶淳, 『夢經堂日史』「1855년 12월 15일」조의 "세 사신을 따라서 옹화궁에 갔다. 옹화궁은 영정문 안에 있다. 본래 옹정제의 잠저여서 몽골의 승려로 하여금 지키게 한다(隨三使往雍和宮, 宮在永定門內, 本雍正帝潛邸也, 以蒙古僧守之)."; 著者 未詳, 『赴燕日記』「雍和宮」조의 "법륜전에서는 수백 명의 몽골 승려가 경을 읽고 식사를 하는데, 그 소리가 마치 개구리 우는 소리 같으면서 웅대하다. 먹는 것은 밀가루로 뭉친 큼직큼직한 조각을 양고기국에 섞어 작은 목기에 담아 한 그릇씩 먹는다. 그들은 모두 적황색 옷을 입었는데, 알몸에다 가사만 걸쳤기 때문에 양쪽 어깨가 벌겋게 드러나 보인다. 또 연폭의 붉은 천으로 몸을 두르고 머리에는 송락을 썼는데, 우리나라의 중들이 사용하는 것과 비슷하나 만든 모양이 좁으면서도 길다. 그것을 거꾸로 쓰매 늘어진 두 테두리가 위로 뻗치니 보기에 별로 근사하지 않다. 벗어서 접으면 꼭 수수비 같다(雍和宮 : 法輪殿有蒙古僧數百, 誦經會食, 聲如蛙吹而雄大, 食物乃寬片粉, 雜以羊羹, 各呑一小木鉢, 僧皆赤黃衣, 裸躬被袈裟, 兩臂赤露, 又以連幅赤布, 周身而蒙之, 頭戴松絡, 彷彿東僧所用, 而制搛歪長, 倒豎而戴, 簷垂上指, 見頗不類, 解而帖之則正似黍莖掃帚)."; 朴思浩, 『心田稿』「留館雜錄」조의 "옹화궁의 원당사는 금으로 꾸민 집이며, 비단과 누런 옷은 황제의 복색을 본뜬 것이다. 앉아서 부귀를 누리는 자는 역시 몽골 승려이다(雍和宮願堂寺, 黃金屋, 錦繡襉, 衣黃衣, 倣擬皇帝服色, 坐享富貴者, 亦是蒙古僧也)."; 金景善, 『燕轅直指』「1833년 1월 12일」조의 "항상 라마승 수천 명을 모아다가 경을 외고 복을 빌게 한다. 화려하고 웅장함은 북경의 여러 사찰 가운데 으뜸이었다. … 길이 끝나자 또 문 하나가

【북경의 천불사千佛寺=대륭선호국사大隆善護國寺】

호국사護國寺를 도성 사람들은 천불사千佛寺라고 부르는데, 천 개의 부처가 있기 때문이다. 또 숭국사崇國寺라고도 부른다. 크고 작은 불전이 열한 군데나 있다. 매우 웅장하지만 허물어진 곳도 많다. 명나라 정덕正德 연간에 칙명을 내려 티베트(西番) 법왕法王 영점반단領占班丹과 저초장복著肖藏卜 등이 거주하도록 하였다. 이른바 반단班丹이나 장복藏卜이란 것은 지금 열하에 있는 반선班禪과 같은 (명칭)이다.[11]

명나라 무종武宗(1506~1521)은 티베트 불교를 무척 선호한 황제이다. 영락제나 선종宣宗도 불교를 좋아한 황제에 속하지만, 무종의 경우는 스스로 승복을 입고 불경을 암송하며 수도에 나설 정도로 그 강도가 심했다. 이로 인해 티베트 불교는 그의 시대에 크게 활성화되었다. 범어를 줄줄 구사하고 외국의 언어나 습속에 큰 관심을 가진 그의 행동은 조선에서도 주목할 정도였다.[12] 위의 기록에 등장하는 법왕 영점반단領占班丹은 그 스스로에게 내린 봉호封號이거나[13] 혹은 민주岷州 지방의 3대 고승의 하나인 석가반釋迦班의 조카 인흠반단仁欽班丹으로도 추정되고 있다. 저초장복著肖藏卜은 누구인지 알 수 없다.

【북경의 오탑사五塔寺】

진각사眞覺寺는 속명으로 오탑사이다. 또 정각사正覺寺라고 부르기도 한다.

있는데, 옹화문이라고 큼직하게 쓰고 그 곁에 만주 글자와 몽골 글자를 썼다.(<雍和宮>常聚喇嘛僧數千人, 誦經薦福, 制作之侈麗宏傑, 甲於北京諸刹…路盡又有一門, 大書雍和門, 旁書滿字與蒙字).”라는 기록이다.

11) 『열하일기』「盎葉記」大隆善護國寺條：護國寺, 都人稱千佛寺, 以其有千佛也, 又名隆國寺, 有大小佛殿十有一區, 雖甚宏傑, 而亦多破敗, 皇明正德中, 勑西藩法王領占班丹及著肖藏卜等居住, 所謂班丹藏卜者, 如今熱河所置班禪也.

12) 『朝鮮王朝實錄』「중종 15년(1520) 12월 14일」조에는 이 호기심 많고 특이한 성향을 지닌 무종에 대한 기록이 “皇帝凡出游時, 如韃靼.回回, 佛郎機, 占城, 剌麻等國之使, 各擇二三人, 使之扈從, 或習其語言, 或觀其技藝焉.”처럼 이례적으로 수록되어 있다.

13) 이의 고증에 대해서는 才讓, 「明武宗信奉藏傳佛教史實考述」『西藏硏究』, 2007-2를 참조.

탑 높이는 열 장인데, 금강보좌金剛寶座라고 부른다. 그 안으로 들어가 어둠 속에 나선형 계단을 따라 꼭대기까지 올라가니 평평한 대가 나왔다. 이곳에 다시 다섯 방향으로 작은 탑을 세웠다. 세상에 전하기를 "명의 헌종憲宗 황제가 살아 있을 때에 의관을 보관해 놓은 곳이다"라고 한다. 이 절은 더러 "몽골인이 세운 것이다"라고도 하며, 혹자는 "명의 성조成祖 황제 때 서번西番의 판적달板的達이 금부처 다섯을 바쳤음으로 이 절을 세워 그에게 머물도록 했다"고도 한다. 지금 우리들이 금각 지붕 속에 있는 번승들을 처음 보니, 마음속으로 크게 놀랐다. 그러나 중국은 역대로 반드시 이렇게 떠받들었다. 세상 사람들은 (이곳이) 천자가 신과 만나 쉬는 곳이며, 또 명복을 비는 곳이라고 모두 인정한다. 따라서 아주 사치스럽게 꾸며 숭배하더라도 여러 신하는 감히 지적을 못하고 짐짓 용인하였던 것이다.[14]

위의 기록에 등장하는 진각사眞覺寺는 원대 대호국인왕사大護國仁王寺의 중앙 부분이다. 대호국인왕사는 1270년에 팍빠가 창건했으며, 절의 중앙에는 경안탑慶安塔이라 불리는 대탑이 존재했다. 그러나 원말의 전란을 맞아 사원 및 탑은 붕괴되었다. 그 후 명나라 영락 연간에 네팔의 고승인 반디타bandida(бандид, 板的達)[15]가 북경에 와서 영락제에게 다섯 금불상을 바치면서 보디가야대탑(菩提伽耶大塔)의 도면도 함께 바쳤다. 이에 영락제는 진각사를 세워 그를 머물게 하면서 금강보좌탑金剛寶座塔을 세우도록 명했다. 금강보좌탑은 헌종憲宗 성화成化 9년(1473) 1월에 완공되었다. 진각사는 건륭 16년(1751)에 제1차 중수가 행해졌으며, 중수 후 옹정제 윤진胤禛의 휘諱를 피해 정각사正覺寺

14) 『열하일기』「盎葉記」眞覺寺條 : 眞覺寺, 俗名五塔寺, 又名正覺寺, 浮圖高十丈, 號金剛寶座, 入其內, 從暗中螺旋以陟, 其頂上爲平臺, 復置五方小塔, 世傳皇明憲宗皇帝生藏衣冠處, 寺或云蒙古人所建, 或云皇明成祖皇帝時西番板的達所貢金佛五軀, 爲刱此寺以舍之, 今我人初見金屋番僧, 大驚於心, 然中國歷代, 必有此等崇奉, 則天下共許天子遊神暇豫之地, 而兼資冥佑, 故雖極崇侈, 所以群下不敢指斥, 聊相假借之也.

15) 반디타는 불법의 다섯 가지 학문에 정진한 사람에게 주어지는 칭호이다. 板的達은 문헌에 따라 室利沙, 五明板的達, 哈里麻, 葛哩麻로 표기되고 있다.

라 개명했다. 또 건륭 26년(1761) 제 2차 중수 후에는 대정각사大正覺寺라 개명했다. 그러나 이 절은 청말의 동란 속에 불타 사라지고 단지 금강보좌탑만 남았다.

박지원은 이 절이 주자학의 이상 국가 중 하나였던 명대에 세워졌다는 사실에 매우 곤혹감을 느꼈던 것 같다. 그가 종전에 알지 못했던 문화적인 충격이 위의 기록에서도 여실히 나타날 정도이다. 명대는 조선 사대부들이 상상했던 것만큼 주자학적 세계는 아니었던 셈이다.

(3) 서호수의 연행기에 등장하는 라마교 사원

서호수의 여행기에는 3곳의 라마교 사원 관련 기록이 등장한다. 또 내용도 여타 여행기와는 달리 부정적인 면이 보이지 않고 있는 그대로를 담담히 묘사하고 있다. 그것을 순서대로 소개하면 다음과 같다.

> 【석인구石人溝의 지장사地藏寺】
>
> (석인구의 지장사) 절에는 라마승 주지가 있었다. 스스로 서장西藏 사람이라고 했는데, 우리를 잘 접대해 주었다. 또 타락차와 소병酥餠, 진조榛棗, 포도 등을 준비하여 삼사三使를 대접하였다. 차와 떡은 향기롭고 달며 담백했다. 포도 역시 투명하고 시원하였다. 청심환 4개와 부채 6자루로 보답했다. 그 방장方丈을 들어가 뵈었는데, 정이鼎彝와 궤석几席이 모두 고아하고 화려하며 깨끗했다. 벽에는 황제의 제6자 질친왕質親王의 대련서對聯書가 걸려 있다. 필법이 살아 움직이는 듯하고 굳세고 아름다워 귀한 기품을 움켜쥘 만한데, 그 목숨이 길지 못한 것이 애석하다.[16]

16) 『연행기』「1790년 7월 7일」조 : (石人溝之地藏寺) 寺有喇嘛僧住持, 自言西藏人, 接待款洽, 且備酪茶酥餠榛棗葡萄等屬, 饗三使, 茶餠香甜淡泊, 葡萄亦清爽, 以淸心元四丸扇六把酬之, 入見其方丈, 鼎彝几席, 莫不古雅華潔, 壁掛皇六子質親王對聯書, 而筆法流動遒麗, 貴氣可

위의 기록에 등장하는 건륭 황제의 제6자 질친왕質親王의 이름은 영용永瑢이다. 영용은 박지원의 여행기에도 상세하게 기술되어 있지만, 인물과 자질의 평가에 대해서는 두 사람 간에 미묘한 차이가 있다.[17] 서호수가 지나갔던 석인구는 지형적으로 황토 빛 산들이 낮게 연속되어 있는 곳이다. 석인구라는 지명은 아마 낮은 구릉들이 돌사람처럼 이곳저곳에 서 있다는 뜻의 지형적 특색을 나타낸 말일지도 모른다.

掬, 惜其不能永年也.

17) 박지원은 『열하일기』 「太學留舘錄」 조에서 皇六子 永瑢을 "흰 얼굴에 마마 자욱이 낭자하다. 콧날은 낮고 작으며 볼은 아주 넓다. 눈은 희고 세 겹으로 쌍꺼풀이 졌다. 어깨가 넓고 가슴이 떡 벌어져서 체격이 건장하나, 전혀 귀티가 없어 보인다. 그러나 문장에 능하고 글씨와 그림에도 재능이 있다. 지금 사고전서 총재관인데 백성의 평판이 그에게 쏠린다고 한다(面白而痘瘢狼藉, 鼻梁低小, 頰輔甚廣, 眼白而眶紋三圍, 肩巨胸闊, 軆軀健壯, 而全乏貴氣, 然而能文章工書畵, 方今四庫全書總裁官, 輿望所屬云)"처럼 묘사하고 있다. 그는 이어 조선 출신 淑嘉皇貴妃 金佳氏의 아들인 皇五子 永琪(1741~1766)와 그를 대비하는 글을 "황오자의 호는 등금거사라 하며, 시가 몹시 쓸쓸하고 글씨마저 가냘파서 재주는 있으나 황왕가의 귀한 기상은 엿볼 수 없었다. 그리고 등금거사는 호부시랑 김간의 조카요, 김간은 상명의 종손이다. 상명의 조부는 본시 의주 사람으로 대국에 들어갔다. 상명은 벼슬이 예부상서에 이르렀고, 옹정 때의 사람이다. 김간의 누이동생이 궁중에 들어가서 귀비가 되어 총애를 받았었다. 건륭제의 뜻은 다섯째 아들에게 뒷일을 맡기려 하였는데, 연전에 일찍 죽어 버렸다. 지금은 영용이 총애를 독차지하여 지난해 서장에 가서 반선을 맞아 왔다 한다. 그 죽은 아들이 읊은 시는 뜻이 몹시 스산하고, 그 남은 아들도 귀티가 전혀 없으니, 폐하의 집안 일이 어찌 될지 모를 노릇이다(皇五子號藤琴居士, 詩酸寒筆又削弱, 才則有之, 乏皇王家富貴氣像, 藤琴居士, 卽戶部侍郎金簡之甥, 簡乃祥明之從孫, 祥明之祖, 義州人也, 入大國, 祥明官禮部尙書, 雍正時人, 簡之女弟入宮爲貴妃, 有寵,乾隆屬意在第五子, 而年前夭歿, 今永瑢專寵, 去年往西藏, 迎班禪, 其歿者詩意酸寒, 其存者又乏貴氣, 陛下家事未知如何)."처럼 남기고 있다. 皇五子 永琪의 字는 筠亭이며 封號는 榮親王이다. 어릴 적부터 馬步射에 능했으며, 건륭 28년(1763) 圓明園 九州淸宴殿에 불이 났을 때 高宗을 업고 나오기도 했다. 한문과 만주어, 몽골어에 능하며, 천문산법에 아주 정통했다. 글씨나 그림에도 뛰어나 書法이 成親王 永瑆과 필적할 정도였다. 26세에 사망했으며, 저서에 『焦桐賸稿』가 있다. 참고로 조선여인이 청조에서 공식적으로 正室의 지위에 오른 경우는 宗室 錦林君 愷胤의 딸로 攝政王 도르곤Dorgon(多爾袞, 1612~1650)의 부인이 된 義順公主(?~1662)가 처음이자 마지막이다. 도르곤은 누르하치의 열네 번째 아들로, 1644년 入關 후 攝政王의 자격으로 명나라 殘軍 및 李自成의 농민반란군을 평정한 인물이다. 흔히 九王이라고도 칭해진다. 義順公主는 효종 1년(1650)에 도르곤의 청혼을 받고 공주로 봉해져 사신 인평대군을 따라 시집을 갔지만, 용모가 아름답지 못하여 총애를 받지는 못하였다. 1650년 도르곤이 사망하자 청조는 그를 誠敬義皇帝로 추증했지만, 1651년 생전에 그가 황제의 자리를 엿보았다는 반역 혐의가 제기되었고 또 인정되었다. 이로 인해 집안이 적몰되었으며, 그녀도 부하 장수에게 분배되었다. 이후 錦林君이 청나라에 사신으로 갔다가 딸의 출국을 간청하여 1656년 함께 돌아왔다. 또 순치제 때 절색의 미모로 알려진 韓明璡의 조카 韓逸의 딸이 嬪으로 책봉된 일이 있는데, 그녀는 원래 九王宮에 있었던 여인이다.

【망중영蟒中營의 복녕사福寧寺】

복녕사에 도착하니 여러 승려들이 불전 앞의 정당正堂에 모여 앉아서 경을 외고 있었다. 주지승은 서장 사람이라고 하였다. 누런 가사를 입고 의자에 걸터앉아 남쪽을 향하였고, 좌우에 각각 여섯 명의 승려가 붉은 가사를 입고 긴 걸상에 걸터앉아 동서로 마주 향하여 일제히 주문을 외었다. 독경 소리는 두꺼비와 개구리가 노래 부르는 것 같았다. 입술이 포호하듯 울리며, (얼굴에는) 흥건히 땀이 흐르고 있었다. 날이 저물자 독경을 마치고 징과 북을 치고 소라와 피리를 불었다. 그리고 불전을 세 번 돈 뒤에 흩어졌다. 주지승에게 물으니 경을 외는 것은 황상의 평안을 축원하기 위한 것으로, 매일 이와 같이 한다고 한다. 정당正堂의 편액에 범안사梵安寺라 적혀 있는데, 지금 황상의 어필이라고 한다.[18]

서호수가 묘사한 라마 승려 독경모습은 매우 생생한데, 이러한 광경은 오늘날 몽골국 울란바아타르의 간단사에서도 관찰할 수 있다.

【원명원 구복성대九福星臺】

또 구복성대九福星臺라는 것이 있다. 원명원 문 밖 동쪽 연못 언덕에 네모난 대臺에 굽은 난간을 만들었다. 그 위에 라마승 9인이 있는데, 소매가 넓은 누런 가사를 입고 일제히 축사를 부른다.[19]

18) 『연행기』 「1790년 7월 8일」 조 : 到福寧寺, 諸僧會坐佛殿前正堂而誦經, 住持僧云, 是西藏人, 衣黃袈裟, 踞椅向南, 左右各六僧, 衣紅袈裟, 踞榻東西相向, 一齊念呪, 聲如蝦蟆唱諾, 嗚吻咆哮, 流汗淋漓, 日暮誦訖, 擊鉦鼓吹螺笛, 旋廻佛殿三匝而罷, 問詣住持僧, 則誦經卽爲皇上祝平安, 而每日如此云, 正堂扁曰梵安寺, 今皇上御筆也.

19) 『연행기』 「1790년 8월 12일」 조 : 有曰, 九福星臺, 圓明園門外, 東池岸, 爲方臺曲欄, 上有喇嘛僧九人, 着闊袖黃衣, 齊唱祝辭.

2. 라마교의 역사와 역대 고승

라마교의 역사나 교리에 대한 기록은 박지원의 여행기에만 집중적으로 실려 있다. 이는 그가 판첸라마를 직접 만났기 때문에 관심이 집중되었기 때문인지도 모른다. 그러나 그가 여행기의 많은 지면을 할양하여 라마교를 바라보고 있다는 것은 더 본질적인 이유가 존재하지 않으면 안 된다. 즉 그는 주자학의 정예학자답게 조선이 신봉하는 주자학과 라마교의 이념을 서로 비교하여 그 우열을 밝혀보고 싶었을 가능성이 높다. 철학싸움과도 같은 이 논쟁은 종교와 사상의 관용정책을 내걸었던 대몽골제국 시대의 눈으로 보면 부질없는 것일지도 모른다. 그러나 박지원의 시대는 그 논쟁이 사생결단의 운명과도 같았다. 그러면 주자학자 박지원의 눈을 따라 라마교의 세계로 여행을 떠나 보자.

(1) 원나라 때의 라마교

【경순미敬旬彌의 증언 : 당나라 때까지의 티베트】

내가 열하에 있을 때 몽골인 경순미가 나를 위해 말하기를, "티베트(西番)는 옛날 삼위三危 땅으로 순舜이 삼묘三苗를 삼위로 쫓아 보냈다는 곳이 바로 그곳이다. 이 나라는 셋으로 되어 있다. 하나는 위衛라 하여 달뢰라마達賴喇嘛가 사는데, 옛날의 오사장이다. 하나는 장藏이라 하여 반선라마班禪喇嘛가 사는데, 옛날의 이름도 역시 장이다. 하나는 객목喀木이라 하여 서쪽으로 더 나가 있는 땅인데, 이곳에는 대라마大喇嘛는 없다. 옛날의 강국康國이 바로 이곳이다. 이 땅들은 사천四川 마호馬湖의 서쪽에 있어 남으로 운남과 통하고, 동북으로 감숙甘肅과 통한다. 당나라의 원장법사元奘法師가 삼장三藏으로 들어갔다는 곳이 바로 이 땅이다. 원장이 갈 때에는 그곳에 사람이 살지 않았다. 큰 강을 건너갔는데 돌아올 때 물이 말라 촌락이 생겼다. 당나라 중엽에 갑자기 토번吐蕃이란 큰 나라가 생겨서 중국의 걱정거리가 되었다.20)

몽골인 경순미가 기술하는 티베트의 지역 명칭은 청나라 때의 지역 구분에 따른 것이다. 이 지역들의 명칭은 시대에 따라 변천을 겪고 있는데, 대원올로스 때부터 청대까지 티베트 지역의 명칭변천을 간략히 고찰하면 다음과 같다.

대원올로스 때의 티베트 지구는 현재의 서장자치구西藏自治區, 청해성青海省, 사천성四川省의 서부, 감숙성甘肅省과 운남성雲南省의 일부를 포함하는 방대한 지역이다. 대원올로스는 이 지역의 명칭을 당나라 때 이곳에 대제국을 세웠던 토번의 명칭을 따 토번 지구라고 불렀다. 그리고 세부적으로는 도캄스mdo-khams(朶甘斯, 突甘思 : 사천성의 서부와 청해성의 동남부, 운남성의 서북부, 즉 오늘날의 安多藏區와 康區), 도메mdo-smad(朶思麻, 脫司麻 : 감숙과 청해 지구), 우스dbus(烏思 : 티베트 라샤 일대, 즉 오늘날의 前藏), 창gtsang(藏 : 티베트 서부 및 남부, 즉 오늘날의 後藏) 일대로 나누어, 역참 설치와 함께 3개의 선위사도원수부宣慰司都元帥府를 두고21) 그 밑에 원수부元帥府, 만호부萬戶府, 천호소千戶所, 초토사招討司, 안무

20) 『열하일기』「班禪始末」條 : 余在熱河時, 蒙古人敬旬彌爲余言, 西番古三危地, 舜竄三苗于三危, 乃其地也, 其國有三, 一日衛, 達賴喇嘛所居, 古之烏斯也, 一日藏, 班禪喇嘛所居, 古亦日藏, 一日喀木更, 在西無大喇嘛, 古日康國, 其地在四川馬湖之西, 南通雲南, 東北通甘肅, 唐元裝法師入三藏, 乃其地也, 元裝去時, 其地無人乃大水, 及回時, 卽水消而有聚落, 至中唐時, 輒成吐蕃大國, 爲中原患.

21) 3개의 宣慰司都元帥府는 烏思藏納里速古魯孫等三路宣慰司都元帥府, 吐蕃等處宣慰司都元帥府, 吐蕃等路宣慰司都元帥府이다. 烏思藏納里速古魯孫等三路宣慰司都元帥府는 우스, 창, 아리mnga' ris지역을 관장했다. 納里速古魯孫(納里速古兒孫)은 阿里三圍mnga' ris skor gsum로, 이 지구는 宋나라 이래 토번 왕조의 후예들인 3개 土王이 관할하고 있다. 이들은 가장 빨리 몽골에 귀순하여 그 지위를 인정받았다. 코빌라이칸은 이 지구에 元帥 2명을 두고 군무를 관할시켰다. 前藏dbus과 後藏gtsang은 烏思藏dbus-gtsang이라고도 부른다. 코빌라이칸은 이 지구에 蒙古軍都元帥 2명을 두고 현지의 군사 업무를 관리시켰다. 우스-창 지구에는 宣慰司, 元帥府, 萬戶府, 千戶所, 招討司, 按撫使, 萬戶, 千戶 등의 기구를 두고 군정을 총괄했다. 만호부 이하의 직관은 장족 승려의 상층 인물이 맡았으며, 관례에 따른 세습을 인정했다. 吐蕃等處宣慰司都元帥府는 甘青 藏族 지구와 四川 서부의 일부 지역을 관장했다. 한족과

사按撫使, 만호萬戶, 천호千戶 등의 기구를 두었다.[22] 이 기관의 상부조직은 토번 지구의 행정사무를 총괄하는 선정원宣政院이다.

명대에도 티베트 지역을 토번이라고 불렀지만, 세부적으로는 오늘날의 기준으로 티베트 북부지역을 청해, 동부지역인 서강西康 지구를 도캄mdo-khams(朶甘), 티베트 지역을 우스-창(烏思藏)이라 불렀다. 우스-창은 원대의 우스-창dbus gtsang(烏思藏)이란 명칭을 그대로 이어받은 것이다. 청나라는 강희제 때인 1720년 9월, 카라오스하변에서 체링-돈도브의 준가르군을 격파하고 티베트를 점령했다. 그리고 강희제는 친히 "어제평정서장비御製平定西藏碑"를 썼는데, 이때부터 서장이란 명칭이 처음 등장했다.

청대에는 티베트 지구에 위衛, 강康(喀木), 장藏, 아리阿里 4부를 두었다. 그리고 건륭 15년(1750)부터 라샤에 주장대신駐藏大臣을 두고 직접 통치에 들어갔다.

장족이 잡거하는 지역에는 路·州·府·縣을 설치하고 流官을 두었다. 장족 지구에는 우스-창 지구와 같은 조직을 두었으며, 만호부 이하의 직관은 장족 승려의 상층 인물이 맡고 관례에 따른 세습을 인정했다. 吐蕃等路宣慰司都元帥府는 사천성 서부 및 西康 지구에 두었다. 조직과 직관의 임명은 위와 동일하다. 원대의 티베트 지구 통치에 대해서는 沈衛榮, 「元代烏思藏十三万號考」『歷史地理』7, 1990 ; 王獻軍, 「薩迦本欽非烏思藏宣慰使考辨」『中國邊疆史地研究』, 1996-3 ; 張云, 「論元代在西藏地方建政立制的基礎」『中國邊疆史地研究』, 1996-1 ; 上同, 「薩迦本欽與烏思藏宣慰使關係問題再探討」『中國邊疆史地研究』, 1997-1 ; 上同, 「元代西藏地方的基層組織」『中國邊疆史地研究』, 1998-2 ; 上同, 『元代吐蕃地方行政體制研究』, 北京, 1998 ; 上同, 『元朝中央政府治藏制度研究』, 哈爾濱, 2003 ; 陳得芝, 「元代烏思藏宣慰司的設置年代」『元史及北方民族史研究集刊』 8, 1984 및 「再論烏思藏 "本欽"」『蒙元史研究叢稿(下)』, 北京, 2005 등의 논저를 참조. 명·청 시대 甘肅, 青海, 四川, 西康의 장족 지구에 시행된 土司 제도는 대원올로스의 정책을 그대로 이어받은 것이다. 명·청 시대의 土司 제도에 대해서는 余貽澤, 『明代土司制度』, 台北, 1968 및 龔蔭, 『中國土司制度』, 昆明, 1992를 참조.

22) 宣慰司都元帥, 元帥, 만호, 중요 천호 등은 宣政院이나 國師의 거명을 받아 황제가 임명하였다. 만호와 천호는 주로 현지의 승려 수령들이 임명되었다. 당시 티베트인들은 조직의 장관들을 dpon-chen(本欽)이라고 불렀다. 宣慰司都元帥府의 휘하 조직과 기능에 대해서는 札奇斯欽, 『蒙古與西藏歷史關係之研究』, pp.192~208, 245~249를 참조. 또 티베트 지역에 설립된 만호부의 고증에 대해서는 王森, 『西藏佛教發展史略』, 北京,1997, pp.233~253 및 Luciano Petech 著, 張云 譯, 『元代西藏史研究』, 昆明, 2002, pp.50~66을 참조. 참고로 티베트의 종교적 핵심 지역인 우스-창dbus-gtsang 지방은 티베트 13만호(bod khri skor bcu gsum)라고도 부르는데, 그 명칭의 유래는 13~14세기에 걸쳐 몽골제국이 중앙 티베트 각지에 만호장을 임명하고 배치한 것에 기인한다. 『카시족의 傳記』에는 창gtsang 지방의 6개 만호, 즉 南北 la stod lho(la sotd byang), mnga' ris, chu mig, shangs, zhal lu, 우스dbus 지방의 6개 만호, 즉 rgya ma, 'bri khung, tshal pa, phag (mo) gru, gya' bzang의 5개 및 lha, bya, 'brug의 세 지방을 일괄한 1만호, 창gtsang과 우스dbus의 중간에 있는 yar 'brog 만호의 이름을 열거하고 있다.

위衛(dbus)는 중앙 티베트 동부, 즉 티베트 제1의 도시 라사lhasa를 중심으로 하는 지역으로 라사의 대신이 관장한다. 강康(khams)은 티베트 동남부로 사천성 서부(甘孜州), 서장 동부, 운남성 서북부(迪慶州) 등을 포함하는 지역으로 참도Chamdo(察木多, 오늘날 昌都)의 대신이 관장한다. 장藏(gtsang)은 중앙 티베트 서부, 즉 티베트 제2의 도시 시가체shigatse(日喀則) 및 제3의 도시 갼체(江孜) 등을 중심으로 하는 지역으로 따실훈뽀bkra-shis-lhun-po(札什倫布, 오늘날 시가체)의 대신이 관장한다. 아리阿里(mnga' ris)는 티베트의 서부, 즉 인도의 레Leh 지역부터 아리 일대에 이르는 지역으로 카다크(葛大克, 오늘날 西藏 葛爾縣)의 대신이 관장한다.

티베트 지구는 이외에 암도amdo라 불리는 지역이 있다. 암도는 티베트 동북부와 청해성 전역, 감숙성 서남부(甘南州) 및 사천성 서북부(阿州)를 포함하는 지역으로, 17세기 중반부터 서부몽골족인 코소트Khoshod부의 유목지가 되었다.

위의 기록에 등장하는 달뢰라마達賴喇嘛는 몽골어로 "바다와 같은 스승"을 뜻하는 달라이-라마Dalai Lama의 음역이다. 라사가 그의 거주지이다. 반선-라마班禪喇嘛는 판첸-라마Panchen Lama의 음역이며, 따실훈뽀가 그의 거주지이다. 원장법사元奘法師는 현장玄奘(596?~664)이다. 박지원은 삼장三藏을 지명으로 해석하고 있지만 불교 교리인 논장論藏(Abhidhamma Piaka : 특별한 또는 깊은 교리의 광주리), 율장律藏(Vinaya Piaka : 계율의 광주리)과 경장經藏(Sutta Piaka : 가르침의 광주리)을 말한다. 현장을 삼장법사라고 하는 것은 그가 경經, 율律, 논論의 모든 불교 경전에 정통했기 때문이다. 그는 인도에서 목샤데바Mok-adeva라는 이름으로 널리 알려졌다.

토번吐蕃(stod Bod, 630?~842)은 티베트 고원에 세워진 최초의 왕조로, 티베트인이라는 의식의 기원을 이루는 왕조이다. 토번 왕조는 전승에 의하면 인도의 왕족에 거슬러 올라가는 계보를 가졌고, 제33대 왕인 송쩬감뽀Srong btsan sgam po(松贊干布, 581~649) 때 티베트 고원을 통일했다. 이 시기의 티베트는 당시 당나라에 필적하는 강국으로, 하서회랑河西回廊이나 동투르케스탄 등 실크로드의 지배권을 둘러싸고 치열한 격전을 벌였으며, 일시 당나라의 수도인 장안長安도 점거할 정도였다. 842년 불교 국가인 토번의 붕괴 이후 티베트는 13세기 초까지 오랜 분열의 시기를 가졌다. 그러나 이 시대에 확립된 티베트어나 티베트어역 불경 등의 문화유산은 티베트 고원의 사람들을 하나의 민족으로 만드는 역사 유산으로 작용했다.

【경순미敬旬彌의 증언 : 원나라 때의 티베트와 팍빠】

그러나 (토번이) 불교를 숭상했는지는 알 수 없다. 원나라 초기에 불교가 북쪽으로 전파되었다. 파사파巴斯巴 파巴는 팔八과 음이 같으니 역시 파사팔巴思八이다라는 번승番僧이 있었는데, 이름은 아니고 호칭이다. 큰 신통력을 가지고 있어 원나라 초기에 제사帝師로 되어 대보법왕에 봉해졌다. 그가 죽은 뒤에는 그의 조카로 대를 잇게 했다.[23)]

위의 기록에 등장하는 파사파巴斯巴(八思巴)는 팍빠Ḥphags-pa(Phags-pa, 1235~1280)의 음역이다. 티베트 불교가 몽골인들에게 본격적으로 접근하게 된 계기는 1235년 어거데이카간의 아들인 커텐Kötön(闊端)이 티베트로 진공한 이후이다. 몽골군의 압력에 직면한 사까빠Saskya-pa(薩迦派)의 지도자 사까-판디타 Saskya Pandita는 조카인 팍빠Phags-pa를 데리고 커텐의 군문軍門에 이르렀다. 사까-판디타는 이 기회에 몽골에 불교를 전파하려는 입지를 세운 뒤 커텐을 불교에 귀의시키는 데 성공했다. 커텐이 불교에 귀의한 직후 멍케가 몽골의

23) 『열하일기』「班禪始末」條 : 然未知奉佛, 元初佛敎北流, 有蕃僧, 日巴斯巴, 巴與八同音, 乃巴思八也, 亦號非名也, 具大神通, 元初封爲帝師, 大寶法王, 皆身歿以姪爲嗣.

대칸에 즉위했다. 이후 팍빠는 자연스럽게 커텬의 궁장宮帳으로부터 칸의 궁정 및 제왕諸王 코빌라이의 잠저潛邸에 이르렀다.

1252년 코빌라이는 팍빠를 초청하여 1263년 육반산六盤山에서 만난 뒤 미래의 티베트를 염두에 두고 그를 자기의 막료로 삼았다. 그리고 1260년 대칸 즉위 후 그해 말에 국사國師로 임명하여 숨겨진 포석을 드러내기 시작했다.[24] 먼저 코빌라이칸은 타멘Ta-men(達門)을 토번 지구로 파견하여 각지의 정황이나 호구조사 등을 행한 뒤, 먼저 4개의 역참을 설치해 교통로를 구축했다.[25] 1264년 코빌라이칸은 개평開平에서 대도大都로 수도를 옮긴 뒤, "천하의 불교 승려와 신도 및 토번의 일"을 주관하는 총제원總制院[26]을 설립해 제사인 팍빠를 그 수장으로 임명했다.

팍빠의 정계 진출은 티베트 불교가 몽골의 국교로 부상되는 일대 계기로 작용했다. 코빌라이칸을 비롯한 대원올로스의 대칸들은 티베트 불교 사까빠의 수장을 선정원의 장관으로 임명하였다. 사까빠의 수장은 대칸과 함께 대도와 상도를 오가면서 티베트를 통치했다. 사까빠에 의한 티베트 지배는 대원올로스가 멸망하기 직전까지 행해졌다.[27]

24) 코빌라이칸과 팍빠의 관계에 대해서는 Ш.Бира, 「Khubilai-khan and 'Phags-pa bLa-ma」『Studies in the Mongolian History, Culture and Historiography』, Ulaanbaataar, 2001를 참조.

25) 타멘Ta-men(達門)은 투멘Tümen의 티베트어 역명이다. 그는 인구조사를 바탕으로 인구가 비교적 조밀하고 물산이 풍부한 도스토mdo-stod(康 : 사천성의 서부와 운남성의 서북부) 지역에 7개 역참(Jamchi), 도메mdo-smad(甘靑=朶思麻, 脫司麻 : 감숙과 청해 지구) 지역에 9개 역참, 우스dbus(前藏 : 티베트 라사 일대) 지역에 4개 역참, 창gtsang(後藏 : 티베트 서부 및 남부) 일대에 7개 역참을 설립했다. 역참을 주관하는 관원들을 몽골어로 톡토골손togtogulsun(脫脫禾孫)이라 부른다.

26) 總制院은 1288년 11월 宣政院으로 승격되었다. 宣政院이란 명칭은 당나라가 吐蕃 사신들을 宣政殿에서 접견한 역사적 사실을 토대로 만든 것이다. 宣政院의 사무 중 군사 관련은 樞密院과 상의하여 처리한다. 대원올로스는 중앙정부의 조직 중 황제에 직속하는 中書省, 御史臺, 樞密院, 宣政院 등 4대 기관을 두었는데, 서로 간의 지위는 대등하다. 中書省은 內地 各省의 행정, 御史臺는 감찰, 樞密院은 군사, 宣政院은 전국 불교 및 티베트 지구 軍政事務를 관장한다. 宣政院의 조직과 기능에 대해서는 札奇斯欽, 『蒙古與西藏歷史關係之硏究』, pp.209~240을 참조.

27) 대원올로스 초기의 티베트 불교 수용와 사까빠의 권력 구조에 대해서는 乙坂智子, 「元初におけるラマ教受容」『社會文化史學』 22, 1986 및 「サキャパの權力構造―チベットに對する元朝の

위의 기록에 등장하는 팍빠의 제사帝師 임명은 1270년이며, 국사國師 임명은 1260년이다. 팍빠의 본명은 로되-겔첸blo-gros rgyal-mtshan이며, 팍빠란 티베트어로 성자聖者를 뜻한다. 또 그가 죽은 뒤에 그의 조카로 대를 잇게 했다는 부분은 사까빠의 제사帝師들이 콘(Hkhons nas, 款氏) 일족에 계승되었기 때문에 나온 기록이다.[28]

【왕성王晟의 증언 : 팍빠의 출생담】

파사팔巴思八이란 자는 다음과 같다. 토파土波의 여인이 새벽에 물을 길러 나갔다가 한 척 길이의 수건이 물 위에 떠 있는 것을 보고 그것을 주워 (허리에) 찼다. 그것이 오래되자 점점 지방으로 바뀌어 엉키면서 이상한 향기가 났다. 먹으면 맛이 좋았다. 마침내 사람의 느낌이 있었고 파사팔을 낳았다. 그는 나면서부터 신성했다.[29]

위에 기록에 등장하는 토파土波는 몽골어로 티베트를 뜻하는 토비tübed(ТөвД)의 음역이다. 몽골인들은 이 명칭 이외에도 티베트를 "서쪽의 사원"이란

支配力の評價をめぐって」『史峯』3, 1989를 참조.

28) 『元史』「釋老傳」에는 팍빠에 대한 기록이 "帝師八思巴者, 土番薩斯迦人, 族款氏也. 相傳自其祖朵栗赤, 以其法佐國主霸西海者十餘世. 八思巴生七歲, 誦經數十萬言, 能約通其大義, 國人號之聖童, 故名曰八思巴. 少長, 學富五明, 故又稱曰班彌怛. 歲癸丑, 年十有五, 謁世祖于潛邸, 與語大悅, 日見親禮. 中統元年, 世祖卽位, 尊爲國師, 授以玉印. 命製蒙古新字, 字成上之. 其字僅千餘, 其母凡四十有一. 其相關紐而成字者, 則有韻關之法, 其以二合三合四合而成字者, 則有語韻之法, 而大要則以諧聲爲宗也. 至元六年, 詔頒行於天下. 詔曰, 朕惟字以書言, 言以紀事, 此古今之通制. 我國家肇基朔方, 俗尙簡古, 未遑制作, 凡施用文字, 因用漢楷及畏吾字, 以達本朝之言. 考諸遼·金以及遐方諸國, 例各有字, 今文治寖興, 而字書有闕, 於一代制度, 實爲未備. 故特命國師八思巴創爲蒙古新字, 譯寫一切文字, 期於順言達事而已. 自今以往, 凡有璽書頒降者, 並用蒙古新字, 仍各以其國字副之. 遂升號八思巴曰大寶法王, 更賜玉印. 十一年, 請告西還, 留之不可, 乃以其弟亦憐眞嗣焉. 十六(十七의 誤)年, 八思巴卒, 訃聞, 賻贈有加, 賜號皇天之下一人之上(開教)宣文輔治大聖至德普覺眞智佑國如意大寶法王, 西天佛子, 大元帝師. 至治間, 特詔郡縣建廟通祀. 泰定元年, 又以繪像十一, 頒各行省, 爲之塑像云."처럼 수록되어 있다.

29) 『열하일기』「班禪始末」條 : 蓋巴思八者, 土波女子曉出汲, 見尺帕浮水, 携取爲佩, 久之漸化爲凝脂有異香, 食而甘美, 遂有人道之感, 生巴思八, 生卽神聖.

뜻을 지닌 바룬-조baragun Juu(баруун Зуу)라고도 부른다. 박지원은 자신에게 라마교의 역사를 설명해 주는 인물에 대해 모두 자세한 기록을 남기고 있는데, 왕성王晟은 당시 한림서길사翰林庶吉士이다.[30]

【하다크Khadag의 내력】

이것을 합달哈達이라 부른다. 반선은 스스로 그의 전신前身이 파사팔巴思八이라 일컫는다. 파사팔의 어머니가 향내 나는 수건을 물고 (그를) 낳았으므로, 반선을 알현하는 자는 반드시 수건(합달)을 지니는 것이 예의이다. 황제도 반선을 볼 때마다 역시 누런 수건을 지닌다고 한다.[31]

오늘날 몽골에서 손님을 접대할 때 가장 융숭한 대접이 하다크khadag(хадаг)와 함께 선물이나 술을 바치는 의례이다. 하다크는 푸른색과 하얀색이 주류를 이룬다.[32] 조선의 여행기에 등장하는 하다크의 유래에 대한 설명은 다른 문헌에서는 좀처럼 찾아보기 힘든 아주 귀중한 정보이다.[33]

30) 박지원은 王晟의 가계에 대해 "왕성의 집은 영하이며, 본래 채씨의 아들이다. 스스로 말하기를, 숙부가 차를 팔기 위하여 수시로 국경 밖으로 왕래한 관계로 티베트 지방 사정을 배웠다고 한다. 또 왕씨는 대대로 서방의 관리로 있었는데, 왕성은 어려서부터 자못 오사장의 시말에 밝았다. 왕성은 금년 초에 평생 처음 북경에 들어와 4월 회시에 몇 등으로 합격했고, 전시에서 열셋째로 합격했다. 경사에 박학하고 기억력이 몹시 뛰어난 인물이다. 우연히 나와 유리창에서 만났는데, 그 뜻을 물으니 그 스스로도 아주 기이한 인연으로 여기는 것 같았다. 또 그는 북경에 처음 왔기 때문에 교유하는 곳도 넓지 못하고, 기휘할 것도 알지 못했다. 그 이튿날 천선묘로 나를 찾아와 번승에 대한 일을 아주 자세히 말해 주었다. 그는 필담도 물 흐르듯 하여 박식함과 문아함을 자못 과시했다. 그의 말을 역사와 전기에 고증해 보면 거의 실제 기록과 유사했다(『열하일기』「班禪始末」條 : 晟家寧夏, 本蔡氏子, 自言其叔父嘗販茶, 數往來徼外, 習番事, 且王氏世世西陲吏目, 晟自其幼時, 頗詳烏斯諸藏始末, 晟今年初, 生平始入京師, 四月中會試第幾名, 殿試中十三名, 博洽經史, 强記絕人, 偶逢余琉璃廠中, 察其意, 頗自爲奇遇, 且其初來京師, 交游未廣, 不識忌諱, 明日訪余天仙廟, 語番僧事甚詳, 筆語如流, 頗示博雅, 然攷據史傳, 此似爲實錄)."처럼 자세한 기록을 남기고 있다.

31) 『열하일기』「札什倫布」條 : 名哈達, 盖班禪, 自言前身巴思八, 巴思八母, 呑香帕而生, 故見班禪者, 必執帕爲禮, 而皇帝每見亦執黃帕云.

32) 하다크의 종류에는 반당wangdang(вандан), 소놈sonum(сонoм), 세르시seresi(сэрш), 길가르gilgar(гялгар), 다시-하다크dasi khadag(даш хадаг) 등 여러 가지가 있다. 몽골에서 하다크-바리흐(хадаг барих)는 매우 존경하는 사람에게 쓰는 용어이며, 하다크-타비흐(хадаг тавих)는 결혼할 때 쓰는 용어이다.

【왕성王晟의 증언 : 팍빠의 몽골국자 제정】

원나라 세조가 사막에 있을 때 그가 어려서부터 능히 『능가경楞伽經』 등을 1만 권이나 왼다는 소문을 들었다. 사신을 보내어 맞아 오니 지혜가 출중했다. 몸에는 향기가 나고, 걸음걸이는 천신과 같으며, 목소리는 율려律呂에 맞는지라 황제가 크게 기뻐하여 여래를 본 듯이 했다. 당시 요姚·사史와 같은 여러 현자들 모두 자신들이 그에게 미치지 못한다 했다. 능히 소리를 조합해 몽골신자蒙古新字를 만들어 천하에 반포하매 (코빌라이칸이 그에게) 대보법왕大寶法王이란 존호를 하사했다. 이것은 불교의 존호이며 영토를 가진 왕의 작위는 아니다. 대개 법왕의 칭호가 여기에서 시작되었다. 그가 죽자 황천지하일인지상선문대성지덕진지대원제사皇天之下一人之上宣文大聖至德眞智大元帝師라는 존호를 하사했다.[34]

위의 기록에 등장하는 요姚는 요추姚樞(1201~1278)나 요수姚燧(1238~1313)를 가리키는 것이고, 사史는 한인군벌로 이름 높은 사병직史秉直(1175~1245)의 세 아들인 사천예史天倪(1187~1225), 사천상史天祥(1191~1258), 사천택史天澤(1202~

33) 金景善의 『燕轅直指』 「1832년 10월 28일」 조에도 하다크에 관한 기록이 "사관에 머물 때 곤오라는 호를 가진 번봉이란 인물이, '옛날에는 동경의 네 관제묘에 겨우 세 탑이 있었다. 명나라 때에 서역 승이 네 탑이 전부 완전하면 마땅히 성인이 나서 중국에 들어가 임금 노릇을 하게 된다고 하였다. 천명 무렵에 형가의 말을 받아들여 백탑을 세워 서문을 진압했다. (이후) 마침내 네 탑에 관한 말에 부합되어 점차로 황제의 업을 성취하였다. 건륭 경술년(1790) 팔순 성수일에 합달이 탑머리에 나타났다. 합달이란 것은 몽골어로 부처를 받드는 길상스러운 비단이다. 탑머리가 너무도 높아 사다리로도 미칠 수 없었으니, 인력으로 이루어진 것이 아니라 실로 하늘이 상서를 보여주어 한없는 아름다움을 드러낸 것이다'고 말했다. 말이 너무도 떳떳하지 못하여 자못 가소로웠다. 생각건대 부회하여 아첨하는 자들에게는 일종의 서로 전하는 말이 있어 그런 것이리라(<遼東白塔記>留館時, 樊昆吾封 封名昆吾, 號也, 言舊時東京, 四關廟, 堇有三塔, 明時, 有胡僧云, 四塔旣全, 當有聖人入主中國, 天命間, 用形家言, 築白塔以鎭西門, 適符四塔之語, 浸成帝業, 乾隆庚戌八旬聖壽日, 哈達見于塔巓, 哈達者, 蒙古語, 謂奉佛吉祥帛也, 塔巓高絕, 梯階不能及, 則非人力所致, 實天示上瑞, 以彰無疆之休云, 言太不經, 殊可笑, 而想亦傅會獻媚者, 有一種相傳之語而然矣)."처럼 등장하고 있다.

34) 『열하일기』 「班禪始末」 條 : 元世祖在沙漠, 聞其幼能誦楞伽諸經至萬卷, 遣使迎之, 慧旨圓朗, 法身全香, 步合天神, 音中鍾呂, 帝大悅如見如來, 當時姚史諸賢, 皆自以不及也, 能諧聲, 造蒙古新字, 頒示天下, 賜號大寶法王, 乃佛之尊號, 非有土王爵, 葢法王之號始此, 及歿, 賜號皇天之下一人之上宣文大聖至德眞智大元帝師.

1275) 중의 한 사람을 가리키는 것이라고 보인다.

코빌라이칸이 제사帝師인 팍빠에게 명해 만든 문자인 몽골신자蒙古新字는 1269년 2월 대원올로스의 관용문자로 공식 선포되었다. 그리고 1270년 그 명칭을 몽골국자蒙古國字로 개칭한 뒤, 1271년 정월 몽골신자라는 명칭을 부르지 못하도록 법으로 금지했다. 코빌라이칸이 이 문자를 만들게 된 배경은 기존의 위구르 문자가 외국어를 표기하는 데 완벽하지 못하기 때문이다.

몽골인들은 이 문자가 네모반듯하다 하여 더르벌진Dörbeljin 문자라 부른다. 그러나 이 글자는 번거롭다는 이유로 관용 문서 이외에는 그다지 활용되지 못하였다. 일례로 고려시대의 사람들도 몽골국자 대신 위구르 문자를 사용하여 편지를 주고받는 일이 흔했다. 티베트 문자를 변형해 만든 몽골국자는 대원올로스의 멸망과 함께 소멸되었다. 몽골국자도 위구르 문자와 마찬가지로 '위에서 아래로, 좌에서 우로' 쓰는 종서 형식을 취하고 있다. 근대에 일시 사용되었던 갈릭Galig 문자나 호르익Hor-Yig 문자는 모두 몽골국자의 변형이다. 몽골국자는 한글의 모양인 네모문자의 원형이 된 글자이기도 하다.

【왕성王晟의 증언 : 청산압마請繖壓魔 의식】

후에 청산압마라는 놀이가 생겼다. 군사 수만 명을 내어 모두 흰 비단 바지와 수놓은 도포를 입혔다. 수레와 말을 기와 보배로 덮어 모두 금주金珠와 보옥으로 장식했다. 갖가지 비단으로 황성을 에워쌌다. 사문四門을 돈 뒤 다시 번한蕃漢의 세악細樂으로 산繖을 궁중으로 맞아들였다. 이것을 파사팔교巴思八敎라 불렀다. 그러나 본래의 교지와 아주 어긋나, 기괴하고 요란한 귀신의 도까지 뒤섞여 있다. 황제와 후비, 공주는 모두 채식을 하고, 산을 맞아 땅에 큰 절을 올리면서 억조창생들의 복을 빌었다. 이것을 소위 타사가아打斯哥兒가 파사팔巴思八을 만나 유람하는 날이라 불렀다. 심지어 집을 파산하면서까지 재산을 모아 만리 길을 와서 보는 자도 있었다. 원나라 말년에 이르기까지 해마다 상례로 삼았

으니, 그 교를 숭봉함이 이러했다.[35]

위의 기록에 등장하는 청산압마請織壓魔 의식은 코빌라이칸이 통치하던 시기인 1270년 때부터 시작된 것으로, 그 전모가 『원사』「제사지祭祀志·국속구례國俗舊禮」조에 상세히 기록되어 있다.[36] 청산압마 의식은 타사가아호사朶思哥兒好事라고도 불린다.[37] 위에 등장하는 타사가아打斯哥兒는 『원사』에 도사가아覩思哥兒, 타사가아朶思哥兒 등으로 표기되어 있으며, 백산개주白傘蓋呪라고 번역되어 있다.[38] 이 행사는 대도大都에서 매년 2월 15일에 거행되는 것이

35) 『열하일기』「班禪始末」條 : 後有請織壓魔之戲, 發卒數萬, 皆執袴繡袍, 車騎幡寶葢, 皆飾以金珠寶玉, 錦繡綾綵, 圍列皇城, 游歷四門, 復導以蕃漢細樂, 迎繖入宮, 謂之巴思八敎, 然已與本敎旨意大乖, 棼糅幽恠, 雜以鬼道, 帝及后妃公主, 俱素食, 迎繖膜拜, 與億兆導福, 所謂打斯哥兒, 値巴思八遊日, 至有破家傾産, 萬里來觀者, 終元之世, 歲以爲常, 其崇奉其敎如此.

36) 『元史』「祭祀志·國俗舊禮」條에는 "世祖至元七年, 以帝師八思巴之言, 於大明殿御座上置白傘蓋一, 頂用素段, 泥金書梵字於其上, 謂鎭伏邪魔護安國刹. 自後每歲二月十五日, 於大(明)殿啓建白傘蓋佛事, 用諸色儀仗社直, 迎引傘蓋, 周遊皇城內外, 云與衆生祓除不祥, 導迎福祉. 歲正月十五日, 宣政院同中書省奏, 請先期中書奉旨移文樞密院, 八衛撥傘鼓手一百二十人, 殿後軍甲馬五百人, 擡舁監壇漢關羽神轎軍及雜用五百人. 宣政院所轄官寺三百六十所, 掌供應佛像·壇面·幢幡·寶蓋·車鼓·頭旗三百六十壇, 每壇擎執擡舁二十六人, 鈸鼓僧一十二人. 大都路掌供各色金門大社一百二十隊, 敎坊司雲和署掌大樂鼓·板杖鼓·篳篥·龍笛·琵琶·箏·纂 七色, 凡四百人. 興和署掌妓女雜扮隊戲一百五十人, 祥和署掌雜把戲男女一百五十人, 儀鳳司掌漢人·回回·河西三色細樂, 每色各三隊, 凡三百二十四人. 凡執役者, 皆官給鎧甲袍服器仗, 俱以鮮麗整齊爲尙, 珠玉金繡, 裝束奇巧, 首尾排列三十餘里. 都城士女, 閭閻聚觀. 禮部官點視諸色隊仗, 刑部官巡綽喧鬧, 樞密院官分守城門, 而中書省官一員總督視之. 先二日, 於西鎭國寺迎太子遊四門, 舁高塑像, 具儀仗入城. 十四日, 帝師率梵僧五百人, 於大明殿內建佛事. 至十五日, 恭請傘蓋于御座, 奉置寶輿, 諸儀衛隊仗列于殿前, 諸色社直暨諸壇面列于崇天門外, 迎引出宮. 至慶壽寺, 具素食, 食罷起行, 從西宮門外垣海子南岸, 入厚載紅門, 由東華門過延春門而西. 帝及後妃公主, 於玉德殿門外, 搭金脊吾殿綵樓而觀覽焉. 及諸隊仗社直送金傘還宮, 復恭置御榻上. 帝師僧衆作佛事, 至十六日罷散. 歲以爲常, 謂之游皇城. 或有因事而輟, 尋復擧行. 夏六月中, 上京亦如之."처럼 이 의식에 대한 상세한 기록이 수록되어 있다. 이 의식에 대한 구체적인 설명은 李龍範, 「元代 喇嘛敎의 高麗傳來」『韓滿交流史研究』, 서울, 1989, pp.288~290을 참조.

37) 『元史』「順帝本紀」: (至正14年(1354),春正月丁丑)帝謂脫脫日,朕嘗作朶思哥兒好事,迎白傘蓋巡皇城,實爲天下生靈之故,今命剌麻選僧一百八人,仍作朶思哥兒好事,凡所用物,官自給之,毋擾于民.

38) 『元史』「釋老傳」: 有日覩思哥兒, 華言白傘蓋呪也. 필자는 打斯哥兒, 覩思哥兒, 朶思哥兒 등의 원어는 白傘蓋呪라는 번역어로 미루어 "(백색) 행운의 차양"을 뜻하는 "(chagan) dasi khalkha((цагаан) даш халх)"의 결합어일 가능성이 높다고 보고 있다. 이 추론은 몽골인들이 오보나 윗사람 등에게 존경의 뜻을 나타낼 때 바치는 하다크(хадаг)를 다시-하다크dasi khadag(даш хадаг)라고 부르는 점에서도 어느 정도 입증된다.

원칙이지만, 사정이 있어 늦추어질 경우 상도上都에서 6월에 거행하는 경우도 있다.[39]

【왕성王晟의 증언 : 담파澹巴와 가린진加璘眞】

동시에 담파가 있었고, 그 뒤에 가린진이 있었다. 이들은 모두 번승으로 비밀스러운 법술에 능했다. 그러나 모두 파사팔교와 달랐다. 사람의 마음을 꿰뚫어 볼 수 있고, 황제의 마음속 일까지 알아맞힌다고 하여 황제가 그들을 모두 스승으로 삼았다. 그러나 당시에는 아직 남의 아기로 태어난다는 설이 없었다.[40]

위의 기록에 등장하는 담파澹巴는 『원사』나 조맹부趙孟頫가 1316년에 편찬한 "대원칙사용흥사대각보자광조무상제사비大元敕賜龍興寺大覺普慈廣照無上帝師碑"에 등장하는 국사國師 간빠gyan-pa(膽巴)와 동일 인물이다.[41] 『허흐-텝테르Köke debter(青册)』에는 그가 까귀빠bka' brgyud-pa의 일파인 흑모계黑帽系(zhva-nag-pa) 까르마빠Karma-pa의 우겐빠O-rgyan-pa(Mo.Karma Duisun Jimba)라고 기록되어 있다. 그는 까르마-까귀빠Karm bka' brgyud-pa의 2세 활불인 까르마-팍시Karma pakshi(Mo.Karma Bagshi, 1204~1283)의 제자이자 3세 활불인 랑중-

39) 이것을 보여주는 대표적인 사례가 楊允孚의 灤京雜詠에 등장하는 "百戲遊城又及時, 西方佛子閱宏規, 綵雲隱隱旌旗過, 翠閣深深玉笛吹. 每年六月望日,帝師以百戲入內,從西華入,然後登城設宴,謂之遊皇城是也."라는 대목이다.

40) 『열하일기』「班禪始末」條 : 同時有澹巴, 後有珈璘眞, 皆番僧善秘密法, 然皆異巴思八敎, 能通他心, 微中帝心內事, 帝皆師之, 而當時亦未有投胎奪舍之說,

41) 『元史』「釋老傳」: "八思巴時, 又有國師膽巴(gyan-pa)者, 一名功嘉葛剌思(kun-dgah-gras), 西番突甘斯(mdo-khams)旦麻人, 幼從西天竺古達麻失利(Dharma-siri)傳習梵秘, 得其法要, 中統間(1260~1263), 帝師八思巴薦之, 時懷孟大旱, 世祖命禱之, 立雨, 又嘗咒食投龍湫, 頃之奇花異果上尊湧出波面, 取以上進, 世祖大悅, 至元末, 以不容於時相桑哥(Sengge), 力請西歸, 既復召還, 謫之潮州, 時樞密副使月的迷失鎭潮, 而妻得奇疾, 膽巴以所持數珠加其身, 卽愈, 又嘗爲月的迷失言異夢及己還朝期, 後皆驗. 元貞間, 海都犯西番界, 成宗命禱于摩訶葛剌神(Maha khala), 已而捷書果至, 又爲成宗禱疾, 遄愈, 賜與甚厚, 且詔分御前校尉十人爲之導從, 成宗北巡, 命膽巴以象輿前導, 過雲州, 語諸弟子曰, 此地有靈怪, 恐驚乘輿, 當密持神呪以厭之, 未幾, 風雨大至, 衆咸震懼, 惟幄殿無虞, 復賜碧鈿盃一, 大德七年(1303)夏卒, 皇慶間(1312~1313),追號大覺普惠(惠는 慈의 誤)廣照無上膽巴帝師." 『元史』의 기록은 趙孟頫(1254~1322)가 1316년에 찬한 "大元敕賜龍興寺大覺普慈廣照無上帝師碑"의 비문 기록에 바탕을 둔 것이다.

도르제rang-byung rdo-rje(1284~1339)의 스승이다. 그는 칼라차크라 만다라 Kalacakra mandala(영원한 윤회나 영원한 시간의 수레바퀴)의 비법을 대칸에게 전수했다고 전해진다.42) 대원울로스 때 사까빠와 까르마빠Karma-pa의 포교 경쟁은 매우 치열한 편이었다.

위의 기록에 등장하는 가린진加璘眞은 발음상 팍모두빠phag-mo gru-pa(帕木竹巴, 1110~1170)가 창시한 팍두-까귀빠phag-gru bka' brgyud-pa의 닥빠-린첸 grags-pa rin-chen(扎巴仁欽)과 유사하나 동일인 여부는 판명할 수 없다. 한어 가린진加璘眞이란 인명은 현재 전래되는 문헌에서는 고증되지 않는다.

【학성郝成과의 문답 : 그대는 양련진가楊璉眞加를 아는가】

추생(鄒舍是)은 한참 동안 나를 쳐다보다가 "선생은 이번 길에 담인噉人이 무섭지 않았는가"고 말했다. 내가 "담인이 누구인가"라고 물으니, 추생은 "양련진가楊璉眞加가 다시 세상에 태어났다"고 한다. … 이때 지정이 돌아와 자리에 앉았다. 그리고 글을 쓴 종이를 보자 급히 손으로 찢어 입에 넣고 씹으면서 눈으로 추생을 바라보며 얼마 동안 말이 없었다. 내가 "활불이 양련의 후신이라는 것을 장군은 지금 무슨 까닭으로 심히 꺼리는 것인가"라고 물었다. 지정은 "저 추생 미치광이가 나를 끌어다가 남을 욕하는 것이다"라고 하였다. 나는 짐짓 "양련이란 무슨 욕입니까"라고 물었다. 지정은 참담한 표정으로 "차마 말할 수도 없고 들어서도 안 된다"라고 했다. 나는 "왕팔王八이나 마박육馬泊六 같은 몹시 나쁜 욕인가"라고 물었다. 지정은 손을 흔들면서 "아니다. 양련이란 원래 티베트(西番) 중이다. 원나라 때 중국에 들어와 송나라의 능묘들을 파헤치기를 전쟁 때보다 더 지독하게 했다. 보물이나 옥을 모은 것이 산더미 같았다. 그는 비술과 함께 산을 쪼개는 보검도 가지고 있다. 주문을 외우면서 한 번 치면 비록 남산의 석곽이 아무리 깊이 묻혀 있더라도 즉시 열리지 않는 것이

42) 瞻巴(gyan-pa)의 행적 및 그의 종교 계보에 대해서는 札奇斯欽, 『蒙古與西藏歷史關係之硏究』, pp.163~174를 참조.

없었다. 땅을 차면 금으로 만든 오리나 옥으로 만든 물고기 같은 것이 저절로 뛰어나오고, 구슬로 짠 옷과 옥 궤짝이 낭자하게 벌려져 나왔다. 심지어 시체를 달아매고 수은을 짜낸 뒤 시체의 뺨을 쳐가면서 진주를 찾았다. 강남 사람들은 서로 욕하기를 "밥을 지어 곰보 양련에게 바칠 놈"이라고 한다. 지금 활불이 티베트 사람이므로 그를 빌려다가 한 번 욕한 것이지 양련의 후신이라서 한 말이 아니다"라고 했다.[43]

위의 기록에 등장하는 양련진가楊璉眞加는 양楊-린첸가rin-chen dgah-ba의 음역이다. 그는 코빌라이칸 때 강남석교총통江南釋敎總統으로 임명되어 절을 짓는다는 명분으로 송나라 때의 고관 무덤들을 멋대로 발굴하여 한인의 자존심을 구기는 등 강남 사람들의 원성을 크게 산 인물이다.[44] 그의 능묘 발굴 사건은 당시 강남에서 전개되던 불교와 도교 간의 마찰과 상승작용을 일으켜 큰 사회적 이슈로 비화되었다. 박지원은 위의 기록에서 그를 티베트의 승려로 기록하고 있지만, 몽골학자 작치드-세첸Jagchid-Sechin은 인명으로 미루어 그가 한인일 가능성이 높다고 간주하고 있다.[45] 위의 기록에 등장하는 왕팔王八은 무뢰한, 마박육馬泊六은 창녀를 뜻하는 말이다.

43) 『열하일기』「黃敎問答」: 鄒生熟視余良久曰,先生此來不畏㘓人乎,余問甚麽㘓人,鄒生曰,楊璉眞珈,復生於世… 此際志亭還坐,視其紙,急手裂納口嚼之,目視鄒生,久無所語,余曰,活佛係是楊璉後身,今將軍何故深諱也,志亭曰,這是鄒生狂也,借他辱他,余謬問楊璉是何等辱也,志亭慘然曰,不忍言,不忍聞,余曰,如王八馬泊六等最狠耶,志亭搖手曰,否也,楊是番僧,元時入中國,都發宋朝陵寢,毒於兵禍,積聚寶玉如邱山,他有秘術,有開山寶釰,念咒一擊,雖南山石槨下錮三泉,無不立開,金鳧玉魚,托地自跳,珠襦玉匣,狼藉開剝,甚至懸屍瀝汞,批頰探珠,江南人相詛盟,稱粲獻麻楊,今活佛番人,故所以借他一罵,非爲後身也.

44) 楊璉眞加의 행적은 『元史』「釋老傳」의 "有楊璉眞加者, 世祖用爲江南釋敎總統, 發掘故宋趙氏諸陵之在錢唐紹興者及其大臣塚墓凡一百一所, 戕殺平民四人, 受人獻美女寶物無算, 且攘奪盜取財物, 計金一千七百兩, 銀六千八百兩, 玉帶九, 玉器大小百一十有一, 雜寶貝百五十有二, 大珠五十兩, 鈔一十一萬六千二百錠, 田二萬三千畝, 私庇平民不輸公賦者二萬三千戶, 他所藏匿未露者不論也"라는 기록은 물론, 陶宗儀의 『綴耕錄』에도 "(發宋陵寢) 至元間, 釋氏豪橫, 開宮觀爲寺, 削道士髮, 且各處陵墓, 發掘迨盡"처럼 특기되어 있을 정도이다.

45) 札奇斯欽, 『蒙古與西藏歷史關係之研究』, p.352.

【학성郝成과의 문답 : 원·명 시대의 티베트 사절단】

대개 원나라나 명나라 때 번왕番王은 간혹 몸소 사신이 되어 3,000~4,000명이 넘는 사람을 데리고 조공을 바치기도 했다. 입조하면 언제나 후한 이득을 취할 수 있었다. 또 변방에 머무르며 돌아가지 않는 자도 있었다. 홍무洪武 초년에 번왕을 매우 존중하며 하사품을 내려 총애하는 것이 이전과 비할 데 없었다. 영락永樂부터 무종武宗 때에 이르기까지 대우가 더욱 융숭해 경사에 여러 사찰을 세우고 봉양하기도 했다. 금년 봄 사이에 황금 궁전을 세우고 활불을 맞아 살게 했지만, 옛날 원나라나 명나라 때에 비하면 접대라고도 할 수 없다.[46]

(2) 명나라 때의 라마교

【왕성王晟의 증언 : 홍무제와 난파가장복蘭巴珈藏卜】

홍무 초년에 티베트의 여러 나라에 널리 유시를 내렸다. 이에 오사장烏斯藏이 먼저 사신을 보내 조공을 했다. 그 왕은 난파가장복이라는 중인데, 제사帝師라고 자칭했다. 이때 티베트의 여러 곳에 있는 제사와 대보법왕도 이미 나라를 가진 칭호로 변해 있었다. (홍무제는) 한나라나 당나라 때의 선우單于·가한可汗의 칭제와 같이 제사를 모두 국사로 바꾸고, 옥으로 만든 도장을 하사했다. (도장은) 황제가 친히 옥의 품질을 살펴 아주 아름다운 것으로 만들었다. 그 속의 문자는 출천행지선문대성出天行地宣文大聖 등의 칭호가 있는데, 역사가들이 그것을 생략해 버렸다. 도장은 하사한 옥새의 글을 좇아 쌍룡이 얽힌 꼭지를 지녔다. 그 뒤로 티베트의 여러 나라가 법왕이나 제사를 칭하면서 더욱더 사신을 보내 천자의 뜰에까지 이름이 도달한 자가 무려 수십 국에 이르렀다. (황제는) 이들을 모두 국사로 봉했다. 때로는 대국사를 더해 극진히 대우했다.[47]

---

46) 『열하일기』「黃敎問答」: 大約元明時番王, 或身朝使貢傔帶不下三四千人, 入徼常得厚利, 或留塞下不還, 洪武初, 嘗敬重番王, 寵錫無比, 自永樂至武宗時尤盛留, 養京師諸寺, 本年春間, 爲刱金宮, 迎來活佛居之, 然比諸古元前明時, 則其供億殆不如也.

47) 『열하일기』「班禪始末」條 : 洪武初, 廣諭西番諸國, 於是烏斯藏, 先遣使朝貢, 其王蘭巴珈藏卜者僧也, 猶自稱帝師, 是時諸番帝師及大寶法王, 已爲有國之號, 如漢唐時單于可汗之稱帝,

위의 기록에 등장하는 난파가장복蘭巴珈藏卜은 난가파장복蘭珈巴藏卜(喃加巴藏蔔)의 오기誤記이다. 남카-뻴상뽀Nam mkhah dpal bzan po의 시대는 티베트에서 사까빠의 우위가 붕괴되고 까귀빠bka' brgyud-pa[48]의 일파인 팍모두빠 phag-mo gru-pa(帕木竹巴)의 우세가 서서히 나타나는 시대이다. 팍모두빠는 랑족郎族(rlangs lha-gzigs)이 수령을 세습하고 있다. 이들은 원말명초 시기에 천재적 군사전략가이자 정치·종교 지도자인 장춥-겔첸Byan-chub rgyal-mtshan 및 잠양-사까-겔첸'jam-dbyans saskya rgyal-mtshan에 의해 단기간이지만 일시 티베트의 패권을 장악하기도 했다.

그러나 그들의 사후 다시 티베트는 혼란에 빠져 각 지역의 유력 씨족들을 중심으로 계파 간의 대립이 심화되었다.[49] 물론 이 시기에도 가장 유력한 계파는 팍모두빠였다. 명나라의 티베트 정책은 대원올로스의 통치방식을 그대로 모방하고 있다.[50] 주원장은 당시 티베트의 유력 계파인 까귀빠의 수장

悉改帝師爲國師, 而賜玉印, 帝自審玉理, 更製美玉, 其文有出天行地宣文大聖等號, 爲史者省之也, 印比所賜璽書, 雙螭結鈕, 其後西番諸國稱法王帝師, 益遣使, 達名號於天子之庭者無慮數十國, 則悉改封國師, 或加大國師以寵異之.

48) 까귀빠(bka' brgyud-pa)라고 총칭되는 종파에는 처음부터 두 개의 계통이 있다. 하나는 큥뽀Khyung po(1085~1139)를 시조로 하는 큥뽀-까귀빠와 마르파Marpa(1012~1097)를 시조로 하는 마르파-까귀빠이다. 두 사람 모두 인도에 유학하여 마이트리빠Maitripa나 나로빠Naropa에게 배웠으며, 無上 요가-탄트라의 교의를 배워 티베트에 전했다. 마르파의 제자에는 유명한 밀라레빠Mi-la ras-pa(1040~1123)가 있다. 밀라레빠는 종교 시인으로도 유명하며, 그가 자전 풍으로 엮은 가요집인 『10만 가요 구르붐mGur 'bum』은 티베트의 대표적인 문학이다. 티베트인들은 즉흥시를 읊고 있는 그의 모습이 담긴 그림들을 매우 선호하며 또 즐겨 묘사한다. 밀라레빠의 중요한 제자에는 감뽀빠sGam po pa(1079~1153)가 있다. 그는 철저한 교리와 계율을 준수하는 까담빠bka'-gdams-pa(教誡派)와 관계가 깊다. 감뽀빠가 등장하기 이전까지 까귀빠는 산속에서 개인적인 수행에 전념하는 경향이 농후했지만, 그가 등장한 뒤 승원에서 제자를 양성하는 교단으로 변모했다. 감뽀빠는 많은 제자가 있는데, 그 중의 하나인 뒤숨켄빠Dus gsum mkhyen pa(1110~1193)에서 지파인 까르마빠Karma bka'-brgyud-pa가 성립하고, 다른 제자인 팍모두빠 Phag mo gru pa(1110~1170)에서 팍두-까귀빠phag-gru bka'-brgyud-pa가 성립했다. 두 사람 모두 강대한 지지 씨족을 얻어 세력을 확장한 끝에 원말명초에는 커다란 정치 세력으로 발전했다. 까르마빠는 黑帽派(zhva-nag-pa)와 赤帽派(zhva-dmar-pa)로 나누어지는데, 흑모파의 祖師 중에는 유명한 랑중-도르제Rang byung rdo rje(1284~1339)나 미꾀-도르제Mi bskyod rdo rje(1507~1554)가 있다.

49) 원말명초 티베트의 상황에 대해서는 佐藤長, 「元末明初のチベット狀勢」『明代滿蒙史硏究—明代滿蒙史料硏究篇(京都大文學部)』, 京都, 1963을 참조.

50) 티베트 불교와 명나라의 관계에 대해서는 乙坂智子, 「明勅建弘化寺考 —ある青海ゲルクパ寺

남카-뻴상뽀를 국사로 임명하여 통치를 위임했는데, 그것이 바로 위의 기록이다.[51] 그리고 영락제의 시대(1402~1424) 이후가 되면 까귀빠나 까르마빠, 그리고 그 후에는 새롭게 대두한 겔룩빠의 대표자와 여러 형태로 연관을 가지며 소위 회유의 계책을 취해 나갔다.

티베트 국내에는 이 영향으로 씨족 사이의 투쟁이 끊임없이 계속되었다. 이러는 와중에 종교계에 혁신적인 인물이 등장했는데, 그가 바로 겔룩빠의 시조라고 숭상 받는 쫑카빠-로상닥빠Tsong kha pa blo-bzang grags-pa(1375~1419)이다. 쫑카빠는 종교적으로도 정치적으로도 아주 구심력이 강한 인물이다. 그의 등장으로 인해 일거에 씨족 간의 세력지도까지 변했다. 이러한 흐름을 보여주는 것이 바로 아래에 기술된 항목들이다.

주원장은 위의 기록에 등장하는 남카-뻴상뽀 외에도 쇠남-겔첸-벨상뽀bSad nams rgyal-mtshan dpal bzan po(鎖南堅巴藏蔔), 꾼가 닥겔첸-뻴상뽀kun-dag' grags rgyal-mtshan dpal bzan po(公哥列思監藏巴藏蔔), 꾼가 겔첸-뻴상뽀kun-dag' rgyal-mtshan dpal bzan po(公哥監藏巴藏蔔), 다르마-팔라Dharma-phala(答力麻八剌) 등을 초청하여 봉호를 내리는 등[52] 티베트의 분열통치에 적극적으로 임하고 있다.

院(dGe-lugs-pa Monastery)の位相」『史峯』6, 1991 및「歸ってきた色目人ー明代皇帝權力と北京順天府のチベット佛教」『論叢』(横浜市立大·人文科學) 51-1·2, 2000를 참조.

51) 『明史』「西域傳(三)」에는 원말명초의 티베트 불교의 상황과 주원장의 티베트 종교정책의 의도를 잘 보여주는 "元世祖尊八思巴爲大寶法王, 錫玉印, 既沒, 賜號皇天之下一人之上宣文輔治大聖至德普覺真智佐國如意大寶法王西天佛子大元帝師, 自是, 其徒嗣者咸稱帝師. 洪武初, 太祖懲唐世吐蕃之亂, 思制禦之, 惟因其俗尚, 用僧徒化導爲善, 乃遣使廣行招諭, 又遣陝西行省員外郎許允德使其地, 令舉元故官赴京授職, 於是烏斯藏攝帝師喃加巴藏蔔先遣使朝貢, 五年(1372)十二月至京, 帝喜, 賜紅綺禪衣及鞋帽錢物, 明年(1373)二月躬自入朝, 上所舉故官六十人, 帝悉授以職, 改攝帝師爲熾盛佛寶國師, 仍錫玉印"라는 기록이 실려 있다.

52) 『明史』「西域傳(三)」: (1363)冬, 元帝師之後鎖南堅巴藏蔔·元國公哥列思監藏巴藏蔔並遣使乞玉印, 廷臣言已嘗給賜, 不宜複予, 乃以文綺賜之, 七年(1374)夏, 佛寶國師遣其徒來貢, 七年秋, 元帝師八思巴之後公哥監藏巴藏蔔及烏斯藏僧答力麻八剌遣使來朝, 請封號, 詔授帝師後人爲圓智妙覺弘教大國師, 烏斯藏僧爲灌頂國師, 並賜玉印.

【왕성王晟의 증언 : 영락제와 탑립마嗒立麻】

> 성조成祖 때 번승인 탑립마를 맞이하러 부마를 보냈다. 법가法駕를 하사했는데 거의 천자의 의장과 다름없었다. 연회 때 금은보화와 비단을 하사한 것이 이루 헤아릴 수 없었다. 고제高帝와 고후高后를 위하여 절을 세워 복을 빌었는데, 이때 경운卿雲과 감로甘露의 상서로움과 조수·화과花果의 길조가 나타났다. 성조가 크게 기뻐하여 탑립마를 만행구족십방최승등여래대보법왕萬行俱足十方最勝等如來大寶法王에 봉하고, 금으로 수놓고 진주가 달린 가사를 하사했다. 그 무리들도 모두 대국사로 봉했다. 그의 불가 비법은 매우 신통한데, 요술과 같은 것이 많았다. 조그마한 귀신을 부려 순식간에 만 리 밖에 있는 제철이 아니면 얻기 어려운 물건을 가져오는 등 술법이 현란하고 괴이했다. 사람의 사고로는 헤아릴 수 없는 것이다.[53]

위의 기록에 등장하는 탑립마嗒立麻는 우스-창dbus gtsang(烏思藏) 지역의 승려 수장인 다르마-팔라Dharma-phala(答力麻八剌)이다. 다르마-팔라는 까르마빠에 속하는 인물로, 그에 대한 자세한 기록이 『명사』에 수록되어 있다.[54] 영락

---

53) 『열하일기』「班禪始末」條 : 成祖時, 遣駙馬迎番僧嗒立麻, 賜法駕, 半仗僭擬天子, 宴賚金銀寶鈔綵緞, 不可記億, 爲高帝高后建齋薦福, 於是獲卿雲甘露之祥, 鳥獸花菓之瑞畢現, 成祖大悅, 遂封嗒立麻萬行俱足十方最勝等如來大寶法王, 賜織金絡珠袈裟, 悉封其徒爲大國師, 其梵秘神通, 類多幻術, 能役使小鬼, 頃刻立致萬里外非時難得之物, 變眩恠妄, 非人思慮所可測度.

54) 『明史』「西域傳(三)·哈立麻」: 有僧哈立麻者, 國人以其有道術, 稱之爲尙師, 成祖爲燕王時, 知其名, 永樂元年(1403)命司禮少監侯顯·僧智光齎書幣往征, 其僧先遣人來貢, 而躬隨使者入朝, 四年(1406)冬將至, 命駙馬都尉沐昕往迎之, 既至, 帝延見於奉天殿, 明日宴華蓋殿, 賜黃金百, 白金千, 鈔二萬, 彩幣四十五表裏, 法器·裀褥·鞍馬·香果·茶米諸物畢備, 其從者亦有賜, 明年春, 賜儀仗·銀瓜·牙仗·骨朵·幣燈·紗燈·香合·拂子各二, 手爐六, 傘蓋一, 銀交椅·銀足踏·銀杌·銀盆·銀罐·青圓扇·紅圓扇·拜褥·帳幄各一, 幡幢四十有八, 鞍馬二, 散馬四, 帝將薦福於高帝後, 命建普度大齋於靈穀寺七日, 帝躬自行香, 於是卿雲·甘露·青鳥·白象之屬, 連日畢見, 帝大悅, 侍臣多獻賦頌, 事竣, 複賜黃金百, 白金千, 寶鈔二千, 彩幣表裏百二十, 馬九, 其徒灌頂圓通善慧大國師答師巴羅葛羅思等, 亦加優賜, 遂封哈立麻爲萬行具足十方最勝圓覺妙智慧善普應佑國演教如來大寶法王西天大善自在佛, 領天下釋教, 賜印誥及金·銀·鈔·彩幣·織金珠袈裟·金銀器·鞍馬, 命其徒孛隆逋瓦桑兒加領真爲灌頂圓修淨慧大國師, 高日瓦禪伯爲灌頂通悟弘濟大國師, 果欒羅葛羅監藏巴裏藏蔔爲灌頂弘智淨戒大國師, 並賜印誥·銀鈔·彩幣, 已, 命哈立麻赴五台山建大齋, 再爲高帝後薦福, 賜予優厚, 六年(1408)四月辭歸, 複賜金幣·佛像, 命中官護行. 참고로 다르마-팔라의 재위 연대와 자손에 대해서는 佐藤長,

제는 제주도 법화사法華寺에 있는 아미타 삼존불상까지 요구하여 1406년 그것을 가져갈 정도로 불교에 매우 관심이 많은 인물이다. 영락제는 티베트 지역에 수많은 승려 수장들을 세워 서로 견제시킨다는 "다봉중건多封衆建" 정책을 실행했다. 이 때문에 티베트 불교계의 영향력 있는 인물들은 모두 우대와 상사賞賜를 받았다. 영락제가 수여한 봉호封號 가운데 서천불자西天佛子, 관정국사灌頂國師 등 일반적인 칭호를 제외하고도 법왕의 명칭만 8개에 이른다.

【왕성王晟의 증언 : 티베트 5대 교왕과 조공】

당시 서장 각지에 대승大乘이니 대자大慈 등의 법왕 칭호를 얻었다. 또 천교闡敎·천화闡化라는 다섯 교왕이 있다. 이 다섯 교왕의 조공을 바치는 사신들이 서령西寧·조황洮潢 사이를 쉴 새 없이 다니니, 중국 또한 일찍부터 그 번거로운 비용을 괴롭게 여겼다. 그러나 실상은 융숭한 대접으로 그들을 어리석게 만들었다. 널리 봉호를 하사하여 저마다 조정에 조공하게 만듦으로써 그 세력을 남모르게 쪼갰지만, 티베트인들은 그것을 깨닫지 못했다. 중국이 주는 상금을 탐내어 조공하는 것을 오히려 이로운 일로 여겼다.[55]

【경순미敬甸彌의 증언 : 영락제 시기의 티베트 불교 제파】

명나라 초기에 여러 법왕들이 중국에 왔다. 성조成祖는 당나라의 예법을 본따 모두 우대하였다. 그 중들도 역시 모두 환술幻術을 할 줄 알아 더욱 존경과 예우를 받았다.[56]

「ダルマ王の在位年次について」 『史林』 46-5, 1963 및 「ダルマ王の子孫について(The descendants of king Darma)」『東洋學報』46-4, 1964(佐藤長, 『中世チベット史研究』, 京都, 1986에도 이 논문들이 수록되어 있다)를 참조.

55) 『열하일기』「班禪始末」條 : 當時諸藏之得大乘大慈等法王號, 又有闡教闡化等五教王, 五教王貢使, 羅絡西寧洮潢之間, 而中國亦嘗苦其煩費, 然實愚之以優禮, 廣錫封號, 使各自通貢入朝, 以陰分其勢, 番人不覺也, 亦貪中國賞賚, 以貢爲利.

56) 『열하일기』「班禪始末」條 : 明初,諸法王來朝,成祖有鑑于唐,皆優禮之,其僧亦皆有幻術,益見尊禮.

위의 두 기록에 등장하는 티베트 교왕 부분은 『명사』의 기록에 의거하면 오사장대보법왕烏斯藏大寶法王, 대승법왕大乘法王, 대자법왕大慈法王, 천화왕闡化王, 찬선왕贊善王, 호교왕護教王, 천교왕闡教王, 보교왕輔教王 등 8명으로 나타난다. 좌등장佐藤長의 연구에 따르면,[57] 이 8대 법왕의 계보는 다음의 도표처럼 정리된다.

번호	법왕명	종파
1	烏斯藏大寶法王	bka' brgyud pa에서 분기된 Karma pa
2	大乘法王	Sa-skya pa에서 분기된 Lha Khangpa
3	大慈法王	Dge-lugs pa
4	闡化王	bka' brgyud pa에서 분기된 Phag-mo-gru pa
5	贊善王	bka' brgyud pa에서 분기된 Hbri gun pa
6	護教王	Sa-skya pa에서 분기된 Glin-tshan pa
7	闡教王	Sa-skya pa에서 분기된 Gon-gyo, Go-hjo pa
8	輔教王	Sa-skya pa에서 분기된 Stag-tshan pa

영락제의 뒤를 이은 선종宣宗(1426~1435) 역시 전대의 정책을 계승하고 있다. 이러한 정책으로 말미암아 그들과 명나라 사이에는 일종의 조공 관계가 설립되어 매년 정기적으로 사신이 왕래했다. 선종은 즉위 후 1427년 태감太監 후현侯顯을 티베트로 보내 각지의 종교정파 수장들을 방문케 했다.[58] 후현은 2년 뒤인 1429년 4월에 귀국했다.

57) 佐藤長, 「明代チベットの八大教王について」『東洋史研究』 21-3, 1962(上) ; 22-2, 1963(中) ; 22-4, 1964(下). 이전 『明史』에 나오는 티베트 지구의 법왕들에 대해서는 韓儒林, 「明史烏思藏大寶法王考」『眞理雜誌』 1-3, 1944의 연구가 있다.

58) 『明實錄』宣德 2년(1427) 4월조 : 遣太監侯顯齎敕往烏思藏等處諭帕木竹巴灌頂國師闡化王吉剌思巴監藏巴裏藏蔔, 必裏工瓦闡教王領真巴吉監藏, 靈藏贊善王喃葛監藏, 尼八剌國王沙的新葛地湧塔, 王子可般, 輔教王喃葛列思巴羅葛囉監藏巴藏蔔等, 各賜之絨錦, 紵絲有差.

【왕성王晟의 증언 : 무종武宗의 활불 초빙】

정덕正德 연간에 중관中官을 보내 오사장의 활불을 맞이하였다. 창고의 모든 황금으로 공양의 도구를 만들고, 황제·황후, 비빈과 공주들은 서로 다투어 패물이나 노리개·머리꽂이 같은 보물을 내어 산繖을 맞는 비용으로 썼는데, 몇 만금으로 셀 정도였다. 활불은 10년 만에 돌아가기로 했는데, 기한이 되자 숨어버려 찾을 수 없었다. 결국 가졌던 보옥이 다 없어지자 빈손으로 달아나듯 돌아갔다고 한다.[59)]

위의 기록에 등장하는 중관中官은 유충劉允이다. 무종은 그 본인이 승려와 마찬가지일 정도로 불교에 애착을 보이고 있다.[60)] 그러나 이 시기는 몽골족들이 서서히 오르도스 지방을 수중에 넣고, 또 티베트와의 연결로인 청해青海에 다가가고 있다. 티베트 불교의 일파인 까르마빠는 시종 명나라와는 냉랭한 태도를 유지하고 있는데, 그들의 관심은 역시 대원올로스의 후예인 북원에 있었다. 무종의 시대에는 몽골과 티베트 사이에 역사의 바람이 다시 불기 시작하면서 겔룩빠 시대의 개막이라는 미래의 파란을 예고하는 때이기도 하다.

【왕성王晟의 증언 : 신종神宗과 쇄란견조鎖蘭堅錯】

만력萬曆 때에 또 신승神僧 쇄란견조라는 자가 있는데, 그 역시 중국과 통하여 활불이라 칭했다. 이것이 티베트의 대략이다.[61)]

위의 기록에 등장하는 쇄란견조鎖蘭堅錯는 흔히 색남가조索南嘉措로 표기되

59) 『열하일기』 「班禪始末」條 : 正德中遣中官, 迎烏斯藏活佛, 悉帑中黃金爲供具, 帝后及妃主爭發奩裝首飾璣琲, 以爲繖費萬萬計, 以十年爲往返期, 旣至,活佛避匿不可見, 盡喪其寶玉, 徒手�還.

60) 武宗의 활불 초청에 대해서는 佐藤長, 「明の武宗の「活佛」迎請について」 『塚本博士頌壽記念佛敎史學論集』, 京都, 1961을 참조.

61) 『열하일기』 「班禪始末」條 : 萬曆時,又有神僧鎖蘭堅錯,亦通中國,稱活佛,此其西蕃大略也.

는데, 모두 쇠남-갸초bsod-nams rgya-mtsho(1543~1588)의 음역이다. 겐뒨-갸초 dge-'dun rgya-mtsho(根敦嘉措, 1475~1542)의 환생으로 간주된 그는, 1578년 5월 청해 호반의 앙화사仰華寺에서 알탄칸과 역사적인 회동을 갖고 서로 "와치르-다라Wachir-dara 달라이라마Dalai Lama"와 "차크라와르Tsakrawar 세첸칸Sechen Khan)"이라는 존호를 주고받았다.[62] 쇠남-갸초는 알탄칸에 의해 제3세 달라이라마로 인정되었고, 알탄칸은 쇠남-갸초로부터 코빌라이칸의 환생으로 인정받았다.[63]

【경순미敬句彌의 증언 : 종객파宗喀巴의 황모파】

지금의 라마는 대개 명나라 중엽 때부터 시작된 것이다. 종객파라는 이상한 중이 있었는데, 역시 먼 곳에서 티베트로 왔다. 이상한 술법이 있어 한 번 보면 사람마다 놀라 넘어졌다고 한다. 그는 남의 몸에서 태어난다는 말도 했다. 모든 법왕들은 그를 스승으로 삼았고, 더 나아가 스스로 그 제자의 반열에 드는 것을 기쁘게 여겼다.[64]

위의 기록에 등장하는 종객파宗喀巴는 쫑카빠Tsongkha-pa(1357~1419)의 음역으로, 그의 본명은 로장닥빠blo-bzang grags-pa이다. 그는 원나라 때 다로가치 darugachi를 지낸 루붐게klu-'bum dge의 아들로, 1357년 지금의 청해 서녕西寧 탑이사塔爾寺[65] 소재지에서 출생했다. 쫑카빠란 이름은 티베트인들이 서녕

62) 위의 칭호들은 『몽골원류(Erdeni-yin Tobchi)』에 기록된 몽골어 명칭이다. Wachir-dara Dalai Lama의 티베트명은 thams-cad-mkhyen rdo-rje-'chang dalai-lama이다. thams-cad-mkhyen은 梵語 sarvajna(一切智), rdo-rje-'chang은 梵語 Vajradhara(執金剛)에서 유래된 티베트어 명칭이다. Tsakrawar의 티베트 명칭은 Gakravarti(轉輪王)이다. 당시 쇠남-갸초가 알탄칸 주변의 몽골인들에게 하사한 명칭에 대해서는 札奇斯欽, 『蒙古與西藏歷史關係之研究』, pp.426~429를 참조.

63) 양자회동의 정치적 의미에 대해서는 졸저, 『유라시아 초원제국의 샤마니즘』, pp.336~338을 참조.

64) 『열하일기』「班禪始末」條 : 今之喇嘛, 大約始於明之中葉, 有異僧曰, 宗喀巴, 來亦遠方, 入西藏, 有異術, 一見卽令人傾倒, 且有投胎奪舍之說, 諸法王皆以爲師, 而自甘退就弟子之列.

65) 塔爾寺는 티베트어로 꿈붐잠빠링sku-'bum byams-pa gling이며, 줄여서 꿈붐 사원으로 부르기도

일대를 쫑카Tsong-kha(宗喀)라고 부르기 때문에 붙여진 명칭이다.

쫑카빠는 1409년 라사 동북에 간단사(dga'-ldab rnam-par-rgyal-ba'i gling)를 세우고 이곳에서 새로운 불교의 교리를 전파했다.[66] 당시 그가 세운 교리는 간단사의 이름을 따 간단사파(dga'-ldan-pa'i lugs)로 불렸고, 약칭하여 갈룩빠 dga'-lugs-pa라고도 했다. 이후 음변이 일어나 겔룩빠dge-lugs-pa로 고정되었다. 티베트 불교의 일파인 겔룩빠는 노란색 모자를 쓰기 때문에 황모파黃帽派(zhva-ser-pa)나 황교黃敎라고도 불린다.

【경순미敬旬彌의 증언 : 종객파宗喀巴의 제자들】

종객파는 (종지를) 두 제자에게 전하였다. 첫째는 달뢰라마達賴喇嘛이고, 둘째는 반선액이덕니班禪額爾德尼이다. 달뢰라마는 이제 7세째 환생했고, 반선라마는 4세째 환생이라 한다. … 이 두 사람 외에 또 호도극도胡圖克圖란 자도 있는데, 모두 그의 제자로서 역시 5~6세 이상을 환생했다 한다. 국왕의 스승으로서 신통력은 없고 다만 선리禪理에 대한 것을 잘 말한다고 한다.[67]

쫑카빠의 제자로서 제1세 달라이라마로 간주된 인물이 1447년 시르케 지방에 따실훈뽀bkra-shis-lhun-po 사원을 창건한 겐뒨-둡dge-'dun grub(根敦朱, 1391~1474)이며, 제1세 판첸라마로 간주된 인물이 케둡제-겔렉-뺄상mkhas-grub-rje dge-legs dpal-bzang(凱朱結格雷貝桑, 1385~1438)이다. 위의 기록에 등장하는 달뢰라마達賴喇嘛는 몽골어로 "바다"를 뜻하는 달라이Dalai(далай)와 "스승"을 뜻하는 티베트어 라마lama의 결합어이다. 반선액이덕니班禪額爾德尼는 판첸-에

한다.

66) 간단사의 티베트어 발음은 간덴이며, 몽골어로는 간단gandun(гандан)이라고 표기한다. 「宗喀巴傳」 및 年譜에 대해서는 王森, 『西藏佛敎發展史略』, 北京, 1997, pp.285~346를 참조.

67) 『열하일기』「班禪始末」條 : 宗喀巴傳有二弟子, 長曰達賴喇嘛, 次曰班禪額爾德尼, 達賴喇嘛, 目今投胎七世, 班禪喇嘛, 投胎四世…此二人外, 又有胡圖克圖者, 皆其弟子也, 亦能投胎奪舍, 有五六世者多矣, 國王之師無神通, 但善言禪理.

르데니Panchen-erdeni의 음역이다.

판첸은 범어梵語로 "다섯 가지 밝음(五明)"을 통달한 사람이란 뜻의 판디타pandita와 티베트어로 "크다"는 뜻의 첸포chen-po가 결합된 말이다. 에르데니erdeni(эрдэнэ)는 몽골어로 "보석"이란 뜻으로, 티베트어의 린첸뽀rin-chen-po에 상당한다. 판첸라마 대신 판첸-에르데니란 명칭은 1713년 강희제가 제5세 판첸인 로상-예쉐blo-bzang ye-shes(羅桑耶歇, 1663~1737)를 판첸-에르데니로 봉한 데서부터 시작되었다. 당시 강희제는 제5세 판첸라마에게 칭호 수여와 함께 후장後藏을 관할하게 했다. 강희제가 판첸라마의 지위를 달라이라마와 같은 지위로 격상시키고 각자 후장과 전장前藏을 관할케 한 원인은 양자 간에 견제와 대립의 국면을 만들고자 했기 때문이다.

위의 기록에 등장하는 호도극도胡圖克圖는 몽골어로 "큰 복을 가진 자"라는 코톡토khutugtu(хутагт)의 음역이다. 이 칭호는 대원올로스 때 티베트의 고승들에게도 하사한 법호法號에도 보이지 않는다. 그러나 알탄칸 이후 몽골 귀족들이 불교에 귀의하면서 스스로 이 칭호를 덧붙여 쓰기 시작했다. 이후 이 법호는 모든 티베트 고승들에게도 전파되어 최고의 고승을 뜻하는 용어로 자리 잡았다. 몽골인들은 이 칭호 이외에 노몬칸Nom-un Khan, 판디타Pandita, 샤보랑Shaburang, 초르지Chorji, 게겐Gege'en 등의 칭호를 사용해 코빌간Khubilgan(轉世)의 존칭어로 사용하고 있다.

박지원이 방문했을 당시의 달라이라마와 판첸라마의 계도를 소개하면 다음의 도표와 같다.[68]

68) 달라이라마와 판첸라마의 계도에 대해서는 丹球昴奔 主編, 『歷輩達賴喇嘛與班禪額爾德尼年譜』, 北京, 1998 ; 牙含章, 『班禪額爾德尼傳(pantsan erdeni yin namtar)』, 呼和浩特, 1990을 참조

달라이라마Dalai-Lama 계보		
No	이름	연대
제1세	겐뒨-둡dge-'dun grub(根敦朱)	1391~1474
제2세	겐뒨-갸초dge-'dun rgya-mtsho(根敦嘉措)	1475~1542
제3세	쇠남-갸초bsod-nams rgya-mtsho(索南嘉措)	1543~1588
제4세	욘뗀-갸초yon-tan rgya-mtsho(雲丹嘉措)	1589~1616
제5세	나왕-로상-갸초ngag-dbang blo-bzang rgya-mtsho(阿旺羅桑嘉措)	1617~1632
제6세	창양-갸초tshangs-dbyangs rgya-mtsho(倉央嘉措)	1638~1706
제7세	로상-껠상-갸초blo-bzang bskal-bzang rgya-mtsho(羅桑格桑嘉措)	1708~1757
제8세	잠뻴-갸초'jam-dpal rgya-mtsho(降貝嘉措)	1758~1804
판첸라마Panchen-Lama 계보		
제1세	케둡제-겔렉-뻴상mkhas-grub-rje dge-legs dpal-bzang(凱朱結格雷貝桑)	1385~1438
제2세	쇠남-촉랑bsod-nams phyogs-glang(索南喬朗)	1439~1504
제3세	로상-된둡(웬사빠dben-sa-pa)blo-bzang don-grub(羅桑敦朱)	1505~1566
제4세	로상-최기-겔첸blo-bzang chos-kyi rgyal-mtshan(羅桑却吉堅贊)	1567~1662
제5세	로상-예쉐blo-bzang ye-shes(羅桑耶歇)	1663~1737
제6세	로상-뻴덴-예쉐blo-bzang dpal-ldan ye-shes(羅桑貝丹耶歇)	1738~1780

겔룩빠의 역사에서 위의 계도와 관련하여 주목되는 인물이 제4세 판첸라마인 로상-최기-겔첸이다. 몽골 황금씨족 출신인 제4세 달라이라마인 욘뗀-갸초 시대와 제5세 달라이라마의 전반에 해당하는 시기는 티베트 지역의 승속영주僧俗領主들이 청해에 진출한 몽골 각 부족의 통치자들를 끌어들여 서로 간에 전쟁이 격렬하게 전개되는 때이다.

당시 티베트는 시르케 지방의 짱뙤겔뽀gstang-stod-rgyal-po(藏巴汗) 세력이 급격히 세력을 얻어가고 있었다. 이 상황에서 몽골족 출신 제4세 달라이라마인 욘뗀-갸초는 휘하의 몽골군을 이끌고 티베트로 들어가 짱뙤겔뽀인 까르마-푼촉-남겔Karma phun-tshogs rnam-rgyal(1586~1621?)의 군대를 격파하고 겔룩빠의 우세를 견지했다. 그러나 이후 몽골군과 연합한 겔룩빠 승려들의 내분으로 말미암아 패권을 상실하고, 1612년에 시르케 일대인 후장後藏 지역을 짱뙤겔뽀가 통치한다는 합의를 맺었다.

겔룩빠의 강력한 후원 세력이었던 몽골족 출신 욘뗀-갸초가 1616년에 죽자 겔룩빠의 지도자들은 위기에 직면했다. 겔룩빠의 승려인 로상-최기-겔첸창은 먼저 까르마-푼촉-남겔의 아들로 짱뙤겔뽀를 계승한 까르마-뗀꽁-왕뽀 Karma bstan-skyong dbang-po(1606~1642)에게 달라이라마의 전세轉世를 허락받고 1622년 제5세 달라이라마를 맞아들였다. 그리고 1625년 그에게 계戒를 주어 겔룩빠의 상징을 잇게 했다. 당시 겔룩빠의 명목상의 상징은 제5세 달라이라마였지만 아직 어린아이에 불과했고, 실질적인 통솔자는 로상-최기-겔첸이었다.

겔룩빠가 짱뙤겔뽀 세력의 위협을 받는 상황이 시작되자, 청해에 있던 투메드부 몽골군 2천명이 1621년 라샤에 도착하여 짱뙤겔뽀의 군대를 공격하고 짱뙤겔뽀에게 빼앗긴 사원이나 백성들을 겔룩빠에게 되찾아 주었다. 그러나 이후 투메드부 몽골군은 내홍으로 인해 붕괴되고, 1630년대부터 다시 짱뙤겔뽀의 세력이 급속히 확장되었다.

당시 몽골은 릭단칸의 세력과 투메드부 간의 충돌, 후금 군대의 릭단칸 공격 등으로 인해 극심한 내부혼란에 빠져 있었다. 막북지역 역시 그 여파로 인해 분쟁이 계속적으로 일어났다. 이러한 상황에서 열성적인 홍모파 계열의 까르마빠 신도인 막북 칼카부의 영주 촉트-홍-타이지가 1634년에 청해로 이동해 왔다. 그는 1635년부터 홍모파는 물론 짱뙤겔뽀와도 연합하여 청해나 티베트의 겔룩빠 세력을 일소하고자 했다. 이러한 위기 상황에서 로상-최기-겔첸은 1635년 겨울 겔룩빠를 신봉하는 서부몽골 오이라트부에게 구원을 요청했다.

달라이라마의 구원 요청을 받은 오이라트부의 영주인 바아토르-홍-타이지는 친히 1만의 군대를 이끌고 1636년 초겨울 청해에 도달했다. 그리고 1637년 초, 촉트-홍-타이지가 이끄는 3만 군대와 회전하여 하루 만에 그들을 격멸했다. 전투가 끝난 뒤 바아토르-홍-타이지는 구시칸Güshi Khan을 청해에 남겨 뒤처리를 맡겼다. 반대 세력의 소탕에 나선 구시칸은 1642년에 이르러 청해와 티베트의 전역을 평정하는 데 성공했다. 구시칸은 로상-최기-겔첸을 따실훈뽀 사원의 책임자로 임명하고 후장 지역을 통치하도록 했다. 또 그를 자기의 스승으로 삼으면서 판첸-복드Panchen Bogda의 존호를 올렸다. 이때부터 판첸이라는 칭호가 처음으로 등장했다.

구시칸은 스스로 티베트의 왕에 올라 구시칸 왕조를 열었다.[69] 그의 티베트 정복은 그동안 티베트 안팎에서 전개된 여러 종파 사이의 경합을 끝맺고 종파를 초월한 티베트 불교계의 최고 권위로서 달라이라마의 지위를 확립시키는 계기를 만들었다. 구시칸 왕조는 종파와 나라, 민족을 초월한 티베트 불교계의 최고 권위로서의 달라이라마, 티베트 국가의 주인으로서의 달라이라마라고 말하는 관념 등을 가져다 준 왕조이다. 구시칸 왕조에 의한 달라이라마의 지위확립은 구시칸 왕조의 붕괴 이후에도 지속되어 현재에 이르고 있다.

명나라의 정복에 성공한 청나라의 순치제는 1647년 로상-최기-겔첸에게 금강상사金剛上師라는 존호를 올렸다. 그리고 순치 9년(1652)에 그와 달라이라마를 초청했다. 그러나 이미 고령인 그는 이동이 불가능하여 제5세 달라이라마만 청조를 방문했다. 1662년 그가 사망하자 제5세 달라이라마는 그의 전세를 인정하여 판첸라마라는 또 하나의 활불전세계통活佛轉世系統이 성립되었다. 이때부터 겔룩빠는 달라이라마와 판첸라마라는 2명의 종교 지도자를 지니게 되었다. 당시의 티베트인들은 로상-최기-겔첸을 제1세 판첸-코톡토

69) Güshi Khan의 Güshi는 한어 國師의 음역이다.

Panchen khutugtu라고 불렀지만, 이후 계통도를 설정해 제4세 판첸라마로 간주했다.

(3) 청나라 때의 라마교

【왕성王晟의 증언 : 청나라 때의 청산압마請繖壓魔 의식】

그는 원나라 때 길가에서 타사가아打斯哥兒가 팔사파교를 맞아들이는 이야기를 역력하게 말하면서, 이번에 자기를 맞이하는 예식이 간소한 의장과 악기를 써서 위의를 갖추지 못했다고 했다. 이에 운휘사雲麾使와 난의십이사鑾儀十二司에 속한 의장을 모두 내게 하고, 태상시太常寺의 법악法樂, 청진악淸眞樂, 흑룡강의 고취鼓吹, 성경盛京의 고취 등 모든 음악으로 교외에 나가 영접하게 하였다"고 했다. 내가 "태상 음악이란 무엇인가"라고 물었더니, 그는 "자세히 모른다"고 답했다. 내가 청진악에 대해 묻자, 그는 "회자回子의 70현 대슬大瑟이다"라고 답했다. 내가 흑룡강 고취에 대해 묻자, 그는 "구멍 열두 개가 뚫린 용적龍笛으로서 라와가등剌窩哥登이라 부르는데, 그에 대해서는 상세히 알지 못한다"고 답했다. 내가 운휘사와 난의에 대해 묻자, 그는 "불치노마不齒路馬"라고 답했다. 이때 주거인周擧人이 옆에서 훈상訓象·훈마訓馬·정편靜鞭·골타骨朶·종천椶薦·비두篦頭·선수扇手·반검班劍 등을 가지런히 쓰는데, 그 항목이 수없이 많았다. 그가 이내 먹으로 지워 버려서 깨달을 수 없었다.[70]

티베트는 토번 왕조 때 불교가 국교로 된 이래 13세기 초에 이르기까지 인도에서 지속적으로 불교가 도입되었다. 그리고 이것을 소화한 독자적 불교

70) 『열하일기』「班禪始末」條 : 在道歷歷, 言元時打斯哥兒故事, 乃迎繖巴思八教, 今來迎我細仗皷吹, 不成儀衛, 於是悉發雲麾使鑾儀, 十二司駕仗, 太常法樂淸眞樂, 黑龍江鼓吹, 盛京鼓吹郊迎, 余問法樂, 對未之詳也, 問淸眞樂, 對回子七十絃大瑟, 問黑龍江鼓吹, 日十二孔龍笛剌窩哥登, 未詳其器, 問雲麾使鑾儀, 日, 不齒路馬, 時周擧人在旁, 列書訓象, 訓馬, 靜鞭, 骨朶, 椶薦, 篦頭, 扇手, 班釰, 其目無數, 隨卽墨抹, 殊未可曉也.

문화, 즉 티베트 불교가 형성되었다. 티베트 불교의 각 종파는 16세기 중반부터 몽골로 포교를 시작했다. 그리고 17세기에 들어와서는 티베트인, 몽골인, 만주인(청나라를 수립한 여진족)으로 이루어진 거대한 이념벨트인 티베트 불교권을 성립시켰다.[71] 달라이라마와 판첸라마로 상징되는 겔룩빠 티베트 불교는 바로 이 시대의 상징이었다. 즉 유라시아 유목민사회의 동부를 티베트를 근원으로 하는 불교신앙이 덮고, 티베트의 성직자가 청나라나 몽골 등 유목왕권의 권위보증을 담당했다. 위의 기록은 제6세 판첸라마의 입조入朝 때 행해진 접대의례를 묘사한 것으로, 티베트 불교사상을 배경으로 한 국제관계 질서가 실재하고 기능하고 있었다는 입증이기도 하다.

【경순미敬旬彌의 증언 : 티베트의 종교 사신들】

본조의 천총天聰 때 반선은 동방에 성인이 난 것을 알고 큰 사막을 넘어 사신을 보내서 조공했다. 이로부터 해마다 사신을 보내서 조공을 드리기 시작했다. 강희 때 인조仁祖가 그를 중국으로 입조시키고자 하였으나 오지 못했다. 지난해(사신을 파견해 금년) 만수절萬壽節 그는 스스로 금년이라고 주를 달았다고 하였다에 입근入覲할 것을 청했고, 극진한 예로 우대하고 있다.[72]

71) 티베트, 몽골, 청조를 잇는 티베트 불교벨트에 대해서는 石濱裕美子의「18世紀初頭におけるチベット佛教界の政治的立場について」『東方學』77, 1989 ;「轉輪王思想がチベット·モンゴル·清朝三國の王の事績に與えた影響について」『史滴』16, 1994 ;「パンチェンラマと乾隆帝の會見の背景にある佛教思想について」『內陸アジア言語の研究』9, 1994 ;「文書簡の構造から見た17世紀のチベット, モンゴル, 清關係の一斷面 ―だライラマ五世, 攝政サンゲギャムツォ, ガルダンの書簡を用いて」『アジア·アフリカ言語文化研究』55, 1998 ;「ガルダン·ハルハ·清朝·チベットが共通に名分としていた'佛教政治'思想―滿州文·モンゴル文·漢文『朔漢方略』の史料批判に基づいて」『東洋史研究』59-3, 2000 ;「チベット, モンゴル, 滿洲の政治の場で共有された'佛教政治'思想について」(早稻田大學教育學部) 『學術研究―地理學·歷史學·社會科學編』48, 2000을 참조.

72)『열하일기』「班禪始末」條 : 本朝天聰時, 班禪越過大漠, 遣使來貢, 知東方之生聖人, 自是年年遣使入貢, 康熙時, 仁祖欲其入朝, 而未嘗來, 去年萬壽節, 自註, 卽今本年, 乃請入覲, 故優禮之.

위의 기록에 등장하는 인조仁祖는 건륭제를 말한다. 천총 때 들어온 티베트 불교의 사절은 구시칸이 파견한 사절을 말한다.

【북경 학자들의 증언 : 라마교에 대한 논의 불가】

연경으로 돌아온 뒤 날마다 유황포俞黃圃·진입재陳立齋 등 여러 사람들과 교유했다. 그들은 일찍이 한마디도 반선의 말을 하지 않았다. 내가 혹시 물어보면 번번이 말하기를, "그건 원나라, 명나라 때에 있었던 일이다"라고 했다. 또 "우리들은 자세히 알지 못한다"라고 말하면서 끝내 한마디도 하지 않았다. 어느 날 고태사高太史 역생棫生과 함께 단가루段家樓에서 술을 마시다가 고태사가 반선의 말을 바야흐로 꺼내려 하는데, 그 자리에 풍생馮生(馮秉健)이란 자가 있다가 눈짓을 하니 바로 그쳤다. 이것을 나는 심히 괴이하게 여겼다. 오래 있다가 산서山西에 사는 포의布衣가 일곱 가지 조목으로 상소했는데, 그 가운데 한 조목이 반선에 관한 것이라고 들었다. 그때 황제가 크게 노하여 '살을 벗겨 죽이라'고 했다고 한다. 우리나라의 많은 역부驛夫들이 이를 선무문宣武門 밖에서 보았다고 한다. 이로부터 감히 다시 반선의 말을 물어보지 못했으니, 비록 유황포·진입재처럼 서로 친한 사이에도 그러했고, 더구나 산서 포의 선비는 성명도 알아낼 수 없었다. 혹은 상소를 올린 자가 거인擧人 장자여張自如라고도 한다. 티베트의 시말은 대체적으로 왕효정의 이야기보다 자세한 것이 없었다. 술을 뿌려서 불을 껐다거나, 물결을 타고 강을 건넜다는 것과 같은 이야기는 모두 난파欒巴나 달마達摩의 지난 사적이므로 여기에 쓰지 않는다.[73]

위의 기록에 등장하는 난파欒巴는 후한 때의 도가道家로서, 자는 숙원叔元이

73) 『열하일기』「班禪始末」條 : 旣還燕, 日與俞黃圃陳立齋諸人游, 而諸人者, 未嘗一言及班禪, 卽余有所詢, 輒曰, 有元明間已例, 又曰, 吾輩所不能詳, 竟莫肯一言, 一日余與高太史棫生, 飮酒段家樓, 高太史言班禪事方發, 端座有馮生者, 目止之, 余甚怪之, 久之聞山西布衣, 有以七條上疏者, 其一盛論班禪, 帝大怒命剮之, 我東驛夫多見之宣武門外云, 自是不敢復詢班禪事, 雖相歡如俞陳兩生, 又不得山西布衣姓名, 或曰, 上疏者, 擧人張自如云, 西番始末, 大抵莫詳於王曉亭所言, 如洒茶滅火, 淩波渡河, 俱有欒巴達摩往蹟, 故不著於此.

다. 박지원의 기록은 당시 청나라의 라마교 정책을 보여주는 생생한 일례이다. 청조 황제들이 일관되게 라마교의 보호와 유지, 발전 정책을 편 것은 라마교를 이용해 몽골의 정세를 안정시키려는 것과 그것을 통해 몽골인들을 통치하는 것에 있다. 즉 몽골을 제어하는 데 목적이 있다.[74)]

사실 청나라의 역대 황제들은 만주족이 라마교를 믿는 것을 권장하지도 윤허하지도 않았다. 청나라의 황제 가운데 건륭제만이 라마교에 대한 존중과 황실의 라마교에 대한 신앙을 나타내고 있다. 그러나 이는 황제로서의 공식적인 입장이 아니라 그 개인의 종교적인 입장이었을 뿐이다. 건륭제는 북경에 동릉東陵 융복사隆福寺, 서릉西陵 보체사寶諦寺, 원명원圓明園 정각사正覺寺, 공덕사功德寺, 영복사永福寺, 승덕承德에 수상사殊象寺를 건립하여 만주의 라마사원으로 삼고 만주족 라마를 거주케 했다. 그러나 이 사원은 모두 몇 개에 불과하며 만주 라마승은 200명을 넘지 않았다.

【학성郝成과의 문답 : 라마교의 지위】

내가 지정과 말할 때 매양 동점東漸하는 교화와 사방에 퍼지는 문교文敎를 칭송하였으므로 그는 나와 더불어 말하기를 즐겨했다. 또 추생鄒生이 망발을 하였으므로 짐짓 장황스레 말을 늘어놓아 나로 하여금 청각을 흐리게 했던 것이다.[75)]

위의 기록에 등장하는 추생鄒生의 이름은 추사鄒舍로서, 산동도사山東都司인 학성郝成 등과 함께 박지원의 여행기에 몇 번 등장하는 인물이다.[76)]

74) 이러한 입장은 魏源, 『聖武記』「武事餘記」의 "以黃敎柔訓蒙古"라는 기록에서도 잘 나타난다. 참고로 청대의 라마교와 몽골족 통치에 대해서는 德勒格 編著, 『內蒙古喇嘛教史』, pp.130~172를 참조.

75) 『열하일기』「黃敎問答」: 余語志亭, 每頌東漸之化, 訖四之文敎, 是故樂與款語, 而鄒生有所妄發, 則故爲張皇, 以愚余聽也.

76) 박지원은 『열하일기』「傾蓋錄」조에서 이 인물에 대한 "추사는 산동 사람으로 거인이다. 왕혹정

3. 라마교의 교리

라마교의 교리에 대한 기록은 몽골, 만주, 한인학자들의 증언과 문답 형식으로 이루어져 있다. 특히 문답 부분은 정예 주자학자인 박지원의 라마교 교리 인식이 어떠한 것인가를 보여준다는 점에서 주목된다고 할 수 있다. 과연 조선의 주자학자는 라마교의 교리를 어떻게 재구성하고 있을까.

【열하에서 돌아오는 길에 나그네에게 물어 들은 라마교 교리】

돌아오는 길에 장성 아래에서 어느 손 하나를 만나 티베트의 일을 물었다. 손은 대답하기를 "티베트는 옛날 토번吐蕃 땅으로 장교藏敎를 숭상하고 있다. 또한 황교黃敎라고도 부른다. (황교란) 본래 그 나라의 습속에서 나온 것이며, 중의 명칭(라마)도 별도로 세운 것은 아니다. 그러나 중국인들은 그것을 중이라고 부르는데, 실상 불교와는 판이하게 다른 것이다"고 했다.77)

위의 기록에 등장하는 장교藏敎와 황교黃敎는 내용상 동일한 종교, 즉 티베트 불교를 지칭하는 것으로 보인다. 박지원이 만난 객이 누군지는 알 수 없지만, 한어를 구사하는 만주인이나 몽골인일 가능성이 높다. 박지원은 이곳에서 라마교가 조선이나 중원의 불교와는 계통과 이념이 다른 종교라는 것을 확인하고 있음이 분명하다.

과 태학에서 수양하는 중이다. 그때 연경에서 모임이 있어서 이곳에 머물던 선비 70명이 모두 그곳으로 떠나고, 다만 이 왕·추 둘만 잔류하였다. 그의 사람됨이 몹시 강개하여 시휘를 피하지 않을뿐더러, 얼굴이 괴이하고 행동이 거세었으므로 남들은 그를 광생이라 지목하여 싫어하는 이가 많았다(鄒舍是山東人也, 擧人與王鵠汀, 藏修太學中, 時皇京有重會, 藏修之士七十人, 盡赴京師, 而獨王鄒兩生未赴也, 爲人多慷慨, 不避忌諱, 形貌古怪, 擧止麤厲, 人皆目之以狂生, 多厭之者."라는 기록을 남기고 있다.

77) 『열하일기』「班禪始末」條 : 還入塞時, 與一客語長城下, 詢西番事, 客對曰, 西番故吐蕃地也, 奉藏敎, 亦名黃敎, 本自其國俗然也, 非另立僧名, 而中國人謂之僧, 其實大異佛敎.

【왕성王晟의 교리 증언 : 활불의 칭호】

그가 말하기를 "파사팔을 비롯하여 중국에 들어온 자 가운데 어진 자도 있고 그렇지 않은 자도 있는데, 활불이란 칭호는 없었다. 활불이란 칭호는 명나라 중기부터 시작되었다. 비록 그를 승왕僧王이라 불렀지만, 모두 처자를 거느려 그 아들로 대를 잇게 했다. 그들의 처는 중국으로부터 봉함을 받으려고 특별히 요청한 일이 없었다. 중국의 예우가 이르지 않는 곳이 없음에도 이것만을 특별히 언급하지 않은 것은 대개 그 왕들이 모두 중이기 때문이다.[78]

티베트 불교에서 활불의 전세 전통을 지닌 파는 까귀빠bka' brgyud-pa의 일파인 흑모계黑帽系(zhva-nag-pa) 까르마빠Karma-pa와 적모계赤帽系(zhva-dmar-pa) 까르마빠, 쫑카빠가 창시한 겔룩빠이다. 왕성의 증언에 나오는 활불의 계파는 명나라 중기 운운으로 미루어 겔룩빠를 말하는 것이 분명하다.

【왕성王晟의 교리 증언 : 티베트 활불의 계승법】

오직 오사장 법승들은 서로 왕과 땅을 이어받았다. 명나라 중기 이후 오랫동안 중국에서 봉호를 받는 번거로움이 없었다. 항상 대법왕大法王·소법왕小法王이 있어, 대법왕이 죽을 때 소법왕에게 "아무 곳 아무개의 집에 아이가 태어날 때 이상한 향기가 날 것이니, 그것이 곧 나다"라고 말한다. 대법왕이 죽은 뒤 아무 곳에서 정말 아이가 태어난다. 그러면 아이의 살에서 과연 향기가 나는가 알아본 뒤 즉시 의장을 꾸민다. 보배로운 일산과 구슬 늘인 양산, 옥가마·금수레를 갖추고 가서 그 아이를 수건에 싸서 맞아 오는데, 이것은 파사팔이 향기로운 수건에 감축되어 태어났기 때문이다. 그리고 그 아이를 길러서 소법왕으로 삼고, 전에 있던 소법왕은 대법왕으로 삼는다. 지금의 반선인 대보법왕은 이미 14세째 환생한 법왕이며, 원나라·명나라 사이에 있었던 신승들은 모두 그의 전신

---

78) 『열하일기』「班禪始末」條 : 自巴思八入中國者, 或賢或否, 而未有號活佛, 活佛之稱, 始於中明, 雖名僧王, 皆有妻子, 以子爲嗣, 特未嘗要妻誥封於中國, 中國禮遇, 雖無所不至, 而特不及此, 蓋爲其王皆僧也.

이다.[79]

위의 기록에 등장하는 대법왕, 소법왕이란 달라이라마와 판첸라마를 가리킨다. 당시 판첸라마는 제6세 판첸라마인 로상-뻴덴-예쉐blo-bzang dpal-ldan ye-shes(1738~1780)이다. 그는 후장後藏 출신으로 1738년 7월 3일에 로장예세 blo-bzang ye-shes(1663~1737)의 전세로 인정되었다.[80]

【경순미敬旬彌와의 문답 : 라마교의 교리 기술】

대개 그 교에서 이름은 중이라 했지만 실제는 도교이다. 주술로 기운을 살피는 것이 도가와 비슷하지만, 그 문서의 넓고 깊음과 큼은 도가를 넘고 있다. … (경순미는) 또 말하기를 "중의 이름으로 도가의 설을 말한다. 즉 이러한 것이 그러한 설이다"라고 했다. 그러나 그 말이 아주 분명하지 못하기에, 내가 "왕성王晟의 말과 아주 다른 점이 많다. 왕성이 말하기를 '명나라 중엽에 특이한 중이 있어 종객파라고 하며, 그 맏제자는 달뢰라마이고 다음은 반선액이덕니'라고 했다. 또 말하기를 '천총 때 반선이 큰 사막을 넘어 조공하러 왔다'고 했다. 천총은 명나라 중엽으로부터 1백여 년이나 떨어져 있으며, 천총은 또 지금으로부터 1백여 년 전이다. 한 사람이 지금까지 살아온 것인가, 아니면 4세째 환생해서 한 이름을 답습한 것인가. 그리고 이른바 호도극도胡圖克圖라는 자는 또 누구의 제자인가"라고 물었다. 그리고 또 "국왕의 스승으로서 선리禪理를 잘 말하는 자는 누구를 가리킨 것인가"라고 물었다. 그러나 (경)순미는 모두 대답하지 않고

79) 『열하일기』「班禪始末」條 : 獨烏斯藏法僧, 相繼自王其地, 自中明以後, 久不煩中國封號, 常有大小二法王, 大法王死時, 囑其小法王, 某地某人家兒生, 有異香, 卽我也, 大法王已死, 而某地所囑兒, 亦已生矣, 驗兒肌膚果香, 卽具幡幢寶蓋, 珠纖玉轝金輦, 往迎兒, 以尺帕裹至, 以巴思八感香帕而生故也, 遂儲養爲小法王前, 小王爲大法王, 卽今班禪, 乃其大寶法王, 已十四世投胎, 元明間所有神僧, 皆其前身.

80) 釋·妙丹, 『蒙藏佛教史』, 揚州, 1993, p.163. 『몽골불교사』에도 그의 출생과 전세에 대한 "11월 11일 태양이 뜰 무렵에 태어났는데, 그때 오색 무지개가 방 안에 들어왔다고 한다. 2개월이 되었을 때 합장을 했고, 7개월이 되었을 때 옴마니를 말했으며, 8개월이 되자 게송(偈頌)을 읊을 정도였다고 한다. 그는 판첸라마의 초상을 보자 '이것이 바로 나다'라고 말했다고 한다(固始噶蔡居巴·洛桑澤培 著, 陳慶英 및 烏力吉 譯注, 『蒙古佛教史』, 天津, 1991, p.95)."라는 기록이 수록되어 있는데, 출생 날짜의 차이는 몽골과 티베트 역법의 차이에 기인한다.

마침내 딴 이야기를 했다.[81]

위의 기록은 몽골인 경순미의 라마교 인식을 보여주는 부분이다. 그는 라마교를 도교의 일파로 보는 등 양자의 구분이 매우 모호함을 보여주고 있는데, 이는 대몽골제국 이래 전형적인 몽골인들의 외래 종교에 대한 인식이라고 할 수 있다. 실제 대몽골제국 때부터 몽골인들은 외래 종교를 그들의 기저사상인 샤마니즘에 바탕을 두고 이해하려는 경향이 강하다.[82] 심지어 청대에 있어서도 티베트 불교의 종파를 구분하지 못하고 있는 경우가 많다.

【학성郝成과의 문답 : 라마란 무슨 뜻이며 누가 되는가】

또 "이른바 라마란 무슨 종족인가. 이것도 몽골의 별부인가"라고 물었다. 지정은 "아니다. 라마란 티베트에서 도덕道德을 가리키는 말로, 이른바 라마라 하면 모두 중을 말한다. 지금 몽골 사람들이 중이 되면 모두 라마 복장을 입는다. 북경의 옹화궁雄和宮에 있는 중들은 모두 라마라고 부른다. 만주인이나 한인들도 라마승이 되는 자가 많은데, 이는 의식이 풍족하기 때문이다.[83]

【학성郝成과의 문답 : 판첸라마의 계보】

활불이란 곧 장리대보법왕藏理大寶法王이다. 이전의 명나라 때부터 양삼보楊三寶와 중 지광智光·오향吾鄉·하객霞客 등이 서역의 불교국을 두루 편력했다.

81) 『열하일기』「班禪始末」條：大約其敎僧名而道家實也, 其觀想運氣持咒, 與道家相類, 而其書之博深夸大, 亦過道家…又曰, 僧名道實之說, 卽此其爲說, 頗不分明, 與王晟所言, 大有異同, 其言曰, 明之中葉, 有異僧曰宗喀巴, 其弟子長曰達賴喇嘛, 次曰班禪額尒德尼, 又曰天聰時, 班禪越過大漠來貢, 天聰距中明可百餘年, 今距天聰又百餘年, 以一人而常住至今耶, 抑投胎四世而常襲其一名耶, 所謂胡圖克圖者, 又誰弟子也, 余又詢國王之師, 善言禪理者, 又指誰也, 旬彌皆不對, 竟爲他語也.

82) 대몽골제국의 종교 정책과 외래 종교의 인식에 대해서는 졸고, 「A Study on the Religion policy of Yeke Monggol Ulus」, International Leadership Conference, Ulaanbaatar, Mongolia, September 7-11, 2008 및 「대몽골제국의 국교 Möngke Tenggeri에 대하여-샤마니즘의 세계종교화」『第1次 仙&道 국제학술대회 발표집(III)』, 서울, 2009를 참조.

83) 『열하일기』「黃敎問答」：又問, 所謂喇嘛, 何種, 皆蒙古別部耶, 志亭曰, 否也, 喇嘛, 西番道德之稱, 所謂喇嘛者, 皆僧也, 目今蒙古爲僧, 則皆喇嘛服, 京裡雍和宮所居僧, 皆稱喇嘛, 滿漢人投喇嘛爲僧者多矣, 以其衣食裕厚.

> 오사장烏斯藏은 중국에서 1만여 리나 떨어져 있다. 이 나라에는 대보법왕大寶法王과 소보법왕小寶法王이 있는데, 서로 번갈아 환생한다. 모두 도법을 갖추고 있어 태어날 때부터 신성하다. 지금의 활불은 곧 옛날 원나라 때 서천西天 지역 부처의 아들인 대원제사大元帝師이다.[84]

위의 기록에 등장하는 대보법왕, 소보법왕이란 달라이라마와 판첸라마를 가리킨다. 장리대보법왕藏理大寶法王의 장리藏理는 장위藏衛(烏斯藏), 즉 오늘날의 티베트 지역을 말하는 것으로 보이지만 확신할 수는 없다. 대원제사大元帝師는 팍빠를 말한다.

【추사鄒舍와의 문답 : 추사가 경순미의 말에 긍정하다】

> "중국의 선禪과 불교(釋)는 이미 그 본지와 어그러져 있다. 앙루仰漏가 이른바 이름은 중이지만 실상은 도사라는 말이 바로 이것을 말한다"고 한다. 앙루란 이는 몽골인 경순미의 자이다. 나와 더불어 이야기할 때에 중 이름으로 도사 노릇을 한다는 말을 하였기에 나는 이를 지정에게 말하였다. 지금 한 말은 아마 지정이 (그것을) 외워서 (추사에게) 말한 모양이다.[85]

추사鄒舍는 앞에서도 언급한 바 있듯이 미친 선생(狂生)이라 불릴 정도로 사람됨이 몹시 강개하여 시휘時諱를 피하지 않는 인물이다. 이 인물 역시 불교에 대해서는 그다지 호감을 가지고 있지 않는 유학자임을 알 수 있다. 그러나 라마교에 대해서는 그다지 인식이 없는 인물로 나타나는데, 이는 청나라의 통치자들이 한인 지식인의 라마교 접근이나 비판을 철저하게 봉쇄했기 때문

84) 『열하일기』「黃敎問答」: 活佛乃藏理大寶法王, 自前明時, 楊三寶, 僧智光, 吾鄉, 霞客諸人, 遍行西域諸佛國, 烏斯藏去中國萬餘里, 有大寶法王, 小寶法王, 投胎奪舍, 遞相輪換, 俱有道法, 生卽神聖, 卽今活佛, 乃古元時西天佛子, 大元帝師.

85) 『열하일기』「黃敎問答」: 中國禪釋, 已乖本旨, 仰漏所謂僧名道實之言是也, 仰漏者, 蒙古人, 敬旬彌字, 與余言, 有僧名道實之論, 前此余言之志亭, 此刻語次, 志亭似誦之也.

이기도 하다.

【파로회회도破老回回圖와의 문답 : 파로회회도의 종교관】

어느 날 대궐 밖에서 혼자 걸어 돌아오는 길에 우연히 한 누각에 들렀다. 거기에 한 사람이 혼자 밥을 먹다가 나를 보고는 젓가락을 놓고 옛 친구를 만난 듯이 의자에서 일어나 손을 맞잡으면서 자기 의자에 앉기를 청했다. 그리고 딴 의자를 끌어 마주 앉아 각각 성명을 써 보였다. 그의 이름을 보니 파로회회도였다. 자는 부재孚齋이고 호는 화정華亭으로, 지금 강관講官의 직책에 있다. 나는 그가 만주 사람인 줄 알고 물었더니 몽골 사람이었다. 종이를 만져 글씨를 빠르게 쓰는데, 필법이 매우 민첩하고 정교했다. 내가 "그대는 박명博明을 아는가"라고 물었다. 그는 "내 아우나 다름없다"라고 했다. 내가 "반정균潘庭筠을 아는가"라고 물었다. 그는 "일찍이 무영전武英殿에서 한 번 본 일이 있다"고 말했다. 박명은 박식한데다가 글씨를 잘 써 나는 수십 년 동안 그의 필적을 많이 보았다. 그가 같은 몽골 사람이기에 물어 본 것이다. 또 그가 현재 강관의 직책에 있다기에 반의 소식을 물어 그가 사는 집이 어딘지를 알고자 했다. 그러나 반과는 그다지 친하지 않은 듯했다. 내가 "세상에는 세 가지 교가 있는데, 귀국에서는 무슨 교를 가장 숭상하는가"라고 물었다. 부재孚齋는 "어찌 중국 같은 큰 나라에 세 가지 교만 있겠는가. 그 도를 행하는 자들은 모두 교라고 부를 수 있다"고 말했다. 내가 "귀국이란 몽골이다. 중국을 말한 것이 아니다"라고 말하자, 부재는 "저는 중화中華에서 자라나 사막을 알지 못한다. 그러나 그곳 역시 대국의 한 지역이니, 마땅히 우리 도가 성할 것이다. 귀국에서는 무릇 몇 개의 교가 있는가"라고 물었다. 나는 "유교가 있을 뿐이다"라고 말했다. 부재는 "인생에서 유교가 아닌 것이 어디 있는가. 유교라 부르는 것 자체가 유교를 구류九流의 반열에 물러나게 하는 것이다. 유교처럼 광대한 것을 3교라는 협소한 것에 집어넣어 유儒 자 하나로 끝을 맺는다는 것 자체가 도리어 이단을 조장하는 것이다"라고 했다.86)

위의 기록에 등장하는 파로회회도破老回回圖는 강희 황제의 외손이다. 그는 스스로도 말했듯이 중원에서 자란 몽골 귀족이다. 그러나 그의 종교 인식은 같은 몽골인인 경순미와 큰 차이를 보이지 않는다. 마치 그의 문답은 유학을 샤마니즘처럼 인식하고 있다는 느낌을 받을 정도이다. 실제 대몽골제국이나 대원올로스 때의 몽골인들은 샤마니즘을 기저 사상으로 두고 그 속에 모든 종교를 배치했다. 파로회회도의 "도를 행하는 자들은 모두 교라 부를 수 있으며 존숭 받아야 한다"라는 말은 몽골의 전통적인 종교 포용론을 이은 것으로 볼 수 있다. 몽골인들의 사상기저를 이루는 종교 포용론은 칭기스칸의 예케-자사크Yeke Jasag(대법령)에 가장 잘 나타나는데, 그것을 소개하면 다음과 같다.

제 11 조 : 모든 종교를 차별 없이 존중해야 한다. 종교란 신의 뜻을 받드는 면에서 모두 같다.

제 16 조 : 만물은 어떠한 것도 부정하다고 말하면 안 된다. 만물은 애초부터 모두 청정淸淨하며 깨끗한 것과 부정함의 구별이 존재하지 않는다.

제 17 조 : 모든 종교의 종파에 대해 좋거나 싫은 점을 나타내거나 과대 포장하지 말고 경칭도 사용하지 말라. 또 대칸을 비롯한 그 누구에게도 경칭 대신 이름을 불러라.

제 30 조 : 거짓말, 절도, 간통을 금하며 이웃을 자신처럼 사랑해야 한다. 몽골 사람들은 서로 다투지 말고 법도 위반하지 말라. 서로 힘을 합쳐 정복한 국가 및 도시를 지켜라. 몽골 사람들은 신을 받드는 성전의 조세를 면제하고, 또 성전

86)『열하일기』「黃敎問答」: 一日自闕下獨步歸偶, 登一樓, 樓上獨有一人方飯, 見余捨箸, 如逢舊識, 降椅笑迎, 握手請坐其椅, 自拖他椅對坐, 各書姓名, 及見其名, 乃破老回回圖, 字孚齋, 號華亭, 職居講官, 意其爲滿洲人, 問之則乃蒙古也, 觀其操紙疾書, 筆法精敏, 余問君知博明乎, 曰, 與弟一樣, 知潘庭筠乎, 曰, 曾一晤武英殿矣, 博明, 博識工書, 余數十年來, 多見其筆跡, 爲其同是蒙古故問之, 且彼云職居講官, 故問潘消息, 欲知其家住何坊, 似未相親矣, 余問世有三敎, 貴國最崇何敎, 孚齋曰, 豈以中國之大, 而獨有三敎, 行其道者, 皆得稱敎, 余曰, 貴國是蒙古, 非中國之謂也, 孚齋曰, 弟生長中華, 不識沙漠, 然彼亦大國之餘, 吾道宜盛, 貴國凡有幾敎, 余曰, 只有儒敎, 孚齋曰, 人生何莫非儒也, 稱儒則已退居九流之列, 以吾道之廣大無外, 反自狹小於三敎之中, 以一儒字磨勘, 滋所以長異端也.

및 그것에 봉사하는 성직자들을 우러러보도록 하라.

【파로회회도破老回回圖와의 문답 : 위구르의 종교와 종교 포용론】

때마침 회부回部 사람 몇이 와서 술을 마시고 있었다. 내가 "저들도 티베트의 부락 사람인가"라고 물었다. 그는 "아니다. 회부는 당나라 때의 회흘回紇이다. 당나라에 공을 세우기도 했으나 역시 중국의 큰 걱정거리도 되었다. 회골回鶻이라고도 부른다. 오대五代 때에는 서쪽으로 돌궐을 침략해 한나라의 서역 고지를 차지하였다. 그들은 이른바 청진교清眞教를 믿는데, 이 역시 이단 중의 한 교이다. 하늘과 땅 사이에는 다만 우리 도만 있을 뿐이다. 우리 도의 한 부분을 얻어 스스로 한 교를 이루었다. 우리 도를 배운 사람들은 바로 우리 도라고 불러야지 유교라고 말하는 것은 불가하다"라고 했다. …(박지원의 유학 설명)… 부재는 "그런 것을 말한 것이 아니다. 세상의 유학자들은 이단이 우리 도의 한 부분인 것을 모르고 분분하게 그것을 배격한다. 그래서 그들도 머리를 쳐들어 우리 도와 대치한다. 양楊·묵墨이나 노老·장莊 등의 말은 모두 우리 도에 있는 것이다. 불교의 인과설因果說은 우리 도에서 가장 깊이 배척하는 것이지만, 실제 우리 도에서 먼저 말한 것이다"라고 했다.[87]

위의 기록에 등장하는 회부回部는 신강 위구르인을 지칭하는 것으로, 회흘回紇은 위구르Uigur제국이다. 위구르제국은 한어 표기인 회흘回紇을 자신들의 토템 중의 하나인 송골매를 넣어 회골回鶻로 표기하기도 한다.[88] 청진교清眞教

87) 『열하일기』「黃教問答」: 方有回子數人來飮, 余問彼亦西番部落耶, 曰, 否也, 回子, 卽唐時回紇, 有功於唐, 亦大爲中國患, 亦名回鶻, 五代時, 西侵突厥, 遂據漢西域故地, 行其所謂清眞教, 是亦異端中一教也, 天地間, 只有吾道而已, 得吾道之一端者, 自爲一教, 吾人之學道者, 直日吾道而已矣, 不可名儒教…孚齋日, 非謂其然也, 世儒不知異端, 卽吾道中一事, 紛紛然排擊之, 彼始昂然擧頭, 與吾道對峙矣, 楊墨老莊之言, 皆吾道所有, 至於佛氏因果之說, 吾道之所深斥, 而其實吾道先言之矣.

88) 참고로 북방 민족이 자신들의 국명을 한자로 음역할 때 동물을 삽입시킨 예가 여러 번 발견된다. 위구르가 자신들의 국명을 한자로 음역할 때 송골매를 삽입시킨 이유는 "元和四年(809년), 藹德曷里祿沒弭施合密毘伽可汗, 遣使改爲迴鶻, 義取迴旋輕捷如鶻也."(『舊唐書』「迴紇傳」)이나 "貞元元年(789년)七月, 公主至衙帳, 廻紇使李義進請因咸安公主下降, 改紇字爲鶻字,

는 이슬람교의 한어 표기이며, 양楊은 양자楊子, 묵墨은 묵자墨子, 노老는 노자老子, 장莊은 장자莊子를 말한다. 파로회회도의 종교 포용론은 그의 지위로 미루어, 아마 당시 몽골이나 청나라의 지도층이 가진 종교관을 대표해 준다고도 할 수 있다.

【파로회회도破老回回圖와의 문답 : 인과因果와 윤회輪回】

내가 "인과란 윤회가 아닌가"라고 물었다. 그는 "아니다. 인과란 단지 일로 인해 공이 생기는 것에 불과하다. 비유하면 밭을 갈고 씨를 뿌리는 것이 원인이 되고, 거기서 나는 싹이 결과가 되는 것이다. 밭을 매는 것이 원인이라면, 수확하는 것은 결과가 되는 것이다. 나무를 심는 것도 역시 그러하니, 꽃은 원인이 되고 열매는 결과가 되는 것이다. 은혜를 베풀면 길하고, 역리를 따르면 흉해지는 것과 같은 말이다. 이것이 우리 도의 인과이다. 은혜와 역리는 원인이며, 길하고 흉한 것은 결과이다. 길흉을 믿을 수 없다고 말하는 자들도 그림자와 소리처럼 베풀고 그것을 좇는 사이에 부응하는 영험이 아주 빠르게 나타난다고 말한다. 이것은 선행을 쌓는 집에는 반드시 경사가 있고, 불의를 쌓는 집에는 반드시 재앙이 있다는 것과 같으니, 이것이 바로 우리 도의 인과이다. 재앙과 경사를 믿을 수 없다고 말하는 자도 반드시 남음이 있다고 하는데, 이 반드시 남는 것을 본 자가 누구냐는 점이다. 불교를 믿는 자도 처음에 인과를 말할 때 지극히 고명했다. 그러나 우리 도에서 좋고 나쁜 일에는 반드시 응보의 자취가 있다는 것을 보고는 윤회설로 바꿨다. 그럼에도 실제 우리 도에서는 그것을 비난하고 있다. 착한 일을 하면 백 가지 상서로운 것이 내려지고, 나쁜 일을 하면 백 가지 재앙이 내린다는 말도 우리 도의 인과설이다. 그렇다면 그것을 내리는 자는 누구일까. 태서泰西 사람들은 경건하고 독실하지만, 불교의 공박에 힘을 기울이고 있다. 그리고 천당·지옥의 설을 말하고 있다. 그들은 우리 도에서

蓋欲誇國俗俊健如鶻也, 德宗允其奏, 自是改爲廻鶻."(『唐會要』 卷98)처럼 송골매가 날쌔다는 것 때문으로 나타난다. 위구르를 포함한 북방 민족의 국명 중 토템을 집어넣은 사례에 대해서는 졸저, 『유라시아 초원제국의 샤마니즘』, pp.128~134를 참조.

한 마음으로 월越을 대한다는 말을 듣고 임했느니 보살피느니 보았느니 들었느니 라고 말하면서 분명히 주재主宰하는 것이 있다고 한다. 그러나 이것은 재앙과 상서를 내린다는 내릴 강降 자를 가지고 스스로 얽어맨 것이다. 무릇 불가에서는 절대로 윤회설이 없었다. 그런데 중원 사람들이 불경을 번역할 때 말이 다르고 글자가 특이해 형용하기 어려웠기 때문에, 보응과 윤회의 설로 번역하고 그 위에 인과설을 덧붙였던 것이다. 후세에 선禪을 설교하는 자들이 인과설을 말하는 것을 부끄럽게 생각해 이를 불교의 찌꺼기로 여겼으니, 이는 가히 살피지 않을 수 없는 것이다"라고 했다.[89]

위의 기록에 등장하는 표현 가운데 "은혜를 베풀면 길하고, 역리를 따르면 흉해지는 것"은 『서경書經』에 나오는 말이며, "선행을 쌓는 집에는 반드시 경사가 있고, 불의를 쌓는 집에는 반드시 재앙이 있다"는 것은 『역경易經』에 나오는 말이다. 태서泰西란 유럽을 말한다.

【파로회회도破老回回圖와의 문답 : 법왕과 윤회輪回】

내가 "지금 법왕이 남의 몸에 태어난다고 말하는 법은 윤회의 증거가 아닌가"라고 물었다. 부재가 "아니다. 남의 몸에 태어난다는 것은 윤회가 아니다. 이른바 윤회설이란 맹수가 홀연히 불성佛性을 품게 되면 다음 대에 보답을 받아 반드시 착한 사람으로 태어난다는 것이다. 오늘의 중생 가운데 짐승과 같은 행실을 하는 자가 있으면 후생에 나쁜 업보를 받아 반드시 짐승으로 태어난다는 것이다.

89) 『열하일기』「黃敎問答」: 余問因果非輪回耶, 曰, 非也, 因果只是緣此事有此功, 譬如耕田, 種者爲因, 生者爲果, 耘者爲因, 穫者爲果, 種樹亦然, 其華者爲因, 實者爲果, 如曰惠廸吉, 從逆凶, 乃吾道之因果也, 其廸逆因也, 吉凶果也, 言吉凶之不足, 曰猶影響, 惠從之間, 其孚應之驗, 若斯其捷也, 如曰積善之家, 必有餘慶, 積不善之家, 必有餘殃, 此吾道之因果也, 言殃慶之不足, 曰必有餘, 見此必有者, 誰也, 爲佛者初言因果, 則極高明矣, 觀於吾道報應有跡, 乃爲輪回之說以實之, 實吾道病之也, 如曰作之善, 降之百祥, 作不善, 降之百殃, 此吾道之因果也, 第其降之者誰也, 泰西人居敬甚篤, 攻佛尤力, 而猶爲堂獄之說, 彼見吾道之一心對越, 曰臨曰監曰視曰聽, 明有主宰, 則得一降殃祥之降字以自囿也, 大約佛家並無輪回說, 中原人飜經時, 言殊文異, 難以形容, 則繹爲報應輪回之說, 並與因果而累之, 後世禪說者, 且恥言因果, 以爲佛氏之糟粕, 此不可不察也.

이것은 비유하는 말에 불과한 것으로, 조잡하고 어리석고 천박한 말이다. 『시경』에 이르기를, '효자는 끊어지지 아니하여 너와 같은 무리를 길이길이 주시리라'라고 하였다. 윤회설의 증거는 본래 이러한 것이다. 법왕이 남의 몸에 태어난다고 말하는 것은 때 묻고 더러운 옷을 갈아입듯이 자기 몸을 바꾸어 버리는 것이다"라고 했다.[90]

【파로회회도破老回回圖와의 문답 : 활불의 길】

내가 "참으로 이러한 이치가 있는 것인가"라고 물었다. 부재는 "그가 주문으로 기운을 움직이는 술법은 도가의 것과 유사하나, 실상은 선가禪家에서 말하는 마선魔禪이다. 대체로 이런 일은 있을 법도 하고 없을 법도 해서, 제 자신이 중이 되어 보지 않고서야 참과 거짓을 어찌 능히 알겠는가. 옛날 내가 진남鎭南에 있을 적에 공무의 쉬는 틈을 타서 이 사실을 지금의 태학사太學士인 아계阿桂에게 '티베트 땅에 들어가 본 자들이 지혜가 부족해서 이렇게밖에 알지 못하는 모양인데, 장군은 명철한 분이니 그 일이 필경 어떻게 되는 것인가'라고 물은 적이 있다. 공이 대답하기를 '그 사실이 실재하느냐 아니냐를 반드시 물어볼 것이 못 된다. 만일 우리 집안에서 아주 총명한 자식 하나가 태어났다고 하자. 네댓 살 때부터 세상일을 조금도 알리지 않은 채 날마다 늙은 선사와 탁월한 유학자가 그 옆에서 오직 성현의 말로 그 마음을 씻어 준다. 자란 뒤에는 또 먹고 입는 걱정이 없기 때문에 금옥과 비단 같이 인간이 가지고 싶은 물건들이 눈에 띄어도 마음에 두지 않도록 가르친다. 그를 신명神明과 같이 공경하고 날마다 오직 도를 향하여 나가도록 하면 어찌 성현이 되지 않겠는가. 이러한 사람들은 어릴 때부터 늙은 중이 키우면서 날마다 설법을 통해 깨우침의 공력을 만들어가는 것이다. 즉 그를 독려하여 존경의 극치가 되도록 공력을 만드는 것이다. 어릴 때부터 어른이 될 때까지 세상의 법으로 그 마음을 감싸지 않게

90) 『열하일기』「黃敎問答」: 余日目今法王投胎奪舍之法, 非輪回之證耶, 孚齋日, 否也, 投胎奪舍者, 非輪回也, 所謂輪回者, 卽此有猛獸忽懷佛性, 異日嘉應, 必爲善人, 今日衆生, 乃有禽行, 他生惡報, 當爲業畜, 不過譬說麤鹵淺近耳, 詩云, 孝子不匱, 永錫爾類, 輪回之證, 本自如此, 至若法王奪舍, 乃轉身換骨, 如今衣裘垢弊, 更換他服.

한다면 어찌 부처가 되지 않겠는가'라 하였다"고 했다.[91]

위의 기록에 등장하는 아계阿桂(1717~1797)는 이미 앞에서도 언급한 바 있듯이 만주인이다. 아계의 말은 사실 파로회회도의 말과 거의 차이가 없다. 이것이 바로 당시의 만몽 통치자들이 지녔던 종교관이라고 할 수 있다. 청조의 라마교 정책은 이러한 종교 포용론적인 사상 기조를 바탕에 두고 추진되었다고 해도 과언이 아니다.

【윤가전尹嘉銓과의 문답 : 라마교란 무엇인가】

내가 "법왕의 법술을 무슨 도라고 하는가"라고 물었다. 형산은 "이른바 황교라고 한다"라고 말했다. 내가 "황교란 황노黃老의 도를 말하는 것인가. 아니면 황백黃白 비승飛昇의 법술을 말하는 것인가"라고 물었다. 형산은 "천지 사이에는 별스런 세상과 별스런 사람도 있어 이름 없는 것을 귀하게 여기는 도도 있다. 맑고 참되고 편안하고 즐거운 것이 삶이라면, 때를 맞추어 돌아가는 것이 죽음이다. 삶에 즐거움이 없고 죽음에 슬픔이 없이 번갈아 가며 환생해서 만겁萬劫을 겪어도 변하지 않는다. 벼슬도 즐기지 않는다. 그 배움은 죽음과 같고 죽음은 깨달음과 같아, 혼돈만이 존재하며 법천法天은 말이 없다. 전쟁이나 살생을 좋아하지 않으며, 이 세상을 꿈처럼 여긴다. 모든 사물을 요망된 것이며, 언어는 거짓되고 망령된 것이다. 세상에 존재하는 것은 모두 허망한 것이며, 사랑이나 그리움은 장애일 뿐이다. 부처도 아니고 선술禪術도 아니다. 생각도 걱정도 없으니 이야말로 천지 사이에 별다른 세계요, 일종의 별다른 학문이다. 이는 옛날의 지인至人이나 신인神人들의 도로서, 자기 자신도 없고 공리功利도 모르는 학문

91) 『열하일기』「黃教問答」: 余問眞有是理否, 孚齋曰, 其持咒運氣之術, 似涉道家, 而其實禪家所稱魔禪爾, 大約此事在若有若無之間, 旣不身自爲僧, 安能知其眞僞, 昔在滇南公暇時, 嘗以此事問於今太學士阿公桂曰, 所見人藏地者, 智不足以知此, 將軍明哲人也, 其事究竟如何, 公曰, 不必問此事實有實無, 設如我輩家, 生一極聰明之子, 自四五歲時, 不令知一毫世事, 日使老師宿儒不離於座, 惟以聖賢之言, 灌漑其心, 卽長而又衣食無憂, 金玉錦繡, 人間可欲之物, 過目不使留, 敬之如神明, 日起惟知向道, 安得不爲聖爲賢, 此輩甚幼, 維令老僧育之, 日說法知作功矣, 卽使督作功尊敬之極, 自幼至長, 不以世法嬰其心, 亦安得不爲佛乎.

이다. 자휴子休가 말한 신응神凝, 즉 백성은 병에 걸리지 않고 해마다 풍년이 든다는 것이나, 요堯가 고산姑山·분수汾水를 보면서 망연히 천하를 잊어버렸다고 한 것이 바로 이 도와 같은 것이다.[92]

위의 기록에 등장하는 황노黃老는 한나라 경제景帝(B.C. 156~141) 때 두태후竇太后의 지지 속에 크게 유행한 도가의 한 학파이다.[93] 자휴子休는 장자莊子의 별호別號이다. 장자의 본명은 장주莊周(B.C. 369?~B.C. 286)로 송宋나라의 몽파蒙巴(오늘날 하남성 상구현) 사람이다. 위의 증언을 해준 윤가전은 건륭제의 시 벗일 정도로 문학에 재능이 있고 박학다식한 학자로서, 박지원이 매우 호감을 가진 인물의 하나이다.[94]

---

92) 『열하일기』「黃敎問答」: 余問法王法術, 是名何道, 亨山曰, 所謂黃敎, 余曰, 黃敎乃黃老之道耶, 抑亦黃白飛昇之術耶, 亨山曰, 天地間別界別人其道貴無名, 淸眞安樂其生也, 順時歸化其死也, 其生無樂, 其死無怛, 遞相投轉, 萬刦不壞, 不樂爲㑂牧, 其知如寐, 其寐如覺, 昏昏屯屯, 法天無言, 不喜兵殺, 夢幻此世, 以事物爲妖妄, 以言語爲邪佞, 以成住爲虛誕, 以愛慕爲障礙, 非釋非禪, 無思無慮, 是所謂天地間別部世界, 一別種學問, 古之至人神人之道, 無己無功之學, 子休所謂其神凝, 則民不疵癘而年穀登, 堯觀於姑山汾水, 而窅然自喪其天下者, 卽如是道也.

93) 黃老道에 대해서는 金晟煥, 『黃老道探』, 北京, 2008을 참조.

94) 박지원은 『열하일기』「傾蓋錄」조에서 이 인물에 대한 "윤가전은 직례 박야 사람으로, 박야는 옛 조나라의 땅이다. 그의 호는 형산이고, 통봉대부 대리시경으로 치사하였으니, 이때 나이는 일흔이다. 올해 봄에 글을 올려 물러가기를 청하매, 황제가 특히 2품의 관모와 의복을 하사하여 총애하였다. 그는 시와 글씨, 그림에 조예가 깊은데, 그의 시는 정성시산 중에 많이 실려 있다. 그는 『대청회전』을 편찬할 때 한림 편수관으로 있었다. 또 황제와 동갑이라 더욱 총애를 입었다. 특명을 받아 행재소에 왔을 때 희대에서 악곡을 듣고 구여송을 지어 바치매, 황제가 크게 기뻐하여 81종의 극본 가운데 가장 먼저 이 구여송을 연출하였다. 그는 황제의 시 벗이라 한다. 나에게 구여송 한 본을 주었는데 이미 간행된 것이다. 그는 어느 날 상자에서 부채 하나를 꺼내 그 자리에서 괴석과 총죽, 그리고 그 위에 5절시를 써서 내게 주고는, 이어서 주련 한 쌍을 써 주었다. 또 어느 날 그는 양 한 마리를 쪄 놓고 왕거인과 나를 초청하여 함께 먹게 하고, 그밖에도 온갖 엿과 과실들을 섞어 내왔다. 이는 특히 나를 위해 마련한 것이다. 그의 키는 7척이 넘고, 얼굴과 자태가 아담하고도 청아하였다. 두 눈동자가 맑아 안경을 쓰지 않고서도 가는 글씨를 잘 쓰고 그림을 잘 그렸다. 그는 겨우 쉰 살이 넘게 보일 정도로 매우 건강하였지만, 수염과 머리칼은 하얗게 셌다. 대체로 솔직하고 화락한 사람이다. 내게 연경으로 돌아가거든 반드시 서로 찾아 달라 다짐하면서 그 집 있는 곳을 그려서 보여주고는, 또 내게 술을 끊을 것과 여색을 멀리 하라고 부탁하였다. 내가 그 뒤 연경에 돌아와 그에 대한 것을 들어보니 모두들 그를 백부에 견주었다. 그때 마침 그가 황제를 모시고 역주에 있어 오랫동안 돌아오지 못하였음으로 끝내 서로 만나 작별하지 못하였다. 따로 그와 함께 고금의 악률과 역대의 치란에 대한 문답이 있어서 모두 망양록 중에 실었다(尹嘉銓直隸, 博野人也, 古趙地 號亨山, 通奉大

【윤가전尹嘉銓과의 문답 : 법왕의 전생轉生과 윤회의 차이】

저녁에 형산을 방문하여 "법왕이 남의 몸에 태어난다는 것이 윤회와 어떻게 다른가"라고 물었다. 형산은 "그것은 몸을 바꾸는 점에서는 같다. 우리의 육신이란 바람과 비, 추위와 더위에 침식되어 자연히 머리털이 세고 피부가 쭈그러지면서 늙어가는 법이다. 그러다 결국 흙이나 물·바람·불 같은 것으로 변하기 마련이다. 그러나 빛나는 지식이나 금강보체金剛寶體는 본래부터 젊고 늙는 것 없이, 장작이 다 타면 불이 다른 곳으로 옮겨가는 것과 같다. 비유컨대 천 리 길을 가는 자가 있다고 하자. 그가 자기 집을 짊어지고 갈 수 없다. 반드시 여러 숙소를 바꾸어 머물면서 가야 한다. 비록 천하에 정이 많은 사람이라 하더라도 여관에 정이 들어 오래 머물렀다는 이야기를 들은 적이 없다. 불이 한 나무에 붙으면 잠시 서로 기쁜 듯이 타오른다. 그러나 불이 다른 나무로 옮겨 붙으면 먼저 타 버린 나무의 재를 그리워하는 법은 없다. 법왕이 남의 몸에 태어난다는 것도 이런 것과 같을 뿐이다. 윤회설이란 불가의 율서律書이다. 옛날 한나라의 두태후竇太后가 조관趙綰과 왕장王臧을 꾸짖으며 어찌 사공司空의 성단서城旦書가 될 수 있겠느냐고 하였다. 이는 유가의 말을 율서로 본 것이다. 저들이 말하는 윤회설은 당시의 왕들이 만든 법전이다. 오복五服·오형五刑이 모두 헌장憲章에 있고, 경상慶賞과 위살威殺이 저마다 모두 문서로 존재한다. 이것에 따라 공功과 죄罪가 보이기 전에 먼저 법문부터 갖춘 셈이다. 불교를 믿는 자는 세상의 공과 죄가 부당하며, 상벌도 믿을 수 없고, 발에 채이고 눈에 보이는 것도 사람들에게 덧없는 것이라 한다. 그리고 깊고도 헤아릴 수 없는 곳으로 들어가 보고 듣지 못하는 가운데에 계를 권하며 세상을 초월하도록 한다. 이는 옛사람들이 말한

夫大理寺卿致仕, 時年七十, 今年春上章謝事, 皇帝特賜二品帽服以寵之, 工詩善書畫, 詩多載于正聲詩刪, 纂大淸會典, 時翰林編修官, 皇帝同庚, 故尤被眷遇, 特召赴行在聽, 戲時進九如頌, 皇帝大悅, 八十一本首演此頌, 盖皇帝平生詩朋云, 送余九如頌一本, 葢已自刊印, 一日篋中出一扇, 卽席爲怪石叢竹, 題五絕於其上, 以與余, 又書柱聯, 一日蒸全羊, 請王擧人及余共啖他餌果, 竟日雜陳, 爲余專設也, 身長七尺餘, 姿貌雅潔, 雙眸炯然, 不施靉靆, 能作細書畫, 强康如五十餘歲人, 然髭髮盡白, 大率簡易和樂人也, 囑余還京, 必來相訪, 書指其家在, 又戒余斷酒遠色, 余還燕, 聽之物議, 時人方之白傅, 時扈駕易州, 久不還, 竟未相逢, 別有所論古今樂律, 歷代治亂, 俱載忘羊錄)."라는 기록을 남기고 있다.

은밀히 세상의 권세를 조종한다는 것이다. 그러나 우리 유가에서 그들을 반드시 원수처럼 여겨 공격하지 않는다. 이는 성인이 신성한 도로 가르침을 설파한다는 것과 같다. 또 천지는 한없이 크며 습속도 서로 다르다. 기운도 바르고 편벽된 것이 있으며, 이치도 경우에 따라 다르다. 이는 마치 그릇에 담긴 물이 그릇의 모양에 따라 모나기도 하고 둥글기도 한 것과 같다. 고금 천하에 윤회란 것이 없지 않으며, 역시 남의 몸에 태어나는 법도 없지 않다. 곡기를 끊는 사람도 없지 않으며, 장생의 도를 추구하는 사람도 없지 않다. 따라서 이러한 이치가 전혀 없다는 사람도 미혹한 자요, 이런 이치가 모두 있다는 사람도 미혹한 자이다. 이런 이치는 가끔 있을 수도 있다. 이 가끔 있는 일을 가지고 만 가지 이치에 맞추려 하거나 천하를 바꾸려 하는 것은 아주 미혹한 짓이다 "라고 했다.[95]

【윤가전尹嘉銓과의 문답 : 각 종교의 도는 모두 같은 것】

내가 "진·한 이래로 천하를 다스리는 자는 모두 이단이었다. 진나라는 형명刑名으로 능히 천하를 통일했고, 한나라는 황노黃老의 도로써 뭇 백성을 만족케 했다. 성인들은 비록 이단이 인의를 억누를까 근심하지만, 오늘 법왕이 말하는 남의 몸에 태어난다는 술법으로 천하를 다스리더라도, 그가 우리 유교에 의존하면 인의예지의 사이를 벗어나지 않고, 인간 윤리를 근본으로 삼은 법칙 안에 설 수도 있을 것이다. 그렇다고 요·순의 도에까지 들어가지는 못할 것이다"라고 말했다. 형산은 눈을 감고 한참 동안 입속으로 염불하는 것 같더니, 얼마 뒤에 눈을 뜨고 빙그레 웃으면서 "선생의 말씀이 지극히 옳다. 이단과 우리 도를

95) 『열하일기』「黃教問答」: 夕訪亨山, 問法王投胎, 何異輪回, 亨山曰, 這個一樣轉身, 但此肉身, 旣爲風雨寒暑所侵鑠, 鶴髮鷄皮不禁耄老, 則土水風火, 自付造化, 維此光明信識, 金剛寶體, 固無童耄, 薪盡火傳, 譬如適千里者, 未有負家而行, 必遞宿傳舍, 雖天下有情人, 未聞顧戀傳舍, 爲此淹留, 火緣薪起, 聊覽相悅, 去緣他薪, 不復戀灰, 法王投胎, 只自如此, 輪回之說, 乃佛家律書也, 昔漢竇太后讓趙綰王臧, 安得爲司空, 城朝書, 亦以儒家言爲律書也, 彼言輪回, 如時王制典, 五服五刑, 俱有憲章, 慶賞威殺, 各得攷文, 如此照勘, 未見功罪先有其具, 爲佛者, 見世間功罪不當, 刑賞未信, 足蹈目視, 人所易忽, 則移之幽冥不測之地, 趨避勸戒於不聞不覩之中, 古人所謂陰操世主之權是也, 雖然, 吾儒家亦不必專攻如讐敵, 聖人神道設敎, 亦有如此, 且天地許大, 風俗各異, 氣有正偏, 理亦隨寓, 如水在器, 圓方從形, 古宙今宇, 亦不無輪回, 亦不無投胎奪舍, 亦不無斷火食, 亦不無長生久視, 且謂之全無此理者惑也, 謂之俱有此理者惑也, 第是理也, 往往而有, 以往往之事, 思所以貫萬理易天下, 則尤惑也.

비교해 보면 비록 옳고 그름, 순수와 얼룩의 차이는 있다. 그러나 이로운 것을 일으키고, 어진 것을 행하며, 잔악한 일을 물리치고, 살육을 없애는 마음을 가지게 한다는 점에서는 같지 않음이 없을 것이다"라고 했다.[96]

박지원은 다양한 계층의 학자들을 만나 그들이 말한 것을 소개하고 있다. 특히 당시의 대표적인 통치계층이라 할 수 있는 아계, 파로회회도, 윤가전은 박지원의 유학이 범위나 포용 면에서 너무 좁은 시각을 가지고 있다는 것을 은연중에 암시하고 있다. 이들과 논쟁을 벌이지 못한 채 말없이 듣고 있는 박지원의 심정이 무엇인지는 모르지만, 그것이 바로 당시 조선의 주자학이 놓인 국제적 위치였다. 박지원의 글을 읽으면 조선의 사대부는 주자학이라는 사상적 외길로 들어섰다는 느낌이 강하다. 시대이념의 변화를 거부한다는 것은 운명적으로 모든 것을 볼 수 없게 된다는 것과 같다.

【기풍액奇豐額과의 문답 : 판첸라마에 대한 질문과 답변】

나는 "법술이 신통한가"라고 물었더니, "전혀 없다"고 했다. 또 "완적阮籍의 후신이 안태사顏太師요, 안태사의 후신이 포염라包閻羅요, 포염라의 후신이 악무목岳武穆이라 하는데, 이는 간사한 사람들이 가르친 말이다"라고 했다. 내가 지정이 말한 오색경五色鏡 이야기를 물었더니, 여천은 "과연 그런 것이 있다고 한다. 이것은 화제경火齊鏡이다"고 답했다. 다시 만년수萬年樹 이야기를 물었더니, 그는 "들은 적이 없는데, 어떤 모양인가"라고 물었다. 나는 학성郝成에게 들은 이야기의 대강을 전하고 "만일 과연 그렇다면 참으로 신령스러운 나무이다"라고 하였다. 여천은 크게 웃으면서 "존형은 어디에서 이런 허황된 나무

96) 『열하일기』「黃敎問答」: 余曰, 秦漢以來, 爲天下者, 皆異端也, 秦之刑名, 猶能兼并, 漢之黃老, 足以富庶, 聖人雖憂異端充塞仁義, 然使今法王投胎之術, 爲之天下國家, 則還將依附吾道, 周旋于仁義禮樂之間, 行立乎民彝物則之內, 要之不可與入於堯舜之道也, 亨山瞑目良久, 口中邕邕若念佛者, 久乃開眼微笑曰, 先生言之極是, 異端之於吾道, 雖有邪正粹駁之別, 其設心以爲興利行仁, 除殘去殺, 未始不同也.

이야기를 들었는가"라고 했다. 또 "활불은 임종할 때 자기의 학문을 한마디 구절로 전한다고 한다"고 했다. 내가 북경으로 돌아와 사대부와 더불어 많은 논의를 했지만 여천처럼 철저히 불교를 배척해서 말하는 자는 보지 못했다.97)

위의 기록에 등장하는 완적阮籍(210~263)은 『주역난답론周易難答論』을 저술한 현학파玄學派의 대표적인 인물이다. 안태사顔太師는 당나라 때 서예가 및 정치가로 이름 높았던 안진경顔眞卿(709~785)을 말한다. 포염라包閻羅는 송나라 때의 유명한 법관인 포증包拯(999~1062)을 말한다. 악무목岳武穆은 송나라 때 금나라 군을 물리친 악비岳飛(1103~1142)를 말한다. 악비의 우국충정을 노래한 만강홍滿江紅은 지금도 한인들의 사랑을 받고 있다. 위의 증언을 해준 만주인 기풍액奇豐額은 스스로 조선 사람의 후예라고 말하고 있다.98)

97) 『열하일기』「黃敎問答」: 問法術神通, 日, 都無, 又日, 阮籍後身爲顔太師, 顔太師後身爲包閻羅, 包閻羅後身爲岳武穆, 此姦細人導之也, 問志亭所言五色鏡, 麗川日, 果有此云, 此火齊鏡也, 問萬年樹, 日, 未之聞也, 甚麽樣, 余略擧所聞於郝成者日, 若果如此也, 眞靈樹也, 麗川大笑日, 尊兄安從得此佞樹, 又日, 彼佛自言其學問, 臨終時當傳一句云, 余旣還入皇京, 與士大夫游者多, 然未見深言斥佛如麗川者.

98) 박지원은 『열하일기』「傾蓋錄」조에서 이 인물에 대한 "기풍액은 만주인이고, 자는 여천이다. 현재 귀주안찰사로 있으며 나이는 37세이다. 그는 애초 우리나라 사람으로서 중국에 들어간 지 이미 네 대째였으나, 본국에서의 문망이나 조상은 알 길이 없고 다만 그의 본성이 황씨임을 알 뿐이라 한다. 키가 8척에 얼굴이 희고 풍채가 아름다운데, 곧장 위의를 잘 꾸미며, 넓은 학문에 글을 잘하고 또 해학과 웃음을 잘 지었다. 불교를 몹시 배격하고 의논을 가짐이 제법 올바르긴 하나, 사람됨이 교만하여 온 세상이 안중에 없다. 태학사 이시요가 운남·귀주의 총독이 되었을 때 귀주안찰사 해명이 200냥의 뇌물을 바쳤던 것이 발각되었다. 이시요는 가두고 해명은 겨우 사형을 면한 채 흑룡강으로 유배되었다. 그래서 여천이 그 자리를 대신한 것이다. 내 우연히 그의 거처를 지나다가 누렇게 칠한 궤짝 수십 쌍을 발견하였으나, 모두 아무 물건도 들어 있지 않았다. 아마 만수절의 공물로 다 바친 것인 듯싶었다. 나와 함께 이야기하다가 이별의 말이 나오자 문득 눈물을 흘리곤 한다. 혹자는 이르기를 '풍액이 화신에게 아부하여 해명을 밀어뜨리고 그 자리를 차지하였다'고 한다. 내 연경에 돌아와 그의 집을 찾아 귀주로 떠나는 길에 작별하였다(奇豐額, 滿州人也, 字麗川, 見任貴州按察使, 年三十七, 本我國人, 入中國爲四世, 不知本國門望所自出, 但記其本姓黃氏, 身長八尺, 白晳美姿容, 善修威儀, 博學能文, 善諧笑, 斥佛甚峻, 持論頗正, 然爲人驕矜, 眼空一世, 太學士李侍堯爲雲貴摠督時, 貴州按察使海明, 賂金二百兩事發侍堯囚而海明减死, 配黑龍江, 麗川代海明, 余偶巡其所寓, 炕後有黃漆櫃子數十對, 皆空無物, 壽節貢獻, 想盡輸納, 與余語到別離, 輒流淚, 或云豐額附和珅, 發海明而代之, 余還燕尋其家爲別, 貴州之行)."라는 기록을 남기고 있다.

4. 라마교의 성스러운 거울과 천자만년수天子萬年樹

박지원의 라마교 관련 부분에는 라마교의 성스러운 거울과 판첸라마의 신령스러운 나무인 천자만년수에 대한 이야기가 수록되어 있다. 이 이야기는 일반적인 문헌에서는 찾아보기 힘든 매우 희귀한 전승이다.

【학성郝成과의 문답 : 보배로운 거울】

내가 찰십륜포札什倫布에서 숙소로 먼저 돌아오니, 지정志亭([이름은] 학성郝成이고, 호는 장성長城이다)이 나를 맞으면서 "선생이 잠시 전에 본 활불의 모습이 어떠한가"라고 물었다. 내가 "공은 그를 보지 못하였는가"라고 하자, 지정은 "활불은 깊고 장엄한 데 거처해서 사람들이 다 알현할 수 없다. 더구나 신통한 법술이 있어 사람들의 마음을 꿰뚫어 본다. 보배로운 거울이 걸려 있는데, 사람이 간음한 마음을 품으면 반드시 푸른빛으로 비친다. 사람이 욕심이나 도둑질할 마음을 품으면 반드시 검은빛으로 비친다. 사람이 위험하고 불측한 마음을 지니면 반드시 흰빛으로 비친다. 오직 충효와 일심으로 부처를 공경하는 사람이 오면 반드시 황색을 띤 붉은 노을이 경사스러운 구름이 피어나듯 거울에 서린다. 이 오색 거울이야말로 가히 두렵다"고 했다. 나는 "이는 진시황의 조담경照膽鏡을 본떠서 신통하게 만든 것이다. 그러나 조담경 역시 정사正史에서 전하는 것이 아니고, 어찌 족히 믿을 수 있겠는가"라고 말했다. 지정은 "벽 사이에 그 거울이 없던가"라고 물었다. 나는 '오색 거울이 아주 두렵다'라는 대목에 동그라미를 치면서 "공의 마음에 푸르고 검고 흰 세 가지 마음이 없다면 무엇 때문에 이 거울을 두려워하는가"라고 말했다. 지정은 "『법화法華』·『능엄楞嚴』 같은 모든 불경의 게偈들은 모두 사람을 위협하여 그 책을 존중하지 않으면 화를 받는다고 거듭 말한다. 중생들을 두렵게 하여 착한 길로 돌아가도록 권하는 것이, 크게 보면 이 거울과 같은 것이다. 거울은 글자를 쓰지 않은 경전이요, 경전은 또 구리로 만들지 않은 거울이다. 내가 비록 열흘 동안 채식을 하고 열흘 동안 목욕을 했더라도, 간이나 폐에 터럭만한 흠이라도 있다면 어찌 세 가지 빛깔이 나타나지 않는다고 할 수 있겠는가"라고 하면서, 바로 글 쓴 종이를 찢어서 불 속에 던진다.99)

【학성郝成과의 문답 : 판첸라마의 천자만년수天子萬年樹】

또 그가 올 때 숲속에서 향기를 맡고 신령스러운 나무 한 그루를 뽑아다 분에 심어 가져 왔다"고 했다. 내가 "신령스러운 나무란 무엇인가"라고 물으니, 지정은 "이것을 천자만년수天子萬年樹라고 부른다. 엇갈린 줄기와 펴진 가지가 모두 천자만년天子萬年이란 글자 모양을 이루고 있어, 장주莊周가 말한 이른바 3천년으로 봄을 하고 3천년으로 가을을 한다는 나무이다. 혹은 이 나무를 명령冥靈이라고도 부른다"라고 답했다. 내가 "지금 집안에 있는 매화에서 연한 가지를 억지로 잡아끌어 옆으로 비스듬히 눕히는 것은, 사람의 교묘한 재주이지 어찌 하늘의 조화라 할 수 있겠는가"라고 물었다. 지정은 "아니다. 잎의 선이 모두 천자만년天子萬年이란 글자로 되어 있다"고 말하면서 그 잎의 선을 그려 나에게 보여주었다. 내가 "공은 일찍이 이 나무를 본 일이 있는가"라고 물었다. 지정은 "그 형상을 보지는 못했고 다만 그 이름만 들었다. 요堯의 뜰에 있었던 명蓂이나 초나라의 나무인 영靈과 같이, 사방에 향기를 내뿜어 온 나라가 모두 평안하다. 사시사철 꽃이 핀다. 꽃은 열두 잎으로 꽃봉오리가 처음 터지는 것으로써 초하루인 것과 초승달이 솟는 것을 알 수 있다. 꽃이 하루 한 잎씩 피어 열두 잎이 다 피면 보름이며, 달빛의 찬연함을 알 수 있다. 꽃이 하루 한 잎씩 말라 들어가 꼬투리가 떨어지면 그믐임을 알 수 있다. 그래서 이것을 명수蓂樹 또는 영수靈樹라고도 부른다."100)

99) 『열하일기』「黃敎問答」: 余自札什倫布, 先還寓, 志亭 郝成,字號長城, 迎問曰, 先生俄見活佛狀貌, 何如, 余對曰, 公未之見否, 志亭曰, 活佛居在深嚴, 非人人所可得見, 況有神通法術, 洞見人臟腑, 掛一寶鏡, 人懷姦淫, 必青色照, 人懷貪賊, 必黑色照, 人懷危禍, 必白色照, 維忠孝一心敬佛人至, 必紅霞帶黃, 如慶雲曇華, 絪緼鏡面, 此五色鏡可畏, 余曰, 此倣始皇照膽鏡, 以神其說, 然照膽鏡, 亦非正史所傳, 則安足信也, 志亭曰, 壁間曾無此鏡否, 余圈五色鏡可畏字曰, 公自無青黑白三心, 何畏此鏡, 志亭曰, 法華楞嚴諸經偈, 俱嚇人不敬此書, 卽有是禍, 反復證難, 怖畏衆生, 勒歸善道, 大類此鏡, 鏡是不字之經, 經是非銅之鏡, 吾十日食淡, 十日洗沐, 或肝頭肺葉有一毫不齊, 安知無三色發現乎, 卽裂其紙投火中.

100) 『열하일기』「黃敎問答」: 且其來時, 聞香叢薄中, 拔一靈樹, 盆栽而來, 余問甚麼靈樹, 曰,

5. 청조와 라마교 – 건륭제와 제6세 판첸-에르데니

박지원의 여행기에서 가장 정채를 발하는 라마교 관련 부분이 제6세 판첸-에르데니에 대한 기록이다. 박지원은 피서산장의 따실훈뽀 사원을 찾아가 직접 그를 보았다. 또 제6세 판첸-에르데니와 건륭제가 만나는 장면도 목격했다. 그는 티베트인, 몽골인, 만주인으로 이루어진 거대한 티베트 불교 이념벨트를 목격한 유일한 인물이었다. 바로 이 부분의 기록은 당시 청나라의 불교 정책과 라마교의 위상을 보여주는 생생한 사례이다.

(1) 황금 궁전 따실훈뽀(札什倫布)

아래의 기록들은 모두 박지원이 피서산장의 황금 궁전을 묘사한 부분이다. 그것을 순서대로 소개하면 다음과 같다.

> **【학성郝成과의 문답 : 판첸라마의 티베트 따실훈뽀 사원】**
>
> 거처하는 곳은 모두 황금으로 지은 집인데, 그 사치하고 화려함이 중국보다도 굉장하다고 한다.[101]

위의 기록은 시가체에 위치한 따실훈뽀 사원을 묘사한 것이다. 일반적으로 티베트인들은 라샤의 포탈라궁에 거주하는 달라이라마를 관세음보살의 화신, 시가체의 따실훈뽀에 거주하는 판첸라마를 아미타불의 화신으로 여기고

此名天子萬年樹, 交柯布枝, 皆成天子萬年字, 莊周所謂三千年爲春, 三千年爲秋, 或曰, 卽此樹冥靈也, 余曰, 如今閣裡梅花, 結勒柔條, 爲横斜影, 此係人巧, 豈由天造, 志亭曰, 否也, 葉側理, 皆成天子萬年字, 因畵示其葉, 余問公曾見此樹否, 志亭曰, 未見其形, 只聞其名, 堯庭之蓂, 楚樹之靈, 四海播馨, 萬國咸寧, 四時長華, 花十二瓣, 花萼始吐, 則知朔月, 載生明, 日開一瓣, 全開則知望月, 載生魄, 日掩一瓣, 蒂落則知晦矣, 故名蓂樹, 又名靈樹.

101) 『열하일기』「黃教問答」: 所居皆黃金屋, 其侈麗更盛於中國.

있다.

【학성郝成과의 문답 : 황금 궁전】

금년 봄 사이에 황금 궁전을 세우고 활불을 맞아 살게 하였지만, 옛날 원나라나 명나라 때에 비하면 접대라고도 할 수 없다.[102]

【학성郝成과의 문답 : 티베트의 따실훈뽀 사원과 열하의 황금 궁전】

티베트의 여러 법왕法王들은 그 거처하는 궁전을 황금 기와와 백옥 계단으로 만든다. 창과 난간은 침향沈香이나 강진降眞·오목烏木 같은 목재를 사용한다. 창에는 수정과 유리를 달고, 벽은 모두 화제火齊나 슬슬瑟瑟 같은 구슬로 장식한다. 지금 거처하는 궁전은 (그의 본 궁전에 비하면) 흙 계단에 초가지붕에 불과한 것이다. 따라서 오랫동안 머물기를 즐기지 않고 굳이 돌아가기를 청한다. 황제는 내년 오대산五臺山으로 갈 때 친히 산서山西까지 전송하겠다는 약속을 하고 기일까지 이미 정했다.[103]

위의 기록에 등장하는 강진降眞은 향나무의 일종이고, 오목烏木은 땅속에서 캐낸 나무화석을 말한다. 이 나무화석은 결을 자르면 갈색 빛이지만, 공기 중에 산소와 만나면 검은색으로 변하는 특징이 있다. 오목의 가치는 순금과 맞먹는다. 오대산五臺山은 티베트어로 리오쩽아Ri-bortse-lnga라고 부른다.

【황금 궁전을 찾아가다】

나는 밥을 재촉하여 먹고 의주비장義州裨將과 함께 궐내에 들어가 사신을

102) 『열하일기』 「黃敎問答」 : 本年春間, 爲搠金宮, 迎來活佛居之, 然比諸古元前明時, 則其供億殆不如也.

103) 『열하일기』 「黃敎問答」 : 西番諸法王, 其所居殿, 黃金瓦白玉階, 牕欞欄檻, 皆沉香降眞烏木水晶玻瓈爲牖戶, 而壁皆飾火齊瑟瑟, 今其所居殿屋, 視該土製作, 猶土階茅茨也, 不樂久留, 請還甚固, 車駕約明歲遊五臺山, 當親送之山西, 已有定期.

찾았으나 이미 반선班禪의 처소로 가고 없었다. 궐문을 나오니 황육자皇六子가 문에 이르러 말에서 내렸다. (말을) 문 밖에 매어 두고 따르는 자들과 함께 바쁜 걸음으로 들어간다. 어제는 말을 탄 채 그대로 들어가더니 오늘은 말에서 내리는 것이 무슨 까닭인지 알 수 없다. 궁성을 끼고 왼편으로 돌아드니, 서북쪽 일대 산자락의 궁궐 모습과 사찰들이 면면이 눈에 들어온다. 혹은 너덧 층 누각도 있으니, 이는 이른바 "상강에 배를 타고 굽이굽이 돌아들 때 형산 아홉 봉우리가 다 보인다"가 곧 이를 말함이리라.[104)]

【몽골 숙위병이 길을 알려주다】

군포軍舖가 있는 곳마다 숙위하는 군사들이 모두 나와서 쳐다본다. 내가 혼자서 방황하고 있음을 보자 서로 다투어 멀리 서북쪽을 가리킨다. 내를 끼고 가니 물가에 흰색의 천막이 수천이나 있는데, 모두 수자리 사는 몽골 병사들이었다.[105)]

【황금 궁전】

또 북쪽으로 눈을 돌려 멀리 하늘가를 바라보니 두 눈이 별안간 어지러워진다. 허공에 반쯤 걸린 황금 건물(金屋)이 우뚝 솟았는데, 구름 속에 들어가 햇빛에 눈이 부신 까닭이다. 강에는 거의 1리里나 되는 다리가 놓였는데, 난간을 꾸민 단청이 서로 어리었다. 몇 사람이 그 위로 다니는 것이 아련히 그림 같다. 다리를 건너고자 하니, 모래사장에서 사람이 급히 오면서 손을 휘젓는 것이 건너지 말라는 것 같았다. 마음은 몹시 바빠서 말을 곧장 채찍질하였으나 오히려 더딘 것 같다. 그래서 마침내 말에서 내려 강을 따라 올라가니, 돌다리가 있고 그

104) 『열하일기』「太學留館錄」 1780년 8월 11일조 : 余促飯與灣裨入闕, 尋覓使臣, 已赴班禪所矣, 卽出闕門, 皇六子當門下馬, 馬亦止門外, 從者簇圍, 促步而入, 昨日乘馬直入, 今則下馬, 是未可知也, 循宮城, 左轉而行, 西北一帶, 山脚宮觀寺刹, 面面入望, 或有四五層樓閣, 所謂帆隨湘轉, 望衡九面.

105) 『열하일기』「太學留館錄」 1780년 8월 11일조 : 所在軍舖宿衛壯士, 皆出視, 方余獨自彷徨, 則爭爲遙指西北, 遂挾河而行, 河邊白幕數千帳, 皆蒙古戍守之兵也.

위로 우리나라 사람들이 많이 오가고 있다. 문을 들어서니 기이한 바위와 이상한 돌들이 층층이 쌓였고, 그 솜씨의 교묘함은 사람이 아닌 귀신의 수법인 듯싶다. 사신과 당번 역관은 궐내에서 바로 왔으므로 내게 미처 알리지 못한 것을 애석히 여겼다. 그런데 내가 나타나니 뜻밖이라면서 모두 내게 구경 벽이 심하다고 조롱한다. 황성의 숲 사이에도 자주·다홍·초록·파랑 등 여러 빛깔의 기와로 이은 집이 드러나 보이고, 더러는 정각亭閣 꼭대기에 금빛 호로병을 세운 것은 있었으나 지붕 위에 금기와를 올린 것은 못 보았다. 지금 이 전殿에 덮은 기와가 순금인지 도금인지는 알 수 없다. 2층 대전大殿이 둘, 누각이 하나, 문이 셋이다. 그 나머지 정각은 여러 빛깔로 된 유리기와인데, 이에 비기면 무색하고 보잘 것 없다. … 참으로 소의昭儀의 자매姊妹에게 이 집을 보인다면 반드시 몸부림치며 침대에 쓰러져 울고 밥도 먹지 않았을 것이다.[106)]

위의 기록에 등장하는 소의昭儀는 궁녀의 벼슬 이름으로, 당시의 소의는 한나라 성제成帝에게 총애를 받던 조비연趙飛燕 자매를 가리킨다.

【황금 궁전의 외경】

찰십륜포란 티베트어로 큰 스님이 거처하는 곳이란 뜻이다. 피서산장에서 궁성을 돌아서 오른쪽으로 반추산盤捶山을 바라보고 더 북쪽으로 십여 리를 가서 열하를 건너면, 산세를 따라 동산을 만든 곳이 있다. 언덕을 뚫고 산기슭을 깎아 산속의 암석이 그대로 드러나 있다. 저절로 벼랑이 찢겨 떨어져 나간 석벽이 돌무더기를 이루어 어지러이 떨어진다. 그 모습이 십주十洲와 삼산三山과 같다. 짐승이 이빨을 벌리고 새가 날개를 펼치듯, 구름이 흩어지고 우레가 터지

106) 『열하일기』「太學留館錄」 1780년 8월 11일조：又北轉遙望天際, 雙眼忽瞑, 盖半空金屋, 縹緲入望, 閃閃羞明而然也, 跨河浮橋幾一里, 橋施欄干紅綠相映, 數人行坐其上, 渺若畵中, 欲由此橋, 則沙上有人, 急來揮手, 若禁止之狀, 心忙意促, 而馬百鞭猶遲, 遂棄騎, 循河而上, 有石橋, 我人多往來其上, 入門則奇巖怪石, 層疊成級, 奇巧神出, 使臣及任譯, 自闕直來, 未及通, 方以爲惜, 見余至, 自意外皆嘲, 余癖於觀光, 皇城樹林中, 出紫紅綠碧瓦甍, 而或亭閣頂兜金胡盧, 未見屋上黃金瓦, 今此殿屋所覆金瓦, 雖未知純鑄鍍造, 而二層大殿二, 樓一門三, 其他亭閣諸色琉璃瓦, 皆奪顔色, 無復可觀…誠使昭儀姊弟觀此者, 必自投床啼哭不食.

는 소리가 난다. 공중에 다섯 다리를 놓았다. 다리가 끝나는 곳부터는 모두 층계로 길을 내고, 평평한 곳에는 용과 봉황을 새겼다. 길을 따라 흰 돌로 된 난간이 구불구불 꺾이어 문까지 닿았다.[107]

위의 기록에 등장하는 십주十洲는 중국의 고대 전설에 신선이 산다는 열 곳의 섬을 말하고, 삼산三山 역시 신선이 산다는 세 곳의 명산을 말한다.

【황금 궁전의 문을 지키는 몽골 병사】

또 두 개의 각문角門이 있는데, 모두 몽골 군사가 지키고 있었다.[108]

【황금 궁전의 내부 모습】

문에 들어서니 벽돌을 깔아 층계로 만든 3개의 길이 있다. 흰 돌로 만든 난간에는 모두 구름과 용을 새겼고, 길은 모두 한 다리로 모인다. 다리에는 다섯 구멍이 있고, 대臺의 높이는 다섯 길이다. 난간을 두르고 모두 무늬 있는 돌에는 해마海馬나 기린 같은 짐승들을 새겼다. 비늘과 뿔과 갈기와 발굽은 모두 돌 빛깔로 만들었다. 대 위에는 전각 둘이 있는데, 전각은 모두 처마를 겹으로 하여 황금기와를 얹었다. 전 위에는 여섯 마리의 용이 걸어 다니는 듯이 만들었는데, 몸통은 모두 황금이다. 둥근 정자나 휘어진 정자, 겹쳐진 누각과 포개진 누각, 치켜든 처마를 지닌 이층집들은 모두 푸른빛·초록빛·자줏빛·남빛으로 된 유리기와를 이어 수천만 금의 비용을 들였다. 채색은 신기루를 능가했고, 아로새긴 솜씨는 귀신도 부끄러워할 만하고, 헛 신령이 우레를 핍박하는 듯하고, 아득하기는 해질녘 및 새벽녘과 같았다.[109]

107) 『열하일기』「札什倫布」條 : 札什倫布者, 西番語猶言大僧居也, 自避暑山莊, 循宮城, 右望盤捶山, 益北行十餘里, 渡熱河, 依山爲苑, 鑿岡斲麓, 呈露山骨, 自爲裂崖, 斷壁, 磊砢錯落, 狀十洲三山, 獸呀禽翹, 雲崩雷轡, 有五空橋, 自橋道皆堿, 其平皆刻龍鳳, 緣道白石欄, 曲折抵門.

108) 『열하일기』「札什倫布」條 : 又有二角門, 皆蒙古兵守之.

109) 『열하일기』「札什倫布」條 : 入門鋪甎爲地階三道, 白石欄刻皆雲龍, 會一橋, 橋五空, 臺高五

【황금 궁전의 황룡黃龍】

열하에 있을 때 반선班禪이 거처하는 금전金殿 용마루 위에 말처럼 달려가는 금으로 만든 누런 용 한 쌍을 보았다. 길이는 모두 두 장이 넘었다. 밑에서 보는 것이 이런데, 그 길이와 높이를 가히 알 수 있을 것이다. 그 형상은 보통 그림에 보이는 신룡神龍과 같지 않았다. … 또 금전의 지붕 네 구석에도 금으로 만든 황룡이 달려가고 있는데, 그 모습이 용마루 위에 서 있는 것과 또 달랐다.[110]

【황금 궁전의 조선 종이와 황금】

지금 이 기와는 역시 구리로 만들고 금을 씌웠을 것이다. … 나는 (조선의) 금이 어디로 가는지 알지 못하겠다. 캐낸 금이 많은데도 그 값이 더욱 오르는 건 무슨 까닭일까. 이제 이 기와에 물들인 것이 우리나라의 금인지 아닌지 어찌 알 수 있으랴. … 대臺 위의 작은 정각의 창호는 모두 우리나라 종이로 도배하였다.[111]

【황금 궁전의 정원】

동산 가운데는 새로 어린 소나무를 심었다. 산골짜기에 연한 것은 모두 곧고 크기는 한 길이나 되었다. 나무에 종이를 매어 표식을 해 두었는데, 그 전에 심은 것들이다. 기이한 화초도 섞어 심었는데, 모두 처음 보는 것들로 이름을 알 수 없다. 때는 바야흐로 죽도竹桃가 만개했다.[112]

丈, 周以欄干, 皆文石, 雕海馬天祿角端鱗角鬐蹶, 皆從石膚爲色, 臺上置二殿, 殿皆重檐, 黃金瓦屋, 上起行六龍, 皆黃金軀, 其圓亭曲榭, 複樓重閣, 危軒層寮, 皆覆青綠紫碧琉璃瓦, 工費千億百萬萬, 釆色叱咬蜃, 雕鏤耻鬼神, 虛靈逼雷霆, 渺漭若昏晟.

110) 『열하일기』 「銅蘭涉筆」 條 : 在熱河時, 見班禪所居, 金殿屋脊上, 一對金軀黃龍, 起行如馬, 長皆二丈餘, 自下望之如此, 則其長與高可知也, 其狀殊不類所畵神龍…又金殿四角, 起行金軀黃龍, 而形與屋脊所立又不同.

111) 『열하일기』 「太學留館錄」 1780년 8월 11일조 : 今此瓦, 亦當銅鑄金鍍耳…吾未知此金歸於何地, 其採彌多而其價彌貴, 則今此屋瓦所塗, 安知非東金耶…臺上小亭小閣, 牕戶所塗, 皆我紙也.

112) 『열하일기』 「札什倫布」 條 : 苑中新栽幼松, 連絡山谷, 皆矯直丈餘, 繫紙爲標, 計日前所植也, 雜植奇花異草, 皆初覩不識其名, 時方竹桃盛開.

【황금 궁전 라마승의 복식과 형상】

라마승 수천 명이 모두 붉은 선의禪衣를 끌고 누런 좌계관左髻冠을 쓴 채 팔뚝을 내놓고 맨발로 문이 메도록 몰려들었다. 얼굴은 모두 도끼로 깎은 듯 검붉은 색이다. 코가 크고 눈은 오목하다. 턱이 넓고 곳수염은 말려 있다. 손과 발에 모두 사슬을 감았으며, 머리는 맨머리이다. 귀에는 금 귀걸이를 달았고, 팔뚝에는 용무늬를 새겼다.113)

【황금 궁전 판첸라마의 보좌寶座 주변】

반선班禪이 거처하는 곳은 앞에 평상이 있고, 뒤에 거울이 있다. 왼편에는 종을 달았고, 오른편에는 옥을 걸었다. 위에는 물 담긴 소반, 아래에는 보도寶刀가 있다. 종일 분향하고 있으니 아연 웃음이 나온다.114)

(2) 제6세 판첸-에르데니

아래의 기록들은 제6세 판첸-에르데니의 고향, 외형, 능력, 지위 등을 묘사한 부분이다. 그것을 순서대로 소개하면 다음과 같다.

가. 판첸-에르데니의 고향과 초대

【왕성王晟의 증언 : 제6세 판첸-에르데니의 고향】

반선액이덕니는 티베트 오사장烏斯藏의 대보법왕大寶法王이다. 티베트는 사천·운남의 밖에 있고, 오사장은 청해의 서쪽에 있다. 옛 경經에는 당나라 때 토번의 땅으로 황중湟中에서 5,000여 리 떨어져 있다고 한다. 혹은 반선을 장리

113) 『열하일기』 「札什倫布」條 : 喇嘛數千人, 皆曳紅色禪衣, 戴黃左髻冠, 而袒臂跣足, 騈闐匝沓, 面皆戉削紫黑色, 高鼻深目, 廣頤卷髭, 手脚皆鏁, 兜脫, 耳穿金環, 臂刺紋龍.

114) 『열하일기』 「銅蘭涉筆」條 : 班禪所居, 前枰後鏡, 左鍾右玉, 上盤水, 下寶刀, 晝日焚香, 哦然一笑.

불藏理佛이라고도 하는데, 이른바 삼장三藏이 바로 그 땅이다.115)

위의 기록에 등장하는 지명들은 이미 앞에서 모두 언급했다. 제6세 판첸라마인 로상-뻴덴-예쉐blo-bzang dpal-ldan ye-shes(1738~1780)는 후장後藏 출신이다. 왕성은 판첸을 장리불藏理佛이라고도 지칭하고 있는데, 그 명칭이 어디에서 유래했는지는 파악할 수 없다. 또 삼장三藏을 지명으로 해석하고 있는데, 실제 삼장은 지명이 아닌 불교 교리의 논장論藏과 율장律藏, 경장經藏을 말한다. 삼장을 지명으로 오해한 것은 오사장烏斯藏 등 티베트의 지명에 장藏이 들어가 있기 때문이 아닌가 생각된다.

【왕성王晟의 증언 : 판첸-에르데니Panchen Erdeni의 뜻과 그의 전세轉世】

반선액이덕니는 티베트어로 광명·신지神智라는 뜻이다. 법승들이 말하기를, 그의 전세는 파사팔巴思八이라 하는데, 그 말이 허망하고 괴이해 도리에 맞지 않지만 도술이 고명해서 때로는 징험이 있다고도 한다.116)

위의 기록에 등장하는 판첸-에르데니는 이미 앞에서도 언급한 바 있듯이, 범어梵語와 티베트어, 몽골어가 결합된 복합어이다.

【1779년 황자皇子 영용永瑢이 제6세 판첸-에르데니를 모셔오다】

황륙자皇六子는 영용이다. 흰 얼굴에 마마 자욱이 낭자하다. 콧날은 낮고 작으며 볼은 아주 넓다. 눈은 희고 세 겹으로 쌍꺼풀이 졌다. 어깨가 넓고 가슴이 떡 벌어져서 체격이 건장하나, 전혀 귀티가 없어 보인다. 그러나 문장에 능하고

115) 『열하일기』 「班禪始末」條：班禪額尒德尼, 西番烏斯藏大寶法王, 西番在四川雲南徼外, 烏斯藏, 蓋在青海之西, 經唐吐蕃故地, 去湟中五千餘里, 或曰, 班禪, 乃藏理佛, 所謂三藏, 乃其地也.

116) 『열하일기』 「班禪始末」條：班禪額尒德尼, 番語猶云光明神智, 法僧自言其前身巴思八, 其言多誕恠不經, 然道術高明, 時有徵驗云.

글씨와 그림에도 재능이 있다. 지금 사고전서 총재관總裁官인데, 백성의 평판이 그에게 쏠린다고 한다. … 지금 영용이 총애를 독차지하고 있다. 지난해 티베트로 가서 반선班禪을 모시고 왔다.[117]

【학성郝成과의 문답 : 황자 영용永瑢을 수행한 신하 영귀永貴】

지난해(1779) 내각內閣의 영공永公이 육황자六皇子를 따라 법가法駕와 의장을 갖추고 가서 활불을 맞아 왔다. … (영공의) 이름은 영귀永貴이고, 현재 내각의 학사로 총애를 받는 신하라고 한다.[118]

【제6세 판첸-에르데니의 열하 도착】

이른바 성승聖僧이란 티베트의 승왕僧王이다. 반선불班禪佛이라고도 부르고, 장리불藏理佛이라고도 부른다. 중국인들은 모두 그를 돈독히 믿어 활불活佛이라 일컫는다. 그는 스스로 말하기를 "(나는) 42세째의 환생이다. 전신前身은 중국에서 많이 태어났다. 나이는 마흔셋이다"라고 한다. (황제는 그를) 지난 5월 20일에 열하로 맞이하여, 따로 궁궐을 짓고 스승으로 섬기고 있다.[119]

나. 판첸-에르데니의 외형

【판첸-에르데니의 얼굴】

얼굴빛은 아주 누렇고, 얼굴 둘레가 거의 예닐곱 뼘이나 되었다. 수염이 난 흔적은 없고, 코는 쓸개를 떼어 달아맨 것 같았다. 눈썹은 두어 치 정도이다.

---

117) 『열하일기』「太學留館錄」1780년 8월 10일조 : 皇六子永瑢也, 面白而痘瘢狼藉, 鼻梁低小, 頰輔甚廣, 眼白而眶紋三圍, 肩巨胸闊, 體軀健壯, 而全乏貴氣, 然而能文章工書畵, 方今四庫全書總裁官, 輿望所屬云…今永瑢專寵, 去年往西藏, 迎班禪.

118) 『열하일기』「黃敎問答」: 去歲內閣永公陪皇六子, 備法駕儀仗, 往迎活佛…名永貴, 現任內閣學士, 寵臣云.

119) 『열하일기』「太學留館錄」1780년 8월 10일조 : 所謂聖僧者, 西番僧王, 號班禪佛, 又號藏理佛, 中國人擧皆尊信, 皆稱活佛, 自言四十二世轉身, 前身多生中國, 年方四十三, 去五月二十日, 迎來熱河, 別築宮, 師事之.

흰 각질이 눈동자 주변을 동그랗게 감싸 음침하고 어둡게 보였다.[120]

【판첸-에르데니의 인상】

내가 아까 황금기와가 햇빛에 번쩍이는 것을 보다가 전각 속에 들어가니 안이 어두웠다. 그가 입은 옷은 모두 금으로 짰으므로 피부색도 샛노랗게 되어 마치 황달에 걸린 자와 같았다. 마치 금색의 고름이 꿈틀거리는 것 같았다. 살은 많고 뼈는 적어서 청명하고 영특한 기운이 없었다. 비록 크고 우뚝한 (몸으로) 방을 채웠으나, 위엄은 볼 수 없다. 크고 흐릿한 모습이 수신水神과 해약海若의 그림과 같았다.[121]

위의 기록에 등장하는 수신水神은 하백河伯, 즉 황하黃河의 신을 말하고, 해약海若은 바다의 신을 말한다. 중국신화에서 수신은 염제신농炎帝神農의 후손인 공공共工을 일컫는 경우도 있다.

다. 판첸-에르데니의 능력

【학성郝成의 증언 : 판첸-에르데니의 외국어 능력】

그는 음률을 잘 알아 팔풍八風을 점치고, 10개국 말에 능하다"고 했다. 나는 "10개국 말에 능하다면 무엇 때문에 여러 말로 통역하는가"라고 물었다. 지정은 "비록 소리를 안다 해도 어찌 즉각 말뜻이 통할 수 있겠는가"라고 말했다.[122]

---

120) 『열하일기』「札什倫布」條：面色深黃, 圓幾六七圍, 無髭鬚痕, 懸膽鼻, 眼眉數寸, 睛白瞳子重暈, 陰沉窅冥.

121) 『열하일기』「札什倫布」條：余俄視金瓦日烘入殿中, 宇閣沉沉, 其所披著皆織金, 故肌肉色奪深黃, 類病疸者然, 大抵有金色, 而臃腫蠢蠕, 肉多骨小, 無清明英偉之氣, 雖穹峙滿屋, 不見所畏, 鴻濛如水神海若圖也.

122) 『열하일기』「黃教問答」：善諧音占八風,能十方語,余日,果能十方語,則何以重譯,志亭日,雖然,諧音,安能立地通義.

【학성郝成의 증언 : 판첸-에르데니의 축수】

또 말하기를, "과연 진실로 신통하다. 활불에게 절하는 자가 모자를 벗고 머리를 조아리면, 활불이 친히 손으로 정수리를 만지며 웃음을 머금으면 큰 복을 받는다. 만일 웃지 않으면 받는 복이 그리 크지 않다. 활불이 눈을 감으면 절하던 사람은 크게 놀라 향불을 사르며 뼈저리게 참회하고 회개한다. 그러면 자연히 죄악이 소멸되고 다시 착해진다. 이것은 활불이 말로 교훈하지 않고 손을 한 번 펴는 사이에 이루어지니, 그의 공덕이 이와 같다.[123)]

【왕성王晟의 증언 : 판첸-에르데니의 영력靈力】

왕한림王翰林의 자는 효정曉亭이다. 효정이 말하기를, "반선은 도중에 내각內閣에게, (①원나라 때) '조왕趙王이 보운전寶雲殿 동편 마루에서 나를 위하여 금강경金剛經을 쓰고 있었다. 겨우 29자를 썼을 때 가경문嘉慶門에 불이 났다. 조왕은 놀라고 정신이 산란하여 다시 쓰지 못하였지만 이미 천하의 보배가 되었다. 지금 그 글씨가 어디에 있느냐고 물은 것을 학사學士가 전하였다'라고 했다. 조왕이란 조맹부趙孟頫이다. 조개껍질에 29자를 옻으로 썼는데, 세상에서는 무슨 까닭에 29자만 썼는지 알지 못한다. 처음에 성안사聖安寺 부처의 뱃속에 감춰 두었는데, (②명나라 때) 명나라 천계天啓 연간(1621～1627)에 강남 지방의 큰 장사치로 축祝씨 성을 가진 자가 부처 몸뚱이를 고치다가 이 글씨를 얻어서 몰래 가지고 갔다. (③청나라 때) 본조 강희 연간에 황제가 남방으로 순행하는데, 이과李果라는 늙은 선비가 이 글씨를 갖다 바쳤다. 그래서 이것을 비부秘府에 간직하였는데, 무근전懋勤殿에는 황제가 이 글씨를 모사한 것까지 있다. 창정滄亭에 이르러 (반선이) 글씨를 보게 되었는데, 탁본을 보이니 이것은 처음 쓴 것이 아니며 글씨의 힘도 고르지 않다고 하였다. 이에 조개껍질에 쓴 진적眞蹟을 보였더니, 기뻐하면서 이 글씨야말로 진짜라고 했다. (④명나라 때) 또 말하기를

123) 『열하일기』 「黃敎問答」 : 又日,果眞切神通也,拜佛者,脫帽叩頭,活佛親手摩頂,含笑則大蒙福祐,不笑則福祐不廣,合眼則其人大懼,燒香懺悔,寃痛刻骨,自然罪過消滅,再無不善,此活佛不消言談敎訓,一伸手間,功果如此.

'영락永樂 천자가 나와 함께 영곡사靈谷寺에서 분향을 하는데, 천자의 수염이 아름다웠다. 수염을 잡아 가슴 가운데로 (쓸어) 넣다가 갓끈을 건드려 구슬 두 개가 떨어져 없어졌다. 천자가 노하여 태감太監 위방정魏方庭을 꾸짖었다. 이때 유리국사琉璃國師가 흰 코끼리를 타고 뒤에 도착했다. 그가 육환장六環杖으로 절의 문지기를 치니, 그 문지기가 무서워서 울었다. 국사가 손바닥으로 그 눈물을 받자 구슬 두 개가 되었고, 이로 인해 태감도 꾸지람을 면했다'고 한다. 내가 이런 일을 알고 있는 것은 유걸劉傑의 『오운비기五雲秘記』를 읽었기 때문이다. 역대의 재앙이나 상서로운 일, 제왕들의 수명과 요절을 모두 점괘占卦로 풀었기 때문에 금서禁書가 되어 민간에서는 얻을 수 없다. 오직 비부에 간직해 둔 것이 있을 뿐인데, 반선은 어디에서 이것을 알았을까? (⑤명나라 때) 반선이 또 말하기를, '정덕正德 천자를 나의 표방豹房에서 만났다'고 했다. 정덕 때는 이른바 활불이 아직 중국에 들어오지 않았다. 이 사실은 모두 증거가 있고, 옛사람들의 전기에도 그렇게 말했다. 이렇게 수백 년 떨어진 내력을 말하니 모두가 황홀해 했다. 이로 인해 반선을 파사팔의 후신이니, 혹은 탑립마嗒立麻니, 혹은 전대에 있던 활불들도 모두 반선의 윤회로 환생했다고 하는데, 그 진위를 단정할 수 없다"고 했다.[124]

【학성郝成의 증언 : 판첸-에르데니의 예지력】

지난해(1779)에, 내각의 영공永公이 육황자六皇子를 따라 법가와 의장을 갖추

---

124) 『열하일기』「班禪始末」條：王翰林字曉亭, 曉亭又言班禪在道, 對內閣言, ①趙王在寶雲殿東廂下, 爲我書金剛經, 纔書二十九字, 時嘉慶門焚, 趙王驚意遂散, 不能復書, 然爲天下寶, 今書安在, 學士以聞, 趙王者, 趙孟頫也, 貝葉漆書廿九字, 世不知爲何, 只有此廿九字, 初藏聖安寺佛腹中, ②明天啓中, 江南大賈祝姓, 改塑佛軀, 得書潛持歸, ③本朝康熙中巡南方, 耆儒李果持獻此書, 遂爲秘府珍藏, 懋勤殿具有御摹, 及于滄亭臨書, 乃以搨本示之曰, 非也初書, 力叉羅也, 遂示貝葉眞蹟, 喜曰, 此書眞切是也, ④又言永樂天子, 與我燒香靈谷寺, 天子美鬚髯, 攬鬚納懷中, 觸斷瓔珞, 逸二珠, 天子怒詰太監魏芳庭, 時琉璃國師騎白象後至, 以六環杖擊寺門揭諦, 揭諦戰懼泣, 國師以掌承淚, 還得二珠, 太監由是免究, 我殊知狀, 此在劉傑五雲秘記, 有歷代災祥, 帝王壽夭, 皆讖緯言, 爲禁書, 民間不得收, 獨藏秘府, 班禪安從知此, ⑤班禪又言, 正德天子, 會我豹房, 正德時, 所謂活佛, 未嘗入中國, 而其事俱有徵, 多前輩傳記中語, 然邈絕數百年間, 殊爲怳惚, 以此謂班禪, 乃巴思八後身, 或爲嗒立麻, 或言前代所有活佛, 皆此輪轉, 未可臆斷其眞否也.

고 가서 활불을 맞아 왔다. 활불은 이미 황제의 고귀한 신하들이 자기를 맞으러 올 것과 북경을 떠난 날짜, 고귀한 신하들의 이름이 아무개라는 것까지도 알았다고 한다. (영공의) 이름은 영귀永貴이고, 현재 내각의 학사로 총애를 받는 신하라고 한다.[125]

【학성郝成의 증언 : 판첸-에르데니가 북경으로 오는 도중 행한 신통력 사례】

도중에서 신통한 일이 많았다. ① 거쳐 온 여러 나라의 번왕番王 가운데에는 몸을 불사르고 정수리를 태우며 손가락을 끊고 살을 베는 자까지 있었다. ② 또 어리석은 백성 중에 불효한 자가 있었는데, 활불을 한 번 보더니 갑자기 효심이 생겼다. 아버지가 괴상한 병에 걸리자, 칼로 자기 왼쪽 옆구리를 베어 간의 한쪽 끝을 잘라서 구워 먹이니 병이 즉시 나았다. 불효자의 왼쪽 옆구리도 금방 낳고 또 효자로 변하니, 칭송이 자자하고 고향에 정문旌門을 세우는 동시에 부역을 면제하였다. ③ 또 산서山西에 어떤 어리석은 자는 큰 부자이지만 아주 인색하여 평생 한 푼도 쓰지 않았다. 그런데 길에서 활불을 쳐다보고는 곧바로 자비심이 생겨, 드디어 10만 금을 녹여 탑 하나를 세웠다. 이것이 대략적인 활불의 공덕이다. ④ 물을 만나도 다리나 배가 필요 없었다. 맨발로 물을 밟는데 물결이 발목을 넘지 않았다. ⑤ 강 건너 저쪽 언덕에 큰 범 한 마리가 길에 엎드려 꼬리를 흔들고 있었다. 황자皇子가 화살을 빼어 쏘려 하니 활불이 말렸다. 수레에서 내려 범을 쓰다듬어 주자, 범은 무슨 호소할 일이 있는 것처럼 그의 옷자락을 물고 남쪽으로 가매 활불도 따라갔다. 큰 바위 틈에 굴이 있었다. 범 한 마리가 젖을 먹이고 있는데, 큰 뱀 두 마리가 범의 굴을 둘러싸고 새끼를 집어삼키려 하고 있었다. 한 뱀은 젖먹이는 범과 겨루고 다른 뱀은 수범과 겨루고 있었으나, 범의 어금니로도 이것을 막을 도리가 없어 슬피 울다가 기진해 버렸다. 활불이 지팡이를 세우고 주문을 외니, 두 마리의 뱀이 저절로 돌에 부딪쳐 죽었다. 그 대가리에서 밤에도 빛이 나는 진주가 한 개씩 나왔다. 구슬 하나는

125) 『열하일기』「黃教問答」: 去歲內閣永公陪皇六子, 備法駕儀仗, 往迎活佛, 活佛已知皇帝貴臣當來迎我, 離京日子及貴臣名某, 名永貴, 現任內閣學士, 寵臣云.

황자에게 바치고, 다른 하나는 학사에게 바쳤다. 이후 범은 열흘 동안이나 활불을 호위하며 따라왔는데 아주 공순했다. 황자가 범을 궤 속에 잡아넣어 데려가고 싶어 했으나 활불은 불가하다면서 중지시켰다. 그리고 범을 경계하여 말하는 듯하니, 범은 머리를 조아리더니 가버렸다고 한다. 이것이 바로 그 법술의 신통함이다. 두 개의 구슬을 바쳐 수레 같은 것에 태워두었다. 홍수나 가뭄 및 역질이 있을 때 몰래 예물을 바치면 영험이 있다"고 했다.[126)]

【학성郝成의 증언 : 판첸-에르데니의 신통력 사례】

"또 일찍이 황제와 함께 차를 마시다가 갑자기 남쪽을 향하여 찻물을 뿌렸다. 황제가 놀라 그 이유를 물었다. 활불이 공손히 대답하기를, 방금 700리 밖에서 큰불이 나 1만 호나 되는 인가가 불타고 있는 것이 보여 비를 좀 보내 불을 끄는 것이라고 했다. 다음날 신하가 아뢰기를, 정양문正陽門 밖 유리창에서 불이 나 망루까지 타 버렸다. 불기운이 너무나 거세 인력으로는 끌 수 없었다. 때는 바야흐로 정오였으며, 하늘엔 구름 한 점 없이 맑았다. 그런데 갑자기 큰비가 동북방에서 몰려와 불을 껐다. 대개 차를 뿌려 비를 보낸 시각이 꼭 불났던 때와 맞았다"고 했다. 내가 "나도 북경에 도착하기 전에 도중에서 이런 이야기를 여러 번 들었다. 난파欒巴도 술을 뿜어 비를 만들었다는데, 이것이 무슨 기이할 정도가 되는가. 또 북경에서 이곳까지는 400여 리인데 700리란 말은 무엇인가"라고 물었다. 지정은 "맞다. 그래서 그의 영험이 신통하다는 것이다"고 말했다.[127)]

126) 『열하일기』「黃教問答」: 在道多有神通, ①所經諸國番王, 至有爇體焚頂, 斷指刻膚, ②愚民有不孝其父母者, 一見活佛, 忽生悲心, 父有奇疾, 此子刀剔左脅割肝頭小片燒進, 病卽瘳, 不孝子左脅立完, 轉爲孝子, 已奉玉音, 旌鄕復身, ③山西有一鄙夫巨富, 平生性吝一金, 在途拜望, 轉生悲心, 遂銷十萬金, 建成一座浮圖, 此活佛功德大略也, ④遇水不橋不舵, 跣足履水, 波不沒踝, ⑤先在彼岸, 又有大虎伏道搖尾, 皇子抽矢欲射, 活佛止之, 降輿慰虎, 虎啣其衣裾, 若有所訴, 仍南去, 活佛隨去, 有大石竇, 虎方乳, 有大蛇兩頭, 圍繞虎穴, 欲呑其子, 一頭拒乳虎, 一頭拒雄虎, 虎牙距無所入, 悲號氣盡, 活佛拄杖說呪, 蛇兩頭自觸石碎死, 腦中俱有大珠, 光明不夜, 一珠獻予皇子, 一珠獻予學士, 虎護駕十日, 甚爲恭順, 皇子欲與偕行納圈中, 活佛不可乃止, 遂戒虎有所云, 虎叩頭乃去, 此其法術神通也, 兩珠奉獻, 爲乘輿物, 水旱瘟疫, 爲秘幣無不靈應.

127) 『열하일기』「黃教問答」: 嘗對皇上喫茶, 忽南向洒之, 皇上驚問, 聖僧恭對, 方見七百里外,

라. 판첸-에르데니의 지위

【판첸-에르데니를 친견할 수 있는 고귀한 사람들】

이제 중국의 불교는 없어진 지 오래되었다. 내가 열하에 있을 때 비록 조정의 귀관貴官이라도 도리어 나에게 반선의 모습을 물어 보았다. 대개 친왕이나 부마, 또는 조선 사신이 아니고서는 볼 수 없기 때문이다.128)

【기풍액奇豐額의 증언 : 일반 관리들은 판첸-에르데니를 볼 수 없다】

나는 "공은 일찍이 활불을 본 적이 있습니까"하고 물었더니, 여천은 "친왕이나 부마·몽골왕이 아니면 감히 볼 수 없다"고 대답했다.129)

【학성郝成의 증언 : 판첸-에르데니를 친견할 수 있는 사람들】

화석친왕和碩親王과 화석액부和碩額駙는 매일 아침 활불 앞에서 절하고 머리를 조아리지만, 그 밖의 사람들이나 보통 관품官品들은 알현하기가 정말 어렵다"고 했다. 내가 그 내력을 물었더니, 지정은 "건륭 40년(1775) 무렵에 서방 사람들이 모두 말하기를 활불 법왕이 세상에 나타났으며, 이 법왕은 능히 사십세四十世 전신前身의 일까지도 안다"고 했다.130)

위의 기록에 등장하는 화석친왕和碩親王은 호쇼이-친왕Hosho-i Chin Wang, 화석액부和碩額駙는 호쇼이-어후Hosho-i efu의 음역으로, 황자皇子나 황자의 사

大火延燒萬家, 纔得送雨救火, 翌日, 部臣遞奏, 正陽門外琉璃廠失火, 延燒譙樓, 火勢浩大, 非人力可止, 時方晌午, 天晴無雲, 忽有猛雨從東北來, 即刻滅火, 蓋洒茶送雨, 正值火時, 余曰, 僕未入京師, 已多道聽此說, 然此有欒巴噀酒已例, 曷足奇哉, 自皇城到此爲四百餘里, 何謂七百里, 志亭曰, 是也, 此足驗其神通.

128) 『열하일기』「班禪始末」條 : 目今中國佛敎廢久矣, 在熱河時, 雖朝貴, 反問余班禪狀貌, 蓋非親王額駙及朝鮮使者, 未之得見故也.

129) 『열하일기』「黃敎問答」: 余問公曾拜彼佛乎, 麗川曰, 非親王額駙及蒙王, 不可得見也.

130) 『열하일기』「黃敎問答」: 和碩親王, 和碩額駙, 常常朝拜叩頭, 外人庶品, 眞實難見, 余因問其來歷, 志亭曰, 乾隆四十年間, 西方人藉藉言活佛法王現世, 或言法王能知四十世前身事.

위를 말한다. 지정이 말한 1775년 무렵은 사천四川에서 대소금천大小金川의 반란이 일어난 때인데, 아마 그때 군대를 통해 제6세 판첸-에르데니에 대한 소문이 돌지 않았나 생각된다. 당시 판첸-에르데니의 나이는 37세이다.

【청나라 사대부들의 판첸-에르데니 인식】

태학에 돌아오자 중원의 사대부들은 모두 내가 반선을 만나 보았음을 영광으로 생각하고, 또한 그 도술의 신통함을 극구 칭찬하지 않는 자가 없었다. 그들의 희세希世 부회傅會의 기풍이 이러했다. 대개 예부터 세도의 부침이나 인심의 선악은 모두 위로부터 나오는 법이다.131)

(3) 건륭제와 제6세 판첸-에르데니의 만남

아래의 기록들은 건륭제와 제6세 판첸-에르데니가 어원御苑에서 만나는 과정 및 모습을 묘사한 부분이다. 이 만남에 조선 사절단도 참석했다. 그것을 순서대로 소개하면 다음과 같다.

【건륭제가 조선 사신을 어원御苑으로 초대하다】

황제는 어원에 매화포梅花砲를 놓고 사신을 불러들여 보게 하였다.132)

【어원御苑의 정경】

전각은 처마가 겹으로 되어 있고, 뜰에는 누런 장막을 쳤다. 전각에는 해와 달, 용과 봉황을 그린 병풍이 펼쳐져 있었는데 아주 보배로웠다.133)

---

131)『열하일기』「太學留館錄」1780년 8월 11일조 : 及還舘中(太學), 中原士大夫, 皆以余得見班禪, 莫不榮羡, 亦莫不極口贊美, 其道術神通, 其希世傅會之風如是, 夫終古世道之汚隆, 人心之淑慝, 莫不由上導之也.

132)『열하일기』「札什倫布」條 : 皇帝放梅花砲於苑中, 召使臣入見.

133)『열하일기』「札什倫布」條 : 殿重簷, 中庭黃幄, 殿上日月龍鳳屛陳設, 寶扆甚嚴.

【판첸-에르데니의 축수】

모든 관리가 열을 지어 서자, 반선이 먼저 평상 위에 앉았다. 일품 보국공輔國公과 조정의 고관들이 모두 평상 아래로 나아가 모자를 벗고 머리를 조아렸다. 반선이 손수 한 번씩 정수리를 어루만져 주자 비로소 일어서 나갔다. 남들을 향해 영광스러운 표정을 지었다.[134]

【건륭제의 도착과 판첸-에르데니의 응대 : 용들의 만남】

얼마 뒤 천자가 누런빛 작은 가마를 타고 나타났는데, 시위는 칼을 찬 5~6쌍뿐이다. 고취대가 어가를 인도한다. 고취대는 퉁소 한 쌍, 젓대 한 쌍, 징 한 쌍, 비파·생황·거문고와 유럽의 철금 두세 대와 딱다기 한 쌍이다. 의장도 없이 따르는 자가 백여 명쯤 되었다. 황제가 탄 가마가 앞에 이르자, 반선은 천천히 일어나 평상 위에서 동쪽으로 몇 걸음을 옮겨 얼굴에 기쁜 미소를 지었다.[135]

【판첸-에르데니에 대한 건륭제의 응대】

황제는 네다섯 칸 떨어진 곳에서 가마를 내려 빠르게 걸어갔다. 그리고 두 손으로 반선의 손을 잡고 서로 흔들면서 마주보고 웃으며 이야기를 나누었다.[136]

【판첸-에르데니와 건륭제의 대담】

황제는 꼭지가 없는 붉은 비단 모자를 쓰고, 검은빛의 옷을 입었다. 금실로 짠 두꺼운 방석에 무릎을 세우고 앉았다. 반선은 금 삿갓을 쓰고, 누런 옷을 입었다. 금실로 짠 두꺼운 방석 위에 결가부좌로 평상의 약간 동쪽에 앉았다.

134) 『열하일기』 「札什倫布」條 : 千官班立, 時班禪獨先至坐榻上, 一品輔國公輩及廷紳貴顯者, 多趨至榻下, 脫帽叩頭, 班禪皆親手爲一摩頂則起出, 向人擧有榮色.

135) 『열하일기』 「札什倫布」條 : 良久天子乘黃色小轝, 侍衛只佩釰五六雙, 導駕鼓吹, 觱篥一雙, 龍笛一雙, 金鉦一雙, 琴瑟笙簧琵琶笳歐邏巴鐵琴二三對, 檀板一雙, 無儀仗, 從者百餘人, 乘轝至, 班禪徐起移步, 立榻上東偏, 笑容欣欣.

136) 『열하일기』 「札什倫布」條 : 皇帝離四五間, 降轝疾趨至, 兩手執班禪手, 兩相揺搦, 相視笑語.

두 방석 사이는 무릎이 서로 닿을 듯 가깝다. 자주 몸을 기울여 서로 이야기를 나누는데, 말할 때마다 서로 웃음을 띠고 즐거워했다.[137]

【군신이 판첸-에르데니와 건륭제에게 차를 바치다】

자주 차를 올리는데, 호부상서 화신和珅은 천자에게 바치고, 호부시랑 복장안福長安은 반선에게 바친다. 복장안은 병부상서 융안隆安의 아우이다. 화신과 함께 시중을 드는데, 귀품이 조정을 진동한다.[138]

【판첸-에르데니와 건륭제의 작별 : 용들의 작별】

날이 저물어 황제가 일어서자 반선도 역시 일어났다. 황제와 마주 서서 서로 오랫동안 악수한 뒤 등을 마주하고 평상을 내려왔다. 황제는 나올 때의 의장과 같은 형식을 취하며 돌아갔다. 반선은 황금 교자를 타고 찰십륜포로 돌아갔다.[139]

6. 제6세 판첸-에르데니와 조선 사절의 만남

주자학의 세계에 살았던 조선 사대부들이 이역의 종교 지도자를 만나면 어떤 입장을 가져야 하는 것일까? 실제 그러한 역사적인 사건이 일어났다. 원하건 원하지 않건 간에, 몽골과 티베트의 이념을 지배하던 라마교 영수와 청나라 한인들의 사상적 비굴함을 조롱하며 소중화라고 자처했던 조선의 사

137) 『열하일기』 「札什倫布」條 : 皇帝冠無頂紅絲帽子, 衣黑衣, 坐織金厚褥盤股坐, 班禪戴金笠, 衣黃衣, 坐織金厚褥卿趺, 稍東前坐一榻, 兩褥膝相聯也, 數數傾身相語, 語時必兩相帶笑含懽.

138) 『열하일기』 「札什倫布」條 : 數數進茶, 戶部尙書和珅, 進天子, 戶部侍郎福長安進班禪, 長安兵部尙書隆安弟也, 與和珅俱侍中, 貴震朝廷.

139) 『열하일기』 「札什倫布」條 : 日旣暮, 皇帝起, 班禪亦起, 與皇帝偶立, 兩相握手久之, 分背降榻, 皇帝還內如出儀, 班禪乘黃金屋轎, 還札什倫布.

대부(주자학자)들이 만났다. 박지원은 그 만남을 세밀하게 기록했다. 주자학과 라마교의 조우, 즉 이념의 충돌과도 같은 이 만남은 어떻게 전개되고 끝맺었을까.

(1) 건륭제의 알현

아래의 기록들은 피서산장에서 조선 사절단이 건륭제를 알현하는 모습과 건륭제가 조선 사절단에게 제6세 판첸-에르데니를 만나라고 부탁하는 부분이다. 조선 사절단에게 사상적 고뇌를 안겨준 그 만남의 전 과정을 순서대로 소개하면 다음과 같다.

【조선 사신의 건륭제 알현 : 사신은 만주어를 아는가】

정사가 말하기를, 아침나절 사찬賜饌이 있은 뒤 조금 지나서 만나겠다는 명령이 내렸다고 했다. 통관이 인도하여 정문 앞에 이르렀다. 그 동쪽 협문에는 시위侍衛하는 신하들이 섰거나 혹은 앉아 있었다. 덕상서德尙書와 낭중 몇 사람이 와서 사신의 출입을 주선하는 절차를 지휘하고 갔다. 이윽고 군기대신이 황제의 뜻을 받들어 “그대의 나라에도 사찰이 있으며, 또 관제묘도 있는가”라고 물었다. 얼마 되지 않아 황제가 정문으로 나와 문 안의 벽돌을 깔아 놓은 위에 앉았다. 교의와 탁자도 내오지 않고, 다만 평상에 누런 보료만 깔았다. 좌우의 시위는 모두 누런 옷을 입었다. 그 가운데 칼을 찬 자는 서너 쌍에 불과하고, 누런 일산을 받들고 선 자가 두 쌍이다. 그들은 모두 엄숙하고 조용했다. 먼저 회자回子의 태자가 앞으로 나와 몇 마디 아뢰고 물러간 뒤, 사신과 세 통사通事를 나오라 하자 모두 나가 무릎을 꿇었다. 이는 무릎이 땅에 닿을 뿐 뒤를 붙이고 앉은 것은 아니다. 황제가 “국왕께서 평안하신가”라고 묻자, 사신은 공손히 “평안하옵니다”라고 대답했다. 황제는 또 “만주어를 잘하는 이가 있는가”하고 물었다. 이에 상통사上通事 윤갑종尹甲宗이 “약간 아옵니다”라고 만주어로 대답하니,

황제가 좌우를 돌아보며 기쁘게 웃었다. 황제는 모난 얼굴에 희맑으면서 약간 누런빛을 띠었다. 수염이 반쯤 희고 나이는 예순쯤 된 듯싶은데, 춘풍화기를 지녔다.[140]

【건륭제와 활쏘기 시연】

사신이 반열로 물러가자 무사 예닐곱이 차례로 들어와 활을 쏘는데, 화살 하나를 쏘고는 반드시 꿇어앉아서 고함을 친다. 과녁을 맞힌 자가 두 명이다. 과녁은 마치 우리나라의 풀로 만든 과녁과 같은데, 한복판에 짐승 한 마리를 그렸다. 활쏘기가 끝나자 황제가 곧 돌아갔다. 시위도 모두 물러가고, 사신도 역시 물러갔다.[141]

북방 민족의 습속에는 외국의 사절단이 왔을 때 대칸이 활쏘기를 하거나 대회를 열어 친견하는 경우가 종종 나타나고 있다.[142] 한 예로 추신지鄒伸之가 이끄는 남송의 사절단이 1235년 여름 허더아랄Köde'e-aral에서 어거데이카간을 알현했는데, 그때 대칸이 친히 화살을 몇 번 쏜 뒤 들어갔다는 기록이 남송 사신단의 귀국보고서인 『흑달사략』에 다음과 같이 수록되어 있다.

---

140) 『열하일기』 「太學留館錄」 1780년 8월 11일조 : 正使言朝者, 賜饌後, 少爲遲留, 因有引對之命, 通官導至正門前, 其東夾門, 侍衛諸臣, 或立或坐, 德尙書與郎中數人來立, 指揮使臣出入周旋之節而去, 良久軍機大臣以皇旨問曰, 爾國有寺刹乎, 又有關帝廟乎, 已而皇帝出自正門, 而仍坐門中甎上, 不設椅榻, 只設平牀, 鋪黃褥, 左右侍衛, 皆衣黃, 佩釖者, 不過三四雙, 黃繖分立者, 只二雙, 肅然無譁, 先令回子太子進前, 未數語而退, 次命使臣及三通事進前, 皆進前長跪, 長跪者, 膝地也, 非貼尻坐也, 皇帝問國王平安, 使臣謹對曰, 平安, 皇帝又問有能滿洲話者乎, 上通事尹甲宗以滿話對曰, 略解, 皇帝顧視左右而喜笑, 皇帝方面白晳, 而微帶黃氣, 鬚髯半白, 貌若六十歲, 藹然有春風和氣.

141) 『열하일기』 「太學留館錄」 1780년 8월 11일조 : 使臣退立班次, 武士六七人鱗次進射, 發一矢, 則輒跪高聲唱喏, 其中者二人, 其的如我東蒭革, 而中畫一獸, 射畢, 皇帝卽還內, 侍衛皆退出, 使臣亦退出.

142) 북방 유목제국에 외국 사신단이 왔을 때 활쏘기 시연이나 대회를 연 기록에 대해서는 졸저, 『유라시아 초원제국의 역사와 민속』, pp.407~432를 참조. 이러한 예는 병자호란 때 인조와 조선의 대신들이 삼전도에 와서 청 태종에게 항복한 이후 벌어진 연회에서도 나타나고 있다.

(서정이) 알탄오르도 앞에 있을 때 홀연히 대칸(어거데이)이 한두 사람을 대동하고 겔(알탄오르도) 밖으로 나와 화살을 쏘는 것을 보았다. 대칸은 직접 4~5발을 쏘았는데, 200보에 이르는 장거리 사격이었다. 사격을 마치자 (다시) 곧 알탄오르도로 들어갔다.[143)]

【조선 사신은 판첸-에르데니를 알현하라】

문 하나를 채 못 나와서 군기대신이 오더니, "사신은 곧장 찰십륜포札什倫布로 가서 반선액이덕니班禪額爾德尼를 알현하라"는 황제의 전갈을 전했다.[144)]

(2) 판첸-에르데니의 알현 논쟁

1780년 8월 조선 사절단은 건륭제에게 판첸-에르데니를 알현하라는 전갈을 받고 내부 논쟁에 휩싸였다. 조선도 아닌 피서산장에서 그들은 고뇌의 결정을 내려야 했다. 그리고 귀국한 뒤의 처신에 대해서까지도 고뇌해야 했다. 아래의 기록들은 조선 사절단에서 벌어진 알현의 타당성 여부에 대한 자체 논쟁을 소개한 부분이다.

【건륭제가 조선 사신에게 판첸-에르데니 알현을 권고 : 알현하라】

군기대신이 황제의 명령을 받들고 와서 전하기를, "티베트의 성승聖僧에게 가보지 않겠느냐"라고 했다.[145)]

143) 彭大雅·徐霆, 『黑韃事略』: 霆在金帳前, 忽見韃主同一二人, 出帳外射弓, 只韃主自射四五箭, 有二百步之遠射, 射畢, 卽入金帳.

144) 『열하일기』「太學留館錄」 1780년 8월 11일조 : 未及一門, 軍機出傳皇旨, 使臣直往札什倫布, 見班禪額爾德尼云.

145) 『열하일기』「太學留館錄」 1780년 8월 10일조 : 軍機大臣奉皇旨來傳曰, 西番聖僧欲往見乎.

【조선 사신의 건륭제 요청 거절 : 못한다 】

이에 사신이 "황제께서 작은 나라를 내지와 같이 보시니, 중국 인사들과는 스스럼없이 오가도 무방합니다. 그러나 다른 나라 사람과 함부로 사귈 수 없는 것이 우리나라의 법입니다"라고 대답하였다.[146]

【조선 사신에게 황제의 참석 명령이 재차 하달 : 걱정 말고 알현하라】

얼마 되지 않아 군기대신이 또 말을 달려와서 황제의 명령을 거듭 전하기를, "그는 중국 사람과 마찬가지이니 즉시 가보라"고 했다.[147]

【조선 사신 내부의 참석 여부 논쟁 : 죽어도 못한다. 하지만 가기는 간다】

(사신들이 상의를 했다.) 글을 예부에 보내어 이치로 따지자, … 아직껏 의논이 정해지지 않았는데, 예부의 독촉이 성화같아서 비록 하원길夏原吉의 위풍일지라도 배겨낼 수 없었다. 안장과 말을 정돈하는 사이에 저절로 늦어져 이미 해가 기울었다. … 행재소의 대궐문을 거쳐 성을 돌아서 서북으로 향해 반도 못 갔을 무렵, 별안간 황제의 명령이 내렸다. "오늘은 이미 늦었으니 사신은 돌아가서 다른 날을 기다리라." 이에 서로 돌아보며 놀라서 되돌아섰다.[148]

위의 기록에 등장하는 하원길夏原吉(1366~1430)은 홍무제 때부터 선종宣宗대에 이르기까지 다섯 조정의 호부상서를 역임한 인물로, 대신의 풍도가 있었다.[149]

---

146) 『열하일기』「太學留館錄」 1780년 8월 10일조 : 使臣對日, 皇上字小, 視同內服, 中國人士不嫌往復, 而至於他國人, 不敢相通, 自是小邦之法也.

147) 『열하일기』「太學留館錄」 1780년 8월 10일조 : 俄有軍機, 又飛鞚而來, 口宣皇旨日, 是與中朝人一體, 卽可往見.

148) 『열하일기』「太學留館錄」 1780년 8월 10일조 : (使臣相議) 呈文禮部, 據理爭之…議猶未決, 而禮部催督急於星火, 雖夏原吉, 勢將蹶趨承, 而整頓鞍馬之際, 自致遲延, 日已昃矣…歷行在門, 循城西北, 行未及半程, 忽有皇敕日, 今日則已晚矣, 使臣須回去, 以待他日, 於是相顧愕然而還.

149) 夏原吉은 湖南省 湘陰県 사람으로, 字는 維喆이다. 고학 끝에 國子監에 들어갔으며, 洪武帝에게 발탁되어 戶部畑을 역임했다. 靖難의 役에서는 建文帝의 편에 섰기 때문에 일시 체포되

【건륭제가 조선 사신의 태도에 불쾌함을 가지다 : 조선은 예를 알지만 사신은 예를 모른다】

박보수朴寶樹가 예부에 가서 탐문하고 돌아와 하는 말이, "황제께서 말씀하시기를 '그 나라는 예를 알건만 사신은 예를 모른다'고 한다." … "예를 모른다"는 뜻은 곧 불평을 띤 말인즉, 통관들이 가슴을 치며 우는 것도 공연한 공갈만은 아니다. … 우리나라 역관들도 두렵긴 할 테지만 조금도 까딱하지 않았다.150)

【건륭제가 조선 사신에게 판첸라마의 알현을 명령 : 반드시 알현하라】

창대가 와서 말하기를, "아까 황제께서 사신을 만났으며 또 가서 활불活佛을 뵈라고 명했다"고 했다.151)

(3) 판첸-에르데니의 알현

건륭제의 강압에 결국 조선 사절단은 제6세 판첸라마를 만났다. 그러나 그 만남은 외교적 무례로 일관하고 있다. 그것이 의도적인지 아닌지는 누구도 알 수 없지만, 외형적으로 이 만남은 무척 어색했다. 마치 당시 조선의 대외 인식이 어떤 것인가를 말없이 보여주는 것 같기도 하는 이 만남을 순서대로 소개하면 다음과 같다.

었지만, 永樂帝도 그 재능을 인정하여 1402년에 戶部尙書로 발탁했다. 이후 19년에 걸쳐 직을 수행하면서 浙西 지역의 치수공사, 북경 천도, 막북 친정의 비용 마련 등 明朝 財政의 기초를 쌓았다. 1410년 영락제의 막북 친정 때에는 황태자인 朱高熾(후의 仁宗)를 보좌하여 북경을 지켰다. 그러나 1421년의 막북 친정 때 그 불가함을 주장하다가 영락제의 노여움을 사서 투옥되었다. 3년 뒤 영락제가 죽고 인종이 계승하자, 곧바로 석방되어 戶部尙書로 복직했고 이후 죽을 때까지 그 직에 있었다. 인종이 급서하고 어린 宣宗이 즉위하자, 楊士奇와 함께 그를 보좌하여 三楊(楊士奇, 楊榮, 楊溥)과 함께 신임을 받았다. 사후에 忠靖이라는 시호를 받았다.

150) 『열하일기』「太學留館錄」 1780년 8월 10일조 : 朴寶樹往探禮部而回, 爲言皇上謂該國知禮, 而陪臣不知禮…又禮部所傳不知禮之旨, 尤帶不平, 則通官之搥胷涕泣, 似非嚇喝, …我譯亦毛耗鞹見, 毫無動焉.

151) 『열하일기』「太學留館錄」 1780년 8월 10일조 : 昌大來言, 俄者皇上引接使臣, 又令往見活佛云.

【판첸-에르데니를 만나다】

반선액이덕니班禪額爾德尼를 찰십륜포札什倫布에서 보았다.[152]

【판첸-에르데니의 좌석】

전각 안의 북쪽 벽 아래에 침향沈香으로 만든 연꽃 모양의 평상이 있는데, 높이는 어깨에 이른다. 반선은 남쪽을 향해서 가부좌하고 앉았다.[153]

【판첸-에르데니의 모자】

말갈기 같은 털이 달린 누런빛 관을 썼는데, 그 모습이 가죽신과 유사하다. 높이는 두 자 남짓이다.[154]

【판첸-에르데니의 의복】

금으로 짠 선의(禪衣)를 입었다. 소매가 없이 왼쪽 어깨에 걸친 다음 온몸을 감았다. 오른편 옷깃 겨드랑이 밑으로 오른손 팔뚝을 드러냈는데, 장대하기가 정강이만하고 금빛이었다.[155]

【판첸-에르데니와 두 몽골왕】

왼쪽에는 낮은 평상 두 개가 있어 몽골왕 둘이 무릎을 연해 앉았다. 얼굴은 모두 검붉었다. 그 가운데 한 명은 코가 뾰족하고 이마가 드높으며 콧수염은 없다. 다른 한 명은 평평한 얼굴에 뿔 같은 구레나룻가 있다. (모두) 누런 옷을 입었다. 서로 바라보며 참소하다가 대답이 돌아오자 머리를 들고 무언가를 듣는 듯했다. 라마승 두 명이 오른편에서 모시기 위해 서 있고, 군기대신은 라마의 밑에 서 있다.[156]

152) 『열하일기』 「札什倫布」條 : 見班禪額爾德尼於札什倫布.
153) 『열하일기』 「札什倫布」條 : 殿中北壁下, 設沉香蓮榻, 高及肩, 班禪跏趺南向坐.
154) 『열하일기』 「札什倫布」條 : 冠黃色有鬣, 狀似靴, 高二尺餘.
155) 『열하일기』 「札什倫布」條 : 披織金禪衣, 無袖袪掛左肩, 圍裹全軀, 衽右腋下露, 垂右臂, 長大如腿股而金色.

【판첸-에르데니와 군기대신의 의복】

군기대신이 황제를 모실 적에는 누런 옷을 입었는데, 반선을 모실 적에는 라마의 승복으로 바꾸어 입었다.[157]

【조선사신의 판첸-에르데니 알현 : 불평 속에 만나다】

사신은 비록 억지로 나아가 반선班禪을 보았으나, 마음속으로는 불평을 품었다. 당번 역관은 예기치 않은 일이 발생할까 서둘러 미봉한 것을 다행으로 여겼다. 하인들은 모두 마음속으로 번승과 황제를 욕하고 비방하였다. 왜냐하면 만국의 군주로서 한 가지 일을 행함에도 신중해야 하기 때문이다.[158]

【건륭제의 조서 전달 : 조선 사신도 하다크Khadag를 바쳐라】

황제가 내무관內務官에게 조서詔書를 전달하게 했다. 옥색 비단 한 필을 반선에게 가져다 보인 뒤 내무관이 손수 비단을 3단으로 잘라 사신에게 주었다. 이것을 합달哈達이라 부른다. 반선은 스스로 그의 전신前身을 파사팔巴思八이라 일컫는다. 파사팔의 어머니가 향내 나는 수건을 물고 (그를) 낳았으므로, 반선을 알현하는 자는 반드시 수건(합달)을 지니는 것이 예의이다. 황제도 반선을 볼 때마다 역시 누런 수건을 지닌다고 한다.[159]

【판첸-에르데니 알현법 : 조선 사신도 머리도 조아려라】

군기대신이 (그를 알현할 때) 황제도 머리를 조아리고, 황육자皇六子도 머리를 조아리며, 화석액부和碩額駙도 머리를 조아리니, 지금 사신도 당연히 머리를

---

156) 『열하일기』「札什倫布」條 : 左有二低床, 二蒙古王聯膝坐, 面皆黑赤色, 一鼻銳額隆無髭, 一削面虬髯, 衣黃衣, 唛唛相視, 語復仰首, 若有所聽, 二喇嘛立侍于右, 軍機大臣, 立喇嘛下.

157) 『열하일기』「札什倫布」條 : 軍機大臣侍皇帝則衣黃, 侍班禪則易喇嘛服.

158) 『열하일기』「太學留館錄」 1780년 8월 11일조 : 使臣雖勉强就見, 內懷不平, 任譯則猶恐生事, 以急急彌縫爲幸, 下隸則莫不心誅番僧, 腹誹皇帝, 爲萬邦共主, 弗可不愼其一擧措也.

159) 『열하일기』「札什倫布」條 : 皇帝使內務官詔傳, 玉色綾緞一匹, 執見班禪, 內務官手自分截三段, 給與使臣, 名哈達, 盖班禪, 自言前身巴思八, 巴思八母, 呑香帕而生, 故見班禪者, 必執帕爲禮, 而皇帝每見亦執黃帕云.

조아려 절해야 한다는 것을 비로소 말했다.[160]

【조선 사신의 판첸라마 알현법 논란 : 죽어도 머리를 조아릴 수 없다】

사신은 아침에 이미 그것에 대해 예부禮部와 다투면서 "머리를 조아리는 예절은 천자의 처소에서나 하는 것인데, 이제 어찌 천자에 대한 예절을 번승에게 쓸 수 있겠소"라고 했다. 언쟁이 끝나지 않자 예부에서 말하기를, "황제도 역시 스승의 예절로 대우하는데, 사신이 황제의 조칙을 받들었을 적에야 같은 예로 대우하는 것이 마땅하지 않느냐"고 했다. 사신이 기꺼이 가지 않으려 하여 굳이 서서 다투니, 상서尙書 덕보德保는 노해서 모자를 벗어 땅에 던졌다. 그리고 온돌 위로 몸을 던져 누우면서 큰 소리로 "빨리 가라. 빨리 가라"고 소리치며 손으로 사신이 나가도록 손짓했다.[161]

【조선 사신은 판첸-에르데니에게 하다크를 바치고 절을 하라】

방금 군기대신이 무슨 말을 하는데 사신은 못 들은 것 같았다. 제독提督이 사신을 인도하여 반선班禪 앞에 이르자, 군기대신이 두 손으로 수건을 받들고 서서 사신에게 주었다. 사신은 수건을 받아 머리를 든 채 반선에게 주었다. 반선은 앉아서 수건을 받은 뒤 거의 몸을 움직이지 않고 수건을 무릎 앞에 놓았는데, 수건이 탁자 아래까지 늘어졌다. 차례로 수건 받기를 마친 다음에 반선은 다시 군기대신에게 주니, 군기대신이 수건을 받들고 반선의 오른편에 모시고 섰다.[162]

---

160) 『열하일기』「札什倫布」條 : 軍機大臣初言, 皇上也叩頭, 皇六子也叩頭, 和碩額駙也叩頭, 今使臣當行拜叩.

161) 『열하일기』「札什倫布」條 : 使臣朝旣, 爭之禮部曰, 拜叩之禮, 行之天子之庭, 今奈何以敬天子之禮, 施之番僧乎, 爭言不已, 禮部曰, 皇上遇之以師禮, 使臣奉皇詔, 禮宜如之, 使臣不肯去, 堅立爭甚力, 尙書德保怒脫帽擲地, 投身仰臥炕上, 高聲曰, 亟去亟去, 手麾使臣出.

162) 『열하일기』「札什倫布」條 : 今軍機有言, 而使臣若不聞也, 提督引使臣至班禪前, 軍機雙手擎帕, 立授使臣, 使臣受帕, 仰首授班禪, 班禪坐受帕, 略不動身, 置帕膝前, 帕垂榻下, 以次盡受帕, 則還授帕軍機, 軍機奉帕立侍于右.

【조선 사신의 판첸-에르데니 알현 무례 : 정말 절하지 않았다】

사신이 막 돌아서려 하는데, 군기대신이 오림포烏林哺에게 눈짓하여 중지시켰다. 이것은 사신에게 절을 시키기 위함이다. 그러나 사신은 그것을 알지 못하고, 머뭇머뭇 물러서서 검은 비단에 수를 놓은 방석이 놓여 있는 몽골왕의 아랫자리에 앉았다. 앉을 때 조금 허리를 구부리고 소매를 들고는 이내 앉으니, 군기대신의 얼굴빛이 황급해 보였다. 그러나 사신이 벌써 앉아 버렸으니 어쩔 수가 없는지라, 숫제 못 본 체했다.[163]

【판첸-에르데니가 조선 사신에게 온 이유를 묻다】

제독이 수건을 나누어줄 때 한 자 남짓한 수건이 남았다. (그는) 이것을 반선에게 공손히 머리를 조아리며 올렸다. 이때 오림포 이하 모두 공손히 머리를 조아렸다. 차를 몇 차례 돌린 뒤에 반선은 소리를 내어 사신이 온 이유를 물었는데, 말소리가 전각 지붕에 공명이 되어 마치 항아리 속에서 소리를 지르는 것 같았다. 그는 빙그레 웃으면서 머리를 숙여 좌우편을 고루 둘러보았다. 미간을 찡그리며 눈동자가 반쯤 드러나게 눈을 가늘게 뜨고 눈동자를 깊이 굴리는 것이 시력이 나쁜 사람처럼 보였다. 눈동자의 주변은 더욱 희어지고 흐릿하여 예리한 광채가 없어 보였다.[164]

【판첸-에르데니의 말을 5중 통역하여 조선 사신에게 전하다】

라마승이 (반선의) 말을 받아 몽골왕에게 전하자, 몽골왕은 군기대신에게 전하고, 군기대신은 오림포에게 전하고, 오림포는 우리 역관에게 전하니, 오중五重의 통역이 되었다.[165]

---

163) 『열하일기』「札什倫布」條 : 使臣方以次還出, 軍機目烏林哺止使臣, 盖使其爲禮, 而使臣未曉也, 因逡巡郤步, 退坐黑緞繡綑, 次蒙古王下, 坐時微俯躬擧袂仍坐, 軍機色皇遽, 而使臣業已坐, 則亦無如之何, 若不見也.

164) 『열하일기』「札什倫布」條 : 提督得分帕時所餘帕尺餘, 進帕叩頭惟恭, 烏林哺以下, 皆叩頭恭順, 茶行數巡, 班禪發聲問使來由, 語響殿宇, 如呼甕中, 微笑頫首, 左右周視, 眉間皺蹙, 瞳子半湧睫裏, 細開深流, 類視短者, 睛底益白, 而曖霴益無精光.

165) 『열하일기』「札什倫布」條 : 喇嘛受語傳蒙古王, 蒙古王傳軍機, 軍機傳烏林哺, 以傳我譯, 盖

【판첸-에르데니에 대한 조신 사신단의 방자함】

상판사上判事 조달동趙達東이 일어나 팔뚝을 걷어붙이며 "만고에 흉한 사람이다. 옳게 죽을 리가 없다"라고 말하기에 나는 그에게 눈짓을 했다.[166]

【판첸-에르데니 앞에서 행한 무례에 대한 조선 사신단의 자체 논란과 하사품의 처리법 논쟁】

사신은 문을 나와 50~60보쯤 가서 절벽을 등진 산록의 소나무 그늘 아래 모래밭 위에 빙 둘러 앉았다. 밥을 먹으면서 의논하기를, "우리가 번승을 볼 적에 예절이 많이 소홀하고 거만했다. 예부의 지도대로 못했다. 그는 만승천자의 스승인데, 어찌 득실이 생기지 않겠는가. 그가 내린 선물들을 물리친다면 불손하다 할 것이요, 받자니 또 명분이 없는 일인즉, 장차 어찌하면 좋을까"라고 하였다. 당시의 일이 순식간에 일어나 받는 것이 타당한지 사양하는 것이 마땅한지 헤아릴 겨를이 없었다. 또 모두 황제의 조지詔旨와 관계된 일인데, 그들의 행사가 마치 유성이 흐르고 번개가 치듯 순식간에 끝났다. 우리 사신들은 흙 인형이나 나무인형과 같은 허수아비처럼 그들의 인도에 따라 나아가고 멈추며 앉고 일어섰을 뿐이다. 또 통역도 중역이 되어 이쪽이나 저쪽의 통관이 도리어 귀머거리와 벙어리가 되었다. 마치 광야를 가다 갑자기 요상한 귀신을 만나 그 모습조차 헤아릴 수 없게 된 신세와 같다. 사신이 비록 정묘하고 익숙한 문사를 지니고 있다 하더라도 장황스레 늘어놓을 수도 없었고, 저들 역시 자세히 설명하지 못한 것도 (처한) 형세가 그렇기 때문이다.[167]

위의 기록은 조선 사절단이 판첸-에르데니를 알현한 뒤 스스로 외교적 무

重五譯也.

166) 『열하일기』「札什倫布」條：上判事趙達東起扼腕曰, 萬古凶人也, 必無善終理, 余目之.

167) 『열하일기』「札什倫布」條：使臣出門, 行五六十步, 負斷麓蔭松樹沙上環坐, 且飯, 議言吾輩見番僧, 禮殊踈倨, 違禮部指導, 彼乃萬乘師也, 得無有生得失乎, 彼所給與物, 却之不恭, 受又無名, 將柰何, 當時事, 旣倉卒辭受當否, 未暇計較, 而凡係皇帝詔旨, 彼所擧行𧹞爚倏忽如飛星流電, 我使進退坐立, 只憑彼導, 已類土塑木偶, 且又重譯, 彼此通官, 反成聾啞, 如行曠野, 猝遌奇鬼, 莫測何狀, 使臣雖有妙辭嫺令, 無所張皇, 而彼亦所未能詳, 固其勢然也.

례를 행했다고 인정하면서, 그 원인분석과 하사품의 처리에 대해 논의를 벌이고 있는 대목이다. 무례를 범한 가장 큰 원인은 역관들의 외국어 능력 부재와 통역이 문제라고 자체결론 짓고 있다. 그러나 알현과정에서 일어난 전모를 살펴볼 때, 무례를 범한 가장 큰 원인은 조선 사대부들이 지닌 주자학적인 세계질서 관념 때문이라고 해야 더 정확할 것이다. 즉 주자학 이외의 모든 것을 이단으로 간주하는 관념이 마음속에 자리 잡고 있었기 때문이다.

조선 사절단의 외교적 미숙으로 인해 발생한 여파는 아래의 기록처럼 청나라 예부의 민첩한 문서위조 조치로 인해 일단락되었다. 그러나 이러한 조선 사절단의 행동은 주변에서 조선 사절단의 알현 광경을 지켜보던 청나라 고위 관리들의 마음까지도 졸이게 할 정도로 마음먹기에 따라 큰 외교적 파장으로 번질 수도 있었다.

【판첸-에르데니의 조선 사신 접견에 대한 예부의 보고 문건】

"예부는 주문奏聞하는 일로 삼가 상주한다. 이달 12일에 신 등이 성지를 받들어 회동이번원會同理藩院 사원司員들을 보내 조선 사신 정사 박, 부사 정, 서장관 조 등을 데리고 찰십륜포札什倫布에 가서 액이덕니額爾德尼를 알현하며 절을 올렸다. 예가 끝난 뒤 앉아서 차를 마셨다. (반선이) 그 나라의 거리와 입공入貢의 연유를 물었다. 이에 사신이 '황상의 칠순 큰 잔치를 경하하는 표表를 올리고, 아울러 천은의 감사함을 나타내기 위해 온 것이다'라고 답했다. 액이덕니는 그것을 듣고 심히 기뻐하며 '영원토록 공손하면 자연히 복을 얻으리라'고 신칙을 하면서 사신에게 동불銅佛과 장향 등을 하사하니, 그들이 머리를 조아려 사례하였다. 사신 등에게 하사한 동불 등 물건의 목록도 적어 삼가 주문을 올립니다."

건륭 45년 8월 12일에 상주하여 알았다는 뜻을 삼가 받들었다.[168] … 사신이

168) 『열하일기』「行在雜錄」行在雜錄條 : 禮部謹奏, 爲奏聞事, 本月十二日, 臣等遵旨派員, 會同理藩院司員等帶領朝鮮使臣正使朴副使鄭書狀官趙等, 前詣札什倫布, 拜見額爾德尼, 行禮後, 令坐吃茶, 詢問該國遠近, 并入貢緣由, 該使臣答以因皇上七旬大慶, 進表稱賀, 并恭謝天

반선을 만난 이야기는 내가 이미 찰십륜포기札什倫布記에 실었다. 이제 예부에서 올린 주문을 보니까 액이덕니에게 절을 올렸다든가, 사신에게 물건을 하사했을 때 사신 등이 즉시 머리를 조아리고 사례를 나타냈다고 운운했는데, 이는 모두 거짓이다. 상주한 말이 그러한 것은 일처리 상 어찌할 수 없는 것이다. 다만 내가 목격한 바를 자세히 기록하여 산속에 돌아가 등을 볕에 쪼이는 날 한 번 웃음거리로 삼을 터인데, 이 글을 보는 자는 그것을 마땅히 살펴야 할 것이다.[169)]

【조선 사신의 판첸-에르데니 접견에 대한 부분을 예부가 손보다】

신 덕과 신 조는 사정에 의해 천은에 삼가 사례한다는 상주를 대신한 주를 올립니다. 조선국 사신 금성위 박과 이조판서 정 등이 글을 올렸습니다. "삼가 황상의 만수절을 맞아 온 천지에 경사가 넘쳐흐릅니다. 본국도 기쁨을 이기지 못하여 변변치 못하나마 정성껏 진하進賀한 바 (예부에서 성승聖僧을 뵈옵고 복을 받았다는 문구를 여기에다 첨가하였다) 격에 넘치는 은상恩賞을 소방小邦에 특별히 내려 천한 사신에게까지 미쳤으니, (예부에서 이 대목을 "국왕과 사신 및 따라온 사람들에게 비단과 은을 주었다"라고 고쳤다) 그 영광이 전후에 없었던 일입니다. 돌아가 국왕에게 삼가 아뢰어 (예부에서 이 대목에 따로 "표문을 갖추어 감사의 뜻을 올렸습니다"라고 첨가하였다) 황은皇恩에 감격하게 할지니, 예부의 대인들이 대신 전하여 주시기를 바랍니다." 이에 이 상주를 삼가 갖추어 아뢰나이다. 건륭 45년 8월 14일에 상주하고 알았다는 뜻을 삼가 받들었다.[170)]

恩, 額爾德尼聞之甚喜, 卽囑令永遠恭順, 自然獲福, 仍給以使臣銅佛藏香氊等, 該使等當卽叩謝, 所有給與使臣銅佛等物件, 開單呈覽, 爲此謹具奏聞, 乾隆四十五年八月十二日奏, 奉旨知道了欽此.

169) 『열하일기』「行在雜錄」班禪事後識條 : 使臣見班禪事, 余具載之, 札什倫布記及見禮部奏聞, 其稱拜見額爾德尼, 給與使臣等物件, 該使臣等卽當叩謝云者, 皆妄也, 然而奏語事勢, 不得不爾, 第據吾所目擊者詳錄之, 以資山中曝背一粲, 覽者當有以察之.

170) 『열하일기』「行在雜錄」銅佛事後識條 : 臣德臣曺奏爲據情代奏恭謝天恩事, 據朝鮮國使臣錦城尉朴吏曹判書鄭等呈稱, 伏以恭遇皇上萬壽節届, 九域慶溢, 本國不勝歡忭之祝, 略效進賀之忱, 禮部, 添瞻望聖僧獲沾福佑, 乃者格外恩賞, 特沾小邦, 至及於陪臣之賤, 禮部, 改加賞國王陪臣并從人等, 緞匹銀兩, 榮光所被, 曠絕前後, 謹當歸奏國王, 禮部, 添另行具表陳謝, 感戴皇恩, 呈請禮部大人, 代爲轉奏等情具呈前來, 爲此謹具奏聞, 乾隆四十五年八月十

(4) 판첸-에르데니의 하사품 처리 논란과 종결

조선 사대부들은 무사히 고국에 돌아갈 모든 여건을 완비했다. 그 누구도 고국에 돌아가서 처벌받지 않을 조건을 이미 알현 단계에서부터 만들었다. 따라서 제6세 판첸에르데니가 하사한 선물도 폐기될 운명이라는 것은 말할 필요도 없다. 아래의 기록들은 조선 사절단에서 벌어진 선물 폐기의 타당성과 논리에 대한 것을 소개한 부분이다.

【조선 사신에게 준 판첸-에르데니의 하사품】

라마승 수십 명이 붉고 푸른 색깔이 섞인 붉은 양탄자, 장향藏香, 조그마한 금 불상을 메고 와서 등급대로 나누어 주었다. 군기대신은 받들고 있던 수건으로 불상을 쌌다. 사신이 차례대로 일어서서 (그것을 받으러) 나갔다. 군기대신은 반선이 하사한 모든 물건을 펴 본 뒤 황제께 아뢰기 위하여 말을 타고 달려갔다.[171]

장향藏香은 티베트산 사향으로 몽골산과 함께 당시 대표적인 귀중 교역품 중의 하나이다. 몽골어로 사향은 후드린-자르küderi-yin jagar(хүдрийн заар)라고 부른다.

【조선 사신에게 준 판첸-에르데니의 하사품 목록】

정사에게 동불 1개, 보료 18매, 합달哈達 1개(합달은 폐백幣帛과 같은 말이다) 붉은 양탄자 2개, 장향 24묶음, 계협편計夾片 1주머니(무슨 물건인지를 모르겠다)를 하사했고, 부사에게 동불 1개, 보료 14매, 합달 1개, 붉은 양탄자 1개, 장향

四日, 奏奉旨知道了欽此.

171) 『열하일기』「札什倫布」條 : 喇嘛數十人, 擔紅綠諸色猩猩氈, 藏香, 小金像, 分賜有差, 軍機以所捧帕裹佛, 使臣以次起出, 軍機開錄所賜諸物, 奏帝馳馬去.

20묶음을 하사했고, 서장관에게 동불 1개, 보료 10매, 합달 1개, 붉은 양탄자 1개, 장향 14묶음을 하사했다.[172]

【조선 사신에게 준 판첸-에르데니의 하사품 목록에 대한 예부의 보고문】

예부는 공무를 위해 소유하고 있는 조선국 공문 한 통을 담당 부서인 병부兵部로 보내는 것이 옳다. 주객사主客司는 행재소 예부가 담당한 것을 아뢴다. 본부에서 조선 사신이 열하에 도착하였다고 상주한 문서 한 통, 또 조선 사신이 천자의 은혜를 공손히 사례한다고 상주한 문서 한 통, 또 반선班禪 액이덕니가 조선 사신에게 준 물건의 목록을 상주한 문서 한 통을 서로 초록했다. 이상과 같은 각 상주문上奏文들은 원문대로 베낄 것은 물론이요, 유지諭旨를 받들고 이송移送한 글까지도 베껴서 담당한 곳에 보내어 처리하게 할 것이다. 방례과房禮科와 절강浙江(절강의 관원)도 아울러 시행한다. 예부는 삼가 예의에 관한 일을 상주하나이다. 건륭 45년 8월 13일은 황제의 칠순 만수성절에 경하례慶賀禮를 행하겠습니다.[173]

【판첸-에르데니 하사품의 처리에 대한 조선 사신들의 논쟁과 환관의 염탐】

정사가 말하기를 "지금 우리가 유숙하는 곳은 태학관太學館이라서 불상을 가지고 들어갈 수 없다. 우리 역관을 시켜 불상 둘 곳을 찾아보게 하라"고 했다. 이때 번인番人·한인 할 것 없이 구경꾼이 담처럼 둘러섰다. 군뇌軍牢들이 몽둥이를 휘둘러 쫓았으나 흩어졌다가는 다시 모여들었다. (우리는) 모자에 수정 구슬을 단 자나 푸른 깃을 꽂은 궁중의 근신近臣들이 그 안에 섞여서 염탐하는

172) 『열하일기』 「行在雜錄」 班禪事後識條：正使銅佛一尊, 十八, 哈達一介, 哈達者, 猶云幣帛, 猩猩毡子二匹, 藏香二十四把, 計夾片一帒, 不識爲何物, 副使銅佛一尊, 十四, 哈達一介, 猩猩毡子一匹, 藏香二十把, 書狀官銅佛一尊, 十, 哈達一介, 猩猩毡子一匹, 藏香十四把.

173) 『열하일기』 「行在雜錄」 銅佛事後識條：禮部爲公務事, 所有外撥朝鮮國公文一角, 相應咨送兵部轉撥可也, 主客司呈爲知照事, 準行在禮部咨, 稱本部具奏朝鮮使臣來到熱河一摺, 又具奏朝鮮使臣恭謝天恩一摺, 又具奏班禪額爾德尼給與使臣物件奏聞一摺, 相應抄錄, 各具奏底知照等因, 前來相應抄錄各原奏并欽奉論旨移咨上謝事件處, 稽察房禮科浙江并知照, 禮部謹奏爲禮儀事, 恭照乾隆四十五年八月十三日皇上七旬萬壽聖節行慶賀禮.

것을 모르고 있었다. 영돌永突이 큰소리로 나를 부르면서 "사신께서 좋지 않은 기색으로 마당에 앉아 오랫동안 잘잘못을 의논하고 수군대는 것이 저 사람들에게 공연한 의심을 사지 않겠습니까"라고 말했다. 내가 돌아다보니 전에 황제의 조서를 전하던 소림素林이 내 등 뒤에 서 있었다. 소림은 사람들을 뚫고 나간 뒤 말에 올라타고 달려갔다. 여러 사람 가운데 또 두 사람이 말에 올라타고 달려갔다. 자세히 보니 그들은 모두 환관이었다.174)

【원나라 및 명나라 때 환관들의 조선어 실력과 하사품 처리건의 미결】

박불화朴不花가 원나라에 들어갔을 때부터 원나라의 내시들은 우리나라 말을 많이 배웠다. 명나라 때에도 얼굴이 준수한 조선 고자들을 선발해 내시들에게 고려어를 가르치게 했다. 지금 우리를 엿보고 간 두 환관도 어찌 우리말을 하지 못한다고 할 수 있겠는가. 소림은 또 푸른 깃을 꽂은 자와 함께 왔는데, 말을 세우고 아주 오랫동안 있다가 갔다. 그 오고 감이 하도 빨라서 마치 나는 제비와 같았다. 사신과 역관들은 이 자들이 와서 엿듣는 것을 이제야 깨달았다. 그러나 반선에게 받은 불상에 대한 처리법을 아직 마치지 못한 관계로 돌아가지도 못하고 모두 묵묵히 앉아 있었다.175)

위의 기록에 등장하는 박불화朴不花의 불화不花는 몽골어로 황소를 뜻하는 보카Bukha(бух)의 음역이다. 대원제국 때에는 고려 출신의 환관이 많았는데, 고려출신의 환관들은 어릴 때 개에게 고환을 잃었거나 또는 자진하여 환관이 된 자들이 주류를 이루었다. 이들이 정치세력으로 화한 때는 고려 출신의

174)『열하일기』「札什倫布」條：正使曰, 今所寓舘, 太學也, 不可以佛像入, 令我譯覓厝佛之所, 是時, 番漢環觀者如堵, 軍牢揮棍逐之, 散而復合, 或有頂水晶者, 或翠羽雜立其中, 未悟其內臣來覘也, 永突高聲呼余曰, 使臣色不榮樂, 久露坐囁啑議短長, 獨不念致怪彼人乎, 余顧視則前所傳詔素林, 立余背後, 素林因透衆出, 上馬疾馳去, 衆中二人, 又上馬疾馳去, 察視之, 皆小黃門也.

175)『열하일기』「札什倫布」條：自朴不花入元, 元內侍多習東國語, 皇明時, 選朝鮮俊俏火者, 敎習黃門高麗語, 今來覘二官, 安知不嫺東話也, 素林又與翠羽者來, 立馬頗久而去, 其往來迅疾, 勢如飛燕, 使臣及任譯輩, 方覺其來覘也, 所受金佛未及厝置, 故未得罷還, 皆默然而坐.

황후인 기황후奇皇后, 즉 얼제이투-코톡토-카톤Öljeitü-Khutugtu-Khatun(完者忽都) 때이다. 기황후는 "맛있는 음식이 생기면 먼저 칭기스칸을 모신 태묘太廟에 바친 뒤에야 자신이 먹었다"[176]고 기록될 정도로 정치적 감각이 넘치는 센스 있는 여자였다. 기황후는 자신의 정적인 승상 바얀Bayan(伯顔)과의 투쟁에서 승리한 후, 황후 부속기관인 휘정원徽政院을 자정원資政院으로 개편해 고려 출신 환관들은 물론, 몽골 출신 고위 관리들도 가담케 해 "자정원당"이라 불릴 정도의 강력한 정치세력을 형성했다.

초대 자정원사資政院使는 고용보高龍普(?~1362)로, 그의 몽골 이름은 "만 개의 갈기털"이라는 뜻을 지닌 투멘델Tümendel(ТҮМЭН ДЭЛ, 透滿迭兒)이다. 기황후는 이들을 이용해 1353년, 14세의 아들 아요르-시리다라Ayur-Siridara를 황태자로 책봉하는 데 성공했다. 그리고 고려 출신 환관 박보카朴-Bukha를 군사통솔의 최고 책임자인 추밀원 동지추밀원사同知樞密院事로 임명하여 군사권까지 장악했다. 박보카는 1358년 대도 일대에 기근이 들 때 기황후의 명을 받아 식량과 재물을 풀어 구휼하는 한편, 대량으로 발생한 아사자의 장례와 천도제까지 관장한 인물이다. 박보카의 이러한 역할과 호평은 명대 초기까지 고려 출신의 환관들이 명나라 조정에서 환영받는 바탕을 이루었다.

【판첸-에르데니가 하사한 동불銅佛 등 하사품의 처리 결정】

이른바 동불은 높이가 1척이 넘었는데, 호신불이라 한다. 중국에서는 멀리 여행하는 사람들에게 선물하는 것이 상례인데, 아침저녁으로 반드시 공양한다. (서장에서는 불상을) 매년 공물로 바치는데, 서장 습속에서 불상 하나를 선물로 주는 것을 으뜸으로 친다. 이번 이 동불도 법왕이 우리 사신을 위해서 여행의 무사함을 비는 최상의 선물로 준 것이다. 그러나 우리나라에서는 한 번 불교와 인연을 가지면 평생의 허물이 된다. 하물며 이것을 준 자가 번승일 경우 (그

176) 『元史』 卷114 后妃 「完者忽都皇后列傳」: 或有珍味, 輒先遣使薦太廟, 然后敢食.

파장은 말할 필요도 없다). 사신은 북경으로 돌아오자 그 선물을 모두 역관들에게 주었다. 그러나 역관들 역시 똥오줌처럼 더럽게 취급해 은 90냥에 팔아 일행의 마부들에게 나누어주려고 했다. 그러나 (마부들) 역시 이 은으로는 술 한 잔 사 먹지 않겠다고 하니, (마음이) 깨끗하고 깨끗하다. 다른 나라의 습속으로 본다면 고루한 시골티를 면치 못할 것이다.[177]

【판첸-에르데니가 하사한 불상 처리의 논리적 근거】

당나라의 말년, 소주蘇州의 중인 의사義師는 나무로 새긴 부처를 만날 때마다 모두 모아서 불살라 버렸다. 우리나라의 양주楊州 회암사檜巖寺에 옛날부터 나무로 만든 큰 부처가 있어 극히 영험했다. 멀고 가까운 곳에서 중이나 속인을 가리지 않고 모여들어 숭배하며 향을 바치는 것이 아주 성대하였다. 나옹懶翁이 처음 이 절의 주지가 되어 부임할 때, 뭇 중들에게 그 부처를 끌어내 불사르도록 명했다. 모두들 놀라고 두려워하면서 말렸지만 나옹은 듣지 않았다. 중 백여 명을 시켜 큰 동아줄로 동여매고 밀어 당겼으나 조금도 움직이지 않았다. 나옹이 노하여 스스로 한쪽 손으로 밀어 넘어뜨린 뒤 절 밖에 끌어내어 장작을 쌓고 태웠다. 견디지 못할 정도로 더러운 악취가 풍겼다. 큰 뱀이 부처 뱃속에 서리어 있었기 때문이다. 그런 뒤로 오래도록 재앙이 없었다. 대개 나무가 오래 묵으면 접신接神이 된다. 폐찰의 나무부처에 이상한 요물이 많이 붙는 법이니, "나무와 돌에도 요물이 생기더라"함은 이를 말함이다.[178]

---

177) 『열하일기』「行在雜錄」銅佛事後識條：所謂銅佛高尺餘, 此護身佛也, 中國例相贈遺遠遊者, 必持此朝夕供養, 藏俗年例進貢, 首以佛一尊爲方物, 今此銅佛, 乃法王所以爲我使祈祝行李之上幣也, 然而吾東一事涉佛, 必爲終身之累, 況此所授者, 乃番僧乎, 使臣旣還北京, 以其幣物盡給譯官, 諸譯亦視同糞穢, 若將浼焉, 售銀九十兩, 散之一行馬頭輩, 而不以此銀, 沽飮一盃酒, 潔則潔矣, 以他俗視之, 則未免鄕闇.

178) 『열하일기』「避暑錄」條：(韓詩, 木石生妖變) 唐季, 蘇州僧義師, 見木刻佛軀, 輒聚而焚之, 吾東楊州檜巖寺, 昔有木像大佛, 極著靈異, 遠近僧俗, 奔走崇奉, 香火甚盛, 懶翁一朝, 以住持往居此寺, 令衆僧曳出焚之, 衆皆驚懼苦諫, 懶翁皆不聽, 使僧百餘, 用大絚, 呼邪推挽, 不動一毫, 懶翁怒, 自以一手推之卽仆, 乃曳出寺外, 積薪而爇之, 臭穢不堪, 蓋有大蛇盤繆佛腹, 久而亦無災患, 大約木舊接神, 廢刹木像, 類多他妖憑附, 所謂木石生妖變, 是也.

위의 기록에 등장하는 나옹懶翁(1320~1376)은 고려 말의 국사國師였던 환암 혼수幻菴混修와 조선 초에 이성계李成桂의 왕사王師였던 무학자초無學自超의 스승이다. 그는 1344년 양주 회암사에서 득도했으며, 그곳에 머물고 있던 일본 승려인 석옹石翁에게 그 깨우침을 인정받았다. 이후 1347년 원나라에 가서 인도 승려인 지공指空을 비롯한 선사禪師에게 불교를 배웠으며, 1358년 요양遼陽을 거쳐 귀국했다. 박지원 등이 판첸-에르데니가 하사한 불상을 처리할 수 있는 근거를 주었던 회암사의 나무부처와 뱀의 고사는 1372년 그가 이 절의 주지로 임명되었을 때 일어난 일이다. 나옹은 보우普愚와 함께 조선시대 불교의 초석을 세운 대표적인 고승이다.

【판첸-에르데니가 하사한 불상 처리법 : 압록강에 던져 바다로 추방한다】

오늘 반선班禪이 우리에게 하사한 불상은 길이가 거의 한 척이다. 또 나무로 깎아 도금을 입힌 것 같다. 이에 요물이 붙지 않았는지 어찌 알리요. 순식간에 이것을 받긴 하였으나, 일행의 상하 모두 꿀단지에 손을 빠뜨린 듯 어떻게 처리할 줄 몰라 했다. 내가 밤에 "이 일을 어떻게 처리하면 좋겠습니까"라고 정사께 물었다. 정사는 "벌써 수역首譯을 시켜 작은 궤짝을 만들라 하였다"고 한다. 내가 "잘하셨습니다"라고 말하자, 정사는 "뭐가 잘하였단 말인가"라고 했다. 내가 "이는 강에 띄워 보내고자 하는 뜻이겠지요"라고 대답하니, 정사가 웃기에 나도 웃었다. 대저 이 불상을 길가 사찰에다 내버린다면 중국의 노여움을 입을까 두렵고, 또 이를 가지고 입국한다면 마땅히 물의를 일으킬 것이다. 따라서 양국의 국경에서 물에 띄워 바다에 추방하는 수밖에 없으며, 그 장소는 압록강만한 곳이 없다.[179]

179) 『열하일기』「避暑錄」條 : 今日班禪所贈佛軀幾一尺, 似是刻木鍍金耳, 安知無妖怪憑附耶, 倉卒受此, 一行上下, 如沈手蜜瓮, 罔知攸措, 余夜問區處善策於正使, 則日已令首驛, 造小櫃子, 余對日, 善矣, 正使問所善何意, 日, 此欲浮之江耳, 正使笑, 余亦笑, 葢棄置沿道寺刹, 則恐爲中國所怒, 以此入國, 當駭物情, 彼此交界, 順流而放海, 莫如鴨綠江.

(5) 외부대신의 눈에 비친 조선 사절단의 모습

앞서 말했듯이 조선 사절단의 제6세 판첸라마 알현은 대청제국의 황제 권위까지 건드리는 묘한 기류까지 만들어냈다. 그것을 지켜본 외부대신들은 당시의 조선 사대부에 대해 어떠한 느낌을 받았을까? 아래의 기록은 조선의 외교적 무례에 대한 외부대신의 점잖은 충고로서, 그것을 소개하면 다음과 같다.

【기풍액奇豐額의 질문 : 왜 조선 사신은 판첸-에르데니를 보지 않으려 하는가】

밤이 깊고 이슬이 차자, 여천은 자기 방으로 들어가기를 청하면서 "사신이 활불을 보지 않으려는 것은 무슨 까닭인가"라고 물었다. 내가 "사신은 조서를 받들러 갔다"라고 말했다. 그러자 여천은 "사신이 말에서 내려 길가에 앉아 가려하지 않았기 때문에 조서를 내려 그만두라고 했다는데, 무슨 까닭으로 그렇게 지체했는가"라고 물었다. 그 말이 자못 정실情實을 파려 하는 것과 관계가 있었음으로 나도 급작스러운 대답을 하지 않았다.180)

【기풍액奇豐額의 증언 : 건륭제는 예가 없는 조선 사신을 용서했다】

여천은 "(사신이 중간에) 돌아간 것에 대해 소문이 무성하다"고 말했다. 나는 "도중에 말에서 내렸다는 것은 가려고 하지 않았다는 것이 아니다. 통관이 '군기대신이 오니 기다렸다 같이 가라'고 하기에, 궁성 밑 나무그늘 아래에 말을 내려 더위를 피했을 뿐이다. 늦도록 군기대신을 기다리고 있는데 갑자기 조서가 내려 중도에 돌아온 것뿐이다. 일부러 지체한 것이 아니다"라고 말했다. 여천은 "사신이 거의 분란을 일으킬 뻔 했다. 예부의 여러 대인들은 이 때문에 겁을 내어

180) 『열하일기』「黃敎問答」: 夜深露凉, 麗川請入其炕, 問曰, 使臣不肯見佛何也, 余曰, 使臣奉詔往也, 麗川曰, 使臣下馬坐路中不肯去, 因詔賜罷, 何故遲遲, 其言頗有關係, 類欲鉤探情實, 故未及遽對.

식사를 들지도 않았다. 어제 다시 황제의 은지恩旨를 받들었으니, 이것은 세상에 없는 성전盛典이다. 고려는 마땅히 사대하는 정성을 더욱 굳게 해야 할 것이며, 두 대인도 서로 은총을 치하해야 할 것이다. 묘중廟中에서 덕대인德大人을 만났더니 기쁨을 이기지 못하고 있었다"라고 말했다.[181]

【기풍액奇豐額의 질문에 대한 박지원의 답변】

나는 참을 수 없을 정도로 너무 놀라 천천히 대답하기를, "우리나라는 대국을 일가처럼 섬기고 있다. 지금 나와 공도 이미 안팎의 구별이 없다. 그러나 법왕은 티베트 사람이기 때문에 사신으로서 어찌 감히 멋대로 만나볼 수 있겠는가. 이는 진실로 신하된 자로서 외교의 의리가 없는 것이다. 그러나 여러 번 성상의 조서를 받들고 보니 사신이 또한 어찌 감히 가보지 않을 수 있겠는가"라고 하였다. 여천은 "진실로 지당한 말이다. 어제 사신은 활불에게 절을 했는가. 황제의 성지에 절을 했는가"라고 말했다. 사실 사신은 활불에게 절을 한 적은 없었다. 그러나 그의 묻는 말이 몹시 깊은 의미가 있기에 감히 절하지 않았다고 분명히 말할 수 없어 붓을 쥔 채 주저하고 있었다. 여천이 먼저 말하기를 "조서를 받들고 갔으니 당연히 성은에 숙배肅拜한 것이나 같을 것이다"라고 했다. 또 말하기를 "존형尊兄도 활불에게 절을 했는가"라고 했다. 나는 "다만 멀리서 바라보았을 뿐이다"라고 말했다. 여천은 망견望見 두 자를 가리키면서, "바라본다는 것은 이미 활불에게 아첨하였다는 말이다. 존형은 조서를 받지도 않았으면서 왜 그렇게 옷을 거꾸로 입고 뛰어나갔는가"라고 말했다. 나는 부끄러움을 참지 못하여 이내 사과하기를, "관광하는 데 미쳐서 그런 생각을 못했다"라고 했다.[182]

181) 『열하일기』「黃敎問答」: 麗川曰, 班次藉藉也, 余曰, 道中下馬, 非不肯去也, 通官言, 軍機大臣, 當來, 可俟偕往, 故蔽宮城樹陰, 下馬避暑, 所以遲待軍機之來也, 俄有詔旨, 故中道罷還, 非故自遲遲也, 麗川曰, 使臣幾被糾, 參禮部諸大人, 以此悖傯廢食, 昨日更奉皇上恩旨, 此曠世盛典也, 高麗當益堅事大之誠, 兩大人相寵賀, 俄刻廟中晤德大人, 不勝其喜.

182) 『열하일기』「黃敎問答」: 余不覺驚怪, 徐對曰, 弊邦之於大國, 事同一家, 今吾與公, 旣無內外之別, 而至於法王, 係是西番之人, 則使臣安敢造次相見乎, 此固人臣無外交之義也, 然屢奉聖詔, 則使臣亦安敢不往見乎, 麗川曰, 固當也, 昨日使臣拜彼佛乎, 拜皇旨乎, 使臣實未嘗拜佛, 而所詰轉深, 故不敢明言不拜, 把筆趑趄, 麗川先曰, 奉詔往, 當肅聖恩也, 又曰, 尊兄亦拜佛耶, 余曰, 只得望見, 麗川指望見二字曰, 望見已是佞佛, 尊兄旣非被旨, 則何必顚倒衣

7. 조선 선비 최덕중과 박지원의 라마교 인식

티베트 불교사상을 배경으로 한 국제관계 질서가 실재하고 기능하고 있었던 시대에 조선 선비들이 바라본 라마교는 어떤 모습이었을까? 물론 여기서도 서호수는 말이 없다. 오직 최덕중과 박지원만이 입을 열었다. 그들은 어떤 말을 남겼을까.

(1) 최덕중의 인식

【청범사淸梵寺에서 만난 라마승과의 교리문답】

나는 또 "그대는 중인데 왜 육식을 하는가"라고 묻자, 그는 "나는 중도 아니고 속인도 아니다. 다만 서장西藏의 라마일 뿐이다"라고 답했다. 나는 또 "서장의 라마 역시 불교의 이름이다. 석가여래는 불교의 조종祖宗으로, 출가한 뒤에 육식이나 술 마시는 것을 경계하였다. 그런데 노사는 여색만 경계할 뿐 고기 먹는 것을 경계하지 않으니, 부처의 뜻을 어기는 듯하다"라고 물었다. 그러자 그가 "너희 나라에도 불도가 있는가? 네가 어떻게 불경을 아는가"라고 물었다. 나는 "비록 절과 중이 있지만, 도가 같지 않으면 서로 간섭하지 않는다. (불교는) 나의 도가 아니다. 불교는 서방에서 나왔고, 나는 동방에 있다. 동서가 비록 멀지만 한 하늘 아래에 있으니, 어찌 그 본의를 깨우치지 못하겠는가"라고 답했다. 이에 그 중이 또 미소 지으며 "나온 데를 중심으로 삼는다면 불교는 서쪽에서 나와 동쪽까지 미친 것이다"라고 적었다. 나는 크게 웃으면서 "해와 달은 동쪽에서 떠서 서쪽으로 진다. 이것이 하늘의 수칙이다. 만물은 봄에 자라나 가을에 시든다. 이것이 땅의 생육 방향이다. 어찌 가히 서쪽을 중심으로 할 수 있는가"라고 적었다. 그 중은 미소 지으며 답하지 않았다. 이에 이야기를 끝내고 돌아왔다.[183]

裳, 余不覺媿服, 因謝曰, 耽嗜觀光, 義不出此.

183) 『연행록』「1713년 2월 6일」조 : 余又曰汝是僧人, 食肉何也, 答書我非僧非俗, 乃西藏喇嘛也,

위의 기록에서 주목되는 것은 서장西藏의 라마라는 칭호이다. 서장이란 명칭은 일반적으로 청군이 1720년 9월 카라오스하변에서 체링-돈도브의 준가르군을 격파하고 티베트를 점령한 후 설립한 강희제의 어제평정서장비御製平定西藏碑에서부터 유래한다고 알려져 있다. 그러나 최덕중의 기록은 최소 1712년에 이미 티베트 출신의 라마가 자신의 출신지를 한문으로 서장으로 표기하고 있음을 명백히 보여주고 있다. 아마 강희제의 비문은 이러한 표기를 바탕으로 성립했을 가능성이 높다. 조선 군관 최덕중의 라마교 교리문답은 사실 문답이라 보기 어려울 정도로 개인적인 호기심을 반영한 것에 불과하다.

(2) 박지원의 인식

박지원의 라마교 인식은 교리 방면과 정치적인 방면으로 나누어진다. 그것을 순서대로 소개하면 다음과 같다.

가. 교리 방면의 인식

【박지원의 라마교 교리 인식】

대개 그 땅은 황제가 친히 보호하는 곳이며, 그 사람도 천자가 스승으로 섬긴다. 또 황黃으로 그 교의 이름을 지은 뜻은 혹시 황노黃老의 도를 숭배함이 아닌가 싶다. 서장 사람들의 관복은 모두 누르므로 몽골 사람이 이를 본받아서 역시 누런빛을 숭상한다. 황제의 의심과 사나움에도 불구하고 유독 이 황화요黃花謠를 꺼리지 않는데, 그 이유를 모르겠다. 액이덕니額爾德尼는 서승西僧의 이

余又答書西藏喇嘛, 亦佛名也, 釋迦如來乃佛之宗, 而出家後戒其飲酒食肉, 而老師只戒色不戒肉, 似違佛意也, 厥者又問爾國亦有佛道乎, 爾何以知佛經, 余答云雖有寺僧, 道不同不相干, 而亦非吾道也, 第佛出於西, 我在於東, 東西雖遠, 旣是一天之下, 則豈不曉解耶, 厥僧又微笑而書日出處爲主, 佛出於西而及於東也, 余大笑而書日日月出於東而沒於西, 乃天之首也, 萬物生於春而衰於秋, 乃地之生方, 何可西爲主乎, 厥僧笑而不答, 仍罷歸.

름이 아니다. 티베트 땅에도 이런 칭호가 있으니, 괴이하고도 황당하여 그 요령을 얻기 어렵다.[184]

위의 기록은 박지원이 티베트 불교의 계파나 라마교(겔룩빠)의 교리에 대하여 거의 무지한 상태에 있다는 것을 보여주고 있다. 아마 박지원이 열하나 북경에서 몽골, 만주, 한인 학자들과 집요하게 라마교 교리에 대한 설명을 듣고 집요하게 질문을 한 것도 그 때문일 것이다. 그러나 주자학자인 박지원에게 라마교 교리 인식은 주자학적 인식의 범위를 넘어 이해할 수 없는 한계가 있음이 분명하며, 바로 위의 기록은 그 한 단면을 보여준다고 해도 과언은 아니다.

【박지원의 라마교 교리 인식 : 라마교 존숭은 세력 분할 때문인가】

혹은 말하기를 "원나라·명나라 이래로 당나라 때 토번의 난을 경계로 삼고 있다. 그래서 반선이 오기만 하면 번번이 봉하여 그 세력을 나누며, 그들을 신하의 예로 대하지 아니하였다. 유독 지금에 와서 그런 것이 아니다"라고 한다.[185]

박지원은 청나라 때의 라마교 존숭 정책이 대원올로스 이래의 전통이며, 그 목적이 세력분할 때문이라는 주변 학자들의 입장을 확인하고 있다. 또 그들이 조선과 달리 신하의 관계가 아닌 스승의 관계라는 점에 당혹스러워하고 있다. 세력분할 때문에 존숭한다는 것은 주자학자의 입장에서 볼 때 꽤나 허망한 결론이 아닐 수 없다. 이에 박지원은 이러한 입장을 부정하며

184) 『열하일기』 「太學留館錄」 1780년 8월 11일조 : 其地皇帝之所私護, 而其人天子之所師事, 以黃名其敎者, 意者, 黃老之道耶, 西藏之人, 冠服皆黃, 蒙古效之, 而亦尙黃, 則以皇帝之猜暴, 何獨不忌此黃花之謠耶, 額爾德尼, 非西僧之名, 西番之地, 亦有此號, 鬼恠荒唐, 難得要領矣.
185) 『열하일기』 「班禪始末後識」 條 : 或曰, 自元明以來, 懲唐吐蕃之亂, 有來輒封, 使分其勢, 其待之以不臣之禮者, 亦不獨今時爲然也.

나름대로의 논리를 전개하고 있는데, 그것이 바로 다음의 기록이다.

【박지원의 라마교 교리 인식 : 세력분할론에 대한 의문과 유학의 붕괴는 파국이다】

그러나 이것은 그렇지 않다. 당시에는 천하가 처음으로 정해진 때로서, 거기에서 이러한 뜻이 나온 것은 아니었다. 그러나 원나라가 제사帝師에게 황천지하일인지상선문대성지덕진지皇天之下一人之上宣文大聖至德眞智라는 호를 주었다. 일인이란 천자로서 만방의 주인이다. 천하에 어찌 천자보다 높은 자가 있단 말인가. '선문대성지덕진지'는 공자를 가리킨 말인데, 백성이 생긴 이래로 어찌 공자보다 어진 자가 있단 말인가. 원나라 세조는 사막에서 일어났으니, 족히 괴이할 것도 없다. 그러나 명나라 초기에 맨 먼저 이상한 중을 찾아 황자들의 스승으로 나누어주고, 널리 티베트의 중을 불러 극진히 대접하는 것이 스스로 중국을 낮추며 지존을 깎는다는 것을 깨닫지 못했다. 나라를 처음 세울 때부터 앞선 성인들을 추하게 만들고, 참다운 스승을 억눌렀다. 자제들을 가르치고 훈육함에 이 무슨 더러운 짓인가. 대저 그 술법이란 장생을 추구하는 방식이다. 곧 남의 몸에 태어난다는 설로 세속 임금들의 마음과 귀를 흐려 놓았다. 더러는 "양梁·진陳의 제왕들도 자기 몸을 버리고 불가의 종이 되었으니, 중이 천자보다 높아진 지가 오래이다"라고 할 수 있다. 그러나 특별히 황금 궁전을 지어 모셨다는 말은 듣지 못했다고 할 것이다.[186]

위의 기록은 박지원의 라마교 교리 인식에 대한 최종 결론이라고 보아도 좋다. 주자학자인 그에게 『맹자孟子』「공손추公孫丑」에 나오는 구절인 "백성

186) 『열하일기』「班禪始末後識」條：此非然也, 當時天下初定, 意未嘗不出於此, 然元之號帝師曰皇天之下一人之上宣文大聖至德眞智, 一人者, 天子也, 爲萬邦共主, 天下豈有復尊於天子者哉, 宣文大聖至德眞智, 孔子也, 自生民以來, 豈有復賢於夫子者哉, 世祖起自沙漠, 無足怪者, 皇明之初, 首訪異僧, 分師諸子, 廣招西番尊禮之, 自不覺其卑中國而貶至尊, 醜先聖而抑眞師, 其立國之始, 所以訓敎子弟者, 又何其陋也, 大抵其術有能長生久視之方, 則乃是投胎奪舍之說, 而僥倖世主之心耳, 或曰, 梁陳之帝, 捨其身爲佛家奴, 則僧之高於天子久矣, 特未聞爲黃金殿云.

이 생긴 이래로 어찌 다시 공자보다 어진 자가 있단 말인가'라는 문장은 일종의 학문적 마지노선이다. 그는 대몽골제국이나 그를 계승한 코빌라이칸의 종교 정책이 사실 무엇인지도 모른다. 종교문제가 없는 유일한 제국인 대몽골에 대해서 그가 조금이라도 알았다면, 이전 【문천상文天祥】 항목에서 피력한 코빌라이칸에 대한 훈계는 상상도 할 수 없었을 것이다. 그러나 주자학적 관점으로 바라본 코빌라이칸은 그에게 무식한 군주의 상징일 뿐이다. 따라서 그가 공자에게만 줄 수 있는 명칭을 티베트의 중에게 준 것도 무식에서 기인한 것이기 때문에 큰 문제로 삼을 일은 아니다.

그러나 논리적으로 박지원을 괴롭힌 것은 유학의 나라인 명나라의 황제들의 태도다. 여기서 그는 명나라의 태도를 지존을 깎는 행위라고 비난하고 있다. 즉 명나라의 유학자들을 싸잡아 비난하고 있는 것이다. 유학의 파국은 세상의 파국이다. 명나라 때부터 이러하니, 청나라가 황금 궁전까지 지어 그들을 모시는 것 아니겠는가. 이것이 바로 박지원이 이른 결론이라고 할 수 있다. 즉 그는 라마교 교리에 대한 이해 대신, 그것을 인정한 사람들에 대하여 분노와 적개심을 가진 것으로 끝맺었다.

나. 정치 방면의 인식

【박지원의 라마교 정치 인식 : 왜 황제까지 그를 존숭할까】

살펴 논하건대, 옛날의 제왕들은 학문이 능한 자들을 신하로 삼았으므로 더욱 성스러웠다. 천자로서 필부匹夫를 벗 삼되, 자기의 높은 것이 깎이지 않으므로 더욱 크게 되었다. 후세에는 이러한 도가 없어졌다. 호승胡僧의 방술方術 좌도左道와 같은 이단의 도에 자기 몸을 낮추는 것을 부끄러워하지 않음은 무엇 때문일까? 내가 이제 그 일을 목격했다. 반선이 과연 어진 자인가. 황금 궁전은 지금 황제도 거처할 수 없는 곳인데, 저 반선이 무엇이기에 태연히 그곳에 거처하고

있는 것일까.[187]

박지원의 라마교 교리인식은 앞에서도 대강을 언급했다. 그는 자신이 스스로 확립한 결론에 따라 라마교 영수들을 바라볼 수밖에 없다. 그리고 위의 기록처럼 그들이 지닌 현실적인 지위도 인정하지 않으면 안 된다. 이러한 논리의 불협화음에서 그가 얻은 또 하나의 결론은 무엇일까? 그것이 아마 다음과 같은 두 가지 결론일 것이다.

【윤가전尹嘉銓의 증언 : 몽골이 라마교를 믿어 주변이 평화롭다】

"티베트 여러 나라들이 모두 그 교에 복종하고 있을 뿐만 아니라, 몽골의 여러 부족들도 숭배하며 믿지 않음이 없다. 본조의 정치와 교화는 위로는 당·우를 능가한다. (황제의) 가르침이 이르는 곳마다 모두가 공순히 따라 국경 밖의 모래 먼지가 (일어남 없이 하늘이) 항상 맑았다. 티베트의 습속이 싸우고 죽이며 노략질하고 훔치는 것을 꺼려 억누르고 있으니, 황교가 중국 성화聖化에 만분의 일이라도 도움을 주고 있다"라고 했다.[188]

윤가전의 증언은 박지원이라도 인정하지 않을 수 없을 것이다. 박지원은 항상 중원의 가장 큰 위험이 황화의 범람과 북방민족에 있다고 했다.[189] 그런 북방민족을 라마교가 순화시키고 있으니 박지원도 긍정하지 않을 수 없다.[190]

187) 『열하일기』「班禪始末後識」條 : 竊嘗論之, 古之帝王, 能學焉而後臣之, 故益聖, 以天子而友匹夫, 不貶其尊, 故益大, 後世無是道也, 獨胡僧方術左道, 異端之流, 不恥以身下之者, 何也, 余今目擊其事, 彼班禪, 若果賢者也, 黃金之屋, 今皇帝之所不能居也, 彼班禪何人者, 乃敢晏然而據之乎.

188) 『열하일기』「黃教問答」: 非獨西番諸國, 咸服其教, 卽亦大漠諸部, 莫不崇信, 本朝治化上軼唐虞, 聲教所訖, 咸維順寧, 而徼外風塵常淸, 葢其鬪殺寇盜, 番俗所忌則抑, 亦黃教與有補於中國聖化之萬一云爾.

189) 『열하일기』「還燕道中錄」 1780년 8월 17일조 : "중원에는 커다란 근심 두 가지가 있으니, 곧 황하와 호이다(中原大患二, 卽河也胡也)."

190) 청조 황제들이 일관되게 라마교의 보호와 유지·발전 정책을 편 것은, 라마교를 이용해 몽골의 정세를 안정시키는 것과 그것을 통해 몽골인들을 통치하는 것에 있다. 즉 몽골을 제어하는

그러면 주자학의 질서대로 청나라 황제와 라마교 영수와의 관계를 설정할 필요가 있다. 그것이 바로 "새장에 가둔 법왕"이라는 다음과 같은 설정이다.

【박지원의 라마교 정치 인식 : 황제와 법왕】

> 황제는 티베트의 승왕僧王을 맞아다가 스승으로 삼고, 황금의 전각을 지어 살게 하고 있다. 천자가 무엇이 부족해 상도가 아닌 이런 떳떳하지 못하고 사치스러운 예를 행하는 것일까? 명분은 스승을 모신다는 것이지만, 실상은 (그를) 전각 속에 가두어 두고 하루라도 (세상이) 무사하도록 기원하고 있는 것이다. 이로 미루어 보면, 티베트가 몽골보다 더 강한 것을 알 수 있다. 이 두 가지 일은 황제의 마음이 이미 고통스럽다는 것을 보여주는 것이다.[191]

데 목적이 있다. 그러나 이러한 라마교 권장 정책으로 인해 청나라 중기 이후 몽골족의 인구가 급감되는 현상이 발생했다. 공동 파트너로서의 몽골족의 인구 급감은 청조의 통치자들을 당황시킬 정도였지만 사태를 반전시키기에는 이미 때가 늦었다. 청조는 건국 초기부터 몽골족에게 장남 이외의 아들들을 라마승으로 보낼 것을 강요하는 한편, 라마승에게 봉건적 특혜를 주어 몽골 남자들의 라마승화를 적극적으로 유도하였다. 이러한 정책으로 말미암아 청나라 중기 이후부터 막남의 각 旗는 거의 예외 없이 남자의 30% 정도가 결혼을 금하는 라마승이 되었으며, 어떤 旗의 경우에는 그 비율이 50%에 이르는 곳도 있었다. 東藏이라고도 불리는 오르도스는 특히 이런 현상이 심했다. 청나라 초기 오르도스의 몽골족은 대략 20만으로 추정되고 있는데, 청말에는 그 절반 이하인 10만 미만으로 감소되고 있으며, 그 가운데 2만이 라마승이었다. 또한 당시 7旗 내의 라마 사원은 243개소에 달했다. 즉 청조의 라마교 권장정책은 청조의 의도대로 몽골경제의 파괴와 인구감소라는 대성공을 거두었다. 이는 청나라 때의 라마교가 몽골족에 끼친 정신적·예술적·의학적인 공헌에도 불구하고, 결국 몽골족을 몰락시키는 부정적인 역할을 수행한 셈이었다.

191) 『열하일기』「黃敎問答序」: 皇帝迎西番僧王爲師, 建黃金殿以居其王, 天子何苦而爲此非常僭侈之禮乎, 名爲待師, 而其實囚之金殿之中, 以祈一日之無事, 然則西番之尤强於蒙古, 可知也, 此二者, 皇帝之心已苦矣.

제10장 몽골 관련 기타 기록

박지원은 지적 호기심이 많았고, 또 술을 즐겼던 조선 사대부이다. 따라서 남들이 누릴 수 없는 일화와 견문을 남기게 되었다. 아래에 기록된 사례는 술로 야기된 사건 및 몽골과 관련된 기타 사례를 소개한 것이다.

1. 열하주점

열하주점은 박지원이 몽골인 및 위구르인들을 직접 대면하여 술 실력을 겨룬 이야기로 이루어져 있다. 박지원은 이곳에서 몽골인들과 위구르인들에게 사나이라면 술을 어떻게 먹어야 하는 가를 과시하고 있다. 또 그로 말미암아 몽골인들과 위구르인들의 존경을 받았다. 바로 열하주점은 그 생생한 전모를 흥미진진하게 보여주는 부분이다.

【열하주점의 정경】

맞은편 술집의 깃대가 헌함 앞에 펄럭이고, 은호銀壺·주병酒瓶이 처마 밖에 너울너울 춤을 춘다. 푸른 난간이 공중에 걸쳤고, 금빛 현판은 햇빛에 어린다. 좌우의 푸른 술기(酒旗)에는 "신선의 옥패가 머물러 있으며, 공경도 황금 담비 띠를 푼다"라고 쓰여 있다. 누각 밑에는 몇 대의 수레와 말들이 있고, 누각 위에 선 사람들의 웅얼거리는 소리가 마치 벌과 모기떼 같았다. 나는 발걸음 가는 대로 위로 올라가니, 계단이 열둘이었다.[1)]

【열하주점에 들어온 몽골인의 옷차림】

한 탁자를 둘러싸고 서넛 혹은 대여섯 사람씩 의자에 앉아 있는데, 모두 몽골이나 회자回子들이었다. 그들은 무려 수십 패에 이르렀다. 몽골 사람들은 머리에 봉우리가 없이 우리나라의 쟁반과도 같은 것을 쓰고 있는데, 위에는 누렇게 물들인 양털을 늘어뜨리고 있다. 간혹 갓을 쓴 자도 있는데, 그 모양은 우리나라의 전립과 같다. (전립은) 등나무나 가죽으로 만들었다. (전립의) 안팎에 도금을 한 뒤 오색 빛깔로 구름무늬 같은 것을 그렸다. 모두 누런 웃옷에 붉은 바지를 입었다.[2)]

【열하주점에 들어온 위구르인의 옷차림】

회자는 대체로 붉은 옷을 입었으나, 검은 옷을 입은 자도 많았다. 붉은 펠트로 고깔을 만들어 썼는데, 모자가 앞뒤 양쪽으로만 매우 길다. 그 형태가 마치 물속에서 갓 나온 돌돌 말린 연잎과 같다. 또 약을 가는 쇠연鐵研과 같이 양 끝이 뾰족하다. 경박하고 방정맞아 우스꽝스럽다.[3)]

---

1) 『열하일기』「太學留館錄」1780년 8월 11일조 : 對樓酒旗, 飄颺檻前, 銀壺錫瓶, 舞蹲檐外, 綠欄行空, 金扁映日, 左右青帘, 題神仙留玉佩, 公卿解金貂, 樓下車騎若干, 而樓上人聲如蜂鬧蚊沸, 余信步而上, 則胡梯十二級矣.

2) 『열하일기』「太學留館錄」1780년 8월 11일조 : 圍卓坐椅者, 或三四或五六, 皆蒙古回子, 而無慮數十對, 蒙古所戴, 如我東錚盤而無帽, 上施羊毛而染黃, 或有著笠者, 制如我東氈笠, 而或藤或皮, 表裏塗金, 或以五采, 錯畫雲物, 皆黃衣朱袴.

3) 『열하일기』「太學留館錄」1780년 8월 11일조 : 回子衣朱, 亦多黑衣, 以紅氈作弁, 而帽子太長,

【박지원의 옷차림과 주량 : 술로 몽골과 위구르인의 존경을 받다】

내가 쓴 갓은(이른바 갓이란 벙거지이다) 전립과 같은데, 은으로 꾸며 장식하고 꼭지에 공작 깃을 달았으며 수정 끈으로 턱을 매었으니, 두 호인들의 눈에 어떻게 보일 것인가. 만주족이고 한족이고 간에 중국 사람이라곤 한 사람도 누각 위에 없었다. 두 호인들의 생김생김이 흉악하고 추해서 올라온 것이 후회가 되었다. 그러나 이미 술을 청했는지라, 그 가운데 한 좋은 의자를 골라 앉았다. 술집 종업원이 와서 "몇 냥兩어치 술을 마시렵니까" 하고 물었다. 여기서는 술의 무게를 달아 판다. 나는 "4냥 어치"라고 가르쳐주었다. 술집 종업원이 가서 술을 데우려 하기에, 나는 "데울 필요 없이 찬 것을 그대로 달아 가지고 오라"고 했다. 그러자 술집 종업원이 웃으면서 (저울에 술을) 달아 가지고 왔다. 먼저 작은 잔 2개를 탁자 위에 벌여 놓으므로, 나는 담뱃대로 그 잔을 쓸어 엎어 버렸다. 그리고 "큰 술잔을 가져오라"고 한 뒤 모두 부어서 한입에 다 마셔 버렸다. 뭇 호인들이 서로 마주보고 또 돌아보면서 놀라지 않는 자가 없었다. 대개 내가 호쾌하게 마시는 것을 장하게 여기는 모양이었다. … 내가 찬 술을 달래서 4냥을 단숨에 마신 것은, 이것으로 저들을 두렵게 하기 위하여 일부러 대담한 척하려 한 것이다. 그러나 이런 것은 실로 겁쟁이 짓이요 용기는 아니다. 내가 찬 술을 시킬 때 여러 호인이 이미 3분分쯤 놀랐는데, 단번에 마시는 것을 보고는 크게 놀라서 도리어 그들이 나를 두려워하는 기색이 역력하였다. 내가 주머니에서 8푼을 꺼내 술집 종업원에게 값을 치러주고 나오려는데, 여러 호인들이 모두 의자에서 일어나 머리를 조아리며 다시 한 번 앉기를 권했다. 그 가운데 한 호인이 자기 자리를 비워서 나를 붙들어 앉혔다. 그들은 호의로 하는 것이나 나는 벌써 등에 땀이 배었다. 내 어릴 때 하인들이 끼리끼리 모여서 술 먹는 것을 보았다. 그들이 부르는 술타령 중에 "자기 집 대문을 지나치면서도 들어가 본 적 없구나. 나이 일흔에 아들을 낳고 보니 땀이 등에 솟는구나"라는 구절이 있었다. 내 성미가 본디 웃음을 참지 못하므로 사흘 동안 허리가 시큰거

只有南北兩簷, 形如出水卷荷, 又如研藥鐵, 兩端尖銳, 輕佻可笑.

렸다. 오늘 아침에 만 리 변방에서 홀연히 뭇 호인들과 더불어 술을 마시면서 만일 주정을 한다면, 정말 "등에 땀이 솟는다"고 해야 맞을 것이다. 한 호인이 일어나 술 석 잔을 부어 탁자를 두드리면서 마시기를 권한다. 나는 일어나 그릇에 남은 차를 난간 밖에 버리고는 그 석 잔을 모두 부어 단숨에 쭉 마셨다. 그리고 몸을 돌려 한 번 읍한 뒤 큰 걸음으로 층층대를 내려오는데, 머리끝이 으쓱하여 무엇이 뒤를 따라오는 것 같았다. 나와서 길 가운데 서서 누각 위를 쳐다보니, 웃고 지껄이는 소리가 요란하다. 아마 내 말을 하는 모양이다.[4]

【각국의 술 마시는 법과 중국의 주법】

중국의 술 마시는 법은 매우 우아하다. 비록 한여름이라도 반드시 데워 마신다. 심지어 소주도 데워 마신다. 술잔은 은행 알만한데도 오히려 이빨에 대고 조금씩 마신다. 남은 것은 탁자 위에 두었다가 틈틈이 마신다. 단번에 마시는 법이 없다. 호인들도 이와 같다. (우리나라) 세속의 이른바 큰 종지나 사발에 따라 마시는 일 같은 것은 절대로 없다.[5]

4) 『열하일기』「太學留館錄」 1780년 8월 11일조 : 余所著笠, 如氈笠, 所謂笠範巨只, 飾鏤銀, 頂懸孔雀羽, 頷結水精纓, 彼兩虜眼中以爲如何, 無論滿漢, 無一中國人, 在樓上者, 兩虜皆獰醜, 雖悔上樓, 而業已喚酒矣, 遂揀一好椅而坐, 酒傭問飮幾兩酒, 盖秤酒重也, 余敎斟四兩, 酒傭去湯, 余叫無用湯, 湯生酒秤來, 酒傭笑而斟來, 先把兩小盞, 鋪卓面, 余以烟竹, 掃倒其盞, 叫持大鍾來, 余都注一吸而盡, 群胡面面相顧, 莫不驚異, 盖壯余飮快也…余叫斟生酒, 一吸四兩, 所以畏彼, 特大膽, 如是眞怯而非勇也, 吾叫生酒時, 群胡已驚三分, 及見一吸, 乃大驚, 反似怕吾者, 余囊出八葉錢, 計與酒傭, 方起身, 群胡皆降椅頓首, 齊請更坐一坐, 一虜起, 自虛其椅, 扶余坐, 彼雖好意, 余背已汗矣, 余幼時見傔隷群飮, 其令有過門不入, 七十生男子, 汗出沾背, 吾性不耐笑, 三日腰酸, 今朝萬里塞上, 忽與群胡飮, 若爲觴令, 當日汗出沾背矣, 一胡起斟三盞, 敲卓勸飮, 余起潑椀中殘茶於欄外, 都注三盞, 一傾快嚼, 回身一揖, 大步下梯, 毛髮淅淅然, 疑有來追也, 出立道中, 回望樓上, 猶動喧笑, 似議余也.

5) 『열하일기』「太學留館錄」 1780년 8월 11일조 : 大約中國飮法甚雅, 雖盛夏, 必湯飮, 雖燒露亦湯, 杯如杏子, 掛齒細呷, 留餘卓上, 移時更呷, 未嘗健倒, 諸胡虜飮政大同, 俗所謂大鍾大椀, 絕無飮者.

2. 기타

박지원의 여행기에는 몽골과 관련이 있는 일화가 2편이 수록되어 있다. 또 몽골과 직접 연관이 없지만 몽골인들도 선호했던 물품 2개가 실려 있어 이를 소개해 본다.

【1776년 고교보高橋堡에서 조선 사신의 은 분실 사건】

밤에 고교보에 묵었다. 이곳은 지난해 (우리) 사신단이 은을 잃은 곳이다. 지방관은 이로 말미암아 파직을 당하였고, 근처 점포에서는 사형까지 당한 자가 있었다. 갑군甲軍이 밤새도록 야경을 돌면서 우리들을 도적과 다름없이 엄하게 방비한다. 아래 창고의 청지기의 말에 의하면, "이곳 사람들은 조선 사람을 원수같이 보고 있다. 그래서 (우리들이) 가는 곳마다 문을 닫고 맞이하지 않는다. (또) '고려야! 고려는 신세진 사관 주인을 죽였다. 천 냥 돈이 어찌 4~5명의 목숨을 당할 건가. 우리들 가운데도 나쁜 놈이 많지만, 당신네 일행 중에도 어찌 좀도둑이 없을 건가'라고 하면서 그 은닉하는 교묘한 방법이 몽골과 다름없다"고 한다.[6]

위의 기록은 1776년 고교보高橋堡에서 발생한 조선 사신의 은 분실 사건과 그 파문을 기록한 것이다. 그런데 주목되는 것은 조선인의 은닉법이 몽골인의 은닉법과 같다는 것이다. 조선과 몽골인들의 성품을 동일시하는 기록들은 조선의 여행기에 심심찮게 등장한다.

6) 『열하일기』「馹汛隨筆」 1780년 7월 18일조 : 夕宿高橋堡, 此往歲使行失銀處也, 地方官因此革職, 而附近站舖, 有刑死者, 故甲軍竟夜巡警, 而嚴防我人, 無異盜賊, 聞下處庫子言, 則其視東人, 有若仇讐, 到處閉門不接曰, 高麗, 高麗怖殺了居停主人, 一千兩銀子, 怎賞得四五個人命, 吾們的固多歹人, 倆行中那無奸細, 其走藏避匿, 無異蒙古云.

【박지원의 몽골 기병 침공 농담】

저렇듯 요란스러운 발자국 소리가 무슨 영문인지 모르겠으나, 큰 변고가 일어난 것은 틀림없는 듯싶다. 급히 옷을 주워 입을 때 시대時大가 달려 와서, "이제 곧 열하로 떠나게 되었다"고 한다. 그제야 내원과 변군도 놀라 깨어서 "관에 불이 났소"라고 하기에, 나는 장난으로 "황제가 열하에 있어 경성이 비었기 때문에 몽골 기병 십만 명이 쳐들어왔다"고 했더니, 변군들이 놀라서 "아이고"라고 한다.7)

위의 기록은 예부에서 조선 사신단에게 열하 출발통보를 하자 서둘러 준비를 갖추는 상황에서 박지원이 몽골 기병 침공 운운하며 농담을 한 부분이다. 이 때문에 잠시 소동이 일어났는데, 농담치고는 간담이 서늘한 농담이다. 이러한 농담은 당시 몽골의 세력이 조선인들에게 잠재적으로 각인되어 있었다는 증거이기도 하다.

【청나라의 고려주高麗珠】

중국 사람들은 우리나라 진주(東珠)를 보배롭게 여겨서 고려주라 부른다. 빛이 담백한 것이 조개옥돌과 같다. 지금 모자 챙 앞뒤로 한 개씩 달아 남북을 표시하고 있다. 무게가 8푼 이상인 고려 진주는 이미 보물로 간주된다. 황제가 가진 것은 무게가 7돈으로 악몽을 진압하는 보물로 삼았다. 황후의 것은 6돈 4푼인데, 흰 가지처럼 생겼다. 건륭 30년(1765)에 황후가 그 진주를 잃어버렸을 때 회후回后가 황후를 고자질했다. 수사 끝에 궁중 호위 군졸의 집에서 나타나자, 황후는 즉시 폐출되어 냉궁冷宮에 갇혔다. 귀주안찰사 기풍액奇豐額이 모자 끝에 고려 진주를 달았으나, 빛깔이 몹시 좋지 못하였다. 그는 "이 진주는 두께

---

7) 『열하일기』「漠北行程錄」 1780년 8월 5일조 : 及此急足槖槖, 莫知何事, 而第有大事變矣, 方披衣之際, 時大急來告日, 卽今赴熱河矣, 來第卞君方驚覺日, 館中失火耶, 余戱日, 皇帝在熱河, 京城空虛, 蒙古十萬騎入, 卞君輩驚日, 訝.

육칠 리釐에 값이 마흔 냥이다"고 했다. 나는 "이 진주는 토산이 아니다. 간혹 홍합을 먹다가 입 안에서 발견되는 것이 있는데, 이를 육주陸珠라 한다. 그러나 너무 가늘어서 보배로 여기지 않는다. 부녀들의 비녀와 귀걸이에 장식된 것은 모두 왜산倭產이며, 붉은 빛깔이 제법 보배롭다"고 했다. 기안찰奇按察은 "그렇지 않다. 이것은 조개껍질을 둥글게 간 것이지 진주는 아니다. 동주를 귀하게 여기는 것은, 조개 기운이 없이 천연적으로 보배로운 광채가 나기 때문이다"라고 하면서 웃는다. 이 말이 매우 이치에 맞다. 그러나 나는 동주가 어디에서 나며, 또 누가 캐어서 이처럼 세상에 널리 퍼졌는지 알지 못하겠다.[8]

위의 기록에 등장하는 진주(東珠), 즉 고려주高麗珠는 설명으로 미루어 자개라고 보인다. 한국의 자개는 무지개 빛깔에 결도 매우 고와, 예부터 명품으로 간주되어 왔다. 특히 색채가 빛에 따라 다양하게 변하는 특성을 지니고 있다. 자개는 고려시대 관영 공예품 제작소였던 중상서中尙署에 나전장螺鈿匠이 등장할 만큼 전문 장인들의 손으로 만들어졌다. 자개의 원료는 바다가 잔잔하고 햇빛이 잘 드는 남해안 통영의 전복을 으뜸으로 친다. 한국의 전통적인 자개 만드는 기법은 박패법剝貝法으로, 전복의 외피를 숫돌에 갈아서 가느다란 내피를 만들어 낸다.

【고려의 꽃 : 조선모란(朝鮮牡丹)】

『육가화사六街花事』에 이르기를 "하포모란荷包牡丹은 본초本草에서 일명 조선모란이라 부른다. 꽃은 승혜국僧鞵菊과 유사하며, 진한 자줏빛이다. 그것을

8) 『열하일기』「口外異聞」高麗珠條 : 中國人寶東珠, 以爲高麗珠, 色淡白如硨磲, 今帽前簷端嵌安一箇, 以表南北, 東珠八分已上爲寶, 皇帝有東珠七錢重, 爲鎭夢魘寶, 皇后東珠六錢四分重, 形如白茄子, 乾隆三十年, 皇后失東珠, 回后讒, 皇后搜得東珠鑾儀衛卒家, 后遂廢幽之冷宮, 貴州按察使奇豐額帽簷東珠, 色殊不佳, 奇言珠六七釐, 價銀四十兩, 余言珠非土產, 或有食蛤得之牙頰間, 謂之陸珠, 瑣細不足珍, 婦女簪珥所粧, 皆倭珠, 有紅光可寶, 奇按察笑曰, 否也, 這是蠣房磨圓, 非珠也, 所寶東珠者, 無貝氣, 自有天然寶光, 此言殊有理, 然吾未知東珠產於何處, 而誰能採之而遍於天下乎.

모란이라 이름을 붙인 것은 그 잎이 서로 비슷한 까닭이다. 북경의 괴수사가槐樹斜街·자인사慈仁寺·약왕묘藥王廟 등 꽃시장에 항상 있다"고 하였다. 이른바 하포라고 부르는 까닭은, 중국 사람이 수놓은 둥근 주머니를 서로들 선사하면서 하포라고 한다. (하포는) 바로 주머니의 이름이다. 승혜국은 어떤 모양인지 모르겠으나, 모두 일년생 꽃이다. 이름을 조선 모란이라 하면서도 우리나라에서 볼 수 없음은 무슨 까닭일까.[9]

위의 기록에 등장하는 하포荷包는 발음으로 미루어 몽골어로 주머니를 뜻하는 합타가khabtag-a(хавтга)의 음역이라고도 보이지만, 확신할 수는 없다. 본초本草는 이시진李時珍의 『본초강목本草綱目』을 말하며, 승혜국僧鞋菊은 부자附子의 별칭이다. 원래 모란은 고구려와 고려의 왕실 문장紋章이다.

9)『열하일기』「口外異聞」朝鮮牡丹條：六街花事云, 荷包牡丹, 本草一名朝鮮牡丹, 花似僧鞵菊而深紫色, 其以牡丹名者, 因其葉相類也, 京師槐樹斜街, 慈仁寺藥王廟花市, 恒有之, 所謂荷包者, 中國人以繡圓囊, 相贈遺, 日荷包, 卽囊名也, 僧鞵菊, 未知何狀, 要之皆草花也, 旣名朝鮮牡丹, 而我東獨不見, 何也.

제3부 여행기를 통해 본 조선시대의 몽골 인식

지금까지 서로 다른 시각의 인물들이 남긴 3대 여행기의 몽골 관계기록을 분석하였다. 이들이 다루었던 몽골은 인류사에 제1차 지구촌 제국을 열었던 사람들이자, 청나라의 파트너가 되어 중원을 통치했던 사람들이기도 하다. 일찍이 칭기스칸은 조직과 정보와 열정이 제국을 형성하고 세계를 지배하는 원동력이라고 했다. 또 그 후예인 코빌라이칸은 무역과 교류를 통해 망한 나라가 없다고 한 인물이다.

그러면 이들은 이러한 몽골에 대하여 어떤 인식을 지니고 있는 것일까. 물론 이 세 사람의 입장이 조선의 몽골 인식을 대표한다고 할 수는 없다. 그러나 이들은 모두 서로 다른 역사인식을 통해 조선의 미래에 몽골이 어떠한 관계나 모습으로 등장해야 하는가에 대한 메시지를 남겼다. 그 메시지는 과연 무엇일까. 그들의 인식이 후대에 어떤 영향을 미쳤건 안 미쳤건 간에 하나의 역사기록으로서 그것을 정리할 필요가 있다.

제1장 조선 선비의 몽골 인식(일반)

오늘날의 눈으로 주자학의 세계에 살았던 조선 사대부들의 사고방식을 바라보면 매우 어색함을 느낀다. 그러나 당시의 그들은 소중화小中華라는 말에서도 나타나듯이, 사상적으로는 세계의 중심으로 자처했다. 조선의 사대부들은 주자학 이외의 학문과 교류하기를 거부했다. 그리고 모든 조직과 열정을 주자학의 세계로 집약시켰다. 평생 한 번 세계(북경)를 본다는 것이 조선 사대부들의 꿈이었다. 그러면 세계를 본 행운의 사대부들이 남긴 대외인식, 특히 몽골은 어떠한 모습일까. 그 일반론을 몇 개의 여행기에 나타난 몽골인식을 통해 간략히 소개하고자 한다.

먼저 박지원의 여행기에는 당시의 시대 비평가답게 조선의 소중화 의식이 위에서부터 아래에 이르기까지 매우 철저하다는 것이 실려 있는데, 그것을 소개하면 다음과 같다.

더욱이 우리나라 대부들은 태어날 때부터 존귀한 체함이 대단하여, 대국사람

> 을 보면 만주인·한인의 구분도 없이 모두 호로로 간주한다. 스스로 대단한 체하고 교만한 것이 이미 습속이 되어 버렸다. 그가 어떠한 호인이며 무슨 지체인지 알기 전에 벌써 그를 반겨 맞이할 리도 없거니와, 비록 서로 만난다 하더라도 필시 개와 양처럼 푸대접할 것이다.[1] … 이제는 역졸과 마부들이 전각에 미어지게 들어와 마음대로 유람을 하고 있다. 그들은 비록 당시의 광경을 잘 모를 터이지마는, 모두 (청나라 사람의) 붉은 모자와 마제수馬蹄袖를 업신여기지 않는 자가 없었다. 제 스스로 의복이 남루한 줄 알면서 오히려 비단옷 입은 자들과 함께 버티고 서서 조금도 부끄러운 티가 없었다. 이는 우리나라의 존왕양이尊王攘夷란 대의가 비천한 하인들에게도 뿌리 깊게 박혔으며, 양심에서 나온 이념이 모두 같다는 것은 변명할 수 없는 사실일 것이다.[2]

박지원은 조선선비의 소중화 의식에 대해 이미 앞에서도 언급했듯이 여행길에 동행한 노이점盧以漸을 예로 들고 있다. 지나온 산천이나 만나는 인물들이 모두 비린내 난다고 한 그의 소중화 의식은, 사대부에 따라 긍정도 되고 부정도 될 정도로 각 여행기에 교차 출현하고 있다. 그 대표적인 것을 몇 개만 소개하면 다음과 같다.

> 우리나라의 하례들이 한인과 만인을 가리지 않고 통틀어 호인이라 일컬으며 개나 양으로 대우하니, 매우 우스운 일이다.[3] … 우리나라 사대부는 중국을 오랑캐로 인정하여 부끄러이 여기고, 한어漢語까지도 부끄러워한다. 대저 한어란 한漢, 당唐, 송宋, 명明 이래 중국의 정음正音이라 청나라의 음과는 다르니,

1) 『열하일기』「太學留館錄」 1780년 8월 9일조 : 且我東大夫, 生貴甚矣, 見大國人無滿漢一例以胡虜視之, 驕倨自重, 本自鄉俗然也, 當不察彼是何許胡人, 何等官階, 而必無款接之理, 雖相接, 必以犬羊待之.

2) 『열하일기』「黃圖紀略」 武英殿條 : 今駟卒刷驅, 充斥殿庭, 恣意遊觀, 雖不識當時光景, 亦莫不侮紅帽而羞蹄袖, 自視衣袴鶉結, 而猶與錦繡者排突, 小無愧沮, 豈非吾東尊攘之義, 亦根於皁隷之賤, 而秉彝之所同得, 有不可誣也耶.

3) 朴思浩, 『心田稿』「留館雜錄」 : 而我東下隷, 不分漢人滿人, 統稱胡人, 待之以犬羊, 極可笑也.

무슨 부끄러울 것이 있단 말인가.[4]

위의 기록은 순조 때 박사호朴思浩가 쓴 여행기 중의 한 대목이다. 그는 박제가朴齊家의 먼 일가로 알려져 있으며, 위의 기록을 참조할 경우 비판적인 사고를 지닌 사대부라고 판단된다. 소중화 의식의 여파로 한어까지 경멸하고 있음에 이른 조선 사대부들의 의식을 비판한 그는 자신의 여행기에 북경 몽골관에 대한 기록을 수록했다.

그러나 박사호의 인식은 특별한 예외에 속한다. 당시의 대표적인 학자의 하나인 홍대용과 이덕무의 경우를 들어보자.

문묘를 관람하였는데, 지키는 사람이 문을 열어 주며 배알하도록 해주었다. 그런데 마침 그때 사절단이 예복을 갖추지 않아 감히 배알하지 못하였다.[5]

금나라 때에는 공자의 소상을 모두 변발하고 북방 옷을 입힌 형상으로 만들었다 하니, 이는 천하의 큰 변고가 아닐 수 없다. 그러나 이 소상은 유의儒衣에 유관儒冠을 쓰고 엄연히 앉았으니, 당시에 건조한 자는 식견이 있는 사람이라 하겠다. 도주道州 주원공周元公(周濂溪)의 후손이 관곡官穀을 포탈하자, 지주知州가 그를 체포해서 칼을 씌워 염계서원濂溪書院 원공의 소상 앞에 꿇리고 독징督徵했다 한다. 이는 금나라 때에 공자의 소상을 변발하고 북방의 옷(薙髮左衽)을 입힌 것과 함께 사문斯文의 액운이 아닐 수 없다.[6] … 동안문東安門에 가서 태학에 배알하였다. 태학은 북성北城 안에 있는데, 황제칙수문묘비皇帝勅修文廟

4) 朴思浩, 『心田稿』「留柵錄」: 我東士大夫, 夷中國而恥之, 與漢語而恥之, 夫漢語者, 漢, 唐, 宋, 明以來中國之正音也, 異於淸音, 何恥之有.

5) 洪大容, 『湛軒燕記』「京城記略」: 觀文廟, 守者開門許謁, 時使行不具帽帶, 不敢謁焉.

6) 李德懋, 『入燕記』「1778년 4월 22일」: 金時孔子塑像, 皆薙髮左衽, 天下之大變也, 此像則儒衣儒冠, 儼然而坐, 當時建設者, 可謂有識, 康熙朝, 道州周元公後裔, 逋官穀, 知州枷鎖, 濂溪書院元公塑像, 督徵之, 與金時孔子像, 薙髮左衽, 俱爲斯文之厄會.

碑가 있다. 그 비문에 의하면, 건륭 초년에 내탕금 20여만 냥을 내어 명나라 때의 옛 제도를 일신하여 성전聖殿을 고쳐 누른 기와로 이고, 전액殿額과 문편門扁에 장총張璁이 쓴 옛 이름을 모두 어서御書로 바꾸어 금으로 대성문大成門이라 썼는데, 문 옆마다 만주 글자를 써 놓고 전중殿中의 모든 위판位板에도 역시 그렇게 하였다. 오랑캐의 글자를 어찌 성현의 신판에 썼단 말인가. 만약 신이 있다면 이 신판에 편히 머물지 않으리라. … (태학) 사신이 오모烏帽에 단령團領을 입고 대문 동쪽에서 사배四拜의 예를 행하는 것을 보고 모두들 손가락질을 하고 웃으며 연극장면과 같다고 하였다. 연극장면이라고 한 것은 연극하는 사람들이 모두 옛 의관을 입기 때문이다. … 조교助教 한 사람이 우리를 인도하였는데, 사신이 역관 김재협金在協을 시켜 묻기를 "우리나라의 성묘는 존엄하게 여겨 엄숙히 공경하는데, 지금 이 묘전에 잡인이 어지러운 것은 어째서인가"라고 하자, 조교는 처음에는 어이없는 표정을 짓다가 잠시 뒤에는 노기를 띠었으니, 영문을 알 수 없었다.[7]

한국역사에서 홍대용과 이덕무가 누구라는 것은 굳이 소개할 필요도 없다. 그들은 박지원을 위시한 이익李瀷, 안정복安鼎福, 신경준申景濬, 홍양호洪良浩, 유득공柳得恭, 박제가朴齊家, 성해응成海應, 정약용丁若鏞, 서유구徐有榘 등의 인물과 함께 조선의 지식층을 대변하는 인물들이다. 그들의 대외인식이 조선의 대외인식을 대표한다는 것은 말할 필요도 없다. 그들은 당시의 지배자의 언어인 만주와 몽골어를 외면하고, 또 세계의 관복인 청나라의 관복도 거부했다.

이들도 이럴진대 그 누가 감히 몽골을 이야기할 수 있겠는가. 조선시대는 몽골의 세력을 거부한 인물들이 세운 나라이다. 따라서 그 인식의 시작도

7) 李德懋, 『入燕記』「1778년 5월 22일」: 往東安門, 謁太學, 太學在北城內, 有皇帝敕修文廟碑, 乾隆初年, 出內帑金二十餘萬兩, 一新前朝舊制, 改聖殿黃瓦, 御書殿額門扁, 盡易, 張舊名金書, 大成門門旁, 輒書滿州字, 殿中諸位版, 亦然, 蕃人之書, 胡爲乎聖賢之神版, 如有明神, 必不妥靈…使臣烏帽團領, 行四拜於大門之稍東邊, 觀者皆指點而笑曰, 場戲一樣, 場戲者, 演戲之人, 皆着古衣冠故也, …助教一人, 前導使臣, 使譯官金在協, 傳語曰, 東國聖廟, 尊嚴肅敬, 今此廟殿, 雜人紛挐, 何也, 助教初若憮然, 後又怫然, 未可知也.

몽골의 거부에서 시작된다. 그 대표적인 기록이 권근權近의 여행기이다.

> 우리나라의 사대事大의 정성이 능히 천지를 감동시켰다는 것을 이로써 믿을 만하다. 삼한이 외떨어져 해동에 있지마는, 사대하는 성심은 하늘도 감동하네. … 삼한도 치화治化의 밖이 아니라네.[8]

조선은 건국 초부터 이렇게 사대주의가 시작되었다. 따라서 명나라의 속국이라는 표현이 저절로 나왔다.

> 요동遼東·계주薊州의 땅은 천백 년 동안이나 오랑캐 풍속에 젖었건만 대명大明의 풍화風化로 혁신된 것이 이와 같다.[9]

> 성지聖旨에 이르기를, "속국이 대대로 충의忠義를 표방해 오다가 힘이 궁하여 오랑캐에 항복하였으니, 그 사정이 참으로 애처롭다."[10]

위의 기록 중 첫 번째는 선조 때의 문신인 조헌趙憲(1544~1592)이 1574년 성절사행聖節使行로 명나라에 다녀와 북경 주변에서 몽골 지배의 흔적이 사라졌다는 것을 상소한 것이다. 두 번째는 조선 중기의 문신인 김육金堉(1580~1658)이 1636년 6월 명나라에 갔다가 병자호란의 소식을 듣고 귀국을 염려하자, 명나라 황제가 속국의 신하인 김육 일행을 안전하게 호송하라는 것을 전하는 부분이다.

스스로 명나라의 속국이 된 조선은 만주와 몽골, 그리고 조선을 이탈한

8) 權近, 『奉使錄』: 我國家事大之誠能感天地, 可信矣, 三韓僻在海東堧, 事大誠心格上天…三韓非化外.

9) 趙憲, 『東還封事』「鄉閭習俗」: 遼薊之地, 雖被千百年胡俗之染, 而大明之化, 所作新者如此.

10) 金堉, 『朝京日錄』「1637년 4월」: 聖旨曰, 屬國世稱忠義, 力屈降奴, 情殊可憫.

배반 세력들에 의해 명나라가 망하는 것을 보았다. 그리고 그들이 느꼈던 것은 몽골을 이은 또 하나의 비린내 만주였다.

> 빈 뜰에 나무는 늙고 가벼운 연기 잠겼는데, 승상의 사당에는 싸늘한 기운 감도네. 한 번 죽을 남아는 오히려 죽을 데 죽었다. 백 년 원수는 하늘을 같이 못하는 걸세. 일편단심이 어찌 청사에만 빛났으랴. 참 모습이 흰 돌에 새겨져 전함을 보겠네. 믿지 못해라 영령이 시시에 머문 지를, 지금 중국이 또 비린내 나네.[11]

이 비린내 속에서 탄생한 것이 바로 소중화이다. 그러면 소중화 의식에 반영된 몽골인식 중 대표적인 것 하나만 소개하면 다음과 같다.

> (송가성宋家城은 계주薊州의 동쪽 13리에 있다.) 내가 묻기를, "외국인인 저로서 생각해 볼 때, 당신이 우리를 보기를 몽골 사람들과 같은 무리로 보리라 여겨지는데, 그렇지 않습니까" 하니, 송씨가 말하기를 "그렇지 않다. 나는 조선을 예의의 나라라고 들었소. 더구나 당신들을 보니 이렇듯 청아한 수재인데, 어찌 다른 나라에 비하여 보겠는가"라고 하였다. 그의 얼굴빛을 보니 지은 거짓말은 아닌 듯하였다.[12] … 대개 중국 사람들은 우리나라 사정에 어두워, 역졸들이 사람을 휘몰고 거리로 다니며 못된 짓 하는 것만 보았기 때문에, 고려 사람들은 다 그런 줄 알아 싫어하기를 몽골이나 아라사 사람처럼 여기니 가장 부끄러운 일이다.[13] … 갈관인葛官人이 말하기를 "조선은 기자의 옛 땅입니다. 어찌

11) 著者 未詳, 『薊山紀程』 「1803년 12월 26일」조 : (文丞相祠) 空庭樹老鎖輕烟, 丞相祠堂冷日懸, 一死男兒猶有地, 百年仇怨不同天, 寸心豈獨靑編照, 眞像留看白石傳, 未信靈英柴市住, 秖今中土又腥羶.

12) 洪大容, 『湛軒燕記』 「宋家城」 : 宋家城在薊州東三十里…余試問曰, 我外國人, 想君視之如蒙古等輩也, 宋生曰, 不然, 吾聞朝鮮禮義之邦, 君輩淸秀又如此, 豈比他外國乎, 觀其色, 非謬爲僞辭也.

13) 洪大容, 『湛軒燕記』 「夷齊廟」 : 蓋華人未諳我國事者, 徒見驛卒驅人頑醜行惡于街市, 謂麗人皆此類也, 厭苦之如蒙古鄂羅斯, 最可羞也.

다른 외국과 같이 보겠습니까"고 하였다. 복서가 말하기를 "중국이 크기는 크지마는 몽골족과 회회인이 섞이어 살아서 연곡輦轂과 의관이 뒤섞이고 혼란하여 분별하기 어렵습니다. 이는 참으로 아까운 일이라 하겠습니다"고 했다. 갈관인이 물끄러미 한참 보다가 오호嗚呼라는 두 글자를 크게 쓰고 주저앉아서 하늘을 쳐다보고 웃었다.[14)]

홍대용은 조선과 몽골이 동일시되는 것을 매우 꺼렸던 모양이다. 그러나 현실은 이와 달리 청나라는 항상 조선을 몽골의 아래에 두었다.

명나라 이래로 우리 사신을 접대하는 것이 여러 나라와는 아주 달랐다. 청나라 사람도 역시 그 예를 인습하여 사신의 왕래가 끊이지 않고 우리나라 사람이 언제나 왕래하기 때문에, 도로에 있는 부인이나 유아라도 이목에 익어서 저 사람들은 우리 보기를 한 나라 사람과 같이 한다. 멀고 가까운 여러 번국 중에 오직 우리나라만이 매년 진공進貢하여 지성으로 섬기고, 또 저희들의 사는 곳과 인접해 있으니 대접하는 도道가 친후親厚해야 하기 때문에 그러할 것이다. 그러나 우리를 약한 나라로 생각하여 두려워하고 꺼리는 것이 도리어 몽골달자蒙古㺚子만도 못하다.[15)]

그러나 조선 사대부들은 몽골을 아무리 의식적으로 지우려고 해도 그 현실적인 그림자까지 외면할 수는 없었다. 홍대용과 이갑의 여행기에 뜻밖의 기록이 나타나는데, 그것을 소개하면 다음과 같다.

---

14) 洪大容, 『湛軒燕記』「葛官人」: 官人曰, 朝鮮乃箕子之地, 寧自同於外國乎, 復瑞曰, 中國雖大, 蒙古回部, 雜處輦轂, 衣冠淆亂, 無復分別, 此可惜也, 官人熟視良久, 大書嗚呼二字, 却坐仰天而笑.

15) 李押, 『燕行記事』「聞見雜記」: 明朝以來, 接待我使, 迥異諸國, 淸人亦襲其例, 冠蓋織路, 我人尋常往來, 故雖道路婦孺, 耳目稔熟, 彼之視我, 便同一國之人, 遠近諸藩中, 惟我國連年進貢, 至誠事大, 且隣於渠之巢穴, 則見待之道, 宜其親厚, 而然然畜之以弱國, 其所畏憚, 反不如蒙古㺚子.

> 대개 강희康熙 때부터 애써 옛것을 찾고 문을 숭상하며 스스로 그걸로 가풍을 삼으려고 하던 노력이 엿보였다. 그러나 문무를 병용하지 못한 지 오래되었다. 송도군宋道君·원순제元順帝 모두 재주와 기예가 뛰어났지만 마침내 천하를 잃어버리지 않았는가. 지금 세상에 이 같은 문화를 가지고도 국내가 태평한 걸 보면, 그의 재주와 역량力量이 역시 남달리 뛰어나다고 여겨진다.[16]

> 몽골은 가장 강하고 크며 또한 동북에 가장 가깝다. 그러나 그 약속을 받은 것들은 겨우 수백 리 안 약간의 종족일 뿐이며, 이것도 실은 임시로 얽어 놓은 것에 불과하다. 그 나머지는 모두 저희들의 강적이니, 어찌 근심이 소홀히 여기는 데서 생기지 않는다고 하겠는가. … 앞으로 그들이 더욱 성하여 차츰 스며들어 안으로 들어오면 그 칼날이 향하는 곳은 대적하기가 어려울 것이니, 어찌 순망치한의 근심이 없을 줄을 알랴.[17]

위의 첫 번째 기록은 홍대용의 역사 수상록이라고 할 수 있는데, 원 순제에 대한 평가가 매우 긍정적인 것을 알 수 있다. 그의 이러한 인식이 어디에 바탕을 둔 것인지는 모르지만, 홍대용의 또 다른 일면을 보여준다는 점에서 주목이 된다. 두 번째 기록은 미래는 몽골에 있다는 것을 암묵적으로 보여주고 있다. 사실 이러한 인식은 대부분의 조선 사대부에게서도 보인다. 그러나 왜 그들은 그것을 알면서도 몽골을 외면했던 것일까.

---

16) 洪大容,『湛軒燕記』「夷齊廟」: 盖自康熙世, 孜孜以稽古右文自期待, 其家傳風流, 可見也, 惟文武之不能并用久矣, 如宋道君元順帝, 皆才藝高竗, 終以失天下, 今世有如此文藻, 而域內豫安, 想其才力, 亦必大過人也.

17) 李押,『燕行記事』「聞見雜記」: 蒙古則最强且大, 亦最近於東北, 受其約束者僅數百里內若干種, 而不過羈縻而已, 其餘則皆渠之强敵, 又安知不患生於所忽耶…他日種類益盛, 浸淫內入, 則其鋒所向, 定難抵敵, 齒寒之患, 安知其無也.

제2장 최덕중, 박지원, 서호수의 몽골 인식

1. 최덕중의 몽골 인식

최덕중은 정세 판단과 관찰력이 뛰어난 군사방면의 전문가이다. 그의 여행기는 사실상 일종의 정세 보고서라고 할 수 있다. 그런데 놀랍게도 그 보고서의 결론이 조·몽 연합론이다. 즉 그는 조선이 미래를 도모하기 위해서는 몽골과 군사 연합을 맺어야 한다는 조·몽 연합의 필요성을 제기하면서 보고서를 끝맺고 있다. 조선시대에 최초로 등장한 조·몽 연합론은 분명 그의 역사 인식과 결합되어 있지 않으면 안 된다. 먼저 그는 청과 조선의 관계에 대해 다음과 같은 기록을 남기고 있다.

(삼하현三河縣) 찰원은 황제가 이번에 천금千金으로 촌민村民의 큰 집 세 채를 사서 한 원으로 만든 것인데, 일행 인마가 일시에 머물러도 넉넉하였다. 문 위에 현판을 걸어서 조선관이라 했고, 좌우에는 붉은 종이에 "신하의 절개는 무겁기

가 산과 같고, 임금의 은덕은 깊기가 바다와 같다"라고 쓴 것이 붙어 있으니, 그 자랑한 것을 상상할 수 있으며 또한 통한스러웠다.[1)]

조선의 군관 최덕중은 전쟁에 대비해 파견된 인물이다. 바로 위의 기록은 청나라의 오만함을 말없이 비꼬고 있다고 볼 수 있다. 그는 군사전문가답게 먼저 강희제가 몽골 연혼정책과 조선 화친정책 추진의 근본 이유를 다음과 같이 분석하고 있다.

심양은 두 산 사이에 끼어 있어서 동쪽으로 우리나라와 닿았고, 서쪽은 몽골과 닿았으며, 남쪽은 요하를 임했고, 북쪽은 융적戎狄과 접경을 이루고 있다. 그러므로 만약 우리나라 및 몽골과 화친하지 않으면 결코 지킬 만한 곳이 못된다. 그러므로 지금 황제가 우리를 정성껏 대하고, 몽골과 혼인하는 뜻은 알만하다.[2)]

그리고 이러한 정세 판단을 앞세워 조·몽 연합의 필요성을 다음과 같이 제시하고 있다.

여러 왕 중에 사람 같은 자가 하나도 없고, 또 황장자皇長子와 태자가 연달아 죄과로 갇혀 있다. 그 뱃속이 이미 어지러워졌으니, 사지도 장차 따라서 어지러워질 것이다. 강희가 죽는 날이면 천하가 어지러워질 것도 손가락을 꼽으면서 헤아릴 수 있다. 이런 때를 당하면 우리나라가 해를 당하지 않는다는 것도 또한 기약할 수 없다. 생각건대, 사리에 밝고 슬기로운 자를 시켜 그 나라의 내란을

1) 『연행록』「1712년 12월 25일」조 : 察院乃皇帝今以千金, 買得村民三大家, 合作一院, 一行人馬裕餘止接, 而門上掛板曰朝鮮館, 左右書紅紙付曰, 臣節重如山, 君恩深似海, 其誇矜可想, 而亦可痛也.

2) 『연행록』「1713년 3월 30일」조 : 第瀋陽介在於兩山之間, 東接我國, 西接蒙古, 南臨遼河, 北接戎狄, 若不親和我國與蒙古, 則決非可守之地, 故卽今皇帝款遇我東, 親姻蒙古可知也.

틈타서 몽골과 화친을 맺고 심양 이북 지역을 떼어서 차지한다면, 중원에서도 반드시 내응해서 잇따라 일어나는 자가 있어 안팎에서 서로 호응하게 될 것이다. 먼저 발동해서 저쪽을 제압하면 공연히 그 해를 당하는 일이 없을 것이다. 뒷일도 잘하려는 방책을 보통 사람으로서는 알 수 있는 것이 아니지만, 심양·영고탑 등지를 공략하는 것은 어렵지 않을 듯하다. 청국 군신이 천하 보기를 여관처럼 여겨서 성지城池와 대관臺觀이 무너져도 그냥 두고 하나도 수선하는 것이 없다. 각 관직에 권세를 없앤 까닭에 세 종족의 사람이 감히 서로 시기하여 해치지 못하고, 다만 봉직奉職을 잃을까 걱정하는 마음만 있을 뿐이니, 그 사람을 거느리는 방법이 결코 등한한 사람이 아니었다. 다만 고지식해서 변통이 없고 간이함을 따르기만 힘쓰는 까닭으로, 상하에 분간이 없고 귀천도 구별이 없으니, 이것은 제왕의 법이 아니었다. 그러나 풍속이 여러 번 변했고, 또 이 사람들이 들어온 지가 벌써 오래되니, 한漢나라 때를 사모하는 모습이 하나도 없었다. 의복의 짧고 비좁음과, 비린내 나고 더러운 것을 한 그릇에 담는 것 등 이미 호인의 풍습으로 변했다. 이후에 만약 진인眞人이 다시 일어나더라도 오랫동안 감염된 더러움을 갑자기 변화시키기는 어려울 것이며, 강북 풍습은 반드시 호인의 풍속을 숭상할 것이니, 통탄함을 어찌 견디겠는가.[3]

조선 군관 최덕중은 조선의 북진정책을 위해서는 조·몽 연합이 필요하다는 것을 역설하고 있다. 비록 그의 말은 주자학적인 세계 질서와 뒤섞여 매우 모호하게 나타나지만, 군사 이외의 발언은 그의 처세를 위한 부언에 불과하다. 군관이 군사를 논할 때 시대의 사상까지 논해야 살아남을 수 있다는 것이

3) 『연행록』 「1713년 3월 30일」조 : 第諸王無一似人者, 且皇長子太子, 連以罪戾囚鎖, 其腹內已亂, 四肢亦將隨亂, 康熙身死之日, 天下之亂, 屈指可計, 而當此之時, 我國之不被害, 亦未必矣, 第念使明智者, 乘其內亂, 與蒙古結和, 據割瀋陽以北, 則中原必有內應而繼起者, 內外相應, 先發制彼, 則可無擴被其害, 而善後之策, 非凡人之所可知者也, 但瀋陽寧古塔等地之拔取, 似不難矣, 淸之君臣, 視天下如逆旅, 城池臺觀, 任其頹毁, 無一修改, 且使各職無有權勢, 故三色目人, 無敢猜害, 只有奉職患失之心, 其禦人之術, 決非等閑之人, 但嫭荒無度, 務從簡易, 故上下無分, 貴賤無別, 此非帝王之法也, 第風俗累經, 且此人入定已久, 無一思漢之態, 衣服之短窄, 腥穢之同器, 已成胡風, 此使眞人復起, 猝難變其舊染之汙, 而江北之風, 必尙胡俗, 可勝痛哉.

바로 조선의 실정이었다. 그러나 그의 전체 여행기에서 어설픈 사상 부분을 제거하고 군사 부분만 바라보면, 그가 원하는 조·몽 연합의 메시지를 분명하게 확인할 수 있다. 그는 조·몽 연합을 부르짖었던 최초의 조선인이었다.[4]

2. 박지원의 몽골 인식

박지원은 조선의 주자학을 대표하는 정예 학자이다. 그의 관점은 문천상과 코빌라이칸 부분 및 라마교 관련 부분에서도 잘 나타난다. 그는 특히 청나라를 중심으로 전개된 동방의 주자학과 서북방의 라마교를 눈여겨 바라본 인물이기도 하다. 그는 과연 몽골에 대해 어떠한 인식을 지니고 있었을까.

박지원은 그의 여행기인 『열하일기』를 평생의 업적으로 생각하듯 그 속에 예리한 국제 정치 분석과 조선의 문제점 및 미래의 전망을 내놓고 있다. 그것을 순서대로 따라가 보면 그것이 바로 그의 몽골 인식이 될 것이다. 먼저 그의 북방 인식부터 살펴보기로 하자.

박지원은 피서산장에서 그의 북방 인식이 어떤 것인가를 보여주는 역사평론을 하고 있는데 그것이 바로 다음과 같은 기록이다.

> 천하의 큰 걱정은 늘 북쪽 오랑캐에게 있다. 때문에 그들의 항복을 받은 뒤에도 강희 때부터 열하에다 행궁을 세워 몽골의 강력한 군대를 주둔시켜 놓았다. 실로 중국의 군사를 괴롭히지 않고도 호胡로써 호를 방비하게 되었다. 이리하여 군비도 생략되고, 국방도 굳세게 된다. 지금 황제가 친히 통솔하여 지키고 있는

4) 참고로 고대의 한·몽 관계에 대해서는 Ё. Жанчив, 『Сонгодог Монгол бичгийн өмнөх үеийн дурсгалууд』, УБ, 2005 ; Ч. Далай, 「Монгол Солонгосын ард түмний эртний түүхэн харилцааны тоймоос」『Түүвэр зохиол(I)』, УБ, 2000 ; 上同, 「Монгол, Солонгосын эртний түүхэн харилцааны тоймоос」『Түүвэр зохиол(III)』, УБ, 2000를 참조.

것이다. 티베트는 매우 강력하고 사나우나, 황교는 몹시 경외한다. 이에 황제가 그들의 풍속을 따라서 친히 그 교를 믿고 존중하며, 또 그 법사法師를 모셔다가 집을 찬란하게 꾸며서 그의 마음을 기쁘게 한다. 더욱이 이름만 왕으로 분봉하여 그의 세력을 나누었으니, 이는 곧 청인淸人이 사방을 제어하는 교묘한 방법이다.[5)]

그는 청나라의 통치 정책이 몽골과 티베트의 분열과 견제에 있다는 것을 지적하고 있다. 그리고 이를 바탕으로 주변 제국의 상황을 나름대로 분석한 정세 판단을 다음과 같이 전개하고 있다.

티베트 사람들은 더욱 사납고 날래며 추악해서, 괴상한 짐승이나 기이한 귀신처럼 두렵다. 회회국은 옛날 회골回鶻로서 더욱 사나웠다. 토사土司는 티베트나 회골과 비교하면 웅장하고 강건한 것이 대개 같았다. 아라사란 것은 흑룡강에 있는 부락으로, 집마다 반드시 개 한 마리를 둔다. 개마다 크기가 나귀만하다. 목에는 작은 방울을 10여 개나 달며, 턱 밑에는 여러 끈을 장식해서 멍에로써 수레를 끌게 한다. 개 크기도 이와 같거늘, 하물며 그 사람이야 (말할 필요가 없다). 갈 때에는 반드시 개와 함께 가는데 겁이 나면 피리를 분다. 그들의 갓이나 의복은 신분에 따라 모양이 다르므로 분간하기가 쉽다. 만주는 (사람숫자가) 비록 많이 늘어났다하나, 천하의 반이 되기에는 불가능하다. 그들이 중원에 들어온 지 이미 백여 년이 되었다. 물과 땅에 익숙하고 풍기를 길렀으므로, 한인과 다를 바 없이 맑아지고 단아해져서 이미 저절로 문약해졌다.[6)]

5) 『열하일기』 「審勢編」: 天下之患, 常在北虜, 則迨其賓服, 自康熙時, 築宮於熱河, 宿留蒙古之重兵, 不煩中國而以胡備胡, 如此則兵費省而邊防壯, 今皇帝身自統禦而居守之矣, 西藩强悍而甚畏黃敎, 則皇帝循其俗而躬自崇奉, 迎其法師, 盛飾宮室, 以悅其心, 分封名王, 以析其勢, 此淸人所以制四方之術也.

6) 『열하일기』 「黃敎問答後識」: 西番尤獰猛醜惡, 類怪獸奇鬼, 怖哉, 回子古之回鶻, 尤爲獷悍, 土司比西番回鶻雄健, 大同, 鄂羅斯者, 黑龍江部落也, 居必擁一犬, 犬皆大可如驢, 項環十餘小鈴, 頷胡飾繁纓以駕車, 犬大如此, 況其人乎, 行必携犬, 側目吹篪, 其冠服形以類分, 故易以爲辨也, 葢滿洲雖蕃息, 不能半天下, 其入中原, 已百餘年, 所以胞養水土, 培習風氣, 無異漢人,

그는 이러한 주변 제국의 분석을 마친 뒤, 조선의 상황에 대하여 매우 날카로운 시각으로 문제점을 지적하고 있다. 그 첫 번째가 청과 조선의 관계 분석이다.

> 청이 처음 일어날 때 한인을 붙드는 대로 머리를 깎았다. 그러나 정축년(1637) 맹약에는 우리나라 사람의 머리는 깎지 않았다. 대개 여기에는 까닭이 있다. 세상에 전하는 말에는 "청인이 여러 번 한汗(청 태종)에게 우리나라 사람의 머리를 깎도록 명령하라고 권했다. 그러나 한汗은 이에 응하지 않고 조용히 여러 패륵貝勒에게, '조선은 본래 예의로 이름이 나서 머리털을 자기 목숨보다 사랑하는데, 이제 만일 억지로 그 심정을 꺾는다면 우리 군사가 돌아온 뒤에는 반드시 배반할 터이니, 그들의 풍속에 따라 예의로써 얽매어 두는 것만 못할 것이다. 저들이 도리어 우리의 풍속을 익혀 말 타고 활쏘기에 편리해진다면 우리에게 이로운 것이 아니다'라고 이르며 그것을 그만두게 했다. 우리로서 말하자면 다행함이 이보다 큰 것이 없었다 하더라도, 저들로서 생각한다면 우리들의 문약함을 그대로 두려는 것이었다.[7]

박지원은 청 태종이 조선에 변발을 강요하지 않은 속내를 명료하게 파악하고 있다. 청 태종의 말은 그만큼 조선의 내부적인 문제점이 크며, 또 그로 인해 조선의 역량이 절대로 밖으로 발전할 수 없다는 뜻과도 같다. 조선의 문약함이란 무엇 때문일까. 그러나 그는 그 답변 대신에 먼저 청나라 발흥 초기 조선의 배반자나 반란자들이 건주여진으로 몰려가 일조했다는 것에 대해서 분노를 가진 듯하다. 이는 다음과 같은 분노 섞인 기록에서도 잘

清汰粹雅, 已自文弱.

7) 『열하일기』「銅蘭涉筆」: 清之初起, 俘獲漢人, 必隨得隨剃, 而丁丑之盟, 獨不令東人開剃, 蓋亦有由世傳, 清人多勸汗, 清太宗, 令剃我國, 汗默然不應, 密謂諸貝勒曰, 朝鮮素號禮義, 愛其髮甚於其頭, 今若強拂其情, 則軍還之後, 必相反覆, 不如因其俗, 以禮義拘之, 彼若反習吾俗, 便於騎射, 非吾之利也, 遂止, 自我論之, 幸莫大矣, 由彼之計則特狃我以文弱矣.

확인된다.

인조仁祖 갑자년(1624) 귀성부사龜城府使 한명련韓明璉이 평안병사平安兵使 이괄李适과 함께 반란을 일으켜, 군사를 거느리고 대궐에 들어왔다가 군사가 패하자 모두 달아나다가 사로잡혀 죽었다. 한명련의 두 아들 윤潤과 난瀾은 눈 위에 짚신을 거꾸로 신고 도망하여, 건주建州에 들어가 장군이 되었다. 그 뒤 13년에 청 태종을 따라 동쪽으로 왔다고 한다. 이는 당시의 전설에서 나왔으므로 그것이 참인지 거짓인지를 알지 못하였는데, 지금 새로 간행된『태종실록』을 보니 과연 "조선 장수 한명련이 그 부하에게 피살당하였으므로 그 아들 윤潤과 의義가 와서 항복했다. 의義를 봉하여 이친왕怡親王을 삼았다"는 기록이 있다. 아마 난瀾이 이름을 의義라 고친 듯싶다.『소대총서昭代叢書』의 시호록謚號錄에 마땅히 그의 이름이 실려 있을 테니, 뒷날에 상고해 보기로 하겠다. 아아, 슬프도다. 우리 조선이 나라 세운 지 400년 동안 역적으로 죽임을 당한 자가 없지 않았으나, 이 두 역적처럼 군사를 일으켜 대궐 안을 범한 자는 없었다. 그 흉특한 놈이 뒤에 투항하여 장수가 되고 군사를 빌려서 멋대로 날뜀이 이에 이르렀다. 당시 건주 일대는 망명의 숲이 이룩되었으니, 평소 변문의 경비가 엄하지 못하였던 것과 압록강 연변의 방비가 매우 허술하였음을 짐작할 수 있겠다. 또 억센 이웃나라가 얕보고 업신여기는데, 그 앞에서 일하는 장수의 성명조차 누구인지 모르는 판에 무슨 인재와 용맹과 슬기 등이 나오겠는가. 이러고서도 한갓 헛된 말로만 큰 대적을 꺾으려 하고 한 손으로 대의를 붙들려고 하니, 아아! 어렵도다.[8)]

---

8)『열하일기』「口外異聞」明璉子封王條：仁廟甲子, 龜城府使韓明璉, 與平安兵使李适同叛, 擧兵犯闕, 兵敗走, 皆擒誅, 明璉二子潤瀾, 雪上倒着芒鞋, 亡入建州爲將, 其後十三年, 從淸太宗東來云, 此出當時傳說, 其眞僞未可知, 今覽新刊太宗實錄, 果言朝鮮將韓明璉爲其下所殺, 其子潤義來降, 封義怡親王, 瀾似改名爲義, 昭代叢書中謚號錄, 當載其名, 後當考, 吁, 我朝立國四百年來, 不無凶逆之誅殛, 而未有如兩賊之擧兵犯闕者, 其凶醜遺孽, 投虜爲將, 借兵猖獗, 至於此極, 當時建州爲逋逃之淵藪, 而足想平日邊門之不嚴, 沿江守禦之疎虞, 强隣憑陵, 而其用事將率之姓名, 不識誰某, 則何況其材勇謀猷之所出乎, 如此而徒欲以空談摧大敵, 隻手扶大義, 嗚呼難矣哉.

사실 박지원의 기록처럼 명말청초에 건주여진은 희망의 세력이었다. 주변 제국에서 불만을 가진 인재들은 모두 이곳에 왔다. 그리고 또 포용되었다. 왜 그랬을까. 그는 이것에 답변하지 않는다. 위의 기록을 통해보면, 박지원은 조선의 내부모순이 주자학으로 대표되는 이념 문제가 아닌 조선 관료들의 임무방기와 정보력의 부재에서 찾고 있는 듯하다. 이러한 그의 시각은 주자학으로 무장되지 않고 헛된 소중화 의식으로 무장한 조선 관료의 나태함 및 임무방기에 있다고 날카롭게 비판한 다음의 기록에서도 잘 확인된다.

> 청나라가 일어난 지 140여 년인데도 우리나라 사대부들은 중국을 오랑캐라 하여 (그들과 만나는 것을) 수치스럽게 여긴다. 비록 사신 왕래는 힘써 하면서도 문서의 거래라든지 사정의 허실은 일체 역관에게 맡겨 둔다. 강을 건너 연경에 이르기까지 거치는 2,000리 사이에 각 주·현의 관원과 관액의 장수들은 그 얼굴을 접해 보지 못했을 뿐 아니라, 또한 그 이름조차 모르고 있다. 이로 말미암아 통관이 공공연히 뇌물을 찾아도 우리 사신은 그들의 조종을 감수할 뿐이며, 역관은 황황히 받들어 행하기에 겨를이 없다. 이 때문에 항상 무슨 큰 기밀이나 숨겨 놓은 것처럼 보인다. 이는 사신들이 망령되게 자기를 높은 체하는 데 허물이 있는 것이다. 사신이 담당 역관에 대하여 너무 의심하는 것은 도리가 아니지만, 지나치게 믿는 것도 또한 옳지 않다. 예컨대 갑자기 무슨 일이 발생해도 세 사신은 묵묵히 서로 쳐다보며 한갓 담당 역관의 입에만 의존할 뿐이다. 사신된 자는 이러한 것에 해결 방도를 세우지 않으면 안 된다. 연암은 쓰다.[9]

이어 그는 조선 정보력의 부재에 대해서도 아래의 기록처럼 나약국서羅約國

9) 『열하일기』「行在雜錄」: 淸興百四十餘年, 我東士大夫夷中國而恥之, 雖黽勉奉使, 而其文書之去來, 事情之虛實, 一切委之於譯官, 自渡江入燕京, 所經二千里之間, 其州縣之官, 關阨之將, 不但未接其面, 亦不識其名, 由是而通官, 公行其索賂, 則我使甘受其操縱, 譯官遑遑然承奉之不暇, 常若有大機關之隱伏於其間者, 此使臣妄尊自便之過也, 使臣之於任譯, 太疑則非情, 而過信亦不可, 如有一朝之虞, 則三使者其將默然相視, 而徒仰任譯之口而已哉, 爲使者不可以不講, 燕巖識.

書 가짜문서 사건을 인용해 날카롭게 비판하고 있다.

"건륭 44년(1779) 12월에 나약국羅約國 가달假㺚은 황제 폐하께 글을 올립니다. … 그런데 신이 홀로 무슨 마음으로 순천부順天府(북경의 별칭)를 향하여 머리를 숙이고 무릎을 꿇을 것입니까. 비록 폐하가 친히 육사六師(친위군)의 정예를 인솔하고 초원과 사막 지대에 왕래하다가 우리를 하란산賀蘭山 기슭에서 행여 만난다 하더라도, 채찍을 들고 서로 문안을 하고 말 위에서 천하를 의논할 것입니다. 이때에는 바로 구름 사막 만 리 길에 범과 용이 자웅을 겨루게 될 것입니다. 대체로 전쟁이란 두 편이 다 이기는 법이 있을 수 없고, 복이란 쌍방에 한꺼번에 오는 법은 없는 것입니다. 그러므로 군대를 해산하고 전쟁을 중지하여 생령들의 질고를 풀고, 군사들의 가난을 늦추어 줌만 같지 못할 것입니다. 신이 마땅히 해마다 조공을 바쳐서 대대로 신하라 일컫겠습니다. … 이에 대신 다리마多里馬를 보내어 폐하께서 계신 대궐에 배알하여 삼가 충심을 보이는 바, 지극한 정성은 하늘을 덮고 감격한 눈물은 땅에 사무치옵니다." 역관 조달동趙達東이 별단別單을 꾸미려다가 이 글을 서반序班으로부터 얻어 밤에 나에게 보였다. 서장관 역시 와서 "아까 나약국서를 보셨는지요. 세상일이 크게 야단났다"고 말한다. 나는 "세상일이란 원래 그런 것이다. 그러나 세상에는 애초에 나약국이란 없다. 내가 20년 전에 일찍이 별단 중에서 이 같은 문서를 보았는데, 역시 '황극달자黃極㺚子는 부질없이 쓴다'라고 했다. 선배들과 함께 둘러앉아 한 번 읽은 뒤 매우 북방을 우려한 적이 있었다. 더러는 청나라의 정권을 대신할 자는 황극이라고 말하는 이도 없지 않았다. 이제 이 글을 본즉, 가감 없이 그것과 비슷하다. 서반배들이라는 게 모두 강남 빈민들의 자식들로서, 객지에서 몸 붙일 곳이 없어 이 따위 터무니없는 소리를 날조하여 우리 역관들에게 공비公費 돈을 받고 속여 파는 것이다. 별단에는 비록 보고 들은 사건을 싣게 하긴 하지만 대체로 모두 길목에서 들은 이야기들이니, 어째서 이 신빙할 수 없는 허탄한 소리를 사행 때마다 돈을 주고 사서는 막중한 어전에 여쭙는 자료로 삼는단 말인가. 내 의견으로는 별단 중에 적당하게 짐작하여 취사를 함이 좋겠다"고 하였다. 서장관 역시 그래야 할 것을 깊이 납득하였다. 그러나 조 역관은 이에 대하여 몹시 변명하려고 애섰다. 그래서 나는 그에게 "그대는 나이가 젊어 사리를 잘 모른다. 우리나라 사대부들은 건성으로 춘추만 떠들어서 왕을 높이며 오랑캐를 물리치려는 공담을 한 지 1백여 년이 되었는데, 중국 인사들인들 어찌 이런 마음이 없을 것인가. 그러므로 연갱요年羹堯·사사정查嗣庭·증정曾靜 같은 따위들이 상서스러운 일을 보고는 재앙이라 하고, 좋은 정치 실적을 악정이라고 모함하여 온 세상을 선동하며 문자로 베껴 전파시켜, 마치 위급한 형세가 조석에 박두한 듯이 조장한다. 우리 역관들은 이러한 허망한 소리에 속아 넘어가 저절로 바보 놀음을 한다. 그리고 세 사신은 오랫동안 깊숙한 여관에 앉아있기 때문에 소일할 거리가 없어 울적해 한다. 그래서 걸핏하면 자네들을 불러 새로운 소문을 묻는데, 이때 너희들은 길에서 주워들은 이야기를 들려주어 (사신들의) 답답한 가슴을 풀어 주곤 했다. 그러면 사신은 아무것도 모르고 수염을 추어올리고 부채를 치면서, 오랑캐 놈들이 무슨 백 년 운수가 있으랴 하고는 바로 강개하게 강 복판에서 노櫓를 치던 생각을 가지고 있으니, 참으로 허망하기 짝이 없는 일이다. 더구나 먼저 보내는 군관이 밤낮 없이 질주할 때에는 절반은 말 등에서 잠과 꿈으로 지내는 형편이니, 혹시 문서를 저들 국경 안에서 떨어뜨린다면 닥쳐올 재변을 또 어떻게 할 것인가"라고 하였다. 서장관은 크게 한바탕 웃었으나, 일변 놀라면서 조 역관에게 무어라 경계하는 모양이다. 그 뒤 추리고 남긴 결과가 어떻게 되었는지는 모르겠다.[10)]

10)『열하일기』「口外異聞」羅約國書條：乾隆四十四年十二月, 羅約國假㺚上書皇帝陛下…臣獨何心, 抑首跪膝於順天之府乎, 雖陛下親率六師之輕銳, 往來於水澤之間, 而相逢於賀蘭山下, 擧鞭問平安, 馬上論天下, 雲沙萬里, 虎跳龍躍, 一雄一雌之秋也, 夫戰無兩勝, 福不雙至, 不如罷兵休戰, 解生靈之疾苦, 弭甲兵之艱難, 臣謹當年年奉貢, 世世稱臣…斯遣大臣多里馬, 祇謁丹墀, 恭暴赤心, 誠切戴天, 感涕徹地, 趙譯達東將修別單, 得此於序班, 夜以示余, 書狀亦來語曰, 俄見羅約國書乎, 天下事大惶恐, 余曰, 天下事姑舍是, 但恐天下元無羅約國, 吾於二十年前, 曾於別單中, 見似此文書, 亦稱黃極㺚子慢書, 先輩圍坐一讀, 深以北方爲憂, 或謂代淸者極也, 今見此書, 似無加減, 序班輩皆江南窶人子, 覊旅無賴, 類作此等危妄語, 以賺我譯, 公費銀兩, 別單雖許, 聞見事件, 皆是道聽塗說, 奈何逐年買謊語, 每行沽僞撰, 以備莫重奏御之資乎, 愚意則別單中合當商量去就, 書狀大以爲然, 趙譯頗分疏, 余謂趙譯曰, 君年少不解事, 我國士大夫, 白地春秋, 空談尊攘, 百有餘年, 中州人士, 亦豈無此心乎, 所以年羹堯查嗣庭

박지원의 사상은 얼핏 보면 일관성이 있는 것 같지만, 대외 인식이란 측면에서 보면 혼란스러운 점이 있다. 조선이 청나라와 맹약을 맺은 이상 그것을 존숭하는 것이 외교적 관례이다. 만약 그렇지 않다면 구체적인 대처 방안을 내놓는 것이 정답이다. 매일 주자학만 외치면 세상이 저절로 굴러들어 오는가.

그러나 그는 미래를 보는 나름대로의 처방을 내 놓았다. 그것이 미래에 닥칠 변동 상황이다. 물론 그 변동의 주인공은 몽골이다. 먼저 그는 열하가 흔들리면 몽골이 맨 처음 준동할 것이라는 예측을 제시했다. 그리고 미래의 주역은 몽골이 될 것이라는 결론도 제시했다. 그것을 보여주는 것이 다음과 같은 기록이다.

> 이제 내가 열하의 지세를 살펴보니, 대체로 천하의 두뇌와 같았다. 황제가 북쪽으로 돌아다니는 것은 다름 아니라 두뇌를 누르고 앉아 몽골의 목구멍을 틀어막자는 것뿐이다. 그렇지 않다면 이미 몽골은 날마다 나와서 요동을 뒤흔들었을 것이다. 요동이 한 번 흔들리면 천하의 왼팔이 끊어지는 것이다. 천하의 왼팔이 끊어지면 하황河湟은 천하의 오른팔이라 혼자서 움직일 수 없을 것이다. 내가 보기에는 티베트의 여러 오랑캐들이 나오기 시작하여 농隴·섬陝을 엿볼 것이다. 우리 동방은 다행히 바다 한쪽에 궁벽되어 있어서 천하일에 상관이 없다 하겠으나, 내 이제 머리털이 희지라 앞일을 가히 보지는 못할 것이로되, 30년을 넘지 않아서 능히 천하의 근심을 걱정할 줄 아는 자가 있다면 응당 나의 오늘 이야기를 다시 생각할 것이다. 그러므로 호胡·적狄 잡종의 일을 위와 같이 기록해 둔다.[11]

曾靜輩, 指祥瑞爲災咎, 誣治績爲疵政, 皷扇四海, 播騰文字, 有若危亡之象, 迫在朝夕, 我譯樂其誕而自愚, 三使久處深館, 鬱鬱無消遣之資, 輒招君輩, 問新所聞, 則摭拾道途, 博暢幽襟, 使臣全不理會, 掀髯拊篴曰, 胡無百年之運, 慨然有中流擊楫之想, 其虛妄甚矣, 又況先來軍官, 晝夜疾馳, 半是馬上睡夢, 或致彼境遺落, 其爲禍患, 當復如何哉, 書狀大笑且大驚, 戒趙譯云云, 未知其後存拔之果如何耳.

11) 『열하일기』 「黃敎問答後識」 : 今吾察熱河之地勢, 蓋天下之腦也, 皇帝之迤北也, 是無他, 壓腦而坐, 扼蒙古之咽喉而已矣, 否者, 蒙古已日出而搖遼東矣, 遼東一搖, 則天下之左臂斷矣,

오늘 천하의 형세를 돌이켜 볼 때, 그 두려운 바는 항상 몽골에 있고 딴 오랑캐에 있지 않다. 그것은 무슨 까닭일까. 몽골의 강하고 사나움은 티베트나 회회국만은 못하나, 전장과 문물이 가히 중원과 서로 대항할 만하기 때문이다. 유독 몽골은 땅이 서로 접하기가 백 리도 못 되는데, 흉노·돌궐부터 거란에 이르기까지 모두 대국의 후예이다. 위율衛律과 중행설中行說이 이미 도망가는 소굴로 삼았고, 더욱이 그 전장과 문물이 아직도 옛날 원나라의 유풍을 가지고 있음에랴. 아울러 군사와 말이 강장한 것은 본래 사막의 본질이다. 따라서 천하의 법도가 한 번 해이해지고 호흡이 잠깐 급해지면, 48부의 몽골왕들이 강한 활을 가지고 장성 밖에서 한갓 토끼나 여우만 좇을 뿐이겠는가. 내가 본 바로는 그들 추장이 이미 저와 같고, 나와 더불어 이야기한 자들 가운데 부재孚齋·앙루仰漏 같은 사람은 모두 문학하는 선비이다. 옛날 유연劉淵이 장성 안에 들어와 살 때에 유주幽州·기주冀州의 명사들은 그를 많이 따라갔다. 유연의 아들 유총劉聰은 경사經史에 해박한데, 어린 시절 경사에 있을 때 그와 사귀지 않는 명사가 없었다. 아! 천하가 한 번 흔들려 풀처럼 요동치고 바람처럼 일어나면, 어찌 유연과 유총의 무리가 그 안에 없을 수 있으리오. 이것은 내가 눈으로 본 것만 해도 몇 명인데, 하물며 내가 보지 못한 자가 얼마나 많은지는 알지 못함이라.[12)]

天下之左臂斷, 而河湟天下之右臂也, 不可以獨運, 則吾所見西番諸戎, 始出而闚隴陝矣, 吾東幸而僻在海隅, 無關天下之事, 而吾今白頭矣, 固未可及見之, 然不出三十年, 有能憂天下之憂者, 當復思吾今日之言也, 故併錄其所見胡狄雜種如右.

12) 『열하일기』「黃敎問答後識」: 顧今天下之勢, 其所畏者, 恒在蒙古, 而不在他胡何也, 其强獷莫如西番回子, 而無典章文物可與中原相抗也, 獨蒙古壤地相接, 不百里而近, 自匈奴突厥, 沿至契丹, 皆大國之餘也, 自衛律中行說已爲逋逃之淵藪, 况其典章文物, 猶存故元之遺風乎, 兼以士馬强壯, 固自沙漠之本俗, 則天下綱維一弛, 呼吸乍急, 其四十八部之玉, 亦安得徒擁控弦, 馳逐兎狐於塞下而已, 吾所見酋長旣如彼, 所與談論者如孚齋仰漏, 皆文學之士也, 昔劉淵之居塞內, 幽冀名士, 多往歸之, 淵之子聰, 博涉經史, 弱冠游京, 名士莫不與交, 噫,天下一搖, 草動風起, 安知淵聰之徒, 不在其中乎, 是吾所目見者適然數人耳, 况乎吾所未得以見者, 未知有幾人哉.

3. 서호수의 몽골 인식

서호수는 정조 시대의 이념을 뒷받침하는 핵심 인물이었다. 그런 인물의 여행기에 놀랍게도 주자학의 그림자가 거의 나타나지 않는다. 그 대신 모두가 금기시하는 코빌라이칸이나 몽골인에 대한 기록이 아주 객관적으로 등장한다. 그의 여행기는 1920년대 수준에 필적하는 몽골의 전문 보고서라고 해도 과언이 아니다. 왜 그는 몽골 역사에 그토록 정통한 인물이었을까. 그러나 그는 주자학에 대해 입을 다문 것처럼, 몽골이 어떠하다는 것에 대해서도 시종 말이 없다. 아마 그의 몽골 인식은 객관적인 입장에서 매우 정밀한 관찰 기록을 남긴 것으로 숨겨진 메시지를 대신한 것일지도 모른다.

서호수의 몽골 인식에 대해서는 사실 이미 앞에서 다 기술했다. 즉 코빌라이칸과 교육사상, 몽골인의 품성이 남방보다 낫다는 점 등등 여기서 특별히 결론 식으로 덧붙일 것이 없다. 이것이 서호수 여행기의 특징이다. 누구도 그의 의도가 무엇인지 알아챌 수가 없도록 만들었다. 예컨대 그는 몽골의 파트너인 만주에 대해서도 다음과 같은 간접 표현을 통해 속내를 드러낼 뿐이다.

> 성영成榮은 만주 사람이다. 유득공은 그의 모습이 선비답고 고상하며 글씨와 서한書翰이 우수한 것을 크게 칭찬하여, 재상의 풍도가 있다고 하였다. 근래 만주의 문학은 도리어 중화보다 낫다. 시랑侍郎 철보鐵保 같은 사람도 그 가운데 한 사람이다.[13]

서호수의 대외인식 즉 몽골인을 보는 눈을 바라보면 마치 고려시대의 인물

13) 『연행기』 「1790년 9월 26일」 조 : 成榮是滿洲人, 而柳盛稱其儀容儒雅, 筆翰優餘, 有宰相風度云, 近來滿洲文學, 反勝於中華, 如鐵侍郎.

들을 보는 것처럼 신선함을 느낀다. 이런 선비가 조선시대에 있었다는 것이 믿어지지가 않을 정도이다. 사실 주자학적인 세계에서 모두가 기피하는 대몽골이나 대원울로스의 이념을 말하기 위해서는 누구도 시비를 걸 수 없는 여행기 스타일로 기술하는 것이 최선의 방도였을지도 모른다.

서호수의 이러한 몽골 인식은 김창업이나 박지원, 홍대용 등 잘 알려진 여행기들에 기록된 주자학적 세계관과 이에 근거한 대외 인식과 비교해 본다면 아주 명료하게 드러날 것이다. 또 그 비교를 통해 그의 여행기에 숨겨진 사상의 파괴력이 보다 명확하게 드러날 것이다. 오늘날 서호수의 저서가 대부분 산실되어 그에 대한 심도 있는 연구가 불가능하다고는 하나, 현존하는 여행기 하나만으로도 그의 사상을 살피는 데 크게 부족함이 없다. 아마 그는 그의 지위나 성격상 자기가 평소 품고 있던 사상을 이 여행기 하나에 집약해 놓았을 가능성이 크다.

서호수의 여행기를 유심히 살펴보면, 주자학의 세계에 살던 그가 주자학적 질서를 거부하면서 융합과 공존이라는 새로운 시대이념을 제시하고 있음이 나타난다. 그런데 그 표현 방식이 매우 교묘하여, 그가 시대의 반란을 꿈꾸는 혁명가라는 사실을 좀처럼 알아채기 힘들다. 왜냐하면 그가 그 반란의 사상을 몽골에 숨겨 나타냈기 때문이다. 따라서 몽골에 대한 전문지식이 없는 사람은 그가 숨긴 메시지를 찾아내기가 불가능하다.

서호수가 주자학의 세계인 조선에 던지고 싶었던 메시지는 여행기 곳곳에 숨어 있다. 그 한 예로 조선시대 선비들이 북경을 방문한 뒤 반드시 방문하여 충절의 금과옥조처럼 받드는 문천상에 대해서 그는 일체의 언급이 없다. 그의 여행기를 조선시대 정예 선비들의 여행기와 비교해 보면, 마치 다른 세계에 살고 있는 사람처럼 상이한 관점으로 정반대의 길을 가고 있는 것처럼 보인다.

그가 주자학의 세계인 조선에서 세계를 보는 열린 시각을 지니게 된 원인은 무엇 때문이었을까. 그것은 아무래도 그의 천문학적 지식에서 연유되었을 가능성이 크다. 또 그를 통해 대몽골의 세계라는 이전의 세계 제국을 만났고, 그 발견을 통해 몽골에 대한 정확한 지식을 스스로 갖추게 되었다고 해석할 수 있다. 이를 간접적으로 입증하는 것이 바로 자기와 비슷한 처지에 있었던 곽수경에 대한 기록이다.

서호수와 곽수경은 여러모로 유사하다. 정조와 코빌라이칸에게 신임을 받은 것도 그러하고, 천문학 등 과학 분야에 종사한 것도 그러하다. 심지어 저술까지 모두 사라져 버린 것도 그러하다. 단지 차이가 있다면 시대와 이념뿐이다. 그러나 그 시대와 이념이 두 사람의 길을 확연하게 갈랐다. 아마 서호수는 같은 길을 가고 있었던 곽수경에게 깊은 관심을 가지고 있는 것처럼 보인다. 그는 곽수경을 통해 그를 알아준 코빌라이칸을 유심히 바라보았을지도 모른다. 서호수의 여행기에 코빌라이칸의 교육관이 특기된 것도 그 때문일 가능성이 높다. 코빌라이칸과 교육부분 기록은 서호수의 숨겨진 이념을 잘 나타내주고 있는 부분이다. 그는 어느 면에서 코빌라이칸과 허형許衡이라는 인물을 통해 조선의 주자학적 이념의 한계를 바라보고 있다는 느낌이 든다.

서호수의 여행기에 기록된 곽수경과 허형이란 인물은 몽골로의 여행을 떠나기 위한 숨겨진 비밀의 문과도 같다. 이 비밀의 문을 통해 몽골로의 여행을 떠나는 순간부터 그의 몽골 인식이 어떠하다는 것이 아름다운 초원의 풍광처럼 서서히 나타난다. 그리고 왜 그가 주자학적 질서를 거부하고 이전 대몽골이 내세웠던 시대이념과 유사한 메시지를 지속적으로 내보내고 있는지 이해할 수 있을 것이다.

| 맺는 말 |

시대의 반란을 꿈꾸며

조선시대의 사람들이 바라본 몽골을 분명히 하기 위해서는 조선 초부터 조선말에 이르는 모든 여행기를 분석해야만 그 구체적인 실상이 드러난다는 것은 말할 필요도 없다. 필자는 지면 관계상 3대 여행기만 분석 대상으로 삼았지만, 각 여행기마다 다소간 언급되어 있는 몽골 관계 기록들이 원대부터 청대에 이르는 몽골 역사의 귀중한 사료라는 점을 절실하게 느꼈다. 즉 조선의 여행기들은 그들의 몽골 인식이야 어쨌든 몽골에 관한 한 많은 자료를 남기고 있다는 점에서 소중한 가치를 지닌다고 볼 수 있다.

필자는 3대 여행기를 분석하면서 서호수의 재발견이라고 해도 좋을 정도로 서호수라는 인물을 눈여겨 바라보았다. 그리고 박지원의 기록과 겹치는 부분이 있을 경우 기록의 정밀성을 세밀히 비교하여 보았다. 그 결과 정확도 면에서 서호수의 기록이 한 수 위라는 것을 알 수 있었다. 이를 통해서도 서호수가 왜 정조의 총애를 한 몸에 받을 수밖에 없는 인재인가를 저절로 알 수 있었다. 그러나 이러한 인물이 왜 조선 역사에서 사라졌던 것일까. 무슨 사연 때문이었을까. 혹시 그가 조선시대의 이념인 주자학을 말없이 거부했기 때문은 아니었을까.

사실 박지원의 몽골 관련 기록은 다양한 분야에 걸쳐 있지만, 라마교 부분을 제외하면 몽골에 대한 자세한 인식은 없다. 그의 라마교 인식도 주자학적 인식을 바탕에 깐 채 전개되고 있기 때문에 그다지 파격적인 언급은 나오지 않고 있다. 몽골을 중심으로 기록된 대외인식 면에서 박지원과 서호수는 서로 비교가 불가능할 만큼 큰 차이가 있었다. 그래도 박지원은 당시의 일반적인 사대부보다는 분명 개혁적 사고를 가진 인물임은 분명하다. 사실 조선시대에서 개혁 사상가라고 알려진 18세기 조선 실학자들의 여행기를 모두 모아 대외인식 기록부분만을 놓고 집중적으로 분석해 볼 경우, 매우 엉성하다는 표현이 어울릴 정도로 절망적이다.

필자는 집필 내내 서호수라는 인물에 대해 묘한 흥분을 느끼면서 감상에 젖었다. 솔직히 조선시대에 그러한 인물이 있었다는 것에 놀라움을 가졌다. 필자는 이 책이 서호수의 재발견을 알리는 신호탄이 되었으면 하는 바람이 간절하다. 그 바람이 현실화되기를 바라며 서호수의 여행기에 나타난 몽골 관계 기록과 몽골 인식을 다음과 같이 정리하면서 결론을 맺고자 한다.

먼저 서호수의 여행기에 나타나는 몽골 관련 부분은 역사, 지리, 부족, 습속, 종교 등 다방면에 걸친 전문적이고도 종합적인 보고서라는 점을 들 수 있다. 18세기 당시 이러한 보고서가 가능했다는 것은 그가 평소 방대한 문헌 지식을 소유한 인물이라는 것을 보여주고 있다. 실제 그는 정조의 야망이 깃든 규장각 운영의 실질적인 주도자이자, 각종 편찬사업을 주관한 인물이었다.

둘째, 그의 여행기를 분석해 볼 때 그가 정조 시대의 이념적 논리를 주도하는 대표적 인물임에도 불구하고, 내면으로는 조선의 시대이념을 거부하는 인물임이 분명하며, 그 거부 형식이 특정 시대와 민족에 대한 방대한 지식이 없으면 도저히 파악하기 힘든 몽골이라는 통로를 통해 나타난다는 점이다. 이러한 점을 감안한다면 사실 그가 짧은 몽골여행을 통해 보고 들은 것을 아주 객관적인 시각에서 세밀하고 체계적으로 분석하고 있다는 것이 그리 놀라운 사실도 아니다.

셋째, 그가 몽골을 주목하게 된 이유와 그로 인해 결국 시대의 배반자가 된 원인은 그가 어린 시절부터 접한 천문학에 기인했다고 보인다. 이러한 사실은 여행기에 두 번 등장하는 곽수경의 사례에서도 그 일단을 파악할 수 있다. 그는 자기와 처지가 비슷했던 곽수경이라는 인물을 통해 코빌라이칸을 만나게 되었으며, 또 그를 통해 대몽골의 열린 사상을 남몰래 목도하게 되었다. 이로 인해 그는 박지원을 위시한 당대의 지식인들과 이념적으로 미묘한 차이를 가지게 되었고, 그 시각의 차이가 바로 여타의 여행기에서는 도저히 찾아보기 힘든 몽골의 과거와 미래에 대한 우호적인 태도로 나타나게 되었다고 볼 수 있다.

넷째, 그가 대몽골이라는 사상적 통로를 통해 조선의 주자학적 시대이념의 모순을 발견하고 또 몽골을 방패막이로 삼아 주자학적 이념과 질서를 통렬하게 비난하며 융합과 공존이라는 새로운 시대이념을 제시하면서도, 정작 현실세계에서는 침묵으로 일관하고 있다는 점이다. 무엇이 그를 침묵하게 했을까는 그의 가계나 그가 살았던 시대를 떠올리면 굳이 설명이 필요 없을 것이다. 실제 그가 살았던 시대는 시대이념의 수호자였던 박지원조차 그의 여행기에 수록된 파격적인 문체나 청나라 태종 황제라는 글자표기 하나만 가지고도 사림이나 정조로부터 공격을 받았던 시절이었다.

시대의 반란을 꿈꾼 서호수의 여행기에는 몽골의 향기가 진하게 흐른다. 그러나 그 향기는 유럽의 『동방견문록』과는 달리, 조선에서 새로운 시대이념 창출의 동력으로 발전하지 못하고 결국 사라져 버렸다. 또 그와 함께 서호수도 잊혀 버렸다. 필자는 서호수의 사상과 운명이 명말청초 몽골의 역사적 행로와 아주 유사하다는 느낌을 받는다.

후금을 건국한 누르하치는 만주의 눈강嫩江 일대에서부터 내외몽골, 신강, 중앙아시아, 청해, 티베트에 걸쳐 크고 작은 세력을 형성하고 있는 몽골부를 떠도는 구름에 비유했다. 그리고 그 구름들이 뭉치면 누구도 막을 수 없는 비가 내린다고 했다. 사실 몽골 측에서 보면 여진의 누르하치 세력은 그다지 강력한 상대는 아니었다. 그러나 누르하치는 조각구름들이 모여 비를 만들기 전인 분열 상태의 몽골부를 각개격파 혹은 연합의 형식으로 순식간에 평정해 나갔다. 몽골이 집단 방어의 능력을 상실하자 곧바로 러시아까지 몽골 영토 침탈공세에 가담할 정도였다.

17세기부터 18세기 중반까지의 몽골 역사는 그들이 지닌 막강한 군사력에도 불구하고 내부 분열이라는 소용돌이에 빠져 세계사의 저편으로 침몰되는 과정과도 같다. 서호수의 여행기 역시 그 속에 숨겨진 새로운 시대이념 창출의 막강한 파괴력에도 불구하고, 주자학이라는 내부 소용돌이에 밀려 떠돌이 구름으로 맴돌다가 결국 이념의 비를 뿌리지 못하고 비운의 메시지만 남긴 채 역사의 저편으로 사라져 갔다. 그러나 역사는 항상 살아 있는 것이다. 과거는 미래의 불빛이듯이, 그의 여행기에 담긴 메시지를 오늘날에 살려내는 것도 역사가들의 임무일 것이다.

【부록】 3대 여행기의 몽골 관계 기록 항목별 도표

1. 최덕중의 연행록에 나오는 몽골 관계 기록

번호	분류	내용	비고
가. 역사 사적			
대원제국(Yeke Yüan Ulus) 시대의 역사 사적			
1	지방의 연혁 소개	요동성遼東城, 계주薊州	2건
2	유물의 연원 소개	구요동舊東城의 비문	1건
3	종교사적	동악묘東岳廟	1건
4	유교 관련 사적	태학太學	1건
5	인물	문천상文天祥	1건
합계	6건		
북원 시대의 역사 사적			
1	지리 관련	구광녕성舊廣寧城 북진北鎭, 몽골 및 여진 방어선	2건
합계	2건		
대청제국 시대의 역사 사적			
1	지리 관련	금주錦州, 청나라 초기의 몽골 방어선	2건
2	전적지	강희제의 칼카Khalkha와 준가르Jegüngar 평정	1건
3	기타	강희제 때의 몽골	1건
합계	4건		
나. 몽골의 지리적 위치 및 지명, 강명			
1	몽골의 지리적 위치	장성 이북은 몽골의 땅, 의무려산醫巫閭山 북쪽은 몽골의 땅, 의무려산醫巫閭山은 몽골과 중원의 경계	3건
합계	3건		
다. 몽골 부족			
1	부족의 수	몽골 부족 몽군蒙軍 48부, 몽골 부족 28부	2건
합계	2건		
라. 몽골 습속			
1	일반 습속	타락차駝酪茶, 씨름, 강희제의 백두산 국경 분계 오보(obuga), 송골매와 진주	4건
2	북경 몽골관	북경 몽골관	1건
합계	5건		
마. 몽골인			
1	몽골인의 외형	몽골인의 외형	1건

2	몽골인의 언어	몽골인의 언어능력	1건
3	몽골인의 교역	산해관 일대에서 몽골인의 무역, 금주錦州 일대의 몽골인 교역 상황	2건
합계	4건		
바. 몽골 동물			
1	낙타	황녀의 낙타	1건
2	말	몽골의 강희제 진상마, 조선 사절단의 몽골 말 구입, 몽골의 말	3건
합계	4건		
사. 청조와 몽골의 정치적 관계			
1	청조의 통치 구조	만몽 연혼정책	1건
2	몽골 사절 및 지위	강희제 때의 몽골 사절, 강희제 때의 몽골 사절단 규모, 몽골 사절단의 유숙 모습, 몽골의 여인 사절	4건
3	만몽 연혼 사례	몽골로 출가한 만주 여인, 몽골로 출가한 강희제의 딸, 몽골로 출가한 만주 공주들	3건
합계	8건		
아. 몽골 팔기八旗와 맹기제도盟旗制度			
1	몽골 팔기	만주팔기와 몽골팔기	1건
2	몽골 관료와 이번원	봉성鳳城의 몽골보경蒙古甫京, 몽골 관료, 관안官案에 기록된 몽골 관료, 육조六曹의 몽골 관료, 이번원理藩院, 국자감國子監·흠천감欽天監의 몽골 관료	6건
합계	7건		
자. 몽골인과 티베트 불교(라마교)			
1	라마교 사원 및 승려	북경의 몽골 라마승, 행단杏壇의 티베트 라마승	2건
2	라마교 인식	청범사淸梵寺에서 만난 라마승과의 교리문답	1건
합계	3건		
총계	48건		

2. 박지원의 열하일기에 나오는 몽골 관계 기록

번호	분류	내용	비고
가. 역사 사적			
대몽골제국(Yeke Monggol Ulus) 시대의 역사 사적			
1	전적지	고북구古北口	1건
2	인물	장춘진인長春眞人 구처기邱處機, 해운대사海雲大師	2건
합계	3건		

대원제국(Yeke Yüan Ulus) 시대의 역사 사적			
1	지방의 연혁 소개	요동성遼東, 열하熱河	2건
2	유물의 연원 소개	원사천자명元史天子名, 역대비歷代碑	2건
3	종교사적	북진묘北鎭廟, 동악묘東嶽廟, 천불사千佛寺, 화덕진군묘火德眞君廟	4건
4	유교 관련 사적	원대 이학理學, 한유韓愈의 사당, 순천부학順天府學, 태학太學, 석고石鼓	5건
5	인물	문천상文天祥	1건
6	대도의 원나라 유적	대도大都, 건덕문建德門과 문 밖의 토성, 경화도瓊華島, 광한전廣寒殿, 옥전玉殿	5건
7	전적지 및 기타	백하白河, 대흥주大興州, 전족의 유래, 고북구, 원대 서역지방의 양배꼽 전설, 원대 의학서, 거용관의 접동새, 문연각文淵閣 총서, 대성악大晟樂	9건
8	원과 고려	원 순제와 고려 사신, 충선왕忠宣王과 만권당萬卷堂, 민충사憫忠寺와 충선왕, 이제현李齊賢, 정가신鄭可臣, 민지閔漬, 이인로李仁老, 몽골 변발, 고려와 위구르, 고려 여인 이궁인李宮人, 경수사대장경비략慶壽寺大藏經碑略	11건
합계	39건		
북원 시대의 역사 사적			
1	지리 관련	고북구의 관문關門	1건
2	전적지	고북구와 나얀보카Nayan-Bukha, 토목보土木堡의 전투와 북경의 토성土城, 고북구와 알탄칸	3건
3	기타	고려사에 적힌 북원의 초기 역사, 왕진王振의 무덤, 구광녕성의 기자箕子 소상塑像	3건
합계	7건		
대청제국 시대의 역사 사적			
1	유물의 연원 소개	갈단칸(1644~1697) 평정비	1건
2	전적지	1641년 8월 송산松山·행산杏山 전투의 몽골군, 티베트를 둘러싼 청조와 준가르의 대결, 몽골과 티베트 : 1720년 강희제의 티베트 점령, 몽골과 티베트 : 금천金川 반란과 건륭제의 토벌	4건
3	기타	1779년 몽골의 소릉하小凌河 마을 공격	1건
합계	6건		
나. 몽골의 지리적 위치 및 지명, 강명			
1	몽골의 지리적 위치	요양성遼陽城의 역사지리적 위치, 심양瀋陽의 역사지리적 위치	2건
2	몽골 지명(산천)	무열하武列河와 난하灤河, 열하에서 북진묘까지 몽골 지역을 통과해 가는 길, 몽골인과 고북구의 통로	3건
합계	5건		

다. 몽골 부족			
1	부족의 수	몽골 48부와 티베트, 몽골 48부와 티베트의 활불活佛	2건
합계	2건		
라. 몽골 습속			
1	유목 생활	몽골 수레와 소	1건
2	일반 습속	버선, 자다Jada, 몽골 모자, 조선 담배의 만주 전파, 북경 천주당天主堂의 몽골 음악, 이탁오李卓吾의 삭발	6건
합계	7건		
마. 몽골인			
1	몽골인의 외형	용모, 형상	2건
2	몽골인의 언어	호동衚衕, 몽골蒙古, 파극집巴克什, 조라치(照羅赤), 합밀왕哈密王의 몽골어 회화 능력	5건
3	몽골인의 성격	몽골인의 품성과 성격	1건
4	몽골 학자 및 관원	경순미敬旬彌, 파로회회도破老回回圖, 망곡립莽鵠立, 박명博明, 박명과 조선인 노이점盧以漸	5건
5	몽골인의 교역	몽골의 무역	1건
합계	14건		
바. 몽골 동물			
1	낙타	낙타의 형상을 전해 듣다. 열하성 달밤의 몽골 낙타, 낙타의 형상, 낙타에 얽힌 전쟁 고사	4건
2	말	열하성熱河城 담장의 말들, 코빌라이칸과 탐라의 몽골 말, 조선의 말과 마부의 관계	3건
3	개	구방狗房의 사냥개	1건
4	양과 염소, 소 및 기타	몽골양, 반양盤羊	2건
합계	10건		
사. 청조와 몽골의 정치적 관계			
1	몽골 사절 및 지위	건륭제 만수절 경하례慶賀禮의 몽골 사절 조회 반열 위치, 몽골 사절과 조선 마두 득룡得龍	2건
2	만몽 연혼 사례	몽골로 출가한 청태종의 딸들	1건
3	피서산장의 의미	1711년 6월 강희제가 피서산장을 세우고 친히 기록 남기다. 열하성熱河城의 안팎 전경, 열하 피서산장避暑山莊의 의미, 승덕부 육청六廳	5건
4	몽골과 관련된 동요	황화요黃花謠	1건
합계	9건		
아. 몽골 팔기八旗와 맹기제도盟旗制度			
1	맹기제도	맹기제도로 인한 분리, 분열 정책의 효과	1건
2	몽골 관료와 이번원	조선 사신단의 선물 품목 가운데 몽골 관료 선물,	2건

		몽골부도통蒙古副都統 숭귀崇貴	
3	기타	학사學舍의 몽골 학생, 역참제(비체법飛遞法), 역참제(숙박)	3건
합계	6건		
자. 몽골인과 티베트 불교(라마교)			
1	라마교 사원 및 승려	심양의 성자사聖慈寺, 심양의 만수사萬壽寺, 심양의 실승사實勝寺, 북경 옹화궁雍和宮의 라마승, 북경의 천불사千佛寺=대륭선호국사大隆善護國寺, 북경의 오탑사五塔寺	6건
2	라마교의 역사와 역대 고승(원나라)	경순미敬旬彌의 증언 : 당나라 때까지의 티베트, 경순미의 증언 : 원나라 때의 티베트와 팍빠, 왕성王晟의 증언 : 팍빠의 출생담, 하다크Khadag의 내력, 왕성의 증언 : 팍빠의 몽골국자 제정, 왕성의 증언 : 청산압마請繖壓魔 의식, 왕성의 증언 : 담파澹巴와 가린진加璘眞, 학성郝成과의 문답 : 그대는 양련진가楊璉眞加를 아는가, 학성과의 문답 : 원·명 시대의 티베트 사절단	9건
3	라마교의 역사와 역대 고승(명나라)	왕성의 증언 : 홍무제와 난파가장복蘭巴珈藏卜, 왕성의 증언 : 영락제와 탑립마嗒立麻, 왕성의 증언 : 티베트 5대 교왕과 조공, 경순미의 증언 : 영락제 시기의 티베트 불교 제파, 왕성의 증언 : 무종武宗의 활불 초빙, 왕성의 증언 : 신종神宗과 쇄란견조鎖蘭堅錯, 경순미의 증언 : 종객파宗喀巴의 황모파, 경순미의 증언 : 종객파宗喀巴의 제자들	8건
4	라마교의 역사와 역대 고승(청나라)	왕성의 증언 : 청나라 때의 청산압마 의식, 경순미의 증언 : 티베트의 종교 사신들, 북경 학자들의 증언 : 라마교에 대한 논의 불가, 학성과의 문답 : 라마교의 지위	4건
5	라마교의 교리	열하에서 돌아오는 길에 나그네에게 물어 들은 라마교 교리, 왕성의 교리 증언 : 활불의 칭호, 왕성의 교리 증언 : 티베트 활불의 계승법, 경순미와의 문답 : 라마교 교리 기술, 학성과의 문답 : 라마란 무슨 뜻이며 누가 되는가, 학성과의 문답 : 판첸라마의 계보, 추사鄒舍와의 문답 : 추사가 경순미의 말에 긍정하다. 파로회회도와의 문답 : 파로회회도의 종교관, 파로회회도와의 문답 : 위구르의 종교와 종교 포용론, 파로회회도와의 문답 : 인과와 윤회, 파로회회도와의 문답 : 법왕과 윤회, 파로회회도와의 문답 : 활불의 길, 윤가전尹嘉銓과의 문답 : 라마교란 무엇인가, 윤가전과의 문답 : 법왕의 전생轉生과 윤회의 차이, 윤가전과의 문답 : 각 종교의 도는 모두 같은 것, 기풍액奇豐額과의 문답 : 판첸라마에 대한 질문과 답변	16건
6	황금 궁전 따실훈뽀	학성과의 문답 : 판첸라마의 티베트 따실훈뽀 사원, 학성과의 문답 : 황금 궁전, 학성과의 문답 : 티베트의 따실훈뽀 사원과 열하의 황금 궁전, 황금 궁전을	14건

		찾아가다. 몽골 숙위병들이 길을 알려주다. 황금 궁전, 황금 궁전의 외경, 황금 궁전의 문을 지키는 몽골 병사, 황금 궁전의 내부 모습, 황금 궁전의 황룡黃龍, 황금 궁전의 조선 종이와 황금, 황금 궁전의 정원, 황금 궁전 라마승의 복식과 형상, 황금 궁전 판첸라마의 보좌寶座 주변	
7	제6세 판첸 에르데니	왕성의 증언 : 제6세 판첸-에르데니의 고향, 왕성의 증언 : 판첸-에르데니Panchen Erdeni의 뜻과 그의 전세轉世, 1779년 황자皇子 영용永瑢이 제6세 판첸-에르데니를 모셔오다, 학성과의 문답 : 황자 영용을 수행한 신하 영귀永貴, 제6세 판첸-에르데니의 열하 도착, 판첸-에르데니의 얼굴, 판첸-에르데니의 인상, 학성의 증언 : 판첸-에르데니의 외국어 능력, 학성의 증언 : 판첸-에르데니의 축수, 왕성의 증언 : 판첸-에르데니의 영력靈力, 학성의 증언 : 판첸-에르데니의 예지력, 학성의 증언 : 판첸-에르데니가 북경으로 오는 도중 행한 신통력의 사례, 학성의 증언 : 판첸-에르데니의 신통력 사례, 판첸-에르데니를 친견할 수 있는 고귀한 사람들, 기풍액의 증언 : 일반 관리는 판첸-에르데니를 볼 수 없다, 학성의 증언 : 판첸-에르데니를 친견할 수 있는 사람들, 청나라 사대부들의 판첸-에르데니 인식	17건
8	건륭제와 제6세 판첸-에르데니의 만남	건륭제가 조선 사신을 어원御苑으로 초대하다, 어원의 정경, 판첸-에르데니의 축수, 건륭제의 도착과 판첸-에르데니의 응대, 판첸-에르데니에 대한 건륭제의 응대, 판첸-에르데니와 건륭제의 대담, 군신들이 판첸-에르데니와 건륭제에게 차를 바치다, 판첸-에르데니와 건륭제의 작별	8건
9	제6세 판첸-에르데니와 조선 사절의 만남	조선 사신의 건륭제 알현, 건륭제와 활쏘기 시연, 조선 사신은 판첸-에르데니를 알현하라, 건륭제가 조선 사신에게 판첸-에르데니 알현을 권고, 조선 사신의 건륭제 요청 거절, 조선 사신에게 황제의 참석 명령이 재차 하달, 조선 사신 내부의 참석 여부 논쟁, 건륭제가 조선 사신의 태도에 불쾌함을 가지다. 건륭제가 조선 사신에게 판첸라마의 알현을 명령, 판첸-에르데니를 만나다, 판첸-에르데니의 좌석, 판첸-에르데니의 모자, 판첸-에르데니의 의복, 판첸-에르데니와 두 몽골왕, 판첸-에르데니와 군기대신의 의복, 조선 사신의 판첸-에르데니 알현, 건륭제의 조서 전달, 판첸-에르데니 알현법, 조선 사신의 판첸라마 알현법 논란, 조선 사신은 판첸-에르데니에게 하다크를 바치고 절을 하라, 조선 사신의 판첸-에르데니 알현 무례, 판첸-에르데니가 조선 사신에게 온 이유를 묻다. 판첸-에르데니의 말을 5중 통역하여 조선 사신에게 전하다, 판첸-에르데니에 대한 조신 사신단의 방자함, 판첸-에르데니 앞에서 행한 무례에 대한 조선 사신단의 자체 논란과 하사품의 처리법 논쟁, 판첸-에르데니의 조선 사신 접견에 대한 예부의	38건

		보고 문건, 조선 사신의 판첸-에르데니 접견에 대한 부분을 예부가 손보다, 조선 사신에게 준 판첸-에르데니의 하사품, 조선 사신에게 준 판첸-에르데니의 하사품 목록, 조선 사신에게 준 판첸-에르데니의 하사품 목록에 대한 예부의 보고문, 판첸-에르데니 하사품의 처리에 대한 조선 사신들의 논쟁과 환관의 염탐, 원나라 및 명나라 때 환관들의 조선어 실력과 하사품 처리건의 미결, 판첸-에르데니가 하사한 동불銅佛 등 하사품의 처리 결정, 판첸-에르데니가 하사한 불상 처리의 논리적 근거, 판첸-에르데니가 하사한 불상 처리법, 기풍액의 질문, 기풍액의 증언, 기풍액의 질문에 대한 박지원의 답변	
10	라마교 인식	박지원의 라마교 교리 인식, 박지원의 라마교 교리 인식 : 라마교 존숭은 세력 분할 때문인가, 박지원의 라마교 교리 인식 : 세력 분할론에 대한 의문과 유학의 붕괴는 파국이다, 박지원의 라마교 정치 인식 : 왜 황제까지 그를 존숭할까, 윤가전의 증언 : 몽골이 라마교를 믿어 주변이 평화롭다, 박지원의 라마교 정치 인식 : 황제와 법왕	6건
6	기타	학성과의 문답 : 보배로운 거울, 학성과의 문답 : 판첸라마의 천자만년수天子萬年樹	2건
합계	128건		
차. 몽골 관련 기타 기록			
1	열하 주점	열하 주점의 정경, 열하 주점에 들어온 몽골인의 옷차림, 열하 주점에 들어온 위구르인의 옷차림, 박지원의 옷차림과 주량 : 술로 몽골과 위구르인의 존경을 받다. 각국의 술 마시는 법과 중국의 주법	5건
2	기타	1776년 고교보高橋堡 조선 사신의 은 분실 사건, 박지원의 몽골 기병 침공 농담, 청나라의 고려주高麗珠, 고려의 꽃 : 조선 모란	4건
합계	9건		
총계	245건		

3. 서호수의 연행기에 나오는 몽골 관계 기록

번호	분류	내용	비고
가. 역사 사적			
대원제국(Yeke Yüan Ulus) 시대의 역사 사적			
1	지방의 연혁 소개	봉황성鳳凰城, 요양遼陽, 심양瀋陽, 의주義州, 영성寧城, 조양현朝陽縣, 승덕부承德府, 난평현灤平縣, 밀운현密雲縣, 고북구古北口, 회유현懷柔縣, 통주通州, 삼하현三河縣, 계주薊州, 옥전현玉田縣, 풍윤현豐潤縣, 노룡현盧龍縣, 무령현撫寧縣, 영원寧遠, 광녕현廣寧縣	20건

2	유물의 연원 소개	청절묘비淸節廟碑	1건
3	종교사적	관제묘關帝廟, 인자보전仁慈寶殿의 전단불상旃檀佛像, 동악묘東嶽廟, 북진묘北鎭廟	4건
4	유교 관련 사적	국자감國子監과 석고石鼓	1건
5	인물	곽수경郭守敬의 통혜하通惠河 운하	1건
6	대도의 원나라 유적	건덕문健德門, 경화도瓊華島	2건
7	전적지 및 기타	코빌라이칸과 교육, 원과 버마, 전녕全寧 전투, 조하천潮河川, 천력지전天曆之戰, 고북구古北口, 합밀哈密과 티베트	7건
합계	36건		
북원 시대의 역사 사적			
1	지리 관련	소흑산小黑山의 삼위三衛 유목지, 태령위泰寧衛와 투메드, 객라심(喀喇沁)과 타안위朶顏衛, 건창현建昌縣, 평천주平泉州, 흥주興州, 고북구의 조하천수어천호소潮河川守禦千戶所	7건
2	전적지	고북구와 알탄칸, 토성관土城關과 에센칸	2건
합계	9건		
대청제국 시대의 역사 사적			
1	지리 관련	의주와 차하르몽골	1건
2	전적지	티베트 몽골 세력의 평정과 자광각紫光閣	1건
3	기타	전국새傳國璽와 대청제국의 성립, 전국새와 마하까라 Maha Kala Burkhan(嗎哈噶喇) 불상	2건
합계	4건		
나. 몽골의 지리적 위치 및 지명, 강명			
1	몽골의 지리적 위치	몽골의 강역, 위가령魏家嶺 북쪽은 몽골의 땅, 각산角山은 초원과 중원의 경계, 청나라 동북 지역 21개의 변문邊門과 개원 서쪽의 몽골 유목지	4건
2	몽골 지명(산천)	투메드의 의마도하衣馬圖河, 투메드의 매달리령邁達里嶺,카라친의 오목륜하敖木倫河, 카라친의 위소도산韋蘇圖山, 투메드의 곤제칠로하崑齊七老河, 투메드의 소파이갈도산蘇巴爾噶圖山, 투메드의 명안하明安河, 투메드 좌익패륵左翼貝勒의 주둔지 해타합산海他哈山, 투메드의 파연화산巴煙花山, 카라친의 파안주이극산巴顏朱爾克山, 카라친의 묘금삽한타라해산卯金揷漢拖羅海山, 카라친의 노합하老哈河, 카라친의 새인아라선온천賽因阿喇善溫泉과 고심하顧沁河, 카라친의 수제하遂濟河	14건
합계	18건		
다. 몽골 부족			
1	부족의 수	청나라 때의 몽골 25부족	1건

2	세부 부족 기록	코르친Khorchin(科爾沁), 잘라이드Jalayid(札賴特), 더르베드Dörbed(杜爾伯特), 코롤라스Khorulas(郭爾羅斯), 아오칸Aukhan(敖漢), 나이만Naiman(奈曼), 옹니고드Ongnigud(翁牛特), 바아린Ba'arin(巴林), 자로드Jarud(扎魯特), 칼카 좌익(Khalkha Jegün gar, 喀爾喀左翼), 아로-코르친Aru-Khorchin(阿祿科爾沁), 케식텐Keshigten(克西克騰), 투메드Tümed(土默特), 카라친Kharachin(喀喇沁), 우주무친Üjümüchin(烏朱穆秦), 아바가Abaga(阿霸垓), 카오치드Kha'uchid(蒿齊忒), 수니드Sünid(蘇尼特), 아바가나르Abaganar(阿霸哈納爾), 더르벤-케우게드Dörben ke'üged(四子部落), 칼카 우익(Khalkha Baragun gar, 喀爾喀右翼), 오라드Urad(吳喇忒), 마오-밍간Mau Minggan(毛明安), 오르도스Ordos(鄂爾多斯), 귀화성-투메드(Köke-Khota Tümed, 歸化城土默特)	25건
3	기타	투메드부와 카라친부 개설, 투메드의 역사와 유목지 및 통치자, 카라친의 역사와 유목지 및 통치자	3건
합계	29건		
라. 몽골 습속			
1	유목 생활	몽골인의 유목생활과 여행 습속	1건
2	일반 습속	유통乳筩, 동물의 젖과 말젖술, 몽골의 황전荒田, 악박鄂博, 혁낭革囊, 시거柴車, 골점骨占, 마간馬竿, 아판兒版, 회간灰簡, 죽필竹筆, 구금口琴, 전경轉經, 몽골 관복, 몽골의 주거, 타락차(酪茶), 피서산장의 씨름, 원명원의 씨름	18건
합계	19건		
마. 몽골인			
1	몽골인 마을	의주義州에서 망중영蟒中營에 이르는 사이의 몽골인 마을, 조양朝陽에서 야불수夜不收에 이르는 사이의 몽골인 마을, 의주에서 조양 일대의 몽골 유목지 거주 풍경과 몽골인들	3건
2	몽골인의 지명	만자령蠻子嶺의 만자촌蠻子村 유래,야불수夜不收, 황토량자黃土粱子와 마권자馬圈子,파극습영巴克什營	4건
3	외국인의 몽골어 능력	오습왕烏什王의 몽골어 능력, 조선 사절단의 만주어·몽골어 실력 부족, 조선 통역관의 만주어·몽골어 실력 배양 필요	3건
4	몽골인의 성격	몽골인의 손님 접대 풍속과 성품, 몽골 사신과 라오스 사신	2건
합계	12건		
바. 청조와 몽골의 정치적 관계			
1	청조의 통치 구조	몽골과 만주의 연합 지배 체제, 몽골 왕공들의 관작과 대우	2건
2	몽골 사절 및 지위	1790년 피서산장에 온 13인의 몽골 왕공, 피서산장의 몽골 사절과 건륭제의 공동 사냥, 피서산장 몽골 사절	16건

		의 조회반열 위치, 유람과 연회에서의 몽골 사절 반열 위치(8월 1일), 몽골 사절의 조회 반열 위치(8월 2일), 유람과 연회에서의 몽골 사절 반열 위치(8월 2일), 몽골 사절의 조회반열 위치 및 호종(8월 9일), 유람과 연회에서의 몽골 사절 반열위치(8월 9일), 유람과 연회에서의 몽골 사절 반열위치(8월 10일), 몽골 사절의 조회반열 위치 및 호종(8월 12일), 몽골 사절의 조회반열 위치 및 호종(8월 13일), 유람과 연회에서의 몽골 사절 반열 위치(8월 13일), 몽골 사절의 조회반열 위치 및 호종(8월 15일), 몽골 사절의 조회반열 위치 및 호종(8월 16일), 유람과 연회에서의 몽골 사절 반열 위치(8월 19일), 유람과 연회에서의 몽골 사절 반열 위치(8월 20일)	
3	피서산장의 의미	강희제 피서산장의 유래와 코빌라이칸의 상도上都, 열하의 지리적 위치, 열하의 지리 연혁과 몽골 지명의 개칭	3건
합계	21건		
사. 몽골 팔기八旗와 맹기제도盟旗制度			
1	맹기제도	몽골족의 다리를 묶은 맹기제도의 효과	1건
2	몽골 팔기	몽골 팔기, 봉황성鳳凰城의 몽골 주둔군, 동경성東京城의 몽골 주둔군, 의주성義州城의 몽골 주둔군, 고북구古北口의 몽골 주둔군, 광녕성廣寧城의 몽골 주둔군	6건
합계	7건		
아. 몽골인과 티베트 불교(라마교)			
1	라마교 사원 및 승려	석인구石人溝의 지장사地藏寺, 망중영의 복녕사福寧寺, 원명원圓明園의 구복성대九福星臺	3건
합계	3건		
총계	158건		

찾아보기